KT-393-256

# LO REIALME OBLIDAT
La Tragèdia Catara

# LE ROYAUME OUBLIÉ
La Tragédie Cathare

# THE FORGOTTEN KINGDOM
The Albigensian Crusade

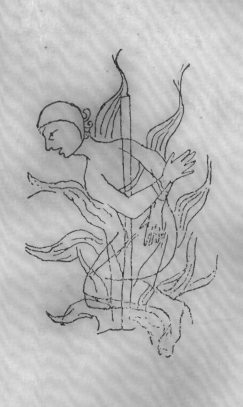

# HOMMAGE AU PAYS D'OC

Au delà des mythes et des légendes, la destruction de la mémoire de cette formidable civilisation qui était celle du *pais d'oc*, devenu alors un véritable **royaume oublié**, la terrible **tragédie des Cathares** ou « bons hommes » et le témoignage qu'ils ont donné de leur foi, méritent tout notre respect et tout notre effort de mémoire historique. Huit siècles ont passé, et le souvenir de cette croisade contre les Albigeois ne s'est pas effacé. Il éveille encore le chagrin et la pitié. C'est pourquoi nous croyons avec François Cheng que « nous avons pour tâche urgente, et permanente, de dévisager ces deux mystères qui constituent les extrémités de l'univers vivant : d'un côté le mal ; et de l'autre la beauté. Ce qui est en jeu n'est rien de moins que la vérité de la destinée humaine, une destinée qui implique les données fondamentales de notre liberté. »

**Montserrat Figueras & Jordi Savall**
"Artistes pour la Paix" de l'UNESCO
Bellaterra, Automne de 2009

# A HOMAGE TO THE LAND OF OC

Leaving myth and legend aside, the destruction of the memory of that remarkable civilisation which was the "land of *Oc*", destined to become a truly **forgotten kingdom**, and the terrible **tragedy of the Cathars** or "Good Men" and their witness to their faith, deserve our unreserved respect and determined effort to preserve their historical memory. Eight centuries have passed, and yet the memory of the crusade against the Albigensians has not been erased. Even today, it evokes sorrow and pity. That is why, in common with François Cheng, we believe that "it is our urgent and permanent task to unveil the two mysteries which constitute the extremes of the living world: on the one hand, evil, and on the other, beauty. For what is at stake is no less than the truth of human destiny, a destiny which involves the very foundations of our freedom."

**Montserrat Figueras & Jordi Savall**
"Artist for the Peace" of UNESCO
Bellaterra, Autumn 2009

# OMENATGE AL PAÍS D'ÒC

Al delà dels mites e de las legendas, la destruccion de la memòria d'aquesta remirabla civilizacion qu'èra la del país d'òc, vengut alavetz un vertadièr **reialme oblidat**, la terribla **tragèdia dels Catars** o « bons òmes » e lo testimoniatge que donèren de sa fe merita tot nòstre respècte e tot nòstre esfòrç de memòria istorica. Uèit sègles passèren e lo sovenir d'aquela crosada contra los Albigeses s'es pas avalit. Espèrta totjorn tristum e pietat. Lo mal absolut es totjorn lo que l'òme infligís a l'òme. Es per açò que cresèm amb François Cheng "qu'avèm per tasca urgenta e permanenta de mirar aquestis dos mistèris que forman las extremitats de l'univèrs viu: d'un costat lo mal; e de l'autre la beutat. Çò qu'es en jòc es pas res de mens que la vertat del destin uman, un destin qu'implica las donadas fondamentalas de nòstra libertat."

**Montserrat Figueras & Jordi Savall**
"Artistas per la Patz" de l'UNESCO
Bellaterra, Tardor de 2009

# HOMENAJE AL PAÍS DE OC

Más allá de los mitos y leyendas, la destrucción de esa formidable civilización que fue la del *país de oc*, convertido entonces en un autentico **reino olvidado**, la terrible **tragedia de los cátaros** o «buenos hombres» y el testimonio que proporcionaron de su fe merecen todo nuestro respeto y todo nuestro esfuerzo de memoria histórica. Han pasado ocho siglos, y el recuerdo de la cruzada contra los albigenses no se ha borrado. Aún despierta pesar y compasión. Por ello, creemos con François Cheng, que «tenemos como tarea urgente y permanente desentrañar esos dos misterios que constituyen los extremos del universo viviente: por un lado, el mal y, por otro, la belleza. Está en juego nada más y nada menos que la verdad del destino humano, un destino que implica elementos fundamentales de nuestra libertad».

**Montserrat Figueras & Jordi Savall**
"Artistas por la Paz" de la UNESCO
Bellaterra, Otoño de 2009

# HOMENATGE AL PAÍS D'OC

Més enllà dels mites i les llegendes, la destrucció de la memòria d'aquesta formidable civilització que va ser la del *País d'Oc*, esdevingut un veritable **regne oblidat**, la terrible **tragèdia dels càtars** o "bons homes" i el testimoni que han llegat de la seva fe mereixen tot el nostre respecte i el nostre esforç de memòria històrica. Han passat vuit segles, però el record d'aquesta croada contra els albigesos no s'ha esborrat. Encara desperta nostàlgia i pena. Per això, creiem com François Cheng que "és la nostra tasca urgent i permanent revelar aquests dos misteris que constitueixen els extrems de l'univers viu: d'una banda, el mal; i de l'altra, la bellesa. El que està en joc no és altra cosa que la veritat del destí humà, un destí que implica els elements fonamentals de la nostra llibertat."

**Montserrat Figueras & Jordi Savall**
"Artistes per la Pau" de la UNESCO
Bellaterra, Tardor de 2009

# HOMMAGE AN DAS LAND DES OC

Jenseits von Mythen und Legenden verdient die zerstörte Erinnerung an diese außergewöhnliche Kultur des *Landes des Oc*, aus dem ein wahrlich **vergessenes Reich** wurde, die furchtbare **Tragödie der Katharer** oder „guten Menschen" und das Zeugnis, das sie von ihrem Glauben ablegten, unseren vollen Respekt und all unsere Anstrengung zu deren Fortbestehen. Acht Jahrhunderte sind verstrichen, und die Erinnerung an diesen Kreuzzug gegen die Albigenser ist nicht verschwommen. Sie weckt immer noch Nostalgie und Mitleid. Daher glauben wir wie François Cheng, „dass es unsere dringende und ständige Aufgabe ist, diese zwei Geheimnisse zu lüften, die die Extreme des lebenden Universums bilden – einerseits das Böse, andererseits die Schönheit. Auf dem Spiel steht nicht weniger als die Wahrheit des menschlichen Schicksals, das die Grundwerte unserer Freiheit anspricht."

**Montserrat Figueras & Jordi Savall**
„Künstler für den Frieden" von der UNESCO
Bellaterra, Herbst 2009

# OMAGGIO AL *PAYS D'OC*

Al di là dei miti e delle leggende, la distruzione della memoria di quella formidabile civiltà che era quella del *Paese d'oc*, diventato quindi un vero **regno dimenticato**, la terribile **tragedia dei catari** o "Buoni Uomini" e la testimonianza che hanno dato della loro fede, meritano tutto il nostro rispetto e tutto il nostro sforzo di memoria storica. Otto secoli sono passati, e il ricordo della crociata contro gli albigesi non si è cancellato! Esso risveglia ancora il dolore e la pietà. È per questo che crediamo, con François Cheng, che "abbiamo per compito urgente, e permanente, di studiare questi due misteri che costituiscono le estremità dell'universo vivente: da un lato il male; dall'altro la bellezza. La posta in gioco è nientemeno che la verità del destino umano, un destino che implica gli elementi fondamentali della nostra libertà".

**Montserrat Figueras & Jordi Savall**
"Artisti per la Pace" dell'UNESCO
Bellaterra, autunno di 2009

# INDEX

Ce projet a été financé avec le soutien de la **Commission européenne**.

Cette publication n'engage que son auteur et la Commission n'est pas responsable de l'usage qui pourrait être fait des informations qui y sont contenues.

## C_RG

CENTRE ROBERT GERHARD
PER A LA PROMOCIÓ I
DIFUSIÓ DEL PATRIMONI
MUSICAL CATALÀ

El **Centre Robert Gerhard** per a la promoció i difusió del patrimoni musical català, ha estat concebut com un centre dedicat a impulsar i desenvolupar diversos projectes editorials, discogràfics i concertístics, i també es proposa d'ajudar a conèixer, reconèixer i prestigiar l'important patrimoni musical que, al llarg de la història, ens ha llegat una quantitat considerable de compositors del principat de Catalunya i d'altres zones de parla catalana.Per al Centre Robert Gerhard constitueix un veritable privilegi el poder participar en la construcció d'aquest valuós projecte de l'Epopeia càtara que tan estretament vinculat resta amb la història de Catalunya.

# Remerciements

**Nous tenons à exprimer notre reconnaissance la plus sincère à toutes les personnes
et institutions dont le soutien et la collaboration ont permis à ce projet d'aboutir :**

**Anne Brenon** et **Antoni Dalmau** *chercheurs et écrivains,*
**Manuel Forcano** *hébraïste et poète,*
*pour leurs travaux historiques essentiels et leur collaboration fondamentale dans la conception
et réalisation de ce projet.*

**Sergi Grau** *historien,*
*pour sa contribution à la recherche de publications et de documentation historique.*

**Michel Roquebert, René Nelli, Friedrich Gennrich, Francesco Zambon, Jordi Ventura, Pilar Jiménez Sánchez,
Martin de Riquer, Higini Anglés, Emmanuel Le Roy Ladurie, Georges Bordonove**
et tous les autres auteurs citésdans la **Bibliographie sommaire**,
*pour leurs publications qui nous on permis de connaître un peu plus l'histoire,
la musique et la vie de ces siècles lointains.*

**Montserrat Figueras, Pascal Bertin, Lluís Vilamajó, Marc Mauillon, Furio Zanasi, Andrew Lawrence-King,**
et tous les chanteurs et musiciens de LA CAPELLA REIAL DE CATALUNYA et d'HESPÈRION XXI
*pour leur formidable contribution a la dimension poétique et musicale de ce projet.*

**Anna Maria Mussons** *Université de Barcelone* et **Gérard Gourian** *Université de Montpellier*
*pour les conseils sur la prononciation de l'occitan*

**Irène Bloc** *pour la mise à disposition de la bibliothèque familiale sur les cathares*

**Aline Cramoix** *pour l'organisation des concerts et mise en place des collaborations*

**Le Departement de Cultura de la Generalitat de Catalunya**
*pour leur soutien a* LA CAPELLA REIAL DE CATALUNYA

**Le Centre Robert Gerhard** *pour leur collaboration à l'enregistrement*

**L'Eurorégion Pyrénées Méditerranée** *pour leur collaboration à l'enregistrement*

**Le Programme Culture de la Commission Européenne**
*pour leur soutien en 2009 aux activités en faveur du Dialogue interculturel
de la Fondation CENTRE INTERNACIONAL DE MÚSICA ANTIGA*

**Museu d'Història de Catalunya** *pour la mise à disposition de la Col·legiata de Cardona*

**Nicolas** et **Christiane d'Andoque** *pour la mise à disposition de l'Abbaye de Fontfroide*

**Agnès Prunés** *pour la mise en place et réalisation du projet éditorial*

**Eduardo Néstor Gómez** *pour la conception et réalisation du projet graphique*

**Dominique et Olivier de Spoelberg** *pour leur cordial accueil durant
les enregistrements a Franc-Waret*

**Sergio Martínez** *pour la préparation du matériel musical*

**Toni Figueras** *pour l'organisation des enregistrements*

**Manuel Mohino** *pour son travail magistral dans la prise de son, les montages et la réalisation des masters*

# LE ROYAUME OUBLIÉ
## La Tragédie Cathare

### 1e PARTIE [CD 1]
### Apparition et Rayonnement du Catharisme - L'Essor de l'Occitanie
ca. 950 – 1204

**I**      **Aux Origines du Catharisme: Orient et Occident : 950-1099**

**950**     **Origines : Les Bogomiles**
1  *Musique Bulgare* – Taksim & Danse                                    5'12
   N. Nedyalkov, D. El Maoumi, D. Psonis, P. Estevan

**1000**    **De l'Orient à l'Europe**
2  *Veri dulcis in tempore* – Anonyme, Codex de 1010                     3'57
   La Capella Reial de Catalunya, Hespèrion XXI

**1022**    **Premiers bûchers d'hérétiques à Orléans et à Turin.**
3  *Plainte Instrumentale I* (Tambours & Duduk)                         1'17
   H. Sarikouyomdjian, P. Estevan, D. Psonis

**1040**    **L'Occitanie accueille les juifs échappés d'Al Andalus.**
4  *Les Trois Principes, alef, mem, shin*                               6'56
   Texte kabbalistique du livre de la Création
   M.Figueras, D. El Maloumi, J. Savall, N. Nedyalkov

**1049**    **Le Concile de Reims condamne les hérétiques.**
5  *Reis Glorios* (Tambours, Cloches, Harpe médiévale)                  1'12
   P. Estevan, D. Psonis, A. Lawrence-King

6  *Payre sant* – Texte récité en occitan                               0'23
   Gérard Gourian

**1054**    **Schisme entre Rome et Constantinople**
7  *En to stavro pares tosa* – Chant Byzantin Anonyme                   3'12
   Marc Mauillon
   La Capella Reial de Catalunya : D. Carnovich, F. Garrigosa, J. Ricart

**1099**  8  **Première Croisade en Terre Sainte. Conquête de la partie sud de
   Jérusalem troupes Occitanes (ou Provençaux selon l'historien
   Raymond d'Agiles, en opposition aux troupes des Français) commandés
   par Raymond de Saint-Gilles, Comte de Toulouse.**
   *Fanfare de Croisade* (instr.)                                       2'11
   Hespèrion XXI

## II L'Essor de l'Occitanie : 1100-1159

**1100**    **9 L'Occitanie miroir chrétien de l'Al Andalous.**
*Taksim & Danse arabo andalouse*
*Mawachah Chamoulo* – Anonyme         4'49
Hespèrion XXI : D. El Maloumi, J. Savall, B. Olavide, P. Hamon,
D. Psonis, P. Estevan

**1111**    **Bûcher du dignitaire Bogomile *Basili* à Constantinople.**
**10** *Plainte Instrumentale II* (Duduk & Kaval)         1'49
H. Sarikouyomdjian, N. Nedyalkov

**1117**    **Le temps des Troubadours et de la « fin amours ».**
**11** *Pos de chantar*, Chanson – Guilhem de Peitieu         6'06
Pascal Bertin, Hespèrion XXI: A.Lawrence-King, B. Olavide,
M. Figueras, J. Savall, H. Sarikouyomdjian, Ch. Tellart, P. Estevan, D. Psonis

**1142**    **Aliénor d'Aquitaine divorce de Louis VII.**
**12** *A chantar m'er de so* – Comtesa Beatritz de Dia         6'52
Montserrat Figueras, Hespèrion XXI : J. Savall, D. El Maloumi, M. Grébil,
P. Hamon, P. Estevan

**1143**    **Lettre d'Evervin de Steinfeld au Père Bernard**
**13** *Epistola ad patrem Bernardum* – texte recité         2'20
René Zosso

**1157**    **Mort de Raimon Bereguer IV. Concile de Reims contre l'hérésie.**
**14** *Mentem meam ledit dolor* – Anonyme         7'02
Lluís Vilamajó, La Capella Reial de Catalunya

# LE ROYAUME OUBLIÉ
## La Tragédie Cathare

### 2ᵉ PARTIE [CD 2]
**La Croisade contre les Albigeois - Invasion de l'Occitanie
1204 – 1228**

# LE ROYAUME OUBLIÉ
## La Tragédie Cathare

### 3ᵉ PARTIE [CD 3]
**Persécution , diaspora et fin du Catharisme**
1229 – 1463

**VI**    **L'Inquisition ; persécution des cathares et élimination du catharisme.
1230-1300**

**11.1229**    **Concile de Toulouse**
**1233**    **Grégoire IX crée l'Inquisition pour mener la répression
contre l'hérésie.**
**1** *Fanfare* (instrumental)    1'20
Hespèrion XXI : G. Ferber *trompette médiévale*, B. Delpierre *chalemie*,
D. Lassalle & E. Hernandis *sacqueboutes*, J. Borràs *bombarde*, P. Estevan *percussion*

**Sirventès contre les faux Clercs (prêtres)**
**2** *Clergue si fan pastor* – Peire Cardenal    5'40
Marc Mauillon, Hespèrion XXI

**1244**    **Révolte, reddition et bûcher (225 cathares) à Montségur**
**3** *Plainte Instrumentale* (Duduk & Kaval)    1'45
Haïg Sarikouyomdjian *duduk*, Nedyalko Nedyalkov *kaval*

**1252**    **Légalisation de la torture avec la bulle *Ad exstirpanda***    3'14
**4** *Ad exstirpanda* – texte récité en latin
René Zosso, cloches, percussions

**Sirventès avec des reproches à Dieu au Dernier Jugement.**
**5** *Un sirventes novel vueil comensar* – Peire Cardenal    4'57
Lluís Vilamajó, Hespèrion XXI

**1268**    **Victoire des Guelfes sur les Gibelins**
**6** *Beliche* (Stampitta)    3'57
Pierre Hamon *flute*, David Mayoral *percussion*

**Sirventès contre les inquisiteurs**
**7** *Del tot vey remaner valor* – Guilhem Montanhagol    6'20
Montserrat Figueras, Hespèrion XXI

**1276**    **Reddition de Sirmione**
**8** Rossi, *Planctus « Lavandose le mane »* (instrumental)    3'13
Jordi Savall *vielle à 5*, Philippe Pierlot *lire à archet*

## CHANTEURS SOLISTES

**Montserrat Figueras**

**Pascal Bertin**
**Lluís Vilamajó**

**Marc Mauillon**
**Furio Zanasi**

## RÉCITANTS

Gérard Gourian  *occitan*

René Zosso  *français* et *latin*

## MUSICIENS INVITÉS

### ARMÉNIE
Haïg Sarikouyomdjian  *ney & duduk*
Gaguik Mouradian  *kamancha*

### TURQUIE
Kudsi Erguner  *ney*
Hakan Güngör  *kanun*
Murat Salim Tokaç  *tanbur*
Yurdal Tokcan  *oud*
Derya Turkan  *Istanbul kemençe*
Fahrettin Yarkin  *percussions*

### BULGARIE
Nedyalko Nedyalkov  *kaval*

### MAROC
Driss El Maloumi  *oud*

Direction

## HESPÈRION XXI

Pierre Hamon *flûtes & ney*
Pedro Memelsdorff *flûtes*
Jordi Savall *rebab, vièle & lire d'archet*
Andrew Lawrence-King *harpe médiévale*
*& psaltérion*
Dimitri Psonis *santur,* Begoña Olavide *psaltérion*
Michaël Grébil *luth médiéval & ceterina*
Montserrat Figueras *cythara*
Sergi Casademunt *viole de gambe tenor*
Philippe Pierlot *dessus & basse de viole*

Guy Ferber *trompette medievale*
Jean-Pierre Canihac, Lluís Sala *cornets à bouquin*
Christophe Tellart *vièle à roue & cornemuse*
Béatrice Delpierre *chalémies & dulcian*
Daniel Lassalle, Jordi Gimenez,
Elies Hernandis *sacqueboutes*
Josep Borràs *bombarde & dulcian*
Pedro Estevan, David Mayoral,
Dimitri Psonis, Marc Clos
*percussions & cloches*

## LA CAPELLA REIAL DE CATALUNYA

Elisabetta Tiso *soprano*
Raphaële Kennedy *soprano*
David Sagastume *contreténor*
Francesc Garrigosa *ténor*

Marco Scavazza *baryton*
Jordi Ricart *baryton*
Yves Bergé *basse*
Daniele Carnovich *basse*

Photo © David Ignaszewski

Jordi Savall

# LE ROYAUME OUBLIÉ
# LA TRAGÉDIE CATHARE

*Le Royaume Oublié* se réfère d'abord au « royaume de Dieu » ou « le royaume des cieux », si cher aux cathares, qui est promis à tous les bons chrétiens depuis la venue du Christ, mais aussi dans notre projet, il nous rappelle l'ancienne civilisation oubliée de l'Occitanie. Cette ancienne « Provincia Narbonensis » terre de vieille civilisation où les Romains ont laissé leur empreinte, et que Dante définit comme « le pais où on parla la langue d'Oc», mérite encore tout juste dix mots, dans le dictionnaire « Le Petit Robert 2 » de 1994, avec la brève explication; *n.f.* **Auxitans Provincia**. *Un des noms des pays de langue d'oc au Moyen Âge*. Comme le signale Manuel Forcano dans son intéressant article *Occitanie ; Miroir de Al Andalus et refuge de Sépharade*, « l'Occitanie fut déjà à partir d'époques très anciennes et jusqu'au Moyen âge, un territoire ouvert à toutes sortes d'influences, une frontière très perméable de populations et d'idées, un délicat creuset où confluent les savoirs, les musiques et les poèmes provenant du sud, de l'Al Andalus sage et sophistiqué, ainsi que du nord, de France et d'Europe, et de l'est, d'Italie et jusqu'aux Balkans et à l'exotique Byzance ». Toutes ces diverses influences en font l'un des centres les plus actifs de la culture romane, un pays d'une intense activité intellectuelle et possédant un degré de tolérance rare, pour l'époque médiévale. Ce n'est pas étrange que *l'amour udri* des arabes ait inspiré la poésie et la *fin'amor* des *trobairitz* et troubadours. Ce n'est pas étrange non plus que la kabbale prenne naissance entre ses communautés juives. Ce n'est donc pas étrange que ses chrétiens proposent et discutent des modèles d'Église différents, celle des *bons homes* ou catharisme et celle du clergé catholique.

Le Catharisme est l'une des plus anciennes et plus importantes croyances chrétiennes, qui se différencie de la doctrine de l'Eglise officielle par sa certitude en l'existence de deux principes coéternels, celui du Bien et celui du Mal. Dès les premiers temps du christianisme, le terme d'*hérésie* (qui vient du grec *hairesis* « opinion particulière ») fut appliqué aux interprétations différentes de celles reconnues par l'Église officielle. Comme le souligne clairement Pilar Jiménez Sanchez, dans son article « Origines et expansion des Catharismes », même si l'on pensa d'abord que ces croyances dissidentes qui apparurent à l'approche de l'an mille, étaient originaires de l'orient (Bulgarie), il est évident qu'elles se développèrent d'une manière tout à fait naturelle à partir des nombreuses controverses théologiques ayant déjà eu cours en Occident dès le IXe siècle. Elles s'installèrent en force dans beaucoup de villes et de villages de l'Occitanie qui avait une façon de vivre très personnelle et qui trouva son épanouissement dans l'art des troubadours. L'extraordinaire richesse musicale et poétique de cette culture « troubadouresque » qui s'étale durant ces XIIe et XIIIe siècles, représente un des moments historiques et musicaux les plus remarquables dans le développement de la civilisation occidentale. Époque riche d'échanges et de transformations créatives, mais pleine aussi de bouleversements et d'intolérance, elle a souffert d'une terrible amnésie historique, dûe en partie à des évènements tragiques liés à la croisade et à la persécution implacable de tous les cathares d'Occitanie. C'est en fin de compte une véritable « Tragédie cathare » que déclenche la terrible Croisade contre les Albigeois.

« Parmi tous les événements, toutes les péripéties politiques qui se sont développées en notre pays (alors le pays d'Oc) au cours du Moyen Âge, un seul suscite aujourd'hui des passions encore violentes : c'est la croisade que le pape Innocent III lança en 1208 contre les hérétiques qui prospéraient dans le Sud du royaume (alors l'Occitanie) et que l'on désignait par le nom d'Albigeois. Si le souvenir de cette entreprise militaire demeure aussi vif après huit siècles, – disait Georges Duby – c'est qu'il touche à deux cordes de notre temps fort sensibles : l'esprit de tolérance et le sentiment national ». Le caractère à la fois religieux et politique marqua cette tragédie commencée par une croisade mais suivie par une véritable guerre de conquête embrasant l'actuel Languedoc et les régions voisines, provoquant une rébellion générale. Catholiques et hérétiques combattant alors au coude à coude, l'Occitanie finalement libérée de l'envahisseur mais exsangue, tomba comme un fruit mûr entre les mains du roi de France. Comme le remarque si bien Georges Bordonove « ce fut une véritable guerre de Sécession – la nôtre – ponctuée de victoires, de défaites, de retournements de situations incroyables, de sièges innombrables, de massacres sans excuse, de pendaisons, de bûchers monstrueux, avec çà et là, des gestes trop rares de générosité. Une résistance qui, pareille au phénix, renaissait inlassablement de ses cendres, jusqu'à l'approche d'un long crépuscule, au terme duquel s'alluma soudain l'autodafé de Montségur. Les derniers Parfaits (prêtres cathares) vécurent dès lors dans la clandestinité, avant d'être capturés un à un et de périr sur les bûchers. Les *faidits* (seigneurs dépossédés) rentrèrent dans le néant. Un nouvel ordre fut instauré, celui des rois de France ».

Ce projet n'aurait pas pu se réaliser sans les nombreux travaux de recherche réalisés par les historiens et chercheurs spécialisés comme Michel Roquebert, auteur de « L'épopée cathare » le grand René Nelli et Georges Bordonove, parmi tant d'autres, et pour la musique et les textes des troubadours les maîtres Friedrich Gennrich, Martin de Riquer et le regretté Francesc Noy qui dès 1976 nous introduisit magistralement, Montserrat Figueras et moi-même, dans le monde des trobairitz durant la préparation de l'enregistrement réalisé pour la collection Réflexe d'EMI Electrola. Plus récemment, c'est surtout grâce aux travaux, conversations, discussions et surtout grâce à l'aide et la disponibilité généreuse et essentielle d'Anne Brenon, Antoni Dalmau, Francesco Zambon, Martín Alvira Cabrer, Pilar Jiménez Sánchez, Manuel Forcano, Sergi Grau et Anna Maria Mussons (pour la prononciation de l'occitan) que ce projet a pu aboutir. C'est pourquoi nous tenons à les remercier tous de tout coeur. Leur profond savoir et leur sensibilité, leurs livres érudits et leurs thèses éclairées ont été et continueront d'être une source inépuisable de réflexion, de connaissance et d'inspiration constante. Grâce à leur travail minutieux et exhaustif, nous pouvons aussi contribuer avec ce petit mais intense tribut au réveil de cette mémoire historique occitane et cathare qui nous est si chère, à travers la beauté et l'émotion de la musique et de la poésie de tous ces *Sirventès*, Chansons, ou Plaintes qui, aujourd'hui encore, nous interpellent avec tant de force et de tendresse. C'est avec éloquence qu'ils soutiennent et soulignent le discours toujours émouvant de quelques-uns des poètes et musiciens les plus remarquables, qui furent les témoins directs (et parfois aussi des victimes indirectes) des événements liés à l'époque dorée de la culture occitane et en même temps à la naissance, au développement et à l'éradication brutale et impitoyable de cette très ancienne croyance chrétienne.

Grâce à la capacité d'improvisation et de fantaisie, grâce à l'effort, la patience et la résistance (ces nuits interminables !) de toute l'équipe de chanteurs, avec Montserrat Figueras, Pascal Bertin, Marc Mauillon, Lluís Vilamajó, Furio Zanasi, Daniele Carnovich et ceux de La Capella Reial de Catalunya, et des instrumentistes, avec Andrew Lawrence-King, Pierre Hamon, Michaël Grébil, Haïg Sarikouyomdjian, Nedyalko Nedyalkov, Driss el Maloumi, Pedro Estevan, Dimitri Psonis, et les autres membres d'Hespèrion XXI, sans oublier les récitants Gérard Gouiran et René Zosso, nous entrerons en profondeur dans cette tragique mais toujours merveilleuse aventure musicale occitane et cathare. En sept grands chapitres, nous passerons, à travers plus de cinq siècles, des origines du catharisme, à l'essor de l'Occitanie, de l'expansion du catharisme à l'affrontement de la croisade contre les Albigeois et à l'instauration de l'inquisition, de la persécution des cathares à l'élimination du catharisme, de la Diaspora vers l'Italie, la Catalogne et la Castille à la fin des Cathares orientaux avec la prise de Constantinople et de la Bosnie par les troupes ottomanes. Les nombreuses et souvent extraordinaires sources historiques, documentaires, musicales, littéraires nous permettent d'illustrer les principaux moments de cette histoire émouvante et tragique. Les textes bouleversants ou très critiques des troubadours et des chroniqueurs de l'époque seront notre fil conducteur et spécialement l'extraordinaire « Chanson de la croisade Albigeoise » en forme de chanson de geste, avec près de 10.000 vers, conservée dans un seul manuscrit complet à la Bibliothèque Nationale de France. Ce manuscrit qui avait appartenu à Mazarin était devenu au XVIIIe siècle la propriété d'un conseiller de Louis XV. C'est chez lui qu'un des premiers médiévistes, La Curne de Sainte-Palaye, en fit une copie afin de pouvoir l'étudier et de la faire connaître.

Les principaux textes à chanter que nous avons sélectionnés, a part les quatre fragments de la « Chanson de la Croisade albigeoise », l'ont d'abord été pour l'intérêt du poème et de la musique puis spécialement pour leur relation avec les différents moments historiques. Il faut citer le « premier » troubadour, Guilhem de Peitieu, et la « première » *trobairitz*, Condesa de Dia, et bien sûr les autres merveilleux troubadours comme Pèire Vidal, Raimon de Miraval, Guilhem Augier Novella, Pèire Cardenal, Guilhem Montanhagol et Guilhem Figueira. Pour les chansons sans musique, nous avons utilisé le procédé de l'emprunt de mélodies d'autres auteurs comme Bernat de Ventadorn, Guiraut de Borneilh, et d'autres auteurs anonymes, ce procédé étant une coutume très répandue dans la poésie médiévale, ce que l'on ignore parfois aujourd'hui. Sur les 2542 œuvres des troubadours qui nous sont parvenues, 514 sont certainement, et 70 autres probablement, des imitations ou des parodies. Entre les 236 mélodies conservées des 43 troubadours qui nous sont connus, il n'y a qu'une seule *A chantar m'er de so q'ieu no voldria,* qui soit d'une *trobairitz,* la mystérieuse Condesa de Dia.

Pour les textes plus anciens et plus modernes, nous avons choisi ceux des manuscrits de ces différentes époques ayant aussi une relation très directe avec les moments historiques importants ; comme le Planctus *Mentem meam* pour la mort de Raimon Berenguer IV, ou la *Lamentatio Sancta Eclesia Matris Constantinopolitanæ* de Guillaume Dufay. Etant donnée l'importance de l'Apocalypse de Saint Jean, deux moments sont particulièrement essentiels : la merveilleuse *Sybille Occitane* d'un troubadour anonyme, réalisée dans le style d'improvisation que nous croyons approprié à ce chant si dramatique et le plus conventuel, *Audi pontus, audi tellus* basée sur une citation de l'Apocalypse selon l'Evangile Cathare du Pseudo-Jean (V.4). Deux des autres problèmes majeurs dans l'illustration musicale de cette grande tragédie étaient d'abord d'imaginer comment illustrer les célébrations et les rituels cathares et aussi de quelle manière symboliser musicalement les terribles et nombreux bûchers d'hérétiques présumés qu'on ne pouvait pas ignorer ni oublier. Pour le rituel cathare la base est la récitation de tous les textes en occitan et une très ancienne forme de plain chant pour les textes en latin. Tandis que pour les références aux bûchers, il nous a semblé plus touchant et plus dramatique de mélanger la fragilité des improvisations faites par les instruments à vent d'origine oriental comme le *duduk* et le *kaval,* symbolisant l'esprit des victimes, en opposition et en contraste avec la présence menaçante et très angoissante des roulements de tambours, qui en ces époques étaient, le plus souvent, l'accompagnement obligé des exécutions publiques. Après la fin des derniers Cathares d'Occitanie, nous nous rappelons aussi d'une terrible exécution, celle de Jeanne La Pucelle morte à 19 ans par le feu des inquisiteurs implacables.

La terrible amnésie des hommes est certainement l'une des principales causes de leur incapacité à apprendre de l'histoire. L'invasion de l'Occitanie et spécialement le massacre du 22 juillet 1209 des 20.000 habitants de Béziers, sous prétexte de la présence des 230 hérétiques, que le conseil de la ville refuse de livrer aux troupes des croisés, nous rappelle dramatiquement les équivalents dans les temps modernes, avec le début de la guerre civile espagnole en 1936, par l'armée de Franco, avec l'excuse du péril communiste et la division de l'Espagne, les invasions en 1939 de la Tchécoslovaquie avec l'excuse des Sudètes, ou de la Pologne avec la question de Dantzig, par les troupes allemandes d'Hitler. Plus récemment nous avons les guerres du Vietnam (1958-1975), de l'Afghanistan (2001) en réaction aux attentats du 11 septembre et de l'Irak (2003) avec l'excuse des armes de destruction massive. De même que dans les lois établies par le Pape Innocent IV dans sa bulle sur la torture *Ad Exstirpanda* de 1252, il y a déjà toutes les méthodes d'accusation, sans défense possible, – qui sont aujourd'hui encore en vigueur à Guantanamo – et autorise la torture afin d'extirper aux hérétiques toutes leurs informations, comme c'est le cas dans d'autres pays aux régimes dictatoriaux ou peu scrupuleux sur les droits des accusés. On punissait aussi les accusés d'hérésie et sans jugement, en détruisant leur maison et jusqu'au fondements, procédé qu'il est aussi utilisée aujourd'hui contre les maisons des terroristes palestiniens. Le mal absolu est toujours, celui que l'homme inflige à l'homme. C'est pourquoi nous croyons avec François Cheng que « nous avons pour tâche urgente, et permanente, de dévisager ces deux mystères qui constituent les extrémités de l'univers vivant : d'un côté le mal ; et de l'autre la beauté. Ce qui est en jeu n'est rien de moins que la vérité de la destinée humaine, une destinée qui implique les données fondamentales de notre liberté. »

Huit siècles ont passé, et le souvenir de cette croisade contre les Albigeois ne s'est pas effacé. Il éveille encore le chagrin et la pitié. Au delà des mythes et des légendes, la destruction de la mémoire de cette formidable civilisation qui était celle du *pais d'oc*, devenu alors un véritable **royaume oublié**, la terrible **tragédie des Cathares** ou « bons hommes » et le témoignage qu'ils ont donné de leur foi, méritent tout notre respect et tout notre effort de mémoire historique.

**JORDI SAVALL**
Bellaterra, 3 octobre 2009

# Origines et expansion
# des catharismes

Généralement connue sous le nom de catharisme, cette dissidence chrétienne apparaît dans l'Occident médiéval au XIIe siècle. Ses adeptes sont appelés différemment selon les régions de la Chrétienté où ils se sont implantés : cathares et manichéens en Allemagne, patarins et cathares en Italie, piphles en Flandres, bougres en Bourgogne et Champagne, albigeois dans le Midi de la France. Eux-mêmes se désignent comme bons hommes/bonnes femmes ou bons chrétiens/bonnes chrétiennes et sont partout repérés par leur critique virulente contre l'Eglise catholique et sa hiérarchie, considérée indigne pour avoir trahi les idéaux du Christ et des apôtres.

Inspirés du modèle des premières églises chrétiennes, les bons hommes se considèrent comme les vrais chrétiens car ils pratiquent le baptême spirituel, baptême du Christ par imposition des mains qu'ils appellent *consolamentum*. A leurs yeux, ce baptême est le seul à porter la consolation, salut par le Saint Esprit que Jésus fit descendre sur ses disciples pour Pentecôte. Autour de ce sacrement et de la pratique rigoureuse de l'ascèse, ces dissidents vont bâtir leur conception d'Eglise et des sacrements, contestant l'efficacité des sacrements catholiques (baptême d'eau, eucharistie, mariage). Imprégnés de la spiritualité monastique dominant les siècles précédents et du mépris du monde qu'elle véhiculait, ils poussent aussi à l'extrême certains passages du *Nouveau Testament* où est affirmée l'existence de deux mondes opposés, un bon et spirituel et l'autre mauvais et matériel, ce monde-ci. Ce dernier est sous l'emprise du diable, « prince de ce monde » comme il est appelé dans l'Evangile de Jean. Pour les cathares donc ce monde-ci est l'œuvre du diable, Dieu étant uniquement responsable de la création spirituelle. Car, d'après l'interprétation cathare de la prophétie d'Isaïe (14, 13-14), Lucifer, créature divine, pécha d'abord d'orgueil en voulant s'égaler à Dieu, qui l'expulsa de son royaume. Devenant le diable, il fabriqua les tuniques de peau, les corps de chair des hommes dans lesquels il emprisonna les anges, créatures divines tombées du ciel avec lui. C'est alors qu'il fit ce monde visible à partir des éléments primordiaux créés par Dieu (terre, eau, air, feu), seule entité capable de créer. Pour annoncer aux anges déchus le moyen de revenir au « royaume oublié », celui du Père, Dieu envoya son Fils, Jésus. Adoptant une chair simulée, Il vint libérer les âmes (anges déchus) de leurs « tuniques d'oubli » (corps), en apportant le salut par l'imposition des mains ou *consolamentum,* qui permettra enfin leur retour au royaume divin.

Il est permis de penser que la conception cathare du mal, des origines du mal, ainsi que du péché, est issue des débats controversés faisant s'affronter les théologiens latins depuis les temps carolingiens, au IXe siècle. C'est alors que les premières disputes surgissent autour des sacrements tels que le baptême et l'eucharistie. Au cours du Xe siècle, la question du mal, du péché commis par le diable puis les origines de celui-ci, ainsi que les questions de l'humanité ou de l'incarnation du Fils de Dieu et celle de l'égalité des personnes de la Trinité se posent dans les cercles savants de l'Occident médiéval. C'est donc à l'intérieur de ces milieux scolastiques et participant au processus de rationalisation et de formulation doctrinale, en cours dans la Chrétienté occidentale depuis le milieu du IXe siècle, que doit s'envisager la naissance de la dissidence cathare dans les premières décennies du XIIe siècle. Nourrie du mouvement de réforme dite « grégorienne » mené par la Papauté tout au long du XIe siècle, la dissidence cathare surgit parmi d'autres mouvements de contestation reprochant à la Papauté d'avoir détourné les idéaux réformateurs. Elle parvient à s'implanter de manière plus ou moins durable dans différentes régions de l'Occident, tels l'Empire (Allemagne et Belgique actuelle), dans les villes de Cologne, Bonn et Liège, mais aussi dans les principautés du nord du royaume de France, en Champagne, Bourgogne et Flandre puis dans le Sud de la Chrétienté, en Italie et dans le Midi de la France. Les nombreux témoignages révèlent une diversité des formes ou modèles de la dissidence selon les espaces, diversité attestée autant en matière de doctrine que d'organisation de ses membres et des pratiques liturgiques. Elle justifie l'usage du pluriel « catharismes » que nous proposons et oblige à réfléchir à l'identité des « hérétiques » dénoncés depuis les premières décennies du XIIe siècle.

Certes, les premiers témoignages provenant des terres d'Empire entre 1140 et 1160 ne permettent pas de reconnaître la dissidence, tout au moins sous la forme sous laquelle elle est attestée ensuite dans le Midi de la France ou en Italie, territoires où elle parvient à s'implanter plus durablement. Dans les milieux urbains des espaces septentrionaux, aux premiers temps de l'application de la réforme romaine, apparaissent dans ce contexte de crise religieuse, mais aussi de grande effervescence intellectuelle, des écoles d'enseignement qui ont pu jouer le rôle de laboratoires de la dissidence religieuse. La prompte organisation de la répression et le triomphe de la politique romaine pendant la deuxième moitié du XIIe siècle expliquent la difficulté rencontrée par la dissidence pour faire son lit dans ces territoires.

Au cours de la période suivante, vers 1160-1170, ce sont les espaces méridionaux, principalement le Languedoc et l'Italie du Nord et centrale qui favorisent l'implantation des dissidents qui, comme ceux des régions septentrionales, sont en rupture avec la politique romaine. La situation de calme relatif dont profitent les dissidents dans ces régions va leur permettre d'évoluer, autant du point de vue de leur organisation que de leurs croyances et pratiques liturgiques. On peut aussi noter que, comme dans les milieux urbains de la zone d'Empire et du nord du Royaume de France au milieu du XIIe siècle, nous avons affaire, au début du XIIIe siècle et dans l'espace italien, à des écoles d'enseignement différent et divergeant entre elles au sujet de questions telles que les origines de la création, du mal, de l'homme, du salut et de l'au-delà. Ces écoles vont ainsi participer à la réflexion médiévale autour de ces questions fondamentales débattues dans l'Occident de l'époque, proposant des réponses dont la plus radicale sera formulée autour de 1230 par Jean de Lugio. Maître de l'école de Desenzano, située dans le nord de l'Italie, il est l'auteur d'un traité ou *Livre de deux principes*, où il affirme l'existence de deux principes opposés et éternels, un du Bien, l'autre du Mal, chacun à l'origine des deux créations, la spirituelle et la visible.

Parmi les réponses issues du processus de rationalisation mené par les dissidents cathares à l'intérieur de leurs écoles, le dualisme de principes opposés n'est ni majoritaire ni importé de l'Orient comme l'affirmait l'opinion traditionnelle remontant au Moyen Age. Elaborée par les clercs catholiques puis les inquisiteurs au XIIe et XIIIe siècle, la filiation manichéenne et les origines bogomiles-orientales de l'« hérésie » cathare résultent d'une construction remontant à plus de 800 ans. Si des contacts et des échanges entre les milieux dissidents orientaux (bogomiles) et occidentaux (cathares) sont attestés par la documentation des XIIe et XIIIe siècles, ces échanges ne prouvent pas la dépendance, longtemps supposée, d'un mouvement par rapport à l'autre. Surtout à travers leurs échanges textuels, les contacts entre communautés bogomiles et cathares ont pu nourrir le processus de rationalisation entrepris par nos dissidents. Ils témoignaient d'ailleurs de la reconnaissance mutuelle de ces mouvements chrétiens dissidents et de la lutte qu'ils menaient respectivement contre leur propre Eglise : les bogomiles contre l'Eglise orientale ou byzantine, les cathares contre l'Eglise occidentale ou catholique.

**PILAR JIMENEZ SANCHEZ**
Docteur en Histoire et chercheur associé du laboratoire CNRS-UMR 5136 FRAMESPA,
Université de Toulouse-Le Mirail.

# Occitanie : miroir de Al Andalus
# et refuge de Sefarad

*Je me contente de désirs*
*et de l'espoir du désespéré.*

**Jamil ibn Ma'amar (VIIIe siècle)**

## Occitanie, miroir de Al Andalus

L'Occitanie, ce territoire ample et généreux que Dante définissait comme « les terres où l'on parle la langue d'oc » appartient à l'ancienne Province Narbonensis romaine qui comprenait ce qui par la suite serait le comté de Toulouse, le comté de Foix, tout le Languedoc, le Comtat Venaissin avec Avignon, et aux deux extrêmes de ces régions, l'Aquitaine et la Provence. Après la croisade française de Simon de Montfort contre les cathares, au XIIIe siècle, l'Occitanie devait demeurer sous la domination politique du roi de France et devenir ce que l'on appelle aujourd'hui le Midi de la France. Avant l'implantation de ce pouvoir imposé par la force depuis le Nord, l'Occitanie était une mosaïque de territoires féodaux dépendant dans leur majorité de la couronne catalano-aragonaise ; mais en conséquence de la défaite en 1213 du roi Pierre le Catholique face à Simon de Montfort à Muret, les villes de Toulouse, Carcassonne, Nîmes, Béziers, Narbonne et tout le Languedoc passèrent aux mains des Français, quoique Montpellier, telle une île, devait rester catalane jusqu'en 1349. Le comté de Provence, sous tutelle jusque-là des comtes de Barcelone, deviendrait vassal français mais ne serait pas annexé à la France avant 1481, à la mort du comte Renato, un seigneur pondéré.

Avant l'arrivée destructrice des croisés envoyés par le pape Innocent III, l'Occitanie se distinguait comme un territoire ouvert à tous les types d'influences, comme une frontière perméable aux populations et aux idées, comme un creuset où convergeaient savoirs, musiques et poèmes. Ces convergences étaient en provenance tant du sud – du sage et sophistiqué Al Andalus – que du nord – de France et d'Europe – ou de l'est – Italie, Balkans et même de l'exotique Byzance –. C'est ainsi que l'Occitanie, héritière de la culture latine, ouverte et orientée vers la Méditerranée, au seuil de la Péninsule ibérique se trouvant sous une claire influence arabe, va se convertir à partir du IXe siècle en un centre parmi les plus actifs de la culture romane. Cette apogée culturelle est en partie une conséquence du contact direct de l'Occitanie avec l'intense activité intellectuelle qui s'était développée au tout début du Moyen Age dans Al Andalus.

En 711, une fois détruite l'autorité wisigothe en ruine, la Péninsule ibérique devint une partie de l'empire islamique qui s'étendait de la Perse et de la Mésopotamie jusqu'à l'Occident, à la Cantabrique et aux Pyrénées. Al Andalus était né et à partir de ce moment, les contacts avec l'Orient, malgré la distance, devinrent plus fréquents et plus faciles. Grâce au commerce, aux pèlerinages en terre sainte et aux voyages d'étude à Damas, Alexandrie ou Bagdad, la culture orientale pénétra dans la Péninsule ibérique et ne tarda pas à trouver un terrain fertile où planter de vigoureuses racines. A partir du Xe siècle, Al Andalus passa d'une phase réceptive à une phase créatrice et exportatrice de culture. L'héritage du savoir classique des Grecs, traduit du syriaque ou du grec en arabe arriva jusqu'à la Péninsule et provoqua un éveil scientifique et philosophique extraordinaire. Avant l'an 1000, le nombre de traductions grecques connues à partir de leurs versions en arabe dépassait celui des livres grecs connus à l'époque dans leur version latine. La langue occitane, parmi les émulations de ce réveil culturel et scientifique, fut l'une des premières à se substituer au latin dans de nombreux actes, documents, œuvres littéraires et scientifiques, telles les premières grammaires, les célèbres *Leys d'amors*. Les XIe, XIIe et

XIIIe siècles ont été l'époque de la plus grande effervescence et de la grandeur de la culture occitane. Grâce à une culture raffinée, produit du parfait ajustement des influences occidentales et orientales, la langue d'oc écrite devint le modèle pour un type concret de littérature que l'on connaît aujourd'hui comme *trovaresca* ou *littérature courtoise*, celle que composaient et chantaient les troubadours, centrée sur *l'amour courtois* et qui s'inspira, reflet du miroir de Al Andalus, du concept poético-philosophique de l'*amour udri* des arabes.

L'amour *udri* de la poésie arabe exprime un amour chaste, un amour « pur » qui fait à la fois jouir et souffrir l'amant devant la personne aimée, car tout en la désirant, il ne prétend pas la posséder ni établir un quelconque contact sexuel avec elle. Les membres de la tribu arabe des Banu Udra (IXe siècle) furent les premiers à pratiquer ce type d'amour. Ils essayaient de perpétuer le désir et renonçaient à tout contact physique avec les personnes aimées. Leur poésie parlait d'un amour qui n'était autre qu'un secret douloureux qui ne devait pas se corrompre par un quelconque contact mais devait être servi avec ferveur et dévotion jusqu'au point de se laisser mourir. Le poète se déclarait vassal de l'être aimé et en restait absolument le subordonné. Les deux poètes arabes les plus célèbres pour leurs compositions d'amour *udri* furent **Jamil ibn Ma'amar** (m. 710), totalement consacré à son aimée Butaina, et **Qays ibn al-Mulawwah** (VIIIe siècle) qui devint fou pour Laila son aimée, mariée à un autre homme, ce pourquoi il reçut le nom de *Majnun,* c'est-à-dire le Fou. Mais en fait, celui qui se livra à la réflexion et la théorisation sur ce type de relation amoureuse fut le philosophe, théologien, historien, conteur et poète **Ibn Hazm de Cordoba** (994-1064). Son œuvre la plus connue, *Tawq al-hamama (le collier de la colombe),* est un traité sur la nature de l'amour, écrit à Xátiva en 1023, où l'auteur réfléchit profondément sur l'essence du sentiment amoureux et inclut une série de poèmes subtils et élégants de thématique amoureuse.

L'Occitanie, miroir de Al Andalus, recueillit cette formulation de l'amour et donna naissance à l'amour courtois, une conception également platonique et mystique de l'amour que l'on peut décrire à partir de nombreux points communs avec l'amour *udri* de la poésie arabe : totale soumission de l'amant à la dame (par transposition directe des relations féodales où le vassal se soumet à son seigneur). La femme aimée se maintient à distance et c'est ce qui lui fait mériter tous les éloges, outre qu'elle réunit toutes les perfections physiques et morales. L'état amoureux, par transposition de l'imaginaire religieux est une espèce d'état de grâce qui anoblit celui qui l'éprouve. Les amants sont toujours de condition aristocratique ; l'amant conçoit l'amour comme un chemin ascensionnel de progression des états de l'amour qui vont du suppliant ou *fenhedor* jusqu'à son comble le *drutz,* ou état de parfait amant. Seulement après avoir atteint ce degré amoureux, pouvait-on aspirer parfois à un couronnement de faveur charnelle ; mais comme dans ce cas, la relation devient adultère, l'amant cache le nom de l'aimée par un pseudonyme ou *senhal.* La théorie de l'amour courtois des troubadours occitans, reflet de ce type d'amour cultivé dans la poésie arabe, exerça une énorme influence sur la littérature occidentale postérieure ; spécialement sur des personnalités comme **Dante** (1265-1324) avec sa Béatrice idéalisée et **Pétrarque** (1304-1374) avec Laura son adorée, mais aussi dans la littérature catalane, comme le démontre la poésie amoureuse du dernier des grands troubadours catalans, le Valencien **Ausiàs March** (1400-1459) .

Le passage de ce concept d'amour en provenance du monde arabe et sa traduction en modèle littéraire appliqué avec succès en terres chrétiennes, est une preuve claire de la perméabilité de la frontière pyrénéenne et de l'idiosyncrasie propre à la nation occitane. C'est là que confluèrent toutes sortes d'influences et où s'instaurèrent des modèles de comportement social ayant très peu de précédents durant le Moyen Age, comme ce fut le cas de l'ouverture intellectuelle et de la tolérance religieuse. Ces facteurs intrinsèques à l'Occitanie expliquent peut-être que le comte **Raymond IV de Toulouse,** lors de sa participation à la première croisade en terre sainte, et plus concrètement à l'assaut final du siège de

Jérusalem le 15 juillet 1099, ait agi avec correction et tact face à l'autorité musulmane qui défendait la ville contre les croisés. Devant la chute imminente de Jérusalem aux mains des croisés, **Iftijar ad-Dawla**, le gouverneur fatimide de la ville négocia sa reddition avec diplomatie et esprit chevaleresque et Raymond de Toulouse autorisa ce chef arabe et sa suite à abandonner la ville sans être exécutés, comme il était arrivé à la totalité de la population musulmane et juive de Jérusalem aux mains des soldats d'autres chevaliers chrétiens qui assassinaient tout ce qu'ils trouvaient sur leur passage. Le chroniqueur Raimundo de Agiles, qui accompagna le comte de Toulouse dans ses aventures guerrières en Palestine, consigna par écrit les faits de la prise de Jérusalem durant la première croisade dans son *Historia francorum qui ceperunt Hierusalem,* où il fait clairement la différence entre les Provençaux et les « Francigeni », les premiers étant les soldats occitans et les seconds les autres croisés du nord de la France et d'Allemagne. L'historien arabe Ibn al-Athir (1160-1233) relate la capitulation et la survie d'Iftijar et de sa troupe arabe, mentionnant les croisés comme « les Francs », mais en distinguant entre un groupe et l'autre en parlant des Français et des Allemands comme « les autres Francs » et reconnaissant les mérites chevaleresques des Occitans : « les Francs accordèrent d'épargner leurs vies et, respectant leur parole, les laissèrent partir la nuit vers Ascalon, où ils s'établirent. Au contraire à la mosquée de al-Aqsa, les autres Francs assassinèrent plus de dix mille personnes ». L'attitude tolérante et respectueuse de Raymond de Toulouse envers les musulmans fut durement critiquée par ses contemporains, comme en témoignent toutes les autres chroniques qui racontent la brutale et sanguinaire geste croisée.

## L'Occitanie, refuge de Sefarad

La force qui irradiait la culture andalouse provoqua aussi dans la Péninsule l'impressionnante éclosion des lettres judaïques. Les juifs de Al Andalus devinrent un élément clé du processus de transmission du savoir de racine grecque – alors en possession des arabes – à l'Europe médiévale, et ils devaient devenir le lien entre le monde islamique et le monde chrétien dans des institutions aussi célèbres que la fameuse école de traducteurs de Tolède, où ils traduisaient en latin et en hébreu les nombreux textes qui antérieurement avaient été traduits en arabe depuis le grec ou le syriaque. Abreuvés de culture arabe, les juifs décidèrent aussi de se consacrer à des domaines comme la linguistique, la rhétorique et la poésie, puis ils passèrent à cultiver encore d'autres disciplines comme les sciences et la philosophie, redonnant vie ainsi à l'hébreu comme langue d'expression littéraire et scientifique. Dans Al Andalus, plus que nulle part ailleurs en Orient ou en Occident, les juifs furent les disciples des Arabes.

Cependant l'invasion de la Péninsule ibérique par les Almohades dans les années quarante du XIIe siècle, signa la fin de ce que l'on a appelé l'Âge d'Or de la culture juive de Al Andalus. Conséquence du peu de tolérance de ces Almohades à l'égard des religions non musulmanes, de nombreux juifs fuirent vers l'Afrique du nord ou vers les royaumes chrétiens de Castille, d'Aragon, de Catalogne et leurs états vassaux d'Occitanie. Les communautés juives catalanes et occitanes accueillirent alors des familles entières parlant l'arabe et possédant une grande culture : philosophie, science, histoire, littérature, grammaire et d'autres disciplines inconnues des autres juifs non arabophones, qui se consacraient jusque-là aux études traditionnelles des Ecritures et du Talmud. La rencontre de ces deux mondes provoqua un large processus d'échanges et de transmissions, car les nouveaux venus souhaitaient partager avec leurs amphitryons les richesses de leur ample culture, et ceux qui les accueillirent montrèrent de l'intérêt pour toutes ces matières et de la disposition pour acquérir ces nouveaux savoirs. Désireuse d'apprendre, une partie de l'élite intellectuelle du moment se regroupa en confréries dans divers lieux afin de se consacrer, outre leurs études religieuses, à l'étude des sciences profanes (surtout la philosophie), qui pour les fugitifs de Al Andalus étaient essentielles et indispensables pour comprendre pleinement les fondements de la religion. Avec l'objectif d'étendre leurs horizons intellectuels, en ces lieux (parmi lesquels s'illustra en Languedoc la ville de Lunel, proche de

Montpellier) certains érudits juifs se décidèrent à traduire en hébreu des œuvres à caractère religieux et scientifique écrites par d'autres savants juifs en arabe.

Une partie considérable de ces traductions dans le domaine philosophique comme dans le domaine scientifique se doit à une famille juive occitane qui fit de la traduction un métier transmis de père en fils : ce sont les célèbres Tibonidas. Le plus célèbre de cette saga de traducteurs fut **Samuel ibn Tibon** (1150-1230), grâce à sa traduction de l'arabe en hébreu du *Guide des égarés,* la fameuse œuvre du grand philosophe et juriste juif **Maïmonide** (1135-1204). Maïmonide y essaie de dissiper l'incertitude apparue dans les esprits des savants juifs qui se consacraient à la logique, aux mathématiques, aux sciences naturelles ou à la métaphysique et n'arrivaient pas à concilier la Torah avec les principes de la raison humaine. L'objectif du *Guide* était d'éliminer la confusion et la perplexité à partir d'une interprétation figurative et allégorique de certains textes bibliques. Loin d'éclaircir la voie, la méthode de Maïmonide pour interpréter la foi juive provoqua une explosion d'une polémique philosophique qui secoua la vie intellectuelle médiévale des communautés juives durant tous les XIIe et XIVe siècles, spécialement en Catalogne et en Occitanie. La controverse provoquée par Maïmonide eut des effets et des conséquences très graves et imprévisibles, telle la division interne virtuelle de la communauté en deux bandes séparées et opposées dans les domaines sociaux et politiques. Les anti-maïmonidiens, attaquèrent sans ambages l'intellectualisme de Maïmonide, le considérant comme une infiltration éhontée de la culture grecque qui passait ainsi impunément le seuil sacré des foyers et des écoles juives, mettant en danger leur foi traditionnelle. Pour cette raison, les talmudistes conservateurs n'hésitèrent pas à hausser le ton contre nombre de ces théories, les prenant purement et simplement pour des hérésies.

De concert avec le courant talmudique traditionnel, opposé au mouvement rationaliste des maïmonidiens, le judaïsme occitano-catalan du XIIIe siècle a développé en même temps une série de tendances ésotériques, théosophiques et mystiques : ce fut la **Kabbale.** Née de l'interpénétration d'anciens courants gnostiques juifs et d'idées du monde philosophique d'inspiration néoplatonicienne, la Kabbale se confondit facilement avec un mouvement anti-rationaliste, car les adeptes de Maïmonide semblaient donner priorité à la raison sur la foi. Pour les kabbalistes, en revanche, les méthodes de la froide logique aristotélicienne n'étaient pas valables pour exprimer le monde de sensations et d'émotions de leurs impulsions religieuses de caractère mystique. A l'inverse des adeptes de la tendance rationaliste qui cherchaient à atteindre la connaissance de Dieu à travers l'examen et la contemplation des phénomènes naturels, le mysticisme kabbalistique essayait d'y parvenir à partir des noms et des pouvoirs de la divinité qui se découvraient dans les dix sphères *sefirot,* l'alphabet hébreu et les chiffres représentés aussi par les lettres.

Les théories ésotérico-théosophiques de la Kabbale surgirent en terres occitanes et tournèrent principalement autour des contenus des mystères de divers courants d'idée et de deux œuvres capitales : le *Livre de la création* et le *Livre de la clarté.* Le premier traité est un ancien essai théorique de cosmologie et de cosmogonie écrit entre les IIIe et IVe siècles en Palestine et qui se présente comme un texte méditatif et énigmatique uniquement destiné aux initiés, où l'on aborde les émanations divines ou *sefirot,* le pouvoir des lettres de l'alphabet hébreu et leur correspondance astrologique. Il insiste beaucoup sur le pouvoir et le sens de trois lettres de l'alphabet : *aleph, mem* et *shin*, qui représentent respectivement, la terre, l'eau et le ciel, les éléments du monde matériel, ou bien les trois températures de l'année : le chaud, le froid et le tiède, ou encore les trois parties du corps humain : tête, torse et abdomen. Le *Livre de la création* fut très étudié par les kabbalistes occitans et catalans dont sont conservés bon nombre de commentaires. Le *Livre de la clarté,* en revanche, est plus tardif et sa rédaction serait plutôt située d'abord en Allemagne et en Occitanie à partir de l'année 1176. C'est un traité qui renferme de nombreux éléments gnostiques, il aborde aussi les dix *sefirot,* analyse à fond les premiers versets de la Genèse ainsi que les aspects mystiques de l'alphabet hébreu, les 32 chemins de sagesse signalés par les lettres et il aborde également la théorie de la transmigration ou *guilgoul*. Ces deux œuvres forment le corpus principal dans lequel se plongèrent les premiers kabbalistes pour donner forme à leurs doctrines et leurs principes à partir desquels déchiffrer le sens occulte du texte biblique et tenter la communion avec Dieu par la méditation sur les *sefirot* et les essences célestes.

Selon certaines sources rabbiniques, autour de 1200, le prophète Elie révéla à un groupe de maîtres et de rabbins occitans – quand l'Occitanie se trouvait sous la tutelle politique des comtes de Barcelone – les secrets et les enseignements ésotériques que nous connaissons sous le nom de Kabbale, c'est-à-dire littéralement « tradition ». Elie les révéla au rabbin **David Narboni,** puis à son fils le rabbin **Abraham ben David de Posquières,** ainsi qu'au fils de celui-ci le célèbre rabbin **Isaac ben Abraham,** plus connu sous le nom d'**Isaac l'Aveugle** (m.1235) et appelé le « père de la kabbale », non parce qu'elle était née à proprement parler avec lui, mais parce qu'il fut l'un des plus brillants à la formuler. Les idées théosophiques de ces rabbins de la ville de Narbonne ne tardèrent pas à arriver à Gérone, grâce à **Asher ben David,** neveu d'Isaac l'Aveugle et elles trouvèrent en cette ville le cadre adéquat pour se développer et se modeler avec leurs caractéristiques propres en Catalogne et plus tard en territoire castillan où surgirait le troisième des grands précis kabbalistes médiévaux : le célèbre livre du *Zohar*.

On a beaucoup spéculé sur la coïncidence temporelle et géographique de l'apparition de la Kabbale en Occitanie au moment où ce territoire vivait l'implantation du catharisme. Comme le fait remarquer le grand spécialiste de la Kabbale, Gershom Scholem, les kabbalistes occitans purent revitaliser certaines idées de l'ancien gnosticisme juif, conservées jusqu'alors de façon voilée. Mais il semble plus logique de croire que, étant donnée l'expansion des idées et des croyances cathares à travers toute l'Occitanie, certaines de leurs approches (le dualisme, la théorie des réincarnations, la discipline religieuse des adeptes, le désir d'échapper à ce monde visible et naturel pour connaître et pénétrer les sphères célestes et l'essence de la divinité) contribuèrent à dessiner le corpus doctrinal de la kabbale. Nous ne devons pas oublier que les cathares prêchaient contre la corruption du clergé, contre ses privilèges sociaux et contre les dogmes de l'Eglise catholique ; et qu'ils entretenaient donc une attitude de belligérance contre Rome. Cette opposition frontale contre l'Eglise réveilla certainement sympathie et solidarité parmi les juifs ; et quoique les cathares considéraient que la révélation du Nouveau Testament annulait complètement celle de l'Ancien Testament et la Torah, leur antisémitisme métaphysique ne les empêcha pas d'établir activement des relations avec eux et d'échanger toutes sortes d'idées avec les communautés juives, adversaires aussi du catholicisme qui les accusait et les persécutait sans trêve. Dans son *Adversus albigenses,* le polémiste catholique français du XIIIe siècle, Luc de Tuy, reprocha aux cathares leurs intenses relations avec les juifs. Par ailleurs, il semble impossible de croire qu'ils ne se connaissaient pas les uns les autres et que les juifs ne savaient rien de la profonde agitation religieuse et politique que les cathares provoquèrent en Occitanie, avec la diffusion de leur credo et la brutale croisade que le pape Innocent III puis le roi Philippe Auguste de France organisèrent pour les réduire au silence. Dans tous les cas, il est évident qu'il il y a de nombreux points de contact entre le catharisme et les idées de la Kabbale juive. Cependant, la grande différence réside en ce que, tandis que les croisés et les inquisiteurs catholiques en finirent complètement avec le catharisme, le judaïsme résista, malgré un harcèlement similaire durant tout le Moyen Age. C'est en particulier le cas de la Kabbale, réduite à un cercle fermé et minoritaire d'adeptes qui n'essayèrent pas de propager leur croyance mais respectèrent au pied de la lettre la phrase du Talmud qui dit : « Si la parole est d'argent, le silence est d'or ».

**MANUEL FORCANO**

Docteur en Philologie Sémitique de l'Université de Barcelone

Traduction: Irène Bloc

# Les cathares dans la société occitane
# (XIIe-XIIIe siècle)

En pays d'oc, durant plusieurs générations, avant les grandes répression et normalisation du XIIIe siècle, les cathares ne furent pas des hérétiques. Ils n'étaient que des religieux qui, aux yeux du peuple chrétien, suivaient de façon exemplaire la voie des apôtres et détenaient le plus grand pouvoir de sauver les âmes. L'hérésie n'est pas un état objectif, c'est un jugement de valeur, déjà une condamnation, qui émane d'un pouvoir normatif où le religieux se combine avec le politique. En pays d'oc, ni les comtes et seigneurs, ni même les prélats et desservants locaux, ne se faisaient convenablement les courroies de transmission de l'accusation d'hérésie que la papauté romaine formulait à l'encontre des cathares. Le mot « cathare » lui même n'était pas pratiqué ici. Il est probable que la plupart des cathares occitans ne surent jamais qu'ils étaient des « cathares ». Eux-mêmes ne se nommaient que chrétiens, leurs croyants les appelaient respectueusement bons chrétiens et bonnes chrétiennes, ou bons hommes et bonnes femmes. Ils étaient des religieux qui suivaient un rite chrétien archaïque, celui du salut par le baptême de l'Esprit et l'imposition des mains, et prêchaient l'Evangile selon un mode d'exégèse où les vieilles aspirations gnostiques au Royaume de Dieu qui n'est pas de ce monde – *le royaume oublié* –, se mêlaient aux plus modernes critiques des cultes superstitieux de l'Eglise romaine, pour une espérance de salut universel qui emportait les adhésions. Bien souvent, au cœur des bourgades occitanes, curés et desservants les considéraient comme des frères et des sœurs, tandis que dames et seigneurs écoutaient avec ferveur leurs prédications.

Ils appartenaient pourtant à une mouvance religieuse dissidente, mise au ban de la chrétienté par la papauté grégorienne, et que l'Histoire aujourd'hui reconnaît un peu partout dans l'Europe des XIIe et XIIIe siècle, à la lueur des dossiers de sa répression, c'est-à-dire, généralement, des bûchers. Sous les divers noms d'accusation inventés par les autorités religieuses – cathares, patarins, publicains, manichéens, ariens, piphles, bougres, albigeois etc. – la parenté de la plupart de ces groupes condamnés pour hérésie ressort de la communauté de leur mode d'organisation religieuse en Eglises épiscopales, revendiquant l'authentique filiation des apôtres, de leurs conceptions spiritualistes de la personne du Christ et de leur exégèse biblique de caractère dualiste, ainsi et surtout que de l'unité de leur rituel. C'est cette large nébuleuse, discernable dans le monde latin de Flandres et de Rhénanie, en passant par la Champagne et la Bourgogne, jusqu'en Italie, en Bosnie et en pays d'oc, qu'on qualifiera ici, par commodité, de « cathare ».

Parmi ces communautés chrétiennes dissidentes, celles des bons hommes de l'Europe méridionale, italiens et surtout occitans, sont les mieux connues. Bénéficiant de conditions de paix, à la différence de leurs sœurs septentrionales qui restent clandestines et ne sont documentées qu'en négatif, elles ont fait souche dans la société. On a conservé d'elles plusieurs livres manuscrits originaux, trois rituels et deux traités, en latin et en occitan, qui éclairent leur être religieux. La systématique répression qui à travers tout le XIIIe siècle sera mise en œuvre à leur encontre – croisade contre les albigeois, conquête royale française des comtés occitans, puis Inquisition – est elle même génératrice d'une importante masse documentaire, chroniques et surtout archives judiciaires, qui ouvrent littéralement au quotidien le vécu d'une société *hérétique*. C'est donc à un voyage gratifiant dans l'Occitanie cathare que nous sommes conviés.

## Les Eglises cathares occitanes

« En ce temps là, les hérétiques tenaient publiquement leurs maisons dans le *castrum*... ». Les registres de l'Inquisition, qui livrent des souvenirs pouvant dater du tout début du XIIIe siècle, donc antérieurement à la répression, rendent vie à des nuées de bons hommes et bonnes femmes, dont les maisons communautaires s'ouvrent au sein des villages fortifiés des seigneuries vassales de Toulouse, de Foix, d'Albi ou de Carcassonne. Dans ces bourgades actives et populeuses, comme Fanjeaux, Laurac, Cabaret, Le Mas Saintes Puelles, Puylaurens, Lautrec, Caraman, Lanta, Mirepoix, Rabastens etc., les lignages aristocratiques sont les premiers à s'engouer pour leur prédication ; on voit des comtesses de Foix se faire bonnes femmes. Un ordre religieux chrétien est en place, indépendant du pape de Rome. Entre Languedoc, Agenais et Pyrénées, cinq Eglises ou évêchés cathares sont ainsi publiquement installées, sous l'autorité de véritables hiérarchies épiscopales. De fait, cette structuration des communautés autour d'évêques ordonnés, à l'image des premières Eglises chrétiennes, est l'un des principaux caractères identitaires de l'hérésie dite cathare, qui se dit la vraie Eglise du Christ et des apôtres. Les rituels des bons hommes occitans l'appellent *Ordenament de sancta Gleisa* : ordre de sainte Eglise. L'existence d'évêques dissidents apparaît dans les sources avant même le milieu du XIIe siècle, et d'abord en Rhénanie, dans l'archevêché de Cologne et l'évêché de Liège.

Les évêques cathares italiens et occitans ne sont attestés qu'à la génération suivante, même si des communautés dissidentes sont visibles dans les bourgades entre Albi et Toulouse dès 1145 ; un évêque des bons hommes en Albigeois est cité en 1165. En 1167, à Saint Félix en Lauragais, à la jonction du comté de Toulouse et des vicomtés d'Albi et Carcassonne, quatre Eglises cathares méridionales, manifestement en plein dynamisme, s'assemblent en concile, avec leurs évêques ou conseils d'Eglise et leurs communautés d'hommes et de femmes ; il s'agit des Eglises de Toulousain, d'Albigeois, de Carcassès et sans doute d'Agenais, ou un évêché cathare sera effectivement attesté au XIIIe siècle, bien que le texte porte « d'Aranais », c'est-à-dire du Val d'Aran. Elles y reçoivent des délégations des Eglises sœurs des Français (Champagne, Bourgogne) et de Lombardie, sous la présidence d'un dignitaire bogomile, sans doute évêque de Constantinople, nommé Nicétas. Il ne faut pas voir dans ce personnage un pape ou anti-pape des hérétiques. Au contraire, ce qu'il prêche à toutes ces Eglises latines des bons hommes, c'est de vivre entre elles de façon fraternelle mais autonome. On verra ainsi les quatre Eglises occitanes délimitées selon le ressort géographique de véritables évêchés.

Les Eglises rhénanes, absentes de l'assemblée de Saint-Félix, semblent avoir été assez vite ruinées par une intense répression, qui fait brûler leurs évêques successifs dans les années 1160. L'Eglise de Lombardie se démultipliera avant la fin du XIIe siècle en six évêchés particuliers, bénéficiant, dans les cités italiennes, de l'appui durable des gibelins, partisans de l'empereur, contre les guelfes, partisans du pape – et de l'Inquisition. Constamment persécutée, l'Eglise des Français parviendra à survivre, dans l'exil italien, jusqu'à la fin du XIIIe siècle. Mais vers 1200, pour fuir les bûchers de Bourgogne, deux chanoines de Nevers, par ailleurs dignitaires cathares, se réfugient auprès de leurs frères de l'Eglise de Carcassès. Alors que, sous la pression de la papauté et de l'ordre cistercien, l'Europe chrétienne s'arme contre l'hérésie, les grandes principautés occitanes, comtés de Toulouse et de Foix, vicomtés Trencavel de Carcassonne, Béziers, Albi et Limoux figurent, pour les dissidents, une terre de refuge ; leurs Eglises y bénéficient d'une implantation quasi institutionnelle, dont l'irruption de la « croisade contre les Albigeois », à partir de 1209, malgré ses grands bûchers collectifs, ne parvient pas à enrayer le dynamisme. Aux quatre Eglises dressées au XIIe siècle, s'ajoute ainsi, vers 1225, une cinquième, celle de Razès. Ce n'est qu'après la main mise royale française sur Carcassonne et Albi, et la soumission du comte de Toulouse, à partir de 1229, que les Eglises cathares seront contraintes à passer dans la clandestinité – d'où, peu à peu laminées par l'Inquisition, et malgré la résistance héroïque de leurs croyants sur près d'un siècle de persécution, elles ne ressortiront jamais.

# Un christianisme de proximité

Pourquoi en pays d'oc mieux qu'ailleurs ? Pourquoi cinq évêchés des Bons Hommes implantés entre Agenais, Quercy, les Pyrénées et la mer ? Les raisons, pour autant qu'on les discerne, en sont multiples, d'ordre culturel, sociétal autant que politique ; la structure des Eglises cathares, souples, ouvertes, autonomes, s'adaptait bien au cadre des seigneuries occitanes, moins strictement hiérarchisées que le modèle féodal franc, mais tenues par un groupe aristocratique bourgeonnant et pluriel. Les dépositions devant l'Inquisition indiquent que, le plus souvent, dès la fin du XIIe siècle, c'était cette même caste nobiliaire, dames en tête, qui montrait l'exemple de l'engagement dans la foi et dans les rangs de l'ordre des *bons chrétiens*. Un exemple suivi avec zèle par les bourgeois et artisans du bourg seigneurial, le *castrum*, et par la population paysanne du plat pays. Par ailleurs, la force de résistance opposée par de larges pans du clergé méridional aux normalisations de la Réforme grégorienne, laissait manifestement libre cours à des formes chrétiennes tout à la fois archaïsantes et critiques. Les cathares n'étaient pas des étrangers au village, mais des familiers auxquels rattachaient tous les liens de communauté et d'affection.

Les archives de l'Inquisition permettent d'explorer, rétroactivement, les rouages intimes de cette société chrétienne presque ordinaire, populeuse en ses bourgades fortifiées. Pour ces villageois médiévaux, les communautés de bons hommes et bonnes femmes qui vivaient parmi eux et à qui ils faisaient leurs dévotions, étaient simplement « de bons chrétiens et de bonnes chrétiennes, qui avaient le plus grand pouvoir de sauver les âmes ». Seul alors parlait d'*hérétiques* ou de *cathares*, de passage, tel légat ou abbé cistercien envoyé de Rome. Il arrivait même assez fréquemment que le curé de la paroisse fréquente fraternellement ces religieux dédaigneux du pape, dont la plupart étaient originaires des familles du lieu. Bon nombre de lignages nobles répartissaient leurs fils et filles en surnombre entre les deux Eglises. Le meilleur exemple de l'œcuménisme chrétien de cette société est sans doute celui qu'offre, en 1208, l'évêque catholique de Carcassonne, Bernat Raimond de Roquefort. Représentant d'un grand lignage aristocratique de la Montagne Noire qui résistera longtemps à la conquête française, ce prélat a pour mère une bonne femme, et pour frères trois bons hommes, dont l'un, Arnaut Raimond de Durfort, mourra en 1244 sur le bûcher de Montségur. Seule l'installation d'une répression systématisée obligera chacun à choisir son camp, au sein du village, au sein de la famille. Les registres de l'Inquisition constituent à cet égard le tragique rapport de l'éclatement des solidarités de toute une société.

Du temps de la « paix cathare », dans le cadre des seigneuries occitanes, religieux et religieuses cathares, loin de s'isoler en vie contemplative dans des monastères coupés du monde, vivent au cœur du peuple chrétien. Ils préfigurent ainsi, avec au moins une génération d'avance, la pratique du « couvent à la ville » qui fera le succès des ordres mendiants, dominicains et franciscains. Ces bons hommes et bonnes femmes, au contact permanent de la population des bourgades, leurs « croyants » et « croyantes », forment l'échelon de base du système ecclésiastique cathare. Ils constituent des communautés religieuses au sens propre, menant une vie consacrée « à Dieu et à l'Evangile », cumulant toutefois les caractères d'un clergé régulier et séculier. Comme des moines et moniales, tous ont fait vœu de pauvreté, chasteté et obéissance, et mènent en stricte ascèse monastique leur vie communautaire, suivant la règle des Préceptes de l'Evangile, ou « voie de justice et de vérité des apôtres ». Ils ont renoncé au péché : mensonge, tromperie, meurtre même animal, convoitise matérielle ou charnelle ; chaque mois, un diacre de leur Eglise vient leur conférer la coulpe collective de l'*aparelhament*. Les communautés cathares se distinguent cependant des communautés monastiques traditionnelles sur deux points essentiels. Tout d'abord, leur effectif est majoritairement composé, non de vierges consacrés, mais de personnes socialisées, ayant déjà un « vécu » : veufs, veuves ou couples se séparant en fin de vie pour faire leur bonne fin et sauver leur âme. Enfin, à la différence des grands monastères catholiques, et même des couvents des Mendiants, leurs maisons communautaires ne connaissent pas de clôture. Bons hommes et bonnes femmes en sortent librement, restent présents à leur famille, participent à la vie du bourg.

Ces maisons religieuses remplissent une fonction sociale importante. Nombreuses dans les ruelles des *castra* – cinquante maisons, dit on, à Mirepoix, cent à Villemur – elles constituent visiblement de petits établissements, ne regroupant pour la plupart qu'une dizaine de bons hommes, sous l'autorité d'un Ancien, ou de bonnes femmes, dirigées par une prieure. Les religieux y mènent leur vie communautaire, disant leurs prières rituelles et observant leurs abstinences (régime maigre toute l'année, rythmé par trois carêmes, et un jour sur deux au pain et à l'eau). Mais ils le font sous les yeux du peuple chrétien du bourg. Comme ils sont astreints au travail apostolique et pratiquent des métiers, leurs maisons ont souvent l'allure d'ateliers d'artisanat. Ce sont aussi des hospices avant la lettre, car ils y tiennent table ouverte, y reçoivent malades et nécessiteux. Certaines maisons sont davantage vouées à l'enseignement des novices, parfois font office d'école. Les religieux y reçoivent aussi visiteurs et croyants, voisins, amis et parents pour qui, comme des clercs séculiers, ils, et même elles, prêchent la Parole de Dieu. Sans se couper de leurs proches ni de leur société, ils prêchent d'exemple, par leur fidélité au modèle des apôtres et au message évangélique. Inlassablement, ils admonestent au Bien, ouvrant à tous la *Entendensa del Be* : l'entendement du Bien.

Cette prédication intensive au peuple chrétien, fondée sur des traductions des Ecritures en langue romane, fait la force de l'Eglise dissidente. Du temps du libre culte, si les communautés religieuses se consacrent plutôt à mettre en pratique l'Evangile, la hiérarchie épiscopale se réserve la fonction sacerdotale proprement dite ; ce sont en général les évêques et les diacres qui prêchent solennellement sur l'Evangile des dimanches et fêtes religieuses – Noël, la Passion, Pâques, Pentecôte etc. Ce sont eux qui ordonnent les novices, et même consolent les mourants. Ce n'est qu'en l'absence de l'évêque ou d'un diacre que bons hommes et même bonnes femmes confèrent le sacrement du Salut. Ce sera fréquemment le cas, le temps de la clandestinité venu. Comme de simples bons hommes, les évêques cathares vivent en maison communautaire, au gré des bourgades de leur ressort. L'évêque de Toulousain siège souvent à St Paul Cap de Joux, ou à Lavaur ; celui de Carcassès à Cabaret ; celui d'Albigeois à Lombers – jusqu'à ce que la répression inquisitoriale, à partir de 1233, n'oblige les évêques de Toulousain, de Razès et peut-être d'Agenais à se replier dans le *castrum* insoumis de Montségur, et celui d'Albigeois à Hautpoul. Ils sont cependant de très grands personnages, qu'on voit intervenir jusqu'au sein de la caste seigneuriale, notamment pour un rôle d'arbitrage et de justice de paix – leur ordre chrétien récusant la justice humaine et la condamnation à mort.

Les pratiques de l'Eglise, à la fois simples et empreintes de sacralité, à l'exemple du grand rituel du *consolament*, témoignent d'un état archaïque des liturgies chrétiennes. Toutes sont collectives et publiques. Lors des cérémonies, s'échange le baiser de paix ; à leur table, au début de chaque repas et en mémoire de la Cène, bons hommes et bonnes femmes bénissent et partagent le pain – symbole de la parole de Dieu à répandre entre les hommes. Cette communion sans transsubstantiation – le pain reste pain, ne devient pas chair du Christ – s'inscrit dans la tradition du repas fraternel des premières communautés chrétiennes. Elle est l'un des rites qui relient les croyants à leur Eglise, l'un des signes qui marquent leur foi de devenir eux aussi, tôt ou tard, de bons chrétiens et de sauver leur âme. Ce même espoir, les croyants l'expriment aussi par le *melhorier* – ou geste qui rend meilleur – triple demande de bénédiction par laquelle ils saluent bons hommes et bonnes femmes de rencontre.

## Une société hérétique ?

Cette réalité d'Eglise bien présente au quotidien des bourgades occitanes – puis au désert des caches de la clandestinité – les registres de l'Inquisition nous permettent d'en apprécier la qualité humaine, mais imparfaitement d'en mesurer l'impact démographique. Quoique massive (ce sont des milliers de dépositions qui nous ont été conservées, livrant les noms de milliers de bons hommes, de bonnes femmes, de croyants et de croyantes, d'une trentaine d'évêques, d'une cinquantaine de diacres), cette documentation est en effet trouée de tant de lacunes, que toute généralisation de pourcentage tendant à chiffrer l'hérésie en est rendue absurde – d'autant que la question ne se posait alors pas dans ces termes, les cultes cathare et catholique étant en général vécus comme complémentaires plus que concurrentiels. Deux éléments en ressortent toutefois en clair, à commencer par celui de la très large diffusion sociale de l'hérésie. Dans l'assistance aux cérémonies des bons hommes, les grands seigneurs se mêlent à la population locale. Au sein des maisons religieuses, de simples paysannes cohabitent avec l'ancienne dame du lieu, d'anciens chevaliers s'exercent au tissage. L'impressionnante adhésion de la classe nobiliaire donne certes une visibilité particulière au phénomène cathare occitan, aujourd'hui pour l'historien comme hier aux yeux des cisterciens et du pape ; mais il serait faux de le considérer comme un simple engouement élitaire. C'est une population chrétienne ordinaire, toutes classes mêlées, que les archives de l'inquisition montrent pratiquant la foi des bons hommes.

On est par ailleurs frappé par l'importance de la place et du rôle des femmes au sein de l'Eglise dissidente. Le nombre et la fonction des bonnes femmes citées par les déposants sont presque l'équivalent, pour le temps du libre culte, de ceux des bons hommes, même si aucune femme n'est discernable au sein de la haute hiérarchie. Les nombreux témoignages des croyantes laissent par ailleurs discerner, souvent de façon émouvante, combien cet engagement féminin, montant du sein même de la famille, gardera au catharisme, durant un siècle de persécution systématique, la force de résistance d'une foi maternelle. Au point que les inquisiteurs du XIVe siècle maudiront le *genus hereticum* – expression péjorative qu'on peut traduire par « engeance hérétique », sinon gène hérétique...

Se présentant, au cœur des bourgades, comme des communautés de pénitents et pénitentes, garants de la bonne fin, bons hommes et bonnes femmes des Eglises cathares occitanes formaient un clergé de proximité efficace et attractif ; présents et actifs jusqu'au sein même de leurs familles, ils et elles assuraient à leur foi un ancrage social et familial profond, que la persécution du XIIIe siècle aura peine à déraciner – même lorsque la guerre aura brisé les lignages seigneuriaux qui les protégeaient.

**ANNE BRENON**

# Les troubadours face au catharisme

Une constatation s'impose immédiatement à celui qui observe la culture occitane du Moyen Age : il existe une indéniable coïncidence chronologique et géographique entre la diffusion de la poésie des troubadours et la religion cathare. De fait, dans une période qui s'étend de la moitié du XI siècle à la fin du XIIIe siècle, et dans un périmètre qui s'étend sur tout le Languedoc occidental et certaines régions limitrophes comme le Quercy ou le Périgord, les deux expériences ont cohabité au coude à coude dans les mêmes cours, dans les mêmes villes, dans les mêmes bourgades. On doit à la vérité de dire que cette coïncidence n'est pas totale, car la poésie des troubadours s'est étendue dans tout le Midi, la Gascogne et les Alpes, et son origine remonte à la fin du XIe siècle (quoique, d'après quelques travaux récents, la naissance du catharisme devrait prendre date dès les premières décennies du siècle en question). Cependant, à cheval entre XIIe et XIIIe siècles, une région comme Carcassès apparaît comme une sorte de point de rencontre presque miraculeux entre le *trobar* et la spiritualité cathare : le *castrum* de Fanjeaux, que Peire Vidal décrit dans la chanson *Mos cors s'alegr'e s'esjau* comme un « paradis » courtisan était aussi l'un des centres de l'hérésie les plus importants, où précha le célèbre Guilhabert de Castres et où Esclarmonde, sœur du Comte Raimon-Rogier de Foix, en reçut le *consolament*. S'y trouvaient aussi des troubadours – comme Peire Rogier de Mirapeis, Raimon Jordan, Aimeric de Peguilhan, entre autres – qui avaient adhéré, en tout cas dans une étape de leur vie, à la foi hétérodoxe.

Très tôt dès les premières décennies du dix-neuvième siècle, ces données ont incité certains chercheurs à se pencher sur les éventuels flux ou relations qui pourraient avoir relié ces deux grands phénomènes. Sur la base des études précédentes de Gabriele Rossetti (en particulier les cinq volumes de *Il mistero dell'amor platonico del Medio Evo*, Londres 1840), un historien amateur français, affilié à l'ordre de la Rose-Croix, Eugène Aroux, fit référence dans son œuvre *Les Mystères de la chevalerie et de l'amour platonique au moyen âge* (1858) au mythe du "langage secret" des troubadours. Selon ses thèses, manquant de fondement sérieux, dans toute la production amoureuse occitane, la femme aimée représenterait la paroisse ou le diocèse, l'amant serait le « parfait » cathare et le mari jaloux l'évêque ou le curé catholique : ainsi l'union matrimoniale, soulignée par les troubadours, représenterait l'appartenance d'une communauté à la foi catholique, tandis que la relation adultère entre la dame et le *fin aman* – exalté par la chanson courtoise – signifierait le passage de cette communauté aux croyances des cathares ou « albigeois ». Cette clé de lecture ingénue qui réduit toute la poésie amoureuse des troubadours à une exposition codée des doctrines et des faits historiques des hérétiques, a été reprise peu après par des écrivains d'idées tout aussi extravagantes, comme Joséphin Péladan (auteur du *Secret des troubadours*, 1906) et Otto Rahn (dans son œuvre *Croisade contre le Graal*, 1933), mais elle fut rapidement ridiculisée par historiens et philologues. Toutefois, l'idée des relations entre *fin'amor* et catharisme ne fut pas totalement abandonnée ; au contraire, cette idée constitue le noyau central du livre important de Denis de Rougemont, *l'Amour et l'Occident* (1939). Rougemont soutient que certains thèmes fondamentaux des troubadours, comme la « mort » ou le « secret », ne révèlent tout leur sens qu'en comparaison avec la doctrine cathare; il ne prétend pas que les poètes occitans aient été de véritables « croyants » de l'église hérétique, mais il affirme qu'au moins, ils trouvèrent l'inspiration dans l'atmosphère religieuse du catharisme. La femme célébrée dans leurs poésies serait l'Âme, la partie spirituelle de l'homme qui est prisonnière de la chair et que celui-ci pourra retrouver après la mort. De ces idées, et d'idées similaires de Déodat Roché, découle également la notion d'une "inspiration occitane" de matrice platonique, que Simone Weil élabora dans un célèbre essai publié dans les *Cahiers du Sud* en 1942.

Comme on peut le voir, il s'agit d'interprétations purement subjectives, quoique intéressantes, en tout état de cause, du point de vue de l'histoire de la pensée contemporaine. Les philologues d'études romanes qui, dès la moitié du siècle dernier, se confrontèrent au problème avec des outils plus rigoureux, durent constater non seulement le manque de preuves d'un langage chiffré de la part des troubadours, mais encore l'absence presque totale d'écho des doctrines cathares dans leur poésie amoureuse : absence qui apparaît de façon encore plus significative chez les poètes dont nous connaissons avec certitude leur affiliation à l'Eglise hérétique. Dans toute la production lyrique médiévale, il existe un seul texte où sont ouvertement exposées les doctrines cathares. Son auteur n'est pas un occitan, mais un poète italien du XIIIe siècle tardif, Matteo Paterino qui, dans la chanson *Fonte di sapienza nominato,* adressée au fameux Guittone d'Arezzo et publiée très récemment en édition critique, oppose à la doctrine catholique professée par le destinataire celle de la théologie des deux Principes, illustrée dans des termes qui adhèrent strictement à ceux de Giovanni di Lugio et de l'Eglise hérétique de Desenzano. En vérité, il existe aussi un texte poétique occitan dans lequel sont résumés les idées fondamentales du catharisme, mais il ne s'agit pas d'un texte lyrique mais d'un débat entre un inquisiteur, Isarn et un « parfait » cathare converti, Sicart de Figueiras : le *Novas del heretge.* Cependant, quoique Sicart soit un personnage historique répertorié par les sources inquisitoriales et que les faits historiques auxquels fait référence le poème soient en grande partie vérifiables, l'auteur du texte – probablement Isarn lui-même – le présente en termes extrêmement dénigrants et situe les doctrines cathares professées par Sicart dans un contexte caricatural. Même le grand poème *Paratge,* deuxième partie de la *Chanson de la Croisade albigeoise,* dont l'auteur prend clairement parti pour les Comtes de Toulouse contre les croisés français et le clergé, ne montre aucune trace de la théologie cathare.

Mais, cela signifie-t-il que les troubadours se désintéressèrent complètement du grand phénomène religieux qui leur était contemporain et qu'ils se turent face à la tragédie vécue par leur peuple durant le XIIIe siècle ? Bien sûr que non. La *Chanson de la croisade albigeoise,* déjà citée, reste un témoignage littéraire impressionnant, contant les événements de la guerre depuis ses débuts (1209) jusqu'au troisième siège de Toulouse par les croisés (1218). Etant parvenue jusqu'à nous par hasard – il n'en existe qu'un seul manuscrit – elle est formée de deux parties, écrites par deux auteurs différents. La première, œuvre du religieux navarrais Guilhem de Tudela, à l'abri des événements parvient jusqu'à la veille de la désastreuse déroute occitane de Muret (1213) et se montre favorable à la Croisade, quoique Guilhem exprime souvent son admiration pour les seigneurs méridionaux impliqués, selon lui à leur corps défendant, dans la juste lutte contre les hérétiques. Il y décrit avec une efficacité extraordinaire et avec implication, la violence d'une guerre dévastatrice : et parmi les épisodes de son poème qui restent gravés de manière indélébile dans les mémoires, se situe le massacre sans discrimination des habitants de Béziers dans la cathédrale où ils s'étaient réfugiés, après la prise de la ville par les croisés (1209) ainsi que la cruelle lapidation de Dame Giraude, seigneure de Lavaur, là aussi après la conquête de la ville (1211).

La deuxième partie de la Chanson – œuvre d'un anonyme que certains ont proposé d'identifier comme le troubadour Gui de Cavaillon et composée vers 1228-1229, avant la paix de Meaux-Paris – reprend la narration au point exact où l'avait laissée son prédécesseur, mais il lui imprime un caractère radicalement différent tout en créant l'un des chefs-d'œuvre de la littérature médiévale. Son auteur, favorable avec enthousiasme aux comtes de Toulouse et violemment hostile à Simon de Monfort et à ses croisés est le grand chantre de *Paratge* – la noblesse méridionale, sa patrie, ses idéaux – c'est à dire de tout ce qu'il décrit comme une civilisation splendide (la civilisation « courtoise », victime d'une violence aveugle et barbare, déchaînée par le clergé et les Français sous le faux prétexte de la lutte contre l'hérésie). Son espoir, souvent présenté comme une absolue certitude, est que *Paratge* sera restauré grâce à l'action des comtes de Toulouse et à la volonté de Dieu lui-même.

La tradition occultiste à laquelle nous avons fait référence, chercha en vain dans la poésie amoureuse des troubadours, les traces des idées cathares, mais en revanche laissa échapper ce qui était devant les yeux de tous : la profonde consonance entre les positions anti-romaines des cathares et celles qui étaient exprimées dans une vaste production de *sirventès* (quatrains), composés surtout dans la première moitié du XIIIe siècle et dominés par une violente polémique contre le clergé et contre les Français. C'est précisément dans cette production « militante » qu'il faut chercher les véritables relations entre poésie des troubadours et catharisme. Le cas de Raimon de Miraval est emblématique car son chansonnier constitue une charnière entre l'amour courtois du XIIe siècle et le l'esprit politico-moral qui domine le siècle suivant. Raimon était le co-seigneur d'un petit château qui fut conquis par Simon de Monfort dans les premières années de la Croisade (probablement en 1211), reléguant le troubadour à l'humble condition de *faidit*, d'exilé. Dans les six premières *coblas* de la chanson *Bel m'es qu'ieu chant e coindei*, il développe les thèmes érotiques traditionnels (éloge de la femme aimée, demande d'amour, description des joies et des tourments provoqués par la passion, etc.) mais change complètement de registre dans la dernière *cobla*, et dans les deux derniers refrains (*tornadas*) Là, il dirige au roi Pedro II d'Aragon une supplique douloureuse où il l'invite à combattre les Français pour lui permettre de recouvrer la possession de Miraval et rendre la ville de Beaucaire au comte de Toulouse. Raymond VI déclare alors seulement, *poiran dompnas e drut / tornar el joi q'ant perdut*. Le désastre de Muret, où mourut Pedro II donnera le coup de grâce à ses espoirs.

C'est surtout après Muret que commencèrent à s'élever les voix de nombreux poètes, dont la majorité était liée au comte de Toulouse, qui composèrent de violentes invectives contre les envahisseurs français et contre les ingérences chaque fois plus pesantes du clergé en Occitanie et les régions voisines. Parmi eux, les noms les plus importants sont Peire Cardenal, Guilhem Figueira et Guilhem Montanhagol. Dans leurs compositions comme dans celles d'autres troubadours, l'Eglise et le clergé sont l'objet d'attaques sur le plan proprement religieux comme sur le plan politique. D'un côté, ils caricaturent et fustigent les vices répandus dans le clergé, spécialement la luxure et la gourmandise : c'est le cas par exemple du splendide *sirventès* contre les dominicains de Peire Cardenal, *Ab votz d'angel, lengu'esperta, non blezza*; dans un autre – et avec plus de dureté – il critique les ambitions terrestres de l'Eglise, sa complicité avec les envahisseurs français, les indulgences promises à ceux qui tuaient des chrétiens dans cette Croisade criminelle. Après 1233, il critique sévèrement les méthodes brutales et persécutrices souvent pratiquées par le Tribunal de l'Inquisition, comme dans le *sirventès, Del tot vey remaner valor* de Guilhem Montanhagol. Dans certaines compositions de Peire Cardenal, comme *Falsedatz e desmezura* ou *Un sirventès vuelh far dels auls glotos*, la situation créée par l'Eglise et les Français dans le Midi est décrite comme un véritable "monde à l'envers" où *feunia vens amor / e malvestatz valor, / e peccatz cassa sanctor / e baratz simpleza* : un monde dans lequel les véritables chrétiens sont accusés d'hérésie et condamnés au martyre par les « messagers de l'Antechrist », c'est à dire les membres de l'Eglise romaine.

L'étroite affinité de ces positions et des positions anti-romaines des cathares est indiscutable. Il est vrai que les thèmes anticléricaux étaient amplement répandus depuis longtemps dans la littérature médiévale, mais parfois les ressemblances entre les poésies des troubadours et les textes cathares sont si précises qu'on peut éliminer toute possibilité d'une réelle indépendance. Ainsi, par exemple, les accusations contenues dans les deux premières *coblas* du *sirventès, Li clerc si fan pastor* de Peire Cardenal lui-même – où les membres du clergé catholique sont décrits successivement comme des « assassins », comme des « loups rapaces » déguisés en brebis et comme les détenteurs illégitimes du pouvoir dans le monde –. Ces accusations correspondent exactement à celles que leur destine un passage du traité original cathare (écrit en occitan) *La Gleisa de Dio*. D'autre part, dans une déclaration présentée en 1334 devant le célèbre inquisiteur Jacques Fournier, on lit qu'une vingtaine d'années plus tôt – ceci était au début du siècle – un certain Guilhem Saisset se mit à réciter exactement la même *cobla* de ce *sirventès* devant son frère, évêque de Pamiers; à ce moment, un hérétique notoire présent en cette occasion, Bertran de Taïx, lui demanda de la lui réciter, affirmant que le clergé non seulement possédait tous les défauts énumérés par Peire Cardenal, mais encore davantage. Il ne fait aucun doute que les hérétiques considérèrent le troubadour comme un porte-parole de leurs idées et de leurs espoirs, mais il n'est pas sûr que dans ce cas Peire se soit inspiré du texte cathare. Il faudrait peut-être rendre ses droits à la poésie : il est possible et même probable, au vu de la chronologie des textes, que précisément le traité sur la *Gleisa de Dio* ait repris les thèmes et les images de ce chef-d'œuvre de la poésie qui eut sûrement un succès considérable (on en a conservé dix manuscrits).

Des points de contact avec les idées cathares relatives à la polémique contre l'Eglise se trouvent aussi dans de nombreuses autres œuvres de Peire Cardenal et des troubadours proches de lui idéologiquement, mais ceci n'implique pas – comme on l'a affirmé – une adhésion effective de ces poètes à la doctrine hérétique; au contraire les compositions à thème religieux de Peire expriment une théologie parfaitement orthodoxe.

Nonobstant, le texte le plus proche des thèmes de prédication anti-romaine des cathares est certainement le *sirventès* passionné contre Rome de Guilhem Figueira, *D'un sirventès far en est son que m'agenssa*. Les violentes accusations que le troubadour lance contre l'Eglise, accusée d'être *cima e razitz* de tous les maux, vont bien au-delà des arguments de Peire Cardenal. A partir d'une opposition fondamentale entre le Faux et le Vrai (la fausse Eglise de Rome en contreposition des véritables enseignements du Christ), Figueira construit habilement un discours sur trois strates de références intertextuelles. Le lexique dérive des invectives de Marcabru contre les *falsas putas*, les péripatéticiennes qui corrompent les jeunes chevaliers, mais, au moyen d'un deuxième niveau de références, cette fois extraites de la Bible, les thèmes moraux développés par Marcabru passent sur un plan plus proprement spirituel et religieux. Les injures d'origine biblique proférées contre l'Eglise et disséminées en divers points de la composition proviennent en grande partie d'un fragment très précis de l'Evangile selon Saint Mathieu : l'invective de Jésus contre les scribes et les pharisiens (Mt 23, 13-33). L'Eglise y est assimilée à ceux qui, selon les paroles de Jésus, étaient les héritiers de celui qui tua les prophètes et ferma aux hommes les portes du Royaume des Cieux. Cette dernière accusation est particulièrement significative car elle ne se limite pas à montrer du doigt la corruption et les péchés du clergé, mais elle met aussi radicalement en cause – comme le faisaient les cathares – le pouvoir que s'arroge l'Eglise d'apporter aux hommes le salut spirituel. Il en arrive à lui nier le statut d'Eglise de Dieu. En effet, au palimpseste évangélique antérieurement mentionné, se superpose dans le *sirventès* un troisième niveau de références intertextuelles qui conduisent directement à l'iglésiologie cathare. L'invective de Jésus contre les scribes et les pharisiens est, de fait, l'un des passages de l'Evangile les plus cités par les cathares – que l'on retrouve aussi dans les textes originaux qui sont parvenus jusqu'à nous, comme *La Gleisa de Dio* et le *Livre des deux Principes* – dans le cadre de leur polémique contre la persécution dont ils faisaient l'objet de la part de l'Eglise. Parmi les nombreux passages de la composition que l'on pourrait citer, il y a un verset particulièrement révélateur : celui où Rome est accusée de faire *per esquern dels crestians martire*. Le terme *martire* est utilisé ici dans une acception absolument insolite dans la poésie troubadouresque qui se réfère habituellement aux peines d'amour ou au martyre du Christ ou des Saints, mais ici il se réfère aux victimes mêmes de l'Eglise, comme dans de nombreux textes cathares où il correspond exactement à la notion de « martyre pour le Christ », si l'on se réfère au terme *crestians* comme celui dont les hérétiques se désignaient eux-mêmes (*chrétiens* ou *bons chrétiens*). On peut imaginer que le verset de Guilhem Figueira aurait parfaitement pu émaner de la bouche de l'un d'entre eux. Il n'est donc pas surprenant, pour cette raison, que ce *sirventès* soit cité dans un document inquisitorial, l'acte d'un procès en hérésie initié en 1274 contre un commerçant de Toulouse, Bernat Raimon Baranhon. A une question des inquisiteurs, lui demandant s'il avait jamais été en possession d'un livre intitulé *Bible en Romain* et qui commençait par les mots *Roma trichairitz*, Baranhon répondit négativement, mais il accorda qu'il avait entendu une fois certaines *coblas* composées par le jongleur du nom de Figueira et il cite de mémoire toute la première *cobla* de *D'un sirventès far en est son que m'agenssa*, disant qu'il l'avait récitée plusieurs fois en public. Il ne s'agit pas ici de clichés génériques anticléricaux mais bien de textes comme le *sirventès* contre Rome de Guilhem Figueira, dans lesquels il faut rechercher les véritables et vérifiables points de rencontre entre poésie des troubadours et prédication cathare.

**FRANCESCO ZAMBON**

Traduction : Irène Bloc

# La Croisade contre les Albigeois

Dès le milieu du XIe siècle, l'Eglise occidentale expérimenta un intense processus de transformation interne. La mise en œuvre de ce qu'on a appelé « Réforme Grégorienne » permit le renforcement de toute la hiérarchie (depuis le curé local jusqu'à l'évêque) et sa subordination à l'autorité théocratique du Pape, Vicaire du Christ. En même temps qu'elle centralisait les structures ecclésiastiques, la Papauté réussit aussi à s'imposer face aux pouvoirs laïcs de la chrétienté, aux rois, aux nobles et, à l'occasion, à l'empereur lui-même. Cette Eglise née de la « Réforme Grégorienne » se sentait dans l'obligation d'imposer les valeurs chrétiennes catholiques telles que les entendait la Théocratie Pontificale. Tout mouvement religieux en marge de Rome était considéré comme un énorme danger pour la société chrétienne. Le dissident religieux, l'hérétique attaquait l'unité de l'Eglise et faisait courir un risque à l'âme du chrétien, à sa vie éternelle, beaucoup plus importante que sa vie terrestre. Il est vrai que cette vision de l'hérétique existait déjà dans les temps antérieurs ; la différence réside en ce que, à partir du XIe siècle, l'Eglise a pu exercer une vigilance et une répression plus étendue et plus efficace.

La violence s'exerça tôt contre les dissidents (dès le XIe siècle des bûchers apparurent), mais on peut dire que la politique anti-hérétique de Rome se durcit à mesure que la Papauté théocratique se consolidait. La crainte d'une prolifération des grandes hérésies du XIIe siècle – Valdéisme et Catharisme – fut également décisive dans ce processus. Et il ne faut pas oublier la collaboration active des pouvoirs féodaux laïcs. En France, en Angleterre, en Castille ou sous la Couronne d'Aragon, les rois construisaient des monarchies chaque fois plus structurées et solides. Pour cela, ils avaient besoin de l'appui de l'Eglise et eux non plus n'étaient pas disposés à tolérer des groupes dissidents défiant leur autorité. Cette alliance du sabre et du goupillon serait la clé dans la progression de la capacité répressive de l'Eglise.

Du point de vue idéologique, le chemin vers l'usage de la violence fut préparé par les moines cisterciens qui assumèrent la défense de l'orthodoxie catholique au nom de Rome. Désirant éradiquer l'erreur, les cisterciens élaborèrent un discours puissant anti-hérétique qui surpassa la nature réelle de l'hérésie. Les cisterciens, sans se rendre compte qu'ils avaient affaire en général à un phénomène dispersé, hétérogène et non massif, crurent voir dans les hérétiques un ennemi intérieur homogène et coordonné, une espèce de « cinquième colonne » dont la finalité ultime était la destruction de la chrétienté. La diffusion de ce discours fit que la société chrétienne finit par percevoir les hérétiques comme des ennemis *pires que les sarrasins,* et qu'elle accepta finalement comme légitime et nécessaire l'application de solutions extrêmes pour en finir avec eux.

## Le chemin vers la guerre

Les mesures antihérétiques de l'Eglise s'intensifièrent dès la fin du XIIe siècle. Le plus préoccupant pour Rome était l'expansion des hérétiques valdéistes et cathares sur les terres du sud du royaume de France, ce que nous appelons *Midi, Languedoc* ou *Occitanie.* Les formules de persuasion et de réinsertion appliquées dans les années antérieures (prédications, débats avec des meneurs hérétiques, etc.) n'avaient pas donné de bons résultats. Le renforcement de la législation canonique, qui incluait des peines spirituelles (condamnation, excommunication) des peines économiques (confiscation de biens) et des peines civiles (exclusion de la société, infamie, privation de droits, impossibilité d'exercer des charges publiques) n'étaient pas non plus efficaces. Car la société occitane était complexe, instable, basée sur une loyauté compliquée dans les domaines familiaux, politiques, ecclésiastiques et religieux. Le recours à la guerre comme instrument légitime de répression se posa déjà lors du IIIe Concile du Latran (1179), donnant lieu à une première opération militaire contre le Toulousain en 1181. C'était un premier avertissement.

Quoique la réalité était beaucoup plus complexe et nuancé, la Papauté croyait que la prolifération de l'hérésie dans le sud de la France avait pour responsables les évêques et les nobles occitans. Les uns et les autres consentaient et même protégeaient les hérétiques, favorisant ainsi sa propagation. Il était nécessaire de substituer à cette Eglise complaisante et à cette noblesse corrompue des personnes d'orthodoxie démontrée, disposées à combattre l'hérésie. La substitution des prélats locaux par des cisterciens liés aux directives de Rome commença à la fin du XIIe siècle et s'accéléra dans les premières années du XIIIe. La démarche suivante était l'épuration des pouvoirs laïcs, à commencer par le comte de Toulouse Raymond VI (1194-1222), tête visible de la noblesse occitane.

Le climat favorable à une action punitive contre les hérétiques occitans et leurs complices s'intensifia vers les années 1200. Les défaites en Terre Sainte, la perte de Jérusalem, la pression des Almohades dans la Péninsule ibérique, la crise de l'Empire et la propagation de l'hérésie augmentèrent les peurs d'une chrétienté qui se sentait menacée. C'est dans ce climat mental de trouble que fut élu pape Lotario di Segni, un homme jeune, bien formé et de fortes convictions théocratiques qui prit le nom d'Innocent III (1198-1216). L'année même de son intronisation, il écrivit une lettre à l'évêque d'Auxerre défendant ouvertement l'usage de la violence : la croisade, la guerre sainte qui, depuis le XIe siècle se faisait contre les musulmans, l'ennemi extérieur, devait se mettre en œuvre aussi contre les hérétiques et leurs complices, l'ennemi intérieur. Mais accuser d'hérétique, combattre puis déposséder de ses terres et de ses titres, un grand seigneur féodal n'était pas la même chose que de destituer canoniquement un évêque. Il fallait respecter la légalité féodale et pour cela, Innocent III fit appel au souverain direct du comte de Toulouse, le roi de France. Dès 1204, il demanda à plusieurs occasions à ce dernier ainsi qu'à la noblesse et au clergé français d'intervenir dans le Midi pour réprime les hérétiques et mettre un frein à la noblesse occitane corrompue. Le Pape pensait que, comme cela s'était produit en d'autres lieux avec des pouvoirs politiques forts, l'hérésie disparaitrait sous la domination du monarque capétien. Cependant le roi de France Philippe II Auguste (1180-1223), absorbé par une longue guerre contre les rois Plantagenet d'Angleterre, refusa plusieurs fois d'intervenir dans le guêpier occitan.

Le Pape aurait pu demander l'aide de ses alliés les plus fidèles dans le sud de la France : Pedro le Catholique (1196-1213), roi d'Aragon et comte de Barcelone. Les rois d'Aragon étaient vassaux de Rome depuis le XIe siècle, vassalité que Pedro lui-même rénova en 1204 quand Innocent III fut couronné à Rome. De plus, la Couronne d'Aragon exerçait depuis la fin du XIIe siècle une hégémonie *de facto* sur les terres occitanes. Après presque un siècle de guerre ouverte avec les comtes de Toulouse (appelée la « grande guerre méridionale »), les monarques catalano-aragonais avaient réussi à réunir et mettre sous leur orbite la plus grande partie des seigneurs occitans : certains comme vassaux – le vicomte de Béziers et de Carcassonne, le comte de Comminges, le vicomte de Béarn – et d'autres comme alliés – le comte de Foix –. Au début du XIIIe siècle, le comte de Toulouse lui-même reconnut sa déroute en accordant au roi d'Aragon une alliance politico-militaire ferme et une union dynastique : Raymond VI épousa l'infante Leonor d'Aragon et son héritier Raimondet (futur Raymond VII) l'infante Sancha, toutes deux sœurs du roi Pedro. Vus de Rome, ces rapprochements politiques et familiaux rendait périlleuse l'intervention de ce monarque dans l'affaire de l'hérésie occitane. Le roi de France était préférable, car étranger à la complexe politique méridionale et ainsi le roi d'Aragon continuait à défendre les frontières de la chrétienté face aux musulmans de la Péninsule.

Devant le manque de réponse de la part du monarque français, Innocent III maintint en vigueur les mesures non violentes, les prédications des clercs castillans Diego de Osma et Saint Domingo de Guzman, qui ne furent pas très efficaces. Mais le 14 janvier 1208, un écuyer du comte de Toulouse voulut gagner les faveurs de son seigneur – selon ce que nous conte la *Cansó de la Cruzada (Chanson de la Croisade)* de Guilhem de Tudela – en finissant avec son principal problème, le légat du Pape Peire de Castelnau qu'il assassina. La guerre avait gagné. En mars 1208, au cri de *En avant, chevaliers du Christ !*, Innocent III prêcha la croisade contre les hérétiques occitans et leurs complices, identifiés comme *Albigeois* (d'Albi, la localité et son territoire l'Albigeois) qui dès 1209 devinrent synonymes d'hérétiques.

## La croisade contre les Albigeois (1209-1229)

Il existe quatre sources principales concernant cette guerre : la première partie de la *Cansó de la Cruzada* composée par Guilhem de Tudela, un religieux navarrais installé dans le sud de la France qui souhaitait une entente entre les croisés et la noblesse occitane pour en terminer avec l'hérésie. L'*Hystoria Albigensis* (1213-1218) du cistercien français Pierre des Vaux-de-Cernay, qui est la version officielle des croisés. La deuxième partie de la *Cansó de la Cruzada* (h.1228) composée par un poète toulousain anonyme, ferme partisan des comtes de Toulouse et de la cause occitane. Et enfin, la *Chronica* de Guillaume de Puylaurens, un clerc toulousain qui contempla la croisade d'un point de vue catholique, mais plus critique et moins passionné.

Ces sources et quelques autres nous apprennent qu'au printemps 1209 se réunit à Lyon une grande armée de croisés français, parmi lesquels il y avait aussi des Flamands, des Allemands, des Anglais, des Italiens et des Occitans – du comté de Provence, comme des terres languedociennes et gasconnes –. Tous aspiraient à gagner les bénéfices spirituels et matériels d'une croisade beaucoup plus proche et commode que celles de la Terre Sainte. Malgré les appels papaux, le roi de France Philippe Auguste ne souhaita pas participer à la croisade, et donc la direction militaire de a campagne revint au légat du pape Arnau Amalric, un cistercien d'origine catalano-occitan, ancien abbé de Poblet, abbé de Cîteaux et futur archevêque de Narbonne, qui représentait la ligne la plus dure de la politique anti-hérétique de Rome.

Le comte de Toulouse Raymond VI, sachant qu'il était le principal objet de la croisade, se soumit à la volonté de l'église *in extremis* et à de dures conditions. Il réussit ainsi à dévier la croisade vers les terres du deuxième seigneur le plus important de la région, Raymond Roger Trencavèl, dont les terres – vicomtés de Béziers, Albi, Agde et Nîmes et les comtés de Carcassonne et Razès – étaient un foyer connu d'hérésie. Les croisés avancèrent vers l'une de ses capitales, Béziers et exigèrent de son évêque Rainaut de Montpeiros la remise de 223 hérétiques (on ne sait si croyants, parfaits ou chefs de famille pro-cathares). Mais la population, majoritairement catholique et le gouvernement municipal dirigé par les consuls ou *capitols,* refusèrent d'abandonner cette part de leurs concitoyens. Devant un tel défi, l'armée croisée fit le siège de Béziers.

La ville était bien défendue et le siège promettait d'être long, mais le 22 juillet 1209, de façon inespérée, une sortie des assiégés hors les murs précipita une attaque surprise et l'entrée en trombe des croisés. On dit que c'est alors que quand les croisés demandèrent au légat Arnau Amalric comment distinguer dans la population les hérétiques des catholiques, il répondit : « *Tuez-les tous, Dieu reconnaîtra les siens* ». Cet épisode bien connu est apocryphe – le cistercien allemand Cesar de Heisterbach le mentionne dans son œuvre *Dialogus miraculorum* (1219-1223) – mais il est certain qu'il reflète bien la personnalité dure et intransigeante du légat papal et l'esprit de guerre sans quartier qui caractérisait tout le conflit. L'assaut des croisés donna lieu à l'une des plus grande tuerie de la croisade albigeoise. Certaines chroniques assurent qu'ils massacrèrent toute la population ; le cistercien Arnau Amalric parle de 20.000 morts, d'autres chroniqueurs de 60.000 et même de 100.000. En réalité, Béziers avait une population de 10.000 personnes et se récupéra rapidement après 1209, et il convient de se défier des chiffres exagérés de l'époque médiévale, sans pour autant que cela enlève aucunement l'horreur du massacre. Il provoqua une grande commotion dans la population occitane, ce qui favorisa énormément les objectifs de la croisade.

Une fois Béziers conquise, les croisés assiégèrent Carcassonne, deuxième capitale des vicomtés Trencavèl et ville sous la souveraineté du roi d'Aragon. Malgré la tentative de médiation du roi Pedro le Catholique, Raymond Roger Trencavèl dut capituler à la mi-août et Carcassonne fut occupée par les croisés. La première phase de la croisade contre les albigeois, la plus spectaculaire et celle qui laissa la trace la plus évidente dans les sources de l'époque, se termina par la remise des terres et des titres du vicomte Trencavèl au baron français Sion de Montfort, qui assuma l'obligation de continuer la lutte contre les hérétiques et, donc, le commandement militaire de la croisade.

A partir de septembre 1209, la terreur initiale qui avait provoqué la soumission du pays commença à se dissiper. La première réaction contre la croisade fut initiée par Raymond Roger de Foix, vieil allié du roi d'Aragon. Pendant les mois suivants, Simon de Montfort s'occupa à soumettre les terres qui étaient légalement les siennes. Outre l'appui de Rome et des évêques occitans, contrôlés par les cisterciens, Montfort pouvait compter sur celui des troupes de croisés qui, chaque été revenaient au sud. Durant ces mois, il fit la conquête des fameux *castra* (villes fortifiées) de Minerve, Montréal, Termes et Cabaret-Lastours, de dures campagnes de sièges qui se terminaient généralement par le bûcher des cathares qui s'y étaient réfugiés. Vers la fin de 1210, il contrôlait les vicomtés qui avaient appartenu aux Trencavèl.

En mars 1211, Simon de Montfort, le roi d'Aragon et le comte de Foix arrivèrent à divers accords avec la bénédiction de l'Eglise, mais ce ne fut pas le cas de Raymond VI de Toulouse, qui fut de nouveau excommunié pour complicité avec l'hérésie. Les croisés prirent alors l'offensive contre le comté toulousain. L'un des épisodes les plus connus est celui de la conquête du *castrum* de Lavaur, dont les défenseurs – incluant la castillane Dona Gerauda et son frère Aimeric de Montréal – furent exécutés en même temps que plusieurs centaines de cathares (mai 1211). La première attaque directe contre la capitale se produisit un mois plus tard. Les Occitans, sentant le danger commun, unirent leurs forces. Mais ils manquèrent l'occasion de mettre les croisés en déroute au siège de Castelnaudary (août 1211). Les révoltes contre les croisés furent étouffées et tandis que Pedro le Catholique et le légat du pape Arnau Amalric combattaient les Almohades lors de la grande bataille de Las Navas de Tolosa (16 juillet 1212), Simon de Montfort arrivait à contrôler la majeure partie du territoire toulousain. A la fin de l'année, la victoire paraissait imminente et Simon fit donc rédiger les *Statuts de Pamiers,* la norme juridique inspirée du droit féodal français qui devaient régir les terres prises aux hérétiques.

L'attaque du comté de Toulouse menaçait l'hégémonie qu'exerçait la Couronne d'Aragon sur le sud de la France. Le roi Pedro le Catholique, soutenu par sa condition de vassal du Pape et sa brillante participation à la bataille de Las Navas, décida d'intervenir dans le conflit en défense de ses vassaux et alliés. Il proposa à Innocent III une solution diplomatique qui garantissait le rétablissement de l'orthodoxie et la survivance de la noblesse occitane. Pour démontrer qu'il comptait sur son appui, le roi se fit prêter serment de fidélité par les comtes de Toulouse, de Foix et de Comminges, par le vicomte de Béarn et les consuls des villes de Toulouse et Montauban (27 janvier 1213). En se reconnaissant comme les vassaux de Pedro le Catholique, les Occitans proclamaient que leur roi n'était pas le roi de France, mais celui d'Aragon, dont la souveraineté féodale s'étendait ainsi sur un énorme territoire transpyrénéen. Ainsi naissait une « grande Couronne d'Aragon » hispano-occitane à laquelle l'Histoire ne donna pas l'opportunité de prospérer. Le Pape, impressionné par la victoire de Las Navas, et déjà tourné vers une nouvelle croisade en Terre sainte, accorda son appui au plan du roi, puis changea d'opinion peu de mois plus tard, craignant ses intentions expansionnistes. Le monarque catalano-aragonais décida alors de liquider la croisade militairement avant de négocier à nouveau avec Rome. Tout indiquait une future victoire de l'armée hispano-occitane de Pedro le Catholique, mais la bataille de Muret (12 septembre 1213) finit en déroute totale et avec la mort du roi d'Aragon.

Le désastre de Muret rendit impossible toute intervention de la Couronne d'Aragon dans la question albigeoise durant près de deux décennies. Pour les Occitans, c'était la perte de leur unique appui extérieur et de toute légitimité : la victoire *miraculeuse* de Simon de Montfort prouvait que la Croisade Albigeoise était une guerre juste et sainte. Les Occitans, dans ces conditions, se soumirent. En 1215, le IVe Concile du Latran confirma la complicité du comte Raymond VI avec les hérétiques et procéda à la dépossession de ses biens : ses titres, ses droits et ses terres furent remis à Simon de Montfort qui devint *Duc de Narbonne, comte de Toulouse et vicomte de Béziers et Carcassonne.*

La guerre ne s'arrêta pas pour autant. La noblesse et une bonne partie des populations occitanes, opposées à la domination *des clercs et des Français,* reprirent les armes en 1216. Sous le commandement de l'héritier de Raymond VI, Raimondet (futur Raymond VII), les Occitans récupérèrent une bonne partie du terrain perdu, surtout après la mort de Simon de Montfort en 1218, lors du deuxième siège de Toulouse. L'appui militaire de la monarchie française conforta les positions des croisés en 1219, mais ne permit pas d'éviter la défaite finale d'Amaury de Montfort, fils de Simon qui n'avait en rien le talent militaire de son père. Amaury capitula en 1224 devant le comte Raymond VII de Toulouse (1222-1249) et céda tous ses droits occitans au roi de France. Ces années de ce que l'on a appelé « la Reconquista occitane » permirent une certaine résurgence du catharisme. *L'esprit immonde, qui avait été expulsé de la province de Narbonne... est à nouveau entré en la demeure d'où il avait été balayé,* écrivait le vieux cistercien Arnau Amalric au roi de France.

Après la déroute des Montfort, la croisade albigeoise fut reprise par les monarques capétiens, qui avaient intérêt à contrôler fermement le sud du royaume et accéder à la Méditerranée. Les interventions militaires du roi Louis VIII (1226) et des troupes du jeune Louis IX le Saint (1227-1228) précipitèrent l'occupation française du pays et le harassement des troupes occitanes. Malgré les appels des troubadours, le jeune roi d'Aragon Jaime I resta en marge, ne voulant pas d'une autre confrontation avec l'Eglise et jeta son regard sur une expansion en Méditerranée. La fin de la guerre arriva avec les Traités de Meaux-Paris (1229) : Raymond VII de Toulouse récupéra ses titres et une grande partie de ses terres, mais en échange de sa reconnaissance de l'hégémonie du roi de France dans la région. La conséquence clé de la Croisade Albigeoise ne fut donc pas l'éradication du catharisme, mais bien la modification de la carte politique de l'Europe du XIIIe siècle : le sud du royaume de France passa de l'hégémonie de la Couronne d'Aragon en 1213 à la domination effective du roi de France après 1229.

## Après la Croisade

La noblesse occitane devait se rebeller dans les années 40, demandant à nouveau l'aide du roi Jaime I d'Aragon, mais la supériorité militaire française s'imposa à nouveau. En 1244, le sénéchal du roi de France fit capituler la forteresse de Montségur, dans le comté de Foix, qui était le siège et la tête de l'Eglise cathare. Au pied de *la synagogue de Satan* – expression de Guillaume de Puylaurens – 220 cathares furent brûlés. Le dernier château aux mains de chevaliers liés au catharisme fut celui de

Quéribus, occupé par les Français en 1255. Finalement, par le Traité de Corbeil (1258), le roi Jaime I céda à Saint Louis tous ses droits occitans, ce qui mit un point final aux aspirations catalano-aragonaises au delà des Pyrénées et fut un pas décisif pour l'intégration du Midi au royaume de France.

Aussi paradoxal que cela paraisse, la Croisade contre les Albigeois ne servit pas à en finir avec le catharisme qui ne disparut qu'un siècle plus tard. De nombreux cathares furent brûlés durant la guerre, d'autres passèrent à la clandestinité et beaucoup d'autres émigrèrent au nord de l'Italie et vers la Couronne d'Aragon (Catalogne, Majorque, nord de Valence), des terres historiquement liées à la France méridionale qui devinrent un sanctuaire d'exilés occitans, tant hérétiques que catholiques. S'il est vrai que la « voie militaire » représentée par la Croisade ne fut pas pleinement efficace dans l'élimination du catharisme, la *paix des clercs et des Français* imposée en 1229 par les Traités de Meaux-Paris permit, au contraire, la création du Tribunal de l'Inquisition (1232). Celle-ci fut une « voie policière » efficace pour la traque, la persécution et la répression de l'hérésie et qui allait être la responsable de sa disparition au début du XIVe siècle.

MARTÍN ALVIRA CABRER
Universidad Complutense de Madrid
Traduction : Irène Bloc

Photo : © Nomah

**Marc Mauillon**

# Le temps de l'Inquisition
# (XIIIe-XIVe siècle)

La croisade contre les albigeois (1209-1229), prêchée par le pape contre les princes occitans protecteurs d'hérétiques, et finalement gagnée par le roi de France, renverse le rapport de forces qui, ici, était favorable aux dissidents. Après la soumission des comtes et dynasties seigneuriales qui les soutenaient, les Eglises cathares, que les grands bûchers de la croisade ont auréolées de la couronne du martyre, passent toutes constituées dans la clandestinité ; mais peu à peu l'Inquisition, installée par la papauté à partir de 1233 sur le pays vaincu et épaulée par le pouvoir royal, s'emploie à les en débusquer par la persécution, démantelant ses réseaux de solidarité. Soutenue par une population croyante encore nombreuse et fervente, l'Eglise interdite résistera durant un siècle.

L'Inquisition, qui se cristallise au XIIIe siècle à l'encontre des Églises cathares, est la forme aboutie de la persécution religieuse, rendue possible par la totale collaboration du pouvoir séculier avec le glaive spirituel – c'est-à-dire, dans les comtés occitans, par la mainmise royale française.

## L'Inquisition. *Inquisitio heretice pravitatis.*

Depuis les premières dénonciations de l'hérésie au XIe siècle, une même logique est en marche, qui voit monter en puissance, au sein de la chrétienté, une idéologie du combat permanent, déterminant ce que le médiéviste britannique Robert Moore appelle une « société de persécution » et d'exclusion ; les deux fers de lance successifs de cette théocratie militante sont, au XIIe siècle, l'ordre de Cîteaux, dont l'influence aboutira dans la croisade contre les Albigeois puis, au XIIIe, l'ordre dominicain, maître d'œuvre de l'Inquisition.

En 1199, le pape Innocent III, par la décrétale *Vergentis in senium*, assimile l'hérésie au crime le plus absolu : celui de lèse majesté envers Dieu ; les hérétiques sont désormais passibles des peines et châtiments prévus par le Droit romain pour crime de haute trahison. En Languedoc pourtant, ce n'est qu'après la victoire française, scellée en 1229, que l'Eglise a les mains libres pour agir. Mieux, l'alliance effective de la monarchie va décupler ses moyens d'action. Pour le pape et le roi, il s'agit désormais de réconcilier à la foi catholique les comtés méridionaux militairement pacifiés – tout en exterminant définitivement l'hérésie. Eclose des officines juridiques de la curie pontificale et des écoles de droit toulousaines, l'Inquisition est conçue comme l'instrument de ce double objectif – pénitentiel et policier.

L'Inquisition, *Inquisitio heretice pravitatis* (Enquête de la perversion hérétique), s'impose comme l'exclusive instance juridique ayant à connaître du crime d'hérésie. Confiée aux jeunes ordres Mendiants, franciscains et surtout dominicains, elle supplante les tribunaux ordinaires des évêques, dont le pape a pu soupçonner une certaine partie liée avec les populations diocésaines. Elle fonctionne comme une juridiction d'exception, sur délégation directe du pouvoir pontifical – les inquisiteurs ne relevant que du pape seul. Ainsi, elle « déroge à tout droit ». Rodée contre les cathares de Germanie dès 1227, et contre ceux de Champagne, Bourgogne et Flandres à partir de 1230, elle est étendue en 1233 à l'ensemble de la chrétienté, comme un solide maillage de l'autorité du saint Siège, par-dessus les pouvoirs locaux, et d'abord à Toulouse.

Bien que constituant indéniablement un « progrès » au plan juridique, l'Inquisition sera haïe et redoutée des populations concernées, comme l'instrument d'une terreur institutionnelle, cumulant les pleins pouvoirs d'un confessionnal obligatoire et d'un tribunal policier, se réclamant du droit divin pour juger les vivants et les morts – jusque dans l'au delà et pour l'éternité. « Moderne » est l'Inquisition, en plein XIIIe siècle, car elle fonde – et pour des siècles – le droit des pouvoirs à forcer les consciences et étouffer la critique, au nom d'un arbitraire transcendantal, à la racine des bureaucraties totalitaires « modernes ». Ses deux piliers : la délation comme méthode ; et pour but l'aveu, c'est-à-dire l'autocritique.

Son rôle pénitentiel est premier. Les juges sont d'abord des religieux chargés d'entendre en confession les populations adultes des villages méridionaux (hommes de plus de 14 ans, femmes de plus de 12 ans), afin de les absoudre de toute hérésie et les réconcilier à la foi du pape et du roi, les réintégrer dans la communauté chrétienne, hors de laquelle il n'est nul Salut. Mais ils sont aussi des enquêteurs, qui utilisent les confessions comme autant de dépositions en justice et érigent la délation en système. Dénoncer, parmi ses proches, les hérétiques et les amis des hérétiques, constitue, pour le pénitent – à la fois accusé et témoin – le seul moyen de prouver à l'inquisiteur, qui cumule les fonctions de confesseur, enquêteur, juge et procureur, la sincérité de son repentir et obtenir son absolution.

Les confessions-dépositions sont enregistrées par les notaires d'Inquisition, constituant ainsi un véritable fichier des suspects en hérésie, permettant des enquêtes par recoupement des témoignages. Ce système permet aussi de démasquer immédiatement les relaps.

Police religieuse, l'Inquisition pèse les âmes, au nom de Dieu. Elle distingue ainsi les simples *croyants d'hérétiques*, à ramener au bercail par des pénitences appropriées, des *hérétiques* proprement dits, bons hommes et bonnes femmes, pleinement coupables du crime d'hérésie et le plus souvent irréconciliables. Les inquisiteurs prononcent leurs sentences en solennelles séances de Sermon général, au parvis des cathédrales, martelant l'horrifique condamnation de l'hérésie pour l'édification du peuple chrétien rassemblé.

L'Inquisition tue relativement peu, là n'est pas son rôle. Elle ne remet au bras séculier, pour exécution par le feu – habile procédé, de la part de religieux, pour tourner les préceptes de l'Evangile – que les hérétiques impénitents et les croyants relaps. Les croyants repentis sont réconciliés au moyen de pénitences tarifées : pèlerinages, port de croix d'infamie, confiscation des biens, prison – le Mur inquisitorial – souvent à perpétuité. Les relaps – ces malheureux qui, après avoir abjuré toute hérésie, se trouvent à nouveau dénoncés à un inquisiteur – sont considérés comme incurables et systématiquement brûlés. L'Inquisition, « en signe de leur damnation éternelle » abandonne au bras séculier relaps et impénitents – comme elle fait brûler les corps des croyants morts « en pestilence hérétique » et les maisons qui ont abrité les cérémonies impies...

Pour l'inquisiteur, l'issue du bûcher constitue pourtant un échec. Il signifie que la brebis perdue n'a pu être ramenée au bercail, et que l'hérétique impénitent, criminel envers Dieu selon le Droit canon, demeure l'ennemi de la foi. L'inquisiteur, délégué direct du pape, lui-même vicaire de Dieu en ce monde, ne peut plus rien pour lui. Son impénitence est la marque d'une âme perdue, qui reçoit ainsi la sentence du feu « en signe de sa damnation éternelle ». Le sens profond du bûcher est de faire passer les hérétiques « du feu de ce monde à celui de l'enfer », selon l'expression du chroniqueur du bûcher de Monségur.

L'efficacité redoutable du système est de fissurer, par l'angoisse de la délation, les solidarités villageoises et familiales, de transformer les religieux clandestins, pour la plupart d'anciens parents, d'anciens amis, en maudits par qui le malheur arrive. L'idéologie de la honte pose sa chape, pour que l'hérésie disparaisse de la société et des consciences.

## L'élimination de l'hérésie

Les princes occitans ne parviennent pas à se soustraire à la domination capétienne. Après l'échec de la « guerre du vicomte » Trencavel en 1240, et celui de la « guerre du comte » de Toulouse en 1242, la chute de Montségur, forteresse pirate tenue par une poignée de chevaliers rebelles, marque la fin des espoirs politiques méridionaux. C'est aussi la fin des Eglises cathares structurées en Languedoc. Le grand bûcher du 16 mars 1244 emporte dans les flammes la hiérarchie des Eglises cathares qui s'y était réfugiées. A partir de 1249, un comte capétien règne sur Toulouse, qui sera rattachée à la Couronne en 1271. Désormais, face à l'Inquisition, toute clandestinité devient désespérée. Les derniers bons hommes et bonnes femmes errants battent la campagne de cache en cache, de grange en cabane de clairière, sous la protection de croyants terrorisés par l'Inquisition. C'est alors que se forge leur image de prédicants furtifs et clandestins. Les Eglises occitanes meurtries rassemblent des lambeaux de leur hiérarchie au Refuge de l'Italie, où l'Inquisition peine à s'implanter – jusqu'à ce que la définitive victoire des partisans du pape (Guelfes) sur ceux de l'empereur (Gibelins), en 1269, n'ouvre la porte à la répression.

Le tribunal de l'Inquisition est désormais fixé dans les villes épiscopales, Albi, Toulouse, Carcassonne, où il cite à comparaître les suspects. A partir de 1252, le pape l'autorise à employer la torture. Sur les pays d'oc nouvellement pacifiés par le roi, l'hérésie sera ainsi éradiquée à peu près totalement dans le premier tiers du XIV° siècle. Les grands inquisiteurs qui en viennent à bout – Geoffroy d'Ablis, Bernard Gui, puis Jacques Fournier – reprennent avec méthode les registres-fichiers de leurs prédécesseurs, utilisent savamment mouchards et indicateurs, se communiquent leurs dossiers, mènent des opérations de police concertées sur des villages entiers, comme Montaillou, multiplient les bûchers de relaps, les exhumations de cadavres, les destructions de maisons – et l'un après l'autre, en 1309 et 1310, capturent et brûlent les derniers prédicants qui, autour du bon homme Pèire Autier, tiennent encore le maquis entre Quercy et Pyrénées. En 1321, est exécuté le dernier bon homme qui nous soit connu, Guilhem Bélibaste, arraché à son refuge aragonais.

Ainsi disparaît l'Eglise cathare. Désormais, l'*hérésie* des Bons Hommes n'est plus pratiquée. Ses structures religieuses et ecclésiales ont été anéanties, son clergé détruit. Plus rien de perceptible – ni geste ni parole liturgique, bénédiction du pain, salut rituel, prière – ne pourra « être commis en matière d'hérésie » ni avoué aux inquisiteurs ; plus personne ne pourra être dénoncé pour avoir vu un hérétique ni assisté à un *consolament*. La foi peut rester vivante au cœur d'une certaine population de croyants orphelins, l'Eglise est morte, et ne peut renaître L'espérance du Salut, la « bonne fin des mains des Bons Hommes », s'est éteinte avec le bûcher du dernier d'entre eux. L'hérésie ne s'est pas étiolée comme une mode se suranne, mais consumée et réduite en cendres. Elle a été systématiquement éradiquée.

## Des textes pour l'Histoire

Certes, il est indéniable qu'un certain nombre de « facteurs multiples » sont entrés en jeu, pour concourir à la disparition du catharisme, comme l'émergence de la neuve spiritualité franciscaine, centrée sur la personne humaine et souffrante du Christ, la nouvelle pastorale dogmatique mise en œuvre par les dominicains, les transformations de la société occitane, le poids du pouvoir royal. Ils ont sans aucun doute accompagné et facilité le travail de l'Inquisition. Il n'en demeure pas moins que l'Inquisition médiévale et pontificale (ne parlons pas encore de l'Inquisition des temps modernes), en un siècle de fonctionnement, est parvenue à éradiquer le catharisme, but pour lequel elle avait été fondée. Et son séculaire travail demeure, massif et inexorable. En témoignent, malgré les pertes et les destructions, les archives accumulées, ces registres-fichiers d'une bureaucratie non ordinaire, puisqu'elle englobait le sacré, le salut de l'âme, l'éternité. Registres d'aveux énoncés sous serment, la main posée sur les sacro-saints quatre évangiles, et comptables de la réconciliation du pécheur dans la sainte Eglise apostolique et romaine ; registres de pénitences valant pour l'au-delà ; ces documents sortent du commun et leur caractère sacré est garant de leur sincérité – qui n'exclut pas critique.

Ce ne sont pas des actes légers, des donations ou des partages, que consignent et scellent les notaires de l'Inquisition : mais de lourdes confessions, des auto-critiques devant Dieu. Le souverain juge plane omniprésent au-dessus des procédures, son œil est au fond de toutes les consciences – celle du juge comme celle du prévenu, celle du témoin, celle du notaire. A bout de souffle, le suspect tait, élude, peut en venir à mentir sous serment. L'inquisiteur est drapé dans son droit. C'est ainsi qu'on lira, pour l'Histoire, les archives de l'Inquisition, comme foncièrement véridiques, et lourdes de tout un poids de témoignage humain. Derrière le phrasé de l'orthodoxie triomphante, le murmure insistant de la dissidence.

**ANNE BRENON**

Béatrice Delpierre

Photo: © Vico Chamla – Milano

# La *Ad Exstirpanda* du Pape Innocent IV (1252)

Un trait de ce décret, dont on ne soulignera jamais assez l'importance, est l'absence immaculée de toute notion d'hérésie. Les mots *cathare, vaudois, albigeois, sabellien, arien, amalricien* ou autres n'apparaissent jamais ; quoique le pape crée des inquisiteurs et les instruit sur la manière de rechercher les hérétiques, il ne leur offre aucune indication sur la façon d'identifier leur proie. Les inquisiteurs, à l'inverse, n'identifient pas non plus les preuves d'orthodoxie. C'est-à-dire qu'il n'y a ni *homoousion,* ni credo athanasien, ni délimitation des deux natures du Christ, ni équilibre attentif entre prédestination et libre-arbitre. La bulle ne propose aucun paramètre pour décider qui arrêter et qui laisser tranquille. L'évêque de n'importe quel diocèse, tout puissant grâce à ce décret, peut, sans en violer ni l'esprit ni la lettre, détenir et emprisonner toute personne sous sa juridiction.

Un terme curieux souligne l'indétermination du concept d'hérétique : quand il faut le mentionner, la formule est « haereticus vel haeretica », « hérétique, homme ou femme ». Comme les désignations de cathare, vaudois, albigeois sont superflues, la seule qui semble nécessaire est la division la plus élémentaire possible de l'humanité, celle qui existe entre homme et femme. Toute personne est soit homme soit femme et c'est ce que sont aussi tous les hérétiques. Ainsi, la classe des hérétiques et la classe des personnes coïncident. De même la NKVD durant la période des grandes purges staliniennes développa la croyance mystique selon laquelle tout être humain renferme la trahison contre Staline, ce qui était toujours révélé par un degré suffisant d'interrogation.

En conséquence, un accusé d'hérésie n'a aucun moyen d'obtenir un verdict d'innocence. Les inquisiteurs déterminent sa culpabilité avant sa détention même. Les fonctionnaires séculiers de l'Etat ont le pouvoir de détenir ceux qu'ils soupçonnent d'être des hérétiques. Puis ils les livrent à l'évêque et aux inquisiteurs pour « un examen d'eux-mêmes et de leur hérésie » (« pro examinatione de ipsis et eorum haeresi facienda », Loi 23), c'est-à-dire que l'inquisition ne fonctionne pas comme un grand jury pour établir l'existence d'un crime probable, ni encore moins, comme une cour pour déterminer la culpabilité ou l'innocence, mais pour examiner la partie coupable et son crime.

Celui qui affirme qu'un hérétique détenu n'est pas coupable crée un dol (« dolum ») et à ce titre tous ses biens doivent passer pour toujours aux mains de l'Etat (Loi 22).

Le national-socialisme n'a pas été inventé seulement par Hitler, mais est né de sa collaboration avec un économiste amateur dépourvu de passion, appelé Anton Drexler. Celui-ci, qui n'était pas un assassin et Hitler, encore peu sûr de lui, rédigèrent les « 25 points » du programme national-socialiste (1920) qui expriment un libéralisme incohérent mais touchant et un socialisme *réel* qui au début avaient peu de relations avec le comportement effectif des nazis, avant de n'en avoir plus aucune. Ceux-ci finirent par demander à leur chef : pourquoi ne pas nous défaire des 25 points ? Hitler répondit : gardez-les, quand on nous demandera quel est notre programme, nous les ressortirons et nous aurons la liberté de faire ce que nous voulons. Heureuse l'organisation terroriste sans principes ni programme !

Etant donné que nul ne peut définir ce qu'est un hérétique, par la même règle, n'importe qui le peut. Ou plutôt, la tâche résulte ridiculement simple. Ce qu'il faut, ce n'est pas la capacité mais l'autorité pour le définir. La Loi 2 exige qu'au début de son mandat l'autorité étatique (qui n'est pas un inquisiteur) accuse tous les hérétiques de sa juridiction d'avoir commis des crimes, à la suite de quoi ses propriétés sont confisquées par les agents nommés par l'Etat ou par le premier qui peut s'en emparer. Dans ce cas, les pilleurs sont propriétaires des biens « de plein droit ». Pas d'investigation, de jugement, de verdict ni de sentence ; la simple accusation comporte punition immédiate. Dans le film *Casanova* (2005), l'inquisiteur Pucci affirme : « l'hérésie est ce que je dis qu'elle est ». C'est peut-être le moment le plus exact du film en termes historiques.

Conformément à la pureté idéologique d'*Ad exstirpanda* – plus exactement, sa pure absence d'idée –, on ne permet qu'aux inquisiteurs et non aux laïcs d'interpréter leurs propres activités. *Ad exstirpanda* crée, dans tous les diocèses d'Europe, une cohorte de procureurs dont la tête est l'évêque diocésain, puis au dessous de lui, les Dominicains (« frères prêcheurs ») et les Franciscains (« frères mineurs ») ; l'Etat est représenté par des agents (« servitores »), deux notaires et deux laïcs. Ces derniers ont interdiction expresse de théoriser sur ce qu'ils font ou sur ce que sont leurs obligations, au-delà de ce qu'autorisent l'évêque et les moines (« Nec ipsi officiales, vel eorum heredes possint aliquo tempore conveniri, de his quae fecerint, vel pertinent ad eorum officium », Loi 11). Pour empêcher complètement tout accord entre eux, on décréta leur substitution tous les six mois, ce qui devait les empêcher d'avoir le sentiment d'avoir appris leur travail. On pense invariablement à l'air du prisonnier sur le banc du tribunal pour crimes de guerre : je suis un pauvre homme, je recevais des ordres et je les retransmettais, en réalité je ne savais rien. Et chez un personnage de Shakespeare :

> Je reçois ici l'ordre de remettre
> le noble duc de Clarence entre vos mains.
> Je ne veux pas discuter l'intention de ceci
> car je veux en être innocent.
> (*Richard III*, I.iv., 93-96)

Le terrorisme d'Etat a besoin d'une réserve d'hommes imbus de la « banalité du mal », selon l'expression d'Hannah Arendt, une incapacité réelle ou simulée à connaître ou vouloir connaître les méfaits qu'ils commettent. Innocent IV s'est occupé de fournir ce genre d'hommes à l'Inquisition.

Mais même là, le sens de la décence peut surgir de façon imprévisible entre les êtres humains. Pour pallier à cette éventualité, le pape ordonne qu'on ne retarde en aucun cas la punition d'une hérésie du fait d'une réunion publique, d'une quelconque protestation populaire ou du sentiment humanitaire inné de celui qui détient l'autorité (« Omnes autem condemnationes, vel poenae, quae occasione haeresis factae fuerint, neque per concionem... neque ad vocem populi ullo modo, aut *ingenio,* aliquo tempori valeant relaxari », Loi 32; l'emphase est en plus). Malgré l'*ingenium* ou impulsion compatissante de quelqu'inquisiteur occasionnel, les exécutions cruelles finirent par se transformer en fait courant et en seconde nature. Jusqu'au XVIIIe siècle, en Espagne de grands bûchers de juifs et d'hérétiques étaient dressés pour célébrer les noces royales.

La loi 32 jette quelques doutes sur l'affirmation de William E.H. Lecky à la fin de son *History of the Rise and Influence of the Spirit of Rationalism in Europe* (1865) où il dit : « s'il est vrai que nous déplorons le mal commis durant les siècles chrétiens, nous ne pouvons pas non plus nier une certaine dignité morale à ceux qui l'ont commis, car ils croyaient en ce qu'ils faisaient à la différence de ce qui se passe aujourd'hui ». La Loi 32 d'*Ad exstirpanda* nous prouve le contraire : les inquisiteurs étaient révoltés par leurs propres agissements et le pape dut leur ordonner de réprimer leurs sentiments. L'incapacité du pape à prononcer les mots *torture* ou *brûlé vif,* lorsque c'était de cela qu'il s'agissait, corrobore la même idée.

*Ad exstirpanda* créa seulement l'Inquisition pour quelques provinces du nord de l'Italie. Cependant, un plan invitant au lucre était proposé, puisque tout Etat pouvait se partager avec les Inquisiteurs les biens du condamné pour hérésie. On pouvait s'attendre à ce que le plan s'étende à toute l'Europe, et c'est ce qui se passa. Avec les *conquistadores*, il s'étendit jusqu'au Mexique et au Pérou. En conséquence, les gouvernements et les régions ne sont désignés dans ces lois qu'en termes génériques : dans le cas du gouvernement « potestas aut rector », autorité ou gouvernement; dans le cas de la région « civitas aut locus », ville ou lieu.

De même que ce qui est stipulé aux membres légos de l'Inquisition désigne la « banalité du mal » du XXe siècle, de même les euphémismes d'*Ad exstirpanda* désignent ceux des Etats totalitaires, pour lesquels assassinat de masse devient « liquidation », chambre de torture devient *Sonderbunker* ou « bunker spécial » et assassinat à une échelle sans précédent dans l'histoire devient la « solution finale ».

Ainsi dans la Loi 24 d'*Ad exstirpanda*, les condamnés d'hérésie doivent se rendre (« relictos ») à l'autorité étatique, qui devra « appliquer les constitutions promulguées contre eux » (« circa eos constitutiones contra tales editas serviturus »). Innocent IV obéissait à un ordre de son prédécesseur Boniface VIII en employant les euphémismes habituels dans ces cas. Il fallait avertir les inquisiteurs qu'« ils ne devaient parler que d'exécution des lois, sans mentionner spécifiquement la peine, afin d'éviter toute "irrégularité", quoique la seule peine reconnue comme suffisante par l'Eglise dans le cas de l'hérésie était d'être brûlé vif » (Henry C. Lea, *A History of th Inquisition in the Middle Ages,* New York, Macmillan 1922, vol.I,p. 537).

L'infâme Loi 25 omet de mentionner les mots *torqueo, tormentum* mais dit que les fonctionnaires étatiques obligeront (« cogere ») les accusés d'hérésie à confesser « citra membri diminutionem, aut mortis periculum » (« sans diminution de membres (expression obscure qui signifie probablement sans les casser) ni danger de mort (c'est-à-dire sans les tuer) ».

*Ad exstirpanda* dispose également qu'un hérétique détenu ou sur le point de l'être se verra encerclé par une nuée de craintes et de soupçons suffisants pour accuser sa famille et ses amis. Toute personne prise en train de fournir conseil, aide ou faveur à un hérétique (« Quicumque vero fuerit deprehensus dare alicui haeretico, vel haereticae, consilium, vel auxilium, seu favorem »), sera déclarée infâme et perdra le droit d'exercer une charge officielle, de participer aux affaires publiques ou de voter ; elle ne pourra pas témoigner lors d'un jugement et ne pourra ni hériter ni léguer. En résumé, « ceux qui prêtent l'oreille aux fausses doctrines des hérétiques seront punis comme les hérétiques ». Quand il était évident que d'une façon ou d'une autre, une personne allait être détenue sous l'accusation d'hérésie, sa famille et ses amis faisaient tout pour ne pas avoir l'air de lui offrir « consilium, vel auxilium, seu favorem ». Tant Alexandre Soljenitsin dans l'*Archipel du Goulag* que Nadezhda Mandelstam dans *Hope abandonned*, décrivent l'atroce sensation que ressent un détenu dans un pays totalitaire, à se voir repoussé par famille et amis. A moins qu'il n'anticipe de cette façon, le propriétaire de la maison verra également détruite et interdite de reconstruction toute autre maison qu'il possède dans le voisinage.

Cette action ne punit pas les hérétiques, mais induit un propriétaire à craindre que l'un de ses locataires puisse être accusé d'hérésie avant qu'il ne le fasse lui-même. Arendt décrit la façon dont collègues de travail et relations d'une personne détenue se précipitaient à la police secrète pour dire qu'ils ne la fréquentaient que pour accumuler des preuves de sa culpabilité afin de la dénoncer. La Loi 21 spécifie qu'il faut construire de nouvelles prisons pour les hérétiques, séparées de celles qui étaient prévues pour les voleurs et délinquants ordinaires, dans le but évident d'empêcher que ceux-ci ne puissent informer le monde extérieur, à leur libération, de la situation des hérétiques.

Le *Times Literary Supplement* du 8 septembre 2006, dans un compte-rendu du livre *God's War* de Christopher Tyerman, observe que de façon encore plus surprenante, les opérations de l'Inquisition contre les Albigeois au sud de la France reçoivent les éloges de Tyerman. Il ne s'agit pas d'une « sinistre institution bureaucratique de répression comme l'affirme la légende », mais il a au contraire œuvré au moyen de la « persuasion et de la réconciliation ». Quant à Gerard Bradley, dans *One Cheer for Inquisitions,* un article publié sur *Catholic.net,* il recommande au moins une certaine tolérance et une empathie pour l'Inquisition, car son existence même est le témoignage d'une époque de foi plus profonde que la nôtre. Pourtant, il suffit de lire *Ad exstirpanda* pour découvrir que l'Inquisition ne s'intéressait ni à la foi ni même à l'hérésie, mais plutôt à la richesse et au pouvoir, et du moyen le plus rudimentaire pour les obtenir : la terreur.

**DAVID RENAKER**
Professeur de la San Francisco State University
Traduction : Irène Bloc

**Note de l'auteur :**
Les recherches qui m'ont amené à la traduction commencèrent avec mon besoin de connaître le sens du verbe *exstirpo, exstirpare,* et la façon dont ce sens changea entre le Moyen Age et le dix-septième siècle. Quand j'ai découvert que cette bulle papale n'était jamais apparue en anglais, j'ai décidé de me consacrer aussi à la traduire.

La source est *Bullarum Privilegiorum Romanorum Pontificum Amplissima Collectio cui accessere Pontificum omnium Vitae, Notae & Indices Opportuni.* Opera et Studio Caroli Cocquelines. Tomus Tertius. A Lucio III. Ad Clementem IV., scilicet ab An. MCLXXXI ad An. MCCLXVIII, Romae, M. DCC. XL. Typis et Sumptibus Hieronymi Mainardi.

J'ai trouvé ce livre à travers les bons offices d'Anthony Bliss de la Bibliothèque Bancroft, U. of California, Berkeley et à travers l'équipe de la Graduate Theological Union Library, à qui j'adresse mes chaleureux remerciements.

# Quand les Pyrénées n'étaient pas une frontière

Pendant le XIIe siècle, entre la Catalogne et l'Occitanie, une intense relation se mit en place, sur les plans culturel, politique, social et religieux et elle permit l'expansion du catharisme à travers les Pyrénées. La Couronne d'Aragon – qui comprenait depuis 1137 la Principauté de Catalogne et le Royaume d'Aragon – était au pouvoir des comtes de Barcelone qui, tout au long du XIIe siècle étendirent leurs domaines jusqu'en territoire occitan. Plusieurs nobles du nord de la Catalogne, comme les seigneurs du Roussillon, de Cerdagne et du Conflent parièrent pour la défense du catharisme. Arnau de Castellbó, comte de Cerdagne, vicomte de Castellbó et conseiller de Jacques I, par l'union dynastique de sa fille Ermessenda à Roger Bernat de Foix, configura un territoire qui s'étendait des deux côtés des Pyrénées et incluait la majeure partie des terres du nord-ouest de la Catalogne, comme Castellbó, la Tour de Querol, Berga, Josa et Gòsol jusqu'en Andorre, avec également le comté de Foix qui s'illustra par sa défense du catharisme. La vie d'Arnau a été marquée par des luttes continuelles pour ses droits territoriaux contre l'Église d'Urgell et des disputes qui furent rapportées dans les poèmes du troubadour Guillem de Berguedà. Cette situation facilita la pénétration du catharisme qui s'étendit grâce à des liens familiaux. Au début du XII e siècle, à Castellbó, des prédications publiques avaient lieu et en 1221 un diaconat cathare se mit en place, avec son administration propre pour le territoire où résidait Guillem Clergue, *diaconus haereticorum de Catalonia.*

Une des familles du nord de la Catalogne liée au catharisme était les Bretós de Berga. Arnau Bretós fut capturé quand il se rendait au secours des assiégés de Montségur et sa déclaration du 19 mai 1244 parle des voyages que les cathares réalisaient en territoire catalan durant la première moitié du XIIIe siècle. Dans les montagnes de El Cadí, se trouvait un autre cercle du catharisme. Ramon de Josa, qui avait des liens familiaux avec Arnau de Castellbó, recevait en son château la visite de cathares parmi lesquels étaient le diacre Pere de la Corona et Guillem de Pou. Ce même Pere réalisa durant la décennie suivant 1240 un voyage en Catalogne auprès des communautés cathares, à Vallporrera (Tarragone), à Ciurana et à la montagne de Prades, entre autres lieux.

L'apparition de l'hérésie posa un problème politique à l'église mais aussi à la monarchie. Le pape Innocent III mit sur pied une politique contre l'hérésie qui se refléta durant le couronnement de Pierre le Catholique à Rome en 1204. Peu avant, Innocent avait donné des ordres à l'archevêque de Tarragone afin qu'il aide les prélats pontificaux dans sa lutte contre l'hérésie, et en même temps il donnait au roi le pouvoir de posséder les terres confisquées aux hérétiques. Dans les années antérieures à la croisade, le pape a maintenu son appel constant au roi Pierre pour qu'il appuie sa cause. La dispute de Montpellier entre catholiques et hérétiques, présidée par Pierre, et qui se termina par la condamnation de l'hérésie, signifia un rapprochement avec Rome. Cependant ce rapprochement resta toujours ambigu car plusieurs vassaux de Pierre qu'il défendit pendant la croisade, soutenaient le catharisme.

Après la défaite de Muret et la mort de Pierre (1213), Jacques Ier centra son intérêt dans une autre direction : la conquête de Valence (1229), Majorque (1239) et l'expansion vers la Méditerranée. Avec la signature du Traité de Corbeil (1256) terminaient officiellement les prétentions de la maison comtale de Barcelone sur l'Occitanie. Cette situation affecta le développement du catharisme car l'Occitanie ainsi que la Catalogne demeura sous la coupe de Rome.

Durant le règne de Jacques I (1213-1276) l'offensive la plus importante contre l'hérésie eut lieu. Le 26 mai 1232 Grégoire IX promulgua la bulle *Declinante* où il ordonnait à Espàrrec de la Barca, archevêque de Tarragone et à tous les évêques des diocèses qui en dépendaient – Gérone, Urgell, Tortosa, Lleida, Elna et Barcelone, entre autres – de poursuivre les hérétiques et tous ceux qui les protégeaient ou les cachaient, en accord avec les statuts qu'il avait lui-même promulgués. Deux ans plus tard, Ramón de Peñafort organisa l'assemblée ecclésiastique qui se réunit le 7 février 1234 à Tarragone en présence de Jacques et où les bases de l'inquisition catalane médiévale furent jetées. On y décrétait que « *aucun laïc ne devait oser discuter de la foi catholique, ni publiquement ni en privé. Celui qui contrevenait à cela devait être excommunié par son évêque et si la condamnation n'était pas respectée, il devait être considéré comme hérétique.* » Une fois défini le cadre législatif, Innocent III favorisa lors du IVe Concile du Latran (1215) l'émergence des ordres de prédicateurs dans le but de contrecarrer l'influence de l'hérésie; Dominicains et Franciscains devaient visiter les lieux suspects d'hérésie pour livrer les coupables au bras séculier chargé d'exécuter la sentence. Pendant ces années, un groupe de vaudois convertis de nouveau au catholicisme, connus sous le nom de Pauvres Catholiques et dont le Prieur était Durand de Huesca, s'installèrent dans diverses villes européennes et à Elna (Roussillon) où ils fondèrent une école qui a laissé une importante production écrite contre l'hérésie.

Les premiers procès inquisitoriaux commencèrent peu après la création de l'inquisition. En Urgell, la situation devint si délicate qu'il fut nécessaire de réunir un concile à Lleida en 1237, organisé par l'évêque d'Urgell, Pons de Vilamur, afin d'obliger le comte de Foix à autoriser l'entrée de l'inquisition dans la région et tout se termina par 78 inculpations et la démolition de deux maisons. En ces années, l'inquisition œuvra à Puigcerdà et aussi à Tarragone où il y eut plusieurs condamnations. Un rapport de l'inquisiteur Guillem Clergue concernant la région de Berga déclarait qu'« *il y avait peu d'auberges à Gòsol qui n'abrite pas d'hérétiques* » et aussi que « *qu'il y avait de ces bons hommes à Solsona et à Agramunt, à Lleida et à Sanauia et à la Sed dans la montagne de Prades* ». En 1258, l'inquisiteur Pere de la Cadireta condamna Ramon de Josa à titre posthume. Onze ans plus tard, le même inquisiteur déclara Arnau de Castellbó hérétique alors qu'il était mort quarante ans plus tôt, ainsi que sa fille Ermessenda. Il ordonna d'exhumer leurs corps et de les expulser du cimetière de Santa Maria de Costoja.

Au moment où l'inquisition se développait en Occitanie, la Catalogne devenait un refuge, terre de constantes migrations à travers les Pyrénées. La conquête de Valence et de Majorque et le processus de colonisation facilitèrent la diffusion des doctrines cathares en certains lieux. A Valence, le commerçant Guillem de Melió fut l'un des inculpés et à Majorque Raimunda, femme de Boussoulens, et Durand de Broille étaient en contact avec des cathares dans leurs maisons respectives. Durant ces années, Lleida devint une ville clé pour les déplacements vers la zone plus méridionale du pays. Dans cette ville, face au problème de l'hérésie, la Chancellerie Royale avait émis en 1257 un sauf-conduit dans le but de faciliter la réconciliation. Vers 1235 Lucas, évêque de Tuy écrivit *De Altera Vita* pour réfuter en partie le livre des doctrines des hérétiques qui apparaissaient dans le royaume de Castille. Le passage de cathares, bien que minoritaires, par ce territoire était concentré dans des villes du chemin de Saint-Jacques de Compostelle, comme Burgos, Palencia ou León.

Au cours du XIIIe siècle, l'inquisition finit par désarticuler le catharisme. Au début du XIVe, une résurgence se fit jour en Catalogne menée par la dernière communauté entourant Guillem Belibaste et un groupe d'exilés, principalement en provenance de Motaillou et qui avait fui les persécutions, comme Peire et Joan Mauri, pasteurs itinérants et leur sœur Guillermina qui avait leurs maisons à San Mateo (Valence), Esperte et Raimunda. Tous vécurent dans des villes de Catalogne, de Valence et d'Aragon, pendant plusieurs années. Peire lui-même quand il fut arrêté à Lleida se plaignait à l'inquisiteur Bernardo de Puigcercós de ce que l'enseignement de Guillem avait peu à voir avec celui des Autier. Mais il est certain que même si en certaines occasions Belibaste interprétait l'enseignement dans un bénéfice personnel, le témoignage qui en est resté révèle une connaissance profonde de la doctrine du catharisme. En 1321 Guillem fuit trahi par Arnau Sicre, emprisonné à Tírvia, et remis à l'archevêque de Narbonne. Le 24 août de la même année, Guillem était brûlé dans la résidence de l'archevêque au château de Vila Roja-Termenés, sans avoir renoncé à sa foi.

**SERGI GRAU TORRAS**

Traduction : Irène Bloc

# La mémoire du catharisme

L'un des sujets qui a le plus marqué l'historiographie relative au catharisme a été, sans aucun doute, le grand silence qui s'est produit après la fin tragique de ce mouvement religieux, un silence qui devait se prolonger jusqu'à l'arrivée de la Renaissance. Il est certain qu'il n'est pas du tout facile de suivre la trace de ces « braises » incertaines dans les sources historiques ; surtout parce que, comme l'a souvent rappelé Anne Brenon, l'expansion des ordres mendiants, la nouvelle mystique franciscaine et l'orthodoxie postérieure à l'œuvre théologique du Dominicain Thomas d'Aquin modifièrent complètement le cadre religieux de la fin du Moyen Age.

En ce sens, on a affirmé que dans la mentalité populaire du Languedoc sont restées les traces d'un anticléricalisme qui contribua à l'éclosion de la Réforme protestante au XVe siècle. En réalité, quand apparut le protestantisme, l'érudition catholique évoqua un autre mouvement religieux dissident comme l'était le catharisme pour l'utiliser comme arme contre les adeptes de la Réforme. Paradoxalement, les premiers historiens protestants traitèrent les cathares avec mépris. Puis, vers la fin du XVIe siècle, ils les confondirent avec les vaudois, tout en les considérant déjà comme un antécédent de leur propre mouvement réformateur. Jacques-Bénigne Bossuet (1627-1704) mit fin, avec son *Histoire abrégée des albigeois, des vaudois, des viclifites et des hussites* – qui fait partie de son *Histoire des variations des églises protestantes* (1688) – à la confusion entre les cathares et les vaudois, et l'historiographie protestante, non sans hésitations, finit par le suivre.

Au siècle des Lumières, Voltaire les confondit de nouveau avec les vaudois (dans son *Essai sur les mœurs et l'esprit des nations,* 1753) et Diderot considérait leur pensée comme « vide et déplorable » : en tout cas, à la fin du XVIIIe siècle, les cathares étaient vus comme des victimes tragiques de l'intolérance, mais aussi comme des fanatiques sans pensée religieuse d'une certaine tenue...

Il a fallu atteindre le XIXe siècle pour que l'historiographie protestante renouvelle l'étude du catharisme et l'installe sur des bases plus solides. En ce sens, la figure de Charles Schmidt (1812-1895), un pasteur et théologien protestant né à Strasbourg, semble essentielle. Auteur des deux volumes d'une *Histoire et doctrine de la secte des cathares ou albigeois* (1849), Schmidt, voyant le catharisme comme une religion autre, plutôt que comme une hérésie chrétienne, fonda ses travaux, pour la première fois, sur l'étude sérieuse des sources jusque-là inexplorées, en particulier les archives de l'Inquisition.

Légèrement postérieure, mais d'un point de vue très différent, fut l'œuvre de Bernard Mary-Lafont (1810-1884), un calviniste bibliothécaire de Montauban et fervent patriote occitan, auteur d'une *Histoire politique, religieuse et littéraire du Midi de la France* (en quatre volumes, 1842-1845). Peu après apparut l'œuvre d'un autre pasteur protestant, Napoléon Peyrat (1809-1881) auteur d'une *Histoire des albigeois* (1870-1882), qui quoique se basant sur des sources documentaires authentiques mêla de façon indissociable l'histoire et la légende. La volonté de l'auteur, qui devait par la suite exercer une énorme influence sur la poésie, le théâtre et le roman, était d'écrire une sorte de résurrection historique totale, comme l'avait fait son ami Jules Michelet pour la France. De l'œuvre de Peyrat, un homme romantique et passionnément attaché à sa terre, est née une bonne partie de la mythologie qui a accompagné plusieurs des approches successives du catharisme.

L'historiographie catholique, dans le même temps, gardait un silence assourdissant sur une page particulièrement obscure de l'histoire de l'Eglise, silence qui ne serait rompu qu'au passage du XIXe au

XXe siècle avec l'apparition de l'œuvre de l'évêque et professeur Ignaz von Döllinger (*Geschichte der gnostisch-manichäischen Sekten in früheren Mittelalter*, « Histoire des sectes gnostico-manichéennes du haut Moyen Age » Munich, 1890). Il faut y ajouter celle du professeur de Béziers (puis évêque de Beauvais) Célestin Douais, suivie peu après par celle d'un laïc de Carcassonne, professeur de l'Université de Besançon, Jean Guiraud.

Le XXe siècle a vu l'apparition dans les années 1939, 1945,1960 et 1961, de nouvelles sources liées directement aux cathares et aux archives de l'Inquisition, et avec pour conséquence une rénovation de fond en comble de l'historiographie existante. Or, il y a encore peu de temps, les principales sources des recherches historiques étaient encore les traités, les sommes, les chroniques, les lettres et les sermons des Cisterciens et des Dominicains de l'époque du catharisme qui décrivaient l'hérésie pour pouvoir la combattre. Il n'est donc pas surprenant que théologiens et historiens soient arrivés à la conclusion commune de considérer le catharisme comme un corps étranger au sein de la chrétienté occidentale. Aujourd'hui l'historiographie a changé de façon substantielle sa vision du phénomène et la bibliographie a considérablement augmenté, en partie comme une manifestation du regain d'intérêt pour le catharisme de ces dernières décennies.

Dans la deuxième moitié du XXe siècle, le nombre des chercheurs se penchant sur ce thème, avec des points de vue parfois divergents, s'est multiplié. Ils ont complété et complètent chaque fois mieux les connaissances sur ce mouvement religieux médiéval. Dans ce contexte, il faut souligner le pas en avant qu'a supposé la fondation en 1982 du Centre National d'Etudes Cathares à Carcassonne, par René Nelli, Robert Capdeville et Pierre Racine. Ce centre, dirigé entre 1982 et 1998 par l'archiviste Anne Brenon et entre 1998 et 2005 par la médiéviste Pilar Jiménez, a été un foyer dynamisant et permanent de recherche historique sur le catharisme et les hérésies médiévales.

## Le « Pays cathare »

L'évidente fascination que le catharisme a suscité dans de larges secteurs s'est emparée de nombreux milieux sociaux et s'est traduit directement par une promotion touristique et économique. Ce fait a permis que, d'abord de façon spontanée puis induite par le secteur privé comme par l'administration publique, une dynamique d'identification avec l'Eglise des « bons chrétiens » se mette en place, dans certaines zones du Languedoc, à partir des années soixante et que se créent diverses mesures fomentant l'intérêt des visiteurs pour ces régions.

Dans cet ordre d'idée, la création en 1989 de la marque « Pays cathare » par le Conseil Général de l'Aude a été déterminante. Cette marque, par sa délimitation géographique et administrative, a réduit la scène historique réelle en se concentrant surtout sur la zone des Corbières. Basée sur la revalorisation du patrimoine (fondamentalement châteaux et abbayes), elle bénéficie aussi de la complicité des professionnels du tourisme, des artisans, des agriculteurs et des viticulteurs qui sont intéressés par une initiative de recherche qualitative. Dans l'éventail d'applications de ce projet, aujourd'hui la marque « Pays cathare » – qui souvent supplante le terme même d'Occitanie – veut assurer une prestation de qualité. Ce peut être un accueil personnalisé dans une multitude de gîtes ruraux, d'auberges, de restaurants, d'hôtelleries, d'hôtels, de campings et de caves comme garantie de la qualité de produits comme le pain, la viande, la volaille, les fruits ou les légumes. En conséquence, et il ne pouvait en être autrement, l'exploitation touristique d'un fait historique comme le catharisme a provoqué divers genres d'excès, et c'est ainsi que le mot *cathare* – parfois sans la marque « *pays* » – a été attribué à toutes sortes de produits commerciaux et touristiques qui recherchent dans cette étiquette une image de prestige et une supposée « authenticité ». Cet abus de terminologie, inévitablement, a vu apparaître certaines marques et dénominations totalement fantaisistes et délirantes.

Un autre type d'approximation – plus facile à résoudre – de la réalité historique se trouve dans les nombreux guides, itinéraires et randonnées excursionnistes qui prolifèrent sur tous les territoires où le catharisme eut un certain genre d'implantation. Il convient d'en citer deux en particulier, qui ont une longueur à peu près identique (environ deux cents kilomètres) et peuvent se parcourir à pied, à cheval ou en bicyclette de montagne. D'une part, celui qui s'appelle *le Sentier cathare – de la mer à Montségur et Foix* (GR-36 y GR –7), qui unit la Méditerranée, à partir de Port-la-Nouvelle, aux Pyrénées, concrètement jusqu'à Foix et qui longe souvent l'ancienne frontière entre les royaumes de France et d'Aragon. Et d'autre part, celui qui s'appelle *le Chemin des Bons Hommes* (GR-107) et relie le sanctuaire de Queralt, dans le Berguedà, et le château de Montségur, en Ariège et qui longe plus ou moins les chemins de migration des *bons hommes* à travers les passages des Pyrénées.

## Esotérisme et légende

Le catharisme a été en fin de compte une Eglise poursuivie et anéantie à une époque particulièrement génératrice de mythes et de légendes, comme l'a été le Moyen Age, se trouve paré depuis le XIXe siècle, de multiples connotations à caractère plus ou moins ésotérique, plus ou moins fantasque, ce qui n'a sans doute pas manqué d'attirer l'attention de bien des gens. Ces connotations ont en même temps généré une littérature très abondante (plus de deux cents titres dans la période 1970-1990) qui ne garde aucune relation avec les faits strictement historiques tels que nous les connaissons aujourd'hui.

Cette confusion est arrivée à un point extrême où il est souvent impossible de séparer, dans des livres se présentant avec un vernis minimum de véracité historique, ce qui relève de la certitude scientifique connue grâce aux outils les plus affinés de l'historiographie récente, et de ce qui relève de la pure invention ou ce qui perpétue d'anciennes légendes.

Certaines de ces fantaisies ont donné lieu à des pages d'érudition supposée ou à une littérature fertile : les mythes d'Esclarmonde, du temple solaire, du trésor cathare, des grottes du Sabartès, de la quête du Graal, de l'influence orientale ou tibétaine, etc. D'autres mythes sont moins connus mais peuvent aussi surprendre : l'attribution d'une signification cathare à l'arbre de vie du vitrail du chœur de la cathédrale de Saint-Nazaire de Carcassonne (Lucienne Julien, 1990) ou la recherche d'une « clé catharo-platonique » dans les fresques de la Chapelle Sixtine de Michel Ange (H. Stein-Schneider, 1984), pour ne citer que deux exemples. Dans d'autres cas, enfin, l'erreur est seulement le fruit plus ou moins coupable d'une méconnaissance historique notable. Par exemple, lorsqu'on a voulu associer au catharisme des symboles comme la croix (souvent par confusion avec la croix perlée de Toulouse) ou des monuments funéraires comme les stèles discoïdales, suivant les traces de l'hypothèse alimentée surtout par Déodat Roché.

## Littérature et catharisme

Un mouvement religieux comme le catharisme, avec ses caractéristiques propres et les circonstances historiques qui le condamnèrent, devaient forcément attirer l'attention des auteurs de fiction. C'est ce qui s'est passé en effet, et ce phénomène qui naît avec le Romantisme et arrive avec une force extraordinaire jusqu'à nos jours pourrait se résumer, d'emblée, par une simple donnée statistique. Lors des deux siècles passés, au moins une centaine de romans en relation avec les cathares (dont une vingtaine centrée sur les événements de Montségur), une trentaine d'œuvres dramatiques, une trentaine d'albums ou de séries de BD et une vingtaine de livres pour la jeunesse ont été publiés sur le sujet. Si l'on inclut tous les genres (par conséquent la poésie et aussi les essais), René Nelli en 1978 (*Histoire secrète du Languedoc*) parlait d'une centaine d'œuvres se référant seulement à Montségur...

La langue française, comme il est logique, représente la grande majorité de cette production. Les thèmes y sont d'ailleurs généralement récurrents. Par exemple, dans le cas du roman historique, le protagoniste est fréquemment un personnage de l'époque de la croisade qui a des sympathies pour la cause des hérétiques. En ce qui concerne les symboles relatifs à Montségur, ils sont multiples et l'immense majorité se trouve dans la vision romantique de Napoléon Peyrat, déjà mentionné : l'eau (l'embarcation et l'îlot au milieu du ciel) ; l'air et la pierre (les ruines du château) ; la colombe (la légende d'Esclarmonde) et l'aigle (avec son nid vu comme un symbole de résistance) ; le feu (référence au bûcher de 1244) ; la nature sauvage et tourmentée, etc.

La littérature sur le catharisme est née au XIXe siècle avec le Romantisme et son intérêt bien connu pour le passé et en particulier pour le Moyen Age. Des phénomènes similaires surgissaient dans toute l'Europe dans un même style et ce courant romantique provoqua dans le cas particulier du Languedoc, un regain d'attention pour la péripétie des cathares et, en même temps, pour une littérature propre qui s'en faisait l'écho.

De façon concrète, on peut dater cette renaissance en 1827 quand à Paris, peu après le succès en France des traductions des livres de Walter Scott, parut le livre *Les hérétiques de Montségur ou les proscrits du XIIIe siècle,* d'un auteur anonyme. Et l'impulsion majeure fut donnée par Frédéric Soulié, originaire de Mirepoix, en Foix, un auteur de feuilletons qui eut beaucoup de succès et réussit à publier plus de dix-sept éditions de ses romans. Son œuvre principale est une trilogie appartenant à sa série *Romans du Languedoc (Le Vicomte de Béziers,* 1834 ; *Le comte de Toulouse,* 1840 ; et *Le comte de Foix,* 1852). Sur un fond historique, il décrit avec profusion de détails les lieux où il fait revivre des personnages du Moyen Age, évoquant parfois des scènes cathares. Inutile de dire que l'influence de Scott est indéniable.

Avec l'impulsion de l'historiographie, surtout à partir des œuvres mentionnées des deux pasteurs protestants Charles Schmidt et Napoléon Peyrat, se produisit l'éclosion d'un nombre appréciable d'œuvres de fiction. Et en plein XXe siècle, l'intérêt pour le catharisme déclenchera une avalanche de romans qui, de fait, ne s'est pas interrompue et continue encore aujourd'hui avec la parution en continu d'œuvres nouvelles. Parmi la multitude d'auteurs, nous pouvons mentionner les plus significatifs. Le duc de Lévis-Mirepoix (*Montségur,*1925). Maurice Magre (*Le sang de Toulouse,* 1931 – *Le trésor des albigeois,* 1938). Pierre Benoît (*Montsalvat,* 1957). Zoé Oldenbourg *(La pierre angulaire,* 1953 – *Les brûlés,* 1960 et *Les cités charnelles,* 1961). Michel Peyramoure (la trilogie *La passion cathare,* 1978). Henri Gougaud (*Bélibastę,* 1982 – *L'inquisiteur,* 1984 et *L'expédition,* 1991) et Dominique Baudis (*Raimond « le Cathare ». Mémoires apocryphes,* 1996). Dans le milieu catalan, deux romans obtinrent en leur temps un notable succès public : *Cercamon (*1982) de Luis Racionero et *Terra d'oblit. El vell cami dels càtars (*1997) d'Antoni Dalmau.

En ce qui concerne la production dramatique, il faut mentionner l'œuvre du début du XXe siècle de Pierre Bonhomme et, à une époque plus récente, les apports de Robert Lafont (*Raymond VII,* 1967), René Nelli (*Beatris de Planissolas : misteri,* 1971) et de nouveau Zoé Oldenbourg (*L'évêque et la vieille dame ou la belle-mère de Peytavi Borsier,* 1983).

Le nouveau succès du roman historique a contribué sans aucun doute à multiplier les livres qui traitent du catharisme dans le domaine de la fiction. Malheureusement, la majorité de ces œuvres, profitant de la liberté absolue qu'offre le roman à ses auteurs, optent pour une vision ésotérique et une déformation substantielle des faits historiques tels que nous les connaissons aujourd'hui. C'est ainsi que le lecteur novice qui s'interroge sur la réalité historique du catharisme voit à chaque moment s'estomper la ligne étroite qui sépare les événements, tels qu'ils se produisirent, de l'imagination débordante d'une si nombreuse mythographie.

# Le silence du cinéma

Le catharisme a démontré largement qu'il possède une grande capacité d'attraction. Qu'il ait si peu occupé le cinéma, art principal du XXe siècle, surprend d'autant plus. Concrètement, on ne peut citer que deux approches assez anciennes et, de plus, de prestige et de caractéristiques limitées.

*La fiancée des ténèbres* (1944) un film français de Serge de Poligny (1903-1983), sur un scénario de Gaston Bonheur, produit par Eclair Journal. Le pitch est le suivant : un vieil homme malade Toulzac, « le dernier cathare » vit au pied des murailles de Carcassonne avec sa protégée, la jeune Sylvie (interprétée par Jany Holt) et il a l'obsession de trouver la porte du sanctuaire où reposent depuis sept siècles les bons chrétiens. Elle tombe amoureuse d'un jeune compositeur, Roland Samblanca (Pierre Richard Wilm), mais le vieillard qui a découvert la trappe d'entrée dans la cathédrale lui commande d'y descendre en sacrifice, telle une nouvelle Esclarmonde. Elle lui obéit mais Roland la suit dans la crypte. Le sol se met à trembler et les amants finissent par fuir à Tournebelle, un lieu agréable où ils pourront vivre leur passion. Cependant, elle se sent poursuivie par une malédiction (elle ne peut aimer sans entraîner la mort de son amant), elle choisit donc d'abandonner Roland et disparaît à jamais dans l'obscurité de la nuit. Le film, dans une réalisation très esthétisante fut tourné durant l'occupation allemande et reprend sans nuances les mythes classiques de la vision post-romantique du catharisme.

*Les Cathares* (1966) est une série télévisuelle en deux épisodes de deux heures et demie chacun (intitulés *La Croisade* et *L'inquisition),* une production française également (concrètement de l'ORTF), avec Stellio Lorenzi comme metteur en scène. Il en est aussi le scénariste avec Alain Decaux et André Castelot. C'était la dernière réalisation d'un cycle intitulé *La caméra explore le temps.* Il s'agit, pour synthétiser, d'un regard critique et anticlérical sur la croisade contre les Albigeois, où le discours oppose constamment les bons cathares aux méchants prêtres et aux méchants chevaliers du nord.

Pour compléter un panorama aussi réduit, on peut ajouter qu'en 2006 le film *The secret book* a été présenté à Cannes. C'est une coproduction entre Macédoine, France et Autriche qui, faisant appel au genre du *thriller,* traite des bogomiles et leur soi-disant « livre secret », une œuvre sainte écrite en glagolitique, l'alphabet slave le plus ancien (peut-être une allusion à la *Cène secrète ou Interrogatio Iohannis,* l'évangile apocryphe d'origine bogomile de la fin du XIe siècle ?). Dirigé par Vlado Cvetanovski, ce film a pour principaux protagonistes Thierry Frémont, Jean Claude Carrière et Vlado Jovanovski.

En définitive, le bilan cinématographique sur le catharisme surprend par sa maigreur, comme c'est le cas pour les templiers. Cette situation conduit à se demander si aucune maison de production, aucun metteur en scène ne considère l'histoire des cathares (c'est-à-dire le mouvement religieux, la vie quotidienne, la croisade albigeoise, l'inquisition, etc.) comme un matériau susceptible d'être traduit sur écran ou comme ayant la capacité de séduire le public ? Pour le moment la réponse est non.

**ANTONI DALMAU**

Traduction : Irène Bloc

Photo: © Vico Chamla – Milano

Montserrat Figueras

# CHRONOLOGIE

~970            Traité de Cosmas, prêtre bulgare, contre les bogomiles.
                « *d'un prêtre qui s'appelle Bogomile* (digne de la pitié de Dieu), *mais qui réellement est indigne
                de la pitié de Dieu* » *(*Cosmas, *Traité contre les bogomiles,* ~970)

~1000           Premières traces de communautés considérées comme hérétiques dans toute
                l'Europe.
                « *Une nouvelle hérésie est née en ce monde et commence à être prêchée actuellement par des
                pseudo-apôtres... Pour convertir radicalement la chrétienté, ils mènent, à les entendre, une vie
                apostolique.* » (lettre d'Erbert, moine du Périgord)

1022            Une douzaine de religieux hérétiques sont brûlés à Orléans, sur le premier
                bûcher connu dans l'histoire de la chrétienté.
                « *Persistant dans leur folie, ils se vantent de ne pas avoir peur et promettent de sortir indemnes
                du feu. Mais ils ont été réduits en cendres de manière instantanée.* » (Raoul Glaber, moine
                bourguignon contemporain de l'événement)

1073-1085       Grégoire VII pape. Il donne l'impulsion définitive à la réforme dite
                grégorienne, déjà commencée sous le pontificat de Léon IX (1048-1054).
                « *...23. Que l'Eglise Romaine ne s'est jamais trompée, et ne se trompera jamais, selon le
                témoignage des Saintes Ecritures.* » (Grégoire VII, *Dictatuts Papae,* 1075)

1096-1099       Première croisade en Terre Sainte. Conquête de Jérusalem.
                « *Les croisés parcoururent toute la ville, prenant l'or, l'argent, les chevaux, les mulets et pillant
                les maisons, pleines de richesses. Puis, tout heureux et pleurant de joie (...) ils sont partis adorer
                le Sépulcre de notre sauveur Jésus et remplirent leurs devoirs envers lui.* » *(Histoire anonyme de
                la première croisade,* 1099-1100, chap. 39).

~1110           A Constantinople, Basili, un dignitaire bogomile et ses compagnons
                sont brûlés.
                « *Basili non seulement ne nia pas l'accusation mais encore, tout de suite et sans ambages, il est
                passé à l'offensive en affirmant qu'il était prêt à affronter le feu, le fouet et mille morts* » (Anna
                Comnena, *Alexiada,* XIIe siècle).

1114            Bûcher d'hérétiques à Soissons, en Champagne
                « *Ils disent que le baptême des enfants ne vaut rien. Leur baptême, ils le nomment Parole de Dieu
                et ils l'administrent par une longue cantinèle* » (Guilbert, abbé de Nogent sous Coucy, Aisne - XIIe
                siècle)

1135-1140       Bûchers à Liège. Premiers hérétiques répertoriés en Rhénanie
                « *Des hommes furent détenus à Liège, c'étaient des hérétiques sous les apparences de la religion
                catholique et revêtus de l'habit de la vie spirituelle* » (*Annales Rodenses,* XII siècle)

~1143           Bûchers à Cologne. Evervin de Steinfeld alerte Bernard de Claraval quant à
                l'extension de l'hérésie et reproduit les mots des hérétiques, qui s'appellent
                eux-mêmes « apôtres ».
                « *Nous, les pauvres du Christ, errants, fugitifs de ville en ville* (Mathieu 10:23), *comme des brebis
                au milieu des loups*(Mathieu 10:16) *nous souffrons la persécution avec les apôtres et les martyrs* »
                (Evervin de Steinfeld, prévôt des prémostratenses en Rhénanie, lettre de C. 1143)

**1145**     Bernard de Claraval prêche contre les cathares à Toulouse et Albi.

« ...A Verfeil, des nobles et des gens du peuple *firent du bruit et cognèrent aux portes pour qu'on ne puisse pas entendre leu voix et ainsi ils enchaînèrent la parole de Dieu* » (Guillaume de Puylaurens, *Chronique*, 1145, I).

**1157**     Concile catholique de Reims contre l'hérésie.

« [Il dicta des peines contre les « manichéens » qui se propagent grâce à] *ces tisserands abjects qui fuient fréquemment d'un lieu vers un autre, qui changent de nom et qui « sont avec des femmes pleines de péchés* » Concile de Reims, 1157).

**1163**     Bûchers à Bonn, Cologne et Mayence. Le chanoine Eckbert de Schönau utilise pour la première fois le mot *cathares* dans ses *Sermons*.

« *Ces gens sont ceux qu'on appelle communément cathares : des gens pernicieux ennemis de la foi catholique* » (Eckbert de Schönau, *Sermons contre les cathares*, I, 1163).

**1165**     Concile catholique à Lombers, en Albigeois. Présence d'un évêque cathare, Sicard Cellerier.

« *Vous condamnez ce que Dieu approuve d'après l'Ecriture* » (l'évêque catholique d'Albi à Sicard. Guilhem de Puylaurens, *Chronique*, 1245, IV).

**1167**     Concile à Saint-Félix-Laurageais des Eglises cathares de l'Albigeois, le Toulousain, le Carcassès, l'Agenais ou le Val d'Aran de France et la Lombardie.

« *Aucune (*des églises d'Asie) *ne fait rien contre les droits des autres. Ainsi vivent-ils en paix : vous aussi faites de même* » (L'évêque Nicetas ou Niquinta à l'Eglise de Toulouse. Guillaume Besse, *Histoire des ducs, marquis et comtes de Narbonne*, Paris, 1660).

**1178-1181**     Henry de Marciac, abbé de Claraval et légat pontifical, prêche contre les hérétiques sur les terres de Toulouse et d'Albi et dirige la *pré-croisade*.

« *Devant le public qui applaudissait sans interruption et manifestait sa haine, nous les avons à nouveau déclarés excommuniés, tandis qu'on éteignait les cierges* » (cérémonie en l'église de Saint-Jacques de Toulouse, d'après la lettre du légat).

**1184**     Concile de Vérone. Décret *Ad abolendam* du pape Luc III (1181-1185) qui lance l'anathème contre les cathares, les vaudois et autres hérétiques.

« *La vigueur ecclésiastique doit s'allumer pour abolir la dépravation des diverses hérésies qui, dans les temps présents, ont commencé à pulluler dans différentes parties du monde.* » (Luc III *Ad abolendam*, 1184)

**1194**     Raymond VI de Toulouse, appelé le Vieux (1194-1222). Il ne tarde pas à devenir la bête noire du pape.

« *Impie, cruel et tyran barbare, n'avez-vous pas honte de favoriser l'hérésie ? C'est à raison que nos légats vous ont excommunié et qu'ils ont jeté l'interdit sur vos terres* » (lettre du pape Innocent III à Raymond, 1207).

**1196**     Pedro II d'Aragon et Ier de Barcelone, appelé le Catholique (1196-1213).

« *le roi Pedro fut le roi le plus noble qu'il y eut jamais en Espagne, le plus courtois et le plus agréable... Il fut un bon chevalier d'armes, s'il y en eut jamais en ce monde* » (Jaime I El conquistador, *El libro de los hechos*, 1244-1276, chap. 6).

**1198**    Innocent III pape (1198-1216)

*« Le Christ ne laissa pas seulement à Pedro le gouvernement de l'Eglise universelle, mais aussi tout le siècle. Le pouvoir sur terre a été concédé aux princes, mais le pouvoir a été concédé aux prêtres tant sur la terre qu'au ciel. »* (Innocent III)

### Echec des missions des légats pontificaux cisterciens dans le Languedoc.

*« Can lo rics apostolis e la autra clercia / viron multiplicar aicela gran folia / plus fort que no soloit, e que creixen tot dia, / tramezon prezicar cascus de sa bailia. / E l'Ordes de Cistel* [...] */ i trames de sos homes tropa molta vegia »*

(*« Quand le souverain pontife et les autres clercs virent se multiplier cette grande folie, chaque fois plus forte et grandissant chaque jour, ils envoyèrent prêcher dans les territoires. Et l'ordre de Cîteaux envoya ses hommes à plusieurs reprises. »)* Guillaume de Tudela, *Chanson de la croisade,* 1212-1213, I, 11-16).

**1124**    Ordination de plusieurs dames à Fanjeaux par Guilhabert de Castre, en présence du comte de Foix, Raymond-Roger. Sa sœur Esclarmonde est l'une d'entre elles.

La reconstruction du château de Montségur est demandée par l'Eglise cathare.

Dispute de Carcassonne entre cathares et catholiques, présidée par Pedro le Catholique.

*« Le jour suivant, je les ai déclarés hérétiques par jugement, en présence de l'évêque de cette ville et de beaucoup d'autres personnes. »* (lettre de Pedro le Catholique).

**1206**    Concile de 600 cathares à Mirepoix.

Dispute entre cathares et catholiques à Servian (huit jours) et à Verfeil.

Début des prêches de Diego de Osma et Domingo de Guzmán dans le Languedoc.

Fondation du monastère de Prouille.

*« Pour clore le bec aux méchants, il faut agir et enseigner selon l'exemple de notre Seigneur, se présenter avec humilité, aller à pied, sans or ni argent. »* (Diego de Osma aux légats du pape). Pierre des Vaux-de-Cernay, *Hystoria albigensis* (1213-1218).

**1208**    Assassinat du légat pontifical Pedro de Castelnau. Innocent III convoque la croisade.

*« En avant, chevaliers du Christ ! En avant, valeureux soldats de l'armée chrétienne ! Que le cri de douleur universel de la sainte Eglise vous entraîne ! Qu'un zèle pieux vous enflamme pour venger une si grande offense faite à votre Dieu ! »* (lettre d'Innocent III, 10 mars 1208)

**1209**    Début de la croisade contre les Albigeois.

Pénitence publique de Raymond VI à Saint-Gilles.

Siège et tuerie de Béziers.

*« Caedite eos, novit enim Dominus qui sunt ejus »* *(Tuez-les tous, Dieu reconnaîtra les siens.)* (Attribué à Arnaud Amalric par le cistercien César de Heisterbach, avant 1223)

### Siège et capitulation de Carcassonne. Mort de Raymond Roger Trencavel.

*« En tant cant lo mons dura n'a cavalier milhor, / ni plus pros ni plus larg, plus cortes ni gensor »* (*A travers le monde entier, il n'y a plus courageux ni plus généreux chevalier, ni plus courtois ni plus aimable*) Guillaume de Tudela, *Chanson de la croisade,* 1212-1213, II, 15).

Investiture de Simon de Monfort comme vicomte de Carcassonne.
*« Il était judicieux, ferme dans ses décisions, prudent dans ses conseils, juste, compétent dans les affaires militaires, circonspect dans ses agissements (...) totalement dédié au service de Dieu ».*
(Pedro des Vaux-de-Cernay, *Hystoria albigensis, 1213-1218*).

**1210**    Prise de Minerve et bûcher (140 cathares brûlés) Prise de Termes.

**1211**    Prise de Lavaur (environ 400 cathares brûlés).
*« Le diable avait installé son siège (*à Lavaur) *et ils l'avaient converti en synagogue de Satan »* (Guillaume de Puylaurens, *Chronique*, 1145, II)

Bûcher de Cassers (plus de 60 cathares brûlés).
Premier siège de Toulouse et bataille de Castelnaudary.

**1212**    Conquête de l'Agenais, de Carsi et de Comminges par Simon de Montfort.

**1213**    Bataille de Muret, mort de Pedro le Catholique et déroute occitano-aragonaise.
*« Totz lo mons ne valg mens, de ver o sapiatz, / car Paratges ne fo destruitz e decassatz / e tot Crestianesmes aonitz e abassatz »* (*Tout le monde, sachez-le / a été rabaissé/ la noblesse a été détruite et exilée / la Chrétienté vexée et humiliée »*. Anonyme, *Chanson de la croisade*, 1219, XIV, 137)

**1215**    IVe Concile du Latran. Sommet de la théocratie.
Fondation de l'ordre des Dominicains (frères prêcheurs).
Reddition de Toulouse. Investiture de Simon de Monfort comme comte de Toulouse.
*« Car Toloza e Paratges so e ma de trachors »* (« *Car Toulouse et sa noblesse sont aux mains des traitres »* Anonyme, *Chanson de la croisade*, 1219, XXV, 178).

**1216**    Début de la reconquête de Toulouse (Raymond VI et le « jeune comte »)

**1218**    Simon de Monfort meurt durant le siège de Toulouse.
*« E venc tot dreit la peira lai on era mestiers [...] e'l coms cazec en terra mortz e sagnens e niers»* (*« Et la pierre arriva directement à l'endroit adéquat [...] et le comte tomba au sol, mort, ensanglanté et noir »*. Anonyme, *Chanson de la croisade*, 1219, XXXV, 205).

**1219**    Seconde expédition du prince Louis.
Tuerie de Marmande, en Agenais (environ cinq mille victimes).

**1220-1221**    Reconquête occitane du comté de Toulouse.

**1221**    Mort de saint Dominique à Bologne.
*« De son front et de ses cils, une sorte de splendeur irradiait et inspirait à tous du respect et de la sympathie ».* (Sœur Cecilia, *Miracula*, 1280).

**1222**    Mort de Raymond VI. Raymond VII, comte de Toulouse (1222-1249).
*« Lo valens coms joves, Ramundetz »* (*le valeureux jeune comte, Raimondet*) selon la *Chanson de la croisade*.

| 1223 | Reconquête de Carcassonne par Raymond Trencavel. |

*« [Certains croisés] ne travaillaient plus pour la tâche pour laquelle ils étaient venus [...] et le Seigneur commença à les détester et les expulser de cette terre qu'ils avaient conquis avec son aide ».* Guillaume de Puylaurens, *Chronique*, 1145, XXXI).

| 1224 | Amaury de Montfort cède ses droits au roi de France. |

| 1226 | Concile cathare à Pieusse, création de l'évêché cathare du Rasés. Croisade royale de Louis VIII. Soumission de Carcassonne. |

*« Nous sommes impatients de nous mettre à l'abri sous votre aile protectrice et sous votre prudente autorité »* Bernard Oton de Niort, ancien *faydit, chevalier rebelle.*

Mort de Louis VIII. Louis IX, roi de France (futur Saint Louis) (1226-1270).

| 1226-1229 | Guerres de Cabaret et de Limoges. |

| 1227 | Tuerie de Bécède (Laurageais). Bûchers multitudinaires d'hérétiques. |

*« [La population fut assassinée] en partie à l'épée et en partie au bâton. Cependant, le pieux évêque fit son possible pour permettre aux femmes et aux enfants d'échapper à leur destin »* (Guillaume de Puylaurens, *Chronique*, 1145, XXXV).

Traité de Meaux-Paris. Fin de la croisade et capitulation de Raymond VII. Les principes de lutte contre l'hérésie sont systématisés.

*« Ab greu cossire / fau sirventes cozen [...] / Ai, Toloza e Proensa / e la terra d'Agensa, Bezers e Carcassey,/ quo vos vi e quo'us vey! »* (*A grand regret / je fais un sirventès acerbe[...], Aïe, Toulouse et Provence/ et la terre d'Agen / Béziers et Carcassès / qui vous a vu et qui vous voit!* » Bernart Sicart de Maruèjols, troubadour, 1230).

| 1232 | L'évêque cathare Guilhabert de Castre s'installe à Montségur. |

*« J'ai vu Guilhabert de Castre, évêque des hérétiques, [...] et bien d'autres qui allèrent au* castrum *de Montségur. Ils demandèrent à parler à Raimon de Perelha, ancien seigneur de ce* castrum *et le supplièrent de les accueillir pour que l'Eglise des hérétiques puisse y avoir son siège et sa direction* [domicilium et caput] *et qu'elle puisse, de là, envoyer et défendre ses prêcheurs »* (Berenguer de l'Avelanet, fond Doat, 24, 43 b-44 a.)

| 1233 | Grégoire IX fonde l'Inquisition et la confie aux ordres mendiants. |

*Inquisitio heretice pravitatis* (Investigation sur la dépravation hérétique).

| 1234-1235 | Rébellion contre l'inquisition à Toulouse, Albi et Narbonne. |

| 1239 | Bûcher de Mont-Aimé (Champagne) (183 cathares brûlés). |

*« On fit un immense holocauste agréable au Seigneur, en tuant quelques* bougres... *pires que des chiens »* (Aubry de Trois-Fontaines, cistercien, *Chronique*, 1239).

| 1243 | Attentat d'Avignonet contre les inquisiteurs perpétré par les chevaliers de Montségur. Révolte générale sous les auspices de Raymond VII. |

*« Cocula carta es trencada...! »* (*Les maudits papiers sont rompus* Cri d'un croyant de Castelsarrasin, Agenais, 1242).

| 1243 | Echec des alliés de Raymond VII (paix de Lorris). Début du siège de Montségur. |

**1244**     Reddition et bûcher de Montségur (environ 225 cathares brûlés)
Démantèlement des églises occitanes et réorganisation de la hiérarchie en
Lombardie.

*« Après avoir refusé la conversion à laquelle on les invitait, ils furent brûlés dans un enclos de
piquets et de planches où le feu fut allumé et ils passèrent au feu du Tartare »* (Guillaume de
Puylaurens, *Chronique*, 1145, XLIV).

**1249**     Bûcher d'Agen, sur ordre de Raymond VII (80 croyants cathares brûlés).
Mort de Raymond VII. Alphonse de Poitiers (1249-1271) lui succède.
Celui-ci est son gendre et aussi le frère de Louis IX de France.

**1252**     Innocent IV autorise la torture contre les hérétiques.

*« Teneantur praeterea Potestas, seu Rector omnes haereticos quos captos habuerit, cogere citra
membri diminutionem et mortis periculum »* (« *l'autorité ou le gouvernement obligeront les
hérétiques qu'ils ont détenus à confesser leurs erreurs, sans diminution de leurs membres ni
danger de mort ».* Innocent IV, bulle *Ad exstirpanda*, 1252, 25).

**1255**     Reddition du château de Quéribus, dernière place aux mains des *faydits*.

*« Que tous les lecteurs de ces pages sachent que moi, Xacbert de Barberà, chevalier, je rends et
remets à l'excellent Seigneur Louis, roi de France par la grâce de Dieu... le* castrum *de Quéribus »*
(Reddition de Xacbert, mai 1255, fond Doat, vol. 154).

**1258**     Traité de Corbeil entre Jaime I et Louis IX.

*« nous définissons, laissons, cédons et remettons tout ce que, de droit ou de fait , nous possédions
ou pouvions posséder ou disions que nous avions comme domaines ou seigneuries, comme vassaux
ou tout autre chose dans les dits comtés de Barcelone et Urgel... »* (Archives de la Couronne
d'Aragon, Canc., parch. N. 1526 dupliqué).

**1271**     Alphonse de Poitiers et Jeanne de Toulouse (fille de Raymond VII) meurent
sans descendance ; en application du traité de Meaux-Paris, le comté de
Toulouse revient à la Couronne de France (Philippe le Hardi).

**1272**     Campagne de Philippe le Hardi contre Roger Bernard III de Foix.
Début de la construction des cathédrales de Narbonne et de Toulouse.

**1276**     Pedro III d'Aragon, II de Barcelone, appelé le Grand (1276-1285).
Reddition de Sirmio (Italie), refuge cathare.

*« Sirmio, perle des péninsules et des îles que, dans ses lacs d'eaux claires et l'immensité de sa mer,
Neptune détient les unes et les autres, avec quel plaisir et quelle joie, je vous vois de nouveau ! »*
(Catule ; Ier siècle av. J.C., *Odes*, XXXI).

**1278**     Bûcher des Arènes de Vérone (200 brûlés).
Désarticulation du catharisme italien.

Complot contre les archives de l'inquisition à Carcassonne.

*« Nous avons parlé avec une certaine personne qui va essayer de nous procurer tous les livres de
l'inquisition se référant au Carcassès, des livres où sont consignées les confessions ».* (dires de
Bernart David, d'après le copiste Bernart Agasse, 1285).

| 1285 | Alphonse III d'Aragon, II de Barcelone, appelé le Franc ou le Libéral (1285-1291). Philippe IV, roi de France, appelé le Bel. |

1295    Pèire Autier et son frère Guilhem, notaires d'Ax-les-Thermes, partent vers la Lombardie pour se convertir en *bons hommes*.
*« Pèire lui demanda : « Et alors, mon frère ? » Guilhem répondit : « Il me semble que nous avons perdu nos âmes. ». Pèire dit alors : Partons, donc, mon frère, et allons chercher le salut de nos âmes ». Ceci dit, ils abandonnèrent tous leurs biens et partirent pour la Lombardie ».* (Sebelia Pèire, 1322, *Registre de Jacobo Fournier, pp. 566-567*).

1295-1305    Révolte à Carcassonne (« *rabia carcasonensa* », selon Bernard Gui) à cause des excès inquisitoriaux des Dominicains. Le Franciscain spirituel Bernardo Delicioso s'en fait le porte-parole.
*« Rector dyabolicus »*, selon le Dominicain Raymond Barrau; *« authentique colonne de l'Eglise, apôtre de Dieu sur terre »*, selon la *vox populi*.

1300-1310    Les frères Autier tentent de faire renaître le catharisme en Occitanie.
*« Dieu veuille que nous soyons venus dans cette maison pour sauver les âmes de ceux qui s'y trouvent ! Nous n'avons pas peur de travailler, nous ne cherchons qu'à sauver les âmes ».* (Pèire Autier au Château d' Arques, 1301. Sebelia Pèire, 1322, *Registre de Jacobo Fournier*, p. 568*).

1302    Mort de Roger Bernard III de Foix qui marque un point-charnière dans l'histoire du comté.

1303    Godefroi d'Ablis, du couvent de Chartres est nommé inquisiteur de Carcassonne.

1307    Le limougeaud Bernard Gui est nommé inquisiteur de Toulouse.
*« Durant cette persécution des inquisiteurs et les perturbations de l'Office, de nombreux « parfaits » se réunirent et commencèrent à se multiplier (et l'hérésie à pulluler) et ils contaminèrent de nombreuses personnes des diocèses de Pamiers, Carcassonne et Toulouse et de la région de l'Albigeois »* (situation contemporaine d'après Gui, *De fondatione et prioribus conventum*, p. 103).

1309    Jacques et Guilhem Autier, ainsi que d'autres cathares sont brûlés. Démantèlement de leur Eglise.
Guillaume Bélibaste, dernier cathare connu, fuit en Catalogne.

1310    Pèire Autier est brûlé devant la cathédrale de Toulouse.
*« Et il ajouta que Pèire Autier, au moment d'être brûlé, dit que si on le laissait parler et prêcher, tout le peuple se convertirait à sa foi »* (Guillaume Baile, de Montaillou, 1323, *Registre de Jacob Fournier*, p. 838).

1318-1325    Campagne inquisitoriale de Jacobo Fournier dans le diocèse de Pamiers.
*« En l'année du Seigneur..., le jour..., après le jour de Saint... Arrivant à la connaissance du Révérend Père dans le Christ, monseigneur Jacme, par la divine providence évêque de Pamiers, que... était très suspect d'hérésie..., le dit monseigneur voulant, comme il correspond à son devoir, connaître la vérité, demanda qu'on le mène en sa présence... etc., etc »* (En-tête des déclarations des interrogés, *Registre de Jacobo Fournier, passim*).

| 1321 | Guillaume Bélibaste est brûlé à Villerouge-Termenès : il est le dernier cathare connu en Languedoc. |

*« Je ne me préoccupe pas de ma chair, puisque là il n'y a rien, c'est l'affaire de la vermine [...] Mon âme et la tienne monteront auprès du Père céleste, où sont préparés les couronnes et les trônes et quarante anges couronnés d'or et de pierres précieuses viendront nous chercher pour nous amener au Père »* (Paroles de G. Bélibaste, selon la déclaration d'Arnau Sicre, 1321, *Registre de Jacobo Fournier*, p. 779-780).

| 1329 | Trois croyants cathares, les trois derniers connus, sont brûlés à Carcassonne. |

*« Je te dirai la raison pour laquelle on nous appelle hérétiques : c'est que le monde nous déteste. Ce n'est pas étonnant que le monde nous déteste* [1 Jean 3: 13] *car il a détesté Notre Seigneur et il l'a poursuivi, ainsi que ses apôtres. »* (Prêche de Pèire Autier, déclaration de Pèire Mauri, 1324, *Registre de Jacob Fournier*, p. 924).

| 1412 | Dernières sentences contre des cathares italiens |

| 1453 | Les Turcs prennent Constantinople. |

| 1463 | Les Turcs font la conquête de la Bosnie : fin du catharisme oriental. |

**ANTONI DALMAU**

Traduction : Irène Bloc

eis quam diu nře plācuīt uo
luntati Hec autem p̄dā con
cedim̄q̄ uolumꝰ saluo ma
lꝭ uiremꝰ et ure dc̄o̅rum c̄ō
sulū ec cīūm om̄ibꝰ

# THE FORGOTTEN KINGDOM
## The Tragedy of the Cathars

### PART 1 [CD 1]
**The Emergence and Heyday of Catharism – The Rise of Occitania**
c. 950 – 1204

**I**  **The origins of Catharism: East and West: 950-1099**

**950**  **Origins: The Bogomils**
    1   *Musique Bulgare* – Taksim & Dance

**1000**  **From the East to Europe**
    2   *Veri dulcis in tempore* – Anonymous, Codex of 1010

**1022**  **The first heretics are burned at the stake at Orléans and Turin.**
    3   *Plainte Instrumentale I* (Drums & Duduk)

**1040**  **Occitania gives refuge to the Jews who are forced to flee Al-Andalus.**
    4   *Les Trois Principes, alef, mem, shin*
      Cabbalistic text from the Book of Creation

**1049**  **The Council of Reims condemns the heretics.**
    5   Reis glorios *Instrumental* (Drums, Bells, Medieval harp)
    6   *Payre sant* – Text recited in Occitan

**1054**  **Schism between Rome and Constantinople.**
    7   *En to stavro pares tosa* –Anonymous Byzantine chant

**1099**  **8**  **First Crusade in the Holy Land. Conquest of the southern part of Jerusalem by the Provençal troops under the command of Raymond de Saint-Gilles, Count of Toulouse.**
      *Fanfare de Croisade* (instr.)

**II**  **The Rise of Occitania: 1100-1159**

**1100**  **9**  **Occitania, the Christian mirror of Al-Andalus.**
      Taksim & Andalusi Dance *Mawachah Chamoulo* – Anonymous

**1111**      The Bogomil dignitary *Basil* is burned at the stake at Constantinople.
   10  *Instrumental lament II* (Duduk & Kaval)

**1117**      The Time of the Troubadours and "fin'amor"
   11  *Pos de chantar, Cançon–* Guilhem de Peitieu

**1142**      Eleanor of Aquitaine divorces Louis VII.
   12  *A chantar m'er de so* – Countess (Beatritz) of Dia

**1143**      Letter from Eberwin of Steinfeld to Bernard of Clairvaux
   13  *Epistola ad patrem Bernardum* – Recited text

**1157**      Death of Raimon Berenguer IV.  (Council of Reims against heresy)
   14  *Mentem meam ledit dolor* – Anonymous

**III**       The expansion of Catharism: 1160-1204

**1163**      Eckbert of Schönau "invents" the term "Catari" to refer to the heretics
        of the Rhineland. Heretics are burned at the stake at Bonn, Cologne and Mainz.
   15  *Ave generosa* (instrumental) – Hildegarde von Bingen

**1167**      Cathar Council at Saint Félix (Lauraguais)
   16  *Consolament* (Cathar prayer) – Recited and sung text

        Mass burning of the Cathars of Burgundy at Vézelay
   17  *Funeral march* (Drums)

**1178**      Henry de Marsiac, Abbot of Clairvaux and Papal Legate,
        preaches against the Cathars in the Toulouse and Albi regions.
   18  *Heu miser* (instr.)

**1196**      Peter I of Catalonia and II of Aragon
   19  *A per pauc de chantar* – Peire Vidal

**1198**   20  Innocent III is Pope (1198-1216). *Bells*
        "Publicains" are burned at Troyes. *Drums*

**1204**      Guilhabert of Castres ordains Esclarmonde of Foix at Fanjeaux.
   21  *Chant de la Sybille Occitaine "El jorn del judizi"* – Anonymous

# THE FORGOTTEN KINGDOM
## The Tragedy of the Cathars

### PART 2 [CD 2]
**The Albigensian Crusade - Invasion of Occitania**
1204 – 1228

# THE FORGOTTEN KINGDOM
## The Tragedy of the Cathars

### PART 3 [CD 3]
**Persecution, diaspora and the end of Catharism**
1229 – 1463

**Sirventès against the false clerics (priests)**
2    *Clergue si fan pastor* – Peire Cardenal

1244    **Revolt, capitulation and execution of 225 Cathars at the stake at Montségur**
3    *Instrumental lament III* (Duduk & Kaval)

1252    **Legalisation of torture in the Papal Bull *Ad exstirpanda*.**
4    *Ad exstirpanda* – Recited text

**Sirventès reproaching God at the Last Judgment.**
5    *Un sirventes novel vueill comensar* – Peire Cardenal

1268    **Victory of the Guelphs over the Gibelins**
6    *Beliche* (Stampitta)

**Sirventès against the Inquisitors**
7    Del tot vey remaner valor – Guilhem Montanhagol

1276    **Capitulation of Sirmione**
8    Planctus *"Lavandose le mane"* (instrumental) mss.Rossi

1278    **200 Cathars are burned at the stake in the Arena of Verona.**
9    *Pater Noster* – Cathar prayer

1300    **Revolt at Carcassonne against the excesses of the Inquisition.**
**Sirventès against the clerics, the Dominican preachers and the French.**
10    *Tartarassa ni voutor* – Peire Cardenal


VII    **Diaspora to Catalonia and the end of the Eastern Cathars 1309-1453**

1305    **Apocalypse according to the Cathar Gospel of Pseudo-John V, 4**
11    *Audi pontus, audi tellus* – Anonymous (Las Huelgas)

1306    **Philip IV expels the Jews from France.**
12    *El Rey de Francia* – Anonymous (Sephardic)

1306    **Preaching of Pèire Autier**
13    *Il n'est pas étonnant…* – Recited text

1309    **Jacme and Guilhem Autier and other Cathars are burned at the stake.**
14    *Marche funèbre* (Drum)

1315    **Guilhem Bélibaste goes into exile in Catalonia.**
15    *No puesc sofrir la dolor* (instr.) Giraut de Borneill

| | |
|---|---|
| **1321** | **Guilhem Bélibaste, the last known Cathar "perfect" in Occitania, dies at the stake at Villerouge-Termenès.** |
| | 16 *Instrumental lament IV* (Duduk and drum) |
| | |
| **1327** | **Alfonso III, King of Aragon and Catalonia.** |
| | 17 *Audi, bénigne* – Anonymous / G. Dufay |
| | |
| **1337** | **The Hundred Years War between France and England.** |
| | 18 *Ballade de la Pucelle* |
| | 15th century lyrics, version by Jordi Savall after an ancient melody |
| | |
| **30.05.1431** | **Jeanne "la Pucelle", the Maid of Orleans, is burned at the stake (aged 19 years).** |
| | 19 *O crudele suplicium. Planctus* |
| | Jordi Savall after an anonymous 15th century melody |
| | |
| **1453** | **Constantinople falls to the Ottomans.** |
| | 20 *Taksim & Makām-ı Saba uşūleş Çenber* |
| | |
| **1463** | **The End of Eastern Catharism (Constantinople 1453 and Bosnia 1463)** |
| | 21 *Instrumental lament V* (Kaval, bells & drums) |
| | |
| | **Lamentatio Sanctæ Matris Eclesiæ Constantinopolitanæ** |
| | 22 *O très piteulx de tout espoir fontaine* – Guillaume Dufay |
| | |
| | **A Homage to the "Good Men"** |
| | 23 *Si ay perdut mon saber* – Ponç d'Ortafà / Jordi Savall |

# THE FORGOTTEN KINGDOM
# THE TRAGEDY OF THE CATHARS

*The Forgotten Kingdom* refers, first of all, to the Cathars' cherished "Kingdom of God" or "Kingdom of Heaven", which is promised to all good Christians after the Second Coming of Christ; but in the present project it also recalls the forgotten kingdom of Occitania. The "Provincia Narbonensis", a land of ancient civilisation on which the Romans made their mark, and which Dante described as "the country where the *langue d'Oc* is spoken", is succinctly described in the 1994 edition of the dictionary *Le Petit Robert 2* as follows: "*n.f.* **Auxitans Provincia**. *One of the names given to the Languedoc in the Middle Ages.*" As Manuel Forcano observes in his interesting article *Occitania: Mirror of Al-Andalus and refuge of Sepharad*, "From ancient times until the Middle Ages Occitania was a territory that was open to all kinds of influences and whose borders were permeable to different peoples and ideas, a fragile crucible which blended knowledge, music and poetry from learned and sophisticated Al-Andalus to the South, as well as from France and Europe to the North, and from Italy and the Balkans and the exotic world of Byzantium to the East." All these many varied influences made it one of the most active centres of Romance culture, a country with an intense intellectual activity and a degree of tolerance that was for the medieval period. It not surprising that the *udri* love of the Arabs should have inspired the poetry and the *fin'amor* of the *trobairitz* and troubadours; nor is it surprising that the Cabbala should have sprung out of its Jewish communities. Similarly, it is not strange that the Christians of Occitania should have proposed and discussed different ecclesiastical models, that of the *bons homes,* or Catharism, and that of the Catholic clergy.

Catharism is among the most important and ancient of Christian beliefs, differentiating itself from the doctrine of the official Church by its certainty regarding the existence of two coeternal principles, Good and Evil. From the earliest days of Christianity, the term *heresy* (which comes from the Greek *hairesis*, meaning "choice", and therefore "particular opinion") was applied to all interpretations which differed from those recognized by the official Church. As Pilar Jiménez Sánchez so clearly points out in her article "The Origin and spread of Catharisms", although it was first thought that these dissident beliefs, which appeared around the year 1000, had originated in Eastern Europe (Bulgaria), it is clear that they developed quite naturally out of the numerous theological controversies which were already taking place in Western Europe as early as the 9th century. They became firmly established in many towns and villages of Occitania, a land with its own individual way of life which blossomed with the art of the troubadours. The extraordinary musical and poetic richness of the "troubadouresque" culture which flourished during the 12th and 13th centuries marks one of the most remarkable historical and musical chapters in the development of Western civilisation. It was a period rich in creative exchanges and transformations, but also the victim of upheavals and intolerance, it suffered a terrible historical amnesia, in part due to the tragic events surrounding the Crusade and the relentless persecution of all the Cathars in Occitania. We refer to the "Cathar tragedy" unleashed by the terrible Crusade against the Albigensians.

"Of all the events, and all the political vicissitudes which took place in our country (at that time known as the land of Oc) during the Middle Ages, only one continues, even to this day, to arouse violent passions: it is the crusade that Pope Innocent III launched in 1208 against the heretics who prospered in the South of the kingdom (at that time called Occitania) which was called the

*Albigeois*. If the memory of that military exploit still remains vivid after eight hundred years", observed Georges Duby, "it is because it touches two nerves which are especially sensitive in our own age: the spirit of tolerance and national feeling." The religious and political nature of the tragedy, which began with a crusade but culminated in a full-blown war of conquest which raged through what is now the Languedoc and its neighbouring regions, leading to widespread rebellion. With Catholics and heretics now fighting shoulder to shoulder, Occitania was finally liberated from the invader; but, exhausted by the struggle, it fell like a ripe fruit into the hands of the King of France. As Georges Bordonove aptly observes, "it was nothing less than a war of secession, punctuated with victories, defeats, incredible reversals of circumstances, innumerable sieges, senseless massacres, hangings and monstrous executions at the stake, and also, from time to time, some all too rare acts of generosity. Like the phoenix, the Occitan resistance was constantly reborn from its ashes, until it entered a long twilight which was to end in the blaze of the *auto da fé* at Montségur. The last Perfects (Cathar priests) were then forced into hiding before being hunted down one by one and perishing at the stake. The *faidits* (dispossessed *seigneurs*) were once again consigned to oblivion. A new order was established, that of the kings of France."

The present project would not have been possible without the research of historians and specialists such as Michel Roquebert, the author of *L'épopée cathare*, the great René Nelli and Georges Bordonove, among so many others, and, in the case of the music and lyrics of the troubadours, Friedrich Gennrich, Martin de Riquer and Francesc Noy, who in 1976 introduced Montserrat Figueras and myself to the world of the *trobairitz* during our preparation for the recording we made for the EMI Electrola Réflexe collection. More recently, it is thanks to the work, conversations, discussions and, above all, the generous and indispensable dedication of Anne Brenon, Antoni Dalmau, Francesco Zambon, Martín Alvira Cabrer, Pilar Jiménez Sánchez, Manuel Forcano, Sergi Grau and Anna Maria Mussons (for the pronunciation of Occitan) that this project has come about. To them all we would like to express our most sincere gratitude. Their profound knowledge and sensitivity, their scholarship and clarity of thought have been and will continue to be a constant and inexhaustible source of reflection, knowledge and inspiration. Thanks to their painstaking and exhaustive research, we too are able to contribute with this small but intense tribute to the awakening of the historical memory of Occitania and Catharism through the beauty and emotion of the music and poetry of all these *sirventès*, *chansons*, and laments which continue to touch us with their expressive power and poignancy. They eloquently underscore the unfailingly moving discourse of some of the most remarkable poets and musicians who were the first-hand witnesses (and sometimes also the indirect victims) of events arising out of the Golden Age of Occitan culture and, at the same time, of the birth, growth and brutal, ruthless eradication of an ancient Christian belief.

Thanks to the improvisation and invention, as well as the effort, patience and stamina (who can forget all those interminable nights!) of the whole team of singers, including Montserrat Figueras, Pascal Bertin, Marc Mauillon, Lluís Vilamajó, Furio Zanasi, Daniele Carnovich and those of La Capella Reial de Catalunya, and the instrumentalists, including Andrew Lawrence-King, Pierre Hamon, Michaël Grébil, Haïg Sarikouyomdjian, Nedyalko Nedyalkov, Driss el Maloumi, Pedro Estevan, Dimitri Psonis and the other members of Hespèrion XXI, not forgetting the readers of the featured texts, Gérard Gouiran and René Zosso, we can now take part in that tragic yet wonderful Occitan and Cathar musical adventure. In seven major chapters covering more than five centuries, we shall trace the origins of Catharism to the rise of Occitania, the spread of Catharism up to the onslaught of the Albigensian Crusade and the setting up of the Inquisition, the persecution of the Cathars to the elimination of Catharism, the Diaspora to Italy, Catalonia and Castile to the end of the Eastern Cathars with the capture of Constantinople and Bosnia by the Ottoman armies. The numerous and often extraordinary historical, documentary, musical and literary sources allow us to illustrate the landmarks in this moving and tragic story. Our unifying thread will be the gripping and fiercely critical texts of the troubadours and chroniclers of the period, in particular the extraordinary "Song of the Cathar Wars", written in the form of a *chanson de geste* consisting of almost 10,000 lines, conserved in a single complete manuscript in the French Bibliothèque Nationale. In the 18th century, the manuscript, which had belonged to Mazarin, became the property of an advisor to Louis XV. It was under his auspices that one of the first medievalists, La Curne de Sainte-Palaye, made a copy with a view to studying and making the text more widely known.

Aside from the four fragments from the Song of the Cathar Wars, the principal sung texts in the present recording were chosen primarily on the basis of their poetic and musical interest, as well as their relevance to the various historical events. In this context, we should single out the "first" troubadour, Guilhem de Peitieu, and the "first" *trobairitz*, the Countess of Dia, and of course the other wonderful troubadours such as Pèire Vidal, Raimon de Miraval, Guilhem Augier Novella, Pèire Cardenal, Guilhem Montanhagol and Ghilhem Figueira. In the case of the songs for which no music is extant, we have followed the practice of borrowing melodies by other composers such as Bernat de Ventadorn, Guiraut de Borneilh, and other anonymous authors, thus emulating a very widespread practice in medieval poetry, a fact that is sometimes overlooked today. Of the 2,542 works by troubadours which have been handed down to us, 514 are certainly and a further 70 are probably imitations or parodies. Among the 236 surviving melodies by the 43 troubadours who are known to us, there is only one, *A chantar m'er de so q'ieu no voldria,* that was written by a *trobairitz,* the mysterious Countess of Dia.

In cases where both ancient and more modern texts exist, we have selected those from manuscripts dating from different periods which also have a very direct bearing on the major historical moments, such as the planctus *Mentem meam* on the death of Raimon Berenguer IV, and the *Lamentatio Sancta Matris Eclesiæ Constantinopolitanæ* by Guillaume Dufay. Given the key relevance of St John's Book of Revelation, two pieces are of fundamental importance: the splendid *Occitan Sybille,* composed by an anonymous troubadour, performed here in the style of improvisation which we feel to be appropriate to this highly dramatic and most conventual of chants, and *Audi pontus, audi tellus,* based on a quotation from the Apocalypse according to the Cathar Gospel of Pseudo-John (V.4). Two major problems facing us in our musical illustration of this great tragedy were, first of all, how to illustrate the Cathar celebrations and rituals, and secondly, how to represent in music the inescapable, unforgettable reality that on so many terrible occasions heretics were burned at the stake. In our approach to Cathar liturgy, all the texts are recited in Occitan, while the texts in Latin are sung in a very ancient form of *plain chant*. In evoking the executions at the stake, we have used a moving and dramatic combination of delicate improvisations on wind instruments of Eastern origin, such as the *duduk* and the *kaval,* symbolising the souls of the victims, with the contrasting menace and mounting tension expressed by the presence of drum rolls, which in those days were the usual accompaniment to public executions. After the last Cathars of Occitania were wiped out, we also recall another terrible execution, that of Joan of Arc, the Maid of Orleans, who died aged 19 in the flames of the implacable Inquisitors.

The terrible amnesia to which humankind is prey is undoubtedly one of the principal causes of our inability to learn from history. The invasion of Occitania and particularly the massacre on 22nd July, 1209, of the 20,000 inhabitants of Béziers on the pretext that the town harboured 230 heretics whom the town council refused to hand over to the Crusaders, dramatically recalls similar events in modern times, such as the Spanish Civil War triggered in 1936 by Franco's army with the excuse of the Communist threat and the division of Spain, the invasion of Czechoslovakia in 1939 with the excuse of the Sudetenland, and the invasion of Poland by Hitler's German troops, in September 1939, over the question of Gdansk. More recently, we remember the wars in Vietnam (1958-1975), Afghanistan (2001), those launched in retaliation against the terrorist attacks of 11th September, and the Iraq war (2003) with the excuse of that country's supposed possession of weapons of mass destruction. Just as the laws promulgated by Pope Innocent IV in his Bull on torture, *Ad Exstirpanda* of 1252, contemplated all the methods of accusation with no possible defence (still in place today at Guantanamo) and authorized torture as a means of extracting information from heretics, so do countries ruled by dictatorial and unscrupulous regimes today still deny the rights of those they accuse. Punishment was meted out not just to those convicted of heresy, but also to those accused without being sentenced, by the demolition and the very destruction of the foundations of their houses, a procedure still used today against the houses of Palestinian terrorists. Absolute evil is always the evil inflicted by man on man. That is why, in common with François Cheng, we believe that "it is our urgent and permanent task to unveil the two mysteries which constitute the extremes of the living world: on the one hand, evil, and on the other, beauty. For what is at stake is no less than the truth of human destiny, a destiny which involves the very foundations of our freedom."

Eight centuries have passed, and yet the memory of the crusade against the Albigensians has not been erased. Even today, it evokes sorrow and pity. Leaving myth and legend aside, the destruction of the memory of that remarkable civilisation which was the "land of *Oc*", destined to become a truly **forgotten kingdom**, and the terrible **tragedy of the Cathars** or "Good Men" and their witness to their faith, deserve our unreserved respect and determined effort to preserve their historical memory.

**JORDI SAVALL**
Bellaterra, 3rd October, 2009
Translated by Jacqueline Minett

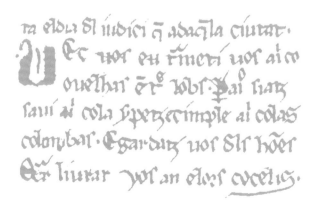

# The origin and spread of catharisms

Commonly known by the name of Catharism, this dissident Christian movement appeared in medieval Western Europe in the 12th century. Its followers were known by various names, depending on the parts of Christendom that they inhabited: Cathars and Manichaeans in Germany, Patarenes and Cathars in Italy, Piphles in Flanders, *Bougres* in Burgundy and Champagne and Albigenses in Southern France. They referred to themselves as "*bons hommes*" and "*bonnes femmes*", or good Christian men and women, and were universally known for their virulent criticism of the Catholic Church and its hierarchy, which they regarded as unworthy on account of having betrayed the ideals of Christ and the Apostles.

Inspired by the example of the early Christian churches, these *bons hommes* considered themselves to be true Christians because they practised baptism of the Spirit, baptism in Christ through the laying on of hands which they called *consolamentum.* In their eyes, this was the only form of baptism that could lead to consolation, the salvation by the Holy Spirit that Jesus called down on His disciples at Pentecost. Around this sacrament and the rigorous observance of ascesis, the dissidents built their conception of the Church and the sacraments, challenging the efficacy of the Catholic sacraments (water baptism, the Eucharist and marriage). Steeped in the dominant monastic spirituality of preceding centuries and the contempt for the world which emanated from it, they took to the extreme certain passages of the New Testament which refer to the existence of two opposing worlds, the one good and spiritual and the other evil and material - in other words, this world. The latter they believed to be in thrall to Satan, the "prince of this world" as he is called in the Gospel of John. The Cathars, therefore, saw this world was the work of the devil, while God was solely responsible for the spiritual Creation. According to the Cathar interpretation of the prophecy of Isaiah (14, 13-14), Lucifer, a divine being, committed the sin of pride in daring to be the equal of God, who expelled him from His kingdom. Becoming Satan, he fashioned the clothing of skin and the flesh of the bodies of the humans he imprisoned – the angels, also divine beings, who had fallen from heaven with him. Then he made this visible world from the original elements (earth, air, fire and water) created by God, the only Being capable of creation. God announced to the fallen angels the means whereby they might return to the Father's "forgotten kingdom" by sending His son, Jesus Christ, in the guise of human flesh. He came to set souls (fallen angels) free from their "tunics of oblivion" (the body), bringing salvation through the laying on of hands or *consolamentum,* which finally enabled them to return to the kingdom of God.

It is legitimate to speculate that the seeds of the Cathar conception of evil, the origin of evil, as well as that of sin, were sown in the heated debates which had pitted Roman Catholic theologians against one another from Carolingian times in the 9th century. It was then that the first disputes arose over the sacraments such as baptism and the Eucharist. During the 10th century, scholars of the medieval West were taxed by questions such as the nature of evil, the origin of the devil and his sins, the problem of humanity and the incarnation of the Son of God and the equality of the persons of the Trinity. It is against this backdrop of the scholastic circles engaged in the process of the rationalisation and formulation of doctrine which had been evolving in Western Christendom from the middle of the 9th century that the emergence of the Cathar dissidence in the first decades of the 12th century should be seen. Fuelled by the so-called Gregorian reform movement led by the Papacy throughout the 11th century, the Cathar dissidence was one of a number of protest movements which reproached the Papacy for having turned its back on the reforming ideals. It took more or less permanent hold in various regions of Western Europe, such as the Empire (Germany and what is now Belgium), the cities of Cologne, Bonn and Liège, and also the northern principalities of the kingdom of France, in Champagne, Burgundy and Flanders and, subsequently, in the south of Christendom, in Italy and Southern France. Numerous accounts point to a formal diversity in the dissident movement, both in terms of doctrine and the organization of its members and their liturgical practices, depending on their geographical location. This justifies our proposed use of the plural "Catharisms" and obliges us to reflect on the identity of those "heretics" who were denounced from the early decades of the 12th century.

The dissidence, at least in the form in which it was later reported in Southern France and Italy, the territories in which it was to have a more lasting presence, is not discernible in the earliest accounts from around the Empire between 1140 and 1160. In this context of religious crisis, but also of great intellectual effervescence, the early days of the Roman reform saw the emergence of schools in the urban areas of the north which could have acted as laboratories of religious dissidence. However, the prompt organization of repression and the triumph of Roman policies during the second half of the 12th century explain the failure of the dissident movement to become established in those territories.

During the following period, around 1160-1170, it was the southern regions, principally the Languedoc and Northern and Central Italy, which favoured the implantation of the dissidents who, like those in the northern regions, were at variance with the policies of Rome. The situation of relative calm enjoyed by the dissidents in these regions enabled them to develop, both in terms of their organization and their beliefs and liturgical practices. As in the urban areas of the Empire and the north of the kingdom of France in the mid-12th century, at the beginning of the 13th century in Italy there appeared various schools which differed and diverged in their teaching on issues such as the origins of Creation, the nature of evil, the nature and origin of man, salvation and the hereafter. These schools therefore participated in the medieval inquiry into the fundamental questions being debated in the West, proposing solutions of which the most radical was formulated c. 1230 by John of Lugio. Head of the school of Desenzano, in Northern Italy, he was the author of a treatise, *The Book of the Two Principles*, in which he affirmed the existence of two eternal and opposing principles – Good and Evil – which had given rise to two creations, the one spiritual and the other visible.

Contrary to traditional opinion dating back to the Middle Ages, among the answers issuing from the process of rationalisation conducted by the Cathar dissidents in their schools, the dualism of opposing principles was neither adhered to by the majority nor imported from the East. Originating with Catholic clerics and later with the Inquisitors of the 12th and 13th centuries, the Manichaean affiliation and the Eastern Bogomil origins of the Cathar "heresy" are the result of a construction which goes back more than 800 years. Although contacts and exchanges between the Eastern (Bogomil) and Western (Cathar) dissident circles are attested by documents from the 12th and 13th centuries, these contacts do not prove the long-supposed dependence of one movement on another. Through their textual exchanges, in particular, it is possible that contacts between the Bogomil and the Cathar communities fostered the process of rationalisation undertaken by the latter. They are also proof that these dissident Christian movements were aware of each other and of the struggles that pitted them against their respective Churches: the Bogomils against the Eastern Byzantine Church, and the Cathars against the Western Catholic Church.

**PILAR JIMENEZ SANCHEZ**
Doctor in History and associate researcher at CNRS-UMR 5136 FRAMESPA,
University of Toulouse-Le Mirail

Translated by Jacqueline Minett

# Occitania: mirror of Al-Andalus and a refuge for Sepharad

*"I have enough with my desires
and the hope of one who despairs."*
**Jamil ibn Ma'amar (8th century)**

## Occitania, mirror of Al-Andalus

Occitania, that broad, bountiful region that Dante defined as *"the lands where the language of Oc is spoken"*, corresponds to the territory of the ancient Roman "Provincia Narbonensis" comprising what would later become the County of Toulouse, the County of Foix, the whole of the Languedoc, the County of Venaissin with Avignon and, flanking those territories, the regions of Aquitaine and Provence. From the time of Simon de Montfort's French crusade against the Cathars in the 13th century, Occitania was brought under the political control of the king of France and became what we now know as the French *Midi*. Before the forcible imposition of northern rule, Occitania consisted of a mosaic of territories, the majority of which, politically speaking, were feudal taris of the Catalano-Aragonese Crown, but following Simon de Montfort's victory over the Catalan King Peter the Catholic at Muret in 1213, the cities of Toulouse, Carcassonne, Nimes, Béziers, Narbonne and the whole of the Languedoc came under French rule, although Montpellier would, like an island, remain Catalan until 1349. The county of Provence, formerly a dominion of the counts of Barcelona, also came under French control, although it was not formally annexed to France until 1481, following the death of the revered Count René of Provence.

Before the ruinous advent of the Crusaders sent by Pope Innocent III, Occitania had distinguished itself as a territory that was open to all kinds of influences and whose borders were permeable to different peoples and ideas, a fragile crucible which blended knowledge, music and poetry from learned and sophisticated Al-Andalus to the South, as well as from France and Europe to the North, from Italy and the Balkans and the exotic world of Byzantium to the East. From the 9th century, Occitania, an heir to Latin culture which was open to the Mediterranean and stood on the threshold of the Iberian Peninsula under Arab influence, became one of the most active centres of Romanesque culture. This cultural upsurge was the result of Occitania's direct contact with the intense intellectual activity in Al-Andalus during the High Middle Ages.

In 711, following the disintegration of the ruinous Visigothic rule, the Iberian Peninsula became part of the Islamic empire which stretched from Persia and Mesopotamia in the East to Cantabria and the Pyrenees in the West. Al-Andalus was born, and, in spite of the distance involved, contacts with the East, would henceforth become more frequent and less difficult. As a result of trade, pilgrimages to holy places and scholars' travels to Damascus, Alexandria and Baghdad, Eastern culture found its way into the Iberian Peninsula where it fell on fertile soil and soon vigorously took root, because from the 10th century Al-Andalus began to evolve from a receptive phase to one in which it created and exported culture. The legacy of Classical Greek wisdom translated from Syriac and Greek into Arabic arrived on the Peninsula, triggering an extraordinary scientific and philosophical awakening. Before the year 1000, the number of Greek translations known in their Arabic versions considerably outnumbered the Greek books known during that period through the medium of Latin.

Mirroring the cultural and scientific awakening of Al-Andalus, in Occitania the Occitan language was one of the first to replace Latin in numerous official records and documents, as well as literary and scientific works, such as the earliest grammars and the famous *Leys d'Amors*. The 11th, 12th and 13th centuries marked the most effervescent and outstanding period of Occitan culture: written Occitan, thanks to a refined culture that was born out of a perfect coupling of Eastern and Western influences, became the ideal language for a specific type of literature which is nowadays known as troubadouresque; that is, poetry composed and sung by troubadours based on a concept of courtly love reflected in the mirror of Al-Andalus and inspired in the poetic and philosophical concept of love that was articulated in the Udri poetry of the Arabs.

Arab Udri love poetry expresses chaste love, a "pure" love which causes the lover both pain and pleasure in the presence of the beloved; although he desires her, he does not aim to possess her or have any sexual contact with her. The members of the Arab tribe of the Banu Udra (9th century) were the first to practise this type of love: they strove to perpetuate desire while renouncing all physical contact with the object of their devotion. Their poetry speaks of love as a painful secret that must be preserved from corruption and direct contact, one that the lover must serve with ardent devotion to the point of sacrificing his very life. The poet declared himself to be the vassal of his beloved, totally subordinating himself to her. The two Arab poets who are most famous for their Udri love compositions are **Jamil ibn Ma'amar** (d. 710), who was obsessed with his beloved Butaina, and **Qays ibn al-Mulawwah** (8th century), driven insane by his love for Laila, who was married to another man, and therefore known as *Majnun*, ( "the fool.") However, the most thorough and profound discussion of this form of love is to be found in the writings of the philosopher, theologian, historian, narrator and poet **Ibn Hazm of Cordoba** (994-1064): his most famous work was the *Tawq al-hamama*, "The Neck-Ring of the Dove", a treatise on love, written at Xativa in 1023, in which he makes an in-depth analysis of the essential nature of the feelings of love and includes a number of subtle, elegant poems on the theme of love.

Mirroring Al-Andalus, Occitania took up this formulation of love and out of it wrought *Courtly Love*, an equally Platonic and mystical conception of love which can be described by the many features that it has in common with the noble *Udri love* of Arab poetry: the total submission of the lover to his lady (a direct transposition of the feudal relations by which a vassal was bound to his lord); the lady always remained distant, deserving all manner of praise, and was seen as the embodiment of every physical and moral perfection; transposed into religious imagery, the state of being in love resembles a state of grace which ennobles the lover; lovers are always portrayed as aristocratic; the lover conceives love as an ascending path or progression through different stages of enamouredness which range from the supplicant or *fenhedor* to culminate in the *drutz*, or state of perfect lover. Only after having attained this degree of love could the lover occasionally aspire to crown his passion with carnal favours, but since the relationship between the lovers at that point became adulterous, ther lover would conceal the true identity of his beloved by using a pseudonym or *senhal*. The Occitan troubadours' theory of courtly love, therefore, as a reflection of the Udri love cultivated in Arab poetry, had an enormous influence on later Western literature, especially in figures such as **Dante** (1265-1324), with his idealized Beatrice, and **Petrarch** (1304-1374) with his beloved Laura, as well as in Catalan literature, as can be seen in the love poetry of the last of the great Catalan troubadours, the Valencian **Ausias March** (1400-1459).

The spread of this concept of love originating in the Arab world, together with its translation into a literary model that was successfully adopted in Christian lands, is clear proof of the permeability of the border at the Pyrenees. It is also a testimony to the idiosyncratic character of the Occitan nation, where all kinds of influences converged and models of social behaviour that were almost without precedent in the Middle Ages, such as intellectual broad-mindedness and religious tolerance, were the order of the day. Perhaps it ws these intrinsic Occitan qualities that led Count **Raymond IV of Toulouse**, during his participation in the First Crusade, and in particular during the final assault on the besieged city of Jerusalem on 15th July, 1099, to show such tact and courtesy towards the Muslim authorities who were defending it against the onslaught of the Crusaders: faced with Jerusalem's imminent capitulation to the Crusaders, **Iftikhar ad-Dawla**, the Fatimite governor of the city, negotiated with Raymond of Toulouse the terms of his surrender, under which the latter allowed the Arab commander and his men to abandon the city and thus escape execution, unlike almost the entire Muslim and Jewish populations of Jerusalem, who fell into the hands of other Christian knights and their soldiers who massacred everyone in their path. The chronicler Raymond d'Agiles, who accompanied the Count of Toulouse on his exploits in Palestine, left an eye-witness account of the events surrounding the capture of Jerusalem by the First Crusade in his *Historia Francorum qui ceperunt Hierusalem* in which he clearly differentiates between the *Provençals* and the *Francigeni*, the former referring to the Occitan soldiers while the latter refers to all the other Crusaders from the north of France and Germany. The Arab historian Ibn al-Athir (1160-1233) gives an account of the capitulation and sparing of Iftikhar and the Arab troops in which he refers to the European Crusaders as Franks, although he distinguishes among them by calling the French and German Crusaders *"the other Franks"* and recognizes the merit and the chivalrous behaviour of the Occitan knights: *"The Franks agreed to spare their lives and, keeping their word, allowed them to depart by night to Ascalon, where they settled. At the mosque of al-Aqsa, on the contrary, the other Franks slaughtered more than ten thousand people."* The tolerance and respect shown by Raymond de Toulouse towards the defeated Muslims was severely criticized by his contemporaries, as is documented by other chronicles recording the brutal and bloody deeds of the Crusaders.

## Occitania, a refuge for Sepharad

The vigour of Andalusi culture led to an equally impressive burst of Jewish literature on the Iberian Peninsula. The Jews of Al-Andalus were to become a key element in the transmission of Greek knowledge, which at that time was a preserve of the Arabs, to medieval Europe, as they would later bridge the gap between the Islamic and the Christian worlds at institutions such as the famous School of Translators in Toledo, translating into Latin and Hebrew many of the works which had previously been translated into Arabic from Greek and Syriac. Steeped in Arab culture, the Jews also decided to apply themselves to linguistics, rhetoric and poetry, later cultivating disciplines such as the sciences and philosophy and thereby revitalising their Hebrew language as a vehicle for literary and scientific expression. In Al-Andalus, more than anywhere else in the East or West, therefore, the Arabs were the teachers of the Jews.

However, the invasion of the Iberian Peninsula by the Almohads during the 1140s brought an end to what has been called the Golden Age of Jewish culture in Al-Andalus. The Almohads showed little tolerance towards non-Muslims, and many Jews fled either to North Africa or to the Christian kingdoms of Castile, Aragon, Catalonia and the feudal lands of of Occitania. The Catalan and Occitan Jewish communities gave refuge to whole families of Arabic-speaking Jews who brought with them a great culture: philosophy, science, history, literature, grammar and other disciplines that were unknown to non-Arabic-speaking Jews, who until that time had confined their studies to the traditional reading of the Scriptures and the Talmud. The contact between these two worlds led to a major process of cultural exchange and transmission: the newcomers were ready to share the treasures of their rich culture with their hosts, and the host community in turn showed a keen interest in all these subjects and were eager to acquire all this new knowledge. In their thirst for knowledge, part of the intellectual elite of the day congregated at various centres to devote themselves not only to religious studies but also to the study of the profane sciences, particularly philosophy, which the refugees from Al-Andalus regarded as both essential and indispensable for a true understanding of the foundations of religion. With the aim of broadening their intellectual horizons, Jewish scholars at these centres, including the town of Lunel, near Montpellier in the Languedoc, embarked on translating into Hebrew both religious and scientific works which had previously been written by other Jewish scholars in Arabic.

Many of these translations in the fields of philosophy and science were carried out by members of an Occitan Jewish family who passed the craft of translation down from father to son: they were the famous Tibbonides family. The best known of this dynasty of traductors was **Samuel ibn Tibbon** (1150-1230), thanks to his translation from Arabic into Hebrew of *Guide for the Perplexed*, the celebrated work of the great Jewish philosopher and jurist **Maimonides** (1135-1204). His *Guide for the Perplexed* aimed to dissipate the uncertainty in the minds of Jewish scholars who, in their pursuit of logic, mathematics, natural sciences and metaphysics, struggled to reconcile the Torah with the principles of human reason. The chief aim of the *Guide* was to dispel confusion and perplexity by means of a figurative or allegorical interpretation of a series of Biblical texts. Far from making the way forward easier, Maimonides' method for interpreting the Jewish faith led to the eruption of a philosophical controversy which sent shock waves through the intellectual life of medieval Jewish communities throughout the 13th and 14th centuries, particularly in Catalonia and Occitania. The Maimonidean controversy had serious and unforeseeable effects and consequences, such as the virtual internal division of Jewish communities into two distinct and opposing factions even on the social and political level. The anti-Maimonideans launched a head-on attack against the intellectualism of Maimonides, which they regarded as an outrageous infiltration of Greek culture trespassing the sacred thresholds of Jewish homes and schools and thereby endangering their traditional faith. The conservative Talmudists therefore unequivocally denounced many of Maimonides' theories, denouncing them as downright heresies.

Together with the traditional Talmudic cerrent which opposed the rationalist movement led by the Maimonideans, 13th century Occitano-Catalan Judaism also developed a series of esoteric, theosophical and mystical tendencies: the **Cabbala**. The product of an intermingling of ancient gnostic Jewish beliefs and Neoplatonic philosophical ideas, the Cabbala easily found favour with the anti-rationalist movement. The followers of Maimonides appeared to extol reason over faith, whereas the Cabbalists found the methods of cold Aristotelian logic inadequate to express the complex sensations and emotions arising from their mystical religious impulses. While the followers of the rationalist movement strove to know God through the examination and contemplation of natural phenomena, Cabbalistic mysticism attempted to do so through the divine names and powers revealed in the ten spheres or *sephiroth*, the Hebrew alphabet and the numbers which represented the letters of the alphabet.

The esoteric and theosophical theories of the Cabbala which sprang up in Occitania mainly revolved around the mystic contents of diverse currents of ideas and two key works: the ***Book of Creation*** and the ***Book of Clarity***. The first of these two treatises is an ancient theoretical essay on cosmology and cosmogony written between the 3rd and 4th centuries in Palestine which claims to be a meditative, enigmatic text intended exclusively for the initiated which deals with the divine emanations or *sephiroth*, the power of the letters of the Hebrew alphabet and their astrological correspondences. It stresses the power and significance of three letters of the alphabet, *aleph*, *mem* and *shin*, which represent earth, water and air, respectively - the elements of the material world, or the three climes of the year: hot, cold and temperate, or even the three parts of the human body: head, torso and belly. The *Book of Creation* was widely studied by the Occitan and Catalan Cabbalists and a considerable number of their commentaries to the work survive. *The Book of Clarity*, on the contrary, dates from a later period and is thought to have been written possibly in Germany or even in Occitania around the year 1176. The book is a treatise containing many gnostic elements, which also deals with the ten *sephiroth*, providing an in-depth analysis of the opening verses of Genesis and discussing the mystical aspects of the Hebrew alphabet, the 32 paths of wisdom represented by the letters, and also the theory of transmigration or *guilgul*. These two works formed the main corpus from which the early Cabbalists fashioned their doctrines and principles for deciphering the hidden meaning of the Bible and achieving  communion with God by meditating on the *sephiroth* and the celestial beings

According to some rabbinical sources, around the year 1200 –when Occitania was under the political control of the counts of Barcelona– the prophet Elijah revealed to a group of Occitan teachers and rabbis a series of secrets and esoteric teachings which we know as the *Cabbala*, which literally means "Tradition". Elijah revealed them to Rabbi **David Narboni**, to the latter's son, Rabbi **Abraham ben David de Posquières**, and also to *his* son, the famous Rabbi **Isaac ben Abraham**, better known as **Isaac the Blind** (d. 1235) who is called "the father of the Cabbala" not because the Cabbala began with him, but because he was tmost brilliant of its early exponents. Thanks to **Asher ben David**, the nephew of Isaac the Blind, the theosophical ideas of this group of rabbis of the city of Narbonne soon reached Girona, which provided an ideal framework in which they developed and defined their own particular characteristics in Catalonia and, subsequently, in Castile, where the third of the great medieval Cabbalistic compendiums, the famous book known as the *Zohar*, would be written.

There has been much speculation concerning the coincidence in time and space between the emergence of the Cabbala and the appearance of Catharism in Occitania. As Gershom Scholem, the eminent scholar of the Cabbala points out, the Occitan Cabalists could well have revived some of the ideas of ancient Jewish gnosticism which until that time had survived in a clandestine form, but it is more logical to assume that, given the widespread penetration of Cathar ideas and beliefs throughout Occitania, some of their notions –such as dualism, the theory of reincarnation, the religious discipline of the movement's followers, the desire to escape from this visible and natural world in order to gain knowledge of and enter into the celestial spheres and the divine essence– could have contributed to shape Cabbalist doctrines. It should not be forgotten that the Cathars preached against the corruption of the clergy, their social privileges and the dogma of the Catholic Church and were, therefore, openly hostile to Rome. This frontal opposition to the Church no doubt aroused symapthy and solidarity among the Jews, and although the Cathars believed that the revelation of the New Testament rendered the Old Testament and the Torah completely obsolete, their metaphysical stance against Judaism did not prevent them from actively engaging with Jews and exchanging all kinds of ideas with the Jewish communities, who were also opposed to the Catholic Church which relentlessly accused and persecuted them. In his *Adversus Albigenses*, the 13th century French Catholic polemicist Luc de Tuy reproves the Cathars for their close relations with the Jews, and it would be naive to think that the Jews did not know about the Cathars or that they were unaware of the profound religious and political unrest that the Cathars had unleashed in Occitania through the spread of their beliefs and the brutal crusade to crush them led by Pope Innocent III and King Philip Augustus of France. Whatever the case may be, it is clear that there were obvious points of contact between Catharism and the ideas of the Jewish Cabbala. The great difference between them, however, is that whilst the Catholic Crusaders and Inquisitors succeeded in stamping out Catharism, Judaism, which throughout the Middle Ages was similarly under siege, held out against that repression, particularly in the case of the Cabbala, which was confined to a small closed circle of adepts who, far from seeking to propagate it, strictly observed the following dictum from the Talmud: "*If a word is worth one coin, silence is worth two.*"

**MANUEL FORCANO**
Doctor in Semitic Philology, University of Barcelona
Translated by Jacqueline Minett

# The Cathars in Occitan society
# (12th-13th century)

For several generations in the Languedoc, before the great repression and normalisation of the 13th century, the Cathars were not heretics. They were simply religious who, in the eyes of Christians, were exemplary in following in the footsteps of the Apostles and had the formidable power to save souls. Heresy is not an objective condition, but rather a value judgment, a condemnation which has its origin in a combination of religious and political power. In the Languedoc, neither the counts and feudal lords, nor even the local prelates and parish priests were mouthpieces for the accusation of heresy that the Roman papacy formulated against the Cathars. In fact, the word "Cathar" was not used in the Languedoc. Most Occitan Cathars were probably never aware that they were "Cathars". As far as they were concerned, they were simply Christians, while their followers respectfully referred to them as *bons chrétiens* and *bonnes chrétiennes* ("good Christian men and women"). They were religious who practised an ancient Christian rite, that of salvation by the baptism of the Spirit and the laying on of hands, and preached the Gospel according to a form of exegesis in which the old Gnostic aspirations to the Kingdom of God, which is not of this world, the *"forgotten kingdom"*, were combined with more modern criticisms of the superstitious rites of the Roman Church in a message of hope for universal salvation which attracted many followers. In Occitan towns, they were very often regarded by parish priests as brothers and sisters, whilst the lords and ladies fervently listened to their preaching.

They nevertheless belonged to a dissident religious movement which was put beyond the pale of Christianity by Pope Gregory and which, in the light of the evidence of their repression, in other words, the light from the flames of the stakes at which they were burned, history now recognizes as widespread in 12th and 13th century Europe. Under the various accusatory names invented by the religious authorities – Cathars, Patarins, *Publicans*, Manichaeans, Arians, *Piphles*, *Bougres* (from "Bulgarians"), Albigenses, etc., what the majority of these groups condemned for heresy had in common was their religious organization as episcopal Churches, the claim that they were the true heirs of the Apostles, their spiritualist conceptions concerning the person of Christ and their dualist Biblical exegesis, and particularly the unity of their ritual. For the sake of convenience, we shall refer to this sprawling nebula, discernible in the Latin world of Flanders and the Rhineland, Champagne and Burgundy and reaching as far as Italy and Bosnia, as well as the Languedoc, as the Cathars.

Among these dissident Christian communities, the best known are those of those of the *bons hommes* of southern Europe in Italy and, above all, the Languedoc. Unlike their northern counterparts, who remained clandestine and are documented only in negative terms, they lived in peace and were firmly rooted in their society. Several of their original manuscript books have survived to the present day, including three prayer-books and two treatises in Latin and Occitan which give us an insight into their religious nature. The system of repression to which they were subjected throughout the 13th century – the Albigensian Crusade, the French sovereign's conquest of the Occitan counties, followed by the Inquisition – gave rise to a major body of documents, chronicles and, above all, legal archives, which literally reveal the daily life of a "heretical" society. We are about to be taken on a fascinating journey to the Occitania of the Cathars.

## The Occitan Cathar Churches

"At that time, the heretics publicly established their houses in the *castrum*..." The registers of the Inquisition, recording events which date back to the very beginning of the 13th century, that is to say, before the repression, bring to life those communities of "good men and women" whose houses were established within the fortified villages of the vassal *seigneuries* of Toulouse, Foix, Albi and Carcassonne. In busy, populous towns such as Fanjeaux, Laurac, Cabaret, Le-Mas-Saintes-Puelles, Puylaurens, Lautrec, Caraman, Lanta, Mirepoix, Rabastens etc., the aristocratic families were the first to flock to their sermons; countesses of Foix were numbered among the *bonnes femmes*. A Christian religious order was in place which existed independently of the Pope in Rome. Five Cathar Churches or bishoprics were also publicly established between the Languedoc, the Agenais and the Pyrenees under the authority of veritable episcopal hierarchies. In fact, this structuring of the communities around ordained bishops, in the manner of the early Christian churches, was one of the chief defining characteristics of the so-called heresy of the Cathars, who claimed to be the true Church of Christ and the Apostles. The rituals of the Occitan *bons hommes* refer to it as the *Ordenament de sancta Gleisa*, or the order of the holy Church. Dissident bishops are mentioned in sources even earlier than the mid-12th century, the first being documented in the Rhineland, in the archbishopric of Cologne, and in the bishopric of Liège.

There is no documentary evidence of Italian and Occitan Cathar bishops until the following generation, although there is evidence of dissident communities in the towns between Albi and Toulouse as early as 1145; there is mention of a bishop belonging to the *bons hommes* in the Albigeois in 1165. In 1167, at the village of Saint Félix in the Lauragais, at the junction of the county of Toulouse and the viscounties of Albi and Carcassonne, four southern Cathar Churches, clearly at the height of their influence, convened a Council, calling together their bishops or Church councils and their communities of religious men and women; the Churches in question were those of the regions surrounding Toulouse, Albi, Carcassonne and probably Agen, where a Cathar bishop is documented in the 13th century, although the records refer not to the Agenais but the "Aranais", that is, the Val d'Aran. There they received delegations from their sister Churches in France (Champagne, Bourgogne) and Lombardy, presided over by a Bogomil dignitary, probably Bishop Nicetas of Constantinople. This figure should not be seen as a heretical Pope or anti-Pope. On the contrary, he preached to all those Latin Churches of "good men" in favour of a fraternal but autonomous coexistence. The four Occitan Churches were therefore inscribed within the geographical authority of actual bishoprics.

The Churches of the Rhineland, which were not represented at the Saint-Félix assembly, appear to have been quickly eradicated by an intense campaign of repression which condemned their successive bishops to the stake during the 1160s. Before the end of the 12th century the Church of Lombardy divided into six separate bishoprics, enjoying in the Italian cities the steady support of the Gibelins, who favoured the emperor against the Guelphs, who supported the Pope – and the Inquisition. Constantly persecuted, the Church of the French managed to survive in exile in Italy until the end of the 13th century. Around the year 1200, two members of the cathedral chapter of Nevers, who were also Cathar dignitaries, escaped being burned at the stake in Burgundy by taking refuge among their brothers of the Church of Carcassonne. When, under pressure from the Papacy and the Cistercian order, Christian Europe took up arms against heresy, the great principalities of Occitania, the counties of Toulouse and Foix, the viscounties of Trencavel de Carcassonne, Béziers, Albi and Limoux became a safe haven for the dissidents. Their Churches enjoyed an almost institutional status in the Occitan territories which not even the Albigensian Crusade of 1209, with its mass executions at the stake, could destroy. Around 1225, the four Churches established in the 12th century were joined by a fifth, that of Razès. It was only after Carcassonne and Albi passed to the French Crown and the count of Toulouse capitulated in 1229 that the Cathar Churches were forced underground – a position from which, after being steadily crushed by the Inquisition, and despite the heroic resistance of their followers for almost a hundred years of persecution, they were never to recover.

## Homely Christianity

Why did they emerge in the Languedoc rather than elsewhere? Why did five "Good Men" bishops become firmly established between the Agenais, Quercy, the Pyrenees and the sea? The reasons, as far as they can be discerned, are multiple and are cultural and social as well as political; the flexible, open, autonomous structure of the Cathar Churches was well suited to the Occitan *seigneuries*, which were less rigidly hierarchical than the Frankish feudal model, but controlled by a burgeoning and plural aristocratic group. Statements made to the Inquisition indicate that from the end of the 12th century, it was more often than not the nobility, with ladies at the forefront, which led the way in committing to the faith and joining the ranks of the order of the Good Christians. Their example was eagerly followed by the bourgeoisie and artisans of the feudal town, or *castrum*, as well as the peasant population of the countryside. Moreover, the strength of resistance from broad sections of the southern clergy against the dictates of the Gregorian Reform left the way clear for forms of Christianity which were both critical and rooted in the past. The Cathars were not strangers to their villages, but brothers and sisters who were bound to them by all the ties of community and affection.

The archives of the Inquisition allow us to explore with hindsight the inner workings of this almost unexceptional, populous Christian society in its fortified villages. For the inhabitants of those medieval townships, the communities of "good men" and "good women" living in their midst and who were revered by them were simply "good Christian men and women" who had the great power to save souls. The only talk of their being "heretics" or "Cathars" came from the occasional passing legate or Cistercian priest sent from Rome. It was also quite common for the parish priest to have fraternal relations with these religious, most of whom came from local families and who regarded the Pope with disdain. The sons and daughters of many noble families were divided between the two Churches. The best example of Christian ecumenism in Languedoc society at that time is undoubtedly to be found in 1208, in the figure of Bernard Raymond de Roquefort, the Catholic bishop of Carcassonne. A representative of a great aristocratic house from the Montagne Noire which would long resist conquest by the French, the prelate's mother was a *bonne femme*, and his three brothers were *bons hommes*, of whom one, Arnold Raymond de Durfort, was to die at the stake at Montségur in 1244. Only the machinery of systematic repression would force each man and woman to take sides within his or her village and family. In this respect, the annals of the Inquisition bear tragic testimony to the shattered solidarity of an entire society.

Far from cutting themselves off from the world to lead a contemplative life in their monasteries, Cathar religious, both men and women in the Occitan *seigneuries* during the "Cathar peace" lived among their Christian brethren. Thus, they anticipated by at least one generation the custom of establishing "town-based convents" which would so successfully be adopted by the Mendicant orders, the Dominicans and Franciscans. These "good men" and "good women", in permanent contact with the townsfolk, with the men and women who followed them, were the grass roots of the Cathar ecclesial system. They constituted religious communities in the true sense, leading lives consecrated "to God and the Gospel", whilst at the same time taking on the role of a regular, secular clergy. As monks and nuns, they all took vows of poverty, chastity and obedience, leading a strictly ascetic community life according to the rule of the Precepts of the Gospel, or "the way of justice and truth of the Apostles". They renounced sin: falsehood, trickery, the taking of life (even that of animals) and material and carnal covetousness; each month, they were visited by a deacon of their Church who administered to them the *aparelhament,* or public confession. However, Cathar communities differed from traditional monastic communities in two essential respects. First, they were composed not of consecrated virgins, but of individuals who had already "lived life" as members of their society: widowers, widows and couples who decided to live apart at the end of their lives in order to prepare for a good death and save their souls. Unlike the great Catholic monasteries, and even the Mendicant convents, their community houses were not enclosed. Good Men" and Good Women were free to come and go, remaining active members of their families and participating in the life of their town.

These religious houses fulfilled an important social function. Numerous in the streets of the *castra* – it is said that there were fifty houses in Mirepoix and a hundred in Villemur – they were small establishments in which there usually lived about ten Good Men under the authority of an elder, or, in the case of Good Women, overseen by a prioress. There the religious led their community life, saying their ritual prayers and observing abstinence (a meagre diet throughout the year, punctuated by three periods of fasting, and a diet of bread and water every other day). But they did so in full view of the Christian townsfolk. Because they were called to apostolic work and practised their crafts, their houses often had the appearance of artisans' workshops. They also functioned as hospices long before those institutions came into being, keeping an open table and welcoming the sick and needy. Some houses were, moreover, devoted to the training of novices and sometimes acted as schools. Their houses were open to visitors and believers, neighbours, friends and relatives, to whom they (both men and women alike) preached God's Word in the manner of secular priests. Without cutting themselves off from their families or their society, they preached by example, by their fidelity to the apostolic model and the message of the Gospel. They tirelessly admonished their fellows to do good, imparting to all an *Entendensa del Be*, or understanding of goodness.

This vigorous preaching to the Christian flock, based on translations of the Scriptures into the Romance language, was the strength of the dissident Church. In times when they were allowed to worship freely, the religious communities devoted themselves to putting the Gospel into practice, while the episcopal hierarchy carried out the strictly priestly function; in general, it was the bishops and deacons who solemnly preached the Gospel on Sundays and religious feasts such as Christmas, Passiontide, Easter, Pentecost, etc. They ordained novices and consoled the dying. It was only in the absence of the bishop or a deacon that *bons hommes* or even *bonnes femmes* administered the *consolament* or sacrament of salvation. This was frequently the case once the dissidents were driven underground. Cathar bishops, like ordinary *bons hommes*, lived in community houses with the approval of the towns they served. The bishop of Toulouse often resided in St Paul-Cap-de-Joux or Lavaur, while the bishop of Carcassonne lived in Cabaret and the bishop of the Albigeois region lived in Lombers... Until in 1233, the bishops of the Toulouse, Razès and perhaps the Agenais areas were forced by the repression of the Inquisition to take refuge in the rebel *castrum* of Montségur, while the bishop of the Albigeois was obliged to reside in Hautpoul. Nevertheless, these three men were important figures whose influence extended even to the *seigneurs*, chiefly in their role as arbiters and justices of the peace – their Christian order rejected human justice and the death penalty.

The practices of the Church, which were both simple and infused with sacral significance, such as the great ritual of *consolament*, harked back to ancient Christian liturgies. They were all communal and public. At their ceremonies the believers exchanged the kiss of peace; at their table, at the beginning of every meal, the *bons hommes* and *bonnes femmes* commemorated the Last Supper, blessing and sharing bread as a symbol of the Word of God to be shared among men. This communion without transubstantiation – the bread remained bread, without becoming the body of Christ – followed the fraternal tradition of meals among the early Christian communities. It was one of the rites which bound believers to their Church, one of the signs which represented their faith that, sooner or later, they too would become good Christians and save their souls. Believers expressed that same hope in the *melhorier* – or improving action – a triple request for blessing with which *bons hommes* and *bonnes femmes* greeted each other when they met.

## A heretical society?

The registers of the Inquisition open a window onto the human quality of a Church which, having figured large in the daily life of the towns of Occitania, was subsequently banished to the hiding-places of a clandestine existence, but they fail to give the true measure of that Church's demographic impact. Although massive (thousands of statements have survived, revealing the names of thousands of *bons hommes* and *bonnes femmes*, of believers, both men and women, of some thirty bishops and about fifty deacons), the documents are so riddled with gaps that any generalisation attempting to calculate the impact of the heresy in percentages is absurd. In any case, the question was not posed in those terms, since Cathar and Catholic worship were generally complementary rather than concurrent. Nevertheless, two facts emerge quite clearly; first of all, the heresy was extremely widespread throughout society. At the Good Men's ceremonies, great lords gathered together with the local population. In their religious houses, simple peasant women would live side by side with the dowager lady of the town and elderly knights busied themselves with weaving. This remarkable following among the nobility cannot fail to capture the attention of the modern-day historian, just as in the past the attention of the Cistercians and the Pope could not fail to be drawn to the phenomenon of Occitan Catharism; yet, it would be a mistake to regard it as a mere whim of the social elite. Catharism was an ordinary Christian community made up of all social classes, who, as the archives of the Inquisition reveal, practised the faith of the Good Men.

Secondly, the importance of the place and role of women in the dissident Church is also particularly striking. In the days of their of freedom, the number and function of the *bonnes femmes* cited by the witnesses were almost equal to those of the *bons hommes*, although there is no record of any woman occupying the upper echelons of the Church's hierarchy. The numerous testimonies of female believers also show, often very movingly, how crucial the commitment of the women within the family would be, during a hundred years of systematic persecution, in keeping alive Catharism's strength to resist, bolstering it with a maternal faith. Indeed, the 14th century Inquisitors cursed the *genus hereticum* – a pejorative expression which could equally well be translated as "heretic rabble" or "heretic gene"...

Living in communities of male and female penitents in the heart of their fortified villages, the *bons hommes* and *bonnes femmes* of the Occitan Cathar Churches, those guarantors of ultimate salvation, constituted an accessible clergy that was both effective and attractive; continuing to be physically present, active members of their families, these religious men and women firmly rooted their faith in society and the family, foundations which not even the persecution of the 13th century could easily destroy – even when the aristocratic dynasties who had protected them were torn apart by war.

**ANNE BRENON**
Translated by Jacqueline Minett

# Troubadours and Catharism

Anybody who approaches medieval Occitan culture is immediately struck by the broad chronological and geographical coincidence between the spread of troubadour poetry and the spread of the Cathar religion. Indeed, in a period spanning from the middle of the 12th century to the end of the 13th century, in an area comprising the western Languedoc and some neighbouring regions such as Quercy and the Périgord, the two phenomena coincided at the same courts, cities and towns. Admittedly, this convergence was not total, because troubadour poetry was widespread throughout Southern France, from Gascony to the Alps, and its origins date from the end of the 11th century (according to some recent studies, the emergence of Catharism can be traced back to the early decades of the 11th century). Nevertheless, at the end of the 12th and the beginning of the 13th century, a region such as Carcassès was an extraordinary meeting-point between the art of *trobar* and Cathar spirituality: for example, the *castrum* of Fanjaux, which Peire Vidal describes in his *sirventes* (satirical poems written in four-line stanzas of hendecasyllables with alternating rhyme) *Mos cors s'alegr'e s'esjau* as a courtly "paradise", was also one of the major centres of the Cathar heresy; it was there that the famous Guilhabert de Castres preached and administered *consolament* to Esclarmonde, the sister of Count Raymond-Roger de Foix. There were also troubadours, such as Peire Rogier de Mirapeis, Raimon Jordan and Aimeric de Peguilhan, among others, who for at least part of their lives were followers of the heterodox faith.

From the early decades of the 19th century, these facts led a number of scholars to look for possible exchanges or relations between these two great phenomena. Basing his work on earlier studies by Gabriele Rossetti (in particular, the five volumes of *Il mistero dell'amor platonico del Medio Evo*, London 1840), Eugène Aroux, a French amateur historian affiliated to the Rosicrucian Order, formulated the myth of the "secret language" of the troubadours in his book *Les Mystères de la chevalerie et de l'amour platonique au moyen âge* (1858). His hypothesis, which lacks any solid foundation, maintains that in all Occitan love poetry the lady who is the object of the poet's love represents the parish or diocese, while the lover represents the Cathar "perfect", and the jealous husband is the Catholic bishop or parish priest: marriage, a state rejected by the troubadours, is thus taken to represent a community's adherence to the Catholic faith, while the adulterous relationship between the lady and the *fin aman* – exalted by courtly lyric poetry – signifies the community's conversion to Cathar or "Albigensian" beliefs. This naive interpretation, which reduces all troubadour love poetry to en encoded exposition of the doctrines and historical deeds of the heretics, was soon taken up by other authors with equally fanciful ideas, such as Joséphin Péladan (the author of *Le Secret des Troubadours*, 1906) and Otto Rahn (in his *Kreuzzug gegen den Graal*, Freiburg in Breisgau 1933), although it was rapidly quashed by historians and philologists. However, the idea of the relationship between *fin'amor* and Catharism was never entirely abandoned: indeed, it is the core idea in Denis de Rougemont's important book, *L'Amour et l'Occident* (1939). Rougemont argues that a number of fundamental troubadour themes, such as "death" and the "secret", only fully yield up their meaning when seen in the light of Cathar doctrine; he does not suggest that Occitan poets were true "believers" of the heretical Church, but he does argue that they at least drew inspiration from the religious atmosphere of Catharism. The woman exalted in their poetry may be likened to the Soul, man's spiritual counterpart who is imprisoned in the physical body and with whom he can only be reunited after death. These and other similar ideas of Déodat Roché are the basis for the notion of a fundamentally Platonic "Occitan inspiration", expounded by Simone Weil in a famous essay published in *Cahiers du Sud* in 1942.

As we can see, these are purely subjective, albeit interesting, interpretations from the point of view of the history of contemporary thought. From the middle of the last century, Romance philologists addressed the problem using more rigorous tools, finding that not only was there no evidence that the troubadours used a coded language, but also that echoes of Cathar teachings were almost entirely absent from their love poetry: an absence which is all the more striking in those poets whom we know with some degree of certainty to have had links with the heretical Church. In medieval lyric poetry there is only one text in which Cathar ideas are openly expounded. The author is not an Occitan, but an Italian poet of the late 13th century, Matteo Paterino. In a *canzone* addressed to the famous Guittone d'Arezzo entitled *Fonte di sapïenza nominato*, which has only recently been published in a critical edition, he opposes the Catholic doctrine professed by his dedicatee to the theology of the two Principles, illustrating it in terms which adhere strictly to those of Giovanni di Lugio and the heretical Church of Desenzano. In fact, there is another Occitan poetic text, entitled *Novas del heretge*, which sums up the fundamental ideas of Catharism; it is not a lyrical work but a debate between an Inquisitor named Isarn and Sicart de Figueiras, a converted Cathar "perfect". However, although the historical figure of Sicart is well documented in the Inquisitorial sources, and the historical events to which the poem refers are largely verifiable, the author of the text –probably Isarn himself– presents Sicart in strongly disparaging terms and couches the Cathar doctrines that he professes in the language of caricature. Not even the great poem *Paratge*, the second part of the *Canso de la Crozada* (Song of the Albigensian Crusade), whose author firmly sides with the Counts of Toulouse against the French Crusaders and the clergy, bears the slightest trace of Cathar theology.

Does this mean that the troubadours took absolutely no interest in the great religious phenomenon of their age and that they said nothing about the tragedy that overtook their countrymen during the 13th century? Clearly, it does not. An impressive literary account is to be found in the above-mentioned *Canso de la Crozada*, which chronicles the events of the war from its beginning, in 1209, until the third siege of Toulouse by the Crusaders in 1218. By some stroke of luck preserved for posterity (only one manuscript survives), it consists of two parts, written by two different authors. The first, written by Guilhem de Tudela, a cleric from Navarre, at the time of the events, traces events up to the eve of the disastrous Occitan defeat at Muret (1213) and is broadly favourable to the Crusade; however, Guilhem repeatedly expresses his admiration for the southern knights, who in his opinion were caught up through no fault of their own in the just fight against the heretics, and he describes with extraordinary efficacy and involvement the violence of a devastating war: among the episodes recounted by the poem that remain indelibly engraved on the reader's memory are the indiscriminate massacre of the people of Béziers as they take refuge in the cathedral following the conquest of the city by the Crusaders (1209) and the cruel stoning to death of Giraude, a lady of Lavaur accused of heresy, also in the aftermath of the conquest of the city (1211).

The second part of the Song –the work of an anonymous author whom some have identified with the troubadour Gui de Cavaillon, written around 1228-1229 before the peace treaty of Meaux-Paris– takes up the narrative at the exact point at which his predecessor left it, but at this juncture the work takes on a completely different character, the author creating one of the great masterpieces of medieval literature. An enthusiastic supporter of the Counts of Toulouse and violently hostile to Simon de Montfort and his Crusaders, the poet is the great apologist of *Paratge* –the southern nobility, their homeland and their ideals–, in other words, of what he describes as a splendid ("courtly") civilization, which is portrayed as the victim of a blind, barbaric violence unleashed by the clergy and the French on the false pretext of a fight against heresy. His hope, often presented as a cast-iron certainty, is that *Paratge* will be restored through the intervention of the Counts of Toulouse and the will of God.

The occultist tradition vainly searched the love poetry of the troubadours for traces of Cathar ideas; and yet they failed to see what was before the very eyes of anyone who cares to look: the deep affinity between the anti-Roman stance of the Cathars and the attitudes expressed in a vast number of *sirventes*, written mainly during the first half of the 13th century and dominated by their bitter diatribe against the clergy and the French. It is in this "militant" poetic output that the true links between troubadour poetry and Catharism are to be found. Raymond de Miraval, whose cancionero constitutes a bridge between the *trobar amoroso*, or love lyrics, of the 12th century and the political and moral form of *trobar* prevalent in the 13th century, is a case in point. Raymond shared the *seigneurie* of a small castle that was taken by Simon de Montfort during the early years of the Crusade (probably in 1211), following which the poet was relegated to the humble condition of *faidit*, or exile. In the first six *coblas* of the *canso* "Bel m'es qu'ieu chant e coindei" he develops the traditional erotic themes (praise for the beloved, entreaty of the lover, a description of the joys and torments caused by passion, etc.), but he completely changes the tone in the final *cobla* and the two *tornadas*. At this point, he addresses a heartfelt request to King Peter II of Aragon, inviting him to fight against the French and thus allow him to regain possession of Miraval and restore the city of Beaucaire to Raymond VI, the Count of Toulouse: only then, he declares, "*poiran dompnas e drut / tornar el joi q'ant perdut.*" The disastrous Battle of Muret, in which Peter II lost his life, dealt the final deathblow to all such hopes.

It was above all after the Battle of Muret that numerous poets, most of them with links to the Counts of Toulouse, began to raise their voices, composing fierce invectives against the French invaders and the steadily mounting and unwelcome interference of the clergy in Occitania and its neighbouring regions. The most outstanding among these poets include Peire Cardenal, Guilhem Figueira and Guilhem Montanhagol. Their compositions, like those of many other troubadours, attack the Church and the clergy both on strictly religious and political grounds. On one hand, they caricature and severely cticize the widespread vices of the clergy, especially those of lasciviousness and gluttony; such is the case, for example, of Peire Cardenal's magnificent *sirventes* against the Dominicans, *Ab votz d'angel, lengu'esperta, non blesza*; on the other hand –and in this instance more damningly– they criticize the earthly ambitions of the Church, its collusion with the French invaders and the indulgences promised to those who slaughtered Christians in a criminal Crusade. After 1233, they also severely censured the brutal and persecutory methods that were frequently practised by the Court of the Inquisition, as in Guilhem Montanhagol's *sirventes Del tot vey remaner valor*. In some of Peire Cardenal's compositions, such as *Falsedatz e desmezura* and *Un sireventes vuelh far dels auls glotos*, the situation brought about by the Church and the French in the Midi is described as a "world upside down" where "*feunia vens amor / e malvestatz valor, / e peccatz cassa sanctor / e baratz simpleza*": a world in which true Christians are accused of heresy and sentenced to martyrdom by the "messengers of the Anti-Christ", in other words, the members of the Roman Church.

The close affinity between these ideas and the anti-Roman stance of the Cathars is unquestionable. It is true that anti-clerical themes had long been widespread in medieval literature, but sometimes the similarities between troubadour poetry and Cathar texts are sufficiently precise to rule out any real likelihood of their being independent of one another. For example, the accusations contained in the first two *coblas* of Peire Cardenal's *sirventes Li clerc si fan pastor*– in which the members of the Catholic clergy are successively described as "murderers", "rapacious wolves" disguised as sheep and the illegitimate usurpers of power in the world– correspond exactly to those levelled against them in a passage in the original Cathar treatise (written in Occitan) *La Gleisa de Dio*. Moreover, in a statement made in 1334 before the famous Inquisitor Jacques Fournier, we read that some twenty years earlier –that is, at the beginning of the century– one Guilhem Saisset had begun to recite the very same *cobla* of this *sirventes* before his brother, the bishop of Pamiers; at that moment, Bertrand de Taix, a notorious heretic who was present on that occasion, asked Saisset to teach him the words of the *cobla*, declaring that the clergy had not only all the faults listed by Peire Cardenal, but many more besides. The heretics undoubtedly regarded the troubadour as a mouthpiece for their ideas and hopes, although in this case it is not clear whether Peire took his inspiration from the Cathar text. Perhaps it is time to give the poet his dues: it is possible, and even probable, considering the chronology of the texts, that, on the contrary, the treatise *La Gleisa de Dio* drew on the themes and images of this poetic masterpiece, which undoubtedly enjoyed extraordinary popularity (it has survived in ten manuscripts).

Points of contact with Cathar ideas concerning the polemic against the Church are also to be found in many other poems by Peire Cardenal and troubadours who were ideologically close to him, although this does not mean –as some writers have claimed– that the poets in question were in fact followers of the heretical doctrine; on the contrary, Peire's compositions on religious themes express a perfectly orthodox theology. That being said, the text which clearly bears the closest affinity to the themes of the anti-Roman preaching of the Cathars is undoubtedly Guilhem Figueira's impassioned *sirventes* against Rome, *D'un sirventes far en est son que m'agenssa*. The fierce accusations that the troubadour launches against the Church, which he describes as the "*cima e razitz*" ("the acme and the root") of all evil, go much further than the arguments put forward by Peire Cardenal. On the basis of a fundamental dichotomy between False and True (the false Church of Rome as against the true teachings of Christ), Figueira skilfully constructs his discourse on three layers of intertextuality. The vocabulary is derived from Marcabru's invectives against the "*falsas putas*", the harlots who are blamed for corrupting young knights; by means of a second layer of references, however, this time taken from the Bible, the moral themes developed by Marcabru are transferred to a more spiritual and religious level. The insults of Biblical origin which are hurled against the Church and are to be found scattered throughout the composition derive chiefly from a very precise fragment of the Gospel according to St Matthew: Jesus' invective against the scribes and the Pharisees (Mt 23, 13-33). The Church is thus likened to those who, in the words of Jesus, were the children of those that killed the prophets and closed the gates of the Kingdom of Heaven against mankind. This accusation is particularly significant because not only does it focus on the corruption and sins of the clergy, but radically calls into question –just as the Cathars did– the Church's self-proclaimed power to afford spiritual salvation: he even denies its status as the Church of God. Indeed, in this *sirventes* he superimposes on the above-mentioned palimpsest from the Gospel a third layer of intertextual reference which directly alludes to Cathar ecclesiology. Jesus's invective against the scribes and the Pharisees, in fact, was one of the most frequently quoted passages of the Gospel among the Cathars –as it is in the original texts which have survived, such as *La Gleisa de Dio* (The Church of God) and the *Liber de duobus principiis* (Book of the Two Principles), in the context of their protest against the persecution they suffered at the hands of the Church. Among the many passages from the composition that we might quote, there is one particularly revealing line in which Rome is accused thus: "*faitz per esquern dels crestians martire*" The term *martire* is used here in a sense which is completely alien to troubadour poetry: the latter frequently compares the pains of love to the martyrdom of Christ and the saints, but here the term refers to the victims of the Church itself, as in numerous Cathar texts in which it corresponds exactly to the notion of "martyrdom in Christ"; if we consider that the term *crestians* was the one that the heretics used to designate themselves ("Christians" or "good Christians"), it is not hard to imagine Guilhem Figueira's words sounding perfectly natural if spoken by a Cathar. It is not surprising, therefore, that this *sirventes* is also quoted in an Inquisitorial document, the records of a trial for heresy initiated in 1274 against Bernart Raymond Baranhon, a merchant from Toulouse. When asked by the Inquisitors if he had ever been in possession of a book entitled *Biblia in Romano* which began with the words "*Roma trichairitz*", Baranhon answered no, but he admitted that he had once heard some *coblas* composed by a minstrel by the name of Figueira; and he quoted from memory the whole of the first *cobla* of *D'un sirventes far en est son que m'agenssa*, stating that he had recited it in public on other occasions. Clearly, this was not a standard anti-clerical cliché: it is in texts such as Guilhem Figueira's *sirventes* against Rome that we must seek the true and verifiable points of contact between the poetry of the troubadours and the preaching of the Cathars.

**FRANCESCO ZAMBON**

Translated by Jacqueline Minett

Photo: © David Ignaszewski

Jordi Savall

# The Crusade against the Albigenses

From the middle of the 11th century, the Western Church underwent an intense process of internal transformation. The introduction of the so-called "Gregorian Reform" strengthened the whole hierarchy (from the local parish priest to the archbishop) and its subordination to the theocratic authority of the Pope, as Vicar of Christ. At the same time as centralizing ecclesiastical structures, the Papacy also succeeded in asserting its dominance over the lay powers of Christendom – kings, nobles and, occasionally, the emperor himself. Born out of the "Gregorian Reform", the re-styled Church felt duty bound to implant Catholic Christian values as they were understood by the Pontifical Theocracy. All religious movements outside the authority of Rome were regarded as a dire threat to Christian society. The religious dissident, or heretic, attacked the unity of the Church and jeopardized the Christian soul and its eternal life, which was much more important than this earthly life. Admittedly, this view of the heretic had already existed in previous ages; the difference, however, is that from the 11th century the Church was able to carry out a much more efficient and extensive system of scrutiny and repression.

Violence was soon used against the dissidents (some were burned at the stake as early as the 11th century), but it is fair to say that Rome's anti-heretic policy grew progressively harsher as the theocratic Papacy became established. Fear of the proliferation of the great heresies of the 12th century – Waldism and Catharism – was a key factor in this process. Nor should we forget the active participation of the lay feudal powers. The kings of France, England, Castile and the Crown of Aragon were steadily building up more structured and solid monarchies. In this enterprise they needed the support of the Church, and they were unwilling to tolerate dissident groups who defied their authority. This alliance of the crosier and the sword would prove crucial to the growth of the repressive capacity of the Church.

From an ideological point of view, the path leading to the use of violence was prepared by the Cistercian monks, who undertook the defence of Catholic orthodoxy in the name of Rome. In their determination to eradicate error, the Cistercians developed a powerful anti-heretical discourse which exaggerated the true extent of heresy. Without realizing that the phenomenon was, on the whole, disperse, heterogeneous and limited in scale, the Cistercians saw the heretics as a homogeneous, coordinated internal enemy, a kind of "fifth column" whose ultimate objective was the destruction of Christianity. Ultimately, the spread of this discourse led Christian society to perceive heretics as enemies "worse than the Saracens" and to accept the use of extreme solutions as legitimate and necessary in the bid to eliminate them.

## The path to war

The anti-heretical measures of the Church intensified as the 12th century drew to a close. The most worrying development as far as Rome was concerned was the increase of Waldensian and Cathar heretics in the lands of the south of the kingdom of France, in what we now call the Midi, the Languedoc or Occitania. The formulas of persuasion and reinsertion that had been applied in previous years (preaching campaigns, debates with the leaders of the heretics, etc.) now proved futile. The tightening up of Canon Law, including spiritual penalties (excommunication, condemnation), financial penalties (confiscation of goods) and civil penalties (exclusion from society, infamy, loss of legal rights, exclusion from public office) also proved ineffective in a complex, unstable Occitan society with its intricate web of family, political, ecclesiastical and religious loyalties. Resorting to war as a legitimate instrument of repression was considered as early as the Third Lateran Council (1179), resulting in an in initial military operation against the Toulouse region in 1181. It was a warning of things to come.

Although the real situation was much more complex and subtle, the Papacy believed that responsibility for the proliferation of heresy in the South of France lay with the Occitan bishops and nobles. Both groups tolerated and even protected heretics, thus encouraging their propagation. It was therefore necessary to replace that complacent Church and the corrupt nobility with figures of proven orthodox beliefs who would be willing to combat heresy. The ousting of local prelates and their replacement by Cistercians acting under orders from Rome began at the end of the 12th century and was accelerated at the beginning of the 13th century. The next step was to "cleanse" the lay authorities, beginning with the Count of Toulouse, Raymond VI (1194-1222), the visible head of the Occitan nobility.

The climate of support for tough, swift action against the Occitan heretics and their accomplices gathered momentum around 1200. Defeats in the Holy Land, the loss of Jerusalem, the pressure exerted by the Almohads on the Iberian Peninsula, the crisis of the Empire and the propagation of heresy exacerbated the fears of a Christian society which felt itself to be under threat. It was in this uneasy atmosphere that Lotario di Segni, a young, well educated young man with strong theocratic convictions, was elected Pope under the name of Innocent III (1198-1216). In the same year of his enthronement, he wrote a letter to the bishop of Auxerre in which he openly advocated the use of violence: Crusade, the holy war which had been waged since the 11th century against the Muslims, the external enemy, was now to be fought against heretics and their accomplices, the internal enemy. But to accuse of heresy, fight and then dispossess a great feudal lord of his lands and titles was not the same as removing a bishop. Feudal laws had to be respected and so Innocent III appealed to the Count of Toulouse's direct suzerain, the King of France. From 1204 he requested him on several occasions, along with the French nobility and clergy, to intervene in the Midi to repress the heretics and rein in the corrupt Occitan nobility. The Pope thought that, as had been the case in other places which were under the control of strong political power, heresy would be crushed beneath the boot of the Capetian monarch. However, King Philip Augustus II of France (1180-1223), embroiled as he was in a protracted war with the Plantagenet kings of England, declined time and time again to become involved in the Occitan hornets' nest.

The Pope could have requested the help of one of his most faithful allies in the South of France, Peter the Catholic (1196-1213), King of Aragon and Count of Barcelona. The kings of Aragon had been vassals of Rome since the 11th century, and Peter himself renewed that formal bond of vassalage in 1204 at his coronation in Rome by Innocent III. Moreover, since the end of the 12th century, the Crown of Aragon had enjoyed a *de facto* hegemony over the Occitan lands. After almost a century of open warfare with the Counts of Toulouse (the "Great War of the South"), the Catalano-Aragonese monarchs had succeeded in uniting and bringing under their influence the majority of the Occitan feudal lords, some as vassals, such as the Viscount of Béziers and Carcassonne, the Count of Commignes and the Viscount of Bearn, and others as allies, including the Count of Foix. At the beginning of the 13th century, the Count of Toulouse himself recognized his defeat when he negotiated with the King of Aragon a firm political and military alliance as well as a dynastic union: Raymond VI married Infanta Leonor of Aragon, while Raymondet (the future Raymond VII) wedded Infanta Sancha of Castile, both sisters of King Peter. From the perspective of Rome, these political and dynastic ties rendered the intervention of the Catalano-Aragonese monarch in the matter of the Occitan heretics a dangerous move. The Pope decided that it was safer to call on the King of France, who was not involved in the complex politics of the Midi, and leave the King of Aragon to continue defending the borders of Christendom against the Muslims on the Iberian Peninsula.

In view of the French monarch's failure to respond, Innocent III continued to use non-violent means, including the preaching campaigns of the Castilian clerics Diego de Osma and Santo Domingo de Guzmán, although these proved ineffectual. On 14th January, 1208, according to Guilhem de Tudela's

*Cansó de la Crozada*, one of the Count of Toulouse's squires, in a bid to curry the favour of his lord, decided to remove his chief problem, the Papal legate Pèire de Castelnau, by killing him. War was inevitable. In March, 1208, to the cry of *"Adelante caballeros de Cristo!"* (Forward, knights of Christ!), Innocent III preached a Crusade against the Occitan heretics and their accomplices, referred to as Albigenses (a local term designating those from Albi and its surrounding territory, which in French is called the *Albigeois*, which from 1209 became synonymous with heretic).

## The Albigensian Crusade (1209-1229)

There are four principal sources documenting the war: the first part of the *Cansó de la Crozada* (1212-1213), written by Guilhem de Tudela, a cleric from Navarre living in the South of France, who hoped that an "entente" between the Crusaders and the Occitan nobility to put down the heresy; *Hystoria Albigensis* (1213-1218), by the French Cistercian Pierre des Vaux-de-Cernay, which gives the official version of the Crusaders; the second part of the *Cansó de la Crozada* (1228), written by an anonymous poet of Toulouse, a staunch supporter of the Counts of Toulouse and the Occitan cause; and the *Chronica*, by Guilhem de Puèglaurens (in French, Guillaume de Puylaurens), a cleric of Toulouse who viewed the Crusade from a Catholic, albeit critical and less passionate perspective.

From these and other sources, we know that in the spring of 1209 a large army of French Crusaders gathered in Lyon, although among their number there were also Flemish, German, English, Italian and Occitan Crusaders –both from the county of Provence and the lands of the Languedoc and Gascony. They all aspired to reap the spiritual and material benefits of a Crusade which was much more convenient and closer to home than those waged in the Holy Land. In spite of the Papal appeals for help, the King of France, Philip Augustus, refused to take part in the Crusade. Thus, the military command of the campaign fell to the Papal legate Arnau Amalric. A Cistercian of Catalano-Occitan origin who had been abbot of the monasteries of Poblet and Cîteaux and who would later become the archbishop of Narbonne, he was a hardliner in defence of Rome's anti-heretical policies.

The Count of Toulouse, Raymond VI, realizing that he was a principal target of the Crusade, was forced to submit *in extremis* to the will of the Church and accept its stringent conditions. By doing so, he succeeded in turning the Crusade's attention to the second most important noble in the region, Raymond Roger Trencavel, whose lands, the viscounties of Béziers, Albi, Agde and Nimes, and the counties of Carcassonne and Razes, were a well-known hotbed of heresy. The Crusaders advanced towards one of its capitals, Béziers, demanding that its bishop, Rainaut de Montpeirós, hand over 223 heretics (it is not known whether they were believers, perfects or heads of pro-Cathar families). However, the mainly Catholic population and the municipal authorities, led by the consuls or *capitols*, refused to turn their backs on their fellow-citizens. Faced with such defiance, the Crusaders' army laid siege to Béziers.

The city was well defended and the siege promised to be a lengthy one, but suddenly, on 22nd July, 1209, a sortie outside the city walls by a group of over-confident townsfolk precipitated a surprise attack by the Crusaders, who stormed the city. It is said that when the legate Arnau Amalric was asked how they were to distinguish between the heretics and the Catholics in the city, he replied: "Kill them all. The Lord will recognize his own" (*"Caedite eos. Novit enim Dominus qui sunt eius"*). Although this famous episode (mentioned by the German Cistercian Caesarius of Heisterbach in his work *Dialogus miraculorum* (1219-1223) is apocryphal, it nevertheless captures the hard, unyielding personality of the Papal legate and the spirit of unbridled warfare which characterized the entire conflict. The Crusaders' attack resulted in one of the great massacres of the Albigensian Crusade. Some chronicles state that the whole population was slaughtered; the Cistercian Arnau Amalric reported 20,000 dead; other chroniclers give the figure of 60,000 or even 100,000. In fact, the population of Béziers was about 10,000 and quickly recovered after 1209, so one would do well not to take the exaggerated medieval figures too seriously. Nevertheless, there is no doubt that the massacre was of horrific proportions. The result was consternation and widespread fear among the Occitan population, thus greatly assisting the objectives of the Crusade.

Once Béziers had been conquered, the Crusaders besieged Carcassonne, the second capital of the viscounties of Trencavel, which was under the suzerainty of the King of Aragon. Despite Peter the Catholic's attempts mediate between the parties, in mid-August Raymond Roger Trencavel was forced to capitulate and Carcassonne was occupied by the Crusaders. The first phase of the Albigensian Crusade – the most spectacular and the one which made the most powerful impression on the contemporary sources, concluded with the surrender of the lands and titles of Viscount Trencavel to the French baron Simon de Montfort, who pledged to continue the fight against the heretics and, therefore, to remain in military command of the Crusade.

From September, 1209, the initial terror caused by the submission of the country began to subside. The first reaction against the Crusade was led by Count Raymond Roger de Foix, an old ally of the King of Aragon. In the months that followed, Simon de Montfort proceeded to subjugate the lands which were legally his. In addition to the support of Rome and the Occitan bishoprics, which were controlled by the Cistercians, Montfort was assisted by the Crusaders who regularly arrived in the South each summer. During those months, he conquered the famous *castra* (fortified towns) of Minerve, Montréal, Termes and Cabaret-Lastours in bitter sieges which usually ended with the Cathars who had taken refuge there being burned at the stake. At the end of 1210 he gained control of the viscounties which had formerly belonged to the Viscounts of Trencavel.

In March, 1211, Simon de Montfort, the King of Aragon and the Count of Foix reached an agreement with the approval of the Church, but Raymond VI of Toulouse refused to comply and was once again excommunicated as an accomplice of heresy. The Crusaders then launched their offensive against the county of Toulouse. One of the best known episodes of the campaign was the conquest of the *castrum* of Lavaur, whose defenders – including the Castilan lady Doña Gerauda and her brother Aimeric of Montréal – were executed along with several hundred Cathars (May, 1211). The first direct attack on the capital occurred a month later. Perceiving the common danger facing them all, the Occitans joined forces. They might even have defeated the Crusader army during the siege of Castelnaudary (August, 1211), but they missed their opportunity. Revolts against the Crusaders were stifled and, while Peter the Catholic and the Papal legate Arnau Amalric were fighting the Almohads at the great Battle of Las Navas de Tolosa (16th July, 1212), Simon de Montfort succeeded in bringing most of the territory of Toulouse under his control. By the end of 1212, when victory now seemed imminent, he drew up the *Statute of Pamiers*, a set of rules inspired in French feudal law, which would govern the lands wrested from the heretics.

The attack on the county of Toulouse constituted a threat to the Crown of Aragon's hegemony in the South of France. King Peter the Catholic, his position strengthened by his status as vassal of the Pope and his outstanding performance at the Battle of Las Navas de Tolosa, decided to intervene in the conflict on the side of his vassals and allies. He proposed to Innocent III a diplomatic solution which guaranteed the re-establishment of orthodoxy and the survival of the Occitan nobility. As proof that he could rely on their support, the king exacted an oath of fealty from the Counts of Toulouse, Foix and Commignes, the Viscount of Bearn and the consuls of the cities of Toulouse and Montauban (27th January, 1213). In declaring themselves the vassals of Peter the Catholic, the Occitans were proclaiming that they were under the suzerainty not of the King of France, but of the King of Aragon, whose feudal domains now spanned a vast territory on both sides of the Pyrenees. It was the birth of a Hispano-

Occitan "Great Crown of Aragon" that was, however, to be thwarted by History. Impressed by the victory of Las Navas and absorbed by an imminent Crusade in the Holy Land, the Pope at first gave his support to the king's plan, but a few months later, his suspicious of the King of Aragon's expansionist intentions, led him to change his mind. The Catalano-Aragonese monarch then decided to defeat the crusade before resuming negotiations with Rome. Everything pointed to a victory of the Hispano-Occitan army of Peter the Catholic, but the Battle of Muret (12th September, 1213) ended in the total defeat and death of the king

The disaster of Muret prevented any further intervention of the Crown of Aragon in the Albigensian question for almost two decades. For the Occitans it meant the loss of their only external, legitimate support: the "miraculous" victory of Simon de Montfort was seen as proof that the Albigensian Crusade was a just and holy war. In these circumstances, the Occitans submitted. In 1215, the Fourth Lateran Council confirmed Count Raymond VI's complicity with the heretics and dispossessed him of all his titles, rights and lands, which were handed over to Simon de Montfort, who became duke of Narbonne, Count of Toulouse and Viscount of Béziers and Carcassonne.

The war did not end there, however. The nobility and many of the towns of Occitania, which were opposed to the domination of *the clergy and the French*, took up arms in 1216. Under the leadership of Raymond VI's heir, Raimondet (the future Raymond VII), the Occitans regained much of their lost land, especially after the death of Simon de Montfort in 1218 during the second siege of Toulouse. The military support of the French monarchy shored up the positions held by the Crusaders in 1219, but it could not prevent the final defeat of Simon's son Amaury de Montfort, who lacked his father's military prowess. Amaury capitulated in 1224 to Count Raymond VII of Toulouse (1222-1249) and ceded all his rights in Occitania to the King of France. Those years of so-called "Occitan Reconquest" permitted a certain resurgence of Catharism. In 1224 the elderly Cistercian Arnau Amalric wrote to the King of France: "That vile Spirit, which was expelled from the province of Narbonne... has once again entered the house from which it was swept."

Following the defeat of the Montforts, the Albigensian Crusade was taken up by the Capetian monarchy, which was keen to take firm control of the south of the kingdom and thereby gain access to the Mediterranean. The military interventions of King Louis VIII (1226) and the troops of the young Louis IX (St Louis) (1227-1228) precipitated the French occupation of Occitania and the attrition of its strength to resist. In spite of the troubadours' pleas, the young King James I of Aragon stayed out of the conflict, refusing to enter into another collision with the Church and instead setting his sights on expansion in the Mediterranean. The war was brought to an end by the firma de los Treaties of Meaux-Paris (1229): Raymond VII of Toulouse regained his titles and much of his territory, but it came at a price – he was forced to recognize the hegemony of the King of France in the region. The key consequence of the Albigensian Crusade was not, therefore, the eradication of Catharism, but the re-drawing of the political map of 13th century Europe: the south of the kingdom of France passed from being under the rule of the Crown of Aragon in 1213 to effective domination by the King of France in 1229.

## After the Crusade

The Occitan nobility took up arms again in the 1240s, once again requesting the help of King James I of Aragon, but they were no match for the military superiority of the French. In 1244, the King of France's seneschal took the fortress of Montségur, in the county of Foix, the stronghold of the Cathar Church. In the words of Guilhem de Puèglaurens, some 220 Cathars were burned at the stake at the foot of "the synagogue of Satan." The last remaining castle in the hands of pro-Cathar knights was Quéribus, occupied by the French in 1255. Finally, at the Treaty of Corbeil (1258), King James I ceded to King

Louis IX all his rights in Occitania, thus quashing Catalano-Aragonese aspirations on the French side of the Pyrenees and marking a decisive landmark in the integration of the Midi into the kingdom of France.

Paradoxical though it may seem, the Albigensian Crusade did not put an end to Catharism, which in fact would linger on for another hundred years. Many Cathars were burned to death during the war, while others went into hiding, and many more emigrated to the North of Italy and the Crown of Aragon (Catalonia, Majorca, the North of Valencia), lands which had historic ties with the South of France and became a sanctuary for the Occitan exiles, both heretics and Catholics. But, whereas the "military solution" represented by the Crusade failed to eliminate Catharism, the "peace of the clergy and the French" imposed in 1229 by the Treaties of Meaux-Paris did pave the way for the creation of the Court of the Inquisition (1232), an efficient "police solution" based on investigation, persecution and repression, which would ultimately lead to the disappearance of the heresy at the beginning of the 14th century.

**MARTÍN ALVIRA CABRER**
Universidad Complutense de Madrid
Translated by Jacqueline Minett

Photo: © Vico Chamla – Milano

Furio Zanasi

# The Time of the Inquisition
# (13th-14th centuries)

The Albigensian Crusade (1209-1229), which was preached by the Pope against the Occitan princes who harboured heretics and was ultimately won by the King of France, reversed the balance of power which, until that time, had been favourable to dissidents in the Languedoc. Following the defeat of the counts and aristocratic families who had supported them, the fully constituted Cathar Churches, wreathed with the crown of martyrdom in the flames of the fires lit by the Crusaders, were forced underground; but the Inquisition, installed in the conquered territory by the Papacy in 1233 with the backing of the French king, gradually hunted them down, persecuting them and dismantling their networks of solidarity. Supported by a still numerous and fervent population of believers, the outlawed Church would continue to resist for another hundred years.

The Inquisition, which crystallized in the 13th century against the Cathar Churches, was the ultimate form of religious persecution, made possible by the total collaboration between the secular and the spiritual powers – in other words, in the case of the Occitan counties, by the intervention of the French Crown.

## The Inquisition. *Inquisitio heretice pravitatis.*

From the time of the first accusations of heresy in the 11th century, a single logic was set in motion which gave rise to the growing ascendancy within Christianity of an ideology of permanent combat, shaping what the British medievalist Robert Moore has called a "society of persecution" and exclusion; the two successive spearheads of this militant theocracy were the Cistercian order, in the 12th century, whose influence would culminate in the crusade against the Albigenses, and later, in the 13th century, the Dominican order, the superintendents of the Inquisition.

In 1199, Pope Innocent III, in a Bull entitled *Vergentis in senium*, assimilated heresy to the greatest crime of all: crime against the majesty of God; thenceforward, heretics would be liable to the penalties and punishments provided under Roman Law for the crime of high treason. In the Languedoc, however, it was only after the consolidation of the French victory in 1229 that the Catholic Church had a free hand to act. Or rather, its effective alliance with the monarchy greatly multiplied its means. For the Pope and the king it would now be a priority to bring the counties of Southern France, which had been pacified by military means, back into the fold of the Catholic faith by exterminating heresy once and for all. Hatched by the legal departments of the Papal Curia and the faculties of law in Toulouse, the Inquisition was conceived as an instrument to carry out a dual objective – to exact penance and to act as a religious police force.

The Inquisition, or *Inquisitio heretice pravitatis* ("Inquiry concerning heretical depravity"), was established as the sole judicial authority competent to try crimes of heresy. Entrusted to the young Mendicant orders, the Franciscans and especially the Dominicans, the Inquisition replaced the ordinary courts of the bishops, some of whom the Pope possibly suspected of having ties with the populations in their dioceses. Inquisitors operated as special judges, by direct delegation of

Papal authority, and were answerable only to the Pope. The Inquisition therefore "was above all other laws". After being deployed against the Cathars of Germany from 1227 and against those of Champagne, Burgundy and Flanders from 1230, in 1233 it was extended to all Christendom. Like an impenetrable coat of mail protecting the authority of the Holy See, it took precedence over local authorities, beginning with those in Toulouse.

Although it certainly represented "progress" from a legal point of view, the Inquisition was hated and feared as an instrument of institutional terror by the populations it affected, combining all the powers of a compulsory confessional with those of a police court and claiming a divine right to judge the living and the dead – beyond death and for all eternity. In the 13th century, the Inquisition was "modern" in that for centuries it established the right of the authorities to force consciences and stifle criticism in the name of absolute despotism, a fundamental characteristic of "modern" totalitarian bureaucracies. It rested on the two pillars of delation, or accusation, as a method, and confession, or self-accusation, as its objective.

The primary role of the Inquisition was penitential. Its judges were above all members of religious orders appointed to hear the confession of the adult populations of the villages in Southern France (males over the age of 14 years, females over the age of 12), in order to absolve them of all heresy and reconcile them to the faith of the Pope and the king, and to bring them back into the Christian community, outside which there was no possible Salvation. But they were also inquisitors, using confessions as legal statements and making systematic use of informers. The only way the penitent – who was simultaneously both accused and witness – could prove to the Inquisitor – who was confessor, inquisitor, judge and prosecutor all rolled into one – that he was since in his repentance and thus obtain absolution was to denounce those in his circle of acquaintances as heretics and friends of heretics.

The confession-statements were recorded by the notaries of the Inquisition, thus constituting a dossier of suspected heretics, thus facilitating inquiries by means of sifting through the statements. The system also permitted the swift exposure of recidivists.

As a religious police force, the Inquisition weighed souls in the balance in the name of God. It differentiated between ordinary "believers in heretics", who could be brought back into the fold by means of the appropriate penances, and fully fledged heretics, *bons hommes* et *bonnes femmes* who bore the full guilt of the crime of heresy and were usually deemed beyond redemption. The Inquisitors publicly pronounced their sentences in solemn sessions of the *sermo generalis* or "General Sermon" held in the cathedral squares, dealing out the terrible condemnation of heresy for the edification of the assembled Christian congregation.

The Inquisition rarely executed those it condemned, for that was not its role. It merely turned over unrepentant heretics and relapsed believers to the lay authorities for execution at the stake – an astute move on the part those in holy orders to get round the precepts of the Gospel. Repentant believers were reconciled by means of stipulated penances: pilgrimages, bearing the cross of infamy, confiscation of goods, prison (the *Mur* or inquisitorial jail) often for life. Recidivists – those poor wretches who, after having abjured all heresy, once again found themselves denounced to an Inquisitor – were considered incurable and systematically burned at the stake. The Inquisition, "as a sign of their eternal damnation" turned relapsed believers and the unrepentant over to the civil authorities and ordered that the bodies of those believers who had died "in the pestilence of heresy", as well as the houses where sacrilegious ceremonies had been celebrated, should be burnt.

In the Inquisitor's eyes, however, the pyre signified failure. It meant that the lost sheep had not been brought back into the fold and that the unrepentant heretic, a criminal against God according to Canon Law, remained an enemy of the faith. The Inquisitor, a direct delegate of the Pope, God's representative on earth, could do no more for him. His lack of repentance signalled a lost soul, who was therefore sentenced to the stake "as a symbol of his eternal damnation". According to the chronicler of the stake at Monségur, the deeper meaning of the pyre was to consign the heretics "from the fire of this world to the flames of hell."

The dreaded effectiveness of the system was based on the erosion of village and family solidarity by the fear of accusation, and the branding of the clandestine religious, most of whom were relatives and old friends, as pariahs and harbingers of misfortune. The ideology of shame drove the final nail into the coffin of the Cathar heresy, ensuring that it was extirpated from society and the minds of men.

## The eradication of heresy

The Occitan princes fell prey to the Capetian dynasty. Following their defeat in the "war of the viscount" Trencavel in 1240, and the "war of the count" of Toulouse in 1242, the fall of Montségur, a pirate fortress held by a handful of rebel knights, marked the end of the political aspirations of the South. It also marked the end of structured Catharism in the Languedoc. The flames of the great conflagration of 16th March 1244 destroyed the hierarchy of the Cathar Churches who had sought refuge there. From 1249, a Capetian count reigned over Toulouse, which was annexed to the French Crown in 1271. Faced with the Inquisition, all hope of a clandestine Church was lost. The last remaining *bons hommes* and *bonnes femmes* roamed the countryside moving from one hiding place to the next, from farm to forest shelter, under the protection of believers who were terrorised by the Inquisition. It is from those times that their image as furtive, clandestine preachers was forged. The tattered remnants of the crushed Occitan Churches' leadership sought refuge in Italy, which resisted the implantation of the Inquisition – that is, until the final victory of the partisans of the Pope (the Guelphs) over those who supported the emperor (the Gibelins) in 1269 opened the floodgate of repression.

The court of the Inquisition was permanently established in the episcopal towns of Albi, Toulouse and Carcassonne, where suspects were summoned to appear. In 1252 the Pope authorised the Inquisition to use torture. In the Languedoc, which had been newly pacified by the king, heresy was almost totally stamped out during the first third of the 14th century. The grand Inquisitors entrusted with the task – Geoffroy d'Ablis, Bernard Gui, and later Jacques Fournier – methodically re-opened the records and files of their predecessors. Making astute use of confidants and informers, sharing their information and carrying out police operations against entire villages, such as Montaillou, they fuelled increasing numbers of pyres with relapsed believers and ordered the exhumations of corpses and the destruction of houses. In 1309 and 1310, they captured and burned one by one the last surviving preachers who, together with the *bon homme* Pèire Autier, were still hiding in the woods between Quercy and the Pyrenees. In 1321, Guilhem Bélibaste, the last known *bon homme* was hunted down in his hiding-place in Aragon and was put to death.

And so the Cathar Church disappeared. The "heresy" of the *bons hommes* was practised no more. Its religious and ecclesial structures were wiped out and its clergy destroyed. Nothing palpable of them remained – no liturgical expressions or gestures, no blessing of the bread, no ritual greeting, no prayer – would be "taken down as proof of heresy" or confessed to the Inquisitors; nobody would be denounced for having seen a heretic or for having attended a *consolament*. The faith perhaps lingered on in the hearts of a few bereft believers, but the Church was dead, and the hope of Salvation, the "good end to life received by the laying on of hands of the *bons hommes*", was forever extinguished by the flames which burned the last of their number. The heresy did not fade and wither like a passing fashion; it was consumed and reduced to ashes. It was systematically eradicated.

## Texts for the Historian

It is, of course, undeniable that a certain number of "multiple factors" contributed to the demise of Catharism, such as the emergence of the new Franciscan spirituality, centred on the human, suffering person of Christ, the new pastoral and teaching ministry put into practice by the Dominicans, the transformations in Occitan society and the weight of royal power. Unoubtledly, they all aided and abetted the work of the Inquisition. Nevertheless, within just a hundred years of being set up, the medieval pontifical Inquisition (not to mention the Inquisition of modern times), succeeded in the purpose for which it had been founded - the eradication of Catharism. And the fruits of its hundred years of labour are still visible in all their massive inexorability, even though many have been lost or destroyed, in the stacks of archives, the registers and files of an anything but ordinary bureaucracy, since it was concerned with the sacred, the salvation of the soul and eternity. Records of confessions uttered under oath, with the witness's hand placed on the sacrosanct Gospels, and ledgers detailing the reconciliation of sinners to the Holy Roman Catholic and Apostolic Church; records of penances valid in the hereafter; these are extraordinary documents and their sacred character is a warrant of their sincerity – but that does not exempt them from criticism.

These are not the trivial records of donations or bequests, signed and sealed by the notaries of the Inquisition: they are heart-rending confessions, self-accusations and criticism in the presence of God. The Sovereign Judge presided omnipresent over all the procedures, His eye seeing deep into all consciences – that of the judge as well as that of the indicted, that of the witness as well as that of the notary. The exhausted suspect is silent, equivocates, possibly even lies under oath. The Inquisitor is invested with the mantle of the Law. Thus, History will read the archives of the Inquisition, weighed down with all the weight of human testimony, as fundamentally truthful. Beneath the words of triumphant orthodoxy, there is the insistent rumble of dissidence.

**ANNE BRENON**

Translated by Jacqueline Minett

# The Ad Exstirpanda of Pope Innocent IV (1252)

A feature of this decree whose importance cannot be exaggerated is its immaculate freedom from any conception of heresy. The words Cathar, Waldensian, Albigensian, Sabellian, Arian, Amaurian, and the like never occur; though the Pope creates inquisitors and instructs them how to search for heretics, he gives them not the least hint how to identify their prey. Nor, negatively, do the inquisitors obtain tests of orthodoxy. There is no *homoousion*, no Athanasian creed, no delimiting of the two natures of Christ, no careful balancing of predestination with free-will; in brief, the bull proposes no standard whatever by means of which to decide whom to arrest and whom to leave alone. The bishop of a given diocese, omnipotent by this decree, can, without violating either its spirit or its letter, arrest and incarcerate anyone in his jurisdiction.

A curious idiom underscores this indeterminacy of the concept *heretic*: whenever it must be mentioned, the formula is *haereticus vel haeretica*, "male or female heretic." As the designations Cathar, Waldensian, Albigensian are superfluous, so the only designation deemed necessary is the most elementary division of humanity possible: into male and female. All persons are male or female, so are all heretics; so the class *heretic* and the class *person* coincide. The NKVD also in the period of the great Stalinist purges developed a mystical belief that every human being contained treason against Stalin and sufficient interrogation would always bring it out.

Consistently with this, no way appears for an accused heretic to obtain a verdict of Not Guilty. The inquisitors determine guilt before they even arrest him. The lay officers of the state are empowered to arrest suspected heretics, after which they must turn them over to the bishop and the inquisitors for "examination of themselves and their heresy" (*pro examinatione de ipsis et eorum haeresi facienda*, Law 23). That is, the inquisition functions not as a grand jury to ascertain whether a crime probably exists; still less as a court to determine guilt or innocence; but to examine the guilty party and his crime.

Whoever says that a heretic in custody is not guilty creates a snare (*dolum*) and for this must forfeit all his property forever to the state (Law 22).

National Socialism was invented, not merely by Adolf Hitler, but by his collaboration with an impassioned amateur economist named Anton Drexler. This man being no murderer, and Hitler as yet unsure of himself, concocted the Twenty-five Points of National Socialism (1920), expressing an incoherent but touching liberalism, and *real* socialism, which, as time went on, had first little, then no relation to the Nazis' actual behavior. The Nazis earnestly besought their leader: Why not discard the Twenty-five points? He answered: Keep them. When asked what our program is, we can point to them and be free to do whatever we want. Happy the terrorist organization with no principles and no program.

As no one can define a heretic, so by the same token, anyone can, or rather, the task becomes ridiculously easy. What is wanted is not the ability, but the authority, to define a heretic. Law 2 requires the head of state (not an inquisitor) at the beginning of his term of office, to accuse all the heretics in his land of committing crimes, after which their property is to be confiscated, either by state-appointed agents or by anyone who can first get to it; in that case the looters shall own the property "with full right." No investigation, no trial, no verdict, no sentence; merely accusation followed immediately by punishment. In the 2005 film *Casanova* the inquisitor Pucci says, "Heresy is whatever I say it is." That may be the most historically accurate moment in the film.

Consistently with the ideological purity of *Ad exstirpanda* – that is, its pure lack of any ideas –the ecclesiastics only, but not the laymen, in the inquisition are permitted to understand their own activities. *Ad Exstirpanda* creates, in every diocese in Europe, a crew of persecutors headed (on behalf of the church) by the diocesan bishop, and under him, Dominicans and Franciscans; the state being represented by agents (*servitores*), two notaries and twelve laymen. These latter are expressly forbidden to form any theory about what they are doing or what their duties are, beyond what the bishop and monks tell them (*Nec ipsi Officiales, vel eorum haeredes possint aliquo tempore conveniri, de his quae fecerint, vel pertinent ad eorum officium*, Law 11). To make doubly sure they never reach a meeting of minds, it is decreed that they must be replaced every six months, preventing them from achieving a sense of having learned the job. One thinks of the invariable aria of the prisoner in the dock at the war-crimes trial: I was only a little man, I received orders and passed them on, I really knew nothing. And of a character in Shakespeare:

> I am, in this, commanded to deliver
> The noble Duke of Clarence to your hands.
> I will not reason what is meant hereby,
> Because I will be guiltless from the meaning (*Richard III*, I.iv.93-96).

State terrorism needs a supply of men imbued with the "banality of evil," as Hannah Arendt calls it, a real or assumed incapacity for knowing or willing the wickedness they commit. Innocent IV took care to provide the inquisition with such men.

Even so, the sense of decency in human beings unpredictably erupts, threatening the terrorist hierarchy with subversion. Foreseeing this, the pope commands that no reprieve from any punishment for heresy shall ever occur as a result of any public gathering, or any kind of popular outcry *or the innate humanity of those in authority* (*Omnes autem condemnationes, vel poenae,quae occasione haeresis factae fuerint, neque per concionem... neque ad vocem populi ullo modo, aut ingenio, aliquo tempori valeant relaxari*, Law 32; the emphasis is added). In spite of the *ingenium* or merciful impulse of an inquisitor here or there, cruel executions became an acquired taste and a second nature. By the 18th Century, mass burnings of Jews and heretics were held in Spain to celebrate royal weddings.

Law 32 casts doubt on a statement of William E.H.Lecky's at the end of his *History of the Rise and Influence of the Spirit of Rationalism in Europe* (1865): that, while we deplore the evil perpetrated in the Christian centuries, we cannot deny the perpetrators a certain moral dignity in that they believed in what they were doing, as today's perpetrators often do not. *Ad exstirpanda*, Law 32, suggests the reverse: the inquisitors were revolted by their own acts and the Pope had to order them to repress their feelings. The Pope's inability to say "torture" and "burning alive" when he meant them makes the same point.

*Ad exstirpanda* created the Inquisition in only a few provinces of northern Italy. However, it proposed a scheme appealing to the profit motive, that any given state should divide with the inquisitors the property of anyone convicted of heresy. Hence the scheme was expected to spread all over Europe, as indeed it did; in the wake of the conquistadores it spread even to Mexico and Peru.

Accordingly, governments and regions are designated in these laws only by generic terms: for the government, *potestas aut rector* (head of state or ruler); for the region, *civitas aut locus* (state or district).

As the stipulation about lay members of the inquisition looks forward to the Twentieth-Century "banality of evil," so the euphemisms of *Ad exstirpanda* look forward to those of totalitarian states in which mass-murder was "liquidation," a torture chamber was a *Sonderbunker* or "special bunker" and murder on a scale unequalled in previous history was "the final solution."

So in *Ad exstirpanda*, Law 24, those convicted of heresy are to be taken in shackles (*relictos*) to the head of state who is to "apply the regulations promulgated against such persons" (*circa eos Constitutiones contra tales editas serviturus*). Innocent IV obeyed an injunction of his predecessor, Boniface VIII, to employ euphemisms in this case: the inquisitors were "cautioned only to speak of executing the laws without specifically mentioning the penalty, in order to avoid falling into 'irregularity,' though the only punishment recognized by the church as sufficient for heresy was burning alive" (H.C. Lea, *A History of the Inquisition in the Middle Ages,* New York: Macmillan, 1922, I, 537).

The infamous Law 25 fails to mention the words *torqueo, tormentum,* and says that the state officers shall *force* (*cogere*) accused heretics to confess, "*citra membri diminutionem, aut mortis periculum*" (short of lessening their limbs –an obscure idiom probably meaning breaking their arms and legs – or danger of death, i.e., killing them).

*Ad exstirpanda* also provides that a heretic in custody, or about to be so, will be surrounded by a cloud of suspicion and fear large enough to envelop his family and friends. Whoever is *caught* (sic) giving counsel, help, or favor to a heretic (*Quicumque vero fuerit deprehensus dare alicui haeretico, vel haereticae, consilium, vel auxilium, seu favorem*) shall become infamous and lose his right to public office, participation in public affairs, and the vote; he shall be incapacitated to testify in any trial and shall neither inherit nor bequeath legacies. No one shall be obliged to answer his dun but he must answer all others'. In sum, "Those who give ear to the false doctrines of heretics shall be punished like heretics." Clearly, as soon as it became apparent, in any way, that a person was about to be arrested on a heresy charge, his family and friends would be frantic lest they seem to offer him *consilium, vel auxilium, seu favorem*. Both Alexander Solzhenitsyn in *The Gulag Archipelago* and Nadezhda Mandelstam in *Hope Abandoned* describe the appalling sense, when one is arrested in a totalitarian country, of being shunned by family and friends.

Law 26 provides that the house in which a heretic is arrested must be torn down, never to be rebuilt, unless the master of the house himself, by informing, causes the arrest. Moreover, unless the master of the house so anticipates, any other houses he may own in the neighbourhood are also to be torn down, never to be rebuilt.

This punishes no heretics, but fills every landlord with fear lest any of his tenants be accused of heresy before he himself has done it. Arendt describes the manner in which coworkers and associates of a person under arrest rushed to the secret police, explaining that they had cultivated him only to gather evidence of his disloyalty with a view to denouncing him. Law 21 specifies that new prisons must be built for heretics, separate from those for thieves and ordinary outlaws, evidently to prevent the latter, on their release, from informing the outside world about the heretics' condition.

*TLS* for 8 September, 2006, in a review of *God's War* by Christopher Tyerman, remarks, "Even more surprisingly, the operations of the Inquisition against the Albigensians in the South of France attract praise from [Tyerman]. It was not 'the sinister bureaucratic institution of repression of legend,' but worked mainly by 'persuasion and reconciliation.'" And Gerard Bradley in "One Cheer for Inquisitions," an essay in Catholic.net, recommends at least some toleration and sympathy for the inquisition in that its mere existence vouched for an age of deeper faith than ours. But one need only read the *Ad exstirpanda* to discover that the inquisition was not about faith and not even about heresy, but about wealth and power, and the crudest method of attaining these terror.

**DAVID RENAKER**

Professor of San Francisco State University

**Author's Note:** The researches leading to this translation began with my need to know about the verb *exstirpo, exstirpare,* and the way its meaning changed in the Middle Ages and the Seventeenth Century. When I found that this papal bull had apparently never made an appearance in English, I decided to fulfil the need for that as well.

The source is *Bullarum Privilegiorum Romanorum Pontificum Amplissima Collectio Cui accessere Pontificum omnium Vitae, Notae, & Indices Opportuni.* Opera et Studio Caroli Cocquelines. Tomus Tertius. A Lucio III. Ad Clementem IV., scilicet ab An. MCLXXXI ad An. MCCLXVIII, Romae, M. DCC. XL. Typis et Sumptibus Hieronymi Mainardi.

I found this book through the good offices of Anthony Bliss of the Bancroft Library, U. of California, Berkeley, and the staff of the Graduate Theological Union Library, to whom thanks are gratefully rendered.

Photo: © David Ignaszewski

Montserrat Figueras, Pedro Estevan, Driss El Maloumi

# When the Pyrenees were not a border

During the 12th century an intense cultural, political, social and religious association developed between Catalonia and Occitania which led to the expansion of Catharism across the Pyrenees. The Crown of Aragon – which since 1137 had included the Principality of Catalonia and the Kingdom of Aragon – was under the political control of the Counts of Barcelona who, throughout the 12th century, expanded their dominions in the direction of Occitania. Many nobles in the North of Catalonia, such as those of Roussillon, Cerdagne and Conflent, defended Catharism. Arnau de Castellbó, Count of Cerdagne, Viscount of Castellbó and adviser to King James I, gave his daughter Ermessenda in marriage to Roger Bernart de Foix, thus uniting the two dynasties and creating a territory which stretched both sides of the Pyrenees and included most of the lands of North West Catalonia, such as Castellbó, la Tor de Querol, Berga, Josa and Gòsol, including Andorra, together with the county of Foix, which was a prominent champion of Catharism. The life of Arnau was marked by constant struggles over territorial rights against the Church of Urgell, disputes in which his cause was echoed in the poetry of the troubadour Guillem de Berguedà. This situation encouraged the penetration of Catharism, which spread through family ties. At the beginning of the 12th century, Cathars preached publicly in Castellbó, and in 1221 a Cathar diaconate with its own administration was set up for the territory with Guillem Clergue as incumbent *diaconus haereticorum de Catalonia.*

In the North of Catalonia, the Bretós family of Berga was among those which had links to Catharism. While he was on his way to help the besieged fortress of Montségur, Arnau Bretós was captured; his statement, made on 19th May, 1244, includes an account of the Cathars' movements in the Catalan territories during the first half of the 13th century. Another hub of Catharism was the Sierra del Cadí. Ramon de Josa, who had family ties with Arnau de Castellbó, was visited at his castle by Cathars, including the deacon Pere de Corona and Guillem de Pou. During the 1240s Pere de Corona himself toured the Cathar communities of Catalonia in Vallporrera (Tarragona), Ciurana and the hills of Prades, among other places.

The appearance of heresy posed a political problem for both the Church and the monarchy. Pope Innocent III embarked on a policy against heresy which included the coronation of Peter the Catholic (King Peter II of Aragon) in Rome in 1204. Not long before that date, Pope Innocent III had ordered the archbishop of Tarragona to assist the Pontifical prelates in the fight against heresy, at the same time granting the king the right to possess the lands taken from the heretics. During the years leading up to the Albigensian Crusade, the Pope repeatedly called on King Peter to support his cause. The disputation at Montpellier between Catholics and heretics which was presided over by Peter and concluded with a condemnation of heresy marked a rapprochement with Rome, a rapprochement which was nevertheless always ambiguous, since many of the king's vassals whom he defended during the Crusade were supporters of Catharism.

Following the defeat at Muret and the death of Peter the Catholic (1213), James I turned his sights toward the conquest of Valencia (1229) and Majorca (1239) and expansion towards the Mediterranean. With the signing of the Treaty of Corbeil (1256) the House of the Counts of Barcelona officially relinquished their claims to Occitania. This state of affairs had repercussions on the development of Catharism, since Occitania, together with Catalonia, was now progressively brought into the orbit of Rome.

It was during the reign of James I (1213-1276) that the most important offensive against heresy was mounted. On 26th May, 1232, Pope Gregory IX issued the Bull entitled *Declinante,* in which he ordered Espàrrec de la Barca, the archbishop of Tarragona, and all the bishops of the dioceses under his jurisdiction – Gerona, Urgell, Tortosa, Lerida, Elna and Barcelona, among others – to take action against the heretics and all those who protected or harboured them, according to the statutes promulgated by the Pope. Two years later, Ramon de Peñafort convoked the ecclesiastical assembly which gathered in Tarragona in the presence of King James on 7th February, 1234, at which the bases of the Inquisition in medieval Catalonia were established. It was decreed that "no lay person shall dare to discuss either publicly or privately the Catholic faith. Whoever contradicts this injunction shall be excommunicated by his bishop and, if he does not heed the sentence, shall be deemed a heretic." Once the legal framework had been defined, Innocent III instituted the preaching orders at the Fourth Lateran Council (1215) to combat the influence of heresy. Dominicans and Franciscans visited all those places suspected of heresy and turned those found guilty over to the secular authorities whose responsibility it was to carry out the sentence. During those years, a group of Waldensians who had converted back to Catholicism and were known as the Poor Catholics, under their prior Durand of Huesca became established in various European cities. They set up a school at Elna, in Roussillon, which produced a large number of texts against heresy.

The first trials of the Inquisition began shortly after the institution was founded. In Urgell the situation became so tense that in 1237 a Council was summoned in Lerida, organized by Pons de Vilamur, the bishop of Urgell, to force the Count of Foix to allow the establishment of the Inquisition in the region. The result was a total of 78 accused and two houses destroyed. During the same period there was an Inquisition at Puigcerdà and another at Tarragona, where several accused were condemned. A report on the region of Berga by the Inquisitor Guillem Clergue stated that there were "few houses in Gosol that did not harbour heretics" and also that "there were 'Good Men' in Solsona and Agramunt, in Lerida and in Sanaüja, and in the hills of Prades" In 1258 the Inquisitor Pere de la Cadireta posthumously condemned Ramon de Josa as a *credens hereticorum*. Eleven years later the same Inquisitor pronounced Arnau de Castellbó, who had died forty years earlier, a heretic along with his daughter Ermessenda, ordering that their bodies be exhumed and cast out of the cemetery of Santa María de Costoja.

At the same time as the Inquisition was gaining ground in Occitania, Catalonia became a land of refuge with constant migrations across the Pyrenees. The conquest of Valencia and Majorca and the ensuing process of colonization also contributed to spread Cathar doctrines in some areas. In Valencia the merchant Guillem de Melió was among the accused; and in Majorca, Raimunda, the wife of Boussoulens, and Durand de Broille had contact with Cathars in their respective houses. During those years, Lerida became a key city of passage for those *en route* to more southern parts of the country. Faced with the problem of heresy in the city, in 1257 the Royal Chancery issued a safe-conduct affording immunity from arrest as a gesture of reconciliation. Around 1235, Bishop Lucas of Tuy wrote *De Altera Vita* in which he refuted the doctrines of the heretics who had entered the Crown of Castile. Although small in number, the Cathars who entered the territory were concentrated in the cities along the Way of St James leading to Santiago de Compostela, such as Burgos, Palencia and León.

During the course of the 13th century the Inquisition finally succeeded in dismantling Catharism. The beginning of the 14th century witnessed a revival in Catalonia centred on the last remaining community led by Guillem Belibaste and a group of exiles, mainly from Montaillou, who had fled from persecution: the itinerant shepherds Peire and Joan Mauri, their sister Guillermina, who had her own house in San Mateo (Valencia), Esperte and Raimunda. They all lived for several years in various cities in Valencia, Catalonia and Aragon. When Peire was arrested in Lerida he protested to the Inquisitor Bernardo de Puigcercós that Guillem Belibaste's teaching had little to do with those of Autier. However, although it is true that Belibaste occasionally interpreted the teachings to serve his own purposes, the records reveal that he had a profound knowledge of Cathar doctrine. In 1321 Guillem was betrayed by Arnau Sicre, imprisoned in Tírvia and handed over to the archbishop of Narbonne. On 24th August that same year, having refused to abjure his faith, Guillem was burned at the stake at the archbishop's residence in the castle of Vila Roja-Termenés.

**SERGI GRAU TORRAS**

Translated by Jacqueline Minett

# The Memory of Catharism

One of the major problems besetting the historiography of Catharism has undoubtedly been the great silence following the tragic end of this religious movement, a silence which continued almost until the Renaissance. Indeed, following the trail of its "embers" in the historical sources is not an easy task, especially because, as Anne Brenon has often pointed out, the expansion of the mendicant orders, the new Franciscan mysticism and the orthodoxy arising out of the theological works of the Dominican Thomas Aquinas completely transformed the religious context of the late Middle Ages.

In this connection, it has been claimed that there was a residual anti-clericalism in the minds of the people of the Languedoc which ultimately favoured the Protestant Reformation of the 15th century. In fact, Catholic scholars retaliated against the advent of Protestantism by invoking that other dissident religious movement – Catharism – and brandishing it against the followers of the Reformation. Paradoxically, however, early Protestant historians regarded the Cathars with contempt. Later, at the end of the 16th century, they confused them with the Waldensians, although by that time they had come to consider them as predecessors of their own reform movement. It was Jacques B. Bossuet (1627-1704), in *Histoire abrégé des albigeois, des vaudois, des wiclifistes et des hussites* – which forms part of his *Histoire des variations des Eglises protestantes* (1688) – who dispelled the confusion between Cathars and Waldensians. Protestant historiography, albeit with some hesitation, eventually followed suit.

Even in the Age of Enlightenment, Voltaire – in his *Essai sur les moeurs et l'esprit des nations* (1753) – was once more to identify them with the Waldensians, and Diderot described their thinking as "empty and deplorable." By the end of the 18th century the Cathars were admittedly seen as the tragic victims of intolerance, but as fanatics, nonetheless, lacking any substantial religious thought...

It was not until the 19th century that Protestant historiography took a fresh approach to the study of Catharism and set it on more solid foundations. Of key importance in this respect was the figure of Charles Schmidt (1812-1895), a pastor and theologian from Strasbourg and author of the two-volume *Histoire et doctrine de la secte des cathares ou albigeois* (1849). Schmidt, who regarded Catharism as a separate religion rather than a Christian heresy, was the first to ground his work in the serious study of previously unexplored sources, in particular the archives of the Inquisition.

Somewhat earlier, Bernard Mary-Lafont (1810-1884), a Calvinist librarian of Montalban and a fervent Occitan patriot, published a work with a very different focus: *Histoire politique, religieuse et littéraire du midi de la France* (four volumes, 1842-1845). It was followed not long after by the work of another Protestant pastor, Napoléon Peyrat (1809-1881), entitled *Histoire des albigeois* (1870-1882). Although based on authentic documentary sources, Peyrat's work was a tangled web of history and legend. The aim of the author, who was subsequently to have an enormous influence on poetry, drama and the novel, was to write a kind of all-encompassing history-resurrection of the Cathars, just as his friend Jules Michelet had done in the case of the history of France as a whole. The work of Peyrat, a Romantic who was passionately attached to the land of his birth, is responsible for much of the mythology which has been a feature of so many of the successive books dealing with Catharism.

Meanwhile, Catholic historiography maintained a deafening silence on this dark chapter in the history of the Church, a silence which would not be broken, in fact, until the turn of the 19th-20th century, with the appearance of a book by the academic and bishop Ignaz von Döllinger (*Geschichte der gnostisch-*

*manichäischen Sekten in früheren Mittelalter*, Munich, 1890) and another by Célestin Douais, a professor of the University of Béziers and later bishop of Beauvais, followed soon after by another study by a lay academic of the University of Besançon, Jean Guiraud, from Carcassonne.

In the 20th century, new sources directly linked to the Cathars and the Inquisitorial archives came to light in 1939, 1945, 1960 and 1961, resulting in a thorough overhaul of the existing historiography. The fact is that, until very recently, the principal source for historical research was still constituted by the treatises, summa, chronicles, letters and sermons of Cistercians and Dominicans from the age of Catharism, who described the heresy so that they could then combat it. It is not surprising, therefore, that theologians and historians came to the commonly held conclusion that Catharism was a foreign body lodged within Western Christianity. Today, however, historiography has substantially changed its view of the Cathar phenomenon and the bibliography on the subject has grown enormously, partly as a result of the renewed interest in Catharism over the last few decades.

From the second half of the 20th century up to the present day, many scholars, often adopting different and sometimes opposing points of view, have gradually increased and enhanced our knowledge of this medieval religious movement. In this context, a great step forward was made in 1982 with the foundation of the Centre National d'Études Cathares in Carcassone by René Nelli, Robert Capdeville and Pierre Racine. The centre, directed from 1982 to 1998 by the archivist Anne Brenon and from 1998 to 2005 by the medievalist Pilar Jiménez, has been a permanent focus for historical research and initiatives relating to Catharism and medieval heresy in general.

## "Cathar Country"

The obvious fascination with Catharism in many areas of society has been directly exploited for the promotion of the economy and tourism. Thus, at first more or less spontaneously and then encouraged both by the private sector and the public administration, in the 1960s a number of areas in the Languedoc began to be identified with the Church of the Good Christians and various incentives were set up to attract visitors from outside the region.

A decisive moment in this process was the Conseil Général de l'Aude's creation in 1989 of the "Pays Cathare" or "Cathar Country" brand - a brand which, because of its geographical and administrative demarcation, limits the true historical scene of events and concentrates above all on the Corberes area. Based on the revaluation of the region's heritage (mainly castles and abbeys) it has also engaged the involvement of professionals in the tourist sector, as well as artisans, farmers and wine producers, who have shown an interest in a quality research initiative. As a consequence of this project, the "Pays Cathare" brand, which often replaces the term Occitania, aims to guarantee quality service and individual customer attention in a large number of rural *gîtes*, inns, restaurants, hostels, hotels and camping sites, as well as the quality of produce such as bread, meat, poultry, fruit and vegetables. An intense campaign to provide vertical signposting of monuments and other places of interest on highways and roads has contributed enormously to making the tourist and cultural routes of the region more accessible.

On the down side, the tourist exploitation of an historical fact such as Catharism has also inevitably led to all kinds of excesses, so that the word "Cathar" – without the brand "country"– has been attributed to all manner of commercial and tourist products which, by using this label, seek to project an image of prestige or supposed "authenticity." Abuse of the term has predictably resulted in some absolutely preposterous and mind-boggling brand-names and denominations.

Another – this time more serious – way of approaching the historical reality of Catharism is undoubtedly the plethora of guidebooks, itineraries and ramblers' routes in all the areas where Catharism was present to some degree. Two especially interesting routes covering more or less the same distance (approximately 200 kilometres) which can be travelled on foot, on horseback or on a mountain bike are worth mentioning here: first, the so-called *Senthier Cathare. De la mer à Montsegur et Foix* (GR-36 and GR-7), which links the Mediterranean, from Port-la-Nouvelle, to Foix in the Pyrenees, and which for much of the way runs parallel to the ancient border between the kingdoms of France and Aragon; second, the *Camí dels Bons Homes* (GR-107), which links the sanctuary of Queralt in the Berguedà region to the castle of Montségur in the Ariège region, and which more or less follows the probable migration routes of the *bons homes* through the mountain passes of the Pyrenees.

## Esotericism and legend

Since the 19th century, Catharism, a Church which was persecuted and annihilated in an age as prolific in myths and legends as the Middle Ages, has been draped in abundant and more or less esoteric, more or less fanciful connotations which, although they have undoubtedly attracted the attention of a large number of people, they have also given rise to a substantial body of literature – more than 200 titles in the period 1970-1990 alone – that has nothing to do with the strictly historical facts as we know them today. In extreme cases, in books which purport to offer at least a veneer of historical verisimilitude, this confusion has often made it impossible to distinguish what we now know as fact, thanks to the more sophisticated instruments of recent historiography, from what is pure invention or the perpetuation of ancient legend.

Some of these fantasies have resulted in reams of supposedly scholarly analysis and literary invention: such is the case of the myths surrounding Esclarmonde, the temple of the sun, the Cathar treasure, Sabartès's grottoes, the quest for the Grail, the Oriental or Tibetan influence, etc., etc. Others are less familiar but equally astonishing: to give just two examples, when a Cathar significance is attributed to the tree of life depicted in the stained-glass window in the choir of Sant Nazaire cathedral in Carcassonne (Lucienne Julien, 1990) or when authors look for a "Catharo-Platonic code" in Michelangelo's frescoes in the Sistine Chapel (H. Stein-Schneider, 1984). Sometimes error has simply been the result of a more or less culpable, wholesale ignorance of history. For example, symbols such as the cross, often confused with the Cross of Toulouse, or funerary monuments such as the discoidal steles, perpetuating Déodat Roché's hypothesis, have mistakenly been associated with Catharism.

## Literature and Catharism

A religious movement such as Catharism, with its own peculiar characteristics and the historical circumstances which led to its condemnation, was bound to attract the attention of fiction writers. Indeed, this phenomenon, which began with the Romantics and has survived with extraordinary vigour up to the present day, could be summed up in a few simple statistics. In the last two centuries, about one hundred novels dealing with the Cathars have been published, of which about twenty focus on the events of Montségur; there have also been about thirty dramatic works, thirty books or comics and around twenty books for young readers. Taking into account all literary genres, including poetry and essay, in 1978 René Nelli (*Histoire secrète du Languedoc*) referred to a hundred or so works on the subject of Montségur alone...

As might be expected, the vast majority of these works are written in French and their themes are recurrent. For example, in the case of the historical novel, the protagonist is often a character from the time of the Crusades who sympathises with the cause of the heretics. They contain numerous symbols relating to Montségur, the vast majority of which can be traced back to the above-mentioned Romantic vision offered by Napoléon Peyrat: water (the ship, the island in the sky); air and stone (the ruined castle; the dove; the legend of Esclarmonde and the eagle, with its nest as a symbol of resistance); fire (logically referring to the pyre of 1244) and wild, tormented nature, etc.

Literature on Catharism was born with 19th century Romanticism and its well-known fascination with the past, especially the Middle Ages. Like similar phenomena all over Europe, in the specific case of the Languedoc the Romantics triggered a renewal of interest in the Cathars and, at the same time, a local literature in which the Cathars figured prominently.

Following in the wake of the success in France of the translations of the works of Sir Walter Scott, the wave of works inspired in the Middle Ages began in 1827 with the publication in Paris of the anonymous *Les Hérétiques de Montségur ou les Proscrits du XIIIe siècle*. However, the greate driving force behind this litterary vogue was undoubtedly Frédéric Soulié, from Mirapeis, in Foix, a prolific and highly successful *feuilleton* writer who published more than sixteen editions of his novels. His main work is the *Romans du Languedoc* trilogy (*Le Vicomte de Béziers*, 1834; *Le Comte de Toulouse*, 1840 and *Le comte de Foix*, 1852). Set against a historical backdrop, the author's detailed description of the places in which the action of the novels is set brings the medieval characters to life and occasionally evokes scenes from Cathar history. It goes without saying that the influence of Sir Walter Scott in these novels is undeniable.

The impact of historiography, particularly that of the works by the two previously mentioned Protestant pastors, Charles Schmidt and Napoléon Peyrat, ultimately led to the publication of a considerable number of works of fiction. In the 20th century, popular interest in Catharism prompted a steady stream of novels which continues up to the present day. Among the many authors and titles, the following deserve special mention: Duke of Lévis-Mirepoix (*Montségur*, 1925); Maurice Magre (*Le sang de Toulouse*, 1931; *Le trésor des albigeois*, 1938); Pierre Benoît *(Montsalvat*, 1957); Zoé Oldenbourg (*La pierre angulaire*, 1953; *Les brûlés*, 1960, and *Les cités charnelles*, 1961); Michel Peyramoure (the trilogy *La passion cathare*, 1978); Henri Gougaud (*Bélibaste*, 1982; *L'inquisiteur*, 1984, and *L'expedition*, 1991) and Dominique Baudis (*Raimond «le Cathare». Mémoires apocryphes*, 1996). In Catalonia, two novels have enjoyed considerable success: *Cercamón* (1982), by Lluís Racionero, and *Terra d'oblit. El vell camí dels Cathars* (1997), by Antoni Dalmau.

As for dramatic works, we should mention those written at the beginning of the 20th century by Pierre Bonhomme and, more recently, the plays by Robert Lafont (*Raymond VII*, 1967), René Nelli (*Beatris de Planissòlas: mistèri*, 1971) and Zoé Oldenbourg (*L'évêque et la vieille dame ou la belle-mère de Peytaví Borsier*, 1983).

The recent boom in historical novels has undoubtedly contributed to an increase in the number of works of fiction about Catharism. Unfortunately, however, taking advantage of the absolute freedom which characterises the narrative genre, the majority of these books tend to take an esoteric view or substantially distort the historical facts as we know them today. Consequently, the unsuspecting reader with an interest in finding out about the historical reality of Catharism is constantly confronted by the thin dividing line separating the events as they actually happened and unbridled imagination fuelled by so many myths.

## The silence of the cinema

There is no question that Catharism is a fascinating subject. It is all the more surprising, therefore, that film, the principal art form of the 20th century, has paid it very little attention. In fact, only two already quite dated productions come to mind, and even these are limited in terms of their scope and characteristics:

*La fiancée des ténèbres* (1944) is a French film directed by Serge de Poligny (1903-1983) with a script by Gaston Bonheur, produced by Éclair Journal. The plot can be summarised as follows: the ailing old Toulzac, "the last of the Cathars", lives close to the city walls of Carcassonne with his ward, the young Sylvie (played by Jany Holt), and is obsessed with the idea of finding the entrance to the sanctuary where the remains of the Good Christians have rested for seven centuries. Sylvie falls in love with a young composer, Roland Samblanca (played by Pierre-Richard Wilm), but the old man, who has discovered the entrance to the secret "cathedral", persuades her to go down into the crypt like a latter-day Esclarmonde to be sacrificed. She obeys, but Roland follows her. Suddenly, the earth begins to tremble and the lovers flee to Tournebelle, an idyllic place where they are free to follow their love. But she is haunted by a curse: she cannot love without causing the death of her lover, so she abandons Roland, disappearing for ever into the darkness of the night. This aesthetically sophisticated film, made during the German occupation of France, reiterates the classic myths of the post-Romantic view of Catharism.

*Les Cathares* (1966), a television series consisting of two two-and-a-half-hour episodes (entitled "La Croisade" and "La Inquisition"), also a French production –by ORTF– directed by Stellio Lorenzi. The script was by Alain Decaux and the screenplay by André Castelot. It was the last production in a season entitled "La caméra explore le temps". In brief, it offers a critical, anticlerical analysis of the Albigensian Crusade, with a discourse which consistently opposes the good Cathars to the evil priests and knights from the north.

To complete this scant filmography, in 2006 *The Secret Book* was screened at Cannes. A Macedonian/French/Austrian coproduction, the film uses the thriller genre to examine the Bogomils and their supposed "secret book", a sacred work written in Glagolitic, the most ancient Slavic alphabet (perhaps an allusion to the *Cena Secreta o Interrogatio Iohannis*, the late 11th century apocryphal gospel of Bogomil origin?). Directed by Vlado Cvetanovski, the film features Thierry Fremont, Jean-Claude Carrière and Vlado Jovanovski.

The number of films on the subject of the Cathars – like those dealing with the history of the Templars – is surprisingly small. Is there no film producer or film director, one wonders, who deems the history of the Cathars – that is, their religious movement, their daily life, the Albigensian Crusade, the Inquisition, etc., etc. – a subject likely to capture the imagination of cinema audiences and therefore worthy of being explored on the big screen? The answer, at least for the time being, would appear to be "No."

**ANTONI DALMAU**

Translated by Jacqueline Minett

# CRONOLOGY

**~ 970**     **Treatise by the Bulgarian priest Cosmas against the Bogomils.**
*"of a priest called Bogomil [meaning "worthy of God's mercy], although in fact he is unworthy of the mercy of God" (Cosmas, Treatise against the Bogomils, ~970).*

**~ 1000**     **The first signs of communities considered heretical throughout Europe.**
*"A new heresy has been born in the world and even now begins to be preached by false apostles [...] With the purpose of radically perverting Christianity, they lead, or so they say, an apostolic life"* (Letter from Herbert, a monk from the Périgord).

**1022**     **A dozen heretical priests are burned at the stake in Orleans, the first such event in the history of Christendom.**
*"Mistakenly trusting in their folly, they proclaimed that they were not afraid and asserted that they would emerge unscathed from the flames [...]. They were instantly reduced to ashes"* (Raoul Glaber, a contemporaneous monk from Burgundy).

**1073-1085**     **Papacy of Gregory VII. The so-called Gregorian reform is launched under the pontificate of Leo IX (1048-1054).**
*"23. That the Church of Rome has never erred, nor will it ever err, according to the Holy Scriptures"* (Gregory VII, *Dictatuts papae*, 1075).

**1096-1099**     **First Crusade to the Holy Land. Conquest of Jerusalem.**
*"The Crusaders swarmed through the city, looting gold and silver, horses and mules, and ransacking the houses, which were full of riches. Then, elated and weeping with joy, [...] they went to worship at the Sepulchre of our Saviour Jesus Christ and fulfil their duty to Him"* (*Anonymous history of the First Crusade*, 1099-1100, Ch. 39).

**~ 1110**     **A Bogomil dignatory called Basil is burned at the stake together with his companions at Constantinople.**
*"Basil not only denied the charge, but went on flatly to launch an offensive, saying that he was prepared to face the flames, the scourge and a thousand deaths"* (Anna Comnena, *Alexiad*, 12th century).

**1114**     **Heretics are burned at the stake at Soissons, in the Champagne region.**
*"They say that the baptism of infants serves no purpose. They call their baptism the Word of God and they administer it by means of a long chant"* (Gilbert, abbot of Nogent-sous-Coucy, Aisne, 12th century).

**1135-1140**     **Heretics are burned at Liege. The first documentary references to heretical bishops in the Rhineland.**
*"In Liege some men were arrested who were heretics, disguised as believers in the Catholic faith, and wearing the habit of the spiritual life"* (*Annales Rodenses*, 12th century).

**~ 1143**     **Heretics are burned at Cologne. Eberwin of Steinfeld alerts Bernard of Clairvaux to the spread of heresy and quotes the words of the heretics, who call themselves "apostles":**
*"We, the poor of Christ, wander like fugitives from town to town* [Matthew 10:23]*, like sheep amid wolves* [Matthew 10:16] *we suffer persecution with the apostles and the martyrs"* (Eberwin of Steinfeld, provost of the Premonstratensians (also known as the Norbertians or the White Canons), in the Rhineland, in a letter dating from *c.* 1143).

**1145**   Bernard of Clairvaux preaches against the Cathars at Toulouse and Albi.
"... [at Verfeil, nobles and common folk] *made a din and beat on the doors so that his voice could not be heard, thus suppressing the word of God*" (Guilhem de Puylaurens, *Chronica*, 1145, I).

**1157**   Catholic Council of Reims against heresy.
"[He passed sentences against the "Manichaeans", [of whom there are many] thanks to those *wretched weavers, who frequently free from one village to another, changing their names and taking with them 'women steeped in sin'*" (Council of Reims, 1157).

**1163**   Heretics are burned at the stake at Bonn, Cologne and Mainz. Eckbert of Schönau uses the term *Cathars* for the first time in his *Sermons*.
"*They are those commonly called Cathars: they are dangerous people who are enemies of Catholic faith*" (Eckbert of Schönau, Sermons against the Cathars, I, 1163).

**1165**   Catholic Council at Lombers, in the county of Albi. It is attended by a Cathar bishop Sicard Cellerier.
"*You condemn that of which God approves in the scriptures*" (the Catholic bishop of Albi to Sicard. Guilhem de Puylaurens, *Chronica*, 1245, IV).

**1167**   Council at Saint-Félix-Lauragais of the Cathar Churches in the Albi, Toulouse, Carcassonne and Agen regions, as well as the Vall d'Arán region and France and Lombardy.
"*None* [of the Churches of Asia] *goes against the rights of the other Churches. Thus, they live in peace: you should do likewise*" (Bishop Nicetas or Niquinta to the Church of Toulouse. Guillaume Besse, *Histoire des ducs, marquis et comtes de Narbonne*, Paris, 1660).

**1178-1181**   Henri de Marciac, abbot of Clairvaux and Papal Legate, preaches against heretics in the counties of Toulouse and Albi and leads the run-up to the Crusade.
"*Before the congregation, who applauded incessantly and were consumed with anger, we again pronounced them excommunicated, as the candles were snuffed out*" (ceremony held at St James' Church in Toulouse, according to a letter written by the legate).

**1184**   Council of Verona. Decretal *Ad abolendam* by Pope Lucius III (1181-1185), launching an anathema against the Cathars, the Waldensians and other heretics.
"*The Church must burn with vigour to wipe out the depravity of the various heresies that are currently springing up in various parts of the world*" (Lucius III, *Ad abolendam*, 1184).

**1194**   Raymond VI of Toulouse, called the Elder (1194-1222). He rapidly becomes the target of the Pope's invective.
"*Godless, cruel and barbarous tyrant, are you not ashamed to protect heresy? With good reason our legates have excommunicated you and issued an interdict against your lands*" (letter from Pope Innocent III to Raymond, 1207).

**1196**   Peter II of Aragon, I of Barcelona, called the Catholic (1196-1213).
"*King Peter was the noblest king that ever was in Spain, the most courteous and the most kindly* [...]. *He was a good knight, if ever there were good knights in this world*" (James I the Conqueror, *Libre dels feyts*, 1244-1276, Ch. 6).

**1198**       Papacy of Innocent III (1198-1216).
*"Christ bequeathed to Peter not only the government of the universal Church, but also that of all the world. Princes have been granted power on earth, but priests have been given power both on earth and in heaven"* (Innocent III).

**1202-1206**   Failed missions to the Languedoc of the Cistercian Papal legates.
*"Can lo rics apostolis e la autra clercia / viron multiplicar aicela gran folia / plus fort que no soloit, e que creixen tot dia, / tramezon prezicar cascus de sa bailia. / E l'Ordes de Cistel* [...] */ i trames de sos homes tropa molta vegia"* ("When the Pope and other clergy / saw that folly multiply / each day gaining in strength and number, / they sent out preachers to their dominions. / And the Cistercian Order [...] / sent their members on many missions". William of Tudela, *Song of the Cathar Wars*, 1212-1213, I, 11-16).

**1124**       Guilhabert de Castres ordains several ladies at Fanjaux in the presence of Raymond-Roger, Count of Foix. Among them is Esclarmonde, the Count's sister.
The castle of Montsegur is rebuilt at the request of the Cathar Church.
Disputation of Carcassonne between Cathars and Catholics, presided over by Peter the Catholic.
*"The following day, during a trial in the presence of the bishop of the city and many others, I pronounced them heretics"* (letter from Peter the Catholic).

**1206**       Council of 600 Cathars at Mirepoix.
Disputation between Cathars and Catholics at Servian (eight days) and Verfeil.
Diego de Osma and Domingo de Guzmán commence preaching in the Languedoc. Foundation of the monastery of Prouille.
*"To stop the mouths of the wicked, we must act and teach according to the example of Our Lord, going humbly, on foot, carrying neither gold nor silver"* (Diego de Osma to the Papal legates. Peter des Vaux-de-Cernay, *Hystoria albigensis*, 1213-1218).

**1208**       Assassination of the Papal Legate Pierre de Castelnau. Innocent III proclaims a Crusade.
*"Forward, Christian knights! Forward, courageous recruits of the Christian army! May the universal cry of distress of the Holy Church lead you along! May a pious zeal set you on fire to avenge so great an offence against your God!"* (letter from Innocent III, 10 March, 1208).

**1209**       Beginning of the Albigensian Crusade.
Raymond VI does public penance at Saint-Gilles.
Siege and massacre of Béziers.
*"Caedite eos, novit enim Dominus qui sunt ejus»* ("Kill them all, the Lord will recognize His own.") (attributed to Arnold Amalrich by the Cistercian monk Caesarius von Heisterbach, before 1223).

Siege and surrender of Carcassonne. Death of Raymond-Roger Trencavel.
*"En tant cant lo mons dura n'a cavalier milhor, / ni plus pros ni plus larg, plus cortes ni gensor"* ("In all the world there is no better knight / no braver nor more generous, none more courteous and noble". William of Tudela, *Song of the Cathar Wars*, 1212-1213, II, 15).
Investiture of Simon de Montfort as Viscount of Carcassonne.
*"He was judicious, firm in his decisions, prudent in his counsel, just, skilled in military matters, circunspect in his deeds* [...] *entirely devoted to the service of God"* (Peter des Vaux-de-Cernay, *Hystoria albigensis*, 1213-1218).

| 1210 | The fortified village of Minerve is taken and 140 Cathars are burned alive. Termes is taken. |
|---|---|

**1211** Lavaur is taken and some 400 Cathars are burned at the stake.

*"The Devil had taken up residence on his estate* [in Lavaur] *and had turned it into the synagogue of Satan"* (Guilhem de Puylaurens, *Chronica*, 1145, II).

More than 60 Cathars are burned at Cassers.

First siege of Toulouse and Battle of Castelnaudary.

**1212** Conquest of the counties of Agen, Carsi and Comminges by Simon de Montfort.

**1213** Battle of Muret, death of King Peter the Catholic and defeat of the Occitano-Aragonese army.

*"Totz lo mons ne valg mens, de ver o sapiatz, / car Paratges ne fo destruitz e decassatz / e tot Crestianesmes aonitz e abassatz"* ("Know that all were vanquished, / nobles were crushed and forced into exile, / and all Christendom is outraged and ashamed". Anonymous, *Song of the Cathar Wars*, 1219, XIV, 137.

**1215** Fourth Lateran Council. The apogee of theocracy.

Foundation of the Dominican Order of preaching friars.

Surrender of Toulouse. Investiture of Simon de Montfort as Count of Toulouse.

*"Car Toloza e Paratges so e ma de trachors"* ("For Toulouse and the nobility are in the hands of traitors". Anonymous, *Song of the Cathar Wars*, 1219, XXV, 178).

**1216** Beginning of the reconquest of Toulouse (Raymond VI and the "young count").

**1218** Simon de Montfort is killed during the siege of Toulouse.

*"E venc tot dreit la peira lai on era mestiers* [...] *e'l coms cazec en terra mortz e sagnens e niers"* ("The shot hit true [...] and the count fell dead to the ground, blackened and bleeding". Anonymous, *Song of the Cathar Wars*, 1219, XXXV, 205).

**1219** Prince Louis's second expedition.

Massacre of Marmande, in the Agenais region, with a toll of some 5000 dead.

**1220-1221** Occitan reconquest of the county of Toulouse.

**1221** Death of St Dominic at Bologna.

*"From his brow and eyelashes shone a kind of radiance that inspired affection and respect in all"* (Sister Cecilia, *Miracula*, 1280).

**1222** Death of Raymond VI.

Raymond VII, Count of Toulouse (1222-1249).

*"Lo valens coms joves, Ramundetz"* ("the brave young count, Ramundetz"), in the words of the *Song of the Cathar Wars*.

1223             Reconquest of Carcassonne by Raymond Trencavel.
                 *"[Some Crusaders] no longer employed themselves in the task for which they had come [...] and
                 the Lord began to spit them out and expel them from the land they had conquered with His help"*
                 (Guilhem de Puylaurens, *Chronica*, 1145, XXXI).

1224             Amaury de Montfort cedes his rights and titles to the King of France.

1226             Cathar Council at Pieusse; creation of the Cathar bishopric at Razes.
                 Louis VIII's royal Crusade. Carcassonne is subjugated.
                 *"We are impatient to gather ourselves under your wings and your wise rule"* (Bernard-Othon de
                 Niort, a former *faydit* and rebel knight).
                 Death of Louis VIII. Louis IX (the future St Louis) is King of France
                 (1226-1270).

1226-1229        The wars of Cabaret and Limoges.

1227             Massacre of Bécède, in the Lauragais region. Mass burning of heretics.
                 *"[The population was killed], some by the sword and others with clubs However, the merciful
                 bishop did his best to allow the women and children to escape their fate"* (Guilhem de
                 Puylaurens, *Chronica*, 1145, XXXV).

1229             Treaty of Meaux-Paris. End of the Crusade and capitulation
                 of Raymond VII.
                 The beginning of the systematic fight against heresy.
                 *"Ab greu cossire / fau sirventes cozen [...] / Ai, Toloza e Proensa / e la terra d'Agensa, Bezers e
                 Carcasse, / quo vos vi e quo'us vey!"* ("With a heavy heart/ I pen this bitter sirventès [...] / Alas,
                 Toulouse and Provence, / and the land of Agen, Béziers and Carcassonne, / to think what you
                 once were and what you are now!" Bernard Sicart de Marvejols, troubadour, 1230).

1232             The Cathar bishop Guilhabert de Castres is installed at Montsegur.
                 *"I saw Guilhabert de Castres, the bishop of the heretics, [...] and many others who went to the
                 castrum of Montsegur. They asked for Raymond de Perelha, the aged lord of that castrum, and
                 begged him to take them in, that the Church of the heretics might establish there its home and
                 see* [domicilium et caput] *and thence send and defend its preachers"* (Berenguer de L'Avelanet,
                 Doat collection, 24, 43 b-44 a.)

1233             Pope Gregory IX establishes the Inquisition, entrusting it to the mendicant
                 orders.
                 *Inquisitio heretice pravitatis* (Investigation into the depravity of heretics).

1234-1235        Uprisings against the Inquisition in Toulouse, Albi and Narbonne.

1239             183 Cathars are burned at the stake at Mont-Aimé (Champagne).
                 *"There was an immense holocaust, pleasing to the Lord, in which Bulgars [...], more contemptible
                 than curs, were burned"* (the Cistercian monk Aubry de Trois-Fontaines, *Chronica*, 1239).

1242             Attack at Avignonet against the Inquisitors by the knights of Montsegur.
                 Widespread revolt under the auspices of Raymond VII.
                 *"Cocula carta es trencada!"* ("The accursed documents are destroyed", cry of a believer from
                 Castelsarrasin, Agen, 1242).

| 1243 | Raymond VII's allies are defeated (the Peace of Lorris). |
| | Beginning of the siege of Montsegur. |

| 1244 | Montsegur surrenders and some 225 Cathars are burned at the stake. |
| | The Occitan Churches are dismantled and their leaders re-form in Lombardy. |

*"They were invited to convert, but they refused and were burned inside a stockade which was set on fire, and they perished in the flames of the Tartar"* (Guilhem de Puylaurens, *Chronica*, 1145, XLIV).

| 1249 | Raymond VII orders 80 Cathar believers to be burned at the stake at Agen. |
| | Death of Raymond VII who is succeeded by his son-in-law, Alphonse of Poitiers (1249-1271), brother of King Louis IX of France. |

| 1252 | Innocent IV authorizes the use of torture against heretics. |

*"Teneantur praeterea Potestas, seu Rector omnes haereticos quos captos habuerit, cogere citra membri diminutionem et mortis periculum"* ("The ruling authority or governor shall in forcing all the heretics in their custody to confess their errors, stop short of breaking their limbs and threatening their lives". Innocent IV in his Bull *Ad exstirpanda*, 1252, 25).

| 1255 | Surrender of the fort at Quéribus, the last stronghold of the *faydits*. |

*"Let all the readers of these pages know that I, Xacbert de Barberà, knight, deliver and surrender to the most excellent lord Louis, by the grace of God, King of France, [...], the castrum of Quéribus..."* (Surrender of de Xacbert, May, 1255, Doat collection, vol. 154).

| 1258 | Treaty of Corbeil between James I of Aragon and Louis IX of France. |

*"we define, leave, cede and hand over everything which we possessed or held by right or claimed to possess in the form of dominions or seigneuries as feudal possessions, and all other things under the said Counts of Barcelona and Urgel [....]"* (Archives of the Crown of Aragon, Canc., parchment. n. 1526, duplicate).

| 1271 | Alphonse of Poitiers and Joan of Toulouse (daughter of Raymond VII) die without issue; under the terms of the Treaty of Meaux-Paris, the county of Toulouse is incorporated into the Crown of France (under Philip the Bold). |

| 1272 | Philip the Bold's campaign against Roger-Bernard III de Foix. |
| | Work commences on the building of the cathedrals of Narbonne and Toulouse. |

| 1276 | Peter III of Aragon, II of Barcelona, called the Great (1276-1285). |
| | Surrender of the Cathar refuge of Sirmio (Italy). |

*"Sirmio, pearl of all the peninsulas and islands which between clear lakes and the vast ocean Neptune bears, how willingly and joyfully I see you again"* (Catullus, 1st century BC, *Odes*, XXXI).

| 1278 | 200 heretics are burned in the Arena in Verona. Italian Catharism is crushed. |

**1280-1285**    Plot against the archives of the Inquisition at Carcassonne.
*"We have spoken to a certain person who will endeavour to obtain for us all the records of the Inquisition pertaining to the Carcassonne region, and in which all the confessions are written down"* (the words of Bernard David, according to the copyist Bernart Agasse, 1285).

**1285**    Alfonso III the Liberal of Aragon, II of Barcelona, (1285-1291).
Philip IV the Fair is King of France.

**1295**
**depart**    Pèire Autier and his brother Guilhem, notaries from Ax-les-Thermes,

for Lombardy to become Good Men.
*"Pèire asked him: "Well, brother?" Guilhem answered: "I think we have lost our souls".* Then *Pèire said: "Let us depart, then, brother, and seek the salvation of our souls". Having uttered these words, they abandoned all their belongings and departed for Lombardy"* (Sebelia Pèire, 1322, *Records of Jacques Fournier*, pp. 566-567).

**1295-1305**    Riots at Carcassonne (*"rabia carcasonensa"*, in the words of Bernard Gui) caused by the Inquisitorial excesses of the Dominicans. The Franciscan Bernard Délicieux writes of them as follows:
*"Rector dyabolicus"*, according to the Dominican Raymond Barrau; while according to popular opinion he was *"a true pillar of the Church, God's apostle on earth"*.

**1300-1310**    The Autier brothers attempt to revive Catharism in Occitania.
*"May grant that we have come to this house in time to save the souls of those who dwell within. We do not flinch at our labours: we seek only to save souls"* (Pèire Autier from the castle of Arques, 1301. Sebelia Pèire, 1322, *Records of Jacques Fournier*, p. 568).

**1302**    Death of Roger-Bernard III de Foix, a landmark in the history of the county of Foix.

**1303**    Geoffrey of Ablis, a monk at the convent at Chartres, is appointed Inquisitor of Carcassonne.

**1307**    Bernard Gui of Limoges is appointed Inquisitor of Toulouse.
*"During that time of persecution by the Inquisitors and the turmoil of the Holy Office, many perfects gathered and began to multiply (so spreading the heresy) and contaminated many people in the dioceses of Pamiers, Carcassonne and Toulouse, as well as the Albi region"* (the situation at the time, according to Gui, *De fondatione et prioribus conventum*, p. 103).

**1309**    Jacme and Guilhem Autier, along with other Cathars, are burned at the stake. Their Church is dismantled.
Guilhem Belibaste, the last known Cathar, flees to Catalonia.

**1310**    Pèire Autier is burned alive in front of the cathedral of Toulouse.
*"And he added that Pèire Autier, at the moment he was burned at the stake, said that if only they would let him speak and preach to the people, the whole town would convert to his faith"* (Guillaume Baile, de Montaillou, 1323, *Records of Jacques Fournier*, p. 838).

| 1318-1325 | Inquisitorial campaign conducted by Jacques Fournier in the diocese of Pamiers. |
|---|---|

*"In the year of our Lord..., on the ...th. day, following the day of St ... It having been brought to the notice of our Reverend Father in Christ Jacques, by divine providence bishop of Pamiers, that... was seriously suspected of heresy, the said bishop, wishing, as is his duty, to find out the truth, ordered that he be brought before him..., etc., etc."* (Heading appearing on the statements made by those interrogated, *Records of Jacques Fournier, passim*).

| 1321 | Guilhem Belibaste, the last known surviving Cathar in the Languedoc, is burned at the stake at Villerouge-Termes. |
|---|---|

*"I am not concerned for my body, for it is nothing to me, it is the stuff of worms [...] My soul and yours shall ascend to the heavenly Father, who has prepared crowns and thrones for us, and forty angels with crowns of gold studded with precious gems will come to greet us and lead us to the Father"* (The words of G. Belibaste, according to a statement made by Arnau Sicre, 1321, *Records of Jacques Fournier*, p. 779-780).

| 1329 | The last three known Cathar believers are burned at Carcassonne. |
|---|---|

*"I shall tell you why they call us heretics: the world hates us. We marvel not that the world hates us* [1 John 3:13] *because it hated Our Lord and persecuted Him, and His apostles"* (Preaching of Pèire Autier, from a statement by Pèire Maurí, 1324, *Records of Jacques Fournier*, p. 924).

| 1412 | The last sentences are passed against Italian Cathars. |
|---|---|
| 1453 | Constantinople is taken by the Turks. |
| 1463 | The Turks conquer Bosnia: the end of Eastern Catharism. |

**ANTONI DALMAU**

Translated by Jacqueline Minett

# LO REIALME OBLIDAT
## La Tragèdia Catara

1ª PART [CD 1]
**Apareis e daradalha lo Catarisme – Espelís Occitània**
ca. 950 – 1204

**I**          **A las originas del catarisme : Orient e Occident: 950-1099**

**950**          **Originas : Las Bogomils**
    **1**   *Musica Bulgara* – Taksim e Dança

**1000**          **D'Orient fins a Euròpa**
    **2**   *Veri dulcis in tempore* – Anonim, Codex de 1010

**1022**          **Primièrs brutladors d'erètges en Orleans e a Turin**
    **3**   *Planh instrumental I* (Tambors e Dodoc)

**1040**          **Occitània acuilhís los Josièus escapats d'Al Andalus.**
    **4**   *Los Tres Principis, alef, mem, shin*
       Tèxt Cabalistic del Libre de la Creacion

**1049**          **Lo Concili de Reims condemna los erètges.**
    **5**   Reis glorios *Instrumental* (Tambors, Campanas, Arpa medievala)
    **6**   *Payre sant* – tèxt recitat en occitan

**1054**          **Cisme entre Roma e Constantinòpol**
    **7**   *En to stavro pares tosa* – Cant Bizantin Anonim

**1099**   **8**   **Primièra Crosada en Tèrra Santa. Las tropas occitanas (o Provençalas segon l'istoriador Raymond d'Agiles, per las destiar de las tropas dels Franceses) que comanda En Raimon de Sant-Gèli, Comte de Tolosa, conquistan la part sud de Jerusalèm.**
       *Fanfara de Crosada* (instr.)

**II**          **Espelís Occitània : 1100-1159**

**1100**   **9**   **Occitània miralh crestian d'Al Andalús**
       Taksim e Dança  *arabo andalosa Mawachah Chamoulo* – Anonim

**1111**       **Brutlador del dignitari Bogomil *Basili* a Constantinòpol**
    10  *Planh instrumental II* (Dodoc e Quaval)

**1117**       **Lo temps dels Trobadors e de Fin'Amo.**
    11  *Pos de chantar*, Cançon – Guilhem de Peitieu

**1142**       **Alienor d'Aquitània divòrcia de Loís VII.**
    12  *A chantar m'er de so* – Comtèssa (Beatritz) de Dia

**1143**       **Letra d'Evervin de Steinfeld al Paire Bernart**
    13  *Epistola ad patrem Bernardum* – tèxt recitat

**1157**       **Se morís Raimon Bereguer IV. Concili de Reims contra l'eretgia.**
    14  *Mentem meam ledit dolor* – Anonim


**III**        **S'espandís lo Catarisme : 1160-1204**

**1163**       **Eckbert de Schönau « inventa » la denominacion « catari » per designar los erètges renans. Brutladors a Bònn, Colonha et Malhença.**
    15  *Ave generosa* (instrumental) – Hildegarde von Bingen

**1167**       **Concili Catar a Sant Félix de Lauragués. Brutladors collectius dels Catars de Borgònha al Vezelai.**
    16  *Consolament* (Pregària catara) – Tèxt recitat e cantat

        **Brutladors collectius dels Catars de Borgònha al Vezelai**
    17  *Marcha funèbra* (Tambors) HXXI

**1178**       **Enric de Marsiac, Abat de Clarasvals e Legat del Papa, presica contra los Catars en tèrras de Tolosa e d'Àlbi.**
    18  Heu miser (instr.)

**1196**       **Pèire I de Catalonha e II d'Aragon**
    19  *A per pauc de chantar* – Pèire Vidal

**1198**       20  **Inocent III, Papa (1198-1216).** *Campanas*
          **Brutlador a Tregas (Publicans).** *Tambors*

**1204**       **Guilhabert de Castras ordena Esclarmonda de Foish a Fanjaus.**
    21  *Cant de la Sibilla Occitana « El jorn del judizi »* – Anonim

# LO REIALME OBLIDAT
## La Tragèdia Catara

2ª PART [CD 2]
**La Crosada contra los Albigeses – S'invasís Occitània**
1204 – 1228

# LO REIALME OBLIDAT
## La Tragèdia Catara

3ª PART [CD 3]
**Persecucion, diaspora e fin del Catarisme**
1229 – 1463

**VI**   L'Inquisicion ; secutan los catars e eliminan lo Catarisme: 1230-1300

**Sirventés contra los clergues falses (prèires)**
2    *Clergue si fan pastor* – Peire Cardenal

**1244**    **Revòlta, reddicion e brutlador (225 catars) a Montsegur**
3    *Planh instrumental* (Dodoc e Quaval)

**1252**    **Legalisacion de la tortura amb la bula *Ad exstirpanda***
4    *Ad exstirpanda* – tèxt recitat

**Sirventés amb reprobacions a Dieu al Jutjament Darrièr**
5    *Un sirventes novel vueill comensar* – Peire Cardenal

**1268**    **Victòria dels Guelfes suls Gibelins**
6    *Beliche* (Estampida)

**Sirventés contra los inquisidors**
7    *Del tot vey remaner valor* – Guilhem Montanhagol

**1276**    **Reddicion de Sirmiona**
8    *Planctus « Lavandose le mane »* (instrumental) – mss. Rossi

**1278**    **Brutlador (200 catars) dins l'arena de Verona**
9    *Pater Noster* – Pregària Catara

**1300**    **Revòlta a Carcassona contra las desmesuras de l'Inquisicion.**
**Sirventés contra los clergues, predicadors domengans e los Franceses.**
10    *Tartarassa ni voutor* – Peire Cardenal

**VII**    **Diaspora cap a Catalonha e fin dels Catars orientals 1309-1453**

**1305**    **L'Apocalipsi segon l'Evangèli Catar del Pseudo-Joan V, 4**
11    *Audi pontus, audi tellus* – Anonim *(Las Huelgas)*

**1306**    **Felip IV expulsa los josièus de França.**
12    *El Rey de Francia* – Anonim (Sefarad)

**1306**    **Prédicacion de Pèire Autier**
13    *Il n'est pas étonnant…* – tèxt recitat

**1309**    **Brutlador dels Jacme e Guilhem Autier e d'autres catars**
14    *Marcha funèbra* (Tambor)

**1315**          **Guilhem Belibasta s'exila en Catalonha.**
          15   *No puesc sofrir la dolor* (instr.) – Giraut de Borneill

**1321**          **Guilhem Belibasta darrièr « perfait » catar conegut en Occitània,**
          **se morís sul brutlador a Vilarotja de Termenés.**
          16   *Planh instrumental III* (Dodoc e tambor)

**1327**          **Anfons III, rei d'Aragon e Catalonha, dit *El Benigne***
          17   *Audi, bénigne* – Anonim/Dufay

**1337**          **Guèrra de cent ans entre França e l'Inglatèrra**
          18   *Ballade de la Pucelle*
          Tèxt del sègle XV, Version Jordi Savall d'aprèp melodia anciana

**30.05.1431**    **Brutlador de Joana la Piucèla. (19 ans).**
          19   *O crudele suplicium. Planctus* –
          Jordi Savall d'aprèp Anonim, sègle XV

**1453**          **Los Otomans prenon Constantinòpol.**
          20   *Taksim & makām-ı Saba uşūleş Çenber*

**1463**          **La Fin du Catarisme Oriental (Constantinòpol 1453 e Bòsnia 1463)**
          21   *Planh instrumental IV* (Quaval, campanas e tambors)

          **Lamentatio Sanctæ Matris Eclesiæ Constantinopolitanæ**
          22   *O très piteulx de tout espoir fontaine* – Guillaume Dufay

          **Omenatge als « Bons Òmes »**
          23   *Si ay perdut mon saber* – Ponç d'Ortafà / Jordi Savall

# LO REIALME OBLIDAT
# LA TRAGÈDIA CATARA

Nòstre primièr títol, *Lo Reialme oblidat* se referís primièr al "reialme de Dieu" o al "reialme del cèl", tant estimat pels catars qu'es promés a totis los bons crestians dempuèi la venguda del Crist, mas tanben dins nòstre projècte, nos rebremba la civilizacion anciana ont los romans daissèren sa mèrca, e que Dante definís coma "lo país ont se parlèt la lenga d'òc". Aqueste país que merita encara a penas dètz mots dins lo diccionari *Le Petit Robert 2* de 1994 amb la brèva explicacion; *n.f.* **Auxitans Provincia**. *Un dels noms dels países de lenga d'òc a l'Edat Mejana*, definicion que desapareis complètament dins l'edicion del *Nouveau Petit Robert de 2009*. Coma ac senhala Manuel Forcano dins son article interessant *Occitània: miralh d'al Andalus e refugi de Sefarad*, "Occitània s'èra distinguida coma un territòri dubèrt a tota mena d'influéncias, coma una frontièra permeabla de populacions e d'idèas, coma un delicat crusòl ont confluïssián los sabers, las musicas e los poèmas provenents del sud, de la sàvia e sofisticada al-Andalus, tanplan coma del nòrd, de França e d'Euròpa, e de l'èst, d'Itàlia e dincas los Balcans e de l'exotica Bizanci" Totas aquestas influéncias divèrsas ne fan un dels centres mai actius de la cultura romanica, un país d'una activitat intellectuala intensa que possedís un gras de tolerància rar per l'epòca medievala. Es pas estranh que l'*amor urdí* dels arabs aja inspirat la posesia e la *fin'amor* de las trobairises e dels trobadors. Es pas estranh tanpauc que la cabala nasca demest sas comunautats josievas. Es donc pas estranh que sos crestians prepausen e metan en question modèls de Glèisa diferents, la dels *bons òmes* o catarisme e la del clergat catolic.

Lo Catarisme es l'una de la mai ancianas e mai importantas cresenças crestianas que se diferéncia de la doctrina de la Glèisa oficiala per sa certitud dins l'existéncia de dos principis coetèrnes, lo del Ben e lo del Mal. Tre los primièrs moments del crestianisme, lo tèrme d'*eretgia* (que ven del grèc *hairesis* "opinion particulara") s'apliquèt a las interpretacions diferentas de las qu'èran reconegudas per la Glèisa oficiala. Coma ac rebremba tan clarament Pilar Jiménez Sánchez, dins son article "Originas e expansion dels Catarismes", encara que se pensès primièr qu'aquestas cresenças dissidentas qu'aparegèren devèrs l'arribada de l'an mila, èran originàrias de l'orient (Bulgaria), es evident que se desvolopèren d'una manièra fòrt naturala a partir de nombrosas controvèrsas teologicas que ja se tenguèren en Occident tre le sègle IX. S'installèren en fòrça dins plan vilas e vilatges d'Occitània qu'aviá un biais de viure plan personal e qu'espeliguèt amb l'art dels trobadors. La riquesa musicala e poetica extraordinària d'aquesta cultura "trobadorenca" que s'espandís pendent aquelis sègles XII e XIII, representa un dels moments istorics e musicals mai remirables dins lo desvolopament de la civilizacion occidentala. Epòca rica d'escambis e de transformacions creativas, mas tanben plena de capviraments e d'intolerància, patiguèt una amnesia istorica terribla, deguda en partida a eveniments tragics ligats a la crosada e a la persecucion implacabla de totis los catars d'Occitània. Fin finala, es una veritabla "Tragèdia catara", que la Crosada contra los Albigeses desencadena.

"Demest totis los eveniments, totas las peripecias politicas que se desvolopèren dins nòstre país (a aquel moment lo país d'Òc) al cors de l'Edat Mejana, un sol suscita avuèi passions encara violentas: es la crosada que lo Papa Innocent III lancèt en 1208 contra los erètges que prosperavan dins lo Sud del reialme (a aquel moment Occitània) e que se designavan coma albigeses. Se lo sovenir d'aquesta entrepresa militara demòra tan viu après uèit sègles, –çò disiá Georges Duby– es que tòca doas còrdas plan sensiblas de nòstre temps: l'esperit de tolerància e lo sentiment nacional". Lo caractèr al còp religiós e politic merquèt aquesta tragèdia començada per una crosada mas seguida per una vertadièra guèrra de conquista qu'abrandèt lo Lengadòc actual e las regions vesinas, en provocant una rebellion generala. Catolics e erètges combatián alavetz costat a costat. Occitània finalament desliurada de l'envasidor mas sangbeguda, tombèt coma una fruta madura entre las mans del rei de França. Coma ac remèrca tan plan Georges Bordonove "foguèt una vertadièra guèrra de Secession –la nòstra– pontuada de victòrias, de desfaitas, de reviraments de situacions qu'èran pas de creire, sètges innombrables, chaples sens excusa, penjaments, lenhièrs monstruosis, amb pr'aquí pr'alà gèstes de generositat tròp rars. Una resisténcia que, coma lo fènix, de longa tornava nàisser de sas cendres, dincas l'arribada d'un long crepuscul, que al cap s'abranda de còp l'autodafé de Montsegur. Los darrièrs Perfièits (prèires catars) visquèren a partir d'aquel moment dins la clandestinitat, abans d'èstre capturats un per un e de morir sus lenhièrs. Los *faidits* (senhors despossedits) casèren dins lo nonrés. Un òrdre novèl s'instaurèt, lo dels reis de França".

Aqueste projècte se seriá pas pogut realizar sens los nombrosis trabalhs de recèrca menats per istorians e cercaires especialistas coma Michel Roquebert, autor de L'épopée cathare, lo grand Renat Nelli e Georges Bordonove, demest plan mai d'autris, e per la musica e los tèxtes dels trobadors, los mèstres Friedrich Gennrich, Martin de Riquer e lo paure Francesc Noy que tre 1976 nos introdusiguèt magistralament, Montserrat Figueras e ieu meteis, dins lo mond de las trobairises pendent la preparacion de l'enregistrament realizat per la colleccion "Réflexe" d'EMI Electrola. Mai recentament, es sustot dieumercé los trabalhs, las conversacions, las discutidas e sustot gràcias a l'ajuda e la disponibilitat generosa e essenciala d'Anne Brenon, Antoni Dalmau, Francesco Zambon, Martin Alvira Cabrer, Pilar Jiménez Sánchez, Manuel Forcano, Sergi Grau e Anna Maria Mussons (per la prononciacion de l'occitan) qu'aqueste projècte poguèt nàisser. Es per açò que los volèm mercejar totis de tot còr. Sa sapiença profonda e sa sensibilitat, sos libres erudits e sas tèsis esclairadas son estadas, e continuaràn d'èstre, una font inagotabla de reflexion, de coneissença e d'inspiracion constanta. Dieumercé son trabalh menimós e exaustiu, podèm tanben contribuir, amb aqueste tribut petit mas intens, al revelh d'aquesta memòria istorica occitana e catara que tant nos tòca al còr a travèrs la beutat e l'emocion de la musica e de la poesia de totis aquestis *Sirventeses*, Cançons o Planhs que, avuèi encara, nos tòcan amb tant de fòrça e de tendresa. Es amb elocància que sostenen e refòrçan lo discors totjorn esmovent de qualques-unis dels poètas e musicaires mai remirables, que foguèren los testimònis dirèctes (e de còps tanben victimas indirèctas) dels eveniments ligats a l'època daurada de la cultura occitana e al meteis temps a la naissança, al desvolopament e a l'eradicacion brutala e sens pietat d'aquesta cresença crestiana plan anciana.

Gràcias a la capacitat d'improvisacion e de fantasiá, gràcias a l'esfòrç, la paciéncia e la resisténcia (quinas nuèits interminablas!) de tota la còla de cantaires, amb Montserrat Figueras, Pascal Bertin, Marc Mauillon, Lluís Vilamajó, Furio Zanasi, Daniele Carnovich e los de la *Capella Reial de Cataluny*a, e dels instrumentistas, amb Andrew Lawrence-King, Pierre Hamon, Michaël Grébil, Haïg Sarikouyomdjian, Nedyalko Nedyalkov, Driss el Maloumi, Pedro Estevan, Dimitri Psonis, e los autris membres d'Hespèrion XXI, sens desbrembar los recitants Gérard Gouiran e René Zosso, dintram en profondor dins aquesta tragica mas totjorn meravilhosa aventura musicala occitana e catara. En sèt grands capítols, passarem a travèrs mai de cinc sègles, de las originas del catarisme a aviada d'Occitània, de l'expansion del catarisme a l'afrontament de la crosada contra los Albigeses e a l'instauracion de l'inquisicion, de la persecucion dels catars a l'eliminacion del catarisme, de la Diaspòra de cap a Itàlia, Catalonha e Castelha a la fin dels Catars orientals amb la presa de Constantinòple e de Bòsnia per las tropas otomanas. Las nombrosas e sovent extraordinàrias fonts istoricas, documentàrias, musicalas, literàrias nos permeten d'illustrar los monuments principals d'aquesta istòria esmoventa e tragica. Los tèxtes tocants o plan critics dels trobadors e dels cronicaires de l'època nos serviràn de guide e especialament l'extraordinària *Cançon de la crosada* *albigesa* en forma de cançon de gèsta, amb gaireben 10 000 vèrses, servada dins un sol manuscrit complèt a la Bibliotèca Nacionala de França. Aqueste manuscrit que passèt entre las mans de Mazarin èra vengut al sègle XVIII la proprietat d'un conselhièr de Loís XV. Es en çò sieu qu'un dels primièrs medievistas, La Curne de Sainte-Palaye, ne faguèt una còpia per la poder estudiar e la far conéisser.

Los principals tèxtes a cantar qu'avèm seleccionat, a despart dels quatre fragments de la "Cançon de la Crosada", ac foguèren primièr per l'interès del poèma e de la musica, puèi especialament per sa relacion amb los diferents moments istorics. Cal citar lo "primièr" trobador, Guilhèm de Peitieus, e la "primièra" trobairitz, la Comtessa de Dia, e solide los autris meravilhosis trobadors coma Pèire Vidal, Raimond de Miraval, Guilhèm Augièr Novella, Pèire Cardenal, Guilhèm de Montanhagòl e Guilhèm Figueira. Per las cançons sens musica, avèm utilizat l'emprunt de melodias d'autris autors coma Bernat de Ventadorn, Guiraud de Bornelh, e autris autors anonims. Aqueste biais de far es una costuma plan espandida dins la poesia medievala, çò qu'ignoram de còps avuèi. Sus las 2 542 òbras dels trobadors que nos arribèren, 514 son segurament, e 70 autras probablament, imitacions o parodias. Entre las 236 melodias conservadas dels 43 trobadors que coneissèm, n'i a pas qu'una sola, *A chantar m'er de so q'ieu no voldria*, que siá d'una trobairitz, la misteriosa Comtessa de Dia.

Pels tèxtes mai ancians e mai modèrnes, avèm causit los dels manuscrits d'aquelas diferentas epòcas en establint tanben una relacion plan dirècta amb los moments istorics importants; coma lo Planctus *Mentem meam* per la mòrt de Raimond Berenguièr IV, o la *Lamentatio Sanctæ Matris Eclesiæ Constantinopolitanæ* de Guillaume Dufay. Vista l'importància de l'Apocalipsi de Sant Joan, dos moments son particularament essencials: la meravilhosa *Sibila Occitana* d'un trobador anonim, realizada dins l'estil d'improvisacion que cresèm apropriat a aqueste cant tan dramatic e lo mai de convent, *Audi pontus, audi tellus* basada sus una citacion de l'Apocalipsi segon l'Evangèli Catar del Pseudo-Joan (V. 4). Dos dels autris problèmas majors dins l'illustracion musicala d'aquesta granda tragèdia èran primièr de saber cossí illustrar las celebracions e los rituals catars e tanben de quina manièra simbolizar musicalament los terribles e nombrosis lenhièrs d'erètges presumats que podiam pas ni ignorar ni desbrembar. Pel ritual catar la basa es la recitacion de totis los tèxtes en latin. Mentre que per las referéncias als lenhièrs, nos semblèt mai tocant e dramatic de barrejar la fragilitat de las improvisacions faitas pels intruments de vent d'origina orientala coma lo *duduki* e lo *kaval*, que simbolizan l'esperit de las victimas, en oposicion e en contraste amb la preséncia menaçanta e plan angoissanta dels rotlaments de tambors, qu'a aquelas epòcas èran, çò mai sovent, un acompanhament obligat de las execucions publicas. Après la fin dels darrièrs Catars d'Occitània, nos remembram tanben una execucion terribla, la de Joana d'Arc mòrta a 19 ans pel fòc dels inquisidors implacables.

L'amnesia terribla dels òmes es segurament una de las causas principalas de son incapacitat a aprene de l'istòria. L'invasion d'Occitània, e especialament lo chaple del 22 de julhet de 1209 dels 20 000 abitants de Besièrs, jol pretèxte de la preséncia dels 230 erètges, que lo conselh de la vila refusa de liurar a las tropas dels crosats, nos rapèla dramaticament los equivalents dins los tempses mai recents amb lo debut de la guèrra civila espanhòla en 1936 per l'armada de Franco, amb l'excusa del perilh comunista e la division de l'Espanha, las invasions en 1939 de Checoslovaquia amb l'excusa dels Sudèts, o de Polonha amb la question de Dantzig per las tropas alemandas d'Hitler. Mai recentament coneguèrem las guèrras de Vietnam (1958-1975), d'Afganistan (2001) en reaccion als atemptats de l'11 de setembre e d'Iraq (2003) amb l'excusa de las armas de destruccion massiva. Coma dins las leis establidas pel Papa Innocent IV dins sa bulla sus la tortura *Ad Exstirpanda* de 1252, ja i son totis los metòdes d'acusacion, sens defensa possibla, –que son avuèi en vigor a Guantanamo– e autoriza la tortura per extirpar als erètges totas sas informacions, coma es lo cas dins autris països de regims dictatorials o pauc escrupulosis dels dreits dels acusats. Se punissián tanben los acusats d'eretgia e sens jutjament, amb la destruccion de son ostal dincas las fondacions, metòde tanben utilizat avuèi contra los ostals dels terroristas palestinians. Lo mal absolut es totjorn lo que l'òme infligís a l'òme. Es per açò que cresèm amb François Cheng "qu'avèm per tasca urgenta e permanenta de mirar aquestis dos mistèris que forman las extremitats de l'univèrs viu: d'un costat lo mal; e de l'autre la beutat. Çò qu'es en jòc es pas res de mens que la vertat del destin uman, un destin qu'implica las donadas fondamentalas de nòstra libertat."

Uèit sègles passèren e lo sovenir d'aquela crosada contra los Albigeses s'es pas avalit. Espèrta totjorn tristum e pietat. Al delà dels mites e de las legendas, la destruccion de la memòria d'aquesta remirabla civilizacion qu'èra la del país d'òc, vengut alavetz un vertadièr **reialme oblidat,** la terribla **tragèdia dels Catars** o "bons òmes" e lo testimoniatge que donèren de sa fe merita tot nòstre respècte e tot nòstre esfòrç de memòria istorica.

**JORDI SAVALL**
Bellaterra, 3 d'octobre de 2009
Traduccion: Olivier Mantel Flahault

# Originas e expansion dels Catarismes

Generalament coneguda dejós lo nom de catarisme, aquesta dissidéncia crestiana apareis dins l'Occident medieval al sègle XII. Sos adèptes se sonan de noms diferents segon las regions de la Crestiantat ont s'implantan: catars e maniqueèus en Alemanha, patarins e catars en Itàlia, pifles en Flandres, bogres en Borgonha e Champanha, albigeses dins lo Miègjorn de França. Elis-meteissis se designan coma bons òmes/bonas femnas o bons crestians/bonas crestianas e òm los tròba pertot per sa critica virulenta contra la Glèisa catolica e sa ierarquia, considerada indigna per aver traït los ideals del Crist e dels apòstols.

Inspirats del modèl de las primièras glèisas crestianas, los bons òmes se considèran coma los vertadièrs crestians, ja que practican lo baptisme espiritual, baptisme del Crist per imposicion de las mans qu'apèlan *consolamentum*. A sos uèlhs, aqueste baptisme es lo sol que pòrta la consolacion, salut per l'Esperit Sant que Jèsus faguèt descendre sus sos discípols per Pentacosta. Altorn d'aqueste sacrament e de la practica rigorosa de l'ascèsi, aquestis dissidents bastiràn sa concepcion de Glèisa e de sacraments, en contestant l'eficacitat dels sacraments catolics (baptisme d'aiga, eucaristia, maridatge). Impregnats de l'esperitualitat monastica que dominava los sègles precedents e del mesprètz del mond que veïculava, comprenen tanben de manièra extrèma d'unis passatges del Testament Novèl ont s'afirma l'existéncia de dos monds, un bon e espiritual e l'autre maissant e material, aceste mond. Aceste es dejós l'influéncia del diable, "prince d'aqueste mond" coma es apelat dins l'Evangèli de Joan. Pels catars donc, aceste mond es l'òbra del diable, Dieu estant pas responsable que de la creacion espirituala. Ja que, d'après l'interpretacion catara de la profecia d'Isaïas (14, 14-14), Lucifèr, creatura divina, pequèt primièr d'orguèlh en se volent egalar a Dieu, que l'expulsèt de son reiaume. Venent lo diable, fabriquèt tunicas de pèl, los còsses de carn dels òmes ont empresonèt los àngels, creaturas divinas casudas del cèl amb el. Alavetz faguèt visible aqueste mond a partir dels elements primordials que Dieu creèt (tèrra, aiga, aire, fòc), sola entitat capabla de crear. Per anonciar als àngels descasuts la manièra de tornar al "reialme oblidat", lo del Paire, Dieu envièt son Filh, Jèsus. Adoptant una carn simulada, venguèt desliurar las armas (los àngels descasuts) de sas "tunicas de desbrembe" (lo còs), en portant lo salut per l'imposicion de las mans o *consolamentom*, que permetrà enfin de tornar al reiaume divin.

Podèm pensar que la concepcion catara del mal, de las originas del mal, tanplan coma del pecat, es eissuda de debats controversats ont s'afrontan los teologians latins dempuèi los tempses carolingians, al sègle IX. Alavetz naissen las primièras disputas altorn dels sacraments coma lo baptisme e l'eucaristia. Al cors del sègle X, la question del mal, del pecat comés pel diable, e sas originas, tanplan coma las question de l'umanitat o de l'incarnacion del Filh de Dieu e la de l'egalitat de las personas de la Trinitat se pausan dins los cercles savis de l'Occident medieval. Es donc a l'interior d'aquestis mitans escolastics e participant al procèssus de racionalizacion e de formulacion doctrinala, en cors dins la Crestiantat occidentala dempuèi lo mitan del sègle IX, que se deu considerar la naissença de la dissidéncia catara dins las primièras decadas del sègle XII. Noirida del movement de reforma dita "gregoriana" menada per la Papautat tot al long del sègle XI, la dissidéncia catara sorgís demest d'autris movements de contestacion que repròchan a la Papautat de desvirar los ideals reformadors. Arriba a s'implantar de manièra mai o mens durabla dins diferentas regions de l'Occident, coma l'Empèri (Alemanha e Belgica actuala), dins las vilas de Colonha, Bonn, e Lièja, mas tanben dins los principats del nòrd del reiaume de França, en Champanha, Borgonha e Flandres puèi dins lo sud de la Crestiantat, en Itàlia e dins lo Miègjorn de França. Los nombrosis testimoniatges revèlan una diversitat de formas o modèls de la dissidéncia segon los espacis, diversitat atèstada tant en matèria de doctrina coma d'organizacion de sos membres e de practicas liturgicas. L'usatge del plural "catarisme" que prepausam se justifica e fòrça a pensar a l'identitat dels "erètges" denonciats dempuèi las primièras decadas del sègle XII.

Es vertat, los primièrs testimoniatges venen de tèrras d'Empèri entre 1140 e 1160. Permeten pas de reconéisser la dissidéncia, almens dejós la forma que s'atèsta après dins lo Miègjorn de França o en Itàlia, territòris ont arriba a s'implantar mai durablament. Dins los mitans urbans dels espacis septentrionals, als primièrs tempses de l'aplication de la reforma romana, apareissen dins aqueste contèxte de crisi religiosa, mas tanben de granda efervescéncia intellectuala, escòlas d'ensenhament que i poguèren jogar lo ròtle de laboratòris de la dissidéncia religiosa. La prompta organizacion de la repression e lo trionf de la politica romana pendent la segonda mitat del sègle XII explican la dificultat que la dissidéncia rencontrèt per s'installar dins aquelis territòris.

Al cors del perìode seguent, devèrs 1160-1170, son los espacis meridionals, principalament Lengadòc e Itàlia del nòrd e centrala que favorizan l'implantacion dels dissidents que, coma los de regions septentrionalas, son en ruptura amb la politica romana. La situacion de calm relatiu que profièita als dissidents dins aquestas regions lor permetrà d'evoluir, tant del punt de vista de son organizacion que de sas cresenças e practicas liturgicas. Se pòt tanben notar que, coma dins los mitans urbans de la zòna d'Empèri e del nòrd del Reiaume de França, al mitan del sègle XII, observam al debut del sègle XIII e dins l'espaci italian, escòlas d'ensenhament diferent e que divergissen entre elas sus questions coma las originas de la creacion, del mal, de l'òme, del salut e de l'autre mond. Aquestas escòlas participaràn tanben a la reflexion medievala altorn d'aquestas questions fondamentalas debatudas dins l'Occident de l'epòca, prepausant responsas que Joan de Lugio ne formularà la mai radicala altorn de 1230. Mèstre de l'escòla de Desenzano, situada dins lo nòrd d'Itàlia, es l'autor d'un tractat o *Libre dels dos principis*, ont afirma l'existéncia de dos principis opausats e etèrnes, un del Ben, l'autre del Mal, cadun a l'origina de doas creacions, l'espirituala e la visibla.

Demest las responsas eissudas del procèssus de racionalizacion menat pels dissidents catars a l'interior de sas escòlas, lo dualisme de principis, opausats es pas ni majoritari ni important de l'Orient coma ac afirmava l'opinion tradicionala remontant a l'Edat Mejana. Elaborada pels clercs catolics, puèi pels inquisitors als sègles XII e XIII, la filiacion maniqueana e las originas bogomilas-orientalas de l'"eretgia" catara resultan d'una construccion remontant a mai de 800 ans. Se la documentacion dels sègles XII e XIII atèstan contactes e escambis entre los mitans dissidents orientals (bogomils) e occidentals (catars), aquestis escambis pròvan pas la dependéncia, longtemps supausada, d'un movement per rapòrt a l'autre. A travèrs sos escambis textuals sustot, los contactes entre comunautats bogomilas e cataras poguèren noirir lo procèssus de racionalizacion entamenat pels dissidents. Testimònian, d'un autre costat, de la reconeissença mutuala d'aquestis movements crestians dissidents e de la luta que menavan respectivament contra sa pròpria Glèisa: los bogomils contra la Glèisa orientala o bizantina, los catars contra la Glèisa occidentala o catolica.

**PILAR JIMÉNEZ SÁNCHEZ**

Doctor en Istòria e cercaira associada al laboratòri CNRS-UMR 5136 FRAMEPSA,
Universitat de Tolosa-lo Miralh

Traduccion: Olivier Mantel Flahault

# Occitània: miralh d'al-Andalus e refugi de Sefarad

*"N'ai pro amb los desirs*
*e amb l'esperança del desesperat."*
**Jamil ibn Ma'amar (sègle VIII)**

## Occitània, miralh d'al-Andalus

Occitània aqueste territòri larg e generós que Dante definiguèt coma *"las tèrras ont òm parla la lenga d'Òc"*, correspond al territòri de l'antiga "Provincia Narbonensis" romana que compreniá çò que serián mai tard lo Comtat de Tolosa, lo Comtat de Fois, tot Lengadòc, lo Comtat Venaicin amb Avinhon e, a cada cap d'aquestis territòris, Aquitània e Provença. A partir de la crosada francesa de Simon de Monfort contra los catars al sègle XIII, Occitània demòra politicament dejós la dominacion del rei de França e se transformarà en çò qu'es avuèi comunament sonat lo *Miègjorn* francés. Abans l'implantacion per la fòrça d'aqueste poder impausat dempuèi lo nòrd, Occitània èra un mosaïc de territòris, que la major part èra politicament parlant infeudada a la Corona catalano-aragonesa, mas d'ençà la desfaita del rei catalan Pèire Ièr a Murèth en 1213 davant Simon de Monfort, las ciutats de Tolosa, Carcassona, Nimes, Besièrs, Narbona e tot Lengadòc venguèren francesas, tot ben que Montpelhièr, coma una iscla, demorès catalana dincas 1349. Lo comtat pròpriament dit de Provença, abans dejós tutèla dels comtes de Barcelona, demoriá tanben ara dejós vassalatge francés, tot ben que foguès pas annexat a França dincas 1481 a la mòrt del ponderat comte Renat.

Abans l'arribada destructritz dels crosats enviats pel papa Innocent III, Occitània s'èra distinguida coma un territòri dubèrt a tota mena d'influéncias, coma una frontièra permeabla de populacions e d'idèas, coma un delicat crusòl ont confluissián los sabers, las musicas e los poèmas provenents del sud, de la sàvia e sofisticada al-Andalus, tanplan coma del nòrd, de França e d'Euròpa, e de l'èst, d'Itàlia e dincas los Balcans e de l'exotica Bizanci. Occitània, eiretièra de la cultura latina, dubèrta e virada cap a la Mediterranèa, a l'andelièra de la Peninsula Iberica dejós clara influéncia araba, a partir del sègle IX, se transformarà en un dels centres mai actius de la cultura romanica. Aqueste vam cultural serà la consequéncia del contacte dirècte d'Occitània amb l'intensa activitat intellectuala que se desvolopèt pendent l'Edat mejana en al-Andalus.

En 711, desfaita la roinosa autoritat visigotica, la Peninsula Iberica passèt a far partida de l'Empèri islamic que s'estendiá de l'Orient, dempuèi Pèrsia e Mesopotamia, dincas a l'Occident del Cantabric als Pirenèus. Naissiá al-Andalus, e a partir d'aquel moment, los contactes amb l'Orient, malgrat sa distància, devián èstre mai frequents e mai facils. A partir del comèrci, de las peregrinacions als lòcs sants e dels viatges d'estudi a Damasc, Alexandria o Bagdad, la cultura orientala penetrariá la Peninsula Iberica, e lèu trobariá un sòl fertil per s'i enrasigar vigorosament, qu'a partir del sègle X, al-Andalus passa d'una fasa receptiva a una autra creatritz e exportatritz de cultura. L'eiretatge de la sapiença classica dels grècs tradusida del siriac e del grèc a l'arab arriba a la Peninsula e se produsís un revelh scientific e filosofic extraordinari. Abans l'an 1000, lo nombre de traduccions grègas qu'arriban a èstre conegudas a partir de las versions en arab despassava de manièra impressionanta la quantitat de libres grècs coneguts a aquela època en latin.

Tot en emulant aqueste revelh cultural e scientific, en Occitània la lenga occitana foguèt una de las primièras a substituir lo latin dins plan actes, documents, òbras literàrias e scientificas, coma las primièras gramaticas, las celèbras *Leys d'Amors*. Los sègles XI, XII e XIII foguèren l'època de mai d'efervescéncia e merit de la cultura occitana: la lenga d'òc per escrit, dieumercé una cultura rafinada frut d'una adequacion perfièita d'influéncias occidentalas e orientalas, arriba a se situar coma la lenga modèl per un tipe precís de literatura coneguda avuèi coma *trobadorenca*, es a dire, la poesia compausada e cantada per trobadors, centrada sul concèpte de l'*Amor cortés* e que s'inspira, davant lo miralh d'al-Andalus, del concèpte poetico-filosofic de l'*Amor urdí* dels arabs.

L'amor urdí de la poesica arabica es çò qu'exprimís l'amor cast, un amor "pur" que fa gaudir e patir al còp l'amant davant la persona aimada per çò que, tot en la desirant, gaita pas solament a l'aver ni a entretenir amb ela cap contacte sexual. Foguèren membres de la tribú arabica dels Banu Udra (sègle IX), los primièrs a botar en practica aquesta mena d'amor: fasián perpetuar lo desir e renonciavan a quin contacte fisic que siá amb las personas qu'aimavan. Sa poesia parlava d'un amor qu'èra pas qu'un secrèt dolorós que se podiá pas corrompre ni temptar cap contacte, e que caliá servir amb fervor e devocion dincas al punt de se daissar morir. Lo poèta se declarava vassal de la persona qu'aimava e s'i subordonava totalament. Los dos poètas arabs mai celèbres per sas composicions d'*Amor urdí* foguèren **Jamil ibn Ma'amar** (m. 710), complètament afogat per sa cara Botaina, e **Qays ibn al-Mulawwah** (sègle VIII), que ven fat per sa cara Laila maridada amb un autre òme, e que per açò recebèt l'apellacion de *Majnum*, es a dire "lo fòl". Mas foguèt lo filosòf, teologian, istorian, narrador e poèta **Ibn Hamz de Còrdoa** (994-1064) que pensèt e teorizèt aquesta mena de relacion amorosa: son òbra mai famosa foguèt lo *Tawq al-hamama*, "Lo colaret de colomb", un tractat sus la natura de l'amor escrit a Shativa (Xàtiva) en 1023, ont pensa a fons sus las esséncias del sentiment amorós e i inclutz una bona cordilhada de poèmas fins e elegants sus la tematica amorosa.

Occitània, miralh d'al-Andalus, reculhirà aquesta formulacion de l'amor e farà nàisser l'*Amor cortés*, una concepcion egalament platonica e mistica de l'amor que se pòt descriure a partir de plan punts en comun amb l'*Amor urdí* de la poesia arabica: la somission totala de l'amorós a la dòna (per transposicion dirècta de las relacions feudalas ont le vassal se somet al sieu senhor); l'aimada se demòra totjorn distanta e aquò li permet de meritar totis los elògis e reünís totas las perfeccions fisicas e moralas; l'estat amorós, per transposicion amb l'imaginari religiós, es una mena d'estat de gràcia qu'anoblís lo que la practica; los amants son totjorn de condicion aristocratica, l'amant concep l'amor coma un camin d'ascencion o de progression d'estats de passion que va dempuèi lo suplicant o *fenhedor* e culmina al *drutz*, o estat de l'amant perfièit. Solament après aver escasut aqueste gras amorós, òm poiriá aspirar, qualques còps, a culminar amb d'unas favors carnalas, mas alavetz la relacion ven adultèra, l'amant amaga lo nom de l'aimada amb un pseudonim o *senhal*. La teoria de l'Amor cortés dels trobadors occitans, donc, miralh d'aquesta mena d'amor cultivat dins la poesia arabica, exerciguèt una influéncia enòrma sus la literatura occidentala posteriora, especialament per figuras coma **Dante** (1265-1324) amb sa Beatritz idealizada, e **Petrarca** (1304-1374) amb son aimada Laura, tanplan dins la literatura catalana coma ac mòstra la poesia amorosa del darrièr dels trobadors catalans, lo valencian **Ausiàs March** (1400-1459).

La penetracion d'aqueste concèpte de l'amor vengut del mond arab e sa traduccion a un modèl literari aplicat tanben amb succés en tèrras crestianas, es una pròva clara de la permeabilitat de la frontièra pirenenca e de la pròpria idiosincrasia de la nacion Occitana, ont confluissen tota mena d'influéncias e ont s'instauran modèls de captenença sociala amb plan paucs precedents pendent l'Edat Mejana, coma ac foguèt la dubertura intellectuala e la tolerància religiosa. Benlèu aquestis factors intrinsècs d'Occitània foguèren los que faguèren que lo comte **Raimon IV de Tolosa**, dins sa participacion a la Primièra Crosada, e concretament a l'assalt final de la ciutat assetjada de Jerusalèm lo 15 de julhet de 1099, se comportès amb correccion e tacte davant l'autoritat musulmana que la defendiá de l'atac dels crosats. Davant la casuda imminenta de Jerusalèm a las mans dels crosats, **Iftikhar ad-Dawala**, lo governador fatimita de la ciutat, formèt cavalièrament un pacte amb diplomacia amb Raimon de Tolosa per sa rendicion, e atal lo tolosan permetèt que le capdèl arab e son seguici abandonèssan la ciutat sens èstre executats coma ac foguèt per contra la totalitat de la populacion musulmana e josieva de Jerusalèm pels soldats dels autris cavalièrs crestians que chaplèren totis los que trobèren. Lo cronista Raimon d'Agiles, qu'acompanhèt lo comte de Tolosa dins son aventura guerrièra en Palestina, daissèt per escrit los faits de la presa de Jerusalèm per la Primièra Crosada dins son *Historia Francorum qui ceperunt Hierusalem*, e faguèt clarament la diferéncia entre los *Provençals* e los *Francigeni*, respectivament soldats occitans e totis los autres crosats del nòrd de França e d'Alemanha. L'istorian arab Ibn al-Athir (1160-1233) relata lo fait de la capitulacion e salvacion d'Iftikhar e l'armada araba, mencionant los crosats europèus amb los noms de Francs, mas en fasent una diferéncia entre un grop e un autre en sonant los crosats franceses e alemands *"los autris francs"* e reconeissen lo merit e la valor de cavalièr dels occitans : *"Los francs acordèren de lor salvar la vida e, tot en respectant sa paraula, los daissèren partir de nuèit devèrs Ascalon ont s'establiguèren. A la mosquèa d'al-Aqsa, al contrari, los autris francs chaplèren mai de dètz mila personas."* L'actitud toleranta e respectuosa de Raimon de Tolosa pels vençuts musulmans foguèt fòrtament criticada per sos contemporanèus, coma ac testimònia totas las autras cronicas que relatan la gèsta brutala e sanguinària dels crosats.

## Occitània, refugi de Sefarad

La fòrça qu'irradiava la cultura andalosina provoquèt dins la Peninsula l'espelida tanplan impressionanta de las letras judaïcas. Los josieus d'al-Andalus devián venir un element clau del procèssus de transmission de la sapiença d'origina grèga –a aquel moment en man dels arabs– de caps a l'Euròpa medievala, que mai tard jogarián lo ròtle de connector entre lo mond islamic e lo crestian dins institucions coma la famosa Escòla de Traductors de Toledo, revirant al latin e a l'ebrèu un grand nombre de las òbras abans tradusidas a l'arab a partir del grèc o del siriac. Amarats de cultura araba, los josieus decidissen tanben de s'ocupar de domenis coma la lingüistica, la retorica e la poesia, arribant après a cultivar disciplinas coma las sciéncias e la filosofia, revitalizant atal sa lenga ebrèa coma lenga d'expression literària e scientifica. En al-Andalus, mai que dins cap autre endreit d'Orient o d'Occident, donc, los arabs foguèren los mèstres dels josieus.

Mas l'invasion de la Peninsula Iberica de la part dels Almoades pendent las annadas quaranta del sègle XII merquèt la fin de çò que s'apelèt l'Edat d'Aur de la cultura josieva d'al-Andalus. Pauc tolerants amb los non-musulmans, plan josieus fugiguèren alavetz o ben al nòrd d'Africa, o ben als reiaumes crestians de Castelha, Aragon, Catalonha e als fèus d'Occitània. Las comunautats josievas catalanas e occitanas aculhiguèren, a aquel moment, familhas entièras de lenga araba portairas d'una granda cultura: filosofia, sciéncia, istòria, literatura, gramatica e autras disciplinas desconegudas pels josieus arabofòns, plenament vodats dincas ara als estudis tradicionals de las Escrituras e del Talmud. Lo rescontre d'aquestis dos monds provòca un gran procèssus d'escambis e de transmission: los novèls venguts desiravan partejar amb sos òstes los tresaurs de la sieu rica cultura, que los que los aculhissían s'interessèren de còp a totas aquestas matèrias e se mostrèren dispausats a aquesir tot aqueste saber nòu. Desirosa d'aprene, una part de l'elèit intellectual del moment s'amassèt en confrariás dins diferents centres per se poder vodar, en mai dels estudis religioses, a l'estudi de las sciéncias profanas, sustot la filosofia que, pels que fugissián al-Andalus, èran essencialas e indispensablas per comprendre vertadièrament los fondaments de la religion. Amb l'objectiu d'espandir sos orizonts intellectuals, dins aquelis centres –demest elis la vila de Lunèl, pròcha de Montpelhièr se destacarà en Lengadòc– d'unis erudits josieus se vodaràn a tradusir òbras a l'ebrèu, tant de caractèr religiós coma scientific, escritas per autris savis josieus en arab.

Una part considerabla d'aquestas traduccions dins los domenis de la filosofia e de las sciéncias se deu als membres d'una familha josieva occitana que fa de la traduccion son mestièr transmés de paire en filh:

los celèbres Tibonides. Lo mai famós d'aquesta saga de traductors foguèt **Samuel ibn Tibon** (1150-1230), dieumercé la traduccion que faguèt de l'arab a l'ebrèu de *Lo Guide dels perplèxes*, la celèbra òbra del grand filosòf e jurista josieu **Maimonides** (1135-1204). Son *Guide dels perplèxes* gaitava de pintar l'incertitud que se produsissiá dins los caps dels savis josieus que, vodats a la logica, las matematicas, las sciéncias naturalas o la metafisica, arribavan pas a acordar la Torà amb los principis de la rason umana. L'objectiu principal del *Guide* èra d'eliminar la confusion e la perplexitat a partir d'una interpretacion figurativa o allegorica d'unis tèxtes biblics. Luènh d'esclairar lo camin, lo metòde de Maimonides per interpretar la fe josieva deviá provocar l'esclat d'una polemica filosofica que saquegèt fòrtament la vida intellectuala de las comunautats josievas medievalas pendent los sègles XIII e XIV, especialament las de Catalonha e Occitània. La controvèrsa maimonidiana agèt d'unis efièits d'unas consequéncias tan grèvas e imprevisiblas coma la division virtuala intèrna de las comunautats en dos camps separats que se fasián front, quitament al nivèl social e politic. Los antimainonidians ataquèren sens circonvolucions l'intellectualisme de Maimonides, que percebèren coma una infiltracion desvergonhada de la cultura grèga que passava sens fren las andelièras sacradas dels fogals e las escòlas josieus botant en dangièr sa fe de totjorn. Atal donc, los talmudistas conservadors esitèren pas a elevar la votz contra plan de sas teorias, en las acusant purament e simplament d'eretgia.

Conjuntament al corrent talmudico-tradicional confrontat al movement racionalista dels maimonidians, lo judaisme occitanocatalan del sègles XIII desvolopa tanben una seria de tendéncias esotericas, teosoficas e de tendéncias misticas: la **Cabala**. Nascuda de l'interpenetracion d'ancians corrents gnostics josieus e d'idèas de mond filosofic d'inspiracion neoplatonica, la Cabala s'alinhariá facilament sul movement antiracionalista, quand los segueires de Maimonides semblavan considerar la rason ensús de la fe. Pels cabalistas, pr'aquò, los metòdes de la freda logica aristoteliciana èran pas valids per exprimir lo mond de sensacions e emocions de sos vams religioses de caractèr mistic. Mentre que los segueires de la tendéncia racionalista volián arribar a conéisser Dieu a travèrs l'examèn e la contemplacion dels fenomèns naturals, lo misticisme cabalistic ac fariá a partir dels noms e dels poders de la divinitat que se descobrissián dins las esfèras o *sefirot*, l'alfabet ebrèu e las chifras que tanben representavan las letras.

Las teorias esoterico-teosoficas de la Cabala sorgiguèren en tèrras occitanas e viravan principalament al torn dels contenguts misterioses de divèrses corrents d'idèas e de doas òbras capitalas: lo **Libre de la Creacion** e lo **Libre de la Clartat**. Lo primièr dels dos tractats es un ancian ensag teoretic de cosmologia e cosmogomia escrit entre los sègles III e IV en Palestina que se presenta coma un tèxt meditatiu e enigmatic solament destinat als iniciats ont s'agís de las emanacions divinas o *sefirot*, del poder de las letras de l'alfabet ebrèu e de sas correspondéncias astrologicas. Insistís plan sul poder e la significacion de tres letras de l'alfabet: l'*àlef*, la *nem*, e la *shin* que representan respectivament la tèrra, l'aiga e lo cèl, los elements del mond material, o ben tanben las tres temperaturas de l'annada: calor, fred e tebés, o las quitas tres parts del còs uman: cap, tòrs e ventre. Se conserva una bona cordilhada de comentaris de la profusion d'estudis que los cabalistas occitans e catalans faguèren del *Libre de la Creacion* serà. Lo *Libre de la Clartat*, per contra, es mai tardièr, e òm lo situa escrit benlèu en Alemanha o dirèctament en Occitània devèrs 1176. Es un tractat don conten plan elements gnostics, tracta tanben de las dètz *sefirot*, analisa en profondor los primièrs vèrses de la Genèsi, tracta dels aspèctes mistics de l'alfabet ebrèu, los 32 camins de sapiença que mèrcan las letras, e parla tanben de la teoria de la transmigracion o *guilgul*. Aquestas doas òbras foguèren lo còrpus principal ont s'abeurèren los primièrs cabalistas per faiçonar sas doctrinas e principis a partir de que dechifrar lo sens ocult del tèxt biblic e gaitar alavetz de trobar la comunion amb Dieu pel biais de la meditacion sus las *sefirot* e las esséncias celèstas.

Segon d'unas fonts rabinicas, altorn de 1200 lo profèta Elias revelèt a un grop de mèstres e rabins occitans –quand Occitània èra dejós la tutèla politica dels comtes de Barcelona– un fum de secrets e d'ensenhaments esoterics que nosaus coneissèm dejós lo nom de Cabala, es a dire literalament, "Tradicion". Elias los revèla al rabin **David Narboni**, puèi a son filh, rabin **Abraham ben David de Posquièras**, tanplan coma a son filh lo celèbre **Isaac ben Abraham**, mai conegut coma **Isaac lo Cèc** (m. 1235) e sonat "lo paire de la Cabala", non per çò que comencèt pròpriament amb el, mas per çò qu'arribèt a èstre lo mai bilhant dels primièrs que la formulèren. Las idèas teosoficas d'aquestis rabins de la ciutat de Narbona arribèren lèu a Girona per **Asser ben David**, nebot d'Isaac lo Cec, ont trobèren lo quadre avient per se desvolopar e se prefigurar amb caracteristicas pròprias en Catalonha e, posteriorament, a tèrras castelhanas ont lo tresen dels grands abreujats cabalistics medievals acabariá per sorgir: lo celèbre libre del *Zohar*.

S'es plan especulat sus la coincidéncia temporala e geografica del sorgiment de la Cabala en Occitània e lo moment qu'aqueste país viu l'implantacion del catarisme. Tal coma ac precisa lo grand especialista de la Cabala, Gershom Scholem, los cabalistas occitans podián aver revitalizat qualques idèas de l'ancian gnosticisme josieu que se seriá conservat dincas l'epòca de manièra plan velada, mas, estendudas coma èran las idèas e las cresenças dels catars de tota Occitània, qualquis-unis de sos poscionaments –lo dualisme, la teoria de las reincarnacions, la disciplina religiosa dels adèptes, l'ànsia d'escapar d'aqueste mond visible e natural per conéisser e dintrar a las esfèras celèstas e a l'esséncia de la divinitat– çò mai logic es de créser qu'ajuden a acabar de dessenhar lo còrpus doctrinal del cabalisme. Devèm pas desbrembar que los catars presicavan contra la corrupcion del clergat, contra sos privilègis socials e contra los dògmas de la Glèisa catolica e èran, donc, dubèrtament belligerants amb Roma. Aquesta oposicion frontala contra la Glèisa revelhèt seguramente simpatia e solidaritat entre los josieus, e malgrat que los catars consideravan que la revelacion del Nòu Testament anullava complètament la de l'Ancian Testament e la Torà, son antisemitisme metafisic los empachava pas d'entretenir activament relacions e d'escambiar tota mena d'idèas amb las comautats josievas, tanben adversàrias del catolicisme que las acusava a aquel moment e las perseguiá sens relambi. Dins son *Adversus Albigenses*, lo polemista catolic francés del sègle XIII, Luc de Tuy, repròcha als catars sas intensas relacions amb los josieus, e es impossible de créser qu'aquestis los coneguèssan pas ni s'assabentèssan pas de la profonda agitacion religiosa e politica que los catars provoquèren en Occitània, amb l'extension de son credo e la crosada brutala que lo papa Innocent III e lo rei Felip August de França menèren per lo far calar. Cossí que siá, es clar que i a punts de contacte mai qu'evidents entre lo catarisme e las idèas de la Cabala josieva. Ça que la, la granda diferéncia es que, mentre que los crosats e los inquisitors catolics n'acabèren complètament amb lo catarisme, lo judaïsme que, pendent tota l'Edat Mejana patiguèt un sètge similar, resistirà, e enraca mai la Cabala, redusida a un cercle tampat e minoritari d'adèptes que cerquèren pas jamai a la propagar, mas a complir al pè de la letra la frasa del Talmud que prèga: *"Se la paraula val una pèça de moneda, lo silenci ne val doas."*

**MANUEL FORCANO**
Doctor en Filologia Semitica de l'Universitat de Barcelona
Traduccion: Olivier Mantel Flahault

# Los catars dins la societat occitana (sègles XII-XIII)

En país d'òc, pendent mai d'una generacion, abans las grandas repression e normalizacion del sègle XIII, los catars foguèren pas erètges. Èran pas que religioses qu'als uèlhs del pòble crestian seguián de manièra exemplara lo camin dels apòstols e tenián lo poder mai grand per salvar las armas. L'eretgia es pas un estat objectiu, es un jutjament de valor, ja una condemnacion, que procedís d'un poder normatiu que çò religiós se combina amb çò politic. En país d'òc, ni los comtes e senhors, ni los quites prelats e ministres oficiants locals transmetián pas corrèctament l'acusacion d'eretgia que la papautat romana prononciava contra los catars. Lo mot "catar" el meteis èra pas emplegat. Es probable que la major part dels catars occitans sabèren pas jamai qu'èran "catars". Elis meteisses se sonavan pas que crestians, sos cresents los apelavan respectuosament bons crestians e bonas crestianas, o bons òmes e bonas femnas. Èran religioses que seguián un rite crestian arcaïc, lo del salut pel batisme de l'Esperit e l'imposicion de las mans, e presicavan l'Evangèli segon un mòde d'exegèsi que las vièlhas aspiracions gnosticas del Reiaume de Dieu qu'es pas d'aqueste mond –lo reia–, se mesclavan a las criticas mai modèrnas dels cultes superticiosas de la Glèisa romana, per una esperança de salut universal que ganhava aderents. Plan sovent, al còr de las vilas occitanas, curats e oficiants los consideravan coma fraires e sòrs, mentre que dònas e senhors escotavan amb fervor sas predicacions.

Pr'aquò fasián partida d'un fèu religiós dissident, exclús de la crestiantat per la papautat gregoriana, e que l'Istòria reconeis avuèi un pauc pertot dins l'Euròpa dels sègles XII e XIII, a la lutz dels dorsièrs de sa repression, es a dire generalament, dels lenhièrs. Amb noms d'acusacion divèrses inventats per las autoritats religiosas –catars, patarins, publicans, maniqueans, arians, pifles, bogres, albigeses, etc.– la parentat de la major part d'aquelis grops condemnats per eretgia se tròba amb la comunautat de son mòde d'organizacion religiosa en Glèisas episcopalas que reivindicavan l'autentica filiacion dels apòstols, de sas concepcions espiritualistas de la persona del Crist e de son exegèsi biblica dualista, tanplan coma l'unitat de son ritual. Es aquesta ampla nivola que se pòt trobar dins lo mond latin de Flandres e de Renania, en passant per Champanha e Borgonha, dincas en Itàlia, Bosnia e país d'òc, que los sonarem ací, per comoditat "catars".

Demest aquelas comunautats crestianas dissidentas, las dels bons òmes de l'Euròpa meridionala, italians e sustot occitans son las que melhor se coneissen. A la diferéncia de sas sòrs septentrionalas que demòran clandestinas e son pas documentadas que negativament, profieitèren de condicions de patz e s'enrasiguèren dins la societat. Se conservèt d'elas mai d'un libre manuscrit original, tres rituals e dos tractats, en latin e en occitan, qu'esclairan son èsser religiós. La repression sistematica que s'aplicarà contra elas a travèrs tot lo sègle XIII – crosada contra los albigeses, conquista reiala francesa dels comtats occitans, puèi Inquisicion – genèra ela meteissa una massa importanta de documents, cronicas e sustot archius judiciaris que dubrissen literalament a la vida quotidiana d'una societat *eretica*. Sèm donc convidats a un viatge gratificant en Occitània catara.

## Las Glèisas cataras occitanas

"En aquel temps, los erètges tenián publicament sos ostals dins lo *castrum*...". Los registres de l'Inquisicion, que liuran remembres que pòden datar del debut del sègle XIII, donc d'abans la repression, tornan la vida a ramats de bons òmes e bonas femnas, que sos ostals comunautaris èran dubèrts al còr dels vilatges fortificats de senhoriás vassalas de Tolosa, Fois, Albi o Carcassona. Dins aquelas borgadas activas e pobladas, coma Fanjaus, Laurac, Cabaret, le Mas Santa Puèlas, Puèglaurenç, Lautrèc, Caraman, Lantar, Mirapeis, Rabastens etc., los linhatges aristocratics son los primièrs que s'apassionan per sa predicacion; s'i vesen las comtessas de Fois se far bonas femnas. Un òrdre religiós crestian es en plaça, independent del Papa de Roma. Entre Lengadòc, Agenés e Pirenèus, cinc Glèisas o avescats catars s'installan atal publicament, dejós l'autoritat de ierarquias episcopalas vertadièras. Aquí aquesta estructuracion de comunautats a l'entorn d'avesques ordonats, a l'imatge de las primièras Glèisas crestianas es l'un dels caractèrs identitaris principals de l'eretgia dita catara, que se ditz ela la vertadièra Glèisa del Crist e dels apòstols. Los rituals dels bons òmes l'apèlan *Ordonament de sancta Gleisa*: òrdre de santa Glèisa. L'existéncia d'avesques dissidents apareis dins las fonts documentàrias abans lo quite mitan del sègle XII, primièr en Renania, dins d'arcavescat de Colonha e l'avescat de Lièja.

Los avesques catars italians e occitans son pas atestats qu'a la generacion seguenta, encara que comunautats dissidentas se pòden véser dins las borgadas entre Albi e Tolosa tre 1145; se cita un avesque dels bons òmes en Albigés en 1165. En 1167, a Sant Felitz de Lauragués, a la joncion del comtat de Tolosa e dels vescomtats d'Albi e Carcassona, quatre Glèisas cataras meridionalas, visiblament plena de dinamisme, s'amassan en concili, amb sos avesques o conselhs de Glèisa e sas comunautats d'òmes e de femnas; son las Glèisas de Tolosan, d'Albigés, de Carcassés e d'Agenés bensai, ont s'atestarà un avescat catar al sègle XIII, encara que lo tèxt fasca mencion "d'Aranés", es a dire de la Val d'Aran. I receben delegacions de Glèisas sòrs dels franceses (Champanha, Borgonha) e de Lombardia, dejós la presidéncia d'un dignitari bogomil, avesque de Constantinòple bensai, nommat Nicetas. Cal pas véser en aquel personatge un papa ni un anti-papa dels erètges. Al contrari, çò que presica a totas las Glèisas latinas dels bons òmes es de viure entre elas de manièra frairala, mas autonòmas. Atal veirem las quatre Glèisas occitanas delimitadas segon la competéncia geografica d'avescats vertadièrs.

Una repression intensa, que fa cremar sos avesques successius dins las annadas 1160 sembla aver lèu arroinat las Glèisas renanas, absentas de l'assemblada de Sant Felitz. La Glèisa de Lombardia creisserà abans la fin del sègle XII en sièis avescats particulars, que benefician dins las ciutats italianas del sosten durable dels gibellins, partesans de l'emperaire, contra los guelfes, partesans del papa – e de l'Inquisicion. De longa persecutada, la Glèisa dels franceses arribarà a seguir, dins l'exili italian, dincas la fin del sègle XIII. Mas devèrs 1200, per fugir los lenhièrs de Borgonha, dos canonges de Nevers, d'un autre costat dignitaris catars, se refúgian alprès dels sieus fraires de la Glèisa de Carcassés. Mentre que, dejós la pression de la papautat e de l'òrdre cistercian, l'Euròpa crestiana s'arma contra l'eretgia, las grandas principautats occitanas, comtats de Tolosa e de Fois, vescomtats Trencavèl de Carassona, Besièrs, Albi e Limós representan, pels dissidents una tèrra de refugi; sas Glèisas i profièitan d'una implantacion gaireben institucionala, que l'irrupcion de la "crosada contra los albigeses", a partir de 1209, malgrat sos grandis lenhièrs collectius, arribarà pas a aturar. Atal, devèrs 1225, s'apond a las quatre Glèisas quilhadas al sègle XII una cinquena, la de Rasés. Es pas qu'après lo contròl reial francés sus Carcassona e Albi e la somission del comte de Tolosa, a partir de 1229, que las Glèisas deuràn passar a la clandestinitat – çò que farà que l'Inquisicion las estofarà pauc a pauc, e malgrat la resisténcia eroïca dels cresents pendent gaireben mai d'un sègle de persecucion, tornaràn pas jamai sortir.

## Un cristianisme de proximitat

Perqué en país d'òc melhor qu'endacòm mai? Perqué cinc avescats dels Bonis Òmes implantats entre Agenés, Carcin, los Pirenèus e la mar? Per tant que las poscam percebre, las rasons son multiplas, d'òrdre cultural, societal, tant coma politic; l'estructura de las Glèisas cataras, sogantas, dubèrtas, autonòmas, s'adaptava plan al quadre de las senhoriás occitanas, mens estrictament ierarquizadas que lo modèl feudal franc, mas tengudas per un grop aristocratic que grilhava e qu'èra plural. Las deposicions davant l'Inquisicion indican que, lo mai sovent, tre la fin del sègle XII, èra aquesta meteissa casta nobiliària, dònas en cap, que servissiá d'exemple de l'engatjament dins la fe e dins los rengs de l'òrdre dels *bons crestians*. Un òrdre seguit amb zèl pels borgeses e artesans del borg senhoral, lo *castrum*, e per la populacion païsana del campèstre. D'un autre costat, la fòrça de resisténcia, per grandas parts del clergat meridional, opausada a las normalizacions de la Reforma gregoriana, semblava daissar tota libertat a formas crestianas al còp arcaïzantas e criticas. Los catars èran pas estrangièrs al vilatge, n'èran costumièrs e i èran estacats per ligams de comunautat e d'afeccion.

Los archius de l'Inquisicion permeten d'explorar, retroactivament, los mecanismes intims d'aquesta societat cristiana gaireben ordinària, poblada dins borgadas fortificadas. Per aquestis abitants medievals, las comunautats de bons òmes e bonas femnas que vivián demest elis e a qui fasián sas devocions, èran simplament "bonis crestians e bonas crestianas, qu'avián lo poder mai grand per salvar las armas". Sol tal legat o abat cistercian de passatge enviat per Roma parlava d'*erètges* o de *catars*. Sovent podiá tanben arribar que lo curat de la parròquia frequente frairalament aquelis religioses estafinhoses de cap al papa, que la major part èran originaris de familhas del lòc. Una granda part dels linhatges nòbles repartissián sos filhs e sas filhas que sobravan entre las doas Glèisas. Lo melhor exemple de l'ecumenisme crestian d'aquesta societat es bensai lo qu'ofrís en 1208 l'avesque catolic de Carcassona, Bernat Raimond de Ròcafòrt. Representant d'un grand linhatge aristocratic de la Montanha Negra que resistirà longtemps a la conquista francesa, aqueste prelat a per maire una bona femna, e per fraires tres bons òmes que l'un, Arnaud Raimond de Durfòrt, morirà en 1244 sul lenhièr de Montsegur. Sola l'installacion d'una repression sistematizada forçarà cadun a causir son camp, al còr del vilatge, al còr de la familha. Los registres de l'Inquisicion son per açò lo rapòrt tragic de l'esclatament de las solidaritats de tota una societat.

Del temps de la "patz catara", dins lo quadre de las senhoriás occitanas, religioses e religiosas catars, luènh de s'isolar en vida contemplativa dins monestièrs copats del mond, viven al còr del pòble crestian. Atal, i prefiguran, amb almens una generacion d'avança, la practica del "convent a la vila"que farà lo succès dels òrdres mendicants, dominicans e franciscans. Aquestis bons òmes e bonas femnas, al contacte permanent de la populacion de las borgadas, sos "cresents" e "cresentas" forman lo primièr nivèl del sistèma eclesiastic catar. Son comunautats religiosas al primièr sens del tèrme, que menan vida consacrada a "Dieu e a l'Evangèli", cumulant ça que la, caractèrs d'un clergat regular e secular. Coma monges e monjas, totis faguèren vòt de paupretat, castetat e obsiciéncia, e menan sa vida comunautària en estricta ascèsi monastica, seguint la règla dels Precèptes de l'Evangèli, o "via de justícia e de vertat dels apòstols". An renonciat al pecat: mentida, engana, murtre dels quatre animals, cobejança materiala o carnala; cada mes, un diague de sa Glèisa li ven conferir la colpa collectiva de l'*aparelhament*. Las comunautats cataras se diferéncian pr'aquò de las comunautats monasticas tradicionalas per dos punts essencials. Primièr sos efectius son principalament compausats, non pas de vèrges consacrats, mas de personas socializadas, qu'an ja "viscut": veuses o veusas o cobles que se separan en fin de vida per plan acabar e salvar son arma. Enfin, a la diferéncia dels grands monestièrs catolics, e dels quites convents dels Mendicants, sos ostals comunautaris coneissen pas de clausura. Bons òmes e bonas femnas ne sòrten liurament, demòran presents per sas familhas, participan a la vida de la vila.

Aquelis ostals religioses complissen una foncion sociala importanta. Nombroses dins las carrièras dels *castra* –cinquanta ostals, se ditz, a Mirapeis, cent a Vilamur– son petits establiments çò sembla, qu'amassan pas per la major part qu'un desenat de bons òmes, dejós l'autoritat d'un Ancian, o de bonas femnas, dirigidas per una prioressa. Los religioses i menan sa vida comunautària, en disent sas pregàrias ritualas e en observant las abstinéncias (regim magre tota l'annada, ritmat per tres quarèsmas, e un jorn de dos al pan e a l'aiga). Mas ac fan pas dejós los uèlhs del pòble crestian del borg. Coma son forçats al trabalh apostolic e practican mestièrs, sos ostals an sovent l'aire de talhièrs d'artesans. Tanben son ospicis abans ora, ja qu'i tenen taula dubèrta, i receben los malauts e los necessitoses. D'unis ostals son mai vodats a l'ensenhament dels novicis, de còps servissen d'escòla. Los religioses, e las religiosas tanben, i receben visitaires e cresents, vesins, amics e parents per qui, coma clercs seculars, presican la Paraula de Dieu. Sense se copar de sos parents ni de sa societat, presican per l'exemple, per sa fidelitat al modèl dels apòstols e al messatge evangelic. De longa, admonèstan al Ben, dubrint a totis l'*Entendensa del Be*: la comprension del Ben.

Aquesta predicacion intensiva al pòble crestian, fondada sus traduccions de las Escrituras en lenga romanica, fa la fòrça de la Glèisa dissidenta. Del temps del culte liure, se las comunautats religiosas se vòdan puslèu a botar en practica l'Evangèli, la ierarquia episcopala se resèrva la foncion sacerdotala pròpriament dita ; son en general los avesques e los diagues que presican solemnament sus l'Evangèli dels dimenges e fèstas religiosas – Nadal, la Passion, Pentacosta, etc. Son elis qu'ordonan los novicis, e que consòlan los quites morents. Es pas que quand l'avesque o lo diague son absents que bons òmes e quitas bonas femnas confèrissen lo sagrament del Salut. Serà sovent lo cas, vengut lo temps de la clandestinitat. Coma simples bons òmes, los avesques catars viven en ostal comunautari, dins las borgadas de sa competéncia. L'avesque de Tolosan està sovent a Sant Pau del Capdal Jòus, o a la Vaur; lo de Carcassés a Cabaret; lo d'Albigés a Lombèrs –dincas que la repression inquisitoriala, a partir de 1233 fòrce los avesques de Tolosan, de Rasés e benlèu d'Agenés a se replegar dins lo *castrum* insomés de Montsegur, e lo d'Albigés a Autpol. Ça que la son grandis personatges, que vesèm intervenir dincas al còr de la casta senhorala, en particular per un ròtle d'arbitratge e de justícia de patz– que son òrdre crestian recusa la justícia umana e la condemnacion a mòrt.

Las practicas de Glèisa, al còp simplas e marcadas de sacralitat, a l'exemple del grand ritual del *consolament*, testimònian d'un estat arcaïc de las liturgias crestianas. Totas son collectivas e publicas. Al moment de las ceremonias, s'escàmbia lo poton de patz; a taula, al debut de cada repais e en memòria de la Cena, bons òmes e bonas femnas benasissen lo pan – simbòl de la paraula de Dieu a espandir entre los òmes. Aquesta comunion sens transubstanciacion –o pan demòra pan, ven pas carn del Crist– s'inscriu dins la tradicion del repais fraïral de las primièras comunautats crestianas. Es l'un dels rites que religan los cresents a sa Glèisa, un dels signes que mèrcan sa fe de venir elis tanben, tard o d'ora, bons crestians e de salvar son arma. Aquesta meteissa esperança, los cresents la disen tanben pel *melhorier* –o gèste que rend melho– tripla demanda de benediccion que ne saludan bons òmes e bonas femnas que rencontran.

## Una societat eretica?

Aquesta realitat de Glèisa plan presenta al quotidian de las borgadas occitanas –puèi al desèrt de los amagaròts de la clandestinitat– los registres de l'Inquisicion nos permeten de ne presar la qualitat umana, mas de manièra imperfièita de ne mesurar l'impacte demografic. Encara qu'aquesta documentacion siá massiva (son milièrs de deposicions que foguèren conservadas, liurant los noms de milierats de bons òmes, de bonas femnas, de cresents e de cresentas, d'un trentenat d'avesques, d'un cinquantenat de diagues), es en efièit traucada de tant de mancas, que tota generalizacion de percentatge que tendriá a donar una chifra de l'eretgia ven absurda – sustot que la question se pausava pas a l'epòca dins aquestis tèrmes, los cultes catar e catolic èran en general viscuts coma complementaris, mai que cultes en concurréncia. Pr'aquò dos elements ne sòrten claraument, en començant per la plan larga difusion sociala de l'eretgia. Dins l'assisténcia a las ceremonias dels bons òmes, los grandis senhors se mesclan a la populacion locala. Al còr dels ostals religioses, simplas païsanas conviven amb l'anciana dòna del lòc, ancians cavalièrs s'exèrcissen a téisser. Es vertat que, avuèi per l'istorian, coma ièr als uèlhs dels cistercians e del papa, l'adesion impressionanta de la classa nobiliària dona una visibilitat particulara al fenomèn catar occitan; mas seriá fals de lo considerar coma un simple apassionament de l'elèit. Es una populacion crestiana ordinària, totas classas barrejadas, practicant la fe dels bons òmes que los archius de l'inquisicion mòstran.

D'un autre costat nos podèm estonar de l'importància de la plaça e del ròtle de las femnas al còr de la Glèisa dissidenta. Lo nombre e la foncion de bonas femnas citadas pels testimònis son gaireben equivalents, pel temps del culte liure, al dels bons òmes, encara que cap de femna siá pas visibla al còr de la nauta ierarquia. Los nombroses testimoniatges de las cresentas daissan tanben percebre sovent de manièra esmoventa, dincas a quin punt aceste engatjament femenin, que monta al còr meteis de la familha, gardarà pel catarisme la fòrça de resisténcia d'una fe mairala, pendent un sègle de persecussion sistematica. Al punt que los inquisitors del sègle XIV maldiràn lo *genus hereticum* – expression pejorativa que se pòt tradusir per "raça eretica", s'es pas geina eretica...

En se presentant al còr de las vilas coma comunautats de penitents e penitentas, garants de la bona fin, bons òmes e bonas femnas de las Glèisas cataras occitanas formavan un clergat de proximitat eficaç e atrasent; presents e actius dincas al quite còr de sas familhas, asseguravan a sa fe un enrasigament social e familial profond, que la persecucion del sègle XIII penarà a arrincar – quitament quand la guèrra aurà trencat los linhatges senhorials que los e las aparavan.

**ANNE BRENON**
Traduccion: Olivier Mantel Flahault

Photo: © Vico Chamla – Milano

Lluís Vilamajó

# Los trobadors fàcia al catarisme

Una constatacion s'impausa immediatament a qui obsèrva la civilizacion occitana de l'Edat Mejana: es la larga coincidéncia cronologica e geografica qu'existís entre la difusion de la poesia dels trobadors e la de la religion catara: en fait, dins un periòde que va almens de la mitat del sègle XII a la fin del sègle XIII e un terriòri que compren tot Lengadòc occidental e d'unas regions limitròfas coma Carcin o Peiregòrd, los doas experiéncias convisquèren costat a costat dins las meteissas corts, dins las meteissas ciutats, dins los meteissis borgs. Es vertat qu'aquesta coincidéncia es pas totala ja que la poesia trobadorenca s'espandís dins tot lo Miègjorn, de Gasconha als Alps, e sas originas remontan a la fin del sègle XI (mas segon d'unas tèsis recentas fisablas, la naissença del catarisme tanben se deuriá datar de las primièras decadas del segond millenari). Pr'aquò, una region coma la de Carcassés, a caval entre lo sègle XII e lo sègle XIII, apareis coma un punt gaireben miraclós entre lo *trobar* e l'esperitualitat catara: per exemple, lo *castrum* de Fanjaus, que Pèire Vidal descriu dins la cançon-sirventés *Mos cors s'alegr'e s'ejau* coma un "paradís" cortés, èra tanben un dels centres mai importants d'eretgia, ont Guilhabèrt de Castras presicava e ont donèt lo *consolament* a Esclarmonda, sòr del comte Raimond-Rogièr de Fois. Manquèren pas tanpauc los trobadors –coma Pèire Rogièr de Mirapeis, Raimond Jordan, Aimeric de Peguilhan entre autres– qu'aderiguèren, almens per un periòde de sa vida, a la fe eterodòxa.

Plan lèu almens a partir de las primièras decadas del sègle XIX, aquelas donadas an butat qualquis especialistas a recercar las influéncias eventualas o rapòrts que pòden aver legat los dos grands fenomèns. En se basant sus estudis precedents de Gabriele Rosetti (en particular los cinc volums d'*Il mistero platonico del Medio Evo*, Londres, 1840), un istorian amator francés afiliat a l'òrdre de la Ròsa-Crotz, Eugène Aroux, formulèt a l'entorn del mièg del sègle, dins son *Les mystères de la chevalerie et de l'amour platonique au moyen âge* (1858) lo mite del "lengatge secrèt" dels trobadors. Segon sa tèsi, absenta de quin fondament seriós que siá, dins tota la produccion amorosa occitana la femna aimada representariá la parròquia e la diocèsi, l'amant seriá lo "perfièit" catar, e lo marit gelós l'avesque o lo curat catolic: l'union matrimoniala, refusada pels trobadors, dissimulariá atal l'apertenéncia d'una comunautat a la fe catolica, mentre que lo rapòrt adulterin entre la dòna e lo *fin aman* –exaltat pel cant cortés– significariá lo passatge d'aquesta comunautat a las cresenças dels catars o "albigeses". Aquesta clau de lectura ingenua, que redusís tota la poesia amorosa dels trobadors a una exposicion codada de las doctrinas e dels eveniments istorics dels eretics, d'autris escrivans tanplan estranhs, coma Joséphin Peladan (autor d'un *Le Secret des Troubadours*, 1906) e Otto Rahn (dins sa *Crociatta contro il Gral*, 1933) la represenguèren lèu tanben; mas istorians e filològs la ridiculizèren de còp. L'idèa d'una cèrta relacion entre la *fin'amor* e lo catarisme foguèt pas complètament abandonada, ça que la; aquesta idèa constituís al contrari lo centre de l'important libre de Denis de Rougemont, *L'Amour et l'Occident* (1939). Rougemont sosten en fait que qualques tèmas fondamentals dels trobadors coma los de la "mòrt" o del "secrèt" revèlan pas tota sa significacion que quand los comparam amb la doctrina catara; es pas que los poètas occitans foguèssan vertadièrs "cresents" de la Glèisa eretica, mas segond el, foguèren *almens* inspirats per l'ambient religiós del catarisme. Atal la femna cantada dins sas poesias seriá l'Arma, la part espirituala de l'òme qu'es presonièra de la carn e que rejunerà pas qu'après la mòrt. Per aquesta idèa, e per las semblablas de Déodat Roché, deriva tanben la nocion d'una "inspiracion occitanica" de matritz platonica, que Simone Weil elaborèt dins un ensag celèbre paregut din los *Cahiers du Sud* de 1942.

Mas coma se vetz, s'agís d'interpretacions purament subjectivas, encara que sián interessantas del punt de vista de l'istòria de la pensada contemporanèa. Los filològs romanics que, a partir del mièg del sègle passat, afrontèren lo problèma amb instruments mai rigoroses, deguèren constatar, non solament la manca de pròvas de l'usatge d'un lengatge criptat de la part dels trobadors, mas tanben l'abséncia gaireben totala de las doctrinas cataras dins sa poesia amorosa: abséncia qu'apareis mai significativa pels poètas que coneissèm amb certitud coma afiliats a la Glèisa eretica. Dins tota la produccion lirica medievala existís un sol tèxt ont qualques concepcions cataras son expausadas dubèrtament: son autor es pas un occitan, mas un poèta italian del sègle XIII, Matteo Paterino, que dins la cançon *Fonte di sapïenza nominato*, adreçada al celèbre Guittone d'Arezzo e publicada solament fa pas gaire en edicion critica, opausa a la doctrina catolica professada pel destinatari, la teologia dels dos Principis, per el illustrada en tèrmes qu'aderissen estrictament als de Joan de Lugio e de la Glèisa eretica de Desenzano. Per dire la vertat, existís tanben un tèxte poetic occitan ont son resumidas las idèas fondamentalas del catarisme; mas s'agís pas d'un tèxte liric, ja qu'es un debat entre un inquisidor, Isarn, e un "perfièit" catar convertit, Sicart de Figueiras: las *Novas del heretge*. Ara, encara que Sicart siá un personatge istoric plan atestat per las fonts documentàrias inquisitorialas e que los faits istorics als quals lo poèma se referís sián en granda partida verificables, l'autor del tèxt –probablament lo quite Isarn– lo presenta en tèrmes fòrtament denigratòris e introdusís las doctrinas cataras que professa dins un contèxt caricatural. Lo quite grand poèma de *Paratge*, la segonda partida de la *Cançon de la Crosada albigesa*, que sos autors prenen part de manièra decidida pels comtes de Tolosa contra los crosats franceses e lo clergat, mòstra pas la mendre traça de la teologia catara.

Aquò vòl dire que los trobadors se desinteressèren complètament del grand fenomèn religiós que lor èra contemporanèu e que se calèren davant la tragedia viscuda per son pòble al cors del sègle XIII? Segur que non. La *Cançon de la Crosada albigesa* ja citada, que narra los eveniments de la guèrra a son començament (1209) dincas lo tresen sètge de Tolosa pels crosats (1218), es abans tot un testimoniatge literari impressionant. Arribada per astre dincas nosaus –se'n sèrva un sol manuscrit– es formada de doas parts, òbra de dos autors diferents. La primièra, compausada del clerc navarrés Guilhèm de Tudèla al recès dels eveniments, arriba dincas a la velha de la desastrosa desfaita occitana de Murèth (1213) e se mòstra favorabla a la Crosada; mas Guilhèm exprimís repetitivament tanben son admiracion pels senhors meridionals, engatjats, segon el, sens fauta dins la justa luta contra los erètges, e descriu amb una eficacitat e una participacion extraordinàrias las violéncias d'una guèrra devastatritz: demest los episòdis de son poèma que demòra idelebil dins la memòria i son lo chaple indiscriminat dels abitants de Besièrs dins la catedrala ont s'èran refugiats après la presa de la ciutat pels crosats (1209) e la lapidacion crudèla coma erètja de dòna Girauda, senhora de la Vaur, tanben dins aqueste cas après la conquista de la vila (1211). La segonda part de la *Cançon* –òbra d'un anonim que d'unis identifican recentament a Gui de Cavalhon e compausada devèrs 1228-1229, abans la patz de Meaux-París– reprend la narracion exactament al punt que son predecessor l'aviá daissada, mas li dona un caractèr complètament diferent, en creant un dels mai grands caps d'òbra de tota la literatura medievala. Son autor, entosiasta e favorable als comtes de Tolosa e violentament ostil a Simon de Monfort e a sos crosats, es lo grand cantaire de *Paratge* –la noblesa meridionala, sa patria, sos ideals– es a dire çò que descriu coma una civilizacion esplendida (la civilizacion "cortesa") victima d'una violéncia cèga e barbara, desencadenada pel clergat e pels franceses amb lo fals pretèxt de la luta contra l'eretgia. Son esperança, sovent presentada coma una certitud, es que *Paratge* serà restaurat dieumercé l'accion dels comtes de Tolosa e per volontat de Dieu el meteis.

La tradicion ocultista qu'avèm mencionat precedentament cerquèt de badas dins la poesia amorosa dels trobadors qualque traça d'idèa catara; daissèren per contra descapar çò qu'èra davant los uèlhs de totis: la profonda consonància qu'existissiá entre las posicions antiromanas dels catars e la exprimida dins una vasta produccion de sirventeses compausats sustot dins la primièra mitat del sègle XIII e dominadas per una violenta polemica contra lo celrgat e contra los franceses. Es justament dins aquesta produccion "militanta" que trobam los vertadièrs rapòrts entre poesia trobadorenca e catarisme. Raimond de Miraval es emblematic, que son cançonièr servís gaireben de pont entre lo *trobar* amorós del sègle XII e lo politico-moral que domina dins lo sègle seguent. Raimond èra cosenhor d'un petit castèl, que Simon de Monfort conqueriguèt dins las primièras annadas de la Crosada (1211, probablament), costrenhent lo trobador a la condicion umilianta de *faidit*, d'exiliat. Dins las primièras de sas *coblas* de la cançon *Bel m'es qu'ieu chan e coindei* desvolopa los tèmas erotics tradicionals (elògi de la dòna aimada, demanda d'amor, descripcion de las jòias e dels torments provocats per la passion, etc.) mas càmbia complètament de registre dins la darrièra *cobla* e dins las *tornadas*. Aquí adreça una demanda desconsolada al rei Pèire II d'Aragon en l'invitant a combatre contra los franceses per li consentir de tornar prene possession de Miraval e per restituir la ciutat de Bèucaire als comtes de Tolosa, Raimond VI: e solament a aquel moment declara, *poiram dompnas e drut / tornar el joi q'ant perdut*. Lo desastre de Murèth, ont Pèire II trobèt la mòrt, donarà lo còp de gràcia a aquesta esperança.

E foguèt après Murèth que comencèt a s'elevar la votz dels nombrosis poètas per la major part ligats al comte de Tolosa, que compausèren invectivas violentas contra los franceses invasors e contra l'ingeréncia de mai en mai pesanta del clergat en Occitània e dins las regions vesinas. Demest aquestis, los noms mai importants son los de Pèire Cardenal, Guilhèm Figueira e Guilhèm Montanhagòl. Dins sas composicions, coma dins las dels nombrosis autris trobadors, la Glèisa e lo clergat son objèctes d'atacs portats siá sul plan pròpriament religiós, siá sul plan politic. Per una part, se caricaturan e fustigan los vicis difusats dins lo clergat, sustot la luxúria e la golardisa: es per exemple lo cas de l'excellent sirventés contra los Dominicans de Pèire Cardenal, *Ab votz d'angel, lengu'esperta, non belsza*; d'una autra part –e mai durament– se critican las ambicions temporalas de la Glèisa, sa complicitat amb los franceses envasidors, las indulgéncias promesas als que tuavan crestians dins una Crosada criminala. Après 1233, se censuraràn sevèrament tanben los metòdes brutals e las persecucions sovent practicadas pel tribunal de l'Inquisicion, coma dins lo sirventés *Del tot vey remaner valor* de Guilhèm Montanhagol. Dins qualques composicions de Pèire Cardenal, coma *Falsedatz e desmesura* o *Un sirventés vuelh far dels auls glotos*, la situacion creada per la Glèisa pels franceses dins lo Miègjorn se descriu coma un vertadièr "mond al revèrs" ont *feunia vens amor / e malvesatz valor, / e pecatz cassa sanctor / e baratz simplesa*: un mond ont los vertadièrs Crestians son acusats d'eretgia e condemnats al martiri pels "messatgièrs de l'Antecrist", es a dire, pels membres de la Glèisa romana.

L'estreita afinitat d'aquestas posicions amb las antiromanas dels catars se pòt pas discutir. Vertat, los tèmas anticlericals èran plan difusats dins la literatura medievala; mas de còps que las semblanças entre las poesias dels trobadors e los tèxtes catars son pro precisas per exclure la possibilitat d'una independéncia totala. Atal, per exemple, las acusacions contengudas dins las primièras doas *coblas* dels sirventés *Li clerc si fan pastor* del quite Pèire Cardenal –ont descriu los membres del clergat catolic successivament coma "assassins", coma "lops rapaces" travestits de oelhas e coma illegitimes detentors del poder dins lo mond– correspond exactament a aquela revòlta sieu dins un passatge del tractat original catar (escrit en occitan) *La Glèisa de Dio*. D'un autre costat, dins una deposicion presentada en 1334 davant lo cèlèbre inquisidor Jacme Fornièr, se legís qu'un vintenat d'annadas abans –es a dire al debut del sègle– un tal Guilhèm Saisset se metèt a recitar exactament la meteissa *cobla* de la del sirventés davant lo fraire, avesque de Pàmias. Alavetz un erètge notòri present a aquel moment, Bertrand de Tais li demandèt de l'i ensenhar en afirmant que lo clergat non solament possedissià totis los defauts enumerats per Pèire Cardenal, mas plan mai encara. I a pas cap de dobte que los erètges considèren lo trobador coma un pòrta-votz de sas idèas e de sas esperanças, encara que siá pas dit que dins aqueste cas Pèire se siá apiejat sul tèxt catar. Benlèu que cal restituir sos dreits a la poesia: es en fait possible, per pas dire probable, en considerant la cronologia de la tèsi, que siá justament estat lo tractat sus *Glèisa de Dieu* que reprenguèt los arguments e los imatges d'un cap d'òbra poetic que deguèt segurament gaudir d'un succès extraordinari (se'n consèrvan plan dètz manuscrits).

Punts de contacte amb las idèas cataras relativas a la polemica contra la Glèisa se tròban tanben dins plan autras composicions de Pèire Cardenal e dels trobadors que li son vesins, encara qu'impliquen pas –coma s'es dit– una adesion efectiva d'aquestis poètas a la doctrina erètja; al contrari, las composicions amb un subjècte religiós de Pèire exprimissen una teologia perfièitament ortodòxa. Mas lo tèxt absoludament mai confòrme als tèmas de la predicacion antiromana dels catars es segurament lo sirventés afogat contra Roma de Guilhèm Figueiras, *D'un sirventés far en est son que m'agenssa*. Las violentas acusacions que lo trobador lança contra la Glèisa, acusada d'èstre *cima e razitz* de totis los mals, van plan mai luènh dels arguments de Pèire Cardenal. A partir d'una oposicion dicotomica fondamentala entre Fals e Vertat (la falsa Glèisa de Roma opausada al vertadièr ensenhament del Crist), lo discors de Figueira es abilament bastit sus tres estratas de referéncias intertextualas. Lo lexic deriva per las invectivas de Marcabrun contra las *falsas putas*, las prostituidas que corrompen los joves cavalièrs; mas a travèrs un segond nivèl de referéncias tiradas aqueste còp de la Bíblia, los tèmas morals desvolopats per Marcabrun son transportats a un plan mai precisament espiritual e religiós. Las injúrias d'origina biblica lançadas contra la Glèisa e disseminadas en diferents punts de la composicion derivan en fait per la major part d'una branca plan precisa de l'Evangèli de Matieu: l'invectiva de Jèsus contra los escribas e farisèus (Mt 23,13-33). Atal, la Glèisa es assimilada a elis que, segon la paraula de Jèsus, èran los eretièrs del que tuèt los profètas e tampavan als òmes las pòrtas del reiaume del Cèl. Aquesta darrièra acusacion es particularament significativa, ja que s'arrèsta pas a puntar la corrupcion e los pecats del clergat, mas met en question radicalament –coma ac fasián los catars– lo poder que la Glèisa s'arròga de donar la salvacion espirituala als òmes: es a dire qu'arriba a li negar lo quite estatut de Glèisa de Dieu. En efèit, al palimpsèst evangelic just presentat, se subrepausa dins lo sirventés una tresena estrata de referéncias intertextualas, que menan dirèctament a l'eclesiologia catara. L'invectiva de Jèsus contra los escribas e los farisèus, es en fait un dels passatges de l'Evangèli mai sovent citat pels catars –tanben dins tèxtes originals que son arribats dincas nosaus, coma la *Glèisa de Dieu* e lo *Libre dels dos Principis*– dins lo quadre de sa polemica contra la persecucion de la Glèisa contra elis. Demest los nombrosis passatges de la composicion que se poiriá citar, un vèrs es particularament revelador: lo que Roma i es acusada de far *per esquern dels crestians martire*. Lo tèrme *martire* es aquí utilizat dins una accepcion absoludament insolita dins la poesia trobadorenca: abitualament en referéncia a las penas d'amor o al martiri del Crist e dels sants. Pr'aquò se referís a las victimas de la quita Glèisa, coma dins nombrosis tèxtes catars ont correspond exactament a la nocion de "martiri en Crist"; s'après pensam que lo tèrme *crestians* èra lo que los erètges utilizavan per se designar (*crestians* o *bons crestians*), se pòt imaginar que lo vèrs de Guilhèm Figueira auriá perfièitament sonat dins la boca d'un d'elis. Estona pas, ça que la, que encara qu'aqueste sirventés siá citat dins un document inquisitorial, l'acte d'un procès per eretgia intemptat en 1274 contra un mercant de Tolosa, Bernat Raimond Baranhon. A una question dels inquisidors, que li demandan s'agèssa possedit un libre titolat *Bíblia in Romano* e que començava pels mots *Roma trichairitz*, Baranhon respond que non, mas admet aver escotat un còp qualque *cobla* compausada per un joglar del nom de Figueira; e cita de memòria tota la primièra *cobla* de *D'un sirventés far en est son que m'agenssa*, declarant l'aver recitada mai d'un còp en public. Solide, s'agís pas dels poncius anticlericals generics: es dins tèxtes coma lo sirventés contra Roma de Guilhèm Figueira que cal cercar vertadièrs punts de rencontra documentables entre la poesia dels trobadors e la predicacion catara.

**FRANCESO ZAMBON**

Traduccion: Olivier Mantel Flahault

# La Crosada contra los Albigeses

A partir de la mitat del sègle XI, la Glèisa occidentala coneguèt un procèssus intens de transformacion intèrna. La mesa en marcha de çò que se sonèt la *Reforma Gregoriana* permetèt de reforçar tota la ierarquia (del capelan al arcavesque) e sa subordinacion a l'autoritat teocratica del Papa, Vicari del Crist. Al temps que centralizava las estructuras eclesiasticas, la Papautat arribèt tanben a s'impausar als poders laics de la crestiantat, los reis, los nòbles e, qualques còps, lo quite emperaire. Aquesta Glèisa nascuda de la *Reforma Gregoriana* se sentiá dins l'obligacion d'implantar las valors crestianas catolicas coma las compreniá la Teocracia Pontificala. Quin movement religiós que siá al marge de Roma èra considerat coma un perilh enòrme per la societat crestiana. Lo dissident religiós, l'erètge, atacava l'unitat de la Glèisa e metiá en dangièr l'arma del crestian, sa vida wetèrna, plan mai importanta que la vida terrèstra. Es clar qu'aquesta vision de l'erètge existissiá ja abans; la diferéncia se tròba dins lo fait que a partir del sègle XI, la Glèisa poguèt exercir una susvelhança e una repression plan mai estendudas e eficaças.

La violéncia s'utilizèt lèu contra los dissidents (ja al sègle XI i agèt lenhièrs), mas se pòt dire que la politica antieretica de Roma se durciguèt a proporcion que la Papautat teocratica se consolidava. La crenta de la proliferacion de las grandas eretgias del sègle XIII –lo Valdisme e lo Catarisme– foguèt tanben decisiva dins aqueste procèssus. E cal pas desbrembar la collaboracion activa dels poders feudals laïcs. En França, Anglatèrra, Castelha o la Corona d'Aragon, los reis bastissián monarquias de mai en mai estructuradas e solidas. Per açò, avián besonh de la Glèisa, e èran pas dispausats tanpauc a consentir que grops dissidents desfisèssan son autoritat. Aquesta aliança de la cròça e de l'espasa serà clau dins lo progrès de la capacitat repressiva de la Glèisa.

Del punt de vista ideologic, lo camin devèrs l'usatge de la violéncia passava pels monges cistercians, que prenguèran la defensa de l'ortodoxia catolica al nom de Roma. Desirosis d'erradicar la terror, los cistercians elaborèran un discors potent antieretic que susestimèt la natura reala de l'eretgia. Sense se rendre compte que s'agissiá d'un fenomèn, en general, dispersat, eterogenèu e non massiu, los cistercians creguèran veire dins los erètges un enemic interior omogenèu e coordonat, una mena de "cinquena colomna" que sa fin ultima èra la destruccion de la crestiantat. La difusion d'aqueste discors faguèt que la societat crestiana acabèt per percebre los erètges coma enemics *piègers que los sarrasins* e qu'acceptèt finalament coma legitima e necessària l'aplicacion de solucions extrèmas per n'acabar amb elis.

## Lo camin de la guèrra

Las mentidas antieréticas de la Glèisa s'intensifiquèran a partir de la fin del sègle XII. Çò mai preocupant per Roma èra l'expansion dels erètges valdeses e catars per las tèrras del sud del reiaume de França, que sonam modèrnament *Mièjjorn, Lengadòc o Occitània*. Las formulas de persuasion e reinsercion aplicadas las annadas precedentas (predicacions, debats amb caps erètges, etc.) avián pas donat bons resultats. Lo reforçament de la legislacion canonica que comportava penas espiritualas (excomunicacion, condemnacion), penas economicas (confiscacion de bens) e penas civilas (exclusion de la societat, infamia, privacion de dreits juridics, impossibilitat d'ocupar foncions publicas...) èra pas eficaç tanpauc al còr d'una societat occitana complèxa, inestabla e de leiautats familialas, politicas, eclesiasticas e religiosas complicadas. Lo recors a la guèrra coma instrument legitim de repression se prepausèt ja al III[en] Concili del Lateran (1179), donant lòc a una primièra operacion militara contra lo Tolosan en 1181. Foguèt un primièr avertiment.

Encara que la realitat foguès mai complèxa e nuançada, la Papautat cresiá que la proliferacion de l'eretgia dins lo sud de França aviá responsables: los avesques e los nòbles occitans. Los unis e los autris consentián e aparavan quitament los erètges, en favorizant atal sa propagacion. Caliá remplaçar aquesta Glèisa complasenta e aquesta noblesa corrompuda per personas d'ortodoxia provada dispausadas a combatre l'eretgia. La substitucion de prelats locals per cistercians ligats a las directivas comencèt a la fin del sègle XII e s'accelerèt pendent las primièras annadas del sègle XIII. Lo nivèl seguent èra d'esporgar los poders laics, en començant pel comte de Tolosa Raimond VI (1194-1222), cap visible de tota la noblesa occitana.

Lo climat favorable a una accion expeditiva contra los erètges occitans e sos complicis s'intensifiquèren devèrs l'an 1200. Las desfaitas en Tèrra Santa, la pèrdia de Jerusalèm, la pression dels almoades dins la Peninsula Iberica, la crisi de l'Empèri e la propagacion de l'eretgia faguèren créisser las paurs d'una crestianat menaçada. Dins aquete ambient mental de borrolh, lo papa Lotario di Segni es causit, un òme jove, plan format amb fòrtas conviccions teocraticas qu'adoptèt lo nom d'Innocent III (1198-1216). La quita annada de son intronizacion, escriguèt una letra a l'avesque d'Auxerre plaidejant dubèrtament per l'usatge de la violéncia: la crosada, la guèrra santa que combatiá dempuèi lo sègle XI contra los musulmans, l'enemic exterior, se deviá tanben entreprene contra los erètges e sos complicis, l'enemic interior. Mas acusar d'erètge, combatre e après depossedir un grand senhor feudal de sas tèrras e de sos títols èra pas çò meteis que de destituir canonicament un avesque. Caliá respectar la legalitat feudala e, per açò, Innocent III apelèt lo sobeiran dirècte del comte de Tolosa, lo rei de França. A partir de 1204, li demandèt a divèrsas ocasions, coma a la noblesa a al clergat franceses, d'intervenir dins lo Miègjorn per reprimir los erètges, confiscar las tèrras e aturar la noblesa occitana corrompuda. Lo Papa pensava que, coma arribèt dins autris endreits amb poders politics fòrts, l'eretgia desapareisseriá dejós la dominacion del monarca capecian. Pr'aquò, lo rei de França Felip II August (1180-1223), enfangat dins una longa guèrra amb los reis Plantagenet d'Anglatèrra, refusèt mai d'un còp d'intervenir dins lo vespièr occitan.

Lo Papa poiriá aver demandat ajuda a un de sos aligats mai fidèls dins lo Miègjorn de França: Pèire lo Catolic (1196-1213), rei d'Aragon e comte de Barcelona. Los reis d'Aragon èran vassals de Roma dempuèi lo sègle XI, vassalatge que Pèire, el meteis, renovelèt en 1204 quand Innocent III lo coronèt a Roma. En mai, dempuèi la fin del sègle XII la Corona d'Aragon exercissciá una egemonia *de facto* sus las tèrras occitanas. Après gaireben un sègle de guèrra dubèrta amb los comtes de Tolosa (la famosa *Granda Guèrra Meridionala*), los monarcas catalano-aragoneses èran arribats a aglutinar e botar dins son orbita lo gròs dels senhors occitans: d'unis coma vassals –lo vescomte de Besièrs e Carcassona, lo comte de Comenge, lo vescomte de Bearn–; e autris coma aligats –lo comte de Fois–. Al debut del sègle XIII, lo comte de Tolosa, el meteis, renoneguèt sa desfaita en acordant al rei d'Aragon una fèrma aligança politico-militara e una union dinastica: Raimond VI se maridèt amb l'infanta Leonor d'Aragon e son eiretièr Raimondet (lo futur Raimond VII) amb l'infanta Sancha, totas doas sòrs del rei Pèire. Vista dempuèi Roma, aquesta proximitat politica e familiala rendiá dangierosa l'intervencion d'aqueste monarca dins lo domeni de l'eretgia occitana. Lo rei de França èra de preferir, estrangièr a la complèxa politica meridionala, coma èra de preferir que lo rei d'Aragon continuèssa a defendre las frontièras de la crestiantat fàcia als musulmans peninsulars.

Davant la manca de responsa del monarca francés, Innocent III mantenguèt en vigor las mesuras non violentas coma las predicacions dels clercs castelhans Diego de Osma e Santo Domingo de Guzmán, que foguèren pas eficaças. Mas lo 15 de genièr de 1208, un escudièr del comte de Tolosa se volguèt ganhar las favors de son senhor –segon çò que nos conta la *Cansó de la Crosada* de Tudèla– en eliminant son principal problèma, lo legat papal Pèire de Castèlnau, que foguèt assassinat. La guèrra èra servida. En març de 1208, al crit de *En davant cavalièrs del Crist!*, Innocent III presiquèt la crosada contra los erètges occitans e sos complicis, qu'apelèren *albigeses* (del nom dels abitants d'Albi e son territòri l'*Albigés*) e que se transformèt a partir de 1209 en sinonim d'erètge.

## La Crosada Albigesa (1209-1229)

Existissen quatre fonts documentàrias principalas a aquesta guèrra: la primièra partida de la *Cansó de la Crosada* (1212-1213), compausada per Guilhèm (o Guillermo) de Tudèla, un clerc possedint una proprietat dins lo sud de França qu'aspirava a una "ententa" entre los crosats e la noblesa occitana per n'acabar amb l'eretgia; l'*Hystoria Albigensis* (1213-1218) del cistercian francés Pierre des Vaux-de-Cernay, qu'es la version oficiala dels crosats; la segonda partida de la *Cansó de la Crosada* (h. 1228), compausada per un poèta tolosan anonim, fèrme partesan dels comtes de Tolosa e de la causa occitana; e la *Chronica* de Guilhèm de Puèglaurenç (en francés Guillaume de Puylaurens), un clerc tolosan qu'observèt la Crosada a partir d'una optica catolica, mas critica e mens passionada.

Gràcias a aquestas fonts documentàrias e autras, sabèm qu'a la prima de 1209, una granda armada de crosats franceses se reüniguèt a Lion, encara que n'i aviá tanben qu'èran flamencs, alemands, angleses, italians e occitans –tant del comtat de Provença coma de las tèrras lengadocianas e gasconas–. Totis aspiravan a tirar beneficis espirituals e materials d'una crosada plan mai pròcha e aisida que las de Tèrra Santa. Malgrat las cridas papalas, lo rei de França Felip August refusèt de participar a la Crosada, de manièra que la direccion militara de la campanha escasèt sul legat del Papa Arnaud Amalric, un cistercian d'origina occitanocatalana, ancian abat de Poblet, abat de Cîteaux e futur arcavesque de Narbona, que representava la linha mai dura de la politica antieretica de Roma.

Lo comte de Tolosa Raimond VI, coneissent l'objectiu principal de la crosada, se sometèt a la volontat de la Glèisa *in extremis* e amb condicions duras. Gràcias a aquò arribèt a desviar la Crosada devèrs tèrras del segond senhor mai important de la region, Raimond Rogièr Trencavèl, que sas tèrras –los vescomtats de Besièrs, Albi Agde e Nimes e los comtats de Carcassona e Rasés– èran un fogal conegut d'eretgia. Los crosats avancèren de cap a una de sas capitalas, Besièrs, e exigiguèren son avesque, Rainaut de Montpeirós, la remesa de 223 erètges (se sap pas se s'agissiá de cresents, perfièits o caps de familhas catarofilas). Pr'aquò, la populacion, majoritàriament catolica, e lo govèrnament municipal, dirigit pels cònsols o *capítols*, refusèren d'abandonar una partida de sos conciutadans. Davant un tal desfís, l'armada crosada assetgèt Besièrs.

La ciutat èra plan defenduda e lo sètge se prometiá long, mas lo 22 de junh de 1209, de manièra inesperada, una sortida en tota fisança dels assetjats fòra de las muralhas precipitèt un atac suspresa e l'intrada en tromba dels crosats. Se ditz que foguèt lo moment que demandèren al legat Arnaud Amalric cossí podián distinguir demest la populacion entre los erètges e los catolics, a que el respondèt: "Tuatz-los totis, que Nòstre Sénher reconeisserà los sieus" ("Caedite eos. Novit enim Dominus qui sunt eius"). Aqueste episòdi tan conegut es apocrif –ac menciona lo cistercian alemand Cesar de Heisterbach dins son òbra *Dialogus miraculorum* (1219-1223)–, mas es segur que revèrta plan la personalitat dura e intransigenta del legat papal e son esperit de guèrra sens quartièr que caracteriza tot lo conflicte. L'assaut dels crosats donèt lòc a una dels grands chaples de la Crosada Albigesa. Unas cronicas asseguran que auciguèren tota una populacion; lo cistercian Arnaud Amalric parla de 20 000 mòrts; d'autris cronicaires de 60 000 e quitament de 100 000. En realitat Besièrs aviá una populacion de 10 000 personas e se recuperèt lèu après 1209, donc se cal malfisar de las chifras medievalas exageradas, sens qu'aquò tire quicòm a l'orror del chaple. Aqueste provoquèt un grand capvirament e una crenta generalizada demest la populacion occitana, çò que favorizèt enòrmament los objectius de la Crosada.

Un còp Besièrs conquista, los crosats assetgèren Carcassona, segonda capitala dels vescomtats Trencavèl e ciutat dejós sobeiranetat del rei d'Aragon. Malgrat l'ensag de mediacion de Pèire lo Catolic, Raimond Rogièr Trencavèl se trobèt forçat de capitular a la mitat del mes d'agost e Carcassona foguèt ocupada pels crosats. La primièra fasa de la Crosada Albigesa, la mai espectaculara e la que daissèt una pesada mai evidenta dins las fonts documentàrias de l'epòca, acaba amb la remesa de las tèrras e dels títols del vescomte Trencavèl al baron francés Simon de Montfort, qu'assumiguèt l'engatjament de continuar la luta contra los erètges, e donc, de prene lo cap de la Crosada.

A partir de 1209, la terror iniciala qu'aviá provocat la somission del país se dissipa. La primièra reaccion contra la Crosada foguèt menada pel comte Raimond Rogièr de Fois, vièlh aligat del rei d'Aragon. Pendent los meses seguents, Simon de Montfort procediguèt a sometre las tèrras qu'èran legalament sieus. En mai del sosten de Roma e de l'episcopat occitan, controlat pels cistercians, Montfort comptava sus tropas crosadas qu'arribavan regularament al sud cada estiu. Pendent aquelis meses conquerrèt los famoses *castra* (ciutats fortificadas) de Menèrbe, Tèrmes, Cabaret e las Tors, duras campanhas de sètge qu'acabavan sovent per un lenhièr de catars que s'i èran refugiats. A partir de 1210 arribèt a controlar los vescomtats qu'èran estats los dels Trencavèl.

En març de 1211, Simon de Montfort, lo rei d'Aragon e lo comte de Fois arribèren a diferents acòrds amb la benediccion de la Glèisa, mas foguèt pas atal per Raimond VI de Tolosa, que foguèt tornat excomuniar per sa complicitat amb l'eretgia. Los crosats entamenèren alavetz l'ofensiva contra lo comtat tolosan. Un dels episòdis mai coneguts foguèt la conquista del *castrum* de la Vaur, que sos defensors –coma la castelana Dòna Gerauda e son fraire Aimeric de Montreal– foguèren executats amb centenats de catars (mai de 1211). Lo primièr atac dirècte contra la capitala se produsiguèt un mes mai tard. Los occitans percebèren lo perilh comun e uniguèren sas fòrças. Poguèren quitament aver vençut l'armada crosada pendent lo sètge de Castèlnòu d'Arri (agost de 1211), mas aprofieitèren pas l'oportunitat. Las revòltas contra los crosats foguèren estofadas e, pendent que Pèire lo Catolic e lo legat del Papa Arnaud Amalric combatian los almoades a la granda batalha de Las Navas de Tolosa (16 de julhet de 1212), Simon de Montfort poguèt controlar la major part del territòri tolosan. A la fin d'aquela annada, la victòria semblava imminenta. Atal faguèt redigir los *Estatuts de Pàmias*, la nòrma juridica inspirada del dreit feudal francés que regiriá las tèrras presas als erètges.

L'atac del comtat de Tolosa menaçava l'egemonia que la Corona d'Aragon exercissiá al sud de la França. Lo rei Pèire lo Catolic, reforçat per sa condicion de vassal del Papa e sa participacion brilhanta a la batalha de Las Navas, decidiguèt d'intervenir dins lo conflicte de defensa de sos vassals e aligats. Prepausèt a Innocent III una solucion diplomatica que garantisca lo restabliment de l'ortodoxia e la susvivéncia de la noblesa occitana. Per provar que comptava sus son sosten, lo rei se faguèt prestar jurament de fidelitat pels comtes de Tolosa, Fois e Comenge, lo vescomte de Bearn e los cònsols de las ciutats de Tolosa e Montalban (27 de genièr de 1213). En se reconeissent coma vassals de Pèire lo Catolic, los occitans proclamavan que son rei èra pas lo rei de França, mas lo rei d'Aragon, que sa sobeiranetat feudala s'espandissiá ara dins un enòrme territòri transpirenenc. Una "Granda Corona d'Aragon" ispano-occitana èra a nàisser que l'Istòria donariá pas cap d'astre de prosperar. Lo Papa, impressionat per la victòria de Las Navas e virat de cap a una novèla crosada en Tèrra Santa, donèt son sosten al plan del rei, mas cambièt d'opinion pauc de meses après, se malfisant de sas intencions expansionistas. Lo monarca catalano-aragonés decidiguèt alavetz de liquidar la crosada militarament abans de tornar negociar amb Roma. Tot indicava una victòria de l'armada ispano-occitana de Pèire lo Catolic, mas la batalha de Murèth (12 de setembre e 1213) acabèt per la desfaita totala e la mòrt del rei d'Aragon.

Lo desastre de Murèth rendèt impossibla tota intervencion de la Corona d'Aragon dins la question albigesa pendent gaireben doas decadas. Pels occitans supausèt la pèrdia de son sol protector extèrne e de tota legitimitat: la victòria *miraclosa* de Simon de Montfort demostrava que la Crosada Albigesa èra una guèrra justa e santa. Los occitans, a aquelas ocasions, se sometèren. En 1215, lo IV^en Concili de Lateran confirmèt la complicitat del comte Raimond VI amb los erètges e procediguèt a sa depossession: sos títols, dreits e tèrras foguèren remesas a Simon de Montfort, que se transformèt en *duc de Narbona, comte de Tolosa e vescomte de Besièrs e Carcassona.*

La guèrra acabèt pas atal ça que la. La noblesa e una bona part de las populacions occitanas opausadas a la dominacion dels *clercs e los franceses* se levèren en armas a partir de 1216. Dejós la captenença de l'eiretièr de Raimond VI, Raimondet (lo futur Raimond VII), los occitans recuperèren una bona part del terren perdut, sustot après la mòrt de Simon de Montfort en 1218 pendent lo segond sètge de Tolosa. Lo sosten militar de la monarquia francesa apevèt las posicions dels crosats en 1219, mas poguèt pas evitar la desfaita finala d'Amaury de Montfort, filh de Simon, que mancava de l'engenh militar de son paire. Amaury capitulèt en 1224 davant lo comte Raimond VII de Tolosa (1222-1249) e cedèt totis sos dreits occitans al rei de França. Aquelas annadas de la famosa "Reconquista occitana" permetèren un cèrt resorgiment del catarisme. *L'Esperit immonde, que ja foguèt expulsat de la província de Narbona... es tornat dintrar dins la demorança d'ont foguèt escobat*, escriguèt lo vièlh cistercian Arnaud Amalric al rei de França en 1224.

Après la desfaita dels Montfort, la Crosada Albigesa s'assimilèt a la monarquia capeciana, interessada a controlar fèrmament lo sud del reiaume e a accedir a la Mediterranèa. Las intervencions militaras del rei Loís VIII (1226) e de las tropas del jove Loís IX, Sant Loís (1227-1228) precipitèren l'ocupacion francesa del país e l'agotament de las fòrças occitanas. Malgrat las cridas dels trobadors, lo jove rei d'Aragon Jacme I^èr se mantenguèt en defòra, en refusant un novèl truc contra la Glèisa e en gaitant puslèu del costat de l'expansion mediterranèa. La fin de la guèrra arribèt amb la signatura dels Tractats de Meaux-París (1229): Raimond VII de Tolosa recuperèt sos títols e una granda part de sas tèrras, mas en escambi de reconéisser l'egemonia del rei de França dins la region. La consequéncia clau de la Crosada Albigesa foguèt donc pas l'eradicacion del catarisme, mas la modificacion de la mapa politica de l'Euròpa del sègle XIII: lo sud del reiaume de França passèt de l'egemonia de la Corona d'Aragon en 1213 a la dominacion efectiva del rei de França après 1229.

## Après la Crosada

La noblesa occitana se tornarà levar dins las annadas 40, en sollicitant encara un còp l'ajuda del rei Jacme I^èr d'Aragon, mas la superioritat militara francesa se tornèt impausar. En 1244, lo senescal del rei de França faguèt capitular la fortalesa de Montsegur, en comtat de Fois, cap e sèti de la Glèisa catara. Als pès de la *sinagòga de Satan* –expression de Guilhèm de Puèglaurenç– cremèren unis 220 catars. Lo darrièr castèl a las mans de cavalièrs ligats al catarisme foguèt Queribús, ocupat pels franceses en 1255. Finalament, dins lo tractat de Corbeil (1258), lo rei Jacme I^èr cedèt a Sant Loís totis sos dreits occitans, çò que supausèt un punt final a las aspiracions catalano-aragonesas al delà dels Pirenèus, e una progression decisiva de l'integracion del *Midi* al reiaume de França.

Autant paradoxal que semble, la Crosada Albigesa serviguèt pas a n'acabar amb lo catarisme, que tardarà un autre sègle a desaparéisser. Plan catars foguèren cremats pendent la guèrra, autris passèren a la clandestinitat e autris emigrèren al nòrd d'Itàlia e a la Corona d'Aragon (Catalonha, Malhòrca, nòrd de Valéncia), tèrras ligadas istoricament a la França meridionala que se transformèt en santuari dels exiliats, tant erètges coma catolics. Mas, se la "via militara" representada per la Crosada foguèt pas eficaça per eliminar lo catarisme, la *patz de clercs e franceses* impausada en 1229 pels Tractats de Meaux-París permetèt per contra de crear lo Tribunal de l'Inquisicion (1232), una "via policièra" eficaça d'investigacion, persecucion e repression de l'eretgia que seriá la responsabla ultima de sa desaparicion al debut del sègle XIV.

MARTÍN ALVIRA CABRER
Universitat Complutense de Madrid
Traduccion: Olivier Mantel Flahault

Photo: © David Ignaszewski

Driss El Maloumi, Nadialko Nadialkov, Begoña Olavide

# Lo temps de l'Inquisicion
# (sègles XIII-XIV)

La crosada contra los albigeses (1209-1229), presicada pel papa contra los princes occitans protectors d'erètges e que ganhèt finalament lo rei de França, invèrsa lo rapòrt de fòrças qu'ací èra favorable als dissidents. Las Glèisas cataras, que los grandis lenhièrs de la crosada aureolèren de la corona del martiri, passan totas entièras a la clandestinitat après la somission dels comtes e de las dinastias senhoralas que las sostenián; mas pauc a pauc l'Inquisicion, que la papauatat installèt a partir de 1233 sul país vençut e sostenguda pel poder reial, s'esfòrça de las acaçar per la persecucion, en demantelant sos ligams de solidaritat. Sostenguda per una populacion cresenta encara nombrosa e ferventa, la Glèisa proïbida resistirà pendent un sègle.

L'Inquisicion, que se cristalliza al sègle XIII contra las Glèisas cataras, es la forma perfeccionada de la persecucion religiosa que foguèt possibla dieumercé la totala collaboracion del poder secular amb l'espasa espirituala –es a dire, dins los comtats occitans, per la confiscacion reiala francesa.

## L'Inquisicion. *Inquisitio heretice pravitatis.*
Dempuèi las primièras denonciacions de l'eretgia al sègle XI, una meteissa logica s'aplica e una ideologia del combat permanent creis al còr de la crestianat, determinant çò que lo medievista britanic Robert Moore sona una "societat de persecucion" e d'exclusion; en primièra linha d'aquesta teocracia militanta al sègle XII trobam l'òrdre de Cîteaux que son influéncia desbocarà sus la crosada contra los albigeses, puèi al sègle XIII l'òrdre dominican, cap mèstre de l'Inquisicion.

En 1199, lo papa Innocent III, per la decretala *Vergentis in senium*, assimila l'eretgia al crim mai absolut: un lesamajestat contra Dieu; d'aquí endavant los erètges riscan penas e castigs previstes pel Dreit roman per crim de nauta traïson. Pr'aquò en Lengadòc, es pas qu'après la victòria francesa sagelada en 1229 que la Glèisa a tota libertat per agir. Melhor, l'aliança efectiva de la monarquia multiplicarà sas possibilitats d'accion. Pel papa e lo rei, s'agís ara de reconciliar a la fe catolica los comtats meridionals militarament pacificats –tot en exterminant definitivament l'eretgia. L'Inquisicion, espelida de las oficinas juridicas de la curia pontificala e de las escòlas de dreit tolosanas, se pensa coma l'instrument d'aqueste doble objectiu – penitencial e policièr.

L'Inquisicion, *Inquisitio heretice pravitatis* (Enquista de la perversion eretica), s'impausa coma l'instància juridica exclusiva que deu conéisser lo crimi d'eretgia. Confiada als joves òrdres mendicants, franciscans e sustot dominicans, descaça los tribunals ordinaris dels avesques que lo papa ne posquèt sospeitar una cèrta part ligada amb las populacions diocesanas. Fonciona coma una juridiccion d'excepcion, sus delegacion dirècta del poder pontifical – que los inquisitors relèvan pas que del papa sol. Atal "dèròga a tot dreit". Perfeccionada tre 1227 contra los catars de Germania e contra los de Champanha, Borgonha e Flandres a partir de 1230, s'espandís en 1233 a l'ensemble de la crestianat, coma un malhum solid de l'autoritat del sant Sièti, per ensús dels poders locals, e primièr a Tolosa.

Emcara que siá sens dobte un "progrès" d'un punt de vista juridic, las populacions tocadas odiaràn l'Inquisicion que percebràn coma l'instrument d'una terror institucionala que cumula los plens poders d'un confessional obligatòri e d'un tribunal policièr, que se reclama del dreit divin per jutjar los vius e los mòrts – dincas a l'autre mond e per l'eternitat. "Modèrna" es l'Inquisicion, en plen sègle XIII, que fonda –e per sègles– lo dreit dels poders a forçar las consciéncias e escanar la critica, al nom d'un arbitrari transcendental, grelh de las burocracias totalitàrias "modèrnas". Sos dos pilars: la delacion coma metòde; e per fin, l'avoament es a dire l'autocritica.

Son ròtle penitencial es primièr. Los jutges son abans tot religioses cargats d'escotar en confession las populacions adultas dels vilatges meridionals (òmes de mai de 14 ans, femnas de mai de 12 ans) per tal de las absòlvre de tota eretgia e las reconciliar a la fe del papa e del rei, las tornar integrar dins la comunautat crestiana fòra de quina i es pas cap de Salut. Mas son tanben enquistaires qu'utilizan las confessions coma autant de testimoniatges en justícia e fan de la delacion un sistèma. Denonciar, demest sos parents, los erètges e los amics dels erètges, es pel penitent – al còp acusat e testimòni – la sola possibilitat de provar la sinceritat de son pentiment e d'obtenir son absolucion, a l'inquisitor que cumula las foncions de confessor, enquistaire, jutge e procuraire.

Los notaris d'Inquisicion enregistran las confessions-testimoniatges, e atal constituissen un fichièr vertadièr de suspèctes en eretgia que permeten enquistas per confrontacion de testimoniatges. Aqueste sistèma permet tanben de decelar immediatament los relapses.

Polícia religiosa, l'Inquisicion pesa las armas, al nom de Dieu. Atal establís distincions entre los *simples cresents d'erètges* que cal tornar a l'ostal dieumercé peniténcias apropriadas e *erètges* pròpriament dits, bons òmes e bonas femnas, plenament copables del crim d'eretgia e, çò pus frequent, irreconciliables. Los inquisitors pronóncian sas senténcias en sessions solemnas de Sermon general, sus la plaça de las catedralas, martelejant la condemnacion orrorifica de l'eretgia per l'edificacion del pòble crestian amassat.

L'Inquisicion tua pro pauc, es pas aquí son ròtle. Daissa pas al braç secular, per las execucions pel fòc, que los erètges impenitents e los cresents relapses – biais aisit pels religioses de s'adobar amb los precèptes de l'Evangèli. Los cresents repentits se reconcílian dieumercé peniténcias qu'an un prètz: pelegrinatges, portar una crotz d'infamia, confiscacion dels bens, preson – lo Mur inquisitorial – sovent a perpetuitat. Los relapses – aquestis malaüroses qu'après aver abjurat tota eretgia, se tornan trobar denonciats a un inquisitor – se considèran coma incurables e sistematicament cremats. L'Inquisicion abandona al braç secular relapses e impenitents "en signe de sa damnacion etèrna" – coma fasquèt cremar los còsses dels cresents mòrts "en pestiléncia eretica" e los ostals qu'abriguèren las ceremonias impias...

Pr'aquò, per l'inquisitor, lo lenhièr representa un fracàs. Significa que la oelha perduda se posquèt pas tornar a la jaça, e que l'erètge impenitent, criminal davant Dieu segon lo Dreit canon, demòra l'enemic de la fe. L'inquisitor, delegat dirècte del papa, lo meteis vicari de Dieu en aceste mond, pòt pas pus res per el. Son impeniténcia es mèrca d'una arma perduda, qu'atal recep la senténcia del fòc "en signe de sa damnacion etèrna". Lo sens profond del lenhièr es de far passar los erètges "del fòc d'aceste mond al de l'infèrn", segon l'expression del cronicaire del lenhièr de Montsegur.

L'eficacitat redobtabla del sistèma es de fendasclar las solidaritats dels vilatges e de las familhas per l'ànsia de la delacion, de transformar los religioses clandestins, per la major part ancians parents, ancians amics, en maldits per qui arriba lo malaür. L'ideologia de la vergonha se bastís per que l'eretgia desaparesca de la societat e de las consciéncias.

## L'eliminacion de l'eretgia

Los princes occitans arriban pas a se tirar de la dominacion capeciana. Après lo fracàs de la "guèrra del vescomte" Trencavèl en 1240 e lo de la "guèrra del comte" de Tolosa en 1242, la casuda de Montsegur, fortalesa pirata tenguda per una ponhada de cavalièrs rebèls, mèrca la fin de las esperanças politicas meridionalas. Es tanben atal la fin de las Glèisas cataras estructuradas en Lengadòc. Lo grand lenhièr del 16 de març de 1244 empòrta amb lo fum la ierarquia de Glèisas cataras que s'i èran refugiadas. A partir de 1249, un comte capecian renha sus Tolosa que s'estacarà a la Corona en 1271. D'aquí endavant, fàcia a l'Inquisicion, tota clandestinitat ven desesperada. Los darrièrs bons òmes e bonas femnas que rebalan, landran d'amagaròt en amagaròt, de granja en cabana, dejós la proteccion de cresents terrorizats per l'Inquisicion. Es a aquel moment que se farga son imatge de predicaires furtius e clandestins.

Las Glèisas occitanas macadas amassan tròces de sa ierarquia al Refugi d'Itàlia, ont l'Inquisicion pena a s'implantar – dincas que la victòria definitiva dels partesans del papa (guelfes) sus los de l'emperaire (gibellins), en 1269, dubrisca la pòrta a la repression.

Lo tribunal de l'Inquisicion d'aquí endavant se fixa dins la vilas episcopalas, Albi, Tolosa, Carcassona ont crida los suspèctes. A partir de 1252, lo papa l'autoriza a emplegar la tortura. Dins los païses d'òc novèlament pacificats pel rei, l'eretgia s'eradica gaireben totalament dins lo primièr tèrç del sègle XIV. Los grands inquisitors que la vencen –Geoffroy d'Ablis, Bernard Gui, puèi Jacme Fornièr– tornan prene metodicament los registres-fichièrs dels predecessors, utilizan amb sapiença los delators e indicators, se comunican los dorsièrs, menan operacions de polícia concertadas dins vilatges entièrs, coma Montalhon, multiplican lenhièrs de relapses, las exumacions de cadavres, las destruccions d'ostals – e un après l'autre, en 1309 e 1310, capturan e creman los darrièrs predicaires qu'a l'entorn del bon òme Pèire Autièr, tenen encara lo maquís entre Carcin e Pirenèus. En 1321, executan lo darrièr bon òme que podèm conéisser, Guilhèm Belibasta, arrincat a son refugi aragonés.

Atal desapareis la Glèisa catara. A partir d'aquel moment, l'*eretgia* dels Bonis Òmes es pas pus practicada. Sas estructuras religiosas e eclesialas son anientadas, son clergat destrusit. Res pus de perceptible –ni gèste ni paraula liturgica, benediccion de pan, salut ritual, pregària– poirà pas "èstre comés en matèria d'eretgia" ni confessat als inquisitors; digun mai poirà pas èstre denonciat per aver vist un erètge ni assistit a un *consolament*. La fe pòt demorar viva al còr d'una cèrta populacion de cresents orfanèls, la Glèisa es mòrta, e pòt pas tornar nàisser. L'esperança del Salut, la "bona fin de las mans dels Bonis Òmes" s'es amortada amb lo lenhièr del darrièr d'entre elis. L'eretgia se passiquèt pas coma passa una mòda, mas se consumèt e foguèt redusida en cendres. L'eradiquèren de manièra sistematica.

## Tèxtes per l'Istòria

Es vertat que se pòt pas denegar qu'un cèrt nombre de "factors multiples" joguèren per concórrer a la desaparicion del catarisme, coma l'emergéncia de la nòva espiritualitat franciscana, centrada sus la persona umana e patissenta del Crist, la novèla pastorala dogmatica aplicada pels dominicans, las transformacions de la societat occitana, lo pes del poder reial. Acompanhèren e facilitèren sens dobte lo trabalh de l'Inquisicion. En tot cas, l'Inquisicion medievala e pontificala (parlem pas encara de l'Inquisicion dels tempses modèrnes) en un sègle de foncionament arribèt a eradicar lo catarisme, finalitat de sa creacion. E son trabalh secular demòra, massiu e inexorable. Malgrat las pèrdias e las destruccions, los archius acumulats ne testimònian, aquelis registres-fichièrs d'una burocracia non ordinària, qu'amassava çò sacrat, lo salut de l'arma, l'eternitat. Registres d'avoacions enonciadas dejós serment, la man pausada suls sacrosants quatre evangèlis, e comtpables de la reconciliacion del pecaire dins la santa Glèisa apostolica e romana; registres de peniténcia valent dins l'autre mond; aquelis documents pauc comuns an un caractèr sacrat garant de sa sinceritat – çò qu'excluís pas la critica.

Son pas actes leugièrs, donacions o partatges que los notaris de l'Inquisicion consignan: mas confessions pesugas, autocriticas davant Dieu. Lo jutge sobeiran es aquí al dessús de las proceduras, son uèlh es al fons de totas las consciéncias – la del jutge coma la de l'acusat, la del testimòni, la del notari. Sens cap mai alen, lo suspècte cala, eluda, tanplan pòt arribar a mentir dejós serment. L'inquisitor es vestit de son dreit. Es atal que se legissen, per l'Istòria, los archius de l'Inquisicion, coma foncièrament veridics, e cargats de tot un pes de testimoniatge uman. Darrièr las frasejadas de l'ortodoxia trionfanta, lo mormolh insistint de la dissidéncia.

**ANNE BRENON**

Traduccion: Olivier Mantel Flahault

Photo © Toni Figueras

J. Savall, M. Mauillon, J. Ricart, F. Garrigosa D. Carnovich

# L'*Ad Exstirpanda* del Papa Innocent IV (1252)

Un aspècte d'aqueste decret, que son importància es de bon rebrembar, es son abséncia immaculada de quina nocion d'eretgia que siá. Los mots catar, valdés, albigés, sabellian, arian, amaurian e autris s'i tròban pas; mentre que lo Papa crèa inquisidors e los instrusís sus la manièra de cercar erètges, lor dona pas lo mendre indici sus la faiçon de los conéisser. Negativament tanpauc, los inquisidors obtenen pas pròvas d'ortodoxia. I a pas cap d'*homoousion*, pas cap de credo atanasian, pas cap de delimitacion de las doas naturas del Crist, pas cap d'equilibratge minimós entre predestinacion e liure arbitri; per far cort, la bulla prepausa pas cap de critèri quin que siá, per decidir qui arrestar e qui daissar tranquil. L'avesque d'una diocèsi donada, omnipotent gràcias a aqueste decret, pòt, sens violar ni son esperit ni sa letra, arrestar e empresonar quina persona que siá dejós sa juridiccion.

Un tèrme curiós soslinha l'indeterminacion del concèpte d'*erètge*: quand ac cal mencionar, la formula es *haereticus vel haeretica*, "erètge o erètja". Coma las designacions de catar, valdés, albigés son superfluas, la sola denominacion que siá necessària es la division mai elementària possibla de l'umanitat: entre òmes e femnas. Tota persona es òme o femna, e es çò qu'es tot erètge; donc la classificacion *erètge* e la classificacion *persona* coincidissen. Lo NKVD tanben, pendent lo periòde de las grandas purgas estalinistas, desvolopèt una cresença mistica que tot èsser uman conteniá en el la traïson contra Estalin e l'interrogar pro ac auriá totjorn permés de revelar.

En consequéncia, per un acusat d'eretgia existís pas cap de solucion possibla per obténer un veredicte de non-copable. L'inquisidor determina la culpabilitat abans quitament de l'arrestar. Los agents seculars de l'Estat an tot poder d'arrestar los erètges supausats, e après de los liurar a l'avesque e als inquisidors per "son examinacion e la de son eretgia" (*pro examinatione de ipsis et eorum haeresi facienda*, Lei 23). Es a dire que l'inquisicion fonciona pas coma una granda jurada per encertenar un crim probable; e encara mens coma una cort que determina culpabilitat o innocéncia, mas examina la part copabla e son crim.

Qui que diga qu'un erètge arrestat es pas copable genèra un damatge (*dolum*) e per aquò cal que remeta per totjorn tota sa proprietat a l'Estat (Lei 22).

Lo Nacional Socialisme foguèt pas inventat tant per Adolf Hitler, mas gràcias a sa collaboracion amb un economista amator del nom d'Anton Drexler. Aquel òme, qu'èra pas un assassin, e Hitler, encara pas segur d'el meteis, concoctèren los vint-e-cinc punts del Nacional Socialisme (1920), en exprimint un liberalisme incoerent mais esmovent, e un socialisme *real*, qu'a mesura que passava lo temps, aviá pas grand causa, e finalament pas res a veire amb lo comportament nazi aplicat. Los nazis supliquèren son cap amb insistància: perqué pas daissar tombar los vint-e-cinc punts? El respondèt: gardatz-los, quand nos demandaràn quin es nòstre programa, los poirem tornar sortir e aurem tota la libertat de far çò que volèm. Aürosa l'organizacion terrorista qu'a pas ni principis ni programa.

Coma degun pòt pas definir un erètge, quin que vòlga ac pòt far, amb aquel biais; o puslèu la tasca ven ridiculament simpla. Çò que cal es pas la capacitat, mas l'autoritat per definir un erètge. La Lei 2 exigís qu'al debut de son mandat, l'autoritat publica (pas un inquisidor) acuse totis los erètges del país d'aver comés crims. Après, los agents nommats per l'Estat o los primièrs qu'ac pòden confiscan sa proprietat. Dins aqueste cas, los lairons venen proprietaris "de plen dreit". Pas cap d'enquèsta, de jutjament, de veredicte, de senténcia; la simpla acusacion seguida immediatament de la punicion. Dins lo film *Casanova* de 2005, l'inquisidor Pucci ditz "l'eretgia es tot çò que disi qu'es". Es probablament lo moment mai istoricament precís del film.

En resson a la puretat ideologica de *Ad extirpandaexstirpanda* –es a dire, son abséncia complèta de quina idèa que siá–, los eclesiastics solament, pas los profans, son autorizats a interpretar sas pròprias activitats.

*Ad extirpandaexstirpanda* crèa, dins totas las diocèsis d'Euròpa una còla de secutaires menada (al nom de la Glèisa) per l'avesque diocesan e, dejós el, los dominicans ("*fratres predicatores*") e los franciscans ("*fratres minores*"); l'Estat se tròba representat per agents ("*servitores*"), dos notaris e dotze profans. Es totalament defendut a aquestis darrièrs de formular quina teoria que siá sus çò que fan o sus çò que son sos devers al delà de çò que lor digan l'avesque e los monges (*Nec ipsi officiales, vel eorum haeredes possint aliquo tempore conveniri, de his quae fecerint, vel pertinent ad eorum officium*, Lei 11). Per s'assegurar qu'arriben pas jamai a un acòrd entre elis, se decrèta que se deven remplaçar cada sièis meses, per evitar que pòscan aver una idèa de son trabalh. Òm pensa al planh invariable del presonièr sul banc del tribunal acusat de crims de guèrra: soi un paure òme, recebiái òrdres e los transmetiái, en realitat ieu sabiái pas res. E a un personatge de Shakespeare:

> Me comandan, ací, de vos remetre
> Lo nòble Duc de Clarence.
> Rasonarai pas sus çò qu'açò vòl dire,
> Per çò que serai innocent de la significacion.
> (*Richard III*, Liv. 93-96)

Lo terrorisme d'Estat a besonh de gents plenas de "banalitat del mal", coma Hannah Arendt ac sona, una incapacitat vertadièra o simulada de saber o de voler saber la crudeltat que cometen. Innocent IV faguèt cas de porgir a l'inquisicion d'aquelis òmes.

Ça que la, lo sens de la decéncia dels èssers umans sorgís de manièra qu'es de mal predire, menaçant la ierarquia terrorista de subversion. En prevision d'aquesta eventualitat, lo papa comanda que se retarde pas cap de pena d'eretgia en consequéncia d'amassadas popularas o de quina protestacion populara que siá o de *l'umanitat innada dels que tenen l'autoritat* (*Omnes autem condemnationes, vel poenae, quae occasione haeresis factae fuerint, neque per concionem... neque ad vocem populi ullo modo, aut ingenio, aliquo tempori valeant relaxari*, Lei 32; l'enfasi es ajustat). Malgrat l'*ingenium* o lo vam de pietat d'un inquisidor ací o aquí, las execucions crudèlas venen quicòm de presat e una segonda natura. Dincas lo sègle XVIII, se cremèren en Espanha lenhièrs de josieus e d'erètges per celebrar las nòças reialas.

La Lei 32 nos fa dobtar sus l'afirmacion de William E. H. Lecky a la fin de son *History of the Rise and Influence of the Spirit of Rationalism in Europe* (1865): segon ela, mentre que deploram que se siá perpetrat lo mal pendent los sègles crestians, podèm pas negar una cèrta dignitat morala a sos autors, ja que cresián en çò que fasián, al contrari de çò que se passa sovent avuèi. La Lei 32 de *Ad extirpandaexstirpanda* suggerís lo contrari: los inquisidors èran revoltats per sos pròpris actes e lo Papa lor deviá comandar de reprimir sos sentiments. L'incapacitat del Papa a prononciar lo mot "tortura" e "cremar vius" quand es çò que voliá dire (veire los paragrafs que seguissen) corrobòra aquesta idèa.

*Ad extirpandaexstirpanda* crèèt l'Inquisicion solament dins qualques províncias del nòrd d'Itàlia. Ça que la, prepausava un modèl que butava a la recèrca del profièit, que tot Estat donat deuriá partejar amb los inquisidors la proprietat del condemnat per eretgia. Donc s'esperava que lo modèl s'espandiguès per tota Euròpa, coma foguèt lo cas; amb los *conquistadores*, pertoquèt quitament Mexic e Peró. En consequéncia, aquelas leis citan pas los govèrnaments e las regions qu'en tèrmes generics, *potestas aut rector* (autoritat o governant); per la region *civitas aut locus* (ciutat o lòc).

Coma l'estipulacion dels profans de l'inquisicion fa resson a la "banalitat del mal" del sègle XX, los eufemismes d'*Ad extirpandaexstirpanda* fan resson als dels Estats totalitaris ont los murtres de massa èran "liquidacions", una sala de tortura èra un *Sonderbunker* o "bunker especial" e l'assassinat a una escala sens precedent dins l'istòria èra "la solucion finala".

Atal dins la Lei 24 d'*Ad extripanda*, los condemnats per eretgia se deven remetre redusits (*relictos*) a l'autoritat de l'Estat, que deu "aplicar las consignas promulgadas contra talas personas" (*circa eos Constitutiones contra tales editas serviturus*). Innocent IV obesiguèt a una injoncion de son predecessor, Bonifaci VIII, d'emplegar eufemismes dins aqueste cas: los inquisidors èran "prevenguts que caliá parlar d'executar las leis sens mencionar especificament la pena, per poder evitar de caire dins 'l'irregularitat', encara que la sola punicion reconeguda per la Glèisa coma sufisenta per l'eretgia èra d'èstre cremat viu" (H.C. Lea, *A History of the Inquisition in the Middle Ages*, New York: Macmillan, 1922, vol. I, p. 537).

L'infama Lei 25 omet de mencionar los mots *torqueo, tormentum*, e ditz que los agents de l'Estat forçaràn (*cogere*) los erètges acusats de confessar "*citra membri dimunutionem, aut mortis periculum*" (sens diminucion dels membres –una expression escura que vòl probablament dire sens copar los braces e las cambas– o perilh de mòrt, es a dire sens los tuar).

*Ad extirpandaexstirpanda* compta tanben qu'un erètge arrestat, o sul punt d'ac èstre, se trobarà enrodat d'una nivola de suspicion e de paur pro ampla per envolopar sa familha e sas amistats. Qui que siá *pres* (sic) a donar conselh, ajuda o favor a un erètge (*Quicumque vero fuerit deprehensus dare alicui haeretico, vel haereticae, consilium, vel auxilium, seu favorem*) vendrà infame e perdrà son dreit a exercir una foncion publica, a participar als afars publics, e al vòte; serà empachat de testimoniar dins quin jutjament que siá e poirà pas ni eiretar ni legar bens. Degun se poirà pas forçar a respondre a son [frase versemblablement trencada aquí, NDLT] torment mas respondrà a totis los autris'. En soma, "los qu'escotan las falsas doctrinas dels erètges seràn castigats coma erètges." Per èstre clar, tanlèu ven visible, de quina manièra que siá, que qualqu'un se va far arrestar per causa d'eretgia, sa familha e sos amics se tròban dins l'ànsia de pas semblar li porgir *consilium, vel auxilium, seu favorem*. Tant Aleksandr Soljenitsin dins *Архипелаг ГУЛАГ (L'Archipèla del Golag)* coma Nadejda Mandelstam dins *Hope Abandoned* descriven la sensacion espaventabla, quand qualqu'un es arrestat dins un país totalitari, d'èstre faidit per familha e amics.

La Lei 26 expausa que cal demolir l'ostal ont un erètge es arrestat, e que lo cal pas jamai tornar bastir, almens que son quite proprietari, aja donat informacions permetent l'arrestacion. En mai, almens que lo proprietari de l'ostal anticipès atal, tot autre ostal que possedisca dins lo vesinatge se poirà tanben demolir, a jamai.

Açò castiga pas los erètges, mas provòca la paur a cada proprietari davant la possibilitat qu'un de sos ocupants siá acusat d'eretgia abans qu'el lo dénóncie. Arendt descriu cossí los collègas de trabalh e associats d'una persona arrestada se precipitan a la polícia secrèta, en explicant que l'an costejat unicament per descelar las evidéncias de son infidelitat amb l'intencion de lo denonciar. La Lei 21 precisa que novèlas presons se deven bastir pels erètges, separadas de las pels panaires e los fòraleis, per prevenir, plan solide, que, quand sián desliurats, informen lo mond exterior sus la condicion dels erètges.

Lo *Times Literary Supplement* del 8 de setembre de 2006, dins un compte-rendut de *God's War* de Christopher Tyerman remèrca, "es encara mai estonant, que las operacions de l'Inquisicion contra los albigeses dins lo Sud de França atragan los lauses de [Tyerman]. Èra pas 'la legendària e sinistra institucion burocratica de la repression, mas foncionèt per 'persuacion e reconciliacion.'" E Gerard Bradley dins "One Cheer for Inquisitions," un ensag de Catholic.net recomanda almens qualque tolerància e simpatia per l'inquisicion, per çò que sa simpla existéncia testimònia d'una epòca de fe mai profonda que la nòstra. Mas sufis pas que de legir l'*Ad extirpandaexstirpanda* per descobrir que s'agissiá pas per l'inquisicion de fe ni solament tanpauc d'eretgia, mas de riquesa e poder, e del metòde mai vulgar d'ac obtenir: la terror.

**DAVID RENAKER**
Professor de l'Universitat d'Estat de San Francisco

Traduccion: Olivier Mantel Flahault

# Quand los Pirenèus èran pas una frontièra

Pendent lo sègle XII, una intensa relacion culturala politica, sociala e religiosa, s'establiguèt entre Catalonha e Occitània, que permetèt l'expansion del catarisme a travèrs los Pirenèus. La Corona d'Aragon –que compreniá dempuèi 1137 lo Principat de Catalonha e lo Reiaume d'Aragon- – èra dejós la domination politica dels comtes de Barcelona qu'espandiguèren al long del sègle XII sos domenis devèrs lo territòri occitan. Plan nòbles del nòrd de Catalonha coma los senhors de Rosselhon, de Cerdanha o de Conflent causiguèren la defensa del catarisme. Arnau de Castellbò, comte de Cerdanha, vescomte de Castellbò e conselhièr de Jacme I<sup>èr</sup>, uniguèt dinasticament sa filha Ermessenda amb Rogièr Bernat de Fois, en se dessenhant un territòri que s'estendiá dels dos costats dels Pirenèus e que compreniá la majora part de las tèrras del nòrd èst de Catalonha, coma Castellbò, la Tor de Caròl, Berga, Josa e Gòsol dincas Andòrra, conjuntament amb lo comtat de Fois que distinguiguèt per sa defensa del catarisme. La vida d'Arnau foguèt mercada per las lutas continuas pels dreits del territòri contra la Glèisa d'Urgell, disputas que Guilhèm de Berguedà sostenguèt. Aquesta situacion facilitèt la penetracion del catarisme que s'espandissiá a travèrs los ligams familials. Al debut del sègle XII, a Castellbò se presicava publicament e en 1221 se constituiguèt un diaconat catar amb una administracion pròpria pel territòri ont demorava lo *diaconus haereticorum de Catalonia*, Guillem Clergue.

Una de las familhas del nòrd de Catalonha ligadas amb lo catarisme èran los Bretós de Berga. Arnau Bretós foguèt capturat quand se n'anava prestar ajuda als assetjats de Montsegur e sa declaracion del 19 de mai de 1244 relatava los viatges dels catars en territòri catalan pendent la primièra mitat del sègle XIII. La Sèrra de Cadí foguèt un autre dels cercles del catarisme. Ramon de Josa, qu'aviá establit ligams familials amb Arnau de Castellbò, recebiá dins son castèl la visita de catars que demest elis se trobavan lo diague Pere de la Corona e Guillem de Pou. Lo meteis Pere viatgèt pendent la decada de 1240 per las comunautats cataras de Catalonha en Vallporrera (region de Tarragona), Ciurana e la montanha de Prades entre autris lòcs.

L'aparicion de l'eretgia representava un problèma politic per la Glèisa e tanben per la monarquia. Lo papa Innocent III entreprenguèt una politica contra l'eretgia qu'agèt coma consequéncia visibla lo coronament de Pèire a Roma en 1204. Pauc de temps abans, Innocent aviá ordonat a l'avesque de Tarragona qu'ajudès los prelats pontificals dins la luta contra l'eretgia, mentre que concedissiá al rei l'autoritat de possedir tèrras presas als erètges. Lo papa manténguèt una crida constanta al long de las annadas precedent la crosada per que Pèire sostenga sa causa. La disputa de Montpelhièr entre catolics e erètges que Pèire presidissiá e qu'acabèt per la condemnacion de l'eretgia signifiquèt un raprochament de Roma, un raprochament que foguèt totjorn ambigú ja que plan de sos vassals que defendèt pendent la crosada sostenguèren lo catarisme.

Après la desfaita de Murèth e la mòrt de Pèire (1213), Jacme I<sup>èr</sup> orientèt sos interèsses dins una autra direccion; la conquista de Valéncia (1229), Malhòrca (1239) e l'expansion de cap a la Mediterranèa. Amb la signatura del Tractat de Corbeil (1256) las pretensions de l'ostal dels comtes de Barcelona sus Occitània prenguèren fin. Aquesta situacion afectèt lo desvolopament del catarisme ja qu'Occitània, amb Catalonha, demorèren progressivament dejós l'orbita de Roma.

Pendent lo règne de Jacme Ièr (1213-1276) se menèt l'ofensiva mai importanta contra l'eretgia. Lo 26 de mai de 1232, Gregòri IX emetèt la bulla *Declinante* ont comandava a Espàrrec de la Barca, arcavesque de Tarragona, e a totis los avesques de las diocèsis sufragànias –Girona, Urgell, Tortosa, Lhèida, Elna e Barcelona entre autras– que secutèssan los erètges e los que los protegissián o que los cobrissián segon los estatuts promulgats pel quite papa. Dos ans après, Ramon de Penyafort lancèt l'assemblada eclesiastica reünida lo 7 de febrièr de 1234 a Tarragona amb la preséncia de Jacme present ont se bastiguèren las basas de l'inquisicion catalana medievala. S'i decreta que *"cap persona laica gause debatre sus la fe catolica, ni publicament ni en privat. Qui contraditz aquò, que siá excomuniat per son avesque e, se respècta pas la condemnacion, que siá tengut coma erètge."* Un còp lo quadre legislatiu definit, al IVen Concili de Lateran (1215), Innocent III lancèt los òrdres de predicadors per entrepachar l'influéncia de l'eretgia; dominicans e franciscans visitavan los lòcs suspèctes d'eretgia per remetre los copables al braç secular, qu'èra cargat d'executar la senténcia. Pendent aquelas annadas, un grop de valdeses reconvertits al catolicisme, coneguts coma los Paures Catolics, que son prior foguèt Durand d'Òsca, s'installèren dins diferentas cuitats europèas e a Elna (en Rosselhon) bastiguèren una escòla que daissèt una importanta produccion escrita contra l'eretgia.

Los primièrs procèsses inquisitorials comencèren pauc après la creacion de l'inquisicion. En Urgell, la situacion venguèt tan delicada que calguèt reünir un concili a Lhèida en 1237 a la demanda de l'avesque d'Urgell., Ponç de Vilamur, per obligar lo comte de Fois de permetre l'intrada de l'inquisicion dins aquesta region qu'acabèt amb un total de 78 inculpats e dos ostals desroïts. Pendent aquelas annadas, l'inquisicion se menèt a Puigcerdà e tanben a Tarragona ont i agèt mai d'una condemnacion. Un rapòrt de l'inquisidor Guillem Clergue sus la region de Berga precisava que *"pocs albergs avie en Gosol que no i tinguessin eretges"*[1] e tanben *"dix d'aquels bos homes, que n'avie a Solsona e a Agramunt, e a Lerida e a Sanauia e a la Sed en la muntania de Prades*[2]". En 1258 l'inquisidor Pere de la Cadireta condemnèt Ramon de Josa a títol postum coma *credens hereticum.* Onze ans mai tard lo meteis inquisidor declarava erètge Arnau de Castellbò qu'èra mòrt quaranta ans abans, e tanben sa filha Ermessenda, e ordonèt d'exumar sos còsses e de los expulsar del cementèri de Santa Maria de Costoja.

Al temps que se debanava l'inquisicion en Occitània, Catalonha venguèt una tèrra de refugi amb migracions constantas a travèrs los Pirenèus. Las conquistas de Valéncia e Malhòrca e lo procèssus de colonizacion ajudèren tanben a difusar las doctrinas cataras dins d'unis endreits. A Valéncia, lo comerçant Guillem de Melió foguèt un dels inculpats, e a Malhòrca, Raimonda, femna de Bossolens, e Duran de Broille, entretenián contactes amb catars dins sos ostals respectius. Pendent aquelas annadas, Lhèida venguèt una ciutat clau pels desplaçaments cap a la region mai meridionala del país. Davant lo problèma de l'eretgia dins aquesta ciutat, la Cancelariá Reiala emetèt en 1257 un salconduit per facilitar la reconciliacion. Devèrs 1235, Lucas, avesque de Tui, escriguèt *De Altera Vita* per refutar dins una partida del libre las doctrinas dels erètges qu'apareguèren dins la Corona de Castelha. Lo passatge de catars per aqueste territòri, encara que siá minoritari, se concentrèt dins las ciutats del camin de Sant Jacme que se n'anavan devèrs Compostèla, coma Burgos, Palencia e León.

Al long del sègle XIII, l'inquisicion acabèt per desarticular lo catarisme. Al debut del sègle XIV i agèt una ressorgéncia en Catalonha de la part de la darrièra comunautat que virava a l'entorn de Guilhèm Belibasta e un grop d'exiliats, majoritàriament de Montalhon, qu'avián fugit las persecussions; Pèire e Joan Maurí, pastors itinerants, sa sòr Guilhermina amb son pròpri ostal a Sant Mateu (a Valéncia), Esperte e Raimonda. Totis visquèren dins ciutats de Valéncia, Catalonha e Aragon pendent annadas. Lo quite Pèire, quand foguèt arrestat a Lhèida, reprochava a l'inquisitor Bernart de Puigcercós que l'ensenhament de Guilhèm aviá pas grand causa a veire amb lo dels Autièr. Mas çò qu'es segur es que malgrat que mai d'un còp Belibasta interpretès l'ensenhament de manièra interessada, lo testimoniatge que demorèt revèla una coneissença profonda de la doctrina del catarisme. En 1312, Arnaud Sicre traiguèt Guilhèm a Tírvia e lo remetèt a l'arcavesque de Narbona. Lo 24 d'agost de la meteissa annada, Guilhèm èra cremat dins la residéncia de l'arcavesque dins lo castèl de Vila Roja de Termenés sens renonciar a sa fe.

**SERGI GRAU TORRAS**

Traduccion: Olivier Mantel Flahault

---

[1] i aviá paucas albèrgas a Gòsol ont i agès pas d'erètges (nòta de la traduccion)

[2] i aviá dètz d'aquelis bons òmes, a Solsona, a Agramunt, a Lhèida, a Sanauia e a la Set dins la muntania de Prades (nòta de la traduccion)

# La memòria del catarisme

Un dels tèmas qu'a mercat significativament l'istoriografia relativa al catarisme es sens dobte estat lo grand silenci que seguiguèt la fin tragica d'aqueste movement religiós, un silenci que se perlonguèt dincas l'arribada de la Renaissença.

Realament, seguir las traças d'aquestas "brasas" incèrtas dins las fonts istoricas es pas brica facil, sustot per çò que, coma Anne Brenon ac a sovent rebrembat, l'expansion dels òrdres mendicants, la novèla metafisica franciscana e l'ortodoxia subsequenta a l'òbra teologica del dominican Tomàs d'Aquino cambièren complètament lo quadre religiós de la fin de l'Edat Mejana.

Dins aqueste sens, s'es dit que, dins la mentalitat populara de Lengadòc, demorèren las rèstas d'un anticlericalisme qu'ajudariá a l'espelida de la Reforma protestanta al sègle XV. En fait, quand lo protestantisme arribèt, l'erudicion catolica evoquèt un autre movement religiós dissident coma lo catarisme per ne far una arma contra los segueires de la Reforma. Paradoxalament, ça que la, los primièrs istorians protestants tractèren los catars amb mesprètz. Mai endavant, a la fin del sègle XVI, los confondián amb los valdeses, tot en los considerant ja coma predecessors de son pròpri corrent reformador. Jacques B. Bossuet (1627-1704), amb son *Histoire abrégée des albigeois, des vaudois, des wiclifistes e des hussites* –que fa partida de son *Histoire des variations des Eglises protestantes* (1688)– metrà fin a la confusion entre catars e valdeses. E l'istoriografia protestanta, amb qualques esitacions, acabèt per lo seguir.

Ja al sègle de las Luses, Voltaire los identificava tornar coma valdeses –dins son *Essai sur les mœurs e l'esprit des nations* (1753): e Diderot trobèt sa pensada "voida e deplorabla": a la fin del sègle XVIII los catars èran vistis segurament coma victimas tragicas de l'intolerància, mas tanben coma fanatics mancats d'una pensada religiosa d'una cèrta entitat...

Caldrà arribar al sègle XIX per que l'istoriografia protestanta renòve l'estudi del catarisme e l'installe sus basas mai solidas. Dins aqueste sens, la figura de Charles Schmidt (1812-1895), un pastor e teologian filh d'Estrasborg, autor de dos volums d'una *Histoire de la doctrine de la secte des cathares ou albigeois* (1849), es essenciala. Schmidt, que vesiá lo catarisme mai coma una religion diferenta que non pas coma una eretgia crestiana, se basèt dins sos trabalhs, pel primièr còp, sus l'estudi seriós de fonts documentàrias encara inexploradas, en particular los archius de l'Inquisicion.

Un chic abans, e amb una apròcha plan diferenta, es l'òbra de Bernard Mary-Lafont (1810-1884), un calvinista qu'èra bibliotecari de Montalban e fervent patriòta occitan, autor d'una *Histoire politique, religieuse et littéraire du midi de la France* (quatre volums, 1842-1845). E pas gaire mai tardièra, l'òbra d'un autre pastor protestant, Napoleon Peyrat (1809-1881), autor d'una *Histoire des Albigeois* (1870-1882) que, en tot se basar sus fonts documentàrias autenticas, barrejava de manièra inseparabla l'istòria e la legenda. La volontat de l'autor, qu'exerciguèt una influéncia ulteriora enòrma sus la poesia, lo teatre e lo roman, èra d'escriure una mena d'istòria-resurreccion totala, de tal biais que son amic Jules Michelet l'aviá difusada per la Fança sancera. De l'òbra de Peyrat, un òme romantic apassionadament enrasigat dins sa tèrra, nais una bona part de la mitologia qu'a après acompanhat plan apròchas successivas del catarisme.

Mentretant, l'istoriografia catolica gardava un silenci retronant sus una pagina tant escura de l'istòria de la Glèisa, silenci que serà pas trencat, en fait, dincas la fin del sègle XIX-XX, amb l'aparicion de l'òbra del professor e avesque Ignaz von Döllinger (*Geschichte der gnostisch-manichäischen Sekten in früheren Mittelalter,* "Istòria de las sèctas gnostico-maniqueanas de la Nauta Edat Mejana", Munich, 1890) e la de Celestin Douais, tanben professor de Besièrs –e avesque de Beauvais–, seguida pas gaire mai tard per la del laic carcassonés, professor de l'universitat de Besançon, Jean Guiraud.

Lo sègle XX vegèt l'aparicion, dins las annadas 1939, 1945, 1960, 1961, de novèlas fonts ligadas dirèctament als catars e als archius inquisitorials e, en consequéncia, una renovacion en profondor de l'istoriografia existint. Es a dire que, dincas fa pauc, la font principala de las recèrcas istoricas èran encara los tractats, las cronicas, las letras e los sermons dels cistercians e dominicans del temps del catarisme, que descrivián l'eretgia per la poder combatre. Es pas estonant, donc, que teologians e istorians foguèssan arribats a la conclusion plan comuna de considerar lo catarisme coma un còs estranh dins la crestiantat occidentala. Mas avuèi, l'istoriografia a cambiat de manièra substanciala sa vision del fenomèn e la bibliografia s'es multiplicada enòrmament, en partida coma una manifestacion de mai de l'interès novèl que lo catarisme a revelhat dins las darrièras decadas.

Dins la segonda mitat del sègle XX, los noms d'especialistas son multiples, qu'a partir de punts de vista divergents, completèren de mai en mai, e dincas avuèi meteis, la coneissença d'aqueste movement religiós medieval. E dins aqueste contèxte, cal remercar lo pas en davant que representèt la fondacion, en 1982 del *Centre National d'Études Cathares* a Carcassona, per Renat Nelli, Robert Capdeville e Pierre Racine. Aqueste centre, dirigit entre 1982 e 1998 per l'archivista Anne Brenon e entre 1998 e 2005 per la medievista Pilar Jiménez, es estat un fogal permanent de recèrca istoriografica e de dinamizacion a l'entorn del catarisme e de las eretgias medievalas.

## Lo "país catar"

La fascinacion evidenta qu'a produsit lo catarisme dins sectors largs s'es apoderada de plan domenis socials, çò qu'agèt una traduccion dirècta dins la promocion economica e lo torisme. Aquò a fait que, primièr d'una manièra mai o mens espontanèa e après mai induita tant pel sector privat coma per l'adminisracion publica, se generès a partir de las annadas seissanta una dinamica d'identificacion de qualques regions del Lengadòc amb çò que foguèt la Glèisa dels bons crestians e la creacion d'incitacions divèrsas per atraire los estrangièrs de cap a aquestas regions.

Per aqueste camin, la creacion en 1989 de la mèrca "Pays Cathare" de la part del Conselh General d'Aude foguèt determinanta. La mèrca, per sa delimitacion geografica e administrativa redusís la scèna istorica reala e se concentra sustot dins la region de las Corbièras. Basada sus la revalorizacion del patrimòni –fondamentalament castèls e abadiás–, compta tanben sus la complicitat de professionals del torisme, artesans, agricultors e vinhairons interessats per l'iniciativa de recèrca de qualitat. Coma desplegament d'aqueste projècte, avuèi la mèrca "le Pays Cathare" –que suplanta sovent lo quite tèrme d'Occitània– vòl assegurar una prestacion de qualitat e un acuèlh personalizat dins un flòc d'albèrgaments rurals, albèrgas, restaurants, ostalariás, otèls, campings e chais, tanplan coma la qualitat garantida de produits coma lo pan, la carn e la polalha, la fruta o las ortalissas. Dins un autre sens, una campanha intensa de senhalizacion verticala dels monuments e lòcs dignes d'interès per las rotas e pels camins a enòrmament contribuit a facilitar los circuits toristics e culturals del departament.

D'un autre costat, e ne podiá pas èstre autrament, l'espleitacion toristica d'un fait istoric coma l'es lo catarisme a tanben provocat totis tipes d'excèsses, de tala manièra que lo mot "catar" –ja sens la mèrca del "pays"– es estat atribuit a tota una seria de produits comercials e toristics, que cèrcan amb aquesta etiqueta un imatge de prestigi o d'una prentenduda "autenticitat". L'abús del tèrme, e ne podiá pas èstre autrament, a portat d'unas mèrcas e denominacions absoludament delirantas e extravagantas.

Una autra apròcha –mai fidèla dins aqueste cas– a la realitat istorica se tròba sens dobte dins los guidas nombrosis, itineraris e circuits d'excursions que prolifèran dins totis los territòris ont lo catarisme agèt una implantacion. Ne citarem dos de realament interessants, qu'an una longor equivalenta –al torn dels dos cents quilomètres– e que se pòden far a pè, a caval o a bicicleta tot terren: d'un costat lo famós 'Senthier Cathare'. De la mar a Montsegur e Fois (GR-36 e GR-7), que rejunh la Mediterranèa a partir de la Novèla, als Pirenèus, precisament dincas Fois, percorrent plan sovent l'anciana frontièra entre los reiaumes de França e d'Aragon; e d'un autre costat, lo famós Camin dels Bons Òmes (GR-107) que rejunh lo sanctuari de Queralt, en Berguedà, e lo castèl de Montsegur, en Arièja, e que mai o mens seguís las rotas probablas de migracion dels bons òmes a travèrs los còls de montanha dels Pirenèus.

## Esoterisme e legenda

Lo catarisme, fin finala, una Glèisa acaçada e anientada a una epòca tan generatritz de mites e legendas coma l'Edat Mejana, s'es acompanhat dempuèi lo sègle XIX de connotacions multiplas de caractèr mai o mens esoteric, mai o mens fantasiós que sens dobte an atrait a el l'atencion de plan gents, mas qu'an al meteis temps generat una literatura plan abondanta –mai de dos cents títols res que pel periòde 1970-1990– que garda pas cap de relacion amb los faits estrictament istorics coma los coneissèm avuèi. Aquesta confusion es arribada a l'extrèm, dins libres que se vòlen presentar al mens amb un vernís d'una cèrta versemblança istorica, ont es plan sovent impossible de far la distincion entre çò que sabèm amb certitud –gràcias als instruments mai afinats de l'istroriografia recenta– e çò qu'es pura invencion o perpetuacion d'ancianas legendas.

Qualques unas d'aquestas fantasiás an donat lòc a plan paginas de pretenduda erudicion o de literatura fertila: es lo cas dels mites d'Esclarmonda, del temple solar, del tresaur catar, de las caunhas del Savartés, de la quista del Graal, de l'influéncia orientala o tibetana, etc. Autris son pas tan coneguts mas tanplan mancan pas d'estonar: es lo cas, per donar pas mai de dos exemples, de la significacion catara balhada a l'arbre de vida del vitralh del còr de la catedrala de Sant Nazari de Carcassona (Lucienne Julien, 1990) o quand se cèrca una "clau cataro-platonica" dins las frescas de Miquèl Angèl de la Capèla Sixtina (H. Stein-Schneider, 1984). Autrament, darrièr exemple, l'error es estada simplament lo frut mai o mens copable d'una desconeissença istorica notabla, coma per exemple quand s'es volgut associar al catarisme los simbòls coma la crotz –sovent per la confusion amb la crotz perlada de Tolosa– o monuments funeraris coma ara las estelas discoïdalas, en seguint la piètja de las ipotèsis alimentada sustot per Déodat Roché.

## Literatura e catarisme

Un movement religiós coma lo catarisme, amb sas caracteristicas pròprias e amb las circonstàncias istoricas que lo condemnèren, deviá atraire forçadament l'atencion dels autors de ficcion. Es estat atal, en efièit, e aqueste fenomèn –que part del romantisme e arriba amb una fòrça extraordinària dincas avuèi– se poiriá resumir, per començar, amb una donada purament estadistica: dins los dos darrèrs sègles s'es publicat almens un centenat de romans en rapòrt amb los catars –un vintenat d'elis suls faits de Montsegur–, un trentenat d'òbras dramaticas, un trentenat de libres o serias de bendas dessenhadas adreçats a un public juvenil. En incluent totis los genres –e donc tanben, la poesia e l'ensag–, ja en 1978 Renat Nelli (Histoire secrète du Languedoc) parlava tanben d'un centenat d'òbras que se referissián pas qu'a Montsegur...

La lenga francesa, naturalament, rempòrta la major part d'aquesta produccion. D'un autre costat, los tèmas son puslèu recurrents. Per exemple, dins lo cas del roman istoric, lo protagonista es plan sovent qualque personatge de l'epòca de la crosada que simpatiza amb la causa dels erètges. Per çò qu'es dels simbòls relatius a Montsegur, son multiples e l'immensa majoritat se tròba ja dins la vision romantica de Napoléon Peyrat, que n'avèm parlat adès: l'aiga –la nau, l'isclòt al mièg del cèl–; l'aire e la pèira –las roïnas del castèl–; la colomba –la legenda d'Esclarmonda– e l'agla –amb son nisal vist coma un simbòl de la resisténcia–; lo fòc –en referéncia logica amb lo lenhièr de 1244–; la natura salvatja e tormentada, etc.

La literatura sul catarisme nasquèt amb lo romantisme del sègle XIX e amb son interès reconegut pel passat e, mai particularament, per l'Edat Mejana. Coma per fenomèns similars endacòm mai en Euròpa, aqueste corrent romantic generèt dins lo cas especific del Lengadòc un revelh de l'atencion per la peripecia dels catars e, simultanèament, una literatura pròpria que se'n fasiá lo resson.

Deuriam precisament situar lo punt de depart en 1827, pauc après lo succès francés de las traduccions dels libres de Walter Scott, quand apareissèt a París *Les Hérétiques de Montségur ou les Proscrits du XIIIe siècle*, d'un autor anonim. De tota manièra, lo grand impulsor foguèt sens dobte Frédéric Soulié, filh de Mirapeis, en País de Fois, un autor de fulhetons prolific qu'agèt plan succès e que de sos romans arribèt a ne publicar mai de setze edicions. Son òbra principala èra una trilogia qu'aparten als famoses *Romans du Languedoc (Le Vicomte de Béziers,* 1834; *Le Comte de Toulouse,* 1840; e *Le comte de Foix,* 1852). Sus un fons istoric, descriu amb fòrça detalhs los endreits ont fa tornar viure personatges de l'Edat Mejana, tot en evocant de còps scènas cataras. L'influéncia de Scott, es pas la pena d'ac dire, se pòt pas negar.

Lo vam de l'istoriografia, sustot a partir de las òbras qu'avèm ja citat de dos pastors protestants, Charles Schmidt e Napoléon Peyrat, acabarà per rendre possibla una espelida d'un nombre presable d'òbras de ficcion. E ja en plen sègle XX, l'interès pel catarisme produsirà una avalanca enòrma de romans que, en fait, s'es pas aturada e que continua en provocant regularament, encara ara, d'òbras novèlas. Demest lo ramat d'autors e de títols, se pòden mencionar coma mai significatius: lo duc de Lévis-Mirepoix (*Montségur,* 1925); Maurice Magre (*Le sang de Toulouse,* 1931; *Le trésor des Albigeois,* 1938); Pierre Benoît (*Montsalvat,* 1957); Zoé Oldenbourg (*La pierre angulaire,* 1953; *Les brûlés,* 1960; e *Les cités charnelles,* 1961); Michel Peyramoure (la trilogia *La passion cathare,* 1978); Henri Gougaud (*Bélibaste,* 1982; *L'inquisiteur,* 1984, e *L'expedition,* 1991) e Dominique Baudis (*Raimond «le Cathare». Mémoires apocryphes,* 1996). Dins lo domeni catalan, dos romans tenguèran a son epòca un succès notable alprès del public: *Cercamón* (1982), de Lluís Racionero, e *Terra d'oblit. El vell camí dels càtars* (1997), d'Antoni Dalmau.

Per çò qu'es de la produccion dramaturgica, cal mencionar l'òbra de començament de sègle de Pierre Bonhomme e, ja per epòcas mai recentas, las contribucions de Robèrt Lafont (*Raymond VI,I* 1967), Renat Nelli (*Beatris de Planissòlas: mistèri,* 1971) e la quita Zoé Oldenbourg (*L'évêque et la vieille dame ou la belle-mère de Peytaví, Borsier,* 1983).

L'expansion del roman istoric a contribuit sens dobte a multiplicar los libres que s'ocupan del catarisme dins lo quadre de la ficcion. Malaürosament, ça que la, la major part d'aquestas òbras, en fasent usatge de la libertat absoluda que la narrativa ofrís a sos autors, òptan per una vision esoterica o per una desformacion substanciala dels faits istorics coma los coneissèm avuèi. Atal, donc, lo lector novèl que s'interròga sus la realitat istorica del catarisme, pena tot còp a descernir la linha prima que separa los eveniments coma arribèran, de l'imaginacion rebofanta d'una mitologia tant abondosa.

## Lo silenci del cinematograf

Lo catarisme a pro provat que possedissiá una granda capacitat d'atraccion. Per aquò estona mai encara que l'art principal del sègle XX, lo cinematograf, se'n siá a pena ocupat. Concretament, se pòden pas citar que doas apròchas ja plan ancianas, e encara amb una portada e caracteristicas limitadas:

*La fiancée des ténèbres* (1944), un film francés de Serge de Poliny (1903-1983), amb un escenari de Gaston Bonheur e produsit per Éclair Journal. L'escenari es, en sintèsi, lo seguent: lo vièlh e malaut Toulzac, "lo darrièr dels catars", viu al pè de las muralhas de Carcassona amb una protegida sieu, la jove Sylvie –interpretada per Jany Holt–, e obsedida per trobar la pòrta del santuari ont repausan dempuèi sèt sègles los bons crestians. Ela s'enamora d'un compositor, Roland Samblanca (Pierre-Richard Wilm), mas lo vièlh, qu'a descobèrt la pòrta d'intrada dins la "catedrala", la menaça de la i devalar coma una novèla Esclarmonda en sacrifici. Ela l'escota, mas Roland la seguís a la cripta. Alavetz lo sòl comença a tremolar e los amants acaban per fugir a Tournebelle, endreit joiós ont viuràn amassa sa passion. Mas ela se sent acaçada per una malediccion –pòt pas aimar sense atraire la mòrt sus son amant–, e abandona Roland per desaparéisser a jamai dins l'escur de la nuèit. Lo film, d'una realizacion plan estetica e rodat pendent l'ocupacion alemanda, reculhís sense nuanças los mites classics de la vision pòstromantica del catarisme.

*Les Cathares* (1966), una seria televisada de dos episòdis de doas oras e mièja cadun (titolats *La Croisade* e *L'Inquisition*), produccion francesa tanben –precisament de l'ORTF– e amb Stellio Lorenzi coma realizador, Alain Decaux coma escenarista e André Castelot coma meteire en scena. Foguèt la darrièra realizacion d'un cicle titolat *"La caméra explore le temps"*. Es, en resumit, una vision critica e anticlericala de la crosada contra los albigeses, amb un discors qu'opausa constantament los bons catars als maissants sacerdòts e cavalièrs del nòrd.

Per completar un quadre tan paure, podèm apondre que, en 2006, se celebrèt a Cannas lo fim *The Secret Book*, una coproduccion Macedònia/França/Àustria. En fasent usatge del genre del *thriller*, s'agís dels bogomils e son supausat "libre secret", una òbra santa escrita en glagolitic, l'alfabet eslau mai ancian (benlèu es una allusion a la *Cena Secreta o Interrogatio Iohannis*, l'evangèli apocrif d'origina bogomila de la fin del sègle XI?). Realizat per Valdo Cvetanovski, lo film a coma protagonistas principals Thierry Fremont, Jean-Claude Carrière e Valdo Jovanovski.

En definitiva, lo bilanç cinematografic sul catarisme es estonant de magror –coma ac es estat, d'un autre costat, per l'istòria dels templièrs. Aquò nos pòrta a nos demandar s'i a pas cap entrepresa de produccion, ni cap realizador de film que considère l'istòria dels catars –es a dire, lo movement religiós, la vida quotidiana, la crosada albigesa, l'Inquisicion, etc.– coma un material susceptible de se transportar sul tela e amb una granda capacitat de seduccion del public. Per ara, la responsa es que non...

**ANTONI DALMAU**

Traduccion: Olivier Mantel Flahault

# CRONOLOGIA

**~ 970**    Tractat de Cosmas, prèire bulgar, contra los bogomils.
*«... d'un prèire que s'apelava Bogomil (= digne de la pietat de Dieu), mas que realament es indigne de la pietat de Dieu»*) (Cosmas, *Tractat contra los bogomils, ~970*).

**~ 1000**    Primièras traças de las comunautats consideradas ereticas per tota Euròpa.
*«Una novèla eretgia es nascuda en aquest mond e comença d'èstre presicada actualament per sembla-apòstols... Per pervertir pas la crestiantat, mènan, çò disen, una vida apostolica»* (Letra d'Erbèrt, monge de Peiregòrd).

**1022**    Un dotzenat de canonges eretics son cremats a Orleans, dins lo primièr lenhièr conegut de l'istòria de la crestiantat.
*«Fisançoses errònèament dins sa foliá, se vantavan qu'avián pas paur e prometián que sortirián indemnes del fòc.[...] Foguèren redusits en cendres instantanèament»* (Raoul Glaber, monge borgonhon contemporanèu).

**1073-1085**    Gregòri VII, papa. Lançament definitiu de la reforma dita gregoriana, començada dejós del pontificat de Leon IX (1048-1054).
*«... 23.Que la Glèisa Romana a pas jamai errat, e errarà pas jamai, segon lo testimoniatge de las Santas Escrituras»* (Gregòri VII, *Dictatuts Papae*, 1075).

**1096-1099**    Primièra Crosada en Tèrra Santa. Conquista de Jerusalèm.
*«Los crosats correguèren sulcòp per tota la vila, sacatjant l'aur, l'argent, los cavals, las mulas e pilhant los ostals, plens de riquesas. Après, totis urosis e plorant de jòia, (...) anèren adorar lo Sepulcre de nòstre Salvador Jèsus e compliguèren son deute envèrs El»* (*Istòria Anonima de la Primièra Crosada*, 1099-1100, cap. 39).

**~ 1110**    A Constantinòple, Basili, un dignitari bogomil, e sos companhs son cremats sul lenhièr
*«Basili neguèt pas solament l'acusacion, e immediatament e sens bestorn passèt a l'ofensiva, en afirmant qu'èra lèst per afrontar lo fòc, las foetadas e mila mòrts»* (Anna Comnè, *Alexiada*, s. XII).

**1114**    Lenhièr d'erètges a Soissons, en Champanha.
*«Disen que lo baptisme dels mainatges val pas res. Son baptisme l'apèlan Paraula de Dieu e l'autrejan en se servint d'un long cant monotòn...»* (Guibert, abat de Nogent-sous-Coucy, Aisne, s. XII).

**1135-1140**    Lenhièrs a Lièja. Primièrs avesques eretics documentats en Renania.
*« A Lièja, foguèren detenguts unis òmes qu'èran erètges dejós l'aparéncia de la religion catolica e amb los abits de la vida espirituala »* (*Annales Rodenses*, s. XII).

**~ 1143**    Lenhièrs a Colonha. Everwin von Steinfeld alèrta Bernat de Clarasvals de l'extension de l'eretgia e reprodusís las paraulas dels erètges, que s'apèlan elis meteissis «apòstols».
*«Nosautris, paures de Crist, errants, fugint de vila en vila (Mt 10:23), coma fedas al mièg dels lops (Mt 10 :16), sofrissèm la percaça amb los apòstols e los martirs»* (Everwin von Steinfeld, prebòst dels norbertins en Renania, letra de ~1143).

**1145** Bernat de Clarasvals presica contra los catars a Tolosa e Albi.

«... [A Verfuèlh, unis nòbles e gents del comun] *faguèren calivari e tustèren las pòrtas per que la fola poguès pas entendre sa votz, e atal encadenèren la paraula de Dieu*» (Guilhèm de Puèglaurenç, *Chronica*, 1145, I).

**1157** Concili catolic de Rems contra l'eretgia.

«[Prononcièt penas contra los "maniquèus" que s'espandissen gràcias a] *aquelis abjèctes teisseires, que fugissen sovent d'un lòc a un autre, que càmbian de nom e que "pòrtan femnas plenas de pecats"*» (Concili de Rems, 1157).

**1163** Lenhièrs a Bonn, Colonha e Maiança. Lo canonge Eckbert von Schönau utiliza pel primièr còp lo nom de *catars* dins sos *Sermons*.

«... *Hi sunt quos vulgo Catharos vocant: gens perniciosa nimis Catholicae fidei...*» (Eckbert von Schönau, *Sermones contra Catharos*, I, 1163).

**1165** Concili catolic a Lombèrs, en Albigés. Preséncia d'un avesque catar, Sicard Cellerièr.

«... *Vos condemnatz çò que Dieu apròva segon l'Escritura...* » (l'avesque catolic d'Albi a Sicard. Guilhèm de Puèglaurenç, *Chronica*, 1145, IV).

**1167** Concili a Sant Felitz de Lauragués de las Glèisas cataras d'Albigés, de Tolosan, de Carcassés, d'Agenés o Val d'Aran, França e Lombardia.

«...*Cap* [de las Glèisas d'Asia] *fa pas res contra los dreits d'una autra- E atal viven en patz: fasètz vosautris çò meteis*» (l'avesque Nicetas o Niquinta a la Glèisa de Tolosa. Guillaume Besse, *Histoire des ducs, marquis et comtes de Narbonne...*, París, 1660).

**1178-1181** Henri de Marsiac, abat de Clarasvals e legat del papa, presica contra los erètges per las tèrras de Tolosa e d'Albi e dirigís la *precrosada*.

«... *Davant lo public, qu'aplaudissiá sens interrupcion e s'estrementiá d'òdi contra elis, los avèm tornats declarar, en amortant las candèlas, escomenjats...*» (Acte a la glèisa de Sant Jacme de Tolosa, segon letra del legat).

**1184** Concili de Verona. Decretable *Ad abolendam* del papa Luci III (1181-1185), que lancèt l'anatèma contra los catars, valdeses e autris erètges.

«*Cal que s'aluque la vigor eclesiastica per abolir la depravacion de las divèrsas eretgias qu'al temps present an començat a pullular en divèrsis endreits del mond*» (Luci III, *Ad abolendam*, 1184).

**1194** Raimond VI de Tolosa, dit *lo Vièlh* (1194-1222). Ven lèu la bèstia negra del papa.

«*Impiu, crusèl e barbar tiran, avètz pas vergonha de favorizar l'eretgia? Amb rason vos an escomenjat los nòstris legats, e an lançat sus las vòstras tèrras l'entredit* » (letra del papa Innocent III a Raimond, 1207).

**1196** Pèire II d'Aragon, I de Barcelona, dit *lo Catolic* (1196-1213).

«... *lo rey En Pere, fo lo pus franch rey que anch fos en Espanya e el pus cortès e el pus avinent (...) E era bon cavaller d'armes, si bo n'avia e·l món*». («... *lo rei Pèire foguèt lo rei mai franc que i agèt en Espanha, e lo mai cortés e lo mai avenent (...) E èra un bon cavalièr d'armas coma cap autre al mond*» (Jacme Ièr lo Conquerent, *Llibre dels feits*, 1244-1276, cap. 6).

**1198**     Innocent III, papa (1198-1216).
*«A Pèire, Crist li daissèt per governar mai que la Glèisa universala, mas tot lo sègle. Lo poder sus tèrra es estat concedit als princes; mas als prèires es estat atribuit lo poder sus tèrra e al cèl »* (Innocent III).

**1202-1206**     Missions fracassadas en Lengadòc de legats pontificals cistercians.
*«Can lo rics apostolis e la autra clercia / viron multiplicar aicela gran folia / plus fort que no soloit, e que creixen tot dia, / tramezon prezicar cascus de sa bailia. / E l'Ordes de Cistel (...) / i trames de sos homes tropa molta vegia»* ("Quand lo suprèm pontife e l'autre clergat vegèren multiplicar aquela granda foliá amb mai de fòrça qu'abans e que creissiá cada jorn, envièren presicar legats de sa parròquia. E l'òrdre de Cister (...) i transmetèt òmes sieus plan còps"). Guilhèm de Tudèla, *Cansó de la Crozada*, 1212-1213, I, 11-16).

**1204**     Guilhabèrt de Castras ordona divèrsas dònas a Fanjaus, en preséncia del comte de Fois, Raimond Rogièr. Sa sòr Esclarmonda n'es una.
Reconstruccion del castèl de Montsegur sollicitada per la Glèisa catara.
Disputa de Carcassona entre catars e catolics, presidida per Pèire lo Catolic.
*«L'endeman, los ai declarats erètges per jutjament, en preséncia de l'avesque d'aquesta vila e de fòrça autris »* (letra de Pèire lo Catolic).

**1206**     Concili de 600 catars a Mirapeis.
Disputa entre catars e catolics, a Servian (uèit jorns) e a Verfuèlh.
Començament de la presicacion de Diego de Osma e Domingo de Guzmán en Lengadòc. Fundacion del monastèri de Prolha.
*«Per tampar la boca dels maissants, cal agir e ensenhar segon l'exemple de Nòstre Sénher, se presentar umilament, anar a pè, sens aur ni argent »* (Diego de Osma als legats del papa. Pierre des Vaux-de-Cernay, *Hystoria albigensis*, 1213-1218).

**1208**     Assassinat del legat del papa Pèire de Castèlnòu. Innocent III convòca la crosada.
*«Endavant, cavalièrs del Crist! Endavant, coratjosis membres de l'armada crestiana! Que lo crit universal de dolor de la santa Glèisa vos empòrte, qu'una devocion piosa vos arbòre per venjar una ofensa tan granda faita a vòstre Dieu... »* (letra d'Innocent III, 10 de març de 1208).

**1209**     Començament de la crosada contra los albigeses.
Peniténcia publica de Raimond VI a Sant Gèli.
Sètge e chaple de Besièrs.
*«Caedite eos, novit enim Dominus qui sunt ejus»* («Tuatz-los totis, que Dieu reconeisserà los sieus») (atribuit a Arnaud Amalric pel cistercian Caesarius von Heisterbach, abans 1223).

Sètge e capitulacion de Carcassona. Mòrt de Raimond Rogièr Trencavèl.
*«En tant cant lo mons dura n'a cavalier milhor, / ni plus pros ni plus larg, plus cortes ni gensor».* (Tant coma s'estend lo mond, i a pas melhor cavalièr, ni mai valent, ni mai generós, ni mai cortés, ni amb mai gràcias ».) Guilhèm de Tudèla, *Cansó de la Crozada*, 1212-1213, II, 15).
Investidura de Simon de Montfort coma vescomte de Carcassona.
*«Èra senat, fèrm dins sas decisions, prudent dins sos conselhs, just, competent dins las questions militaras, circonspècte dins sos actes (...) e lo tot entièr al servici de Dieu»* (Pierre des Vaux-de-Cernay, *Hystoria albigensis*, 1213-1218).

**1210**     Presa e lenhièr de Menèrba (140 catars cremats). Presa de Tèrmas.

| | |
|---|---|
| 1211 | Presa de la Vaur (unis 400 catars cremats). |

*«Lo diable i aviá installat son sièti* [a la Vaur] *e n'aviá fait la sinagòga de Satanàs»* (Guilhèm de Puèglaurenç, *Chronica*, 1145, II).

Lenhièr dels Cassers (mai de 60 catars cremats).

Primièr sètge de Tolosa e batalha de Castèlnòu d'Arri.

| | |
|---|---|
| 1212 | Conquista de l'Agenés, Carcin e Comenge per Simon de Montfort. |

| | |
|---|---|
| 1213 | Batalha de Murèth, mòrt del rei Pèire I lo Catolic e desfaita occitano-aragonesa. |

*«Totz lo mons ne valg mens, de ver o sapiatz, / car Paratges ne fo destruitz e decassatz / e tot Crestianesmes aonitz e abassatz».* ("Tot lo mond foguèt umiliat, vertat, ac devètz saber, car Paratge foguèt destrusit e exiliat e tota la Crestiantat ofensada e avergonhada".) Anonim, *Cansó de la Crozada*, 1219, XIV, 137).

| | |
|---|---|
| 1215 | Quatren Concili del Lateran. Moment febril de la teocracia. |

Fondacion de l'òrdre dominican (fraires predicadors).

Desfaita de Tolosa. Investidura de Simon de Montfort coma comte de Tolosa.

*«Car Toloza e Paratges so e ma de trachors»* ("Car Tolosa e Paratge son en mans dels traitres.") Anonim, *Cansó de la Crozada*, 1219, XXV, 178).

| | |
|---|---|
| 1216 | Debut de la reconquista de Tolosa (Raimond VI e lo "comte jove"). |

| | |
|---|---|
| 1218 | Simon de Montfort mòr al sètge de Tolosa. |

*«E venc tot dreit la peira lai on era mestiers (...) E'l coms cazec en terra mortz e sagnens e niers»* ("E venguèt tot dreit la pèira ont èra mestièr (...) e lo comte casèt a tèrra mòrt, sagnant e regde"). Anonim, *Cansó de la Crozada*, 1219, XXXV, 205).

| | |
|---|---|
| 1219 | Segonda expedicion del prince Loís. |

Carnatge de Marmanda, en Agenés (unas cinc mila victimas).

| | |
|---|---|
| 1220-1221 | Reconquista occitana del comtat de Tolosa. |

| | |
|---|---|
| 1221 | Mòrt de sant Domenge a Bolonha. |

*«De son front e de sas cilhas irradiava una mena d'esplendor qu'inspirava respècte e simpatia»* (sòr Cecília, *Miracula*, 1280).

| | |
|---|---|
| 1222 | Mòrt de Raimond VI. |

Raimond VII, comte de Tolosa (1222-1249).

*«Lo valens coms joves, Ramundetz»*, segon la *Cansó de la Crozada*.

| | |
|---|---|
| 1223 | Reconquista de Carcassona per Raimond Trencavèl. |

*«[Qualques crosats] trabalhavan pas mai a l'òbra per la qu'èran venguts (...) e Nòstre Sénher comencèt a los vomir e los fòrabandir d'aquesta tèrra qu'avián conquista amb son ajuda»* (Guilhèm de Puèglaurenç, *Chronica*, 1145, XXXI).

| | |
|---|---|
| 1224 | Amalric de Montfort cedís sos dreits al rei de França. |

**1226**    Concili catar de Piussa, creacion de l'avescat catar del Rasés.

Crosada reiala de Loís VIII. Somission de Carcassona.

«Sèm impacients de nos metre a l'ombra de vòstras alas e dejós vòstre prudent domeni» (Bernart Ot de Niort, ancian *faidit*).

Mòrt de Loís VIII. Loís IX, rei de França (futur sant Loís) (1226-1270).

**1226-1229**    Guèrras de Cabaret e de Limós.

**1227**    Chaple de la Beceda (Lauragués). Lenhièr d'erètges en massa.

«[La populacion foguèt aucida] *unis per l'espasa, autris pel pal. Mas lo pietadós avesque ensajava de daissar escapar de sa sòrt las femnas e los mainatges*» (Guilhèm de Puèglaurenç, *Chronica*, 1145, XXXV).

**1229**    Tractat de Meaux-París. Fin de la crosada e capitulacion de Raimond VII.

Sistematizacion dels principis de luta contra l'eretgia.

«*Ab greu cossire / fau sirventes cozen* (...) / *Ai, Toloza e Proensa / e la terra d'Argensa, Bezers e Carcassey ,/ quo vos vi e quo 'us vey!*». (Consirós fau un sirventés cosent (...) Ai, Tolosa e Provença, e la tèrra d'Argença, e Besièrs e Carcassés, coma vos vegèri e coma vos vesi!") Bernard Sicard de Maruèjols, trobador, 1230).

**1232**    L'avesque catar Guilhabèrt de Castras s'installa a Montsegur.

«*Vegèri Guilhabèrt de Castras, avesque dels erètges,* (...) *e plan mai que venguèren al* castrum *de Montsegur. Demandèren Raimond de Perelha, ancian senhor d'aqueste* castrum, *e lo supliquèren d'èstre aculhits, per que la Glèisa dels erètges i poguès aver son sièti e son* capmèstre [domicilium et caput] *e poder enviar e defendre dempuèi aquí sos predicadors*» (Berenguièr de l'Avelhanet, f. Doat, 24, 43 b-44 a.).

**1233**    Gregòri IX fonda l'Inquisicion e la fisa als òrdres mendicants.

*Inquisitio heretice pravitatis* (enquista sus la perversitat eretica).

**1234-1235**    Revòltas contra l'Inquisicion a Tolosa, Albi e Narbona.

**1239**    Lenhièr de Mont Aimé (Champanha) (183 catars cremats).

«*Se faguèt un immens olocaust agradable a Nòstre Sénher en cremant qualquis* bogres *(...), piègers que gosses*» (Aubry de Trois-Fontaines, cistercian, *Crònica*, 1239).

**1242**    Atemptat d'Avinhonet dels cavalièrs de Montsegur contra los inquisidors.

Revòlta generala dejós l'auspici de Raimond VII.

«*Cocula carta es trencada...!*» («Lo cu.... es estripat de papièrs», crit d'un cresent de Castèlsarrasin, Agenés, 1242).

**1243**    Los aligats de Raimond VII fracassan (patz de Lorris).

Debut del sètge de Montsegur.

**1244**    Reddicion e lenhièr de Montsegur (225 catars cremats).

Desmantelament de las glèisas occitanas e reorganizacion de la ierarquia en Lombardia.

«*Refusant la conversion que lor èra estada prepausada, foguèren cremats en un claus de pals e estacas ont aluquèren lo fòc, e passèren al fòc del Tartar*» (Guilhèm de Puèglaurenç, *Chronica*, 1145, XLIV).

1249        Lenhièr d'Agen, ordonat per Raimond VII
(80 cresents catars cremats).
Mòrt de Raimond VII, Alfons de Peitieus li succedís (1249-1271),
gendre sieu e fraire de Loís IX de França.

1252        Innocent IV autoriza la tortura contra los erètges.
*«Teneantur praeterea Potestas, seu Rector omnes haereticos quos captos habuerit, cogere
citra membri diminutionem et mortis periculum...»* («Los tenents de l'autoritat, o rectors deven
constrénher totis los erètges en estat d'arrestacion, sens mutilar los membres ni dangièr de
mòrt...». Innocent IV, bulla *Ad extirpanda*, 1252, 2625).

1255        Reddicion del castèl de Queribús, darrièra plaça a las mans dels *faidits*.
*«Que totis los lectors d'aquestas paginas sàpian que ieu Xacbert de Barberà, cavalièr, rendi e
remeti a l'excellentissim senhor Loís, per la gràcia de Dieu rei de França, (...), lo* castrum *de
Queribús..* » (reddicion de Xacbert, mai 1255, f. Doat, vol. 154).

1258        Tractat de Corbeil entre Jacme I$^{er}$ e Loís IX.
*«...definissèm, daissam, cedissèm e remetèm tot çò que de dreit e possession aviam o podiam
aver o disiam qu'aviam tant en domenis e senhoriás coma en fèus e autras causas dins los
comtats dits de Barcelona e d'Urgell... etc., etc.* (Archiu de la Corona d'Aragon, Canc., pergs,
n. 1526 duplicat).

1271        Alfons de Peitieus e Joana de Tolosa —filha de Raimond VII— mòren
sens descendéncia; en aplicacion del tractat de Meaux-París lo comtat de
Tolosa demòra unit a la corona de França (Felip l'Ardit).

1272        Campanha de Felip l'Ardit contra Rogièr Bernat III de Fois.
Debut de la construccion de las catedralas de Narbona e Tolosa.

1276        Pèire III d'Aragon, II de Barcelona, dit *lo Grand* (1276-1285).
Reddicion de Sirmione (Itàlia), lòc de refugi catar.
*«Sirmione, pèrla de las peninsulas e de las isclas, de totas las que lo doble Neptun, lo dieu de
las lacas limpidas e de la granda mar, pòrta amb quina jòia al còr te torni veire!»*
(Catul, s. I a.C., *Elegias*, XXXI).

1278        Lenhièr de l'arena de Verona (200 cremats).
Desarticulacion del catarisme italian.

1280-1285    Complòt contra los archius de l'Inquisicion a Carcassona.
*«... Avèm parlat amb una cèrta persona que farà çò que cal per nos procurar totis los libres
de l'Inquisicion referents al Carcassés, ont las confessions son escritas...»* (paraulas de Bernat
David, segon lo copista Bernat Agaça, 1285).

1285        Alfons III d'Aragon, II de Barcelona, dit *lo Franc* o *lo Liberal*
(1285-1291).
Felip IV, rei de França, dit *lo Bèl*.

**1295**          Pèire Autièr e son fraire Guilhèm, notaris de la vila d'Ax, parten de cap a Lombardia per venir bons òmes.
*«... Pèire li demandèt : "E alavetz, mon fraire?"Guilhèm respondèt: "Me sembla qu'avèm perdut nòstra arma". Alavetz Pèire diguèt: "Partam, donc, mon fraire, e anem cercar la salvacion de las nòstras armas". Aquò dit, abandonèren totis sos bens e partiguèren en Lombardia»* (Sebelia Pèire, 1322, *Registre de Jacme Fornièr*, p. 566-567).

**1295-1305**     Revòlta a Carcassona (*«rabies carcassonensis»*, segon Bernat Gui) pels excèsses inquisitorials dels dominicans. Lo franciscan espiritual Bernat Deliciós se'n fa lo pòrtavotz.
*«Rector dyabolicus»*, segon lo dominican Raimond Barrau; *«la colomna vertadièra de la Glèisa, l'apòstol de Dieu sus tèrra »*, segon la votz populara.

**1300-1310**     Los fraires Autièr ensajan de far renàisser lo catarisme en Occitània.
*«Que Dieu vòlga que siam venguts oportunament dins aqueste ostal per salvar las armas dels que s'i tròban. Avèm pas paur d'aver trabalhs: cercam pas res mai que de salvar las armas»* (Pèire Autièr a la Bastida d'Arcas, 1301. Sebelia Pèire, 1322, *Registre de Jacme Fornier*, p. 568).

**1302**          Mòrt de Rogièr Bernat III de Fois, que mèrca un cambi dins l'istòria del comtat.

**1303**          Geoffroy d'Ablis, del convent de Chartes, es nomenat inquisidor a Carcassona.

**1307**          Lo lemosin Bernat Gui es nommat inquisidor a Tolosa.
*«Pendent aquesta percaça dels insquisidors e la perturbacion de l'Ofici, fòrça perfièits se reüniguèren e comencèren a se multiplicar (e las eretgias a pullular) e contaminèren plan personas dins las diocèsis de Pàmias, de Carcassona e de Tolosa, e dins la region de l'Albigés »* (situacion a aquel moment segon Gui, *De fondatione et prioribus conventum...*, p. 103).

**1309**          Lenhièr de Jacme e Guilhèm Autièr e d'autris catars.
Desmantelament de sa Glèisa.
Guilhèm Belibasta, lo darrièr catar conegut, fugís en Catalonha.

**1310**          Pèire Autièr es cremat davant la catedrala de Tolosa.
*«... E ajustèt que Pèire Autièr, al moment d'èstre cremat, diguèt que se lo daissavan parlar e presicar al pòble, tot lo pòble se convertiriá a sa fe »* (Guilhèm Baile, de Montalhon, 1323, *Registre de Jacme Fornièr*, p. 838).

**1318-1325**    Campanha inquisitoriala de Jacme Fornièr dins la diocèsi de Pàmias.
*«L'an del Sénher ..., lo jorn... après lo jorn de sant... Estant arribat a la coneissença del Reverend Paire en Crist monsénher Jacme, per la divina providéncia, avesque de Pàmias, que ... èra fòrça suspècte d'eretgia..., lo dit monsénher avesque, volent, coma escatz a son dever, conéisser la vertat, lo faguèt portar davant sa preséncia..., etc, etc.»* (Entèsta de las deposicions dels interrogats, *Registre de Jacme Fornièr, passim*).

**1321**    Guilhèm Belibasta cremat a Vilaroja Termenés: es lo darrièr catar conegut del Lengadòc.

*«Me preocupi pas per ma carn, que i teni pas res, es pels vèrmes… Mon arma e la tieu van montar prèp del Paire celèste, ont avèm preparat coronas e tròns, e quaranta àngels amb coronas d'aur e pèiras preciosas nos vendràn quèrre per nos portar davant lo Paire»* (Paraulas de G. Belibasta, segon la declaracion d'Arnaud Sicre, 1321, *Registre de Jacme Fornièr*, p. 779-780).

**1329**    Tres cresents catars cremats, los darrièrs coneguts, a Carcassona.

*«Te dirai perqué nos apèlan erètges: lo mond nos òdia. E es pas estonant que lo mond nos òdie (1Jo 3:13), car ja odièren Nòstre Sénher e lo perseguiguèren, coma a sos apostòls…»* (Predicacion de Pèire Autièr, declaracion de Pèire Maurí, 1324, *Registre de Jacme Fornièr*, p. 924).

**1412**    Darrièras senténcias contra catars italians.

**1453**    Los turcs prenon Constantinòple.

**1463**    Los turcs conquistan Bosnia: fin del catarisme oriental.

**ANTONI DALMAU**
Traduccion: Olivier Mantel Flahault

nith asuais. nos tol iauzir ql nostres belo seublas. me
iauns tan ql iois q uos remir. no puesc estar ses iauzir q
qz mir Maisenhels nan uint los breu. lauzengier q
uirols amans. e uno las donas prezans el ric ioi uno eu
caitieu. e sieus uiran dona p mals pulans. nostre fin
prez tem q se uir tiuans. e qo uiro plazers e estamir
gire lauzors tor no e qui mal diu Mas leus dir q si
eu tostemps uieu tostemps faun nostre comas. nere si
duetz uai o euans. cals nostros bels diu munieheu. sol n
diguru q remanbal demas. car ton mos oio ne passauen
ans. mas ges no dir q ian peques parnir. lo cor mil se
na de uos fuir Por suir el ric seuboacu. uor mas
fuudors bonanans. p qeus fuuiai ton mos ans. z ar fuud
mes auneu. uo ar la bela q fui tristans. p qeus faira d
bele fuiuf tans. no mos fuirs e ioi fassan ueurir. o to
diau mo fuudor aziu on auoiaru au e prez e de
zir. z reunn lo tostemps qui q uaur. ozuauals.

Eh que no uol auzir chansos de nostra compa
nhas que quieu chau p mon cors alegrar e p solar e
dels companhos e mais p cell qu oauengues eu chanso ca
madonc plagues cantar uolontar now destonh de
solatz ni de lol captenh.

Paue ual q no es euer
os e q no demal pus car e
qui no senureinet damar.
greu pot ell galhart m po.

car amors ue gaug e uo tres. e p amor es hom cortes
zamors dou laro el genh. p q io prez troba manch h
Ben aia qui prim fer gelos. q tant cortes mestier fa
sup far que gilosia fai lpui grandans de male passiers e de
uios. e de gilosia apres. q mi uerets tre eu arfes. p uos
dona cautru no deuh. neil de corteiar me estreuh De

...an por au lausme e dreg rambot ban dian. eser e cel
e huey se thau laual q̄ lr̄ seruate. ni cap selar la fola. ni gau
sos pros uila embria. ab q̄lo de si dos caplanh. aq̄l es da
mos compab. Q̄ o audiatz romana. port n̄ de senhria.
cap sos amer ma companh. e dels enemicx mestrih. onni uals

El cuy ioy taiih m chantar sap. m sos bels ditz

uol desprendre. a tal dunals fis seutendre. com au lm sial

daus el pros. cassatz deu naler cortes nos. de sauine dauda

ua. e sicu dominev ab faidia. sui als enquerm ler gentil.
Dona plaze franq humil. mielh mais suur zatedre. q̄ dau
tra guazardo penir. don soue laguer obs pros. aitals sos crinis
e ses tensos. cuende de bela uaria. azaut ses uilama. la icu
triada ses fenche ses grab. E si tor ab heis uo a cap. sel ioy
q̄ fai cor essendre. uers es que mos iorg ner mendre. mas il
uol pett ws p̄ nos. q̄u nom nazir nin sos clamos. mas sil
dreg damors seguia. lr̄ sai q̄ raros seria. sieu la rc̄ car q̄la e
nos toiues uil. Qua m por ab .i. prim fil. q̄u a heis nom
puese defendre. mil meu mereis tort car uendre. car e m uo
es lochazos. q̄u soi tant sieu p̄ q̄s raros. q̄ sela en ves fallir
q̄l colpa deu eis ma. r es raros q̄ romes sobiel cap. E ieu
de m dos are re dartap. uol mielh tort m dreg cotendre. cad
bau li soi del rendre. mas uitas de gnollos. mais sabiers pla
gues q̄l sos dos mot seria gres cortesia. e puis no li platz no
dia. q̄u soi batuti puis fort q̄ dui uertuill. Plazer h deu
car ente mil. donas ieu mielh la cort rendre. e fin laus huey
may desendre. no fa sos capteub tant bos. q̄ la ui drie airuso.
q̄u no segui drecha ua. mas p̄ mielh ies q̄ sia. nõ puese euc
dir qn heis mamor mescap. E un uol mal negun dels
truos. de nio audiatz loraia. cui tant mielh la senhoria. q̄ p̄
negun nom partua de son cauip. omni uals.

# EL REINO OLVIDADO
## La tragedia cátara

1ª PARTE [CD 1]
**Aparición y difusión del catarismo - Auge de Occitania**
*c.* 950 – 1204

**1111**     **Hoguera del dignatario bogomilo Basilio en Constantinopla**
10   *Planctus instrumental II* (Duduk y kaval)

**1117**     **El tiempo de los trovadores y el *fin'amor***
11   *Pos de chantar*, Canción – Guilhem de Peitieu

**1142**     **Leonor de Aquitania se divorcia de Luis VII.**
12   *A chantar m'er de so* – Condesa (Beatriz) de Día

**1143**     **Carta de Evervin de Steinfeld al padre Bernardo**
13   *Epistola ad patrem Bernardum* – texto recitado

**1157**     **Muerte de Raimundo Bereguer IV**
            **(Concilio de Reims contra la herejía.)**
14   *Mentem meam ledit dolor* – Anónimo

**III**      Expansión del catarismo: 1160-1204

**1163**     **Eckbert de Schönau «inventa» la apelación «catari» para designar a los
            herejes renanos. Hogueras en Bonn, Colonia y Maguncia.**
15   *Ave generosa* (instrumental) – Hildegarde von Bingen

**1167**     **Concilio cátaro en Saint-Félix (Lauragais)**
16   *Consolament* (Oración cátaro) – Texto recitado y cantado

            **Hogueras colectivas de los cátaros de Borgoña en Vézelay**
17   *Marcha fúnebre* (Tambores)

**1178**     **Enrique de Marcy, abad Claraval y legado del papa, predica contra los
            cátaros en tierras de Tolosa y Albi.**
18   *Heu miser* (instr.)

**1196**     **Pedro II de Aragón y I de Barcelona, llamado el Católico**
19   *A per pauc de chantar* – Pèire Vidal

**1198**   20   **Inocencio III, papa (1198-1216).** *Campanas*
            **Hoguera en Troyes (publicanos).** *Tambores*

**1204**     **Guilhabert de Castres ordena a Esclarmonda de Foix en Fanjeaux.**
21   *El Canto de la Sibila occitana «El jorn del judizi»* – Anónimo

# EL REINO OLVIDADO
## La tragedia cátara

2ª PARTE [CD 2]
**Cruzada contra los albigenses - Invasión de Occitania**
1204 – 1228

# EL REINO OLVIDADO
## La tragedia cátara

3ª PARTE [CD 3]
**Persecución, diáspora y fin del catarismo**
1229 – 1463

**VI**       **La Inquisición: persecución de los cátaros y erradicación del catarismo.**
　　　　**1230-1300**

# EL REINO OLVIDADO
# LA TRAGEDIA CÁTARA

*El reino olvidado* hace referencia en primer lugar al «reino de Dios» o «reino de los cielos» tan apreciado por los cátaros y prometido a los buenos cristianos desde la venida de Cristo; pero también, en nuestro proyecto, nos recuerda la antigua civilización olvidada de Occitania. Esa «Provincia Narbonensis», tierra de antigua civilización donde los romanos dejaron su huella y que Dante definió como «el país donde se habla la lengua de oc», apenas merece unas palabras en el diccionario *Le Petit Robert 2* de 1994, con la breve explicación: «*n. f.* **Auxitans Provincia.** Uno de los nombres de las regiones de lengua de oc en la Edad Media». Como señala Manuel Forcano en su interesante artículo «Occitania: espejo de Al Ándalus y refugio de Sefarad», «Occitania se había distinguido por ser un territorio abierto a todo tipo de influencias, una frontera permeable de poblaciones e ideas, un delicado crisol donde confluían los saberes, las músicas y los poemas procedentes del sur, del sabio y sofisticado Al Ándalus, así como del norte, de Francia y Europa, y del este, de Italia e incluso de los Balcanes y el exótico Bizancio». Todas esas influencias diversas la convierten en uno de los centros más activos de la cultura románica, un territorio con una intensa actividad intelectual y con un raro grado de tolerancia para la época medieval. No es de extrañar que el *amor udrí* de los árabes inspirara la poesía y el *fin'amor* de trovadores y trovadoras (*trobairitz*). Ni tampoco que la cábala naciera entre esas comunidades judías. Ni, por último, que esos cristianos propusieran y discutieran modelos de Iglesia diferentes, las de los *buenos hombres* o catarismo y la del clero católico.

El catarismo es una de las creencias cristianas más antiguas e importantes; se diferencia de la doctrina de la Iglesia oficial por su certeza en la existencia de dos principios coeternos, el Bien y el Mal. Desde los primeros tiempos del cristianismo, el término *herejía* (que viene del griego *hairesis*, «opinión particular») se aplicó a las interpretaciones diferentes de las reconocidas por la Iglesia oficial. Como subraya con claridad Pilar Jiménez Sánchez, en su artículo «Orígenes y expansión de los catarismos», aunque en un principio se pensó que esas creencias disidentes aparecidas ante la proximidad del año mil eran originarias de Oriente (Bulgaria), resulta evidente que se desarrollaron de un modo del todo natural a partir de las numerosas controversias religiosas suscitadas en Occidente a partir del siglo IX. Se instalaron con fuerza en muchos pueblos y ciudades de esa Occitania que tenía una forma de vivir muy personal y que vio su esplendor en el arte de los trovadores. La extraordinaria riqueza musical y poética de esa cultura "trovadoresca" que se difunde durante los siglos XII y XIII representa uno de los momentos históricos y musicales más notables del desarrollo de la civilización occidental. Época rica en intercambios y transformaciones creativas, pero llena también de sacudidas e intolerancia, ha sido objeto de una terrible amnesia histórica debida en parte a unos acontecimientos trágicos vinculados con la cruzada y con la persecución implacable de los cátaros de Occitania. La terrible cruzada contra los albigenses desencadenó, en realidad, una auténtica "tragedia cátara".

«De todos los acontecimientos, todas las peripecias políticas que tuvieron lugar en nuestro país (entonces, el país de Oc) en el curso de la Edad Media, sólo uno suscita hoy pasiones aún violentas: la cruzada lanzada por el papa Inocencio III en 1208 contra los herejes que prosperaban en el sur del reino (entonces Occitania) y que eran designados con el nombre de albigenses. Si el recuerdo de esa empresa militar sigue tan vivo al cabo de ocho siglos –escribió Georges Duby–, ello se debe a que toca dos cuerdas muy sensibles de nuestro tiempo: el espíritu de tolerancia y el sentimiento nacional». El carácter a la vez religioso y político marcó esa tragedia iniciada por una cruzada pero continuada por una verdadera guerra de conquista que abarcó el actual Languedoc y las regiones vecinas, y provocó una rebelión general. Tras la lucha codo con codo de católicos y herejes, Occitania fue finalmente liberada del invasor, pero quedó exsangüe y cayó como una fruta madura en las manos del rey de Francia. Como observa con acierto Georges Bordonove «se trató de una auténtica guerra de Secesión –la nuestra– salpicada de victorias, derrotas, vuelcos increíbles de la situación, asedios innumerables, matanzas inexcusables, ahorcamientos, hogueras monstruosas y, aquí y allá, gestos demasiado escasos de generosidad. Una resistencia que, semejante al fénix, renació de sus cenizas, hasta la llegada de un largo crepúsculo al término del cual se encendió de pronto el auto de fe de Montségur. Los últimos perfectos (sacerdotes cátaros) vivieron a partir de entonces en la clandestinidad, antes de ser capturados uno tras otro y perecer en las hogueras. Los *faidits* (señores desposeídos) se adentraron en la nada. Se instauró un nuevo orden, el de los reyes de Francia».

Este proyecto no habría podido llevarse a cabo sin los numerosos trabajos de investigación realizados por historiadores y especialistas como Michel Roquebert, autor de *L'épopée cathare*, el gran René Nelli y Georges Bordonove, entre muchos otros, y, en lo referente a la música y los textos de los trovadores, los maestros Friedrich Gennrich, Martín de Riquer y el lamentado Francesc Noy, quien en 1976 nos introdujo magistralmente, a Montserrat Figueras y a mí, en el mundo de las *trobairitz* durante la preparación de la grabación realizada para la colección Reflexe de EMI Electrola. De modo más reciente, este proyecto ha podido ver la luz gracias sobre todo a los trabajos, las conversaciones, las discusiones y la ayuda y disponibilidad generosa y esencial de Anne Brenon, Antoni Dalmau, Francesco Zambon, Martín Alvira Cabrer, Pilar Jiménez Sánchez, Manuel Forcano, Sergi Grau y Anna Maria Mussons (para la pronunciación del occitano). Por ello, queremos darles las gracias de todo corazón. Su profundo saber y su sensibilidad, sus libros eruditos y sus tesis ilustradas, han sido y seguirán siendo una fuente inagotable de reflexión, conocimiento e inspiración constante. Gracias a su trabajo minucioso y exhaustivo, podemos contribuir también con un pequeño pero intenso tributo al despertar de esa memoria histórica occitana y cátara que no es tan querida, a través de la belleza y la emoción de la música y de la poesía de todos esos sirventeses, canciones o planctus que nos interpelan aún hoy con tanta fuerza y tanta ternura. Respaldan y subrayan con elocuencia el discurso siempre emotivo de algunos de los poetas y músicos más notables, testigos directos (y también víctimas indirectas) de los acontecimientos vinculados con la época dorada de la cultura occitana y, al mismo tiempo, con el nacimiento, el desarrollo y la erradicación brutal e implacable de esa antigua creencia cristiana.

Gracias a la capacidad de improvisación y de fantasía, gracias al esfuerzo, la paciencia y la resistencia (¡esas noches interminables!) de todo el equipo de cantantes, con Montserrat Figueras, Pascal Bertin, Marc Mauillon, Lluís Vilamajó, Furio Zanasi, Daniele Carnovich y los de La Capella Reial de Catalunya, así como de instrumentistas, con Andrew Lawrence-King, Pierre Hamon, Michaël Grébil, Haïg Sarikouyomdjian, Nedyalko Nedyalkov, Driss el Maloumi, Pedro Estevan, Dimitri Psonis y los otros miembros de Hespèrion XXI, sin olvidar a los recitantes Gérard Gouiran y René Zosso, nos adentraremos en profundidad en esa trágica pero siempre maravillosa aventura musical occitana y cátara. En siete grandes capítulos, pasaremos a lo largo de más de cinco siglos de los orígenes del catarismo al auge de Occitania, de la expansión del catarismo al enfrentamiento de la cruzada contra los albigenses y la instauración de la Inquisición, de la persecución de los cátaros a la erradicación del catarismo, de la diáspora hacia Italia, Cataluña y Castilla al final de los cátaros orientales con la toma de Constantinopla y Bosnia por parte de los ejércitos otomanos. Las numerosas y a menudo extraordinarias fuentes históricas, documentales, musicales, literarias, nos permiten ilustrar los principales momentos de esta historia conmovedora y trágica. Los textos perturbadores o muy críticos de los trovadores y de los cronistas contemporáneos serán nuestro hilo conductor y, en especial, la extraordinaria *Canción de la cruzada albigense* en forma de canción de gesta, con casi 10.000 versos, conservada en un único manuscrito completo en la Biblioteca Nacional de Francia. Dicho manuscrito, que perteneció a Mazarino pasó a ser propiedad en el siglo XVIII de un consejero de Luis XV. Fue entonces cuando uno de los primeros medievalista, La Curne de Sainte-Palaye, hizo una copia para poder estudiarla y darla a conocer.

Los principales textos cantados que hemos seleccionado, aparte de los cuatro fragmentos de la «Canción de la cruzada albigense», lo han sido, ante todo, por el interés del poema y la música y luego, especialmente, por su relación con los diferentes momentos históricos. Debemos citar al "primer" trovador, Guilhem de Peitieu, y la "primera" *trobairitz*, la condesa de Día, y por supuesto a los otros trovadores maravillosos como Pèire Vidal, Raimon de Miraval, Guilhem Augier Novella, Pèire Cardenal, Guilhem Montanhagol y Guilhem Figueira. Para las canciones sin música, hemos utilizado el procedimiento del préstamo de melodías de otros autores como Bernat de Ventadorn, Guiraut de Borneilh, así como otros autores anónimos, procedimiento que constituía una costumbre muy extendida en la poesía medieval, hecho que a menudo hoy se desconoce. De las 2.542 obras trovadorescas que nos han llegado, 514 son sin duda imitaciones o parodias y otras 70 lo son con probabilidad. De las 236 melodías conservadas de los 43 trovadores que conocemos, sólo una, *A chantar m'er de so q'ieu no voldria*, es de una *trobairitz*, la misteriosa condesa de Día.

Para los textos más antiguos y más modernos, hemos elegido los incluidos en manuscritos de esas épocas diferentes con una relación muy directa con los momentos históricos importantes; como el planctus *Mentem meam* por la muerte de Raimundo Berenguer IV, o la *Lamentatio Sanctæ Matris Eclesiæ Constantinopolitanæ* de Guillaume Dufay. Dada la importancia del Apocalipsis de san Juan, dos momentos resultan particularmente esenciales: la maravillosa *Sibila Occitana* de un trovador anónimo, realizada en el estilo de improvisación que creemos apropiado a ese canto tan dramático; y el más conventual *Audi pontus, audi tellus*, basado en una cita del Apocalipsis según el Evangelio cátaro del Pseudo-Juan (5:4). Otros dos grandes problemas de la ilustración musical de esta gran tragedia han sido, de entrada, imaginar cómo ilustrar las celebraciones y los rituales cátaros y, también, de qué modo simbolizar musicalmente las terribles y numerosas hogueras de supuestos herejes que no era posible pasar por alto ni olvidar. En el caso del ritual cátaro, la base es la recitación de todos los textos en occitano y en el de los textos en latín, una forma muy antigua de canto llano. En cambio, para las referencias a las hogueras, nos ha parecido más emotivo y más dramático mezclar la fragilidad de las improvisaciones hechas con instrumentos de viento de origen oriental, como el *duduk* y el *kaval,* en tanto que símbolo del espíritu de las víctimas en oposición y contraste con la presencia amenazadora y muy angustiante de los redobles de tambor, acompañamiento obligado casi siempre en esas épocas de las ejecuciones públicas. Tras el final de los últimos cátaros de Occitania, nos acordamos también de una ejecución atroz, la de Juana de Arco, muerta a los 19 años en la hoguera de los implacables inquisidores.

La espantosa amnesia de los hombres es, sin duda, una de las principales causas de su incapacidad para aprender de la historia. La invasión de Occitania y, en especial, la matanza llevada a cabo el 22 de julio de 1209 de los 20.000 habitantes de Béziers, con el pretexto de la presencia de 230 herejes que el consejo de la ciudad se negó a entregar al ejército de los cruzados, nos recuerda dramáticamente los equivalentes en los tiempos modernos, con el inicio de la guerra civil española en 1936 por parte del ejército de Franco con la excusa del peligro comunista y la división de España o las invasiones en 1939 de Checoslovaquia bajo la excusa de los Sudetes o de Polonia bajo la excusa de Dantzig por parte de las tropas alemanas de Hitler. De modo más reciente, tenemos las guerras de Vietnam (1958-1975), de Afganistán (2001) en reacción a los atentados del 11 de septiembre y de Iraq (2004) con la excusa de las armas de destrucción masiva. Igualmente, en las leyes establecidas por el papa Inocencio IV en su bula sobre la tortura *Ad Exstirpanda* de 1253, encontramos ya todos los métodos de acusación, sin defensa posible –vigentes aún hoy en Guantánamo– y con autorización de la tortura con objeto de extraer a los herejes toda la información deseada, como ocurre en países con regímenes dictatoriales o poco escrupulosos con los derechos de los acusados. También se castigaba a los acusados de herejía, y ello sin juicio, con la destrucción de su casa hasta los cimientos, procedimiento utilizado hoy con las casas de los terroristas palestinos. El mal absoluto es siempre el que el hombre infringe al hombre. Por ello, creemos con François Cheng, «que tenemos como tarea urgente y permanente desentrañar esos dos misterios que constituyen los extremos del universo viviente: por un lado, el mal y, por otro, la belleza. Está en juego nada más y nada menos que la verdad del destino humano, un destino que implica elementos fundamentales de nuestra libertad».

Han pasado ocho siglos, y el recuerdo de la cruzada contra los albigenses no se ha borrado. Aún despierta pesar y compasión. Más allá de los mitos y leyendas, la destrucción de esa formidable civilización que fue la del *país de oc*, convertido entonces en un autentico **reino olvidado**, la terrible **tragedia de los cátaros** o "buenos hombres" y el testimonio que proporcionaron de su fe merecen todo nuestro respeto y todo nuestro esfuerzo de memoria histórica.

**JORDI SAVALL**
Bellaterra, 3 octubre 2009
Traducción: Juan Gabriel López Guix

# Orígenes y expansión de los catarismos

Conocida por lo general bajo el nombre de catarismo, esa disidencia cristiana aparece en el Occidente medieval en el siglo XII. Sus adeptos reciben nombres diferentes según la región de la cristiandad en la que están implantados: cátaros y maniqueos en Alemania, patarinos y cátaros en Italia, *piphles* en Flandes, *bougres* (búlgaros) en Borgoña y Champaña, albigenses en el Mediodía francés. Ellos mismos se denominan buenos hombres o buenos cristianos y en todas partes se los reconoce por su crítica virulenta a la Iglesia católica y su jerarquía, considerada indigna por haber traicionado los ideales de Cristo y los apóstoles.

Inspirados en el modelo de las primeras iglesias cristianas, los buenos hombres se consideran como los auténticos cristianos porque practican el bautismo espiritual, el bautismo de Cristo mediante la imposición de manos que llaman *consolamentum*. A sus ojos, ese bautismo es el único capaz de aportar el consuelo, la salvación por medio del Espíritu Santo que Jesús hizo descender sobre sus discípulos en Pentecostés. En torno a dicho sacramento y de la práctica rigurosa de la ascesis, esos disidentes edificarán su concepción de la Iglesia y los sacramentos, poniendo en entredicho la eficacia de los sacramentos católicos (bautismo de agua, eucaristía, matrimonio). Impregnados de la espiritualidad monástica predominante en los siglos anteriores y del desprecio por el mundo que ésta vehiculaba, llevan también al extremo ciertos pasajes del Nuevo Testamento en los que se afirma la existencia de dos mundos opuestos, uno bueno y espiritual y otro malvado y material. Este último se halla bajo el poder del demonio, el "príncipe de este mundo", como se lo llama en el Evangelio de Juan. Así, para los cátaros, este mundo es obra del demonio, y Dios sólo es responsable de la creación espiritual. Y es que, según la interpretación cátara de la profecía de Isaías (14:13-14), Lucifer, criatura divina, pecó ante todo de orgullo queriendo igualarse a Dios, quien lo expulsó de su reino. Al convertirse en demonio, fabricó las túnicas de piel, los cuerpos de carne de los hombres, donde encerró a los ángeles, las criaturas divinas caídas del cielo con él. Fue entonces cuando hizo este mundo visible a partir de los elementos primordiales (tierra, agua, aire, fuego) creados por Dios, única entidad capaz de crear. Para anunciar a los ángeles caídos el medio de regresar al "reino olvidado", el del Padre, Dios envió a su Hijo, Jesús, quien, adoptando una carne simulada, vino a liberar las almas (los ángeles caídos) de sus "túnicas de olvido" (el cuerpo) aportando la salvación por medio de la imposición de manos o *consolamentum,* que permitirá por fin su vuelta al reino divino.

Es posible pensar que la concepción cátara del mal, de los orígenes del mal, así como del pecado, surge de los controvertidos debates en los que se enfrentan los teólogos latinos desde los tiempos carolingios, en el siglo IX. Aparecen entonces las primeras disputas en torno a los sacramentos, como el bautismo y la eucaristía. En el curso del siglo X, se plantean en los círculos eruditos del Occidente medieval las cuestiones del mal, del pecado cometido por el demonio y de sus orígenes, así como de la humanidad o encarnación del Hijo de Dios y de la igualdad de las personas de la Trinidad. Por lo tanto, es en el seno de esos medios escolásticos y como parte del proceso de racionalización y formulación doctrinal (en curso en la cristiandad occidental desde mediados del siglo IX) donde debe contemplarse el nacimiento de la disidencia cátara en las primeras décadas del siglo XII. Esa disidencia, alimentada por el movimiento de reforma "gregoriana" dirigida por el papado a lo largo del siglo XI, aparece junto con otros movimientos de protesta que reprochan al papado haberse desviado de los ideales reformadores. Consigue implantarse de modo más o menos duradero en diferentes regiones de Occidente, como el Imperio (Alemania y la actual Bélgica), en las ciudades de Colonia, Bonn y Lieja, pero también en los principados del norte del reino de Francia, en Champaña, Borgoña y Flandes, y luego en el sur de la cristiandad, en Italia y el Mediodía francés. Los numerosos testimonios ponen de manifiesto la diversidad de las formas o los modelos de la disidencia según los espacios, una diversidad atestiguada tanto en materia de doctrina como de organización de sus miembros y de prácticas litúrgicas. Y justifican el uso del plural "catarismos" que proponemos y que obliga reflexionar sobre la identidad de los "herejes" denunciados a partir de las primeras décadas del siglo XII.

Ciertamente, los primeros testimonios procedentes de las tierras del Imperio entre 1140 y 1160 no permiten reconocer la disidencia, al menos bajo la forma en que se demuestra luego en el Mediodía francés o en Italia, los territorios donde consigue implantarse más duraderamente. En los medios urbanos de los espacios septentrionales, aparecen en los primeros tiempos de aplicación de la reforma romana en ese contexto de crisis religiosa, pero también de gran efervescencia intelectual, unas escuelas de enseñanza que pudieron desempeñar el papel de laboratorios de la disidencia religiosa. La rápida organización de la represión y el triunfo de la política romana durante la segunda mitad del siglo XII explican la dificultad encontrada por la disidencia para arraigar en esos territorios.

En el curso del siguiente período, hacia 1160-1170, son los espacios meridionales, sobre todo el Lenguadoc y la Italia del norte y el centro, los que favorecen la implantación de los disidentes que, como en el caso de las regiones septentrionales, se encuentran en situación de ruptura con respecto a la política romana. La calma relativa de la que se aprovechan los disidentes en esas regiones les permitirá evolucionar, tanto desde el punto de vista de su organización como de sus creencias y prácticas litúrgicas. Podemos observar también que, como en los medios urbanos de la zona del Imperio y del norte del reino de Francia a mediados del siglo XII, encontramos a principios del siglo XIII en el espacio italiano escuelas de enseñanza diferente y que divergen entre ellas a propósito de cuestiones tales como los orígenes de la Creación, del mal, del hombre, de la salvación y del más allá. Esas escuelas participarán en la reflexión medieval en torno a esas cuestiones fundamentales debatidas en el Occidente de la época, proponiendo respuestas, entre las cuales la más radical será formulada hacia 1230 por Juan de Lugio. Maestro de la escuela de Desenzano, en el norte de Italia, es autor de un tratado titulado *Libro de los dos principios*, donde afirma la existencia de dos principios opuestos y eternos, uno del Bien y otro del Mal, que están en el origen de cada una de las dos Creaciones, la espiritual y la visible.

Entre las respuestas surgidas del proceso de racionalización llevado a cabo por los disidentes cátaros en el seno de sus escuelas, el dualismo de principios opuestos no es ni mayoritario ni una importación de Oriente, como afirmaba la opinión tradicional que se remonta a la Edad Media. Elaborada por los clérigos católicos y luego por los inquisidores en los siglos XII y XIII, la filiación maniquea y los orígenes bogomilo-orientales de la "herejía" catara son producto de una construcción que tiene más de 800 años. Si bien la documentación de los siglos XII y XIII demuestra contactos e intercambios entre los círculos disidentes orientales (bogomilos) y occidentales (cátaros), dichos intercambios no demuestran la dependencia, supuesta durante mucho tiempo, de un movimiento respecto del otro. Los contactos entre comunidades bogomilas y cátaras pudieron alimentar, sobre todo a través de sus intercambios textuales, el proceso de racionalización emprendido por nuestros disidentes. Fueron testimonio, por otra parte, del reconocimiento mutuo de esos movimientos cristianos disidentes y de la lucha que llevaban a cabo contra su respectivas Iglesias: los bogomilos contra la Iglesia oriental o bizantina; los cátaros, contra la Iglesia occidental o católica.

**PILAR JIMÉNEZ SÁNCHEZ**
Doctora en Historia e investigadora asociada del laboratorio CNRS-UMR 5136 FRAMESPA
Universidad de Toulouse-Le Mirail

Traducción: Juan Gabriel López Guix

# Occitania: espejo de Al Ándalus
# y refugio de Sefarad

*Me bastan los deseos*
*y la esperanza del desesperado*
**Jamil ibn Ma'amar (siglo VIII)**

## Occitania, espejo de Al Ándalus

Occitania, ese territorio amplio y generoso que Dante definió como «las tierras donde se habla la lengua de oc», pertenece a la antigua Provincia Narbonensis romana, que abarcó lo que luego sería el condado de Tolosa, el condado de Foix, todo el Lenguadoc, el condado Venaissin con Aviñón y, a ambos extremos de esas regiones, Aquitania y Provenza. Tras la cruzada francesa de Simón de Montfort contra los cátaros en el siglo XIII, Occitania quedaría bajo el dominio político del rey de Francia y se convertiría en lo que hoy suele llamarse el Midi francés. Antes de la implantación de ese poder impuesto por la fuerza desde el norte, Occitania era un mosaico de territorios, políticamente feudatarios en su mayoría de la corona catalano-aragonesa; sin embargo, como consecuencia de la derrota en 1213 del rey Pedro el Católico frente a Simón de Montfort en Muret, las ciudades de Tolosa, Carcasona, Nimes, Béziers, Narbona y todo el Lenguadoc, pasaron a manos francesas, aunque Montpellier, como una isla, seguiría siendo catalana hasta 1349. El condado de Provenza, bajo la tutela hasta ese momento de los condes de Barcelona, también quedaría bajo vasallaje francés, si bien no sería anexionado a Francia hasta 1481, tras la muerte del ponderado conde Renato.

Antes de la llegada destructora de los cruzados enviados por el papa Inocencio III, Occitania se había distinguido por ser un territorio abierto a todo tipo de influencias, una frontera permeable de poblaciones e ideas, un delicado crisol donde confluían los saberes, las músicas y los poemas procedentes del sur, del sabio y sofisticado Al Ándalus, así como del norte, de Francia y Europa, y del este, de Italia e incluso de los Balcanes y el exótico Bizancio. Occitania, heredera de la cultura latina, abierta y orientada al Mediterráneo, en los umbrales de la Península ibérica bajo clara influencia árabe, se convertiría a partir del siglo IX en uno de los centros más activos de la cultura románica. Ese auge cultural sería consecuencia del contacto directo de Occitania con la intensa actividad intelectual que se desarrolló durante la alta Edad Media en Al Ándalus.

En 711, una vez destruida la ruinosa autoridad visigoda, la Península ibérica pasó a formar parte del imperio islámico que se extendía desde Persia y Mesopotamia hasta el Occidente del Cantábrico y los Pirineos. Nació Al Ándalus y, a partir de ese momento, los contactos con Oriente, a pesar de su lejanía, fueron más frecuentes y más fáciles. De resultas del comercio, las peregrinaciones a los santos lugares y los viajes de estudio a Damasco, Alejandría o Bagdad, la cultura oriental penetró en la Península ibérica y no tardó en encontrar un suelo fértil en el que echar vigorosas raíces; y, a partir del siglo X, Al Ándalus pasó de una fase receptiva a otra creadora y exportadora de cultura. La herencia de la sabiduría clásica de los griegos traducida del siríaco y el griego al árabe llegó a la Península y produjo un extraordinario despertar científico y filosófico. Antes del año 1000, el número de traducciones griegas conocidas a partir de las versiones en árabe superaba de forma impresionante la cantidad de libros griegos conocidos en aquella época en latín.

Emulando ese despertar cultural y científico, la lengua occitana fue una de las primeras en sustituir el latín en multitud de actas, documentos, obras literarias y científicas, como las primeras gramáticas, las célebres *Leys d'amors*. Los siglos XI, XII y XIII fueron la época de mayor efervescencia y mérito de la cultura occitana: gracias a una cultura refinada producto de un encaje perfecto de influencias occidentales y orientales, la lengua de oc escrita logró convertirse en modelo para un tipo concreto de literatura conocida hoy como *trovadoresca*, es decir, la poesía compuesta y cantada por trovadores, centrada en el concepto del *amor cortés* y que se inspiró, frente al espejo de Al Ándalus, en el concepto poético-filosófico del *amor udrí* de los árabes.

El amor udrí de la poesía árabe expresa un amor casto, un amor "puro" que hace gozar y padecer al mismo tiempo al amante ante la persona amada porque, a pesar de desearla, no pretende poseerla ni mantener con ella contacto sexual alguno. Los miembros de la tribu árabe de los Banu Udra (siglo IX) fueron los primeros en practicar este tipo de amor: intentaban perpetuar el deseo y renunciaban a cualquier contacto físico con las personas que amaban. Su poesía hablaba de un amor que no era otra cosa que un secreto doloroso que no debía corromperse ni buscar contacto alguno y al que había que servir con fervor y devoción hasta el punto de dejarse morir. El poeta se declaraba vasallo de la persona amada y se subordinaba por completo a ella. Los dos poetas árabes más célebres por sus composiciones de amor udrí fueron **Jamil ibn Ma'amar** (m. 710), totalmente entregado a su amada Butaina, y **Qays ibn al-Mulawwah** (siglo VIII), que enloqueció por su amada Laila casada con otro hombre y que por ello recibió el apelativo de Majnun, es decir, El Loco. Sin embargo, quien más reflexionó y teorizó sobre este tipo de relación amorosa fue el filósofo, teólogo, historiador, narrador y poeta **Ibn Hazm de Córdoba** (994-1064): su obra más famosa, *Tawq al-hamama (El collar de la paloma)*, es un tratado sobre la naturaleza del amor escrito en Játiva en 1023, en el que reflexiona a fondo sobre las esencias del sentimiento amoroso e incluye una serie de sutiles y elegantes poemas de temática amorosa.

Occitania, espejo de Al Ándalus, recogió esa formulación del amor y dio nacimiento al amor cortés, una concepción igualmente platónica y mística del amor que es posible describir a partir de muchos puntos en común con el amor udrí de la poesía árabe: la total sumisión del enamorado a la dama (por transposición directa de las relaciones feudales en las que el vasallo se somete a su señor); la amada siempre se mantiene distante y eso la hace merecedora de todos los elogios y reúne todas las perfecciones físicas y morales; el estado amoroso, por transposición al imaginario religioso, es una especie de estado de gracia que ennoblece a quien lo practica; los amantes son siempre de condición aristocrática; el amante concibe el amor como un camino de ascensión o progresión de estados de enamoramiento que van desde el suplicante o *fenhedor* hasta su culminación en el *drutz*, o estado de amante perfecto. Sólo después de haber alcanzado este grado amoroso, cabía aspirar a veces a coronarlo con algunos favores carnales; pero, como entonces la relación se convierte en adúltera, el amante esconde el nombre de la amada con un pseudónimo o *senhal*. La teoría del amor cortés de los trovadores occitanos, reflejo de ese tipo de amor cultivado en la poesía árabe, ejerció una enorme influencia en la posterior literatura occidental; especialmente, en figuras como **Dante** (1265-1324) con su idealizada Beatriz, y **Petrarca** (1304-1374) con su adorada Laura, así como en la literatura catalana, como demuestra la poesía amorosa del último de los grandes trovadores catalanes, el valenciano **Ausiàs March** (1400-1459).

La penetración de este concepto del amor procedente del mundo árabe y su traducción en un modelo literario aplicado también con éxito en tierras cristianas es una prueba clara de la permeabilidad de la frontera pirenaica y de la propia idiosincrasia de la nación occitana, donde confluyeron todo tipo de influencias y donde se instauraron modelos de comportamiento social con muy pocos precedentes durante la Edad Media, como fue el caso de la apertura intelectual y la tolerancia religiosa. Esos factores intrínsecos de Occitania explican quizá que el conde **Ramón IV de Tolosa**, en su participación en la primera cruzada y, en concreto, en el asalto final a la ciudad sitiada de Jerusalén el 15 de julio de 1099, actuara con corrección y tacto ante la autoridad musulmana que la defendía del ataque de los cruzados:

ante la inminente caída de Jerusalén en manos cruzadas, **Iftijar ad-Dawla**, el gobernador fatimí de la ciudad, pactó con caballerosidad y diplomacia su rendición ante Ramón de Tolosa, y con ello el tolosano permitió que el caudillo árabe y su séquito abandonaran la ciudad sin ser ejecutados, como le ocurrió a la totalidad de la población musulmana y judía de Jerusalén a manos de los soldados de los otros caballeros cristianos, quienes asesinaron a cuantos encontraron en su paso. El cronista Raimundo de Agiles, que acompañó al conde de Tolosa en su aventura guerrera a Palestina, dejó por escrito los hechos de la toma de Jerusalén durante la primera cruzada en su *Historia francorum qui ceperunt Hierusalem*, donde diferencia con claridad entre los provenzales y los «francigeni», siendo los primeros los  soldados occitanos y los segundos todos los demás cruzados del norte de Francia y Alemania. El historiador árabe Ibn al-Athir (1160-1233) relata la capitulación y salvación de Iftijar y la hueste árabe mencionando a los cruzados europeos con el nombre de francos, pero distingue entre un grupo y otro llamando a los cruzados franceses y alemanes "los otros francos" y reconociendo el mérito y la caballerosidad de los occitanos: «Los francos acordaron salvarles la vida y, respetando su palabra, los dejaron partir de noche hacia Ascalón, donde se establecieron. En la mezquita de Al-Aqsa, por el contrario, los otros francos asesinaron a más de diez mil personas». La actitud tolerante y respetuosa de Ramón de Tolosa hacia los vencidos musulmanes fue duramente criticada por sus contemporáneos, como dan fe todas las demás crónicas que narran la brutal y sanguinaria gesta cruzada.

## Occitania, refugio de Sefarad

La fuerza que irradiaba la cultura andalusí provocó en la Península la eclosión igualmente impresionante de las letras judaicas. Los judíos de Al Ándalus se convertirían en un elemento clave del proceso de transmisión de la sabiduría de raíz griega –en posesión entonces de los árabes– hacia la Europa medieval, ya que más tarde desempeñarían el papel de nexo entre el mundo islámico y el cristiano en instituciones como la famosa escuela de traductores de Toledo trasladando al latín y al hebreo muchas obras traducidas con anterioridad al árabe desde el griego o el siríaco. Embebidos de cultura árabe, los judíos decidieron también dedicarse a campos como la lingüística, la retórica y la poesía, tras lo cual pasaron a cultivar disciplinas como las ciencias y la filosofía, revitalizando así el hebreo como lengua de expresión literaria y científica. En Al Ándalus, más que en ningún otro lugar de Oriente u Occidente, los árabes fueron, pues, los maestros de los judíos.

Sin embargo, la invasión de la Península ibérica por parte de los almohades durante los años cuarenta del siglo XII supuso el final de lo que se ha denominado la Edad de Oro de la cultura judía de Al Ándalus. Como consecuencia de su poca tolerancia con los no musulmanes, muchos judíos huyeron hacia el norte de África o hacia los reinos cristianos de Castilla, Aragón, Cataluña y los feudos de Occitania. Las comunidades judías catalanas y occitanas acogieron entonces a familias enteras arabohablantes y portadoras de una gran cultura: filosofía, ciencia, historia, literatura, gramática y otras disciplinas desconocidas por los judíos no arabófonos, dedicado de lleno hasta ese momento a los estudios tradicionales de las Escrituras y el Talmud. El encuentro de esos dos mundos provocó un gran proceso de intercambio y transmisión: los recién llegados deseaban compartir con sus anfitriones los tesoros de su rica cultura, y quienes los acogieron se interesaron por todas esas materias y se mostraron dispuestos a adquirir el nuevo saber. Deseosa de aprender, una parte de la élite intelectual del momento se agrupó en diversos lugares en cofradías con el fin de consagrarse, además de a los estudios religiosos, al estudio de las ciencias profanas (sobre todo, la filosofía), que para los huidos de Al Ándalus eran esenciales e indispensables para comprender plenamente los fundamentos de la religión. Con el objetivo de ampliar sus horizontes intelectuales, en esos lugares (entre los cuales destacó en el Lenguadoc la villa de Lunel, junto a Montpellier), algunos eruditos judíos se dedicaron a traducir al hebreo obras de carácter religioso y científico escritas por otros sabios judíos en árabe.

Una parte considerable de esas traducciones en los ámbitos de la filosofía y las ciencias se debe a una familia judía occitana que hizo de la traducción un oficio transmitido de padres a hijos: son los célebres Tibónidas. El más famoso de esa saga de traductores fue **Samuel ibn Tibón** (1150-1230), gracias a la traducción que hizo del árabe al hebreo de la *Guía de perplejos*, la famosa obra del gran filósofo y jurista judío **Maimónides** (1135-1204). En ella, Maimónides intentó mitigar la incertidumbre surgida en las mentes de los sabios judíos que, dedicado a la lógica, las matemáticas, las ciencias naturales o la metafísica, no conseguían aunar la Torá con los principios de la razón humana. El objetivo de la *Guía* era eliminar la confusión y la perplejidad a partir de una interpretación figurada o alegórica de algunos textos bíblicos. Lejos de desbrozar el camino, el método de Maimónides para interpretar la fe judía provocaría el estallido de una polémica filosófica que sacudió con fuerza la vida intelectual de las comunidades judías medievales durante los siglos XIII y XIV, en especial las de Cataluña y Occitania. La controversia maimonidiana tuvo unos efectos y unas consecuencias tan graves e imprevisibles como la virtual división interna de las comunidades en dos bandos separados y enfrentados incluso en lo social y lo político. Los antimaimonidianos atacaron sin ambages el intelectualismo de Maimónides, considerado como una descarada infiltración de la cultura griega que cruzaba impunemente los sagrados umbrales de los hogares y las escuelas judías poniendo en peligro su fe tradicional. Por ello, los talmudistas conservadores no dudaron en alzar la voz contra muchas de sus teorías tildándolas, simple y llanamente, de herejías.

Junto con la corriente talmúdico-tradicional enfrentada al movimiento racionalista de los maimonidianos, el judaísmo occitano-catalán del siglo XIII desarrolló también una serie de tendencias esotéricas, teosóficas y místicas: la **Cábala**. Nacida de la interpenetración de antiguas corrientes gnósticas judías y de ideas del mundo filosófico de inspiración neoplatónica, la Cábala se alineó fácilmente con el movimiento antirracionalista, pues los seguidores de Maimónides parecían primar la razón sobre la fe. Para los cabalistas, en cambio, los métodos de la fría lógica aristotélica no eran válidos para expresar el mundo de sensaciones y emociones de sus impulsos religiosos de carácter místico. Mientras que los seguidores de la tendencia racionalista buscaban llegar al conocimiento de Dios a través del examen y la contemplación de los fenómenos naturales, el misticismo cabalístico lo intentaba a partir de los nombres y los poderes de la divinidad que se descubrían en las diez esferas *sefirot*, el alfabeto hebreo y las cifras representadas también por las letras.

Las teorías esotérico-teosóficas de la Cábala surgieron en tierras occitanas y giraban principalmente en torno a los contenidos místicos de diversas corrientes de ideas y a dos obras capitales: el *Libro de la Creación* y el *Libro de la claridad*. El primer tratado es un antiguo ensayo teorético de cosmología y cosmogonía escrito entre los siglos III y IV en Palestina y que se presenta como un texto meditativo y enigmático destinado únicamente a los iniciados donde se abordan las emanaciones divinas o *sefirot*, el poder de las letras del alfabeto hebreo y su correspondencia astrológica. Insiste mucho en el poder y el significado de tres letras del alfabeto: alef, mem y shin, que representan respectivamente la tierra, el agua y el cielo, los elementos del mundo material, o también las tres temperaturas del año: calor, frío y tibieza, o incluso las tres partes del cuerpo humano: cabeza, torso y vientre. El *Libro de la Creación* fue muy estudiado por los cabalistas occitanos y catalanes, y se conservan un buen número de comentarios. El *Libro de la claridad*, en cambio, es más tardío, y cabe situar quizá su redacción en Alemania o en la propia Occitania hacia el año 1176. Es un tratado que contiene muchos elementos gnósticos, también aborda las diez *sefirot*, analiza a fondo los primeros versículos del Génesis, así como los aspectos místicos del alfabeto hebreo, los 32 caminos de sabiduría señalados por las letras, y también habla de la teoría de la transmigración o *guilgul*. Estas dos obras fueron el *corpus* principal en el que se sumergieron los primeros cabalistas para dar forma a unas doctrinas y unos principios a partir de los cuales descifrar el sentido oculto del texto bíblico e intentar la comunión con Dios mediante la meditación sobre las *sefirot* y las esencias celestiales.

Según algunas fuentes rabínicas, en torno a 1200 el profeta Elías reveló a un grupo de maestros y rabinos occitanos –cuando Occitania se encontraba bajo la tutela política de los condes de Barcelona– los secretos y las enseñanzas esotéricas que conocemos con el nombre de Cábala, es decir literalmente, «tradición». Elías los reveló a rabí **David Narboní**, después a su hijo, rabí **Abraham ben David de Posquières**, así como también al hijo de éste, el célebre rabí **Isaac ben Abraham**, más conocido como **Isaac el Ciego** (m. 1235) y llamado "el padre de la Cábala", no porque naciera propiamente con él, sino porque llegó a ser el más brillante de sus primeros formuladores. Las ideas teosóficas de esos rabinos de la ciudad de Narbona no tardarían en llegar a Gerona de la mano de **Asher ben David**, sobrino de Isaac el Ciego, y en esa ciudad encontraron el marco adecuado para desarrollarse y perfilarse con características propias en Cataluña y luego en tierras castellanas, donde acabaría surgiendo el tercero de los grandes compendios cabalísticos medievales: el célebre libro del *Zohar*.

Se ha especulado mucho sobre la coincidencia temporal y geográfica de la aparición de la Cábala en Occitania en el momento en que ese territorio vivía la implantación del catarismo. Tal como apunta el gran estudioso de la Cábala, Gershom Scholem, los cabalistas occitanos pudieron revitalizar algunas ideas del antiguo gnosticismo judío conservadas hasta entonces de forma muy velada, pero resulta más lógico creer que, dada la extensión de las ideas y creencias cátaras por toda Occitania, algunos de sus planteamientos (el dualismo, la teoría de las reencarnaciones, la disciplina religiosa de los adeptos, el ansia de escapar de este mundo visible y natural para conocer y entrar en las esferas celestiales y en la esencia de la divinidad) contribuyeran a diseñar el *corpus* doctrinal del cabalismo. No debemos olvidar que los cátaros predicaban contra la corrupción del clero, contra sus privilegios sociales y contra los dogmas de la Iglesia católica; y que mantenían, por lo tanto, una postura de abierta beligerancia frente a Roma. Esa oposición frontal contra la Iglesia despertó seguramente simpatía y solidaridad entre los judíos; y, aunque los cátaros consideraban que la revelación del Nuevo Testamento anulaba por completo la del Antiguo Testamento y la Torá, su antisemitismo metafísico no les impidió relacionarse con ellos de forma activa e intercambiar toda clase de ideas con las comunidades judías, adversarias también del catolicismo que entonces los acusaba y perseguía sin tregua. En su *Adversus albigenses*, el polemista católico francés del siglo XIII, Luc de Tuy, reprocha a los cátaros sus intensas relaciones con los judíos, y resulta imposible creer que éstos no los conocieran y no supieran de la profunda agitación religiosa y política que los cátaros provocaron a Occitania con la difusión de su credo y con la brutal cruzada que el papa Inocencio III y el rey Felipe Augusto de Francia protagonizaron para acallarlo. En cualquier caso, está claro que hay puntos de contacto más que evidentes entre el catarismo y las ideas de la Cábala judía. No obstante, la gran diferencia radica en que, mientras los cruzados y los inquisidores católicos acabaron por completo con el catarismo, el judaísmo, que durante toda la Edad Media sufrió un asedio similar, resistiría, y aun más la Cábala, reducida a un círculo cerrado y minoritario de adeptos que nunca intentaron propagarla, sino cumplir al pie de la letra la frase del Talmud que dice: «Si la palabra vale una moneda, el silencio vale dos».

**MANUEL FORCANO**
Doctor en Filología Semítica por la Universidad de Barcelona
Traducción: Juan Gabriel López Guix

# Los cátaros en la sociedad occitana
# (siglos XII-XIII)

En el país de Oc, durante varias generaciones antes de la gran represión y normalización del siglo XIII, los cátaros no fueron herejes. Fueron, a ojos del pueblo cristiano, religiosos que seguían de forma ejemplar la senda de los apóstoles y poseían el poder más grande para salvar las almas. La herejía no es un estado objetivo, es un juicio de valor, una condena ya, que emana de un poder normativo donde lo religioso se combina con lo político. En el país de Oc, ni los condes ni los señores, ni siquiera los prelados ni los párrocos locales, hacían adecuadamente de correa de transmisión de la acusación de herejía que el papado romano formuló contra los cátaros. La palabra *cátaro* misma no se utilizaba. Es probable que la mayoría de los cátaros occitanos no supiera nunca que eran "cátaros". Se denominaban a sí mismos cristianos, sus creyentes los llamaban respetuosamente buenos cristianos y buenas cristianas. Eran religiosos que seguían un rito cristiano arcaico, el de la salvación por el bautismo del Espíritu y la imposición de manos, y predicaban el Evangelio según un modo de exégesis en el que las viejas aspiraciones gnósticas al Reino de Dios que no es de este mundo (el reino olvidado) se mezclaban con las más modernas críticas de los cultos supersticiosos de la Iglesia romana, en favor de una esperanza de salvación universal que cosechaba adhesiones. Muy a menudo, en el corazón de las poblaciones occitanas, sacerdotes y párrocos los consideraban como hermanos y hermanas, mientras que las damas y los señores escuchaban sus prédicas con fervor.

Sin embargo, pertenecían a un movimiento religioso disidente, marginado de la cristiandad por el papado gregoriano y que la historia reconoce hoy un poco por toda la Europa de los siglos XII y XIII a la luz de los archivos de su represión, es decir, por lo general, la de las hogueras. Bajo los diversos nombres acusadores inventados por las autoridades religiosas (cátaros, patarinos, publicanos, maniqueos, arrianos, *piphles*, búlgaros, albigenses, etcétera), el parentesco de la mayoría de esos grupos condenados por herejía resulta de la comunidad de su modo de organización religiosa en Iglesias episcopales que reivindican la auténtica filiación de los apóstoles, de sus concepciones espiritualistas de la persona de Cristo y de su exégesis bíblica de carácter dualista, así como –y sobre todo– de la unidad de su ritual. Nos referiremos aquí, por comodidad, con el nombre de cátaros a esa amplia nebulosa, perceptible en el mundo latino desde Flandes y Renania, pasando por la Champaña y Borgoña, hasta Italia, Bosnia y el país de Oc.

De esas comunidades cristianas disidentes, las más conocidas son las de los buenos hombres de la Europa meridional, italianos y sobre todo occitanos. Al gozar de unas condiciones de paz –a diferencia de sus hermanas septentrionales que permanecen en situación clandestina y sólo son documentadas de modo negativo–, dichas comunidades logran arraigarse en la sociedad. Se han conservado de ellas varios libros manuscritos originales, tres rituales y dos tratados, en latín y occitano, que iluminan su ser religioso. La sistemática represión que se ejercerá contra ellos a lo largo de todo el siglo XIII (cruzada contra los albigenses, conquista real francesa de los condados occitanos y luego Inquisición) es en sí misma generadora de una importante masa documental, crónicas y sobre todo archivos judiciales, que nos acercan a lo cotidianeidad de lo vivido por una sociedad *herética*. Por lo tanto, somos invitados a un gratificante viaje por la Occitania cátara.

## Las Iglesias cátaras occitanas

«En esa época, los herejes mantenían públicamente sus casas en el *castrum*...». Los registros de la Inquisición, que ofrecen recuerdos que pueden remontarse a los inicios mismos del siglo XIII –y por lo tanto de forma anterior a la represión–, dan vida a multitudes de buenos hombres y mujeres cuyas casas comunitarias se abren en el seno de los pueblos fortificados de los señoríos vasallos de Tolosa, Foix, Albi o Carcasona. En esos lugares activos y populosos (como Fanjeaux, Laurac, Cabaret, Mas-Saintes-Puelles, Puylaurens, Lautrec, Caraman, Lanta, Mirepoix, Rabastens, etcétera), las dinastías aristocráticas son las primeras en entusiasmarse ante su predicación; vemos a condesas de Foix convertirse en buenas mujeres. Lo que se erige es un nuevo orden religioso, independiente  del papa de Roma. Entre el Lenguadoc, el Agenais y los Pirineos, se instalan públicamente cinco Iglesias u obispados cátaros bajo la autoridad de verdaderas jerarquías episcopales. De hecho, esa estructuración de las comunidades en torno a obispos ordenados, a imagen de las primeras Iglesias cristianas, constituye uno de los principales caracteres identitarios de la herejía denominada cátara, que se considera la verdadera Iglesia de Cristo y sus apóstoles. Los rituales de los buenos hombres occitanos la llaman *Ordenament de Sancta Gleisa*, Orden de la Santa Iglesia. La existencia de obispos disidentes aparece en las fuentes antes incluso de mediados del siglo XIII y, primero, en Renania, en el arzobispado de Colonia y el obispado de Lieja.

Los obispos cátaros italianos y occitanos sólo están documentados a partir de la generación siguiente, por más que desde 1145 sean visibles comunidades disidentes en los pueblos entre Albi y Tolosa; en 1165, es citado un obispo de los buenos hombres en el Albigeois. En 1167, celebran un concilio en Saint-Félix en el Lauragais, la confluencia del condado de Tolosa y los vizcondados de Albi y Carcasona, cuatro iglesias cátaras a todas luces en pleno dinamismo, con sus obispos o consejos de Iglesia y sus comunidades de hombres y mujeres; se trata de las Iglesias del Toulousain, el Albigeois, el Carcassès y sin duda el Agenais, donde efectivamente estará documentado un obispado cátaro en el siglo XIII (por más que, en lugar de «agenais», el texto diga «aranais», es decir, del valle de Arán). Allí reciben delegaciones de las Iglesias hermanas de los franceses (Champaña y Borgoña) y de Lombardía, bajo la presidencia de un dignatario bogomilo, sin duda obispo de Constantinopla, llamado Nicetas. No debemos ver en ese personaje a un papa o antipapa de los herejes. Al contrario, lo que predica a todas esas Iglesias latinas de buenos hombres es una convivencia fraternal pero autónoma. Vemos, pues, las cuatro Iglesias occitanas delimitadas según el ámbito geográfico de auténticos obispados.

Las Iglesias renanas, ausentes de la asamblea de Saint-Félix, parecen haber sido aniquiladas enseguida debido a una intensa represión que lleva a la hoguera a sus obispos sucesivos durante la década de 1160. La Iglesia de Lombardía se dividirá antes de finales del siglo XII en seis obispados diferentes que obtendrán en las ciudades italianas el apoyo constante de los gibelinos, partidarios del emperador, contra los güelfos, partidarios del papa... y de la Inquisición. Perseguida sin tregua, la Iglesia de los franceses conseguirá sobrevivir en el exilio italiano hasta finales del siglo XIII. Sin embargo, hacia 1200, para huir de las hogueras de Borgoña, dos canónigos de Nevers, dignatarios cátaros, se refugian entre sus hermanos de la Iglesia de Carcasona. Entonces, bajo la presión del papado y la orden cisterciense, la Europa cristiana se arma contra la herejía; los grandes principados occitanos, los condados de Tolosa y Foix, los vizcondados de Trencavel de Carcasona, Béziers, Albi y Limoux, representan para los disidentes una tierra de asilo; sus iglesias gozan de una implantación casi institucional cuyo dinamismo no consigue detener la irrupción de la «cruzada contra los albigenses» a partir de 1209, a pesar de las grandes hogueras colectivas. A las cuatro Iglesias creadas en el siglo XII se añade hacia 1225 una quinta, la de Razès. Sólo tras la conquista real francesa de Carcasona y Albi, y el sometimiento del conde de Tolosa a partir de 1229, se verán obligadas las Iglesias cátaras a pasar a la clandestinidad, de la que ya nunca volverán a salir, aniquiladas progresivamente por la Inquisición a pesar de la resistencia heroica de sus fieles a lo largo de casi un siglo de persecución.

## Un cristianismo de proximidad

¿Por qué en el país de Oc y no en otras partes? ¿Por qué cinco arzobispados de los buenos hombres implantados entre el Agenais, Quercy, los Pirineos y el mar? Las razones, en la medida en que las percibimos, son múltiples, de orden cultural, social y político; la estructura de las Iglesias cátaras, flexibles, abiertas, autónomas, se adaptaba bien al marco de los señoríos occitanos, con una jerarquización menos estricta que el modelo feudal franco, pero gobernados por un grupo aristocrático floreciente y plural. Las declaraciones ante la Inquisición indican que lo más frecuente, desde finales del siglo XII, era que esa misma casta nobiliaria, con las damas a la cabeza, mostrara ejemplo de compromiso en la fe y las filas de la orden de los buenos cristianos. Un ejemplo seguido con celo por burgueses y artesanos del burgo señorial, el *castrum*, y por la población campesina de los alrededores. Además, la fuerza de resistencia opuesta por grandes segmentos del clero meridional a las normalizaciones de la reforma gregoriana dejaba manifiestamente curso libre a formas cristianas arcaizantes y a un tiempo críticas. Los cátaros no eran unos extraños en el pueblo, sino unos conocidos a los que unían todos los vínculos comunitarios y afectivos.

Los archivos de la Inquisición permiten explorar de modo retrospectivo los engranajes íntimos de esa sociedad cristiana casi corriente, populosa en sus pueblos fortificados. Para los habitantes de esos pueblos medievales, las comunidades de los buenos hombres que vivían entre ellos y a quienes dedicaban sus devociones, eran sencillamente "buenos cristianos y buenas cristianas que tenían el poder más grande para salvar las almas". Sólo hablaba de *herejes* o de *cátaros* cuando pasaba tal o cual legado o abad cisterciense enviado por Roma. Ocurría incluso con bastante frecuencia que el cura de la parroquia frecuentara fraternalmente a esos religiosos que desdeñaban al papa y que eran originarios en su mayoría de las familias del lugar. Un buen número de dinastías nobles repartían de modo abundante sus hijos entre las dos Iglesias. El mejor ejemplo del ecumenismo cristiano de esa sociedad es sin duda el ofrecido en 1028 por el obispo católico de Carcasona, Bernat Raimond de Roquefort. Representante de una gran dinastía aristocrática de la Montaña Negra que resistirá durante mucho tiempo la conquista francesa, ese prelado tiene como madre a una buena mujer y por hermanos a tres buenos hombres, uno de los cuales, Arnaut Raimond de Durfort, morirá en la hoguera de Montségur en 1244. Sólo la instalación de una represión sistematizada obligará a todo el mundo a elegir bando, en el seno del pueblo, en el seno de la familia. Los registros de la Inquisición constituyen, en este sentido, el trágico informe de la división de las solidaridades de toda una sociedad.

Desde la época de la "paz cátara", en el marco de los señoríos occitanos, los religiosos cátaros, lejos de aislarse en la vida contemplativa de unos monasterios aislados del mundo, viven en el corazón del pueblo cristiano. Prefiguran así, con al menos una generación de adelanto, la práctica del "convento en la ciudad" que dará lugar al éxito de las órdenes mendicantes, dominicos y franciscanos. Esos buenos hombres, en contacto permanente con la población de los lugares, sus "fieles", forman el escalafón de base del sistema eclesiástico cátaro. Constituyen verdaderas comunidades religiosas que llevan una vida consagrada "a Dios y al Evangelio" y reúnen los rasgos de un clero regular y secular. En tanto que monjes y monjas, todos han hecho voto de pobreza, castidad y obediencia, y rigen su vida comunitaria según una estricta ascesis monástica, siguiendo la regla de los Preceptos del Evangelio, o "vía de justicia y verdad de los apóstoles". Han renunciado al pecado: la mentira, el engaño, el asesinato incluso de animales, la codicia material o carnal; todos los meses, un diácono de su Iglesia acude a recibir la confesión colectiva en el *aparelhament*. No obstante, las comunidades cátaras se distinguen de las comunidades monásticas tradicionales en dos puntos esenciales. Ante todo, sus filas no está compuestas mayoritariamente por personas vírgenes consagradas, sino por personas socializadas, que ya han "vivido": viudos, viudas o parejas que se separan al final de su vida para tener un buen final y salvar el alma. Y, también, a diferencia de los grandes monasterios católicos e incluso los conventos de los mendicantes, sus casas comunitarias no conocen la clausura. Buenos hombres y mujeres salen libremente de ellas, siguen presentes para su familia, participan en la vida del burgo.

Esas casas religiosas cumplen una función social importante. Abundantes en las callejas de los *castra* (cincuenta casas, se afirma, en Mirepoix; cien en Villemur), constituyen visiblemente pequeños establecimientos que, en su mayoría, sólo agrupan a una decena de buenos hombres, bajo la autoridad de un anciano, o de buenas mujeres, dirigidas por una priora. Los religiosos llevan en ellas una vida comunitaria, realizando sus oraciones rituales y observando sus abstinencias (régimen magro todo el año, puntuado por tres cuaresmas y días alternos de pan y agua). Sin embargo, lo hacen bajo los ojos del pueblo cristiano del burgo. Como están obligados al trabajo apostólico y practican oficios, sus casas tienen con frecuencia el aspecto de talleres artesanales. Son también hospicios *ante litteram*, porque mantienen una mesa abierta, reciben a enfermos y necesitados. Ciertas casas están dedicadas además a la enseñanza de los novicios, ejercen a veces funciones de escuela. Los religiosos reciben también visitantes y fieles, vecinos, amigos y parientes para quienes, al igual que los clérigos seculares, predican la Palabra de Dios. Sin cortar con sus conocidos ni con su sociedad, predican por medio del ejemplo, a través de su fidelidad al modelo de los apóstoles y al mensaje evangélico. Instan incansablemente al bien, abriendo a todos la *entendensa del be*, el entendimiento del bien.

Esta predicación intensiva al pueblo cristiano, basada en la traducción de las Escrituras al romance, hace la fuerza de la Iglesia disidente. En los tiempos de la libertad de culto, si bien las comunidades religiosas se consagran más bien a practicar el Evangelio, la jerarquía episcopal se reserva la función sacerdotal propiamente dicha; son, por lo general, los obispos y los diáconos quienes predican solemnemente el Evangelio los domingos y las fiestas religiosas: Navidad, Pasión, Pascua, Pentecostés, etcétera. Son ellos quienes ordenan a los novicios e incluso consuelan a los moribundos. Sólo en ausencia de un obispo o un diácono, los buenos hombres e incluso las buenas mujeres administran el sacramento de salvación. Ocurrirá con frecuencia una vez llegada la época de la clandestinidad. En tanto que simples buenos hombres, los obispos cátaros viven en la casa comunitaria, según el deseo de los pueblos que dependen de ellos. El obispo del Toulousain reside a menudo en Saint-Paul-Cap-de-Joux, o en Lavaur; el del Carcassès, en Cabaret; el del Albigeois, en Lombers... hasta que, a partir de 1233, la represión inquisitorial obliga a los obispos del Toulousain, de Razès y quizá del Agenais a replegarse al *castrum* insumiso de Montségur, y al del Albigeois, a Hautpoul. Sin embargo, son personajes muy importantes, que incluso vemos intervenir en el seno de la casta señorial, ejerciendo sobre todo un papel de arbitraje y justicia de paz (su orden cristiano rechaza la justicia humana y la condena a muerte).

Las prácticas de la Iglesia, sencillas e imbuidas de sacralidad al mismo tiempo, según el ejemplo del gran ritual del *consolament*, atestiguan un estado arcaico de las liturgias cristianas. Todas son colectivas y públicas. En las ceremonias se intercambia el beso de la paz; a su mesa, al principio de cada comida y en recuerdo de la Cena, los buenos hombres bendicen y comparten el pan, símbolo de la palabra de Dios que debe difundirse entre los hombres. Esa comunión sin transubstanciación (el pan sigue siendo pan, no se convierte en la carne de Cristo) se inscribe en la tradición de la comida fraternal de las primeras comunidades cristianas. Es uno de los ritos que vinculan a los fieles con su Iglesia, una de las señales que marcan la fe en convertirse ellos también, tarde o temprano, en buenos cristianos y salvar su alma. Los creyentes expresan esa misma esperanza por medio del *melhorier* (o gesto de mejoramiento), triple petición de bendición con la que saludan a los buenos hombres y buenas mujeres cuando los encuentran.

## ¿Una sociedad hereje?

Los registros de la Inquisición nos permiten apreciar la calidad humana de esa realidad de una Iglesia bien presente en la cotidianeidad de los pueblos occitanos –y luego en el desierto de los escondites clandestinos–, pero resultan imperfectos para medir su impacto demográfico. Aunque muy vasta (se cuentan por millares las declaraciones conservadas que detallan los nombres de miles de buenos hombres y buenas mujeres, creyentes, una treintena de obispos, una cincuentena de diáconos), esa documentación se encuentra plagada de tantas lagunas que resulta absurda cualquier generalización que pretenda ofrecer una estimación porcentual de la influencia de la herejía; y tanto más por cuanto la cuestión no se planteaba aún en esos términos, puesto que los cultos cátaro y católico eran vividos generalmente como complementarios más que como competitivos. Con todo, dos elementos sobresalen con claridad. Primero, el de la enorme difusión social de la herejía. Entre los asistentes a las ceremonias de los buenos hombres, los grandes señores se mezclan con la población local. En el interior de las casas religiosas, las simples campesinas conviven con la antigua dama del lugar, antiguos caballeros hacen de tejedores. La impresionante adhesión de la clase nobiliaria da, no cabe duda, una particular visibilidad al fenómeno cátaro occitano, tanto hoy para el historiador como ayer a ojos de los cistercienses y el papa; pero resultaría falso considerarlo como un simple entusiasmo elitista. Los archivos de la Inquisición muestran practicando la fe de los buenos hombres a una población cristiana corriente, con todas sus clases.

Por lo demás, quedamos sorprendidos por la importancia del lugar y el papel de las mujeres en el seno de la Iglesia disidente. La cantidad y la función de las buenas mujeres citadas por los declarantes casi igualan, en la época de la libertad de culto, a las de los buenos hombres, por más que no sea identificada ninguna mujer en el seno de la alta jerarquía. Los numerosos testimonios de las creyentes permiten observar, a veces de forma emotiva, el grado en que ese compromiso femenino que surge del seno mismo de la familia conservará en el catarismo, durante un siglo de persecución sistemática, la fuerza de resistencia de una fe materna. Hasta el punto de que los inquisidores del siglo XIV maldecirán el *genus hereticum*, expresión peyorativa que podría traducirse por "ralea hereje", pero también por "gen hereje"...

Presentándose en el corazón de los pueblos como comunidades de penitentes garantes del buen final, los buenos hombres de las Iglesias cátaras occitanas formaron un clero de proximidad eficaz y atractivo; presentes y activos incluso en el interior mismo de sus familias, aseguraron para su fe un profundo arraigo social y familiar que la persecución del siglo XIII tuvo grandes dificultades en erradicar, incluso después de que la guerra quebrantara las dinastías señoriales que los protegían.

**ANNE BRENON**

Traducción: Juan Gabriel López Guix

# Los trovadores frente al catarismo

Una constatación se impone inmediatamente a quien observa la cultura occitana del Medioevo: es la amplia coincidencia cronológica y geográfica que existe entre la difusión de la poesía de los trovadores y la de la religión cátara. De hecho, en un período que se extiende desde mediados del siglo XII a finales del siglo XIII, y en un área que comprende todo el Languedoc occidental y algunas regiones limítrofes como el Quercy y el Périgord, las dos experiencias convivieron codo con codo en las mismas cortes, en las mismas ciudades, en los mismos burgos. Es verdad que esta coincidencia no es total, porque la poesía trovadoresca se difundió en todo el Mediodía, de la Gascuña a los Alpes, y sus orígenes se remontan a finales del siglo XI (aunque, según algunos fundamentados trabajos recientes, también el nacimiento del catarismo tendría que retrasarse hasta las primeras décadas de dicho siglo). Sin embargo, una región como Carcassès aparece, a caballo entre los siglos XII y XIII, como un casi milagroso punto de encuentro entre el *trobar* y la espiritualidad cátara: por ejemplo, el *castrum* de Fanjaux, che Peire Vidal describe en la canción-serventesio *Mos cors s'alegr'e s'esjau* como un "paraíso" cortesano, era también uno de los más importantes centros de herejía, donde predicó el célebre Guilhabert de Castres y recibió del mismo el *consolament* Esclarmonda, hermana del conde Raimon-Rogier de Foix. No faltaron tampoco trovadores –como Peire Rogier de Mirapeis, Raimon Jordan, Aimeric de Peguilhan, entre otros– adheridos, por lo menos en alguna etapa de su vida, a la fe heterodoxa.

Muy pronto, a partir de las primeras décadas del siglo XIX, estos datos han empujado a algunos estudiosos a buscar las eventuales influencias o relaciones que puedan haber ligado estos dos grandes fenómenos. Basándose en los estudios precedentes de Gabriele Rossetti (en particular los cinco volúmenes de *Il mistero dell'amor platonico del Medio Evo*, Londres 1840), un historiador aficionado francés afiliado a la orden de la Rosacruz, Eugène Aroux, formuló en su obra *Les Mystères de la chevalerie et de l'amour platonique au moyen âge* (1858) el mito del "lenguaje secreto" de los trovadores. Según sus planteamientos, faltos de cualquier fundamento serio, en toda la producción amorosa occitana la mujer amada representaría la parroquia o la diócesis, el amante sería el "perfecto" cátaro, y el marido celoso el obispo o el párroco católico: la unión matrimonial, rehusada por los trovadores, representaría así la pertenencia de la dama a la fe católica, mientras que la relación adúltera entre la dama y el *fin aman* – exaltado por el canto cortés – significaría el paso de esta comunidad a las creencias de los cátaros o "albigenses". Esta ingenua clave de lectura, que reduce toda la poesía amorosa de los trovadores a una exposición codificada de las doctrinas y de los hechos históricos de los herejes, fue retomada poco después por escritores con ideas igualmente extravagantes, como Joséphin Péladan (autor de *Le Secret des Troubadours*, 1906) y Otto Rahn (en su *Cruzada contra el Grial*, 1933), pero fue rápidamente ridiculizada por historiadores y filólogos. No fue del todo abandonada, sin embargo, la idea de las relaciones entre la *fin'amor* y el catarismo: es más, esta idea constituye el núcleo central del importante libro de Denis de Rougemont, *L'Amour et l'Occident* (1939). Rougemont sostiene que algunos temas fundamentales de los trovadores, como la "muerte" o el "secreto", sólo revelan todo su significado en comparación con la doctrina cátara; no pretende que los poetas occitanos hayan sido verdaderos "creyentes" de la Iglesia hereje, pero afirma que por lo menos encontraron inspiración en la atmósfera religiosa del catarismo. La mujer cantada en sus poesías sería el Alma, la parte espiritual del hombre que es prisionera de la carne y con la que éste podrá reencontrarse sólo después de la muerte. De estas ideas, y de las ideas similares de Déodat Roché, deriva también la noción de una "inspiración occitana" de matriz platónica, que Simone Weil elaboró en un famoso ensayo publicado en *Cahiers du Sud* en 1942.

Como puede verse, se trata de interpretaciones puramente subjetivas, aunque de todos modos interesantes desde el punto de vista de la historia del pensamiento contemporáneo. Los filólogos románicos que, a partir de mediados del siglo pasado, afrontaron el problema con herramientas más rigurosas, tuvieron que constatar no sólo la falta de pruebas del uso de un lenguaje cifrado por parte de los trovadores, sino también la casi total ausencia de ecos de las doctrinas cátaras en su poesía amorosa: ausencia que aparece de un modo todavía más significativo en los poetas de los que conocemos con certeza la afiliación a la Iglesia hereje. En toda la producción lírica medieval existe un solo texto donde se expongan abiertamente algunas concepciones cátaras. Su autor no es occitano, sino un poeta italiano del siglo XIII tardío, Matteo Paterino, que en la canción *Fonte di sapïenza nominato*, dirigida al célebre Guittone d'Arezzo y publicada sólo recientemente en edición crítica, opone a la doctrina católica profesada por el destinatario la teología de los dos Principios, ilustrada en términos que se adhieren estrictamente a los de Giovanni di Lugio y la Iglesia hereje de Desenzano. A decir verdad, existe también un texto poético occitano en el que se resumen las ideas fundamentales del catarismo; pero no se trata de un texto lírico, sino de un debate entre un inquisidor, Isarn, y un "perfecto" cátaro convertido, Sicart de Figueiras: el *Novas del heretge*. Ahora bien, aunque Sicart sea un personaje histórico bien documentado por las fuentes inquisitoriales, y los hechos históricos a los que se refiere el poema sean en gran parte comprobables, el autor del texto –probablemente el mismo Isarn– lo presenta en términos fuertemente denigratorios y sitúa las doctrinas cátaras profesadas por aquél en un contexto caricaturesco. Ni siquiera el gran poema *Paratge*, la segunda parte de la *Canción de la Cruzada albigense*, cuyo autor toma partido decididamente por los condes de Tolosa contra los cruzados franceses y el clero, muestra el más mínimo rastro de la teología cátara.

¿Eso significa tal vez que los trovadores se desinteresaron completamente del gran fenómeno religioso que les era contemporáneo y que callaron ante la tragedia vivida por su pueblo durante el siglo XIII? Naturalmente que no. Un impresionante testimonio literario es, ante todo, la citada *Canción de la Cruzada albigense*, que narra los eventos de la guerra desde su inicio (1209) hasta el tercer asedio de Tolosa por los cruzados (1218). Llegada azarosamente hasta nosotros –se conserva de ella un solo manuscrito–, está formada por dos partes, escritas por dos autores distintos. La primera, obra del clérigo navarro Guilhem de Tudela al abrigo de los acontecimientos, llega hasta la vigilia de la desastrosa derrota occitana de Muret (1213) y se muestra favorable a la Cruzada; sin embargo Guilhem expresa repetidamente su admiración por los señores meridionales, implicados, a su juicio sin culpa alguna, en la justa lucha contra los herejes, y describe con extraordinaria eficacia y participación la violencia de una guerra devastadora: entre los episodios de su poema que permanecen grabados de forma indeleble en la memoria, está la masacre indiscriminada de los habitantes de Béziers en la catedral donde se habían refugiado después de la toma de la ciudad por los cruzados (1209) y la cruel lapidación por herejía de dama Girauda, señora de Lavaur, también en este caso después de la conquista de la ciudad (1211).

La segunda parte de la Canción –obra de un anónimo que algunos han propuesto identificar con el trovador Gui de Cavaillon y compuesta hacia 1228-1229, antes de la paz de Meaux-París– retoma la narración en el punto exacto donde la había interrumpido su predecesor, pero le imprime un carácter completamente diferente, creando una de las grandes obras maestras de la literatura medieval. Su autor, entusiásticamente favorable a los condes de Tolosa y violentamente hostil a Simon de Montfort y a sus cruzados, es el gran cantor de *Paratge* –la nobleza meridional, su patria, sus ideales–, es decir, de lo que describe como una espléndida civilización (la civilización "cortés"), víctima de una violencia ciega y bárbara, desencadenada por el clero y por los franceses con el falso pretexto de la lucha contra la herejía. Su esperanza, a menudo presentada como una certeza inquebrantable, es que *Paratge* será restaurado gracias a la acción de los condes de Tolosa y a la voluntad de Dios mismo.

La tradición ocultista referida anteriormente buscó en vano en la poesía amorosa de los trovadores las huellas de ideas cátaras; en cambio, dejó escapar lo que estaba ante los ojos de todos: la profunda consonancia existente entre las posiciones antiromanas de los cátaros y aquéllas expresadas en una vasta producción de serventesios, compuestos sobre todo durante la primera mitad del siglo XIII y dominados por una violenta polémica contra el clero y contra los franceses. Es precisamente en esta producción "militante" donde deben buscarse las verdaderas relaciones entre la poesía trovadoresca y el catarismo. Es emblemático el caso de Raimon de Miraval, cuyo cancionero constituye una bisagra entre el *trobar* amoroso del siglo XII y el político-moral que domina el siguiente. Raimon era co-señor de un pequeño castillo que fue conquistado por Simon de Montfort en los primeros años de la Cruzada (probablemente en 1211), relegando al trovador a la humilde condición de *faidit*, de exiliado. En las primeras seis *coblas* de la canción *Bel m'es qu'ieu chant e coindei* desarrolla los tradicionales temas eróticos (elogio de la mujer amada, petición de amor, descripción de las alegrías y tormentos provocados por la pasión, etc.), pero cambia completamente de registro en la última *cobla* y en las dos *tornadas*. Aquí dirige una dolorida súplica al rey Pedro II de Aragón invitándolo a combatir contra los franceses para permitirle retomar la posesión de Miraval y para restituir la ciudad de Beaucaire al conde de Tolosa, Raimundo VI: sólo entonces declara, *poiran dompnas e drut / tornar el joi q'ant perdut*. El desastre de Muret, donde murió Pedro II, dará el golpe de gracia a estas esperanzas.

Fue sobre todo después de Muret cuando empezó a alzarse la voz de numerosos poetas, la mayoría vinculados a los condes de Tolosa, que compusieron violentas invectivas contra los franceses invasores y contra las siempre más pesadas injerencias del clero en Occitania y en las regiones vecinas. Entre ellos, los nombres más importantes son Peire Cardenal, Guilhem Figueira y Guilhem Montanhagol. En sus composiciones, como en las de otros muchos trovadores, la Iglesia y el clero son objeto de ataques tanto en el plano propiamente religioso como en el político. Por un lado, se caricaturizan y se fustigan los vicios difundidos entre el clero, especialmente la lujuria y la gula; por ejemplo, el caso del estupendo serventesio contra los dominicos de Peire Cardenal, *Ab votz d'angel, lengu'esperta, non blesza*; por otro –y con mayor dureza– critica las ambiciones terrenales de la Iglesia, su complicidad con los franceses invasores, las indulgencias prometidas a quien mataba cristianos en una criminal Cruzada. Después de 1233, son también severamente censurados los métodos brutales y persecutorios practicados a menudo por el Tribunal de la Inquisición, como en el serventesio *Del tot vey remaner valor* de Guilhem Montanhagol. En algunas composiciones de Peire Cardenal, como *Falsedatz e desmezura* o *Un sireventes vuelh far dels auls glotos*, la situación creada por la Iglesia y por los franceses en el Midi es descrita como un verdadero "mundo al revés" donde *feunia vens amor / e malvestatz valor, / e peccatz cassa sanctor / e baratz simpleza*: un mundo en el que los verdaderos Cristianos son acusados de herejía y condenados al martirio por los "mensajeros del Anticristo", es decir, los miembros de la Iglesia romana.

La estrecha afinidad de estas posiciones con las posiciones antiromanas de los cátaros es indiscutible. Es cierto que los temas anticlericales estaban ampliamente difundidos desde hacía tiempo en la literatura medieval; pero a veces las semejanzas entre las poesías de los trovadores y los textos cátaros son lo bastante precisas como para descartar cualquier posibilidad de una real independencia. Así, por ejemplo, las acusaciones contenidas en las primeras dos *coblas* del serventesio *Li clerc si fan pastor* del mismo Peire Cardenal –donde los miembros del clero católico son sucesivamente descritos como "asesinos", como "lobos rapaces" disfrazados de ovejas y como ilegítimos detentores del poder en el mundo– corresponden exactamente a las dirigidas a ellos en un pasaje del tratado original cátaro (escrito en occitano) *La Gleisa de Dio*. Por otra parte, en una declaración presentada en 1334 ante el célebre inquisidor Jacques Fournier, se lee que una veintena de años antes –esto es, a principios de siglo– un tal Guilhem Saisset se puso a recitar exactamente la misma *cobla* de este serventesio ante su hermano, obispo de Pamiers; en este momento, un notorio hereje presente en aquella ocasión, Bertran de Taïx, le pidió que se la enseñara afirmando que el clero no sólo poseía todos los defectos listados por Peire Cardenal, sino muchos más. No hay duda de que los herejes consideraron al trovador como un portavoz de sus ideas y esperanzas, aunque no está claro que en este caso Peire se inspirara en el texto cátaro. Tal vez habría que restituir a la poesía sus derechos: es posible, incluso probable considerando la cronología de los textos, que precisamente el tratado sobre la *Gleisa de Dio* haya retomado los temas y las imágenes de esta obra maestra de la poesía, que tuvo seguramente un éxito extraordinario (se ha conservado en diez manuscritos).

Puntos de contacto con las ideas cátaras relativas a la polémica contra la Iglesia se encuentran también en muchas otras composiciones de Peire Cardenal y de los trovadores ideológicamente cercanos a él, aunque éstas no implican –como se ha afirmado– una efectiva adhesión de estos poetas a la doctrina hereje; al contrario, las composiciones de tema religioso de Peire expresan una teología perfectamente ortodoxa. Pero el texto más claramente cercano a los temas de la predicación antiromana de los cátaros es ciertamente el apasionado serventesio contra Roma de Guilhem Figueira, *D'un sirventes far en est son que m'agenssa*. Las violentas acusaciones que el trovador lanza contra la Iglesia, acusada de ser *cima e razitz* de todos los males, van mucho más allá de los argumentos de Peire Cardenal. A partir de una fundamental oposición dicotómica entre Falso y Verdadero (la falsa Iglesia de Roma en contraposición a las verdaderas enseñanzas de Cristo), Figueira construye hábilmente el discurso sobre tres estratos de referencias intertextuales. El léxico deriva de las invectivas de Marcabru contra las *falsas putas*, las meretrices que corrompen a los jóvenes caballeros; sin embargo, a través de una segunda capa de referencias extraídas esta vez de la Biblia, los temas morales desarrollados por Marcabru se transfieren a un plano más propiamente espiritual y religioso. Las injurias de origen bíblico volcadas contra la Iglesia y diseminadas en varios puntos de la composición derivan, en su mayor parte, de un fragmento muy preciso del Evangelio según San Mateo: la invectiva de Jesús contra los escribas y los fariseos (Mt 23, 13-33). La Iglesia se asimila pues a aquéllos que, según las palabras de Jesús, eran los herederos de quien mató a los profetas y cerraban a los hombres las puertas del Reino de los Cielos. Esta última acusación es particularmente significativa, porque no se limita a poner el punto de mira a la corrupción y los pecados del clero, sino que pone radicalmente en discusión –como hacían los cátaros– el poder que se arroga la Iglesia de proporcionar la salvación espiritual a los hombres: llega a negarle el mismo estatus de Iglesia de Dios. En efecto, al palimpsesto evangélico antes indicado se superpone en el serventesio un tercer estrato de referencias intertextuales, que conduce directamente a la iglesiología cátara. La invectiva de Jesús contra los escribas y los fariseos, de hecho, es uno de los pasajes del Evangelio más citados por los cátaros –también en los textos originales que han llegado hasta nosotros, como *La Gleisa de Dio* y el *Libro de los dos Principios*– en el marco de su polémica contra la persecución de la que eran objeto por parte de la Iglesia. Entre los muchos pasajes de la composición que se podrían citar, hay un verso particularmente revelador: aquél en que Roma es acusada de hacer *per esquern dels crestians martire*. El término *martire* es utilizado aquí en una acepción absolutamente insólita en la poesía trovadoresca: habitualmente se refiere a las penas de amor o al martirio de Cristo o de los santos, pero aquí se refiere a las víctimas de la Iglesia misma, como en numerosos textos cátaros donde corresponde exactamente a la noción de "martirio en Cristo"; si luego pensamos que el término *crestians* era aquél con que los herejes se designaban a sí mismos (*cristianos* o *buenos cristianos*), se puede imaginar que el verso de Guilhem Figueira habría sonado perfectamente en la boca de uno de ellos. No sorprende, por eso mismo, que también este serventesio aparezca citado en un documento inquisitorial, el acta de un proceso por herejía iniciado en 1274 contra un comerciante de Tolosa, Bernat Raimon Baranhon. A una pregunta de los inquisidores, que le preguntaron si había estado alguna vez en posesión de un libro titulado *Biblia in Romano* y que empezaba con las palabras *Roma trichairitz*, Baranhon responde que no, pero admite que escuchó una vez algunas *coblas* compuestas por un juglar de nombre Figueira; y cita de memoria toda la primera *cobla* de *D'un sirventes far en est son que m'agenssa*, declarando haberla recitado más veces en público. Evidentemente, no se trata aquí de genéricos *clichés* anticlericales: es en textos como el serventesio contra Roma de Guilhem Figueira donde hay que buscar los verdaderos y verificables puntos de encuentro entre la poesía de los trovadores y la predicación cátara.

**FRANCESCO ZAMBON**
Traducción: Marisa Ruiz Magaldi / MUSIKEON.NET

**Hespèrion XXI, Jordi Savall**

Photo © Toni Figueras

# La Cruzada contra los Albigenses

Desde mediados del siglo XI, la Iglesia occidental experimentó un intenso proceso de transformación interna. La puesta en marcha de la llamada *Reforma Gregoriana* permitió el fortalecimiento de toda la jerarquía (desde el párroco local hasta el arzobispo) y su subordinación a la autoridad teocrática del Papa, Vicario de Cristo. Al tiempo que centralizaba las estructuras eclesiásticas, el Papado también consiguió imponerse a los poderes laicos de la cristiandad, los reyes, los nobles y, en ocasiones, el propio emperador. Esta Iglesia nacida de la *Reforma Gregoriana* se sentía en la obligación de implantar los valores cristianos católicos tal como los entendía la Teocracia Pontificia. Cualquier movimiento religioso al margen de Roma era considerado un peligro enorme para la sociedad cristiana. El disidente religioso, el hereje, atacaba la unidad de la Iglesia y ponía en riesgo el alma del cristiano, su vida eterna, mucho más importante que la vida terrenal. Es cierto que esta visión del hereje existía ya en tiempos anteriores; la diferencia estriba en que, desde el siglo XI, la Iglesia pudo ejercer una vigilancia y una represión mucho más extensas y eficaces.

La violencia se utilizó pronto contra los disidentes (ya en el siglo XI hubo algunas hogueras), pero puede decirse que la política antiherética de Roma fue endureciéndose a medida que el Papado teocrático se consolidaba. El temor a la proliferación de las grandes herejías del siglo XII –el Valdismo y el Catarismo– también fue decisivo en este proceso. Y no hay que olvidar la colaboración activa de los poderes feudales laicos. En Francia, Inglaterra, Castilla o la Corona de Aragón, los reyes estaban construyendo unas monarquías cada vez más estructuradas y sólidas. Para ello necesitaban el apoyo de la Iglesia, y tampoco estaban dispuestos a consentir grupos disidentes que desafiaran su autoridad. Esta alianza del báculo y la espada sería clave en el progreso de la capacidad represiva de la Iglesia.

Desde el punto de vista ideológico, el camino hacia el uso de la violencia fue allanado por los monjes cistercienses, quienes asumieron la defensa de la ortodoxia católica en nombre de Roma. Deseosos de erradicar el error, los cistercienses elaboraron un potente discurso antiherético que sobredimensionó la naturaleza real de la herejía. Sin darse cuenta de que se trataba de un fenómeno, por lo general, disperso, heterogéneo y no masivo, los cistercienses creyeron ver en los herejes a un enemigo interior homogéneo y coordinado, una especie de "quinta columna" cuyo fin último era la destrucción de la cristiandad. La difusión de este discurso hizo que la sociedad cristiana acabara percibiendo a los herejes como enemigos *peores que los sarracenos* y que acabara aceptando, como legítima y necesaria, la aplicación de soluciones extremas para acabar con ellos.

## El camino a la guerra

Las medidas antiheréticas de la Iglesia se intensificaron desde finales del siglo XII. Lo más preocupante para Roma era la expansión de los herejes valdenses y cátaros en las tierras del sur del reino de Francia, lo que modernamente llamamos *Midi, Languedoc* u *Occitania*. Las fórmulas de persuasión y reinserción aplicadas en los años anteriores (predicaciones, debates con líderes heréticos, etc.) no habían dado buenos resultados. El reforzamiento de la legislación canónica, que incluía penas espirituales (excomunión, condenación), penas económicas (confiscación de bienes) y penas civiles (exclusión de la sociedad, infamia, privación de derechos jurídicos, imposibilidad de ocupar cargos públicos...) tampoco era eficaz en el seno de una sociedad occitana compleja, inestable y de enrevesadas lealtades familiares, políticas, eclesiásticas y religiosas. El recurso a la guerra como instrumento legítimo de represión se planteó ya en el III Concilio de Letrán (1179), dando lugar a una primera operación militar contra el Tolosano en 1181. Fue un primer aviso.

Aunque la realidad era mucho más compleja y matizada, el Papado creía que la proliferación de la herejía en el sur de Francia tenía unos responsables: los obispos y los nobles occitanos. Unos y otros consentían e incluso amparaban a los herejes, favoreciendo así su propagación. Era necesario sustituir a esta Iglesia complaciente y a esta nobleza corrupta por personas de probada ortodoxia dispuestas a combatir la herejía. La sustitución de prelados locales por cistercienses ligados a las directrices de Roma se inició a finales del siglo XII y se aceleró en los primeros años del XIII. El paso siguiente era la depuración de los poderes laicos, comenzando por el conde de Tolosa Raimon VI (1194-1222), cabeza visible de la nobleza occitana.

El clima favorable a una acción expeditiva contra los herejes occitanos y sus cómplices se intensificó en torno al año 1200. Las derrotas en Tierra Santa, la pérdida de Jerusalén, la presión de los almohades en la Península Ibérica, la crisis del Imperio y la propagación de la herejía incrementaron los miedos de una cristiandad amenazada. En este clima mental de desasosiego fue elegido papa Lotario di Segni, un hombre joven, bien formado y de fuertes convicciones teocráticas que adoptó el nombre de Inocencio III (1198-1216). El mismo año de su entronización, escribió una carta al obispo de Auxerre abogando abiertamente por el uso de la violencia: la cruzada, la guerra santa que se combatía desde el siglo XI contra los musulmanes, el enemigo exterior, debía emprenderse también contra los herejes y sus cómplices, el enemigo interior. Pero acusar de hereje, combatir y después desposeer a un gran señor feudal de sus tierras y de sus títulos no era lo mismo que destituir canónicamente a un obispo. Había que respetar la legalidad feudal y, por ello, Inocencio III apeló al soberano directo del conde de Tolosa, el rey de Francia. Desde 1204 le pidió en varias ocasiones, así como a la nobleza y al clero franceses, que interviniera en el Midi para reprimir a los herejes, confiscar sus tierras y poner freno a la corrupta nobleza occitana. El Papa pensaba que, al igual que había ocurrido en otros lugares con poderes políticos fuertes, la herejía desaparecería bajo la dominación del monarca Capeto. Sin embargo, el rey de Francia Felipe II Augusto (1180-1223), enfrascado en una larga guerra con los reyes Plantagenet de Inglaterra, se negó una y otra vez a intervenir en el avispero occitano.

El Papa podría haber pedido ayuda a uno de sus aliados más fieles en el Mediodía de Francia: Pedro el Católico (1196-1213), rey de Aragón y conde de Barcelona. Los reyes de Aragón eran vasallos de Roma desde el siglo XI, vasallaje que renovó el propio Pedro en 1204 cuando fue coronado en Roma por Inocencio III. Además, la Corona de Aragón ejercía desde finales del siglo XII una hegemonía *de facto* sobre las tierras occitanas. Después de casi un siglo de guerra abierta con los condes de Tolosa (la llamada *Gran Guerra Meridional*), los monarcas catalano-aragoneses habían logrado aglutinar y poner bajo su órbita al grueso de los señores occitanos: unos como vasallos –el vizconde de Béziers y Carcassona, el conde de Comenges, el vizconde de Bearn–; y otros como aliados –el conde de Foix–. A principios del siglo XIII, el propio conde de Tolosa reconoció su derrota al acordar con el rey de Aragón una firme alianza político-militar y una unión dinástica: Raimon VI casó con la infanta Leonor de Aragón y su heredero Raimondet (el futuro Raimon VII) con la infanta Sancha, ambas hermanas del rey Pedro. Vista desde Roma, esta cercanía política y familiar hacía peligrosa la intervención de este monarca en el asunto de la herejía occitana. Era preferible el rey de Francia, ajeno a la compleja política meridional, y que el rey de Aragón siguiera defendiendo las fronteras de la cristiandad frente a los musulmanes peninsulares.

Ante la falta de respuesta del monarca francés, Inocencio III mantuvo en vigor las medidas no violentas, incluidas las predicaciones de los clérigos castellanos Diego de Osma y Santo Domingo de Guzmán, que no fueron muy eficaces. Pero el 15 de enero de 1208, un escudero del conde de Tolosa quiso complacer a su señor acabando con su principal problema, el legado papal Pèire de Castelnau, que fue asesinado. La guerra estaba servida. En marzo de 1208, al grito de *¡Adelante caballeros de Cristo!*, Inocencio III predicó la cruzada contra los herejes occitanos y sus cómplices, identificados con el nombre de *albigenses*, un gentilicio local (de Albi y su territorio, el *Albigés*, en francés *Albigeois*) que se convirtió desde 1209 en sinónimo de hereje.

# La Cruzada Albigense (1209-1229)

Cuatro son las fuentes principales de esta guerra: la *Cansó de la Crozada* (1212-1213) de Guilhem (o Guillermo) de Tudela, un clérigo navarro afincado en territorio occitano que aspiraba a una "entente" entre los cruzados y la nobleza occitana para acabar con la herejía; la *Hystoria Albigensis* (1213-1218) del cisterciense francés Pierre des Vaux-de-Cernay, que es la versión oficial de los cruzados; la segunda parte de la *Cansó de la Crozada* (h. 1228), compuesta por un poeta tolosano anónimo, firme partidario de los condes de Tolosa y de la causa occitana; y la *Chronica* de Guilhem de Puèglaurens (en francés Guillaume de Puylaurens), un clérigo tolosano que contempló la Cruzada desde una óptica católica, pero crítica y menos apasionada.

Por estas y otras fuentes, sabemos que en la primavera de 1209 se reunió en Lyon un gran ejército de cruzados franceses, aunque también los había flamencos, alemanes, ingleses, italianos y occitanos –tanto del condado de Provenza como de las tierras languedocianas y gasconas–. Todos aspiraban a ganar los beneficios espirituales y materiales de una cruzada mucho más cercana y cómoda que las de Tierra Santa. La dirección militar de la campaña no recayó en el rey de Francia. Pese a los llamamientos papales, Felipe Augusto se negó a intervenir directamente, de modo que la jefatura de la Cruzada recayó en el legado papal Arnau Amalric, un cisterciense de origen catalano-occitano, antiguo abad de Poblet y futuro arzobispo de Narbona, que representaba la línea más dura de la política antiherética de Roma.

El conde de Tolosa Raimon VI, sabiéndose el principal objetivo de la Cruzada, se sometió a la voluntad de la Iglesia *in extremis* y bajo unas duras condiciones. Con ello consiguió desviar la Cruzada hacia las tierras del segundo señor más importante de la región, Raimon Roger Trencavèl, cuyas tierras –los vizcondados de Béziers, Albi, Agde y Nimes, y los condados de Carcassona y Razès– eran un conocido foco de herejía. Los cruzados sitiaron Béziers. Sorprendiendo a los confiados defensores, el 22 de julio de 1209 entraron en tromba en la ciudad y provocaron una matanza que causó una gran conmoción. Los cruzados asediaron a continuación Carcassona, ciudad bajo soberanía del rey de Aragón. Pese al intento de mediación de Pedro el Católico, el vizconde Trencavèl capituló a mediados de agosto y Carcassona fue ocupada por los cruzados. La primera fase de la Cruzada Albigense, la más espectacular y la que dejó una huella más evidente en las fuentes de la época, terminó con la entrega de las tierras y los títulos de Raimon Roger Trencavèl al barón francés Simon de Montfort, quien asumió el compromiso de continuar la lucha contra los herejes y, por tanto, el liderazgo militar de la Cruzada.

Desde septiembre de 1209, se fue disipando el terror inicial que había provocado la sumisión del país y se produjo la primera reacción contra la Cruzada, protagonizada por el conde Raimon Roger de Foix, viejo aliado del rey de Aragón. Durante los meses siguientes, Simon de Montfort procedió a someter las tierras que legalmente eran suyas. Además del apoyo de Roma y del episcopado occitano, controlado por los cistercienses, Montfort contaba con tropas cruzadas que llegaban regularmente al sur cada verano. En esos meses conquistó los famosos *castra* (ciudades fortificadas) de Minerve, Montréal, Termes y Cabaret-Lastours, duras campañas de asedio que solían terminar con la quema de los cátaros allí refugiados. A finales de 1210 logró el control de los vizcondados que habían sido de los Trencavèl.

En marzo de 1211, Simon de Montfort, el rey de Aragón y el conde de Foix llegaron a varios acuerdos con el visto bueno de la Iglesia, pero no así Raimon VI de Tolosa, que fue excomulgado de nuevo por su complicidad con la herejía. Los cruzados emprendieron entonces la ofensiva contra el condado tolosano. Uno de los episodios más conocidos fue la conquista del *castrum* de Lavaur, cuyos defensores –incluida la castellana Dona Gerauda y su hermano Aimeric de Montreal– fueron ejecutados junto a varios centenares de cátaros (mayo 1211). El primer ataque directo contra la capital se produjo un mes más tarde. Los occitanos percibieron el peligro común y unieron sus fuerzas. Incluso pudieron haber derrotado a Montfort durante el asedio de Castelnaudary (agosto 1211), pero no aprovecharon la oportunidad. Las revueltas contra los cruzados fueron controladas y, mientras Pedro el Católico y el legado papal Arnau Amalric combatían a los almohades en la gran batalla de Las Navas de Tolosa (16 julio 1212), Montfort pudo ampliar notablemente sus conquistas. A finales de ese año la victoria parecía inminente, así que hizo redactar los *Estatutos de Pamiers*, la norma jurídica inspirada en el derecho feudal francés que regiría en las tierras conquistadas a los herejes.

El ataque al condado de Tolosa amenazaba la hegemonía que la Corona de Aragón ejercía en el sur de Francia. El rey Pedro el Católico, avalado por su condición de vasallo del Papa y su brillante participación en la batalla de Las Navas, decidió intervenir en el conflicto en defensa de sus vasallos y aliados. Propuso a Inocencio III una solución diplomática que garantizaba el restablecimiento de la ortodoxia y la supervivencia de la nobleza occitana. Para demostrar que contaba con su apoyo, el rey se hizo prestar juramento de fidelidad por los condes de Tolosa, Foix y Comminges, el vizconde de Bearn y los cónsules de las ciudades de Toulouse y Montauban (27 enero 1213). Al reconocerse vasallos de Pedro el Católico, los occitanos estaban proclamando que su rey no era el rey de Francia, sino el rey de Aragón, cuya soberanía feudal se extendía ahora en un enorme territorio transpirenaico. Estaba naciendo una "Gran Corona de Aragón" hispano-occitana a la que la Historia no daría ninguna oportunidad de prosperar. El Papa, impactado por la victoria de Las Navas y volcado en una próxima cruzada en Tierra Santa, dio su apoyo al plan del rey, pero cambió de opinión pocos meses después recelando de sus intenciones expansionistas. El monarca catalano-aragonés decidió entonces liquidar la cruzada militarmente antes de volver a negociar con Roma. Todo apuntaba a una victoria del ejército hispano-occitano de Pedro el Católico, pero la batalla de Muret (12 septiembre 1213) terminó con la derrota total y la muerte del rey de Aragón.

El desastre de Muret hizo imposible toda intervención de la Corona de Aragón en la cuestión albigense durante casi dos décadas. Para los occitanos supuso la pérdida de su único valedor externo y de toda legitimidad: la victoria *milagrosa* de Simon de Montfort demostraba que la Cruzada Albigense era una guerra justa y santa. Los occitanos, en esas condiciones, se sometieron. En 1215, el IV Concilio de Letrán confirmó la complicidad del conde Raimon VI con los herejes y procedió a su desposesión: sus títulos, derechos y tierras fueron entregados a Simon de Montfort, quien se convirtió en *duque de Narbona, conde de Tolosa y vizconde de Béziers y Carcassona*.

La guerra, sin embargo, no terminó aquí. La nobleza y buena parte de las poblaciones occitanas, opuestas a la dominación de *los clérigos y los franceses*, se levantaron en armas desde 1216. Bajo el liderazgo del heredero de Raimon VI, Raimondet (el futuro Raimon VII), los occitanos recuperaron buena parte del terreno perdido, sobre todo tras la muerte de Simon de Montfort en 1218 durante el segundo asedio de Tolosa. El apoyo militar de la monarquía francesa apuntaló las posiciones de los cruzados en 1219, pero no pudo evitar la derrota final de Amaury de Montfort, hijo de Simon, que carecía del talento militar de su padre. Amaury capituló en 1224 ante el conde Raimon VII de Tolosa (1222-1249) y cedió todos sus derechos occitanos al rey de Francia. Estos años de la llamada "Reconquista occitana" permitieron un cierto resurgir del catarismo. *El Espíritu inmundo, que ya había sido expulsado de la provincia de Narbona... ha vuelto a entrar en la morada de la que había sido barrido,* escribió el viejo cisterciense Arnau Amalric al rey de Francia en 1224.

Tras la derrota de los Montfort, la Cruzada Albigense fue asumida por la monarquía Capeto, interesada en controlar firmemente el sur del reino y acceder al Mediterráneo. Las intervenciones militares del rey Luis VIII (1226) y de las tropas del joven Luis IX el Santo (1227-1228) precipitaron la ocupación francesa del país y el agotamiento de las fuerzas occitanas. Pese a los llamamientos de los trovadores, el joven rey de Aragón Jaime I se mantuvo al margen, negándose a otro choque con la Iglesia y poniendo sus ojos en la expansión mediterránea. El final de la guerra llegó con la firma de los Tratados de Meaux-París (1229): Raimon VII de Tolosa recuperó sus títulos y gran parte de sus tierras, pero a cambio de reconocer la hegemonía del rey de

Francia en la región. La consecuencia clave de la Cruzada Albigense no fue, pues, la erradicación del catarismo, sino la modificación del mapa político de la Europa del siglo XIII: el sur del reino de Francia pasó de la hegemonía de la Corona Aragón en 1213 a la dominación efectiva del rey de Francia desde 1229.

## Después de la Cruzada

La nobleza occitana volvería a levantarse en los años 40, solicitando una vez más la ayuda del rey Jaime I de Aragón, pero la superioridad militar francesa se impuso de nuevo. En 1244, el senescal del rey de Francia hizo capitular la fortaleza de Montségur (en el condado de Foix), cabeza y sede de la Iglesia cátara. A los pies de *la sinagoga de Satán* fueron quemados unos 220 cátaros. El último castillo en manos de caballeros vinculados al catarismo fue Quéribus, ocupado por los franceses en 1255. Finalmente, en el Tratado de Corbeil (1258), el rey Jaime I cedió a San Luis todos sus derechos occitanos, lo que supuso el punto final a las aspiraciones catalano-aragonesas más allá de los Pirineos y un paso decisivo en la integración del Midi en el reino de Francia.

Por paradójico que parezca, la Cruzada Albigense no sirvió para acabar con el catarismo, que tardaría otro siglo en desaparecer. Muchos cátaros fueron quemados durante la guerra, otros pasaron a la clandestinidad y otros muchos emigraron al norte de Italia y a la Corona de Aragón (Cataluña, Mallorca, norte de Valencia), tierras ligadas históricamente a la Francia meridional que se convirtieron en santuario de los exiliados occitanos, tanto herejes como católicos. Pero si la "vía militar" representada por la Cruzada no fue eficaz en la eliminación del catarismo, la *paz de clérigos y franceses* impuesta en 1229 por los Tratados de Meaux-París sí permitió la creación del Tribunal de la Inquisición (1232), una eficaz "vía policial" de investigación, persecución y represión de la herejía que sería la responsable última de su desaparición a principios del siglo XIV.

MARTÍN ALVIRA CABRER
Universidad Complutense de Madrid

Gaguik Mouradian

Photo: © Vico Chamla – Milano

# El tiempo de la Inquisición
# (siglos XIII-XIV)

La cruzada contra los albigenses (1209-1229) predicada por el papa contra los príncipes occitanos protectores de herejes y finalmente ganada por el rey de Francia invierte la relación de fuerzas que favorable hasta entonces a los disidentes. Tras el sometimiento de los condes y las dinastías señoriales que las respaldaban, las Iglesias cátaras pasan plenamente constituidas a la clandestinidad, aureoladas con la corona del martirio por las grandes hogueras de la cruzada. Sin embargo, la Inquisición instalada por el papado en el territorio vencido y respaldada por el poder real se afana por desenmascararlas poco a poco mediante la persecución, desmantelando sus redes de solidaridad. Sostenida por una población creyente aún numerosa y ferviente, la Iglesia prohibida resistirá durante un siglo.

La Inquisición, que cristaliza en el siglo XIII frente a las Iglesias cátaras, es la forma culminante de la persecución religiosa, hecha posible por la total colaboración del poder secular con el poder espiritual, es decir, en los condados occitanos, por el dominio real francés.

## La Inquisición. *Inquisitio heretice pravitatis*

Desde las primeras denuncias de la herejía en el siglo XI, se inicia una misma lógica que presencia el auge en la cristiandad de una ideología del combate permanente y que determina lo que el medievalista británico Robert Moore llama una «sociedad de persecución» y de exclusión; las dos puntas de lanza sucesivas de esa teocracia militante son, en el siglo XII, la orden del Císter, cuya influencia desembocará en la cruzada contra los albigenses, y luego, en el siglo XIII, la orden de los dominicos, capataz de la Inquisición.

En 1199, por medio de la bula *Vergentis in senium*, el papa Inocencio III asimila la herejía al crimen más grave, el de lesa majestad contra Dios; a partir de ese momento, los herejes son merecedores de las penas y los castigos previstos por el Derecho romano para el crimen de alta traición. Sin embargo, en el Lenguadoc la Iglesia sólo tiene libertad de actuación tras la victoria francesa, consolidada en 1229. Mejor dicho, la alianza efectiva de la monarquía multiplicará sus medios de acción. Para el papa y el rey, se trata ya de reconciliar a la fe católica los condados meridionales pacificados militarmente y de exterminar para siempre la herejía. La Inquisición, surgida de las oficinas jurídicas de la curia pontificia y de las escuelas de Derecho tolosanas, es concebida como el instrumento de ese doble objetivo, penitencial y policial.

La Inquisición, *Inquisitio heretice pravitatis* (Investigación de la perversión herética), se impone como instancia jurídica con competencia exclusiva sobre el crimen de herejía. Confiada a las jóvenes órdenes mendicantes, a los franciscanos y sobre todo a los dominicos, suplanta los tribunales ordinarios de los obispos, una buena parte de los cuales el papa concluye que están vinculados con las poblaciones diocesanas. Funciona como una jurisdicción de excepción, por delegación directa del poder papal, por lo que los inquisidores sólo responden ante el pontífice. Por lo tanto, "transgrede todo derecho". Curtida contra los cátaros de Alemania desde 1227 y contra los de Champaña, Borgoña y Flandes a partir de 1230, está extendida en 1233 al conjunto de la cristiandad como una sólida malla de la autoridad de la santa sede por encima de los poderes locales y, para empezar, en Tolosa.

Por más que constituya un indudable "progreso" en el plano jurídico, la Inquisición será odiada y temida por las poblaciones concernidas en tanto que instrumento de un terror institucional que acumula los plenos poderes de un confesionario obligatorio y de un tribunal policial y que se atribuye el derecho divino para juzgar a vivos y muertos, incluso en el más allá y por la eternidad. La Inquisición es "moderna" en pleno siglo XIII porque basa –y ello durante siglos– el derecho de los poderes a forzar las conciencias y ahogar la crítica, en nombre de una arbitrariedad trascendental, en la raíz de las burocracias totalitarias "modernas". Sus dos pilares: la delación como método y, como objetivo, la confesión, es decir, la autocrítica.

Su papel penitencial está en primer lugar. Los jueces son ante todo religiosos encargados de oír en confesión a los habitantes adultos de los pueblos meridionales (varones mayores de 14 años; mujeres mayores de 12) con el fin de absolverlos de toda herejía y reconciliarlos a la fe del papa y del rey, reintegrarlos a la comunidad cristiana fuera de la cual no hay salvación posible. Sin embargo, son al mismo tiempo investigadores que utilizan las confesiones como declaraciones jurídicas y erigen la delación en sistema. Denunciar, entre sus conocidos, a los herejes y a los amigos de los herejes constituye para el penitente –a la vez acusado y testigo– el único medio de probar al inquisidor, que acumula las funciones de confesor, investigador, juez y procurador, la sinceridad del arrepentimiento y obtener la absolución.

Las confesiones-declaraciones son registradas por los notarios de la Inquisición y constituyen un auténtico archivo de los sospechosos de herejía, lo cual permite investigaciones mediante el desglose de los testimonios. Ese sistema permite también desenmascarar a los relapsos en el acto.

Policía religiosa, la Inquisición sopesa las almas en nombre de Dios. Distingue asimismo entre los simples *creyentes de herejes*, que deben ser devueltos al redil por medio de las penitencias adecuadas, y los *herejes* propiamente dichos, buenos hombres plenamente culpables del crimen de herejía y casi siempre irreconciliables. Los inquisidores pronuncian sus sentencias en las sesiones solemnes de un sermón general, en la plaza de la catedral, asestando la horrible condena de la herejía para edificación del pueblo cristiano congregado.

La Inquisición mata relativamente poco, no es ése su papel. Se limita a entregar a herejes impenitentes y fieles relapsos al brazo secular para su ejecución por medio del fuego, hábil procedimiento por parte de unos religiosos para eludir los preceptos del Evangelio. Los creyentes arrepentidos son reconciliados por medio de penitencias estipuladas: peregrinaciones, lucir cruces infamantes, confiscación de bienes, cárcel (el muro inquisitorial) a menudo a perpetuidad. Los relapsos (esos desdichados que, tras haber abjurado de toda herejía, se ven denunciados de nuevo ante un inquisidor) son considerados como irrecuperables y quemados sistemáticamente. La Inquisición abandona al brazo secular a relapsos e impenitentes, igual que hace quemar los cuerpos de los creyentes muertos "en pestilencia herética" y las casas que han albergado las ceremonias impías...

Sin embargo, para el inquisidor, el desenlace de la hoguera constituye un fracaso. Significa que la oveja perdida no ha podido ser devuelta al redil y que el hereje impenitente, criminal ante Dios según el Derecho canónico, no ha dejado de ser enemigo de la fe. El inquisidor, delegado directo del papa, el vicario de Dios en este mundo, no puede hacer nada más por él. Su impenitencia es la marca de un alma perdida, que recibe así la sentencia del fuego "en señal de su condena eterna". El sentido profundo de la hoguera es hacer pasar a los herejes «del fuego de este mundo al del infierno», según la expresión del cronista del auto de fe de Montségur.

La temible eficacia del sistema se basa en fisurar por medio de la angustia de la delación las solidaridades locales y familiares, en transformar a los religiosos clandestinos, en su mayoría antiguos parientes, antiguos amigos, en malditos a través de los cuales llega la desgracia. La ideología de la vergüenza aporta su toque final al objetivo de que la herejía desaparezca de la sociedad y las conciencias.

## La eliminación de la herejía

Los príncipes occitanos no lograron sustraerse al dominio capeto. Tras el fracaso de la "guerra del vizconde" Trencavel en 1240 y el de la "guerra del conde" de Tolosa en 1242, la caída Montségur, fortaleza defendida por un puñado de caballeros rebeldes, marca el final de las esperanzas políticas meridionales. Es también el final de las Iglesias cátaras estructuradas en el Lenguadoc. La gran hoguera del 16 de marzo de 1244 arrebata con sus llamas la jerarquía de las Iglesias cátaras que allí se había refugiado. A partir de 1249, un conde capeto gobierna en Tolosa, que será anexionada a la corona en 1271. Frente a la Inquisición, toda clandestinidad se convierte ya en desesperada. Los últimos buenos hombres errantes recorren la campiña de escondite en escondite, de granja en cabaña de bosque, bajo la protección de unos fieles aterrorizados por la Inquisición. Se forja entonces su imagen de predicadores furtivos y clandestinos. Las Iglesias occitanas maltrechas reúnen algunos jirones de su jerarquía en el refugio de Italia, donde la Inquisición tiene dificultades para implantarse hasta que en 1269 la definitiva victoria de los partidarios del papa (güelfos) sobre los del emperador (gibelinos) abre las puertas de la represión.

El tribunal de la Inquisición queda fijado en las ciudades episcopales, Albi, Tolosa, Carcasona, donde convoca a los sospechosos para que comparezcan. A partir de 1252, el papa lo autoriza a emplear la tortura. En las regiones de Oc recién pacificadas por el rey, la herejía quedará erradicada casi por completo en el primer tercio del siglo XIV. Los grandes inquisidores que culminan la tarea (Godofredo de Ablis, Bernardo Gui y luego Jacobo Fournier) retoman con método los registros-archivos de sus predecesores, utilizan sabiamente a delatores y confidentes, se comunican sus expedientes, llevan a cabo operaciones policiales concertadas en pueblos enteros, como Montaillou, multiplican las quemas de relapsos, las exhumaciones de cadáveres, las destrucciones de casas y capturan y queman uno tras otro, en 1309 y 1310, a los últimos predicadores que, en torno al buen hombre Pèire Autier, se ocultan aún en el maquis entre Quercy y los Pirineos. En 1321, es ejecutado el último buen hombre cuyo nombre conocemos, Guilhem Bélibaste, arrancado de su refugio aragonés.

Así desaparece la Iglesia cátara. A partir de entonces deja de practicarse la *herejía* de los buenos hombres. Sus estructuras religiosas y eclesiásticas han sido aniquiladas; su clero, destruido. Ya nada perceptible (ni gesto ni palabra litúrgica, bendición del pan, saludo ritual, oración) podrá "ser cometido en materia de herejía" ni confesado a los inquisidores; nadie podrá ser denunciado por haber visto a un hereje ni haber asistido a un *consolament*. La fe quizá seguirá viva en el corazón de cierta población de creyentes huérfanos, la Iglesia ha muerto y no puede renacer. La esperanza de la salvación, el "buen fin de las manos de los buenos nombres", se ha apagado con la hoguera del último de ellos. La herejía no se atrofia como cae en desuso una moda, sino que se consume y queda reducida a cenizas. Ha sido sistemáticamente erradicada.

## Textos para la Historia

Es indudable que a la desaparición del catarismo contribuyen cierto número de "factores múltiples", como la aparición de la nueva espiritualidad franciscana centrada en la persona humana y doliente de

Cristo, la nueva pastoral dogmática establecida por los dominicos, las transformaciones de la sociedad occitana, el peso del poder real. No cabe duda de que esos factores acompañaron y facilitaron el trabajo de la Inquisición. No por ello deja de ser cierto que la Inquisición medieval y pontificia (no hablemos aún de la Inquisición de los tiempos modernos) consiguió en un siglo de funcionamiento la erradicación del catarismo, el objetivo para el cual había sido creada. Y su trabajo secular sigue estando ahí, vasto e inexorable. Así lo atestiguan, a pesar de las pérdidas y las destrucciones, los archivos acumulados, esos registros-ficheros de una burocracia poco habitual, puesto que abarcaba lo sagrado, la salvación del alma y la eternidad. Registros de confesiones pronunciadas bajo juramento, con la mano colocada sobre los cuatro sacrosantos evangelios, y responsables de la reconciliación del pecador a la santa Iglesia apostólica y romana; registros de penitencias válida para el más allá... esos documentos se salen de lo común y su carácter sagrado es garante de su sinceridad, que no excluye la crítica.

No son unas actas ligeras, de donaciones o repartos, las que consignan y sellan los notarios de la Inquisición, sino pesadas confesiones, autocríticas realizadas ante Dios. El juez soberano planea omnipresente sobre los procedimientos, su ojo se encuentra en el fondo de todas las conciencias, tanto la del juez como la del acusado, la del testigo y la del notario. Sin aliento, el sospechoso se calla, elude, puede llegar a mentir bajo juramento. El inquisidor está revestido de su derecho. Así se leerán, para la Historia, los archivos de la Inquisición como básicamente verídicos y cargados de todo un peso de testimonio humano. Tras el fraseado de la ortodoxia triunfante, el murmullo insistente de la disidencia.

**ANNE BRENON**

Traducción: Juan Gabriel López Guix

# La *Ad Exstirpanda* del Papa Inocencio IV (1252)

Un rasgo de este decreto, cuya importancia nunca se subrayará lo suficiente, es la inmaculada ausencia de cualquier noción de herejía. No aparecen nunca como palabras *cátaro*, *valdesiano*, *albigense*, *sabeliano*, *arriano amalriciano* y otras; aunque el papa crea inquisidores y los instruye sobre el modo de buscar herejes, no les ofrece la menor indicación sobre el modo de identificarlos. Ni tampoco obtienen los inquisidores, de modo negativo, pruebas de ortodoxia. Es decir, no hay *homoousion*, ni credo atanasiano, ni delimitación de las dos naturalezas de Cristo, ni cuidadoso equilibrio entre predestinación y libre albedrío; la bula no propone parámetro alguno para decidir a quién detener o a quién no molestar. El obispo de cualquier diócesis, omnipotente gracias a este decreto, puede, sin violar su espíritu ni su letra, detener y encarcelar a cualquier persona bajo su jurisdicción.

Un curioso término subraya la indeterminación el concepto de hereje: cuando hay que mencionarlo, la fórmula es «haereticus vel haeretica», «hereje, hombre o mujer». Como las designaciones de cátaro, valdesiano, albigense, son superfluas, la única que se considera necesaria es la más elemental división posible de la humanidad, la existente entre hombre y mujer. Todas las personas son hombre o mujer, y eso es lo que son todos los herejes; y así la clase de los herejes y la clase de las personas coinciden. También la NKVD durante el período de las grandes purgas estalinistas desarrolló una creencia mística según la cual todo ser humano albergaba la traición contra Stalin, que siempre salía a la luz con un grado suficiente de interrogación.

En consecuencia, un acusado de herejía no tiene forma alguna de obtener un veredicto de inocencia. Los inquisidores determinan la culpabilidad antes de detenerlo. Los funcionarios seculares del Estado tienen poder para detener a aquellos de quienes se sospecha que son herejes, tras lo cual lo entregan al obispo y a los inquisidores para «un examen de ellos y de su herejía» («pro examinatione de ipsis et eorum haeresi facienda», Ley 23). Es decir, la inquisición no funciona como un gran jurado para establecer la existencia de un delito probable ni, menos aun, como un tribunal para determinar la culpabilidad o la inocencia, sino para examinar la parte culpable y su delito.

Todo el que afirme que un hereje detenido no es culpable crea un dolo («dolum») y por ello todas sus propiedades deben pasar para siempre al Estado (Ley 22).

El nacionalsocialismo no sólo fue inventado por Hitler, sino que nació de su colaboración con Anton Dresler. Drexler, que no era un asesino, y un Hitler, todavía inseguro de sí mismo, redactaron los "25 puntos" del programa nacionalsocialista (1920), que expresan un liberalismo incoherente pero conmovedor y un socialismo real  que tuvieron al principio poca relación y luego ninguna con el comportamiento real de los nazis. Éstos acabarían por pedir a su cabecilla: ¿por qué deshacernos de los 25 puntos? Hitler respondió: dejadlos, cuando nos pregunten cuál es nuestro programa podremos sacarlos y tendremos libertad para hacer lo que queramos. Afortunada la organización terrorista sin principios ni programa.

Dado que nadie puede definir a un hereje, por la misma regla cualquiera puede hacerlo; o, más bien, la tarea resulta ridículamente sencilla. Lo que hace falta no es la capacidad sino la autoridad para definirlo. La Ley 2 exige que al principio de su mandato la autoridad estatal (no un inquisidor) acuse a todos los herejes de su jurisdicción de haber cometido delitos, tras lo cual sus propiedades son confiscadas por los agentes nombrados por el Estado o por el primero que consiga hacerse con ellas; en este caso, los saqueadores serán dueños de la propiedad «con pleno derecho». Nada de investigación, juicio, veredicto ni sentencia; la simple acusación comporta un castigo inmediato. En la película *Casanova* (2005), el inquisidor Pucci afirma: «Herejía es lo que yo digo que es». Quizá sea ése el momento más preciso en términos históricos de la película.

En consonancia con la pureza ideológica de *Ad exstirpanda* –esto es, su pura ausencia de idea alguna–, sólo a los eclesiásticos de la Inquisición, no a los legos, se les permite interpretar sus propias actividades. *Ad exstirpanda* crea, en todas las diócesis de Europa, una cohorte de perseguidores encabezados (en nombre de la Iglesia) por el obispo diocesano y, bajo él, a los dominicos ("fratres predicatores") y los franciscanos ("fratres minores"); el Estado se encuentra representado por agentes ("servitores"), dos notarios y doce legos. Estos últimos tienen expresamente prohibido albergar cualquier teoría sobre lo que hacía o sobre cuáles eran sus deberes, más allá de lo que les dijeran el obispo y los monjes («Nec ipsi officiales, vel eorum haeredes possint aliquo tempore conveniri, de his quae fecerint, vel pertinent ad eorum officium», Ley 11). Para impedir por completo un acuerdo entre ellos, se decretó su sustitución todos los seis meses, lo cual impedía que tuvieran la sensación de haber aprendido su trabajo. Piensa uno en la invariale aria del prisionero en el banquillo del tribunal por crímenes de guerra: soy un pobre hombre, recibía órdenes y las transmitía, en realidad no sabía nada. Y en un personaje de Shakespeare:

> Se me pide, aquí, entregar a vuestras manos
> al noble duque de Clarence.
> No pensaré lo que eso significa,
> porque seré inocente del significado.
> (*Ricardo III*, I.iv., 93-96)

El terrorismo de Estado necesita una reserva de hombres imbuidos de la "banalidad del mal", en expresión de Hannah Arendt, una incapacidad real o fingida saber o querer saber las maldades que cometen. Inocencio IV se preocupó de proporcionar a la Inquisición tales hombres.

Con todo, el sentido de la decencia emerge en modos impredecibles entre los seres humanos. En previsión de esta eventualidad, el papa ordena que no se lleve a cabo aplazamiento alguno de un castigo por herejía como resultado de una reunión pública, de cualquier protesta popular o de la innata humanidad de quienes detentan la autoridad («Omnes autem condemnationes, vel poenae, quae occasione haeresis factae fuerint, neque per concionem... neque ad vocem populi ullo modo, aut *ingenio*, aliquo tempori valeant relaxari», Ley 32; énfasis añadido). A pesar del *ingenium* o impulso compasivo de algún inquisidor ocasional, las ejecuciones crueles acabaron convirtiéndose en algo apreciado y en una segunda naturaleza. Hasta el siglo XVIII, se realizaron en España grandes quemas de judíos y herejes para celebrar las bodas reales.

La Ley 32 arroja alguna duda sobre la afirmación de William E. H. Lecky al final de su *History of the Rise and Influence of the Spirit Rationalism in Europe* (1865): que si bien deploramos el mal cometido durante los siglos cristianos, no podemos negar cierta dignidad moral a quienes lo cometieron puesto que creían en lo que estaban haciendo, al contrario de lo que ocurre con frecuencia hoy en día. La Ley 32 de *Ad exstirpanda* señala lo contrario: a los inquisodres les repugnaban sus propios actos y el papa tenía que ordenarles que reprimieran sus sentimientos. La incapacidad del papa para decir las palabras *tortura* o *quemado vivo* cuando eso era justamente lo que quería decir, corrobora la misma idea.

*Ad exstirpanda* sólo creó la Inquisición en unas pocas provincias del norte de Italia. Sin embargo, propuso un plan que apelaba al lucro, puesto que cualquier Estado se dividiría con los inquisidores las propiedades del condenado por herejía. Con ello se esperaba que el plan se extendiera por toda Europa, como así sucedió; con los conquistadores, se extendió incluso a México y Perú. En consecuencia, los gobiernos y las regiones sólo se designan en esas leyes en términos genéricos: en el caso del gobierno, «potestas aut rector», autoridad o gobernante; en el caso de la región, «civitas aut locus», ciudad o lugar.

Así como la estipulación acerca de los miembros legos de la Inquisición apunta a la "banalidad del mal" del siglo XX, también los eufemismos de *Ad exstirpanda* apuntan a los de los Estados totalitarios en los que el asesinato en masa era "liquidación"; una cámara de tortura, un *Sonderbunker* o "búnker especial"; y el asesinato a una escala sin precedentes en la historia, la "solución final".

Así en la Ley 24 de *Ad exstirpanda*, los convictos de herejía deben entregarse reducidos («relictos») a la autoridad estatal, quien debe «aplicar las constituciones promulgadas contra ellos» («circa eos constitutiones contra tales editas serviturus»). Inocencio IV obedeció una orden de su predecesor Bonifacio VIII para emplear eufemismos en este caso: a los inquisidores «se les advertía de sólo tenían que hablar de ejecutar las leyes sin mencionar de modo específico la pena, para evitar caer en "irregularidad", aunque el único castigo reconocido como suficiente por la Iglesia para la herejía era ser quemado vivo» (Henry C. Lea, *A History of the Inquisition in the Middle Ages*, Nueva York, Macmillan, 1922, vol. I, p. 537).

La infame Ley 25 omite mencionar las palabras *torqueo, tormentum*, y dice que los funcionarios estatales forzarán («cogere») a los acusados de herejía a confesar «citra membri diminutionem, aut mortis periculum» («sin disminución de sus miembros [expresión oscura que significa probablemente sin romperlos] ni peligro de muerte [es decir, sin matarlos]»).

*Ad exstirpanda* también dispone que un hereje detenido o a punto de serlo se verá rodeado de una nube de sospecha y miedo lo bastante grande para envolver a su familia y sus amistades. Todo el atrapado proporcionando consejo, ayuda o favores a un hereje («Quicumque vero fuerit deprehensus dare alicui haeretico, vel haereticae, consilium, vel auxilium, seu favorem») será declarado infame y perderá el derecho a ostentar un cargo público, participar en los asuntos públicos o votar; se verá incapacitado para testificar en cualquier juicio y tampoco podrá heredar ni legar. En resumen, «Quienes presten oídos a las falsas doctrinas de los herejes serán castigados como los herejes». A todas luces, en cuanto era evidente de un modo u otro que una persona estaba a punto de ser detenida bajo la acusación de herejía, sus familiares y amigos intentaría por todos los medios no parecer que le ofrecían «consilium, vel auxilium, seu favorem». Tanto Alexander Solzhenitsin en *El archipiélago Gulag* como Nadezhda Mandelshtam en *Sin esperanza* describen la atroz sensación, cuando uno es detenido en un país totalitario, de verse rechazados por la familia y los amigos.

La ley 26 dispone que la casa en la que sea detenido un hereje se derribe y no vuelva a construirse nunca, a menos que sea el dueño de la casa el informante causante de la detención. A menos que el dueño de la casa se anticipe de ese modo, también se derribará y no volverá a construirse nunca toda casa que pueda poseer en el vecindario.

Esa acción no castiga a los herejes, pero embarga de miedo al propietario de la vivienda ante la posibilidad de que alguno de sus inquilinos sea acusado de herejía antes de hacerlo él. Arendt describe el modo en que los compañeros de trabajo y conocidos de una persona detenida acudían a toda prisa a la policía secreta para explicar que la habían frecuentado con el único objetivo reunir pruebas de su deslealtad para denunciarla. La Ley 21 especifica que deben construirse nuevas cárceles para los herejes, separadas de las destinadas a ladrones y delincuentes comunes, con el objetivo evidente de impedir que estos puedan informar al mundo exterior, tras ser liberados, acerca de la situación de los herejes.

El *Times Literary Supplement* del 8 de septiembre del 2006, en una reseña del libro *God's War* de Christopher Tyerman, observa: «De forma aun más sorprendente, las operaciones de la Inquisición contra los albigenses en el sur de Francia reciben elogios de [Tyerman]. No se trató de una "siniestra institución burocrática de represión como afirma la leyenda", sino que obró principalmente por medio de la "persuasión y la reconciliación"». Y Gerard Bradley en «One Cheer for Inquisitions», un artículo publicado en Catholic.net, recomienda al menos cierta tolerancia y empatía ante la Inquisición, ya que su existencia misma fue testimonio de una época de una fe más profunda que la nuestra. Sin embargo, sólo hay que leer *Ad exstirpanda* para descubrir que la Inquisición no se interesaba por la fe y ni siquiera por la herejía, sino por la riqueza y el poder, y por el método más rudimentario de conseguirlos: el terror.

**DAVID RENAKER**
Professor of San Francisco State University
Traducción: Juan Gabriel López Guix

**Nota del autor:** Las investigaciones que me llevaron a traducir este texto surgieron de la necesidad de profundizar sobre el verbo *exstirpo, exstirpare*, así como sobre la forma en que se modificó la palabra a lo largo de la Edad Media y el siglo XVII. Descubrí que la bula papal nunca se había vertido al inglés, por lo que decidí llenar ese vacío.

La fuente es *Bullarum Privilegiorum Romanorum Pontificum Amplissima Collectio Cui accessere Pontificum omnium Vitae, Notae, & Indices Opportuni.* Opera et Studio Caroli Cocquelines. Tomus Tertius. A Lucio III. Ad Clementem IV., scilicet ab An. MCLXXXI ad An. MCCLXVIII, Romae, M. DCC. XL. Typis et Sumptibus Hieronymi Mainardi.

Obtuve el libro por medio de los buenos oficios de Anthony Bliss de la Bancroft Library (Universidad de California, Berkley) y del personal de la Graduate Theologial Union Library, a quienes estoy profundamente agradecidos.

# Cuando los Pirineos no eran frontera

Durante el siglo XII se estableció entre Cataluña y Occitania una intensa relación cultural, política, social y religiosa que permitió la expansión del catarismo a través de los Pirineos. La Corona de Aragón –que incluía desde 1137 el Principado de Cataluña y el Reino de Aragón- estaba bajo poder político de los condes de Barcelona que a lo largo del siglo XII expandieron sus dominios hacia territorio occitano. Muchos nobles del norte de Cataluña como los señores del Rosellón, la Cerdaña y el Conflent apostaron por la defensa del catarismo. Arnau de Castellbó conde de Cerdaña, vizconde de Castellbó y consejero de Jaime I, unió dinásticamente a su hija Ermessenda con Roger Bernat de Foix, configurándose un territorio que se extendía a ambos lados del Pirineo que incluía la mayor parte de las tierras del noroeste de Cataluña, como Castellbó, la Tor de Querol, Berga, Josa y Gòsol hasta Andorra juntamente con el condado de Foix que destacó por su defensa al catarismo. La vida de Arnau estuvo marcada por las continuas luchas por los derechos del territorio contra la Iglesia de Urgell, disputas que fueron respaldadas por la poesía del trovador Guillem de Berguedà. Esta situación facilitó la penetración del catarismo que se extendió a través de lazos familiares. A principios del siglo XII en Castellbó se realizaban predicaciones públicas y en 1221 se constituyó un diaconado cátaro con administración propia para el territorio en el que residía el *diaconus haereticorum de Catalonia* Guillem Clergue.

Una de las familias del norte de Cataluña vinculadas con el catarismo eran los Bretós de Berga. Arnau Bretós fue capturado cuando se dirigía a prestar ayuda a los asediados de Montsegur y su declaración del 19 de mayo de 1244 relataba los viajes que los cátaros realizaban en territorio catalán durante la primera mitad del siglo XIII. Otro de los círculos del catarismo fue el de la Sierra del Cadí. Ramon de Josa, que había establecido vínculos familiares con Arnau de Castellbó, recibía en su castillo la visita de cátaros entre los que se encontraban el diácono Pere de la Corona y Guillem de Pou. El mismo Pere realizó durante la década de 1240 un viaje por las comunidades cátaras de Cataluña en Vallporrera (Tarragona), Ciurana y la montaña de Prades entre otros lugares.

La aparición de la herejía significó un problema político para la iglesia y también para la monarquía. El papa Inocencio III emprendió una política contra la herejía que tuvo su reflejo en la coronación de Pedro en Roma en 1204. Poco antes habían empezado las órdenes de Inocencio al arzobispo de Tarragona para que prestara ayuda a los prelados pontificios en la lucha contra la herejía al tiempo que concedía al rey la potestad de poseer las tierras arrebatadas a los herejes. El papa mantendría un llamamiento constante a lo largo de los años previos a la cruzada para que Pedro apoyara su causa. La disputa de Montpellier entre católicos y herejes presidida por Pedro que terminó con la condena de la herejía significó un acercamiento a Roma, un acercamiento que siempre fue ambiguo pues muchos de sus vasallos a los que defendió en la cruzada respaldaron al catarismo.

Después de la derrota de Muret y la muerte de Pedro (1213), Jaime I dirigió sus intereses hacia otra dirección; la conquista de Valencia (1229), Mallorca (1239) y la expansión hacia el Mediterráneo. Con la firma del Tratado de Corbeil (1256) finalizaban oficialmente las pretensiones de la casa condal de Barcelona sobre Occitania. Esta situación afectó al desarrollo del catarismo ya que Occitania, juntamente con Cataluña, quedaron progresivamente bajo la órbita de Roma.

Durante el reinado de Jaime I (1213-1276) se realizó la ofensiva más importante contra la herejía. El 26 de mayo de 1232 Gregorio IX emitió la bula *Declinante* en la que ordenaba a Espàrrec de la Barca, arzobispo de Tarragona y a todos los obispos de las diócesis sufragáneas –Girona, Urgell, Tortosa, Lleida, Elna y Barcelona entre otras– para que procediesen contra los herejes y contra los que les protegiesen o encubriesen de acuerdo con los estatutos promulgados por el mismo papa. Dos años después, Ramón de Peñafort impulsó la asamblea eclesiástica reunida el 7 de febrero de 1234 en Tarragona con Jaime presente donde quedaron establecidas las bases de la inquisición catalana medieval. En ellas se decretaba que "*ninguna persona laica se atreva a discutir sobre la fe católica, ni pública ni privadamente. Quien contradiga esto, que sea excomulgado por su obispo y, si no cumple la condena, que sea tenido como hereje.*" Una vez definido el marco legislativo, Inocencio III impulsó en el IV Concilio de Letrán (1215) las órdenes de predicadores para contrarrestar la influencia de la herejía; dominicos y franciscanos visitaban los lugares sospechosos de herejía para entregar los culpables al brazo secular, el encargado de ejecutar la sentencia. Durante estos años, un grupo de valdenses convertidos de nuevo al catolicismo, conocidos como los Pobres Católicos cuyo prior fue Durand de Huesca, se instalaron en distintas ciudades europeas y en Elna (Rosellón) establecieron una escuela que dejó una importante producción escrita contra la herejía.

Los primeros procesos inquisitoriales empezaron poco después de la creación de la inquisición. En Urgell la situación llegó a ser tan delicada que fue necesario un concilio reunido en Lleida en 1237 organizado por el obispo de Urgell Pons de Vilamur para obligar al conde de Foix a permitir la entrada de la inquisición en esta región que terminó con un total de 78 inculpados y dos casas derruidas. Durante esos años se realizó inquisición en Puigcerdà y también en Tarragona donde hubo varias condenas. Un informe del inquisidor Guillem Clergue sobre la región de Berga determinaba que "*pocs albergs avie en Gosol que no i tinguessin eretges*" y también "*dix que d'aquels bos homes, que n'avie a Solsona e a Agramunt, e a Lerida e a Sanauia e a la Sed en la muntania de Prades*". En 1258 el inquisidor Pere de la Cadireta condenó *credens hereticorum* a Ramon de Josa póstumamente. Once años más tarde el mismo inquisidor declaraba hereje a Arnau de Castellbó que había muerto cuarenta años antes, y también a su hija Ermessenda, y ordenaba exhumar sus cuerpos y expulsarlos del cementerio de Santa María de Costoja.

Al tiempo que se desarrollaba la inquisición en Occitania, Cataluña se convirtió en una tierra de refugio con migraciones constantes a través de los Pirineos. Las conquistas de Valencia y Mallorca y el proceso de colonización también ayudaron a difundir las doctrinas cátaras en algunos lugares. En Valencia el comerciante Guillem de Melió fue uno de los inculpados, y en Mallorca, Raimunda, mujer de Boussoulens, y Durand de Broille, mantenían contacto con cátaros en sus respectivas casas. Durante esos años, Lleida se convirtió en una ciudad clave para los desplazamientos hacia la zona más meridional del país. Ante el problema de la herejía en esta ciudad, la Cancillería Real emitió en 1257 un salvoconducto para facilitar la reconciliación. En torno a 1235 Lucas, obispo de Tuy, escribió *De Altera Vita* para refutar en una parte del libro las doctrinas de los herejes que aparecieron en la Corona de Castilla. El paso de cátaros por este territorio, aunque minoritario, se centró en las ciudades de la ruta jacobea que se dirigían hacia Santiago de Compostela, como Burgos, Palencia y León.

A lo largo del siglo XIII la inquisición terminó por desarticular el catarismo. A principios del siglo XIV hubo un resurgimiento en Cataluña a manos de la última comunidad que giraba en torno a Guillem Belibaste y un grupo de exiliados, mayoritariamente de Motaillou, que habían huido de las persecuciones; Pèire y Joan Mauri, pastores itinerantes, su hermana Guillermina con casa propia en San Mateo (Valencia), Esperte y Raimunda. Todos ellos vivieron en ciudades de Valencia, Cataluña y Aragón durante varios años. El mismo Peire cuando fue detenido en Lleida le reprochaba al inquisidor Bernardo de Puigcercós que la enseñanza de Guillem poco tenía que ver con los Autier. Pero lo cierto es que a pesar que en ocasiones Belibaste interpretara la enseñanza para beneficio personal, el testimonio que ha quedado revela un conocimiento profundo de la doctrina del catarismo. En 1321 Guillem fue traicionado por Arnau Sicre, apresado en Tírvia y entregado al arzobispo de Narbona. El 24 de agosto de ese mismo año Guillem era quemado en la residencia del arzobispo en el castillo de Vila Roja-Termenés sin renunciar a su fe.

**SERGI GRAU TORRAS**

# La memoria del catarismo

Uno de los temas que ha marcado de modo significativo la historiografía relativa al catarismo ha sido, sin lugar a dudas, el gran silencio que se produjo tras el trágico final de ese movimiento religioso, un silencio que se prolongaría hasta la llegada del Renacimiento. Lo cierto es que no resulta nada fácil seguir el rastro de esas "brasas" inciertas en las fuentes históricas; sobre todo, porque, como ha recordado con frecuencia Anne Brenon, la expansión de las órdenes mendicantes, la nueva mística franciscana y la ortodoxia posterior a la obra teológica del dominicano Tomás de Aquino modificaron por completo el marco religioso del final de la Edad Media.

En este sentido, se ha afirmado que en la mentalidad popular del Lenguadoc quedaron los restos de un anticlericalismo que contribuiría a la eclosión de la Reforma protestante en el siglo XV. En realidad, cuando surgió el protestantismo, la erudición católica evocó otro movimiento religioso disidente como era el catarismo para utilizarlo como arma contra los seguidores de la Reforma. Paradójicamente, los primeros historiadores protestantes trataron a los cátaros con desprecio. Después, a finales del siglo XVI, los confundieron con los valdenses, a pesar de considerarlos ya como un antecedente de su propio movimiento reformador. Fue Jacques-Bénigne Bossuet (1627-1704) quien puso fin, con su *Histoire abrégée des albigeois, des vaudois, des viclifites et des hussites* –que forma parte de su *Histoire des variations des églises protestantes* (1688)–, a la confusión entre cátaros y valdenses, y la historiografía protestante acabó por seguirlo, no sin vacilaciones.

Ya en el Siglo de las Luces, Voltaire los identificaría otra vez con los valdenses (en su *Essai sur les mœurs et l'esprit des nations*, 1753) y Diderot encontraría su pensamiento «vacío y deplorable»: a finales del siglo XVIII, los cátaros eran vistos desde luego como víctimas trágicas de la intolerancia, pero también como unos fanáticos carentes de un pensamiento religioso de cierta entidad...

Habrá que llegar al siglo XIX para que la historiografía protestante renueve el estudio del catarismo y lo instale sobre unas bases más sólidas. En este sentido, resulta esencial la figura de Charles Schmidt (1812-1895), un pastor y teólogo nacido en Estrasburgo, autor de los dos volúmenes de una *Histoire et doctrine de la secte des cathares ou albigeois* (1849). Schmidt, que veía el catarismo más como una religión diferente que como una herejía cristiana, basó sus trabajos, por primera vez, en el estudio serio de fuentes hasta entonces inexploradas, en particular, los archivos de la Inquisición.

Un tanto posterior, y con un enfoque muy diferente, es la obra de Bernard Mary-Lafont (1810-1884), un calvinista bibliotecario de Montauban y ferviente patriota occitano, autor de una *Histoire politique, religieuse et littéraire du Midi de la France* (cuatro volúmenes, 1842-1845). Y poco después apareció la obra de otro pastor protestante, Napoléon Peyrat (1809-1881), autor de una *Histoire des albigeois* (1870-1882) que, a pesar de basarse en fuentes documentales auténticas, mezcló indisociablemente la historia y la leyenda. La voluntad del autor, que ejercería una enorme influencia posterior en la poesía, el teatro y la novela, era escribir una especie de historia-resurrección total, tal como había hecho su amigo Jules Michelet en el caso de Francia. De la obra de Peyrat, un hombre romántico y arraigado de forma apasionada a su tierra, nace buena parte de la mitología que ha acompañado muchas de las sucesivas aproximaciones al catarismo.

La historiografía católica, mientras tanto, guardó un clamoroso silencio sobre una página tan oscura de la historia de la Iglesia, un silencio que sólo sería roto en el cambio del siglo XIX al XX con la aparición de la obra del profesor y obispo Ignaz von Döllinger (*Geschichte der gnostisch-*

*manichäischen Sekten in früheren Mittelalter,* «Historia de las sectas gnóstico-maniqueas de la Alta Edad Media», Múnich, 1890) y la del también profesor de Béziers (y después obispo de Beauvais) Célestin Douais, a la que siguió poco después la de otro laico carcasonés y profesor de la Universidad de Besançon, Jean Guiraud.

El siglo XX vio la aparición, en los años 1939, 1945, 1960 y 1961, de nuevas fuentes vinculadas directamente con los cátaros y los archivos inquisitoriales y, en consecuencia, una renovación a fondo de la historiografía existente. Y es que, hasta hace muy pocos años, la fuente principal de las investigaciones históricas todavía eran los tratados, las sumas, las crónicas, las cartas y los sermones de los cistercienses y dominicos de la época del catarismo, que describían la herejía para poder combatirla. No es sorprendente, pues, que teólogos e historiadores hubieran llegado a la conclusión bastante común de considerar el catarismo como un cuerpo extraño en el seno de la cristiandad occidental. Sin embargo, hoy la historiografía ha cambiado de forma sustancial su visión del fenómeno y la bibliografía se ha multiplicado enormemente, en parte como una manifestación más del renovado interés que ha despertado el catarismo en las últimas décadas.

En la segunda mitad del siglo XX son múltiples los nombres de los estudiosos que, desde puntos de vista en ocasiones discrepantes, han ido completando cada vez mejor, y hasta el día de hoy, el conocimiento de ese movimiento religioso medieval. Y, en este contexto, hay que dejar constancia del paso hacia delante que supuso la fundación en 1982 del Centre National d'Études Cathares en Carcasona por parte de René Nelli, Robert Capdeville y Pierre Racine. Dicho centro, dirigido entre 1982 y 1998 por la archivera Anne Brenon y entre 1998 y 2005 por la medievalista Pilar Jiménez, ha sido un foco permanente de investigación histórica y de dinamización en torno al catarismo y las herejías medievales.

## El "país cátaro"

La fascinación evidente que ha suscitado el catarismo en amplios sectores se ha apoderado de muchos ámbitos sociales, lo cual ha tenido una traducción directa en la promoción económica y el turismo. Esto ha hecho que, primero de una manera más o menos espontánea y luego de forma inducida por el sector privado y también por la administración pública, se generara a partir de los años sesenta una dinámica de identificación de algunas zonas del Lenguadoc con lo que fue la Iglesia de los buenos cristianos y se crearan incentivos diversos para atraer visitantes hacia esas regiones.

En esta senda resultó determinante la creación en 1989 de la marca "Pays Cathare" por parte del Conseil Général de l'Aude, una marca que, por su delimitación geográfica y administrativa, reduce el escenario histórico real y se concentra sobre todo en la zona de Corbières. Basada en la revalorización del patrimonio (fundamentalmente, castillos y abadías), cuenta también con la complicidad de los profesionales del turismo, artesanos, agricultores y viticultores interesados en una iniciativa de búsqueda de calidad. Como despliegue de ese proyecto, hoy la marca "le Pays Cathare" –que a menudo suplanta el término mismo de Occitania– quiere asegurar una prestación de calidad y una acogida personalizada en una multitud de *gîtes* rurales, albergues, restaurantes, hostales, hoteles, cámpings y bodegas, así como la calidad garantizada de productos como el pan, la carne y las aves, la fruta o la verdura. En un otro sentido, una intensa campaña de señalización vertical de los monumentos y lugares de interés a lo largo de carreteras y caminos ha contribuido enormemente a facilitar los recorridos turísticos y culturales del departamento.

Por otra parte, y como no podía ser de otro modo, la explotación turística de un hecho histórico como el catarismo ha provocado también toda clase de excesos, de forma que la palabra *cátaro* –ya sin la marca "país"– se ha atribuido a toda clase de productos comerciales y turísticos que buscan en esa etiqueta una imagen de prestigio o una supuesta "autenticidad". El abuso del término ha comportado, de modo inevitable, la aparición de algunas marcas y denominaciones absolutamente delirantes y estrafalarias.

Otra vía de aproximación –más solvente en este caso– a la realidad histórica se encuentra sin duda en las numerosas guías, itinerarios y recorridos excursionistas que proliferan en todos los territorios donde el catarismo tuvo algún tipo de implantación. Merece la pena destacar dos realmente interesantes, que tienen además una longitud parecida (unos doscientos kilómetros) y que pueden efectuarse a pie, a caballo o en bicicleta de montaña: por una parte, el llamado *Sentier Cathare. De la mer à Montségur et Foix* (GR-36 i GR-7), que une el Mediterráneo, a partir de Port-la-Nouvelle, con los Pirineos, concretamente hasta a Foix, recorriendo a menudo la antigua frontera entre los reinos de Francia y Aragón; y, por otra, el llamado *Camino de los Buenos Hombres* (GR-107), que enlaza el santuario de Queralt, en el Berguedá, y el castillo de Montsegur, en Ariège, y que sigue más o menos las rutas probables de migración de los *buenos hombres* a través de los pasos de los Pirineos.

## Esoterismo y leyenda

El catarismo, al fin y al cabo una Iglesia perseguida y aniquilada en una época tan generadora de mitos y leyendas como lo fue la Edad Media, se ha visto acompañado desde el siglo XIX de múltiples connotaciones de carácter más o menos esotérico, más o menos fantasioso, que sin duda han atraído la atención de muchas personas, pero que al mismo tiempo han generado una muy abundante literatura (más de doscientos títulos en el período 1970-1990) que no guarda relación alguna con los hechos estrictamente históricos tal como los conocemos hoy en día. Semejante confusión llega al extremo de que muchas veces resulta imposible separar, en libros que pretenden presentarse con un mínimo barniz de veracidad histórica, aquello que sabemos a ciencia cierta, gracias a las herramientas más afinadas de la historiografía reciente, de aquello que es pura invención o perpetuación de antiguas leyendas.

Algunas de esas fantasías han dado lugar a muchas páginas de supuesta erudición o de fértil literatura: los mitos de Esclarmonda, del templo solar, del tesoro cátaro, de las grutas del Sabartés, de la búsqueda del Grial, de la influencia oriental o tibetana, etcétera. Otras no son tan conocidas, pero no por eso dejan de sorprender: la atribución de un significado cátaro al árbol de la vida del vitral del coro de la catedral de San Nazario de Carcasona (Lucienne Julien, 1990) o la búsqueda de una "clave cátaro-platónica" en los frescos de Miguel Ángel de la Capilla Sixtina (H. Stein-Schneider, 1984), por poner sólo dos ejemplos. Otras veces, por último, el error sólo es el fruto más o menos culpable de un notable desconocimiento histórico; por ejemplo, cuando se ha querido asociar con el catarismo símbolos como la cruz (a menudo por confusión con la cruz perlada de Tolosa) o monumentos funerarios como las estelas discoidales, siguiendo las huellas de la hipótesis alimentada sobre todo por Déodat Roché.

## Literatura y catarismo

Un movimiento religioso como el catarismo, con sus características propias y con las circunstancias históricas que lo condenaron, forzosamente tenía que llamar la atención de los autores de ficción. Así ha sido, en efecto, y este fenómeno, que nace en el Romanticismo y llega con fuerza extraordinaria hasta nuestros días, podría resumirse, de entrada, con un simple dato estadístico: en los dos últimos siglos se ha publicado al menos un centenar de novelas relacionadas con los cátaros (de las cuales unas veinte centradas en los hechos de Montségur), una treintena de obras dramáticas, una treintena de libros o series de cómics y una veintena de libros dirigidos a un público juvenil. Incluyendo todos los géneros (y, por lo tanto, también la poesía y el ensayo), ya en 1978 René Nelli (*Histoire secrète du Languedoc*) hablaba de un centenar de obras referidas sólo a Montségur...

La lengua francesa, como es lógico, acumula la gran mayoría de esta producción. Por otra parte, los temas son más bien recurrentes. Por ejemplo, en el caso de la novela histórica, el protagonista es con frecuencia algún personaje de la época de la cruzada que simpatiza con la causa de los herejes. Por lo que hace a los símbolos relativos a Montségur, éstos son múltiples, y la inmensa mayoría se encuentra ya en la visión romántica de Napoléon Peyrat, mencionado más arriba: el agua (la nave y el islote en medio del cielo); el aire y la piedra (las ruinas del castillo); la paloma (la leyenda de Esclarmonda) y el águila (con su nido visto como símbolo de la resistencia); el fuego (referido lógicamente a la hoguera de 1244); la naturaleza salvaje y atormentada, etcétera, etcétera.

La literatura sobre el catarismo nació con el Romanticismo del siglo XIX y su reconocido interés por el pasado y, más en concreto, por la Edad Media. Al estilo de fenómenos similares surgidos por toda Europa, esa corriente romántica generó en el caso específico del Lenguadoc un renacer de la atención por la peripecia de los cátaros y, al mismo tiempo, una literatura propia que se hacía eco de ella.

Debemos situar de modo concreto ese renacer en el año 1827, cuando apareció en París, poco después del éxito en Francia de las traducciones de los libros de Walter Scott, *Les hérétiques de Montségur ou les proscrits du XIII^e siècle*, de un autor anónimo. De todos modos, el gran impulsor fue sin lugar a dudas Frédéric Soulié, originario de Mirepoix, en Foix, un prolífico folletinista que tuvo mucho éxito y que llegó a publicar más de dieciséis ediciones de sus novelas. Su obra principal es una trilogía que pertenece a su serie *Romans du Languedoc* (*Le Vicomte de Béziers*, 1834; *Le Comte de Toulouse*, 1840; y *Le comte de Foix*, 1852). Tras un fondo histórico describe con profusión de detalles los lugares en los que hace revivir personajes de la Edad Media, evocando a veces escenas cátaras. Ni que decir tiene que la influencia de Scott es innegable.

El impulso de la historiografía, sobre todo a partir de las obras mencionadas de los dos pastores protestantes Charles Schmidt y Napoléon Peyrat, acabará haciendo posible la eclosión de un apreciable número de obras de ficción. Y ya en pleno siglo XX el interés por el catarismo producirá una enorme avalancha de novelas que, de hecho, no se ha interrumpido y que continúa aún hoy con la aparición regular de nuevas obras. Entre la multitud de autores y títulos, cabe mencionar como más significativos los siguientes: el duque de Lévis-Mirepoix (*Montségur*, 1925); Maurice Magre (*Le sang de Toulouse*, 1931; *Le trésor des albigeois*, 1938); Pierre Benoît (*Montsalvat*, 1957); Zoé Oldenbourg (*La pierre angulaire*, 1953; *Les brûlés*, 1960; y *Les cités charnelles*, 1961); Michel Peyramoure (la trilogía *La passion cathare*, 1978); Henri Gougaud (*Bélibaste*, 1982; *L'inquisiteur*, 1984, y *L'expédition*, 1991) y Dominique Baudis (*Raimond «le Cathare». Mémoires apocryphes*, 1996). En el ámbito catalán, dos novelas obtuvieron en su momento un notable éxito de público: *Cercamón* (1982), de Luis Racionero, y *Terra d'oblit. El vell camí dels càtars* (1997), de Antoni Dalmau.

Por lo que respecta a la producción dramatúrgica, hay que mencionar la obra de principios de siglo de Pierre Bonhomme y, ya en épocas más recientes, las aportaciones de Robert Lafont (*Raymond VII*, 1967), René Nelli (*Beatris de Planissòlas: mistèri*, 1971) y la de nuevo Zoé Oldenbourg (*L'évêque et la vieille dame ou la belle-mère de Peytaví Borsier*, 1983).

El auge reciente de la novela histórica ha contribuido sin duda a multiplicar los libros que tratan el catarismo en el ámbito de la ficción. Por desgracia, la mayoría de esas obras optan, haciendo uso de la libertad absoluta que ofrece la narrativa a sus autores, por una visión esotérica o por una deformación sustancial de los hechos históricos tal como hoy los conocemos. Así, el lector novel que se interroga sobre la realidad histórica del catarismo ve borrársele a cada momento la tenue línea divisoria que separa los acontecimientos tal como sucedieron de la imaginación desbordante de una mitografía tan numerosa.

## El silencio del cine

El catarismo ha demostrado con creces que posee una gran capacidad de atracción. Por eso sorprende aun más que de él apenas se haya ocupado el principal arte del siglo XX: el cine. En concreto, sólo pueden mencionarse dos aproximaciones ya bastante antiguas y, con todo, de un alcance y unas características limitadas:

*La fiancée des ténèbres* (1944), una película francesa de Serge de Poligny (1903-1983), con guión de Gaston Bonheur y producida por Éclair Journal. El guión es, en síntesis, el siguiente: el anciano y enfermo Toulzac, "el último cátaro", vive al pie de las murallas de Carcasona con una protegida, la joven Sylvie (interpretada por Jany Holt), y está obsesionado por encontrar la puerta del santuario donde reposan desde hace siete siglos los buenos cristianos. Ella se enamora de un joven compositor, Roland Samblanca (Pierre-Richard Wilm), pero el anciano, que ha descubierto la puerta de entrada en la "catedral", la conmina a descender por ella, cual nueva Esclarmonda en sacrificio. Ella le obedece, pero Roland la sigue en la cripta. Entonces el suelo empieza a temblar, y los amantes acaban huyendo a Tournebelle, un agradable lugar donde vivirán juntos su pasión. Sin embargo, ella se siente perseguida por una maldición (no puede amar sin atraer la muerte hacia su amante), abandona a Roland y desaparece para siempre en la oscuridad de la noche. La cinta, con una realización muy esteticista y rodada durante la ocupación alemana, recoge sin matices los mitos clásicos de la visión posromántica del catarismo.

*Les Cathares* (1966), una serie televisiva de dos episodios de dos horas y media cada uno (titulados *La Croisade* y *L'Inquisition*), también de producción francesa (concretamente de la ORTF) y con Stellio Lorenzi como director y también guionista junto con Alain Decaux y André Castelot. Fue la última realización de un ciclo titulado *La caméra explore le temps*. Se trata, en síntesis, de una mirada crítica y anticlerical de la cruzada contra los albigenses, con un discurso que opone constantemente los buenos cátaros a los malvados sacerdotes y caballeros del norte.

Para completar un panorama tan reducido, podemos añadir que en el 2006 se estrenó en Cannes la cinta *The Secret Book*, una coproducción de Macedonia, Francia y Austria que, recurriendo al género *thriller*, trata sobre los bogomilos y su presunto "libro secreto", una obra santa escrita en glagolítico, el alfabeto eslavo más antiguo (¿una alusión quizá a la *Cena Secreta o Interrogatio Iohannis*, el evangelio apócrifo de origen bogomilo de finales de siglo XI?). Dirigida por Vlado Cvetanovski, la película tiene como protagonistas principales a Thierry Fremont, Jean-Claude Carrière y Vlado Jovanovski.

En definitiva, el balance cinematográfico sobre el catarismo sorprende por lo magro, ha ocurrido también, por otra parte, con la historia de los templarios. Esta situación lleva a la pregunta de si no hay ninguna productora ni ningún director que considere la historia de los cátaros (es decir, el movimiento religioso, la vida cotidiana, la cruzada albigense, la Inquisición, etc.) como un material susceptible de ser trasladado a la gran pantalla y con gran capacidad de seducción al público. De momento, la respuesta es no...

**ANTONI DALMAU**

Traducción: Juan Gabriel López Guix

I oubles fay all armaytos far corest elobaus per auior de lors touas

I odiables fay nepar los aymators per auior de lors touas

I odiables fay seguir muulas redoudas edorneys per auior delor touas

# CRONOLOGIA

**~ 970**     Tratado de Cosmas, sacerdote búlgaro, contra los bogomilos.

*«de un sacerdote que se llama Bogomilo* [digno de la piedad de Dios]*, pero que realmente es indigno de la piedad de Dios»* (Cosmas, *Tratado contra los bogomilos*, ~970).

**~ 1000**     Primeros rastros de comunidades consideradas heréticas por toda Europa.

*«Una nueva herejía ha nacido en este mundo y empieza a ser predicada hoy por falsos apóstoles* [...]*. Con el fin de pervertir radicalmente la cristiandad, llevan, según dicen, una vida apostólica»* (Carta de Herbert, monje del Périgord).

**1022**     Una docena de canónigos herejes son quemados en Orleans, en la primera hoguera conocida de la historia de la cristiandad.

*«Confiados erróneamente en su locura, se vanagloriaban de no tener miedo y prometían que saldrían indemnes del fuego* [...]*. Fueron reducidos a cenizas de manera instantánea»* (Raoul Glaber, monje borgoñés contemporáneo).

**1073-1085**     Gregorio VII, papa. Impulso definitivo de la llamada reforma gregoriana, iniciada bajo el pontificado de León IX (1048-1054).

*«23. Que la Iglesia Romana no se ha equivocado nunca, ni se equivocará nunca, según el testimonio de las Sagradas Escrituras»* (Gregorio VII, *Dictatuts papae*, 1075).

**1096-1099**     Primera cruzada a Tierra Santa. Conquista de Jerusalén.

*«Los cruzados recorrieron toda la ciudad, saqueando el oro, la plata, los caballos, las mulas i pillando las casas, llenas de riquezas. Después, felices y llorando de alegría,* [...] *acudieron a adorar el Sepulcro de nuestro Salvador Jesús y cumplieron su deber con Él»* (*Historia anónima de la primera cruzada*, 1099-1100, cap. 39).

**~ 1110**     En Constantinopla son quemados en la hoguera Basilio, un dignatario bogomilo, y sus compañeros.

*«Basilio no sólo no negó la acusación, sino que a continuación, y sin ambages, pasó a la ofensiva afirmando que estaba dispuesto para afrontar el fuego, los latigazos y mil muertes»* (Ana Comnena, *Alexiada*, siglo XII).

**1114**     Quema de herejes en Soissons, en la Champaña.

*«Dicen que el bautismo de los niños no vale para nada. Llaman a su bautismo Palabra de Dios y lo otorgan por medio de una larga cantinela»* (Guiberto, abad de Nogent-sous-Coucy, Aisne, siglo XII).

**1135-1140**     Hogueras en Lieja. Primeros obispos herejes documentados en Renania.

*«Fueron detenidos unos hombres en Lieja que eran herejes bajo la apariencia de la religión católica y con el hábito de la vida espiritual»* (*Annales Rodenses*, siglo XII).

**~ 1143**     Hogueras en Colonia. Evervin de Steinfeld alerta a Bernardo de Claraval sobre la extensión de la herejía y reproduce las palabras de los herejes, que se llaman a sí mismos «apóstoles».

*«Nosotros, pobres de Cristo, errantes, fugitivos de ciudad en ciudad* [Mateo 10:23]*, como ovejas en medio de lobos* [Mateo 10:16]*, sufrimos la persecución con los apóstoles y los mártires»* (Evervin de Steinfeld, preboste de los premostratenses en Renania, carta de *c.* 1143).

**1145**  Bernardo de Claraval predica contra los cátaros en Tolosa yAlbi.
«... [En Verfeil, nobles y gente del común] *hicieron ruido y golpearon las puertas para que no pudiera oírse su voz, de manera que encadenaron la palabra de Dios*» (Guillermo de Puylaurens, *Chronica*, 1145, I).

**1157**  Concilio católico de Reims contra la herejía.
«[Dictó penas contra los "maniqueos", que se propagan gracias a] *esos abyectos tejedores, que huyen con frecuencia de un lugar a otro, que cambian de nombre y que "llevan mujeres llenas de pecado"*.» (Concilio de Reims, 1157).

**1163**  Hogueras en Bonn, Colonia y Maguncia. El canónigo Eckbert de Schönau emplea por primera vez la palabra *cátaros* en sus *Sermones*.
«Ésos son a los que el vulgo llama cátaros: gente perniciosa enemiga de la fe católica» (Eckbert de Schönau, *Sermones contra catharos*, I, 1163).

**1165**  Concilio católico en Lombers, en el Albigeois. Presencia de un obispo cátaro, Sicard Cellerier.
«*Condenáis lo que Dios aprueba según la escritura*» (el obispo católico de Albi a Sicard. Guillermo de Puylaurens, *Chronica*, 1245, IV).

**1167**  Concilio en Saint-Félix-Lauragais de las Iglesias cátaras del Albigeois, el Toulousain, el Carcassès, el Agenais o valle de Arán, Francia y la Lombardía.
«*Ninguna* [de las Iglesias de Asia] *hace nada contra los derechos de las otras. Y así viven en paz: haced vosotros lo mismo*» (el obispo Nicetas o Niquinta a la Iglesia de Tolosa. Guillaume Besse, *Histoire des ducs, marquis et comtes de Narbonne*, París, 1660).

**1178-1181**  Enrique de Marciac, abad de Claraval y legado pontificio, predica contra los herejes por tierras de Tolosa y Albi y dirige la *precruzada*.
«*Ante el público, que aplaudía sin interrupción y se estremecía de odio, los declaramos de nuevo, mientras apagábamos las velas, excomulgados*» (acto en la iglesia de Santiago en Tolosa, según carta del legado).

**1184**  Concilio de Verona. Decretal *Ad abolendam* del papa Lucio III (1181-1185), que lanza el anatema contra cátaros, valdenses y otros herejes.
«*Debe encenderse el vigor eclesiástico para abolir la depravación de las diversas herejías que en el tiempo presente han empezado a pulular en diversas partes del mundo*» (Lucio III, *Ad abolendam*, 1184).

**1194**  Raimundo VI de Tolosa, llamado el Viejo (1194-1222). No tarda en convertirse en la bestia negra del papa.
«*Impío, cruel y bárbaro tirano, ¿no os avergüenza favorecer la herejía? Con razón os han excomulgado nuestros legados, y han lanzado el interdicto sobre vuestras tierras*» (carta del papa Inocencio III a Ramón, 1207).

**1196**  Pedro II de Aragón, I de Barcelona, llamado el Católico (1196-1213).
«*el rey Pedro fue el rey más noble que hubo nunca en España y el más cortés y más agradable* [...]. *Y fue un buen caballero de armas, si hubo buenos caballeros en el mundo*» (Jaime I el Conquistador, *Libro de los hechos*, 1244-1276, cap. 6).

1198            Inocencio III, papa (1198-1216).
               *«A Pedro, Cristo no le dejó sólo el gobierno de la Iglesia universal, sino todo el siglo. A los*
               *príncipes les ha sido concedido el poder en la tierra, pero a los sacerdotes se les ha otorgado el*
               *poder tanto en la tierra como en el cielo»* (Inocencio III).

1202-1206      Misiones fracasadas en el Lenguadoc de legados pontificios cistercienses.
               *«Can lo rics apostolis e la autra clercia / viron multiplicar aicela gran folia / plus fort que no*
               *soloit, e que creixen tot dia, / tramezon prezicar cascus de sa bailia. / E l'Ordes de Cistel* [...] */ i*
               *trames de sos homes tropa molta vegia»* («Cuando el sumo pontífice y el otro clero / vieron
               multiplicar esa gran locura / con mayor fuerza y creciendo cada día, / mandaron predicar en los
               dominios. / Y el orden de Cister [...] / despachó a sus hombres repetidas veces». Guillermo de
               Tudela, *Canción de la cruzada*, 1212-1213, I, 11-16).

1124           Guilhabert de Castres ordena a diversas damas en Fanjaus, en presencia del
               conde de Foix, Raimundo Roger. Su hermana Esclarmonda es una de ellas.
               Reconstrucción del castillo de Montségur solicitada por la Iglesia cátara.
               Disputa de Carcasona entre cátaros y católicos, presidida por Pedro el
               Católico.
               *«Al día siguiente, los declaré herejes mediante juicio, en presencia del obispo de esta ciudad y*
               *muchos otros»* (carta de Pedro el Católico).

1206           Concilio de 600 cátaros en Mirepoix.
               Disputa entre cátaros y católicos, en Servian (ocho días) y en Verfeil.
               Inicio de la predicación de Diego de Osma y Domingo de Guzmán en el
               Languedoc. Fundación del monasterio de Prouille.
               *«Para cerrar la boca de los malvados, hay que actuar y enseñar según el ejemplo de Nuestro*
               *Señor, presentarse humildemente, ir a pie, sin oro ni plata»* (Diego de Osma a los legados del
               papa. Pedro des Vaux-de-Cernay, *Hystoria albigensis*, 1213-1218).

1208           Asesinato del legado pontificio Pedro de Castelnau. Inocencio III convoca
               la cruzada.
               *«Adelante, caballeros de Cristo! ¡Adelante valientes soldados del ejército cristiano! ¡Que el*
               *universal grito de dolor de la santa Iglesia os arrastre! ¡Que un celo piadoso os inflame para*
               *vengar una ofensa tan grande hecha a vuestro Dios!»* (carta de Inocencio III, 10 marzo 1208).

1209           Inicio de la cruzada contra los albigenses.
               Penitencia pública de Raimundo VI en Saint-Gilles.
               Sitio y matanza de Béziers.
               *«Caedite eos, novit enim Dominus qui sunt ejus»* («Matadlos, el Señor reconoce a los suyos»)
               (atribuido a Arnaldo Amalric por el cisterciense César de Heisterbach, antes de 1223).
               Sitio y capitulación de Carcasona. Muerte de Raimundo Roger Trencavel.
               *«En tant cant lo mons dura n'a cavalier milhor, / ni plus pros ni plus larg, plus cortes ni gensor»*
               («Por todo lo ancho del mundo no hay mejor caballero / ni más valiente, ni más generoso, ni más
               cortés ni más gentil». Guillermo de Tudela, *Canción de la cruzada*, 1212-1213, II, 15).
               Investidura de Simón de Montfort como vizconde de Carcasona.
               *«Era juicioso, firme en sus decisiones, prudente en sus consejos, justo, competente en los*
               *asuntos militares, circunspecto en sus actos* [...] *entregado por completo al servicio de Dios»*
               (Pedro des Vaux-de-Cernay, *Hystoria albigensis*, 1213-1218).

1210           Toma y hoguera de Minerve (140 cátaros quemados). Toma de Termes.

| | |
|---|---|
| 1211 | Toma de Lavaur (unos 400 cátaros quemados). |
| | *«El diablo había instalado su sede* [en Lavaur] *y la había convertido en la sinagoga de Satanás»* (Guillermo de Puylaurens, *Chronica*, 1145, II). |
| | Hoguera de Cassers (más de 60 cátaros quemados). |
| | Primer sitio de Tolosa y batalla de Castelnaudary. |
| 1212 | Conquista del Agenais, Carsi y Comenge por Simón de Montfort. |
| 1213 | Batalla de Muret, muerte del rey Pedro el Católico y derrota occitano-aragonesa. |
| | *«Totz lo mons ne valg mens, de ver o sapiatz, / car Paratges ne fo destruitz e decassatz / e tot Crestianesmes aonitz e abassatz»* («Todo el mundo, sabedlo, fue rebajado, / fue nobleza destruida y exilada, / la Cristiandad vejada y avergonzada». Anónimo, *Canción de la cruzada*, 1219, XIV, 137). |
| 1215 | IV Concilio Laterano. Punto álgido de la teocracia. |
| | Fundación de la orden dominica (hermanos predicadores). |
| | Rendición de Tolosa. Investidura de Simón de Montfort como conde de Tolosa. |
| | *«Car Toloza e Paratges so e ma de trachors»* («Pues Tolosa y nobleza en mano están de traidores». Anónimo, *Canción de la cruzada*, 1219, XXV, 178). |
| 1216 | Inicio de la reconquista de Tolosa (Raimundo VI y el «conde joven»). |
| 1218 | Simón de Montfort muere en el sitio de Tolosa. |
| | *«E venc tot dreit la peira lai on era mestiers* [...] *e'l coms cazec en terra mortz e sagnens e niers»* («Y llegó directa la piedra al lugar adecuado [...] y el conde cayó al suelo muerto, sangrando y   negro». Anónimo, *Canción de la cruzada*, 1219, XXXV, 205). |
| 1219 | Segunda expedición del príncipe Luis. |
| | Matanza de Marmande, en el Agenais (unas cinco mil víctimas). |
| 1220-1221 | Reconquista occitana del condado de Tolosa. |
| 1221 | Muerte de santo Domingo en Bolonia. |
| | *«De su frente y sus pestañas irradiaba una especie de esplendor que a todos inspiraba respeto y simpatía»* (hermana Cecilia, *Miracula*, 1280). |
| 1222 | Muerte de Raimundo VI. |
| | Raimundo VII, conde de Tolosa (1222-1249). |
| | *«Lo valens coms joves, Ramundetz»* («el valiente conde joven, Ramundetz»), según la *Canción de la cruzada*. |
| 1223 | Reconquista de Carcasona por Raimundo Trencavel. |
| | *«[Algunos cruzados] ya no trabajaban en la obra para la que habían venido* [...] *y el Señor empezó a vomitarlos y expulsarlos de esa tierra que habían conquistado con su ayuda»* (Guillermo de Puylaurens, *Chronica*, 1145, XXXI). |
| 1224 | Amaury de Montfort cede sus derechos al rey de Francia. |

| 1226 | Concilio cátaro en Pieusse, creación del obispado cátaro del Rasés. |
|---|---|

1226    Concilio cátaro en Pieusse, creación del obispado cátaro del Rasés.
Cruzada real de Luis VIII. Sumisión de Carcasona.
*«Estamos impacientes por ponernos a la sombra de vuestras alas y bajo vuestro prudente dominio»* (Bernardo Otón de Niort, antiguo *faydit*, caballero rebelde.).
Muerte de Luis VIII. Luis IX, rey de Francia (futuro san Luis) (1226-1270).

1226-1229    Guerras de Cabaret y Limoges.

1227    Matanza de la Bécède (Lauragais). Quema multitudinaria de herejes.
*«[La población fue asesinada] en parte con la espada y en parte con el palo. Sin embargo, el piadoso obispo se esforzó por permitir que mujeres y niños escaparan de su destino»* (Guillermo de Puylaurens, *Chronica*, 1145, XXXV).

1229    Tratado de Meaux-París. Fin de la cruzada y capitulación de Raimundo VII.
Sistematización de los principios de lucha contra la herejía.
*«Ab greu cossire / fau sirventes cozen* [...] / *Ai, Toloza e Proensa / e la terra d'Agensa, Bezers e Carcassey ,/ quo vos vi e quo'us vey!»* («Con gran pesar / hago un sirventés acerbo [...] / Ay, Tolosa y Provenza, / y la tierra de Agen, Béziers y Carcasés, / ¡cómo os vi y cómo os veo!».
Bernart Sicart de Maruèjols, trovador, 1230).

1232    El obispo cátaro Guilhabert de Castres se instala en Montségur.
*«Vi a Guilhabert de Castres, obispo de los herejes, [...] y muchos otros que fueron al* castrum *de Montségur. Preguntaron por Raimon de Perelha, antiguo señor de ese* castrum, *y le suplicaron que los acogiera, para que la Iglesia de los herejes pudiera tener allí su sede y cabeza* [domicilium et caput] *y pudiera, desde allí, enviar y defender a sus predicadores»* (Berenguer de L'Avelanet, fondo Doat, 24, 43 b-44 a.)

1233    Gregorio IX funda la Inquisición y la encomienda a las órdenes mendicantes.
*Inquisitio heretice pravitatis* (Investigación de la depravación herética).

1234-1235    Levantamientos contra la Inquisición en Tolosa, Albi y Narbona.

1239    Hoguera de Mont-Aimé (Champaña) (183 cátaros quemados).
*«Se hizo un inmenso holocausto agradable al Señor quemando a unos* bugres [...], *peores que perros* » (Aubry de Trois-Fontaines, cisterciense, *Chronica*, 1239).

1242    Atentado de Avinhonet contra los inquisidores por parte de los caballeros de Montségur. Revuelta general bajo los auspicios de Raimundo VII.
*«Cocula carta es trencada...!»* («Los malditos papeles están rotos», grito de un creyente de Castelsarrassin, Agenais, 1242).

1243    Fracasan los aliados de Raimundo VII (paz de Lorris).
Inicio del sitio de Montségur.

| | |
|---|---|
| 1244 | Rendición y hoguera de Montségur (unos 225 cátaros quemados). Desmantelamiento de las iglesias occitanas y reorganización de la jerarquía en Lombardía. |

*«Tras rechazar la conversión al que se les invitó, fueron quemados en un cercado hecho de palos y estacas donde se encendió un fuego y pasaron al fuego del Tártaro»* (Guillaume de Puylaurens, *Chronica*, 1145, XLIV).

| | |
|---|---|
| 1249 | Hoguera de Agen, ordenada por Raimundo VII (80 creyentes cátaros quemados). Muerto Raimundo VII, lo sucede Alfonso de Poitiers (1249-1271), yerno suyo y hermano del Luis IX de Francia. |

| | |
|---|---|
| 1252 | Inocencio IV autoriza la tortura contra los herejes |

*«Teneantur praeterea Potestas, seu Rector omnes haereticos quos captos habuerit, cogere citra membri diminutionem et mortis periculum»* («La autoridad o gobernante obligará a confesar sus errores a todos los herejes que tenga detenidos, siempre que lo haga sin disminución de sus miembros ni peligro de muerte». Inocencio IV, bula *Ad exstirpanda*, 1252, 25).

| | |
|---|---|
| 1255 | Rendición del castillo de Quéribus, última plaza en manos de los *faydits*. |

*«Que todos los lectores de estas páginas sepan que yo Xacbert de Barberà, caballero, rindo y entrego al excelentísimo señor Luis, por la gracia de Dios rey de Francia, [...], el* castrum de *Quéribus...»* (rendición de Xacbert, mayo 1255, fondo Doat, vol. 154).

| | |
|---|---|
| 1258 | Tratado de Corbeil entre Jaime I y Luis IX. |

*«definimos, dejamos, cedemos y entregamos del todo cuanto por derecho o posesión teníamos o podíamos tener o decíamos que teníamos tanto en dominios o señoríos como feudos o cualquier otra cosa en los mencionados condados de Barcelona y Urgel [...]»* (Archivo de la Corona de Aragón, Canc., perg. n. 1526 duplicado).

| | |
|---|---|
| 1271 | Alfonso de Poitiers y Juana de Tolosa (hija de Raimundo VII) mueren sin descendencia; en aplicación del tratado de Meaux-París, el condado de Tolosa queda incorporado a la corona de Francia (Felipe el Atrevido). |

| | |
|---|---|
| 1272 | Campaña de Felipe el Atrevido contra Roger Bernardo III de Foix. Inicio de la construcción de las catedrales de Narbona y Tolosa. |

| | |
|---|---|
| 1276 | Pedro III de Aragón, II de Barcelona, llamado el Grande (1276-1285). Rendición de Sirmio (Italia), refugio cátaro. |

*«Sirmio, perla de las penínsulas y de las islas que, en los lagos de aguas claras y en el anchuroso mar, sostienen uno y otro Neptuno, con qué gusto y qué alegría vuelvo a verte»* (Catulo, siglo I a. C., *Odas*, XXXI).

| | |
|---|---|
| 1278 | Hoguera de la Arena de Verona (200 quemados). Desarticulación del catarismo italiano. |

| | |
|---|---|
| 1280-1285 | Complot contra los archivos de la Inquisición en Carcasona. |

*«Hemos hablado con cierta persona que intentará procurarnos todos los libros de la Inquisición referentes al Carcasés, libros en los que están escritas las confesiones»* (palabras de Bernart David, según el copista Bernart Agasse, 1285).

1285        Alfonso III de Aragón, II de Barcelona, llamado el Franco o el Liberal
            (1285-1291).
            Felipe IV, rey de Francia, llamado el Hermoso.

1295        Pèire Autier y su hermano Guilhem, notarios de Ax-les-Thermes, parten
            hacia Lombardía para convertirse en buenos hombres.
            *«Pèire le preguntó: "¿Y, pues, hermano?" Guilhem respondió: "Me parece que hemos perdido
            nuestras almas". Pèire dijo entonces: "Partamos, pues, hermano mío, y vayamos a buscar la
            salvación de nuestras almas". Dicho esto, abandonaron todos sus bienes y partieron a la
            Lombardía»* (Sebelia Pèire, 1322, *Registro de Jacobo Fournier*, pp. 566-567).

1295-1305   Revuelta en Carcasona (*«rabia carcasonensa»*, según Bernardo Gui) por
            los excesos inquisitoriales de los dominicos. De ella se hace portavoz el
            franciscano espiritual Bernardo Delicioso.
            *«Rector dyabolicus»*, según el dominico Raimond Barrau; *«auténtica columna de la Iglesia,
            apóstol de Dios en la tierra»*, según la voz popular.

1300-1310   Los hermanos Autier intentan hacer renacer el catarismo en Occitania.
            *«Dios quiera que hayamos venido oportunamente a esta casa para salvar las almas de quienes
            en ella se encuentran. No nos asustan los trabajos: sólo buscamos salvar las almas»* (Pèire
            Autier en el castillo de Arques, 1301. Sebelia Pèire, 1322, *Registre de Jacme Fornier*, p. 568).

1302        Muerte de Roger Bernardo III de Foix, que marca un hito en la historia del
            condado.

1303        Godofredo de Ablis, del convento de Chartres, es nombrado inquisidor de
            Carcasona.

1307        El lemosino Bernardo Gui es nombrado inquisidor de Tolosa.
            *«Durante esa persecución de los inquisidores y la perturbación del Oficio, muchos perfectos se
            reunieron y empezaron a multiplicarse (y la herejía a pulular) y contaminaron a muchas
            personas de las diócesis de Pamiers, Carcasona y Tolosa, y de la región del Albigés»* (situación
            contemporánea según Gui, *De fondatione et prioribus conventum*, p. 103).

1309        Quema de Jacme y Guilhem Autier, así como de otros cátaros.
            Desmantelamiento de su Iglesia.
            Guillermo Belibaste, último cátaro conocido, huye a Cataluña.

1310        Pèire Autier es quemado ante la catedral de Tolosa.
            *«Y añadió que Pèire Autier, en el momento de ser quemado, dijo que si lo dejaban hablar y
            predicar al pueblo, todo el pueblo se convertiría a su fe»* (Guillaume Baile, de Montaillou, 1323,
            *Registro de Jacobo Fournier*, p. 838).

1318-1325   Campaña inquisitorial de Jacobo Fournier en la diócesis de Pamiers.
            *«El año del Señor..., el día ... después del día de san ... Habiendo llegado a conocimiento del
            Reverendo Padre en Cristo monseñor Jacme, por la divina providencia obispo de Pamiers, que...
            era muy sospechoso de herejía..., el mencionado monseñor, queriendo, como corresponde a su
            deber, conocer la verdad, lo mandó trae a su presencia..., etc., etc.»* (Encabezamiento de las
            declaraciones de los interrogados, *Registro de Jacobo Fournier*, passim).

| 1321 | Quema de Guillermo Belibaste en Villerouge-Termenès: es el último cátaro conocido del Lenguadoc. |

*«No me preocupo por mi carne, ya que ahí no tengo nada, es cosa de gusanos [...] Mi alma y la tuya subirán ante el Padre celestial, donde tenemos preparados coronas y tronos, y cuarenta ángeles con coronas de oro con piedras preciosas nos vendrán a buscar para llevarnos al Padre»* (Palabras de G. Belibaste, según la declaración de Arnau Sicre, 1321, *Registro de Jacobo Fournier*, p. 779-780).

| 1329 | Quema de tres creyentes cátaros, los últimos conocidos, en Carcasona. |

*«Te diré la razón por la cual nos llaman herejes: y es que el mundo nos aborrece. No es de extrañar que el mundo nos aborrezca [1 Juan 3:13], porque ya aborreció a Nuestro Señor y lo persiguió, así como a sus apóstoles»* (Predicación de Pèire Autier, declaración de Pèire Maurí, 1324, *Registro de Jacobo Fournier*, p. 924).

| 1412 | Últimas sentencias contra cátaros italianos. |

| 1453 | Los turcos se apoderan de Constantinopla. |

| 1463 | Los turcos conquistan Bosnia: fin del catarismo oriental. |

**ANTONI DALMAU**

Traducción : Juan Gabriel López Guix

# EL REGNE OBLIDAT
## La tragèdia càtara

1a PART [CD 1]
**Aparició i esplendor del catarisme – L'auge d'Occitània**
vers 950-1204

# EL REGNE OBLIDAT
## La tragèdia càtara

### 2a PART [CD 2]
**La croada contra els albigesos – Invasió d'Occitània**
1204-1228

# EL REGNE OBLIDAT
## La tragèdia càtara

3a PART [CD 3]
**Perscució, diàspora i fi del catarisme**
1229-1463

# EL REGNE OBLIDAT
# LA TRAGÈDIA CÀTARA

En primer lloc, el *regne oblidat* fa referència al "regne de Déu" o al "regne dels cels", tan valorat pels càtars, que és promès a tots els bons cristians després de l'arribada de Jesucrist; al nostre projecte, també recorda l'antiga civilització oblidada d'Occitània. Aquesta antiga "Provincia Narbonensis", terra d'antiga civilització on els romans deixaren la seva empremta i que Dante defineix com el "país on hom parla la llengua d'oc", és tot just mereixedora d'unes escasses paraules al diccionari "Le Petit Robert 2", del 1994, amb la breu explicació: *s.f.* **Auxitans Provincia.** *Un dels noms dels països de llengua d'oc a l'Edat Mitjana.* Com indica Manuel Forcano al seu interessant article *Occitània: mirall de l'Àndalus i refugi de Sefarad*, Occitània era, ja des d'èpoques molt antigues i fins a l'Edat Mitjana, "un territori obert a tot tipus d'influències, una frontera molt permeable de poblacions i d'idees, un delicat gresol on confluïen els sabers, les músiques i els poemes provinents del sud, de la sàvia i sofisticada Àndalus, així com del nord, de França i d'Europa, i de l'est, d'Itàlia i fins dels Balcans i de l'exòtica Bizanci". Totes aquestes diferents influències en feien un dels centres més actius de la cultura romànica, un país d'intensa activitat intel·lectual que presentava un inusitat grau de tolerància per l'època medieval. No estranya pas que l'*amor udrí* dels àrabs inspirés la poesia i el *fin'amor* dels trobadors i les *trobairitz*. Tampoc estranya que la càbala sorgís de les seves comunitats jueves, ni tampoc que els seus cristians plantegessin i debatessin models d'església diferents, la dels *bons homes* o càtara i la del clergat catòlic.

El catarisme és una de les creences cristianes més antigues i importants, que es diferencia de la doctrina de l'Església oficial per la convicció de l'existència de dos principis coeterns, el del Bé i el del Mal. Des dels primers temps del cristianisme, el terme *heretgia* (originari del grec *hairesis*, "opinió particular") va ser aplicat a les interpretacions diferents de les reconegudes per l'Església oficial. Com subratlla amb claredat meridiana Pilar Jiménez Sánchez al seu article "Origen i expansió dels catarismes", tot i que es pensés en principi que aquestes creences dissidents que apareixen vers l'any mil eren originàries d'Orient (Bulgària), és evident que es van desenvolupar de manera del tot natural a partir de les nombroses polèmiques teològiques que es desencadenaren a Occident a partir del segle IX. Van tenir una forta implantació a moltes ciutats i pobles d'Occitània, que tenia un estil de viure molt particular i va experimentar la seva eclosió a través de l'art dels trobadors. L'extraordinària riquesa musical i poètica d'aquesta cultura trobadoresca, l'auge de la qual se situa entre els segles XII i XIII, representa un dels moments històrics i musicals més remarcables en l'evolució de la civilització occidental. Aquesta època tan rica en intercanvis i transformacions creatives, però també tan marcada pels trasbalsaments i la intolerància ha sigut víctima d'una terrible amnèsia històrica, deguda en part als esdeveniments tràgics vinculats amb la croada i la persecució implacable de tots els càtars d'Occitània. Al capdavall, es tracta d'una veritable "tragèdia càtara" desencadenada per la terrible croada contra els albigesos.

"Entre tots els esdeveniments, totes les peripècies polítiques viscudes al nostre país (aleshores el País d'Oc) durant l'Edat Mitjana, n'hi ha un que encara avui suscita passions violentes: la croada que el papa Innocenci III llançà el 1208 contra els heretges que proliferaven al sud del regne (aleshores Occitània) i que eren denominats albigesos. Si el record d'aquesta empresa militar es manté viu després de vuit segles –diu Georges Duby– és perquè toca dues cordes molt sensibles del nostre temps: l'esperit de tolerància i el sentiment nacional." El caràcter alhora religiós i polític marcà aquesta tragèdia iniciada per una croada però seguida per una veritable guerra de conquesta que va assolar l'actual Llenguadoc i les regions veïnes, tot causant una rebel·lió general. Amb catòlics i heretges combatent aleshores colze a colze, Occitània, finalment alliberada de l'invasor però dessagnada, caigué com fruita madura a les mans del rei de França. Com molt bé indica Georges Bordonove, "va ser una veritable guerra de secessió –la nostra– esquitxada de victòries, desfetes, capgiraments increïbles, setges aferrissats, massacres inexcusables, forques, fogueres monstruoses, juntament amb ocasionals gests de generositat, massa escassos. Com el fènix, aquesta resistència renaixia incansablement de les seves cendres fins a l'arribada d'un llarg crepuscle, a la fi del qual s'encengué sobtadament l'acte de fe de Montsegur. Els darrers perfectes (sacerdots càtars) van viure d'aleshores ençà en la clandestinitat abans de ser capturats un per un i morir a la foguera. Els *faidits* (senyors desposseïts) van desaparèixer al no-res. Un nou ordre va ser instaurat, el dels reis de França."

Aquest projecte no hauria sigut possible sense les nombroses tasques de recerca dutes a terme per historiadors i investigadors especialitzats com Michel Roquebert, autor de "L'épopée cathare", el gran René Nelli o Georges Bordonove, entre tants altres, ni pel que fa a la música i els texts dels trobadors, pels mestres Friedrich Gennrich, Martí de Riquer i l'enyorat Francesc Noy, que des del 1976 ens va introduir magistralment, a Montserrat Figueras i a mi mateix, al món de les *trobairitz* durant la preparació de l'enregistrament dut a terme per a la col·lecció Réflexe d'EMI Electrola. Més endavant ha sigut determinant la feina, les converses, els debats i especialment l'ajuda i la generosa i important disponibilitat d'Anne Brenon, Antoni Dalmau, Francesco Zambon, Martín Alvira Cabrer, Pilar Jiménez Sánchez, Manuel Forcano, Sergi Grau i Anna Maria Mussons (per a la pronúncia de l'occità) per a dur a terme aquest projecte. Per això els volem fer arribar el nostre més sincer agraïment. El seu profund saber i la seva sensibilitat, els seus llibres erudits i les seves tesis aclaridores han sigut, i seguiran sent-ho, una font interminable de reflexió, coneixement i inspiració constants. Gràcies a la seva tasca minuciosa i exhaustiva, podem contribuir d'aquesta manera, amb aquest petit però sentit homenatge, a la recuperació d'aquesta memòria històrica occitana i càtara que ens és tan propera, a través de la bellesa i l'emoció de la música i la poesia de tots aquests sirventesos, cançons i planys que, encara avui, ens arriben amb tanta força i tendresa. Amb eloqüència sostenen i subratllen el discurs encara commovedor d'alguns dels poetes i músics més notables que van ser testimonis directes (i a vegades també víctimes indirectes) d'esdeveniments vinculats a l'època daurada de la cultura occitana i, al mateix temps, al naixement, al desenvolupament i a l'eradicació brutal i implacable d'aquesta antiquíssima creença cristiana.

Gràcies a la capacitat d'improvisació i de fantasia, gràcies a l'esforç, la paciència i la resistència (aquelles nits interminables!) de tot l'equip de cantants, amb Montserrat Figueras, Pascal Bertin, Marc Mauillon, Lluís Vilamajó, Furio Zanasi, Daniele Carnovich i els membres de La Capella Reial de Catalunya, així com dels instrumentistes, Andrew Lawrence-King, Pierre Hamon, Michaël Grébil, Haïg Sarikouyomdjian, Nedyalko Nedyalkov, Driss el Maloumi, Pedro Estevan, Dimitri Psonis i els altres membres d'Hespèrion XXI, sense oblidar els recitadors Gérard Gouiran i René Zosso, hem pogut endinsar-nos en profunditat en aquesta tràgica però sempre meravellosa aventura musical occitana i càtara. En set grans capítols repassem més de cinc segles, des de l'origen del catarisme a l'auge d'Occitània, de l'expansió del catarisme a l'enfrontament de la croada contra els albigesos i la instauració de la Inquisició, de la persecució dels càtars a l'eliminació del catarisme, de la diàspora a Itàlia, Catalunya i Castella a la fi dels càtars orientals amb la presa de Constantinoble i Bòsnia per les tropes otomanes. Les nombroses i sovint extraordinàries fonts històriques, documentals, musicals i literàries ens permeten il·lustrar els principals moments d'aquesta història commovedora i tràgica. Els texts agitadors o molt crítics dels trobadors i cronistes de l'època constitueixen el nostre fil conductor, especialment l'extraordinària "Cançó de la croada albigesa" en forma de cançó de gesta, amb prop de 10.000 versos, conservada en un únic manuscrit complet a la Biblioteca Nacional de França. Aquest manuscrit, que havia sigut propietat de Mazarin, passà al segle XVIII a mans d'un conseller de Lluís XV, a casa del qual un dels primers medievalistes, La Curne de Sainte-Palaye, en va fer una còpia per tal de poder-la estudiar i donar-la a conèixer.

Els principals texts per a cant que hem seleccionat, a més dels quatre fragments de la "Cançó de la croada albigesa", han sigut triats, abans que res, per l'interès del poema i de la música, però també per la seva relació amb els diferents moments històrics. Cal citar el "primer" trobador, Guilhem de Peitieu, i la "primera" trobairitz, la Comtessa de Dia, així com altres excel·lents trobadors com Pèire Vidal, Raimon de Miraval, Guilhem Augier Novella, Pèire Cardenal, Guilhem Montanhagol i Guilhem Figueira. Quant a les cançons sense música, ens hem servit de melodies d'altres autors com Bernat de Ventadorn, Guiraut de Borneilh i altres autors anònims, tot seguint un costum molt estès a la poesia medieval i que a vegades és ignorat avui dia. De les 2542 obres trobadoresques que ens han arribat, 514 són segurament i 70 altres probablement imitacions o paròdies. Entre les 236 melodies conservades dels 43 trobadors que coneixem, tan sols n'hi ha una sola, *A chantar m'er de so q'ieu no voldria*, escrita per una *trobairitz*, la misteriosa Comtessa de Dia.

Pel que fa als texts més antics i més moderns, hem triat els dels manuscrits d'aquestes èpoques diferents que guarden una relació molt directa amb els moments històrics importants, com el *planctus Mentem meam* que deplora la mort de Ramon Berenguer IV o la *Lamentatio Sanctæ Matris Eclesiæ Constantinopolitanæ* de Guillaume Dufay. Donada la importància de l'Apocalipsi de Sant Joan, sorgeixen dos moments particularment essencials: la meravellosa *Sibil·la occitana* d'un trobador anònim, realitzada en l'estil d'improvisació que creiem apropiat per a aquest cant tan dramàtic, i el més conventual *Audi pontus, audi tellus*, basat en una cita de l'Apocalipsi segons l'Evangeli Càtar del Pseudo-Joan (V.4). Dos altres reptes importants en la il·lustració musical d'aquesta gran tragèdia consistien en imaginar com il·lustrar les celebracions i els rituals càtars, així com la manera de simbolitzar musicalment les terribles i nombroses cremes de presumptes heretges que no poden ser ignorades ni oblidades. Quant al ritual càtar, la base és la recitació de tots els texts en occità i una forma molt antiga de cant pla en els texts en llatí. Per la seva banda, ens ha semblat més commovedor i més dramàtic, en el cas de les referències a les fogueres, barrejar-hi la fragilitat de les improvisacions fetes amb instruments de vent d'origen oriental com el *duduk* i el *kaval*, que simbolitzen l'esperit de les víctimes, en contrast amb la presència amenaçadora i angoixant dels redoblaments de tambors, que en aquells temps solien constituir l'acompanyament obligat de les execucions públiques. Després de la fi dels darrers càtars d'Occitània, també recordem una terrible execució, la de la donzella Joana, morta als 19 anys per la foguera dels implacables inquisidors.

La terrible amnèsia dels homes és certament una de les principals causes de la seva incapacitat per aprendre de la història. La invasió d'Occitània, i especialment la massacre del 22 de juliol de 1209 dels 20.000 habitants de Besiers, sota el pretext de la presència de 230 heretges, que el consell de la ciutat es va negar a lliurar a les tropes croades, ens recorda dramàticament els equivalents de l'era moderna, com l'inici de la Guerra Civil el 1936, desencadenada per l'exèrcit de Franco amb l'excusa del perill comunista i la divisió d'Espanya, així com les invasions el 1939 de Txecoslovàquia amb l'excusa dels Sudets i de Polònia per la qüestió de Danzig, a mans de les tropes alemanyes de Hitler. Més recentment, trobem les guerres del Vietnam (1958-1975), Afganistan (2001), com a reacció als atemptats de l'11 de setembre, i Iraq (2003), amb l'excusa de les armes de destrucció massiva. Per la seva banda, les lleis establertes pel papa Innocenci IV a la seva butlla sobre la tortura *Ad Exstirpanda* del 1252 no sols ja presenten tots els mètodes d'acusació sense defensa possible –que encara avui es troben en vigor a Guantánamo– sinó que també s'hi autoritza la tortura per tal d'extreure tota la informació dels heretges, com és el cas en països amb règims dictatorials o poc escrupolosos amb els drets dels acusats. També hom castigava els acusats d'heretgia sense judici amb la destrucció de la seva casa fins als fonaments, un procediment que avui també és emprat contra les cases dels terroristes palestins. El mal absolut és sempre el que l'home infligeix a l'home. Per això, creiem com François Cheng que "és la nostra tasca urgent i permanent revelar aquests dos misteris que constitueixen els extrems de l'univers viu: d'una banda, el mal; i de l'altra, la bellesa. El que està en joc no és altra cosa que la veritat del destí humà, un destí que implica els elements fonamentals de la nostra llibertat."

Han passat vuit segles, però el record d'aquesta croada contra els albigesos no s'ha esborrat. Encara desperta nostàlgia i pena. Més enllà dels mites i les llegendes, la destrucció de la memòria d'aquesta formidable civilització que va ser la del *País d'Oc*, esdevingut un veritable **regne oblidat**, la terrible **tragèdia dels càtars** o "bons homes" i el testimoni que han llegat de la seva fe mereixen tot el nostre respecte i el nostre esforç de memòria històrica.

**JORDI SAVALL**
Bellaterra, 3 d'octubre 2009
Traducció: Gilbert Bofill i Ball

# Origen i expansió dels catarismes

Generalment coneguda amb el nom de catarisme, aquesta dissidència cristiana va aparèixer a l'Occident medieval al segle XII. Els seus adeptes rebien denominacions diferents segons les zones de la cristiandat on es van implantar: càtars i maniqueus a Alemanya, patarins i càtars a Itàlia, pifles a Flandes, bugres a Borgonya i la Xampanya, albigesos al Migdia francès. Ells mateixos s'anomenaven bons homes i bones dones, o bons cristians i bones cristianes, i es van distingir arreu per la seva crítica virulenta a l'església catòlica i la seva jerarquia, considerada indigna per haver traït els ideals de Jesucrist i els apòstols.

Inspirats pel model de les primeres esglésies cristianes, els bons homes es consideraven els autèntics cristians, car practicaven el baptisme espiritual, el baptisme de Crist mitjançant la imposició de mans que anomenaven *consolamentum*. Per a ells, aquest bateig era l'únic que podia portar la consolació, la salvació per l'Esperit Sant que Jesucrist va fer descendir sobre els seus deixebles per Pentecosta. Al voltant d'aquest sagrament i de la pràctica rigorosa de l'ascesi, aquests dissidents bastirien la seva concepció d'església i dels sagraments, qüestionant l'eficàcia dels sagraments catòlics (baptisme d'aigua, eucaristia, matrimoni). Impregnats per l'espiritualitat monàstica que havia dominat els segles anteriors i el menyspreu del món que transmetia, duien determinades parts del Nou Testament fins a l'extrem, on s'afirma l'existència de dos mons oposats, un de bo i espiritual i un altre de dolent i material, el món on vivim. Aquest darrer es trobaria sota la dominació del diable, "príncep d'aquest món", com és anomenat a l'Evangeli segons Joan. Per tant, aquest món era l'obra del diable, segons els càtars, restant Déu responsable sols per la creació espiritual, perquè segons la interpretació càtara de la profecia d'Isaïes (14, 13-14), Llucifer, criatura divina, pecà d'orgull en voler equiparar-se a Déu, que l'expulsà del seu regne. Tot esdevenint el diable, fabricà les túniques de pell, els cossos de carn dels homes en els quals empresonà els àngels, criatures divines caigudes amb ell del cel. És aleshores que va fer aquest món visible a partir dels elements primordials creats per Déu (terra, aigua, aire i foc), l'únic en capaç de crear. Per a anunciar als àngels caiguts el mitjà per a retornar al "regne oblidat", el del Pare, Déu envià el seu fill Jesucrist. Adoptant una carn simulada, vingué a alliberar les ànimes (àngels caiguts) de les seves "túniques de l'oblit" (cossos), proporcionant la salvació per la imposició de mans o *consolamentum*, que finalment permetria el seu retorn al regne diví.

No és cap disbarat pensar que la concepció càtara del mal, de l'origen del mal així com del pecat sorgís dels debats polèmics que enfrontaven els teòlegs llatins des de l'època carolíngia, al segle IX. És aleshores que van aparèixer les primeres disputes al voltant dels sagraments, com el baptisme i l'eucaristia. En el decurs del segle X, la qüestió del mal, del pecat comès pel diable i el seu origen així com les qüestions de la humanitat o de l'encarnació del fill de Déu i la de la igualtat de les persones de la Trinitat es van plantejar en els cercles erudits de l'Occident medieval. Per tant, és a partir d'aquests medis escolàstics i de la participació en el procés de racionalització i de formulació doctrinal, endegat a la cristiandat occidental a mitjan segle IX, que cal enfocar el naixement de la dissidència càtara a les primeres dècades del segle XII. Nodrida pel moviment de reforma anomenat "gregorià", impulsat pel papat al llarg del segle XI, la dissidència càtara va sorgir enmig d'altres moviments de contestació que retreien al poder pontifici la desvirtuació dels ideals reformadors. Va arribar a implantar-se, de manera més o menys duradora, a diferents zones d'Occident, com a l'Imperi (l'actual Alemanya i Bèlgica), a les ciutats de Colònia, Bonn i Lieja, però també als principats del nord de França –Xampanya, Borgonya i Flandes– a més del sud de la cristiandat, Itàlia i Occitània. Els nombrosos testimonis revelen una diversitat de formes o models de dissidència segons la zona geogràfica, diversitat acreditada tant en matèria de doctrina com d'organització dels seus membres i de les pràctiques litúrgiques. Això justifica l'ús del plural "catarismes" que plantegem a l'inici i obliga a reflexionar sobre la identitat dels "heretges" denunciats des de les primeres dècades del segle XII.

És cert que els primers testimonis de les terres de l'Imperi que daten d'entre el 1140 i el 1160 no permeten reconèixer-hi la dissidència, almenys en la forma acreditada més tard a Occitània o Itàlia, territoris on finalment s'implantaria de manera més duradora. En els entorns urbans de les zones septentrionals, durant la primera etapa d'aplicació de la reforma romana, van aparèixer, en aquest context de crisi religiosa però també de gran efervescència intel·lectual, escoles d'ensenyament que podrien haver jugat un paper de laboratoris de la dissidència religiosa. El ràpid desplegament de la repressió i el triomf de la política romana durant la segona meitat del segle XII expliquen la dificultat a la qual es va enfrontar la dissidència per a fer-se un lloc en aquests territoris.

Durant l'etapa següent, cap al 1160-1170, és al sud d'Europa, principalment al Llenguadoc i al nord i centre d'Itàlia, on s'afavoreix la implantació dels moviments dissidents que, igual que més al nord, van trencar amb la política romana. La situació de calma relativa de la qual es van beneficiar en aquests països va permetre la seva evolució, tant des del punt de vista de la seva organització com de les seves creences i pràctiques litúrgiques. També cal indicar que, igual que als entorns urbans de l'Imperi i al nord del regne de França a mitjan segle XII, ens trobem, a l'inici del XIII, escoles d'ensenyament a Itàlia que difereixen i divergeixen entre elles pel que fa a qüestions com l'origen de la creació, el mal, l'home, la salvació i el més enllà. D'aquesta manera, aquestes escoles participarien en la reflexió medieval al voltant d'aquestes qüestions fonamentals debatudes aleshores a Occident, amb la resposta més radical formulada cap al 1230 per Giovanni di Lugio, mestre de l'escola de Desenzano, al nord d'Itàlia, i autor d'un tractat o *Llibre dels dos principis*, on afirma l'existència de dos principis oposats i eterns, un del bé i l'altre del mal, cadascun dels quals es troba a l'origen de les dues creacions, l'espiritual i la visible.

Entre les respostes sorgides del procés de racionalització dut a terme pels dissidents càtars a les seves escoles, el dualisme entre principis oposats ni era majoritari ni importat d'Orient, com afirma l'opinió tradicional que es remunta a l'Edat Mitjana. Elaborada als segles XII i XIII pels clergues catòlics i més tard pels inquisidors, la filiació maniquea i els orígens bogomils orientals de l'"heretgia" càtara resulten d'una elucubració forjada fa més de 800 anys. Tot i demostrar contactes i intercanvis entre els cercles dissidents orientals (bogomils) i occidentals (càtars), la documentació dels segles XII i XIII no prova pas la dependència, llargament suposada, d'un moviment envers l'altre. Especialment a través dels seus intercanvis escrits, els contactes entre les comunitats bogomils i càtares possiblement van nodrir el procés de racionalització emprès pels nostres dissidents, a més de palesar el reconeixement mutu d'aquests moviments dissidents cristians i la lluita que duien a terme contra la seva respectiva església: els bogomils contra l'oriental o bizantina, els càtars contra l'occidental o catòlica.

**PILAR JIMÉNEZ SÁNCHEZ**
Doctora en Història i investigadora associada al laboratori CNRS-UMR 5136 FRAMESPA,
Universitat de Tolosa-Le Mirail
Traducció: Gilbert Bofill i Ball

# Occitània: mirall de l'Àndalus i refugi de Sefarad

*"En tinc prou amb els desitjos*
*i amb l'esperança del desesperat."*
**Jamil ibn Ma'amar (s. VIII)**

## Occitània, mirall de l'Àndalus

Occitània, aquest territori ample i generós que Dante va definir com *"les terres on hom parla la llengua d'Oc"*, correspon al territori de l'antiga "Provincia Narbonensis" romana que comprenia el que serien després el Comtat de Tolosa, el Comtat de Foix, tot el Llenguadoc, el Comtat de Venaissin amb Avinyó i, a ambdós extrems d'aquests territoris, l'Aquitània i la Provença. A partir de la croada francesa de Simó de Montfort contra els càtars al segle XIII, Occitània queda políticament sota el domini del rei de França i es convertirà en el que avui comunament s'anomena el *Midi* francès. Abans de la implantació per la força d'aquest poder imposat des del nord, Occitània era un mosaic de territoris la majoria dels quals, políticament parlant, eren feudataris de la Corona catalano-aragonesa, però d'ençà la derrota del rei català Pere I a Muret el 1213 davant Simó de Montfort, les ciutats de Tolosa, Carcassona, Nimes, Besiers, Narbona i tot el Llenguadoc, passaren a ser franceses, per bé que Montpeller, com una illa, romandria catalana fins al 1349. El comtat pròpiament de Provença, abans sota tutela dels comtes de Barcelona, també quedaria ara sota vassallatge francès, per bé que no seria annexionat a França fins ben bé el 1481 a la mort del ponderat comte René.

Abans de l'arribada destructora dels croats enviats pel papa Innocent III, Occitània s'havia distingit per ser un territori obert a tot tipus d'influències, a ser una frontera permeable de poblacions i d'idees, un delicat gresol on confluïen els sabers, les músiques i els poemes provinents del sud, de la sàvia i sofisticada Àndalus, així com del nord, de França i d'Europa, i de l'est, d'Itàlia i fins dels Balcans i de l'exòtica Bizanci. Occitània, hereva de la cultura llatina, oberta i de cara a la Mediterrània, als llindars de la península ibèrica sota clara influència àrab, a partir del segle IX, es convertiria en un dels centres més actius de la cultura romànica. Aquesta embranzida cultural seria conseqüència del contacte directe d'Occitània amb de la intensa activitat intel·lectual que es desenvolupà durant l'alta Edat Mitjana a l'Àndalus.

El 711, desfeta la ruïnosa autoritat visigòtica, la Península Ibèrica passava a formar part de l'imperi islàmic que s'estenia de l'Orient des de Pèrsia i Mesopotàmia fins a l'Occident del Cantàbric i els Pirineus. Naixia l'Àndalus, i a partir d'aquest moment els contactes amb l'Orient, tot i la seva llunyania, havien de ser més freqüents i més fàcils. A partir del comerç, de les peregrinacions als llocs sants i dels viatges d'estudi a Damasc, Alexandria o Bagdad, la cultura oriental penetraria a la Península Ibèrica, i aviat trobaria un sòl fèrtil per arrelar-hi amb vigoria, ja que a partir del segle X, l'Àndalus passa d'una fase receptiva a una altra de creadora i exportadora de cultura. L'herència de la saviesa clàssica dels grecs traduïda del siríac i del grec a l'àrab arriba a la Península i es produeix un despertar científic i filosòfic extraordinari. Abans de l'any 1000, el nombre de traduccions gregues que arribaren a ser conegudes a partir de les versions en àrab superava de forma impressionant la quantitat de llibres grecs coneguts en aquella època en llatí.

Tot emulant aquest despertar cultural i científic, a Occitània la llengua occitana va ser una de les primeres a substituir el llatí en moltes actes, documents, obres literàries i científiques, com les primeres gramàtiques, les cèlebres *Leys d'Amors*. Els segles XI, XII i XIII van ser l'època de més efervescència i mèrit de la cultura occitana: la llengua d'oc per escrit, gràcies a una cultura refinada fruit d'un encaix perfecte d'influències occidentals i orientals, aconsegueix situar-se com la llengua model per a un tipus concret de literatura coneguda avui com a *trobadoresca*, ço és, la poesia composada i cantada per trobadors centrada en el concepte de *l'Amor cortès* i que s'inspirà, davant el mirall de l'Àndalus, en el concepte poètico-filosòfic de *l'Amor udrí* dels àrabs.

L'amor udrí de la poesia aràbiga és el que expressa l'amor cast, un amor "pur" que fa gaudir i patir alhora l'amant davant la persona estimada perquè, tot i desitjar-la, no pretén haver-la ni mantenir amb ella cap contacte sexual. Van ser els membres de la tribu aràbiga dels Banu Udra (s. IX), els primers en dur a la pràctica aquest tipus d'amor: feien per perpetuar el desig i renunciaven a qualsevol contacte físic amb les persones que estimaven. La seva poesia parlava d'un amor que no era sinó un secret dolorós que no s'havia de corrompre ni cercar cap contacte, i al qual s'havia de servir amb fervor i devoció fins al punt de deixar-se morir. El poeta es declarava vassall de la persona que estimava i s'hi subordinava totalment. Els dos poetes àrabs més cèlebres per les seves composicions d'*Amor udrí* foren **Jamil ibn Ma'amar** (m. 710), del tot enderiat per la seva estimada Butaina, i **Qays ibn al-Mulawwah** (s. VIII), que es tornà boig per la seva estimada Laila casada amb un altre home, i que per això va rebre l'apel·latiu de *Majnun*, ço és, "el foll." Però qui més reflexionà i teoritzà sobre aquest tipus de relació amorosa fou el filòsof, teòleg, historiador, narrador i poeta **Ibn Hazm de Còrdoba** (994-1064): la seva obra més famosa fou el *Tawq al-hamama*, "El collaret del colom", un tractat sobre la naturalesa de l'amor escrit a Xàtiva el 1023, on reflexiona a fons sobre les essències del sentiment amorós i hi inclou un bon reguitzell de fins i elegants poemes de temàtica amorosa.

Occitània, mirall de l'Àndalus, recollirà aquesta formulació de l'amor i farà néixer l'*Amor cortès*, una concepció igualment platònica i mística de l'amor que es pot descriure a partir de molts punts en comú amb l'*Amor udrí* de la poesia aràbiga: la total submissió de l'enamorat a la dama (per transposició directa de les relacions feudals on el vassall se sotmet al seu senyor); l'estimada sempre es manté distant i això la fa mereixedora de tots els elogis i reuneix totes les perfeccions físiques i morals; l'estat amorós, per transposició a l'imaginari religiós, és una mena d'estat de gràcia que ennobleix aquell qui el practica; els amants són sempre de condició aristocràtica; l'amant concep l'amor com un camí d'ascensió o progressió d'estats d'enamorament que van des del suplicant o *fenhedor* i culminen en el *drutz*, o estat d'amant perfecte. Només després d'haver aconseguit aquest grau amorós, hom podia aspirar algunes vegades a culminar-ho amb alguns favors carnals, però com que aleshores la relació esdevé adúltera, l'amant amaga el nom de l'estimada amb un pseudònim o *senhal.* La teoria de l'Amor cortès dels trobadors occitants, doncs, reflex d'aquest tipus d'amor conreat en la poesia aràbiga, exercí una enorme influència en la posterior literatura occidental, especialment en figures com **Dante** (1265-1324) amb la seva idealitzada Beatriu, i **Petrarca** (1304-1374) amb la seva estimada Laura, així com en la literatura catalana tal com demostra la poesia amorosa del darrer dels grans trobadors catalans, el valencià **Ausiàs March** (1400-1459).

La penetració d'aquest concepte de l'amor vingut del món àrab i la seva traducció en un model literari aplicat també amb èxit en terres cristianes, és una prova clara de la permeabilitat de la frontera pirinenca i de la pròpia idiosincràsia de la nació Occitana, on confluïen tot tipus d'influències i on s'instauraren models de capteniment social amb molts pocs precedents durant l'Edat Mitjana, talment com foren l'obertura intel·lectual i la tolerància religiosa. Potser foren aquests factors intrínsecs d'Occitània els que feren que el comte **Raimon IV de Tolosa**, en la seva participació en la Primera Croada, i concretament en l'assalt final a la ciutat assetjada de Jerusalem el 15 de juliol de 1099, actués amb correcció i tacte davant l'autoritat musulmana que la defensava de l'atac dels croats: davant la imminent caiguda de Jerusalem en mans croades, **Iftikhar ad-Dawla**, el governador fatimita de la ciutat, pactà cavallerosament i amb diplomàcia amb Raimon de Tolosa la seva rendició, i amb això el tolosà va permetre que el cabdill àrab i el seu seguici abandonessin la ciutat sense ser executats com sí ho fou la totalitat de la població musulmana i jueva de Jerusalem en mans dels soldats dels altres cavallers cristians que massacraren tothom que trobaren al seu pas. El cronista Raimon d'Agiles, que va acompanyar el comte de Tolosa en la seva aventura guerrera a Palestina, va deixar per escrit els fets de la presa de Jerusalem per la Primera Croada en la seva *Historia Francorum qui ceperunt Hierusalem*, i allà diferencia clarament entre els *Provençals* i els *Francigeni* essent els primers els soldats occitans i els darrers tots els altres croats del nord de França i d'Alemanya. L'historiador àrab Ibn al-Athir (1160-1233) relata el fet de la capitulació i salvació d'Iftikhar i la host àrab esmentant els croats europeus amb el nom de Francs, però fa diferència d'un grup respecte a l'altre anomenant als croats francesos i alemanys *"els altres francs"* i reconeixent el mèrit i la cavallerositat dels occitans: *"Els Francs acordaren salvar-los la vida i, tot respectant llur paraula, els deixaren partir de nit vers Ascaló on s'establiren. A la mesquita d'al-Aqsa, al contrari, els altres francs massacraren més de deu mil persones."* L'actitud tolerant i respectuosa de Raimon de Tolosa envers els vençuts musulmans va ser fortament criticada pels seus contemporanis, tal com ho testimonien totes les altres cròniques que relaten la brutal i sanguinària gesta dels croats.

## Occitània, refugi de Sefarad

La força que irradiava la cultura andalusina provocà a la Península l'eclosió igualment impressionant de les lletres judaiques. Els jueus de l'Àndalus havien de convertir-se en un element clau en el procés de transmissió de la saviesa d'arrel grega -aleshores en mans dels àrabs- cap a l'Europa medieval, ja que més tard complirien el paper de nexe entre el món islàmic i el cristià en institucions com la famosa Escola de Traductors de Toledo vessant al llatí i a l'hebreu moltes de les obres abans traduïdes a l'àrab des del grec o el siríac. Amarats de cultura àrab, els jueus decideixen també aplicar-se en camps com la lingüística, la retòrica i la poesia, passant després a cultivar disciplines com les ciències i la filosofia tot revitalitzant així com a llengua d'expressió literària i científica la seva llengua hebrea. A l'Àndalus, més que en cap altre lloc d'orient o d'occident, doncs, els àrabs foren els mestres dels jueus.

Però la invasió de la península Ibèrica per part dels Almohades durant els anys quaranta del segle XII, va significar la fi del que s'ha anomenat l'Edat d'Or de la cultura jueva de l'Àndalus. Poc tolerants amb els no-musulmans, molts jueus fugiren aleshores o bé al nord d'Àfrica, o bé als reialmes cristians de Castella, Aragó, Catalunya i als feus d'Occitània. Les comunitats jueves catalanes i occitanes acolliren, aleshores, famílies senceres araboparlants portadores d'una gran cultura: filosofia, ciència, història, literatura, gramàtica i d'altres disciplines desconegudes pels jueus no arabòfons, abocats fins ara de ple només als estudis tradicionals de les Escriptures i el Talmud. La trobada d'aquests dos móns provocà un gran procés d'intercanvi i transmissió: els nous vinguts desitjaven compartir amb llurs hostes els tresors de llur rica cultura, i els que els acollien s'interessaren de sobte per totes aquestes matèries i es mostraren disposats a adquirir tot aquest nou saber. Delerosa d'aprendre, una part de l'elit intel·lectual del moment s'agrupà en confraries en diversos centres a fi de consagrar-se, a més dels estudis religiosos, a l'estudi de les ciències profanes, sobretot la filosofia, que pels fugits de l'Àndalus eren essencials i indispensables per aprehendre veritablement els fonaments de la religió. Amb l'objectiu d'eixamplar llurs horitzons intel·lectuals, en aquests centres –entre els quals destacarà al Llenguadoc la vila de Lunel, devora Montpeller–, alguns erudits jueus es dedicaran a traduir obres a l'hebreu, tant de caràcter religiós com científic escrites per altres savis jueus en àrab.

Una part considerable d'aquestes traduccions en els camps de la filosofia i les ciències es deu als membres d'una família jueva occitana que fa de la traducció el seu ofici transmès de pare a fill: són els cèlebres Tibònides. El més famós d'aquesta saga de traductors fou **Samuel ibn Tibon** (1150-1230), gràcies a la traducció que féu de l'àrab a l'hebreu de *La Guia dels perplexos*, la cèlebre obra del gran filòsof i jurista jueu **Maimònides** (1135-1204). La seva *Guia dels perplexos* intentava desbrossar la incertesa que es produïa en les ments dels savis jueus que, dedicats a la lògica, les matemàtiques, les ciències naturals o la metafísica, no aconseguien acordar la Torà amb els principis de la raó humana. L'objectiu principal de la *Guia* era eliminar la confusió i la perplexitat a partir d'una interpretació figurativa o al·legòrica d'alguns textos bíblics. Lluny d'esclarir el camí, el mètode de Maimònides per interpretar la fe jueva havia de provocar l'esclat d'una polèmica filosòfica que sacsejà fortament la vida intel·lectual de les comunitats jueves medievals durant els segles XIII i XIV, en especial les de Catalunya i Occitània. La controvèrsia maimonidiana tingué uns efectes i unes conseqüències tan greus i imprevisibles com la virtual divisió interna de les comunitats en dos bàndols separats i enfrontats fins i tot a nivell social i polític. Els antimaimonidians atacaren sense embuts l'intel·lectualisme de Maimònides, que contemplaren com una descarada infiltració de la cultura grega que travessava impunement els sacres llindars de les llars i les escoles jueves posant en perill llur fe de sempre. Així doncs, els talmudistes conservadors no dubtaren en alçar la veu en contra de moltes de les seves teories titllant-les, plana i senzillament, d'heretgies.

Juntament amb el corrent talmúdico-tradicional enfrontat al moviment racionalista dels maimonidians, el judaisme occitano-català del segle XIII desenvolupa també una sèrie de tendències esotèriques, teosòfiques i de tendència mística: la **Càbala**. Nascuda de la interpenetració d'antics corrents gnòstics jueus i d'idees del món filosòfic d'inspiració neoplatònica, la càbala s'alinearia fàcilment amb el moviment antiracionalista, doncs els seguidors de Maimònides semblaven fer excel·lir la raó per damunt de la fe. Pels cabalistes, però, els mètodes de la freda lògica aristotèlica no eren vàlids per expressar el món de sensacions i emocions de llurs impulsos religiosos de caràcter místic. Mentre els seguidors de la tendència racionalista pretenien arribar a conèixer Déu a través de l'examen i la contemplació dels fenòmens naturals, el misticisme cabalístic ho faria a partir dels noms i dels poders de la divinitat que es descobrien en les deu esferes o *sefirot*, l'alfabet hebreu i les xifres que també representaven les lletres.

Les teories esotèrico-teosòfiques de la Càbala sorgiren en terres occitanes i giraven principalment al voltant dels continguts mistèrics de diversos corrents d'idees i de dues obres cabdals: el ***Llibre de la Creació*** i el ***Llibre de la claredat***. El primer d'aquests dos tractats és un antic assaig teorètic de cosmologia i cosmogonia escrit entre els segles III i IV a Palestina i que es presenta com un text meditatiu i enigmàtic només destinat als iniciats on es tracta de les emanacions divines o *sefirot*, del poder de les lletres de l'alfabet hebreu i de llur correspondència astrològica. Insisteix molt en el poder i la significació de tres lletres de l'alfabet: l'*àlef*, la *mem* i la *shin* que representen respectivament la terra, l'aigua i el cel, els elements del món material, o bé també les tres temperatures de l'any: calor, fred i tebior, o fins i tot les tres parts del cos humà: cap, tors i ventre. El *Llibre de la Creació* va ser profusament estudiat pels cabalistes occitans i catalans i se'n conserven un bon reguitzell de comentaris. *El Llibre de la Claredat*, per contra, és més tardà, i hom el situa escrit potser a Alemanya o directament a Occitània vers l'any 1176. És un tractat que conté molts elements gnòstics, també tracta de les deu *sefirot*, analitza a fons els primers versos del Gènesi, i tracta els aspectes místics de l'alfabet hebreu, els 32 camins de saviesa que marquen les lletres, i també parla de la teoria de la transmigració o *guilgul*. Aquestes dues obres van ser el corpus principal on s'abeuraren els primers cabalistes per afaiçonar les seves doctrines i principis a partir dels quals desxifrar el sentit ocult del text bíblic i intentar aleshores la comunió amb Déu mitjançant la meditació sobre les *sefirot* i les essències celestials.

Segons algunes fonts rabíniques, pels volts de 1200 el profeta Elies revelà a un grup de mestres i rabins occitans –quan Occitània era sota la tutela política dels comtes de Barcelona– tot de secrets i d'ensenyaments esotèrics que nosaltres coneixem amb el nom de *Càbala*, ço és literalment, "Tradició". Elies els revelà a rabí **David Narboní**, després al seu fill, rabí **Abraham ben David de Posquièras**, així com també al seu fill, el cèlebre rabí **Isaac ben Abraham**, més conegut com **Isaac el Cec** (m. 1235) i anomenat "el pare de la Càbala" no perquè comencés pròpiament amb ell, sinó per arribar a ser el més brillant dels seus primers formuladors. Les idees teosòfiques d'aquests rabins de la ciutat de Narbona aviat arribaren a Girona de la mà d'**Asser ben David**, nebot d'Isaac el Cec, on van trobar el marc adient per desenvolupar-se i perfilar-se amb característiques pròpies a Catalunya i, posteriorment, a terres castellanes on acabaria per sorgir el tercer dels grans compendis cabalístics medievals: el cèlebre llibre del *Zohar*.

S'ha especulat molt sobre la coincidència temporal i geogràfica del sorgiment de la Càbala a Occitània en el moment en que aquest país viu la implantació del catarisme. Tal com apunta el gran estudiós de la Càbala, Gershom Scholem, els cabalistes occitans podien haver revitalitzat algunes idees de l'antic gnosticisme jueu que s'haurien conservat fins aleshores de forma molt velada, però el més lògic és creure que, esteses com estaven les idees i creences dels càtars per tota Occitània, alguns dels seus plantejaments –el dualisme, la teoria de les reencarnacions, la disciplina religiosa dels adeptes, l'ànsia d'escapar d'aquest món visible i natural per conèixer i entrar a les esferes celestials i en l'essència de la divinitat– ajudessin a acabar de dissenyar el corpus doctrinal del cabalisme. No hem d'oblidar que els càtars predicaven contra la corrupció del clergat, contra els seus privilegis socials i contra els dogmes de l'Església catòlica i eren, per tant, obertament bel·ligerants amb Roma. Aquesta oposició frontal contra l'Església segurament despertà simpatia i solidaritat entre els jueus, i tot i que els càtars consideraven que la revelació del Nou Testament anul·lava completament la de l'Antic Testament i la Torà, el seu antisemitisme metafísic no els impedí de relacionar-s'hi activament i d'intercanviar tota mena d'idees amb les comunitats jueves, també adversàries del catolicisme que aleshores les acusava i les perseguia sense treva. En el seu *Adversus Albigenses*, el polemista catòlic francès del segle XIII, Luc de Tuy, retreu als càtars llurs intenses relacions amb els jueus, i és impossible creure que aquests no els coneguessin ni s'assabentessin de la profunda agitació religiosa i política que els càtars van provocar a Occitània amb l'estesa del seu credo i amb la brutal croada que el papa Innocent III i el rei Felip August de França van protagonitzar per acallar-lo. Fos com fos, és clar que hi ha punts de contacte més que evidents entre el catarisme i les idees de la Càbala jueva. La gran diferència rau, tanmateix, en què mentre que els croats i els inquisidors catòlics van acabar del tot amb el catarisme, el judaisme, que durant tota l'Edat Mitjana patí un setge similar, resistiria, i encara més la Càbala, reduïda a un cercle tancat i minoritari d'adeptes que mai no cercaren propagar-la, sinó complir al peu de la lletra la frase del Talmud que resa: *"Si la paraula val una moneda, el silenci en val dues."*

**MANUEL FORCANO**

Doctor en Filologia Semítica per la Universitat de Barcelona

bles fay los ar... madors far corts cobrns ecorrer

le diables fay biular los aymadors p. amor de los

# Els càtars dins la societat occitana
# (Segles XII-XIII)

Durant vàries generacions, abans de la gran repressió i normalització del segle XIII, els càtars no eren heretges al País d'Oc. No eren més que gent religiosa que, als ulls del poble cristià, seguien de manera exemplar la via dels apòstols i tenien el poder suprem de salvar les ànimes. L'heretgia no és un estat objectiu sinó un judici de valors, i també una condemna que sorgeix d'un poder normatiu on la religió es barreja amb la política. Al País d'Oc, ni els comtes o senyors i ni tan sols els prelats o sacerdots locals feien –ni els convenia fer-ho– de corretja de transmissió de l'acusació d'heretgia que el papat de Roma formulava contra els càtars. El propi terme "càtar" no hi era emprat. És probable que la majoria dels càtars occitans no arribessin a saber mai que eren "càtars". Ells tan sols s'anomenaven cristians, els seus fidels els anomenaven respectuosament bons cristians i bones cristianes, o bons homes i bones dones. Eren religiosos que seguien un ritus cristià arcaic, el de la salvació a través del bateig de l'esperit i de la imposició de mans, i predicaven l'Evangeli segons un tipus d'exegesi en què les velles aspiracions gnòstiques al Regne de Déu que no és d'aquest món –el regne oblidat– es barrejaven amb les crítiques més contemporànies dels cultes supersticiosos de l'església romana, tot oferint l'esperança de salvació universal a través de l'adhesió. Molt sovint, a les viles occitanes, els mossens i sacerdots els consideraven germans i germanes, mentre els dames i els senyors escoltaven els seus sermons amb fervor.

Tanmateix, pertanyien a un moviment religiós dissident, excomunicat pel papat gregorià i que la història identifica arreu d'Europa als segles XII i XIII, a la llum de l'historial de la seva repressió, és a dir, generalment les fogueres. Amb diferents denominacions acusadores inventades per les autoritats religioses –càtars, patarins, publicans, maniqueus, arrians, pifles, bugres, albigesos, etc.– el parentiu de la majoria d'aquests grups condemnats per heretgia sorgeix de la coincidència en la seva forma d'organització religiosa en esglésies episcopals, tot reivindicant l'autèntica filiació dels apòstols, de les seves concepcions espiritualistes de la persona de Jesucrist i de la seva exegesi bíblica de caire dualista, però sobretot de la unitat del seu ritual. És aquesta àmplia nebulosa, reconeixible al món llatí des de Flandes i Renània, passant per la Xampanya i Borgonya fins a Itàlia, Bòsnia i Occitània, que anomenarem aquí per comoditat els "càtars".

Entre les comunitats cristianes dissidents, les dels bons homes d'Europa meridional, italians i sobretot occitans, són les més conegudes. Gràcies a les condicions de pau que les envoltaren, a diferència de les seves germanes septentrionals, que restaren en la clandestinitat i l'única documentació de les quals és negativa, van arrelar a la societat. Se'n conserven diversos llibres originals manuscrits, tres rituals i dos tractats, en llatí i en occità, que expliquen la seva essència religiosa. La repressió sistemàtica a la qual van ser sotmeses al llarg de tot el segle XIII –croada contra els albigesos, conquesta dels comtats occitans pel rei de França, més tard la Inquisició– generà, com a tal, una important massa documental, cròniques i sobretot arxius judicials que revelen amb detall la vida diària d'una societat heretge. Per tant, som convidats a un viatge gratificant a l'Occitània càtara.

## Les esglésies càtares occitanes

"En aquell temps, els heretges habitaven públicament al castrum." Els registres de la Inquisició, que presenten testimonis que podrien datar del començament del segle XIII, per tant abans de la repressió, donen vida a gernacions de bons homes i bones dones, les cases comunitàries dels quals s'obrien a les viles fortificades de les senyories vassalles de Tolosa, Foix, Albí o Carcassona. En aquestes poblacions actives i poblades, com Fanjaus, Laurac, Cabaret, El Mas Santes Puel·les, Puillorenç, Lautrec, Caraman, Lantar, Miralpeix, Rabastens, etc., van ser els llinatges aristocràtics els primers a entusiasmar-se per la seva predicació: hi ha comtesses de Foix que es van fer bones dones. S'establí un orde religiós cristià, independent del papa de Roma. Entre el Llenguadoc, l'Agenès i els Pirineus, s'instauraren públicament cinc esglésies o bisbats càtars, amb l'autoritat de veritables jerarquies episcopals. De fet, aquesta estructuració de les comunitats al voltant de bisbes ordenats, a semblança de les primeres esglésies cristianes, és un dels principals trets diferencials de l'heretgia anomenada càtara, que s'anomenava l'autèntica església de Jesucrist i dels apòstols. Els rituals dels bons homes occitans l'anomenen *Ordenament de sancta Gleisa*: ordenament de la santa Església. L'existència de bisbes dissidents apareix a les fonts fins i tot abans de mitjan segle XII, primerament a Renània, a l'arquebisbat de Colònia i al bisbat de Lieja.

Els bisbes càtars italians i occitans no són documentats fins a la generació següent, tot i que ja hi ha comunitats dissidents visibles a les viles situades entre Albí i Tolosa a partir del 1145: una cita del 1165 fa referència a un bisbe dels bons homes a l'Albigès. El 1167, a Sant Fèlix de Lauraguès, al límit entre el comtat de Tolosa i els vescomtats d'Albí i Carcassona, quatre esglésies càtares meridionals, en ple dinamisme manifest, es reuniren en concili amb els seus bisbes o consells d'església i les seves comunitats d'homes i dones: es tracta de les esglésies del Tolosà, l'Albigès, el Carcassonès i sens dubte de l'Agenès, on és documentat un bisbe càtar al segle XIII, tot i que el text parla de l'"Aranès", és a dir, de la Vall d'Aran. Hi reberen delegacions de les esglésies germanes franceses (Xampanya, Borgonya) i llombardes, sota la presidència d'un dignatari bogomil, segurament bisbe de Constantinoble, anomenat Nicetes. No cal veure en aquest personatge un papa o antipapa dels heretges; al contrari, el que predica entre totes aquestes esglésies llatines dels bons homes és la convivència fraternal però autònoma. D'aquesta manera, les quatre esglésies occitanes es veuran delimitades geogràficament en veritables bisbats.

Les esglésies renanes, absents de l'assemblea de Sant Fèlix, semblen haver sigut ràpidament esclafades per una forta repressió que va dur els seus bisbes a la foguera a la dècada de 1160. L'església de Llombardia es va fragmentar en sis bisbats separats abans de la fi del segle XII, gaudint a les ciutats italianes del suport durador que li dispensaren els gibel·lins, partidaris de l'emperador, contra els güelfs, partidaris del papa i, per tant, de la Inquisició. Constantment perseguida, l'església dels francesos acabaria sobrevivint a l'exili italià fins a la fi del segle XIII. Però cap al 1200, per tal de fugir de les fogueres de Borgonya, dos canonges de Nevers, a més de dignataris càtars, van cercar refugi entre els seus germans de l'església del Carcassonès. Mentre l'Europa cristiana, sota la pressió del papa i de l'orde cistercenc, s'armava contra l'heretgia, els grans principats occitans, els comtats de Tolosa i Foix i els vescomtats dels Trencavell de Carcassona, Besiers, Albí i Limós, constituïren una terra de refugi per als dissidents. Les seves esglésies hi gaudiren d'una implantació quasi institucional, i ni tan sols la irrupció de la "croada contra els albigesos", a partir del 1209, va reeixir a trencar-ne el dinamisme malgrat les seves grans fogueres col·lectives. A les quatre esglésies instaurades al segle XII se n'hi va afegir cap al 1225 una cinquena: Rasès. No va ser fins passada la presa de Carcassona i Albí i la submissió del comte de Tolosa al rei de França, a partir del 1229, que les esglésies càtares van ser empeses cap a la clandestinitat. Laminades a poc a poc per la Inquisició, malgrat la resistència heroica dels seus fidels durant prop d'un segle de persecució, no en ressorgirien mai més.

## Un cristianisme de proximitat

Per què va funcionar millor al País d'Oc que a altres indrets? Per què es van implantar cinc bisbats de bons homes entre l'Agenès, el Carcí, els Pirineus i el mar? Per molt que es diferenciïn, els motius són múltiples, d'ordre cultural, social i polític: l'estructura de les esglésies càtares, dúctils, obertes i autònomes, s'adeia molt amb les senyories occitanes, amb la seva jerarquia menys estricta que el model feudal franc, ans dominada per una aristocràcia dinàmica i plural. Les declaracions davant la Inquisició indiquen que des de la fi del segle XII, en la majoria dels casos, era el propi estament nobiliari, amb les dames al capdavant, que donava l'exemple de compromís amb la fe i l'ordenament jeràrquic dels *bons cristians*, un exemple seguit amb zel pels burgesos i els artesans del burg senyorial, el *castrum*, i per la població pagesa del camp. A més, la resistència que amplis sectors del clergat meridional van oposar a les normalitzacions de la reforma gregoriana va permetre el lliure aflorament de formes cristianes alhora arcaïtzants i crítiques. Els càtars no eren forans a les poblacions sinó gent arrelada que mantenia tots els vincles comunitaris i afectius.

Els arxius de la Inquisició permeten explorar en retrospectiva les intimitats d'aquesta societat cristiana gairebé corrent i nombrosa a les seves viles fortificades. Per als vilatans medievals, les comunitats de bons homes i bones dones que vivien entre ells i eren objecte de la seva devoció eren simplement "bons cristians i bones cristianes que tenien el poder suprem de salvar les ànimes". Els termes *heretges* o *càtars* eren aleshores emprats sols per algun legat o abat cistercenc enviat per Roma, i només de passada. Sovint s'esdevenia que el mossèn de la parròquia freqüentava fraternalment aquests religiosos que menyspreaven el papa, la majoria dels quals provenien de famílies locals. Un gran nombre de llinatges nobles repartien els seus fills entre les dues esglésies. El millor exemple de l'ecumenisme cristià d'aquesta societat el trobem sens dubte en el bisbe catòlic de Carcassona, Bernat Ramon de Rocafort, el 1208. Representant d'un gran llinatge aristocràtic de la Muntanya Negra que va resistir durant molt temps a la conquesta francesa, aquest prelat era fill d'una bona dona i germà de tres bons homes, un dels quals, Arnau Ramon de Durfort, va morir el 1244 a la foguera de Montsegur. No va ser fins a la instauració d'una repressió sistemàtica que cadascú es veié obligat a triar el camp, en el si de la vila i de la família. En aquest sentit, els registres de la Inquisició serveixen de relat tràgic de com esclatà la solidaritat de tota una societat.

Durant el temps de la "pau càtara" a les senyories occitanes, els religiosos càtars, lluny d'aïllar-se en una vida contemplativa en monestirs apartats del món, vivien entre el poble cristià. D'aquesta manera van prefigurar, almenys amb una generació d'antelació, la pràctica del "convent a la ciutat" que suposaria l'èxit dels ordes mendicants, els dominicans i els franciscans. Aquests bons homes i bones dones, en contacte permanent amb la població de les viles, els seus "fidels", formaven l'esglaó de base del sistema eclesiàstic càtar. Constituïen comunitats religioses en el seu sentit estricte, menant una vida consagrada "a Déu i a l'Evangeli" i reunint totes les característiques d'un clergat regular i seglar. Igual que els monjos i les monges, tots havien fet vot de pobresa, castedat i obediència i menaven la seva vida comunitària en estricta ascesi monàstica, seguint la regla dels preceptes de l'Evangeli o de la "via de la justícia i de la veritat dels apòstols". Havien renunciat al pecat: la mentida, l'engany, la mort, fins i tot d'animals, la luxúria material o carnal; cada mes, un diaca de la seva església els dispensava la culpa col·lectiva de l'*aparelhament*. No obstant, les comunitats càtares es distingien de les comunitats monàstiques tradicionals en dos punts fonamentals. D'entrada, els seus membres no eren majoritàriament verges consagrats sinó persones socialitzades que tenien una "experiència de vida": vidus, vídues o parelles que s'havien separat al final de la vida per a poder fer una bona fi i salvar la seva ànima. Per altra banda, a diferència dels grans monestirs catòlics i fins i tot dels convents dels ordes mendicants, les seves cases comunitàries no coneixien la clausura. Els bons homes i les bones dones en sortien lliurement, restaven presents a les seves famíles i participaven a la vida social.

Aquestes cases religioses complien una funció social important. Eren nombroses als carrerons dels *castra* –hom parla de cinquanta cases a Miralpeix i cent a Vilamur– i constituïen petits establiments visibles, la majoria dels quals reunien tot just una desena de bons homes sota l'autoritat d'un ancià o de bones dones dirigides per una priora. Els religiosos hi duien la seva vida comunitària, dient les seves pregàries rituals i observant la seva abstinència (règim magre tot l'any a ritme de tres quaresmes, i un de cada dos dies a pa i aigua), però ho feien davant els ulls del poble cristià de la vila. Atès que estaven compromesos amb el treball apostòlic i exercien oficis, les seves cases presentaven sovint un aspecte de taller artesà. També eren hospicis, abans que se'n diguessin així, car la seva taula era oberta i hi rebien malalts i necessitats. Algunes cases eren destinades a l'ensenyament dels novicis, a vegades servien com a escola. Els religiosos també hi rebien visitants i fidels, veïns, amics i parents per a qui predicaven la paraula de Déu com si es tractés de clergues seglars. Sense girar l'esquena a la seva gent ni a la seva societat, predicaven amb l'exemple, tot restant fidels al model dels apòstols i al missatge evangèlic. Invocaven incansablement el bé, obrant a tothom l'*Entendensa del Be*, l'enteniment del bé.

Aquesta intensa predicació entre el poble cristià, fonamentada en les traduccions de les Sagrades Escriptures al llatí, feia la força de l'església dissident. Durant l'època de llibertat de culte, mentre les comunitats religioses es dedicaven més aviat a dur l'Evangeli a la pràctica, la jerarquia episcopal es reservava la funció sacerdotal pròpiament dita: en general, eren els bisbes i els diaques qui predicaven solemnement l'Evangeli els diumenges i durant les festes religioses (Nadal, la Passió, Pasqua, Pentecosta, etc.). Eren ells qui ordenaven els novicis i també consolaven els moribunds. Tan sols en absència del bisbe o d'un diaca, els bons homes o també les bones dones administraven el sagrament de la salvació; això es donaria sovint un cop arribada l'època de la clandestinitat. Com a simples bons homes, els bisbes càtars vivien a la casa comunitària, d'acord amb la voluntat del seu poble. El bisbe del Tolosà residia sovint a Sant Pau Capdejous o a Lavaur; el del Carcassonès, a Cabaret; el de l'Albigès, a Lombers, fins que la repressió inquisitorial obligà els bisbes del Tolosà, Rasès i potser també de l'Agenès a replegar-se al *castrum* insubmís de Montsegur, a partir del 1233, i el de l'Albigès a Autpol. Es tracta de personatges de molt pes que intervindrien fins i tot en el si de la casta senyorial, especialment assumint el paper d'àrbitres i jutges de pau, car el seu ordenament cristià refusava la justícia humana i la condemna a mort.

Les pràctiques de l'església, alhora simples i impregnades de sacralitat, com en el gran ritual del *consolament*, testimonien un estat arcaic pel que fa a la litúrgia cristiana. Tot hi és col·lectiu i públic. A les cerimònies, hom intercanvia el bes de la pau; a taula, a l'inici de cada àpat, els bons homes i les bones dones beneeixen i parteixen el pa, símbol de la paraula de Déu a estendre entre els homes, en memòria del Sant Sopar. Aquesta comunió sense transsubstanciació –el pa resta pa sense convertir-se en la carn de Jesucrist– s'inscriu en la tradició de l'àpat fraternal de les primeres comunitats cristianes. Es tracta d'un dels rites que vinculen els fidels a la seva església, un dels signes que marquen la seva fe en esdevenir ells mateixos, tard o d'hora, bons cristians i salvar la seva ànima. Els fidels expressen també aquesta esperança per al *melhorier* (o gest que torna millor), una triple demanda de benedicció per la qual saluden els bons homes i les bones dones a l'atzar.

## Una societat heretge?

Els registres de la Inquisició ens permeten apreciar la qualitat humana d'aquesta realitat d'una església ben present a la vida diària de les viles occitanes –i més tard als amagatalls de la clandestinitat– però ni de bon tros ens permet mesurar-ne l'impacte demogràfic. Malgrat ser nombrosíssima (es conserven milers de declaracions que revelen els noms de milers de bons homes, bones dones i fidels, una trentena de bisbes i una cinquantena de diaques), aquesta documentació és tan farcida de llacunes que qualsevol intent d'extrapolació per tal de quantificar la implantació de l'heretgia seria absurd, tant més quan la qüestió aleshores no es plantejava en aquests termes atès que els cultes càtar i catòlic eren generalment viscuts més aviat complementàriament que no pas en confrontació mútua. Tanmateix, en ressurten dos elements clars: en primer lloc, l'amplíssima difusió social de l'heretgia. Quan assistien a les cerimònies dels bons homes, els grans senyors es barrejaven entre la població local. Dins les cases religioses, pageses simples convivien amb l'antiga senyora de l'indret i antics cavallers es dedicaven a teixir. La impressionant adhesió de la classe noble dóna certament una especial visibilitat al fenomen càtar occità, tant per a l'historiador d'avui com per als cistercencs o els papes del passat; però seria erroni considerar-ho un simple engrescament elitista. El que mostren els arxius de la Inquisició és una població cristiana corrent, amb totes les condicions barrejades, que practica la fe dels bons homes.

Paral·lelament, sobta la importància de la posició i del paper de la dona dins l'església dissident. El nombre i la funció de les bones dones citades pels declarants es troba pràcticament al mateix nivell que el dels bons homes durant l'època de llibertat de culte, encara que a l'alta jerarquia no figuri cap dona. Els nombrosos testimonis de les fidels revelen, sovint commovedorament, com aquest compromís femení, procedent de la pròpia família, mantindria al si del catarisme la força de resistència d'una fe materna durant un segle de persecució sistemàtica, fins al punt que els inquisidors del segle XIV maleïrien el *genus hereticum*, expressió pejorativa que hom pot traduir per "gènere heretge", si no gen heretge...

Tot presentant-se a les viles com a comunitats de penitents, garants de la bona fi, els bons homes i les bones dones de les esglésies càtares occitanes van formar un clergat de proximitat eficaç i atractiu; presents i actius fins i tot a les seves pròpies famílies, asseguraven un profund arrelament social i familiar que les persecucions del segle XIII trigarien a extirpar, fins i tot quan la guerra ja havia aniquilat els llinatges senyorials que els protegien.

**ANNE BRENON**

Traducció: Gilbert Bofill i Ball

# Els trobadors davant el catarisme

Qui observi la cultura medieval occitana constatarà immediatament l'àmplia coincidència en el temps i l'espai que existeix entre la difusió de la poesia dels trobadors i la de la religió càtara: en un període que s'estén, pel cap baix, des de mitjan segle XII a la fi del XIII, en un territori que comprèn tot el Llenguadoc occidental i algunes regions limítrofes com el Carcí i el Perigord, els dos fenòmens van conviure colze a colze a les mateixes corts, a les mateixes ciutats, als mateixos burgs. És cert que aquesta coincidència no és total atès que la poesia trobadoresca es va escampar per tot l'actual migdia francès, des de la Gascunya fins als Alps, i els seus orígens es remunten a la fi del segle XI (tot i que, segons algunes tesis autoritzades recents, també caldria situar l'inici del catarisme a les primeres dècades d'aquest mateix segle). Per altra banda, una zona com la del Carcassonès apareix, a cavall entre els segles XII i XIII, com a punt de trobada gairebé miraculós entre el trobar i l'espiritualitat càtara: així doncs, el *castrum* de Fanjaus, que Pèire Vidal descriu a la seva cançó sirventès *Mos cors s'alegr'e s'esjau* com un "paradís" cortès, era també un dels centres més importants de l'heretgia, on el cèlebre Guilhabert de Castres predicà i impartí el *consolament* a Esclarmonda, germana del comte Ramon Roger de Foix. Tampoc van faltar trobadors –com Pere Roger de Mirapeis, Raimon Jordan, Aimeric de Peguilhan i altres– que s'adheriren, si més no durant un període de la seva vida, a la fe heterodoxa.

Ràpidament, almenys a partir de les primeres dècades del segle XIX, aquestes dades van empènyer alguns estudiosos a analitzar les possibles influències o relacions que poguessin haver vinculat els dos fenòmens. Tot basant-se en estudis precedents de Gabriele Rossetti (especialment els cinc volums d'*Il mistero dell'amor platonico del Medio Evo*, Londres 1840), un historiador afeccionat francès afiliat a la Rosa-Creu, Eugène Aroux, formulà cap a mitjan segle, a la seva obra *Les Mystères de la chevalerie et de l'amour platonique au moyen âge* (1858), el mite del "llenguatge secret" dels trobadors. D'acord amb la seva tesi, mancada de qualsevol fonament seriós, en tota la producció amorosa occitana, la dona estimada representaria la parròquia o la diòcesi, l'amant seria el càtar "perfecte" i el marit gelós el bisbe o mossèn catòlic; la unió matrimonial, refusada pels trobadors, indicaria la pertinença d'una comunitat a la fe catòlica, mentre la relació adúltera entre la dama i el *fin aman* –sorgit del cant cortès– significaria el pas d'aquesta comunitat a la creença dels càtars o "albigesos". Aquesta ingènua clau de lectura, que redueix tota la poesia amorosa dels trobadors a una exposició codificada de les doctrines i vicissituds històriques dels heretges, va ser represa seguidament per altres escriptors igualment extravagants, com Joséphin Péladan (autor de *Le Secret des Troubadours*, 1906) i Otto Rahn (a la seva *Croada contra el Gral*, 1933), però ràpidament ridiculitzada per historiadors i filòlegs. Tanmateix, la idea d'algun tipus de relació entre el *fin'amor* i el catarisme no va ser del tot abandonada: aquesta idea fins i tot constitueix el nucli central de la important obra de Denis de Rougemont, *L'Amour et l'Occident* (1939). Rougemont arriba a sostenir que alguns temes fonamentals dels trobadors com el de la "mort" o el "secret" tan sols revelen tot el seu significat en la comparació amb la doctrina càtara; no és que els poetes occitans fossin pròpiament "creients" de l'església heretge, però segons ell van ser, si més no, inspirats per l'ambient religiós del catarisme. Així, la dona cantada a les seves poesies seria l'ànima, la part espiritual de l'home presonera de la carn i amb la qual només podrà convergir després de la mort. D'aquestes idees, així com de semblants de Déodat Roché, també es deriva la noció d'una "inspiració occitana" de matriu platònica que Simone Weil va elaborar en un famós assaig publicat el 1942 als "Cahiers du Sud".

Tanmateix, i com queda prou palès, es tracta d'interpretacions purament subjectives, tot i interessants des del punt de vista de la història del pensament contemporani. Els filòlegs romànics que, a partir de la meitat del segle passat, afrontaren la qüestió amb instruments més rigorosos, deurien constatar no sols la manca de qualsevol prova de l'ús d'un llenguatge xifrat per part dels trobadors sinó també l'absència gairebé total de referències a la doctrina càtara a la seva poesia amorosa, una absència tant més significativa en els poetes de qui sabem del cert l'afiliació a l'església heretge. En tota la producció lírica medieval existeix un sol text en què s'exposen obertament algunes concepcions càtares: el seu autor no és occità sinó un poeta italià de la fi del segle XIII, Matteo Paterino, que a la cançó *Fonte di sapïenza nominato*, dirigida al cèlebre Guittone d'Arezzo i publicada tot just fa poc en una edició crítica, oposa a la doctrina catòlica professada pel destinatari la teologia dels dos prinicipis, il·lustrada en termes estretament relacionats amb els de Giovanni di Lugio i l'església heretge de Desenzano. En honor a la veritat, existeix un text poètic occità en el qual es troben reunides les idees fonamentals del catarisme; però no es tracta d'un text líric sinó d'un debat entre un inquisidor, Isarn, i un "perfecte" càtar convers, Sicart de Figueiras: les *Novas del heretge*. Ara bé, encara que Sicart sigui un personatge històric prou documentat a les fonts inquisitorials i que els fets històrics als quals es refereix el poema siguin en bona part certs, l'autor del text –probablement el propi Isarn– el presenta en termes altament despectius i emmarca les doctrines càtares descrites en un context caricaturesc. Tampoc el gran poema de *Paratge*, la segona part de la *Cançó de la croada albigesa*, l'autor del qual pren decididament partit pels comtes de Tolosa contra els croats francesos i el clergat, mostra el més mínim vestigi de la teologia càtara.

Vol dir això que els trobadors es van desentendre completament del gran fenomen religiós del qual eren contemporanis i que van callar davant la tragèdia viscuda pel seu propi poble en el decurs del segle XIII? És clar que no. D'entrada, l'esmentada *Cançó de la croada albigesa*, que narra els esdeveniments de la guerra des del seu inici (1209) fins al tercer setge de Tolosa pels croats (1218), n'és un impressionant testimoni literari. Feliçment conservada –en un únic manuscrit– fins als nostres dies, consta de dues parts d'autoria diferent. La primera, escrita pel clergue navarrès Guillem de Tudela a redós dels esdeveniments, arriba fins a la vigília de la desastrosa desfeta occitana de Muret (1213) i es mostra favorable a la croada; però Guillem també hi expressa repetidament la seva admiració pels senyors meridionals, involucrats al seu parer sense culpa en la justa lluita contra els heretges, i descriu amb extraordinària efectivitat i participació els excessos d'una guerra devastadora: entre els episodis del seu poema que es mantenen inesborrablement gravats a la memòria figuren la massacre indiscriminada dels habitants de Besiers a la catedral on s'havien refugiat després de la presa de la ciutat pels croats (1209) i la cruel lapidació per heretgia de la dama Girauda, senyora de Lavaur, també després de la conquesta de la ciutat (1211). La segona part de la *Cançó* –obra anònima que recentment s'ha volgut atribuir al trobador Guiu de Cavalhon i composta cap al 1228-29, abans del tractat de Meaux-París– reprèn la narració exactament on l'havia deixada el seu predecessor, però imprimint-hi un caire totalment diferent, tot creant una de les obres mestres més importants de tota la literatura medieval. El seu autor, un entusiasta partidari dels comtes de Tolosa i furibundament hostil a Simó de Montfort i als seus croats, és el gran cantant de *Paratge* –la noblesa meridional, la seva pàtria, els seus ideals– és a dir, del que descriu com una esplèndida civilització (la civilització "cortesa") víctima d'una violència cega i bàrbara, desencadenada pel clergat i pels francesos amb el fals pretext de la lluita contra l'heretgia. La seva esperança, sovint presentada com a certesa inexorable, és la restauració de *Paratge* gràcies a l'acció dels comtes de Tolosa i per la pròpia voluntat de Déu.

L'abans esmentada tradició ocultista va cercar en va en la poesia amorosa dels trobadors qualsevol vestigi d'idees càtares; en canvi, va deixar de banda allò que saltava a la vista de tothom: la profunda coincidència entre les posicions antiromanes dels càtars i les que són expressades en una vasta producció de sirventesos compostos sobretot a la primera meitat del segle XIII, caracteritzats per una violenta polèmica contra el clergat i els francesos. És precisament en aquesta producció "militant" on cal trobar les relacions reals entre la poesia trobadoresca i el catarisme. És emblemàtic el cas de Ramon de Miraval, el cançoner del qual actua pràcticament com a frontissa entre el trobar amorós del segle XII i el polítíco-moral que domina el XIII. Ramon era consenyor d'un petit castell que va ser conquerit per Simó de

Montfort als primers anys de la croada (probablement el 1211), confinant el trobador a la condició humiliant de *faidit*, de desposseït. A les primeres sis cobles de la cançó *Bel m'es qu'ieu chant e coindei* desenvolupa els tradicionals temes eròtics (elogi de la dona estimada, recerca d'amor, descripció de la joia i del turment causat per la passió, etc.), però canvia completament el registre a la darrera cobla i a les dues tornades. Aquí fa una esmerçada súplica al rei Pere I de Catalunya-Aragó, convidant-lo a combatre els francesos per tal de permetre-li de tornar a prendre possessió de Miraval i restituir la ciutat de Bèlcaire al comte de Tolosa, Ramon VI: serà només aleshores, declara, que *poiran dompnas e drut / tornar el joi q'ant perdut*. El desastre de Muret, on Pere trobà la mort, donaria el cop de gràcia a aquestes esperances.

Va ser sobretot després de Muret que va començar a aixecar-se la veu de nombrosos poetes, majoritàriament vinculats als comtes de Tolosa, que van compondre violentes diatribes contra els francesos invasors i contra les ingerències cada vegada més flagrants del clergat a Occitània i a les regions veïnes. Entre aquestes figures destaquen especialment els noms de Pèire Cardenal, Guilhem Figueira i Guilhem Montanhagol. A les seves composicions, com a les de nombrosos altres trobadors, l'Església i el clergat són objecte d'atacs dirigits tant a nivell pròpiament religiós com polític. D'una banda, hi són caricaturitzats i fustigats els vicis difosos entre el clergat, sobretot la luxúria i la gola: és el cas de l'esplèndid sirventès contra els dominicans de Pèire Cardenal, *Ab votz d'angel, lengu'esperta, non blesza*; de l'altra, són criticades encara amb més duresa les ambicions temporals de l'Església, la seva complicitat amb els francesos invasors, les indulgències promeses a qui matava cristians en una croada criminal. Després del 1233, van ser severament censurats fins i tot els mètodes brutals i persecutoris sovint practicats pel tribunal de la Inquisició, com al sirventès *Del tot vey remaner valor* de Guilhem Montanhagol. En algunes composicions de Pèire Cardenal, com *Falsedatz e desmezura* o *Un sirventes vuelh far dels auls glotos*, la situació creada per l'Església i els francesos a Occitània és descrita com una autèntica "llei de l'embut", on *feunia vens amor / e malvestatz valor, / e peccatz cassa sanctor / e baratz simpleza*: un món on els autèntics cristians són acusats d'heretgia i condemnats al martiri pels "missatgers de l'Anticrist", és a dir, pels membres de l'església romana.

L'estreta afinitat d'aquestes posicions a les antiromanes dels càtars és indiscutible. És cert que els temes anticlericals feia temps que tenien una àmplia difusió en la literatura medieval, però a vegades, les semblances entre les poesies dels trobadors i els texts càtars són tan grans que fan descartar qualsevol possibilitat d'una total independència mútua. Així doncs, les acusacions que figuren a les primeres dues cobles del sirventès *Li clerc si fan pastor* del propi Pèire Cardenal —on els clergues catòlics són successivament descrits com a "assassins", com a "llops rapinyaires" disfressats de xais i com a detentors il·legítims del poder al món— corresponen exactament a les que els són dedicades en un passatge del tractat original càtar (escrit en occità) *La Gleisa de Dio*. D'altra banda, segons una declaració prestada el 1334 davant el cèlebre inquisidor Jacques Fournier, una vintena d'anys enrere –és a dir, a l'inici de segle– un cert Guilhem Saisset es va a posar a recitar ell mateix la primera cobla d'aquest sirventès davant el germà, bisbe de Pàmies; aleshores, un heretge notori present en aquella ocasió, Bertran de Taïx, li va demanar d'ensenyar-l'hi, afirmant que el clergat no sols presentava tots els defectes enumerats per Pèire Cardenal sinó molts més. Per això, els heretges consideraven sens dubte el trobador com a portaveu de les seves idees i esperances, encara que en aquest cas concret això no vulgui dir que Pèire s'inspirés en el text càtar. Potser cal restituir a la poesia els seus drets: de fet, és possible, si no directament probable, considerant la cronologia dels texts, que fos el propi tractat sobre *La Gleisa de Dio* que reprengués els arguments i les imatges d'una obra mestra poètica que segurament tingué un èxit extraordinari (se'n conserva a bona desena de manuscrits).

També es troben punts de contacte amb les idees càtares pel que fa a la polèmica contra l'Església en moltes altres composicions de Pèire Cardenal i de trobadors que hi són ideològicament propers, encara que això no impliqui –com s'ha afirmat– una adhesió efectiva d'aquests poetes a la doctrina heretge; ans al contrari, les composicions d'argument religiós de Pèire expressen una teologia perfectament ortodoxa. Però el text que més s'ajusta en termes generals als temes de la predicació antiromana dels càtars és certament l'encès sirventès contra Roma de Guilhem Figueira, *D'un sirventes far en est son que m'agenssa*. Les violentes acusacions que el trobador llença contra l'Església, acusada de ser *cima e razitz* de tots els mals, van força més enllà dels arguments de Pèire Cardenal. A partir d'una oposició dicotòmica fonamental entre la Falsedat i la Veritat (la falsa església de Roma oposada al ver ensenyament de Jesucrist), el discurs de Figueira és hàbilment teixit sobre tres estrats de referències intertextuals. El vocabulari és derivat de les diatribes de Marcabru contra les *falsas putas*, les meretrius que corrompen els joves cavallers; però, mitjançant un segon estrat de referències extretes aquest cop de la Bíblia, els temes morals desenvolupats per Marcabru passen a un nivell més espiritual i religiós. Les injúries d'origen bíblic vessades contra l'Església i escampades per diversos punts de l'obra són derivades majoritàriament d'un fragment molt concret de l'Evangeli segons Mateu: la diatriba de Jesús contra els escribans i els fariseus (Mt 23, 13-33). D'aquesta manera, l'Església és assimilada a aquells que, segons les paraules de Jesús, eren els hereus dels que van matar els profetes i tancaven als homes les portes del regne del cel. Aquesta darrera acusació és particularment significativa atès que no es limita a centrar-se en la corrupció i els pecats del clergat, sinó que també qüestiona radicalment –com feien els càtars– el poder que l'Església s'atorgava per a dur la salvació espiritual als homes: arriba a negar-li el propi estatut d'Església de Déu. En efecte, al palimpsest evangèlic abans indicat se sobreposa al sirventès un tercer estrat de referències intertextuals que mena directament a l'eclesiologia càtara. La diatriba de Jesús contra els escribans i els fariseus és, de fet, un dels passatges de l'Evangeli més citats pels càtars –fins i tot als texts originals que s'han conservat, com *La Gleisa de Dio* i el *Llibre dels dos Principis*– en el context de la seva polèmica contra la persecució de l'Església de la qual eren objecte. Entre tants fragments de l'obra que es podrien citar sobresurt un vers particularment revelador: aquell en el qual Roma és acusada de fer *per esquern dels crestians martire*. El terme *martire* és emprat aquí en una accepció absolutament insòlita a la poesia trobadoresca: habitualment referit a les penes d'amor o al martiri de Crist i dels sants, aquí és aplicat a les víctimes de l'Església, com en nombrosos texts càtars en els quals correspon exactament a la noció de "martiri en Crist". Si hom pensa que el terme *crestians* era el mateix amb el qual s'autoanomenaven els heretges (*crestians* o *bons crestians*), hom pot imaginar que el vers de Guilhem Figueira hauria pogut sortir perfectament de la boca d'un d'ells. Per això, no sorprèn que també aquest sirventès sigui citat en un document inquisitorial, l'acta d'un procés per heretgia iniciat el 1274 contra un mercader de Tolosa, Bernart Raimon Baranhon. A una pregunta dels inquisidors, que li demanaven si havia arribat mai a tenir entre mans un llibre titulat *Biblia in Romano* i que començava amb les paraules *Roma trichairitz*, Baranhon respongué que no però va admetre haver escoltat una vegada algunes cobles compostes per un joglar anomenat Figueira, i cita de memòria tota la primera cobla de *D'un sirventes far en est son que m'agenssa*, tot declarant haver-la recitat vàries vegades en públic. Evidentment, no es tracta aquí de tòpics anticlericals genèrics: és en texts com el sirventès de Guilhem Figueira contra Roma que cal trobar els autèntics punts de trobada documentables entre la poesia dels trobadors i la predicació càtara.

**FRANCESCO ZAMBON**

Traducció: Gilbert Bofill i Ball

# La croada contra els albigesos

Des de mitjan segle XI, l'Església occidental va experimentar un intens procés de transformació interna. La posada en marxa de l'anomenada *reforma gregoriana* va permetre l'enfortiment de tota la jerarquia (des del mossèn local fins a l'arquebisbe) i la seva subordinació a l'autoritat teocràtica del Papa, vicari de Crist. Mentre centralitzava les estructures eclesiàstiques, el papat també va aconseguir imposar-se als poders laics de la cristiandat, als reis, als nobles i fins i tot al propi emperador. Aquesta església nascuda de la *reforma gregoriana* se sentia en el deure d'implantar els valors cristians catòlics tal com els entenia la teocràcia pontifícia. Qualsevol moviment religiós al marge de Roma era considerat un enorme perill per a la societat cristiana. El dissident religiós, l'heretge, atacava la unitat de l'Església i posava en risc l'ànima del cristià, la seva vida eterna, molt més important que la vida terrenal. És cert que aquesta visió de l'heretge ja existia en temps anteriors; però la diferència rau en que, a partir del segle XI, l'Església va poder exercir una vigilància i una repressió molt més extenses i eficaces.

La violència va ser utilitzada aviat contra els dissidents (ja al segle XI va haver-hi algunes fogueres), però es pot dir que la política antiherètica de Roma es va anar endurint a mesura que al papat teocràtic es consolidava. El temor a la proliferació de les grans heretgies del segle XII –el valdisme i el catarisme– també va ser decisiu en aquest procés. Tampoc cal oblidar la col·laboració activa dels poders feudals laics. A França, Anglaterra, Castella o la Corona d'Aragó, els reis estaven bastint unes monarquies cada cop més estructurades i sòlides. Per això, necessitaven el suport de l'Església i tampoc estaven disposats a consentir grups dissidents que desafiessin la seva autoritat. Aquesta aliança del bàcul i l'espasa seria fonamental en el progrés de la capacitat repressiva de l'Església.

Des del punt de vista ideològic, el camí cap a l'ús de la violència va ser aplanat pels monjos cistercencs, que van assumir la defensa de l'ortodòxia catòlica en nom de Roma. Desitjosos d'eradicar l'error, els cistercencs van elaborar un potent discurs antiherètic que va sobredimensionar l'abast real de l'heretgia. Sense adonar-se que es tractava d'un fenomen generalment dispers, heterogeni i no massiu, els cistercencs creien veure en els heretges un enemic interior homogeni i coordinat, una mena de "cinquena columna", l'únic objectiu de la qual era la destrucció de la cristiandat. La difusió d'aquest discurs va fer que la societat cristiana acabés percebent els heretges com a enemics *pitjors que els sarraïns* i acceptant com a legítima i necessària l'aplicació de solucions extremes per tal d'acabar amb ells.

## El camí cap a la guerra

Les mesures antiherètiques de l'Església es van intensificar a partir de la fi del segle XII. El més preocupant per a Roma era l'expansió dels heretges valdesos i càtars a les terres del sud del regne de França, el que modernament anomenem *Migdia, Llenguadoc* o *Occitània*. Les fórmules de persuasió i reinserció aplicades durant els anys anteriors (predicacions, debats amb líders heretges, etc.) no havien donat bons resultats. El reforçament de la legislació canònica, que incloïa penes espirituals (excomunió, condemna), econòmiques (confiscació de béns) i civils (exclusió de la societat, infàmia, privació de drets jurídics, impossibilitat d'ocupar càrrecs públics, etc.) tampoc era eficaç al si d'una societat occitana complexa, inestable i caracteritzada per enrevessades lleialtats familiars, polítiques, eclesiàstiques i religioses. El recurs a la guerra com a instrument legítim de repressió ja va ser plantejat al III Concili del Laterà (1179), donant pas a una primera operació militar contra el Tolosà el 1181. Va ser un primer avís.

Tot i que la realitat era molt més complexa i matisada, el Papat creia que la proliferació de l'heretgia pel sud de França tenia uns responsables: els bisbes i nobles occitans. Uns i altres consentien i fins i tot emparaven els heretges, afavorint d'aquesta manera la seva propagació. Calia substituir aquesta església complaent i aquesta noblesa corrupta per persones de provada ortodòxia, disposades a combatre l'heretgia. La substitució de prelats locals per cistercencs vinculats a les directrius de Roma va iniciar-se a la fi del segle XII i s'accelerà durant els primers anys del XIII. El pas següent era la depuració dels poders laics, començant pel comte de Tolosa, Ramon VI (1194-1222), cap visible de la noblesa occitana.

El clima favorable a una acció expeditiva contra els heretges occitans i els seus còmplices es va intensificar pels volts de l'any 1200. Les derrotes a Terra Santa, la pèrdua de Jerusalem, la pressió dels almohades a la Península Ibèrica, la crisi de l'Imperi i la propagació de l'heretgia van fer augmentar els temors d'una cristiandat amenaçada. En aquest clima mental de desassossec, va ser elegit papa Lotario di Segni, un home jove, ben format i de fortes conviccions teocràtiques que adoptà el nom d'Innocenci III (1198-1216). El mateix any de la seva entronització, va escriure una carta al bisbe d'Auxerre en què es manifestà obertament favorable a l'ús de la violència: la croada, la guerra santa que es lliurava des del segle XI contra els musulmans, l'enemic exterior, havia de ser empresa també contra els heretges i els seus còmplices, l'enemic interior. Però acusar d'heretge, combatre i després desposseir un gran senyor feudal de les seves terres i dels seus títols no era el mateix que destituir canònicament un bisbe. Calia respectar la legalitat feudal i, per això, Innocenci III va apel·lar al sobirà directe del comte de Tolosa, el rei de França. A partir del 1204, va demanar-li en vàries ocasions, així com a la noblesa i al clergat francès, que intervingués al Migdia per a reprimir els heretges, confiscar les seves terres i posar fre a la corrupta noblesa occitana. El Papa pensava que, tal com s'havia esdevingut en altres indrets amb poders polítics forts, l'heretgia desapareixeria sota la dominació del monarca capetià. Tanmateix, el rei de França Felip II August (1180-1223), embrancat en una llarga guerra amb els reis Plantagenet d'Anglaterra, va negar-se repetidament a intervenir en el vesper occità.

El Papa hauria pogut demanar ajuda a un dels seus aliats més fidels al Migdia francès: Pere el Catòlic (1196-1213), rei d'Aragó i comte de Barcelona. Els reis d'Aragó eren vassalls de Roma des del segle XI, vassallatge que el propi Pere renovà el 1204 quan va ser coronat a Roma per Innocenci III. A més, la Corona d'Aragó exercia des de la fi del segle XII una hegemonia de fet sobre les terres occitanes. Després de gairebé un segle de guerra oberta amb els comtes de Tolosa (l'anomenada "Gran Guerra Meridional"), els monarques catalano-aragonesos havien aconseguit aglutinar i situar sota la seva òrbita el gros dels senyors occitans, els uns com a vassalls –el vescomte de Besiers i de Carcassona, el comte de Comenge, el vescomte de Bearn–, els altres com a aliats –el comte de Foix–. A l'inici del segle XIII, el propi comte de Tolosa reconegué la seva derrota en acordar amb el rei d'Aragó una ferma aliança político-militar i una unió dinàstica: Ramon VI casà amb la infanta Elionor d'Aragó i el seu hereu Ramonet (el futur Ramon VII) amb la infanta Sança, ambdues germanes del rei Pere. Vista des de Roma, aquesta afinitat política i familiar feia que la intervenció d'aquest monarca en l'afer de l'heretgia occitana fos perillosa. Era preferible el rei de França, aliè a la complexa política meridional, i que el rei d'Aragó continués defensant les fronteres de la cristiandat contra els musulmans peninsulars.

Davant la manca de resposta del monarca francès, Innocenci III mantingué en vigor les mesures no violentes, incloses les predicacions dels clergues castellans Dídac d'Osma i Sant Domènec de

Guzman, que no van ser gaire eficaces. Però el 14 de gener de 1208, un escuder del comte de Tolosa va voler guanyar-se el favor del seu senyor –segons explica la *Cansó de la Crozada* de Guillem de Tudela– acabant amb el seu principal problema, el legat pontifici Pere de Castellnou, que morí assassinat. La guerra estava servida. El març de 1208, al crit d'"*Endavant, cavallers de Crist!*", Innocenci III va predicar la croada contra els heretges occitans i els seus còmplices, identificats amb el nom d'*albigesos*, un gentilici local (d'Albí i el seu territori, l'*Albigès*) que es convertí, a partir del 1209, en sinònim d'heretge.

## La Croada Albigesa (1209-1229)

Són quatre les fonts principals d'aquesta guerra: la primera part de la *Cansó de la Crozada* (1212-1213), composta per Guillem de Tudela, un clergue navarrès afincat en territori occità que aspirava a una "entente" entre els croats i la noblesa occitana per a acabar amb l'heretgia; la *Hystoria Albigensis* (1213-1218) del cistercenc francès Pierre des Vaux-de-Cernay, que és la versió oficial dels croats; la segona part de la *Cansó de la Crozada* (vers 1228), composta per un poeta tolosà anònim, ferm partidari dels comtes de Tolosa i de la causa occitana; i la *Chronica* de Guilhem de Puèglaurenç, un clergue tolosà que contemplà la croada des d'una òptica catòlica, però crítica i menys apassionada.

Per aquestes fonts i altres, sabem que a la primavera de 1209 es va reunir a Lió un gran exèrcit de croats francesos, tot i que també n'hi havia de flamencs, alemanys, anglesos, italians i occitans, tant del comtat de Provença com de les terres llenguadocianes i gascones. Tots aspiraven a guanyar-se els beneficis espirituals i materials d'una croada molt més propera i còmoda que no pas les de Terra Santa. Malgrat les crides papals, el rei de França Felip August es negà a intervenir-hi directament, de manera que la direcció militar de la campanya recaigué en el legat pontifici Arnau Amalric, un cistercenc d'origen catalano-occità, antic abat de Poblet, abat de Cîteaux i futur arquebisbe de Narbona, que representava la línia més dura de la política antiherètica de Roma.

El comte de Tolosa Ramon VI, sabent-se el principal objectiu de la croada, es va sotmetre *in extremis* a la voluntat de l'Església sota unes dures condicions. D'aquesta manera, va aconseguir desviar la croada cap a les terres del segon senyor més important de la regió, Ramon Roger Trencavell, les terres del qual –els vesomtats de Besiers, Albí, Agde i Nimes i els comtats de Carcassona i Rasès– eren coneguts focus de l'heretgia. Els croats van avançar cap a una de les seves capitals, Besiers, i exigiren al seu bisbe, Rainaut de Montpeirós, el lliurament de 223 heretges (no se sap si creients, perfectes o caps de famílies filocàtares). Tanmateix, la població, majoritàriament catòlica, i el govern municipal, dirigit pels cònsols o *capitols*, es van negar a abandonar una part dels seus conciutadans. Davant d'aquest desafiament, l'exèrcit croat va assetjar Besiers.

La ciutat estava ben defensada i el setge prometia ser llarg, però de manera inesperada, el 22 de juliol de 1209, una confiada sortida dels assetjats fora de les muralles precipità un atac per sorpresa i l'entrada en allau dels croats. Hom diu que va ser aleshores que van preguntar al legat Arnau Amalric com podrien distingir entre la població els heretges dels catòlics, a la qual cosa els respongué: "*Mateu-los tots, que el Senyor reconeixerà els seus.*" ("*Caedite eos. Novit enim Dominus qui sunt eius.*") Aquest episodi tan conegut és apòcrif –l'esmenta el cistercenc alemany Cesari de Heisterbach a la seva obra *Dialogus miraculorum* (1219-1223)– però és cert que reflecteix prou bé la personalitat dura i intransigent del legat pontifici i l'esperit de guerra sense quarter que caracteritzaria tot el conflicte. L'assalt dels croats donà pas a una de les grans matances de la Croada Albigesa. Unes cròniques asseguren que van massacrar tota la població; el cistercenc Arnau Amalric parla de 20.000 morts; altres cronistes de 60.000 i fins i tot de 100.000. En realitat,

Besiers tenia una població d'unes 10.000 persones i es va recuperar aviat després del 1209, de manera que cal desconfiar de les exagerades xifres medievals, sense que això tregui ni una mica d'importància a la massacre, que provocà una gran commoció i un temor generalitzat entre la població occitana, cosa que afavorí enormement els objectius de la croada.

Un cop conquerit Besiers, els croats van assetjar Carcassona, la segona capital dels vescomtats Trencavell i ciutat sota la sobirania del rei d'Aragó. Malgrat l'intent de mediació de Pere el Catòlic, Ramon Roger Trencavell es veié obligat a capitular a mitjan agost i Carcassona va ser ocupada pels croats. La primera fase de la Croada Albigesa, la més espectacular i que va deixar una empremta més evident a les fonts de l'època, va concloure amb el lliurament de les terres i els títols del vescomte Trencavell al baró francès Simó de Montfort, que assumí el compromís de continuar la lluita contra els heretges i, per tant, el lideratge militar de la croada.

A partir del setembre de 1209 es va anar esvaint el terror inicial que havia causat la submissió del país. La primera reacció contra la croada va ser liderada pel comte Ramon Roger de Foix, un vell aliat del rei d'Aragó. Durant els mesos següents, Simó de Montfort passà a sotmetre les terres que legalment eren seves. A més del suport de Roma i del bisbat occità, controlat pels cistercencs, Montfort comptava amb tropes croades que cada estiu arribaven regularment al sud. En aquests mesos va conquerir els famosos *castra* (ciutats fortificades) de Menerba, Montreal, Termes i Lastors-Cabares en dures campanyes de setge que solien acabar amb la crema dels càtars que s'hi refugiaven. A la fi del 1210 assolí el control dels vescomtats que havien sigut dels Trencavell.

El març de 1211, Simó de Montfort, el rei d'Aragó i el comte de Foix van arribar a diversos acords amb el vistiplau de l'Església, però no pas Ramon VI de Tolosa, que va ser excomunicat de nou per la seva complicitat amb l'heretgia. Els croats emprengueren aleshores l'ofensiva contra el comtat tolosà. Un dels episodis més coneguts va ser la conquesta del *castrum* de Lavaur, els defensors del qual –inclosa la castellana Girauda i el seu germà Aimeric de Montreal– van ser executats juntament amb alguns centenars de càtars (maig 1211). El primer atac directe contra la capital s'esdevingué un mes més tard. Els occitans van entendre el perill comú i van juntar les seves forces. Fins i tot haurien pogut derrotar l'exèrcit croat durant el setge de Castellnou d'Arri (agost 1211), però van desaprofitar l'ocasió. Les revoltes contra els croats van ser sufocades i, mentre Pere el Catòlic i el legat pontifici Arnau Amalric combatien els almohades a la gran batalla de Las Navas de Tolosa (16 de juliol de 1212), Simó de Montfort va arribar a controlar bona part del territori tolosà. A la fi d'aquell any, la victòria semblava imminent, de manera que ordenà redactar els *Estatuts de Pàmies*, la norma jurídica inspirada en el dret feudal francès que imperaria a les terres conquerides als heretges.

L'atac al comtat de Tolosa amenaçava l'hegemonia que la Corona d'Aragó exercia sobre el sud de França. El rei Pere el Catòlic, avalat per la seva condició de vassall del Papa i la seva brillant participació a la batalla de Las Navas, decidí intervenir en el conflicte en defensa dels seus vassalls i aliats. Proposà a Innocenci III una solució diplomàtica que garantís el restabliment de l'ortodòxia i la supervivència de la noblesa occitana. Per demostrar que comptava amb el seu suport, el rei va fer-se prestar jurament de fidelitat pels comtes de Tolosa, Foix i Comenge, el vescomte de Bearn i els cònsols de les ciutats de Tolosa i Montalban (27 de gener de 1213). En reconèixer-se com a vassalls de Pere el Catòlic, els occitans estaven proclamant que el seu rei no era el rei de França sinó el rei d'Aragó, la sobirania feudal del qual passava a estendre's per un enorme territori transpirinenc. Estava naixent una "Gran Corona d'Aragó" hispano-occitana a la qual la història no donaria cap oportunitat de prosperar. El Papa, impactat per la victòria de Las Navas i ocupat amb una propera croada a Terra Santa, va donar suport al pla del rei, però canvià d'opinió pocs mesos després, recelant de les seves intencions expansionistes. Aleshores, el monarca catalano-aragonès va decidir liquidar la croada militarment abans de tornar a negociar amb Roma. Tot indicava una victòria de l'exèrcit hispano-occità de Pere el Catòlic, però la batalla de Muret (12 de setembre de 1213) acabà amb la derrota total i la mort del rei d'Aragó.

El desastre de Muret va tornar impossible qualsevol intervenció de la Corona d'Aragó en la qüestió albigesa durant prop de dues dècades. Per als occitans, significà la pèrdua del seu únic valedor extern i de tota legitimitat: la victòria *miraculosa* de Simó de Montfort demostrava que la Croada Albigesa era una guerra justa i santa. Els occitans, en aquestes condicions, s'hi van sotmetre. El 1215, el IV Concili del Laterà confirmà la complicitat del comte Ramon VI amb els heretges i procedí a la seva despossessió: els seus títols, drets i terres van ser lliurats a Simó de Montfort, que passà a ser *duc de Narbona, comte de Tolosa i vescomte de Besiers i Carcassona.*

Tanmateix, la guerra no es va acabar aquí. La noblesa i bona part de les poblacions occitanes, oposades a la dominacó *dels clergues i els francesos*, es van aixecar en armes a partir del 1216. Sota el lideratge de l'hereu de Ramon VI, Ramonet (el futur Ramon VII), els occitans van recuperar bona part del terreny perdut, sobretot després de la mort de Simó de Montfort el 1218 durant el segon setge de Tolosa. El suport militar de la monarquia francesa va apuntalar les posicions dels croats el 1219 però no va poder evitar la derrota final d'Amalric de Montfort, fill de Simó, a qui faltava el talent militar del seu pare. Amalric capitulà el 1224 davant el comte Ramon VII de Tolosa (1222-1249) i cedí tots els seus drets occitans al rei de França. Aquests anys de l'anomenada "reconquesta occitana" van permetre un cert ressorgiment del catarisme. *L'Esperit immund, que ja havia sigut expulsat de la província de Narbona... ha tornat a entrar a la casa d'on havia sigut escombrat*, escrigué el vell cistercenc Arnau Amalric al rei de França el 1224.

Després de la derrota dels Montfort, la Croada Albigesa va ser assumida per la monarquia dels Capets, interessada en controlar fermament el sud del regne i accedir al Mediterrani. Les intervencions militars del rei Lluís VIII (1226) i de les tropes del jove Lluís IX el Sant (1227-1228) van precipitar l'ocupació francesa del país i l'esgotament de les forces occitanes. Malgrat les crides dels trobadors, el jove rei d'Aragó Jaume I se'n mantingué al marge, negant-se a un altre enfrontament amb l'Església i centrant el seu punt de mira en l'expansió mediterrània. La fi de la guerra arribà amb la firma del Tractat de Meaux-París (1229): Ramon VII de Tolosa recuperà els seus títols i bona part de les seves terres, però a canvi de reconèixer l'hegemonia del rei de França a la regió. Així doncs, la conseqüència clau de la Croada Albigesa no va ser l'eradicació del catarisme sinó la modificació del mapa polític de l'Europa del segle XIII: el sud del regne de França va passar de l'hegemonia de la Corona d'Aragó el 1213 a la dominació efectiva per part del rei de França a partir del 1229.

## Després de la croada

La noblesa occitana tornaria a aixecar-se a la dècada de 1240, demanant una vegada més ajuda al rei Jaume I d'Aragó, però la superioritat militar francesa s'imposà de nou. El 1244, el senescal del rei de França va forçar la capitulació de la fortalesa de Montsegur, al comtat de Foix, cap i casal de l'església càtara. Al peu de *la sinagoga de Satanàs* –segons l'expressió de Guilhem de Puèglaurenç– van ser cremats uns 220 càtars. L'últim castell en mans de cavallers vinculats al catarisme va ser Querbús, ocupat pels francesos el 1255. Finalment, al Tractat de Corbeil (1258), el rei Jaume I cedí a Sant Lluís tots els seus drets occitans, cosa que suposà el punt final de les aspiracions catalano-aragoneses dellà els Pirineus i un pas decisiu en la integració del Migdia al regne de França.

Per paradoxal que pugui semblar, la Croada Albigesa no va servir per a acabar amb el catarisme, que trigaria un altre segle en desaparèixer. Molts càtars van ser cremats durant la guerra, altres passaren a la clandestinitat i molts més emigraren al nord d'Itàlia i a la Corona d'Aragó (Catalunya, Mallorca, nord de València), terres vinculades històricament al migdia francès que es van convertir en santuari dels exiliats occitans, tant heretges com catòlics. Però si la "via militar" representada per la croada no va ser eficaç per a eliminar el catarisme, la *pau de clergues i francesos* imposada el 1229 pel Tractat de Meaux-París sí que permeté la creació del Tribunal de la Inquisició (1232), una eficaç "via policial" d'investigació, persecució i repressió de l'heretgia que seria la responsable última de la seva desaparició al començament del segle XIV.

**MARTÍN ALVIRA CABRER**
Universitat Complutense de Madrid
Traducció: Gilbert Bofill i Ball

Andrew Lawrence-King

Photo: © Vico Chamla – Milano

# El temps de la Inquisició
# (Segles XIII-XIV)

La croada contra els albigesos (1209-1229), predicada pel papa contra els prínceps occitans protectors dels heretges i finalment guanyada pel rei de França, va invertir la relació de forces que fins aleshores havia sigut favorable als dissidents. Després de la submissió dels comtes i llinatges senyorials que hi donaven suport, les esglésies càtares, que havien adquirit l'aurèola de màrtirs a les grans fogueres de la croada, van passar totes a la clandestinitat. Però a poc a poc, la Inquisició instaurada pel papa a partir del 1233 al país vençut i ajupit pel poder reial es va esmerçar en la seva persecució, tot desmantellant les seves xarxes de solidaritat. Suportada per una població creient encara nombrosa i fervent, l'església prohibida encara resistiria durant un segle.

La Inquisició, que cristal·litzà al segle XIII per a enfrontar-se a les esglésies càtares, era destinada a la persecució religiosa i va ser possible gràcies a la total col·laboració entre el poder secular i l'espasa espiritual, és a dir, el domini reial francès als comtats occitans.

## La Inquisició. *Inquisitio heretice pravitatis.*

Després de les primeres denúncies d'heretgia al segle XI, fou endegada una lògica igual per tota la cristiandat, que aniria augmentant d'intensitat, una ideologia de combat permanent i que determinaria allò que el medievalista britànic Robert Moore anomena una "societat de persecució" i d'exclusió. Les dues successives puntes de llança d'aquesta teocràcia militant van ser, al segle XII, l'orde del Císter, la influència del qual arribaria al seu terme a la croada contra els albigesos, i al XIII, l'orde dominicà, l'artífex de la Inquisició.

El 1199, el papa Innocenci III equiparà, mitjançant la decretal *Vergentis in senium*, l'heretgia al crim més absolut: el de lesa majestat envers Déu. Els heretges passaven a ser susceptibles de rebre les penes i els càstigs previstos pel dret romà per alta traïció. Tanmateix, no va ser fins a la victòria francesa, esdevinguda el 1229, que l'església tingué mans lliures per a actuar al Llenguadoc. És més, l'aliança efectiva amb la monarquia va multiplicar els seus mitjans d'actuació. Per al papa i el rei, es tractava de sotmetre a la fe catòlica els comtats occitans pacificats militarment, exterminant-hi definitivament l'heretgia. Sorgida dels laboratoris jurídics de la cúria pontifícia i de les escoles de dret tolosanes, la Inquisició va ser concebuda com a instrument amb aquest doble objectiu penitenciari i policial.

La Inquisició, *Inquisitio heretice pravitatis* (investigació de la perversió heretge), es va imposar com a única instància jurídica amb competència sobre el crim d'heretgia. Confiada als joves ordes mendicants, franciscans i sobretot dominicans, va suplantar els tribunals ordinaris dels bisbes, dels quals el papa sospitava que poguessin en part tenir vincles amb les poblacions diocesanes. Funcionava com a jurisdicció d'excepció delegada directament pel poder pontifici: els inquisidors eren únicament responsables davant el propi papa. D'aquesta manera, "se sostreia a qualsevol dret". Engegada contra els càtars germànics a partir del 1227 i contra els de la Xampanya, Borgonya i Flandes a partir del 1230, va ser estesa el 1233 al conjunt de la cristiandat com a estructura sòlida de l'autoritat de la Santa Seu per damunt dels poders locals, començant per Tolosa.

Tot i constituir un innegable "progrés" a nivell jurídic, la Inquisició es guanyaria l'odi i el recel de les poblacions afectades, essent l'instrument d'un terror institucional que acumulava plens poders de confessionari obligatori i tribunal policial i que reclamava per a si el dret diví de jutjar els vius i els morts, fins al més enllà i per l'eternitat. En ple segle XIII, la Inquisició era "moderna" car va fundar, per segles, el dret dels poders a forçar les consciències i a sufocar la crítica en nom d'una transcendència arbitrària que es troba a l'arrel de les burocràcies totalitàries "modernes". Es basava en la delació com a mètode i perseguia la confessió, és a dir, l'autocrítica.

El seu paper penitenciari era primordial. Els jutges eren sobretot religiosos encarregats de prendre la confessió a les poblacions adultes dels pobles occitans (homes de més de 14 anys i dones de més de 12) per a absoldre-les de qualsevol heretgia, reconciliar-les amb la fe del papa i del rei i reintegrar-les a la comunitat cristiana, fora de la qual no hi havia cap mena de salvació. Però també eren investigadors que utilitzaven tant les confessions com les declaracions davant la justícia i convertien la delació en sistema. Denunciar els heretges i els amics dels heretges entre els propis pròxims constituïa per al penitent –alhora acusat i testimoni– l'única manera de provar a l'inquisidor, que acumulava les funcions de confessor, investigador, jutge i fiscal, la sinceritat del seu penediment i obtenir-ne l'absolució.

Les confessions-declaracions eren registrades pels notaris de la Inquisició, passant a constituir un veritable fitxer dels sospitosos d'heretgia i permetent investigacions tot contrastant els testimonis. Aquest sistema també permetia desemmascarar immediatament els reincidents.

Com a policia religiosa, la Inquisició jutjava les ànimes en nom de Déu. També distingia els simples creients dels heretges, que havien de ser reconduïts al ramat mitjançant penitències apropiades, dels heretges pròpiament dits, bons homes i bones dones plenament culpables del crim d'heretgia i gairebé sempre irreconciliables. Els inquisidors pronunciaven les seves sentències en sessions solemnes de sermó general davant les catedrals, on promulgaven l'horrible condemna d'heretgia per a l'edificació del poble cristià congregat.

La Inquisició matava poc; no era aquest el seu paper. Solament remetia al braç secular els heretges impenitents i els creients renegats per a ser cremats a la foguera, un procediment hàbil per part dels religiosos per a burlar els preceptes de l'Evangeli. Els creients penedits eren reconciliats mitjançant penitències preestablertes: pelegrinatges, portar la creu de la infàmia, confiscació dels béns, presó –el Mur de Carcassona– sovint perpètua. Els reincidents –aquells infeliços que, després d'haver abjurat de tota heretgia, es trobaven novament denunciats davant un inquisidor– eren considerats incurables i sistemàticament cremats. La Inquisició, "en senyal de la seva condemna eterna", abandonava els reincidents i impenitents al braç secular, de la mateixa manera que feia cremar els cossos dels creients morts "en la pestilència heretge" i les cases que havien acollit cerimònies impies.

Per a l'inquisidor, l'enviament a la foguera representava tanmateix un fracàs. Significava que l'ovella perduda no havia pogut ser reconduïda al ramat i que l'heretge impenitent, criminal davant Déu segons el dret canònic, restava un enemic de la fe. Com a delegat directe del papa, que al seu torn era vicari de Déu en aquest món, l'inquisidor no hi podia fer res més. La seva impenitència era la marca d'una ànima perduda que d'aquesta manera rebia la sentència del foc "en senyal de la seva condemna eterna". El sentit profund de la foguera era fer passar els heretges "del foc d'aquest món al de l'infern", segons l'expressió del cronista de la crema de Montsegur.

La dubtosa eficàcia del sistema consistia en la fissura, mitjançant l'angoixa per la delació, de la solidaritat vilatana i familiar, en transformar els religiosos clandestins en maleïts que eren causa de dissort als ulls de la majoria d'antics parents i amics. La ideologia de la vergonya es va desplegar perquè l'heretgia desaparegués de la societat i de la consciència col·lectiva.

# L'eliminació de l'heretgia

Els prínceps occitans no van escapar a la dominació capetiana. Després dels fracassos de la "guerra del vescomte" Trencavel el 1240 i de la "guerra del comte" de Tolosa el 1242, la caiguda de Montsegur, una fortalesa insurrecta mantinguda per un grapat de cavallers rebels, va marcar la fi de les esperences polítiques occitanes. També va significar la fi de les esglésies càtares estructurades al Llenguadoc. A les flames de la gran foguera del 16 de març de 1244 es va consumir la jerarquia de les esglésies càtares que s'hi havien refugiat. A partir del 1249, un comte capetià va regnar a Tolosa, que seria incorporada a la corona francesa el 1271. D'aleshores ençà, tota clandestinitat prenia aires de desesperació davant la Inquisició. Els darrers bons homes i bones dones errants vagaven pel camp d'amagatall en amagatall, aixoplugant-se en graners o cabanes de bosc sota la protecció de creients terroritzats per la Inquisició. És aleshores que es forjà la seva imatge de predicadors furtius i clandestins. Les esglésies occitanes massacrades van reunir les escorrialles de la seva jerarquia a l'exili d'Itàlia, on la Inquisició va tenir dificultats en implantar-se abans els partidaris del papa (güelfs) no assolissin la victòria definitiva sobre els de l'emperador (gibel·lins) el 1269, tot reprenent-hi la repressió.

El tribunal de la Inquisició es va establir a les ciutats episcopals –Albí, Tolosa, Carcassona– on citava els sospitosos a comparèixer-hi. A partir del 1252, el papa l'autoritzà a emprar la tortura. A les terres d'oc pacificades de nou pel rei, l'heretgia seria d'aquesta manera gairebé totalment eradicada durant el primer terç del segle XIV. Els grans inquisidors que culminarien el procés –Geoffroy d'Ablis, Bernard Gui i després Jacques Fournier– van reprendre metòdicament els fitxers dels seus predecessors, utilitzant astutament espies i informadors, creuaven els seus informes, duien a terme batudes concertades en pobles sencers com Montalhon, multiplicaven les fogueres contra els reincidents, les exhumacions de cadàvers i les destruccions de cases; un rere l'altre, van capturar i cremar entre el 1309 i el 1310 els darrers predicadors que, aplegats al voltant del bon home Pèire Autier, encara s'amagaven entre el Carcí i els Pirineus. El 1321 va ser executat l'últim bon home del qual queda constància, Guilhem Bélibaste, arrencat del seu refugi aragonès.

Així desapareixia l'església càtara. Des d'aleshores, l'*heretgia* dels bons homes ja no seria practicada. Les seves estructures religioses i eclesiàstiques van ser destruïdes, el seu clergat aniquilat. Res més de perceptible –cap gest o paraula litúrgica, benedicció del pa, salvació ritual, pregària– podria "ésser comès com a heretgia" ni notificat als inquisidors; ningú més podria ser denunciat per haver vist un heretge o haver assistit a un *consolament*. La fe podia restar viva al cor d'una determinada població de creients orfes, però l'església era morta, ja no podia renéixer. L'esperança de la salvació, la "bona fi de les mans dels bons homes" s'havia extingit amb la crema del darrer d'ells a la foguera. L'heretgia no es va pansir tal com passa una moda, sinó que es va consumir i reduir a cendres. Va ser sistemàticament eradicada.

## Texts per a la història

És certament innegable que la desaparició del catarisme es deu a un determinat nombre de "factors múltiples", com l'aparició de la nova espiritualitat franciscana, centrada en la persona humana i sofridora de Jesucrist, la nova pastoral dogmàtica posada en solfa pels dominicans, les transformacions de la societat occitana i el pes del poder reial. Sense cap mena de dubte van acompanyar i facilitar la tasca de la Inquisició. Però igual d'indubtable és que la Inquisició medieval i pontifícia (encara no parlem de la Inquisició moderna) va aconseguir eradicar el catarisme en un segle de funcionament, objectiu per al qual va ser creada. La seva tasca secular es mantingué massiva i inexorable. Malgrat totes les pèrdues i tota la destrucció, en són testimonis els arxius acumulats, els fitxers d'una burocràcia no ordinària, atès que englobava allò sagrat, la salvació de l'ànima, l'eternitat. Els registres de les confessions fetes sota jurament, amb la mà posada sobre els sacrosants quatre evangelis, que acreditaven la reconciliació del pecador amb la santa església apostòlica i romana, els registres de penitències vàlides per al més enllà, són documents fora del comú i el seu caràcter sagrat en garanteix la sinceritat, cosa que no els eximeix de la crítica.

El que els notaris de la Inquisició consignaven i segellaven no eren pas actes lleugers, com donacions o particions, sinó confessions feixugues, autocrítiques davant Déu. El jutge sobirà planava omnipresent sobre els processos, el seu esguard era al fons de totes les consciències, tant del jutge com del processat, del testimoni com del notari. En cas extrem, el sospitós callava, eludia la resposta i podia arribar a mentir sota jurament. L'inquisidor s'emparava en el seu dret. És així que els arxius de la Inquisició s'obren a la història com a fonts absolutament verídiques i carregades amb tot un pes de testimonis humans. Rere el llenguatge de l'ortodòxia triomfant hom percep la remor insistent de la dissidència.

**ANNE BRENON**

Traducció: Gilbert Bofill i Ball

Photo: © Vico Chamla – Milano

Pedro Estevan

# La butlla *Ad Exstirpanda*
# del Papa Innocenci IV (1252)

Una peculiaritat d'aquest decret, la importància del qual mai serà prou remarcada, és la immaculada absència de qualsevol referència a l'heretgia. Enlloc hi apareixen paraules com *càtar, valdès, albigès, sabel·lià, arrià, amaurià* o altres; tot i que el papa crea inquisidors i els instrueix sobre la manera de cercar heretges, no els ofereix el més mínim indici de com identificar-los. Ni tampoc obtenen els inquisidors, en sentit invers, proves d'ortodòxia. És a dir, no hi ha *homoousion*, ni credo atanasià, ni delimitació de les dues naturaleses de Crist, ni un curós equilibri entre la predestinació i el desgavell; la butlla no proposa cap mena de paràmetre per a decidir qui cal detenir o qui no pot ésser molestat. El bisbe de qualsevol diòcesi, omnipotent en virtut d'aquest decret, pot, sense violar-ne l'esperit ni la lletra, detenir i empresonar qualsevol persona sota la seva jurisdicció.

Un terme curiós subratlla la indeterminació del concepte d'heretge: quan cal esmentar-lo, la fórmula és "haereticus vel haeretica": "heretge, home o dona". Com les denominacions de càtar, valdès o albigès hi són supèrflues, l'únic que es considera necessari és la divisió possible de la humanitat més elemental, l'existent entre l'home i la dona. Tothom és home o dona, i això és el que són tots els heretges; d'aquesta manera coincideixen la classe dels heretges i la de les persones. També el NKVD, durant el període de les grans purgues estalinistes, desenvolupà una creença mística segons la qual tot ésser humà duia inherent la traïció contra Stalin, que sempre sortia a la llum amb un grau suficient d'interrogació.

Per tant, un acusat d'heretgia no té cap possibilitat de ser absolt. Els inquisidors en determinen la culpabilitat abans de detenir-lo. Els funcionaris seglars de l'Estat tenen poder per a detenir aquells de qui se sospita que són heretges, i acte seguit els lliuren al bisbe i als inquisidors per a un "examen seu i de llur heretgia" ("pro examinatione de ipsis et eorum haeresi facienda", Llei 23). És a dir, la Inquisició no funciona com a gran jurat per a establir l'existència d'un delicte probable, ni encara menys com a tribunal per a determinar la culpabilitat o la innocència, sinó per a examinar la part culpable i el seu delicte.

Tothom qui afirmi que un heretge detingut no és culpable crea un dol ("dolum") i, per això, tots els seus béns han de passar per sempre a l'Estat (Llei 22).

El nacionalsocialisme no sols va ser inventat per Hitler, sinó que també va néixer de la seva col·laboració amb Anton Drexler. Aquest darrer, que no era un assassí, i un Hitler encara insegur de si mateix, van redactar els "25 punts" del programa nacionalsocialista (1920), en què expressen un liberalisme incoherent però commovedor i un socialisme real, que al principi guardaven poca relació i, més tard, gens ni mica amb el comportament real dels nazis. Aquests acabarien preguntant al seu líder: per què no ens desempalleguem dels 25 punts? I Hitler respongué: deixeu-los estar, quan ens preguntin quin és el nostre programa, podrem treure'ls i tindrem llibertat per a fer el que vulguem. Benaventurada l'organització terrorista sense principis ni programa.

Atès que ningú no pot definir un heretge, per la mateixa regla tothom pot fer-ho; o, més aviat, la tasca resulta ridículament senzilla. El que cal no és la capacitat sinó l'autoritat per a definir-ho. La Llei 2 exigeix que al principi del seu mandat, l'autoritat estatal (no pas un inquisidor) acusi tots els heretges de la seva jurisdicció d'haver comès delictes, perquè tot seguit les seves propietats siguin confiscades pels agents nomenats per l'Estat o pel primer que aconsegueixi fer-se amb elles; en aquest cas, els saquejadors seran els amos de la propietat "de ple dret". Res d'investigació, judici, veredicte o sentència: la simple acusació comporta un càstig immediat. Al film *Casanova* (2005), l'inquisidor Pucci afirma: "Heretgia és el que jo dic que és." Potser és aquest el moment més precís del film en termes històrics.

D'acord amb la puresa ideològica d'*Ad exstirpanda* –és a dir, la pura absència de qualsevol idea– sols és permès als eclesiàstics de la Inquisició, i no als laics, interpretar les seves activitats. *Ad exstirpanda* crea, a totes les diòcesis d'Europa, una legió de perseguidors encapçalats (en nom de l'Església) pel bisbe diocesà i, dessota d'ell, els dominicans ("fratres predicatores") i franciscans ("fratres minores"); l'Estat és representat per agents ("servitores"), dos notaris i dotze laics. Aquests darrers tenien expressament prohibit fabricar qualsevol teoria sobre què feia o quins eren els seus deures, més enllà d'allò que els diguessin el bisbe i els monjos ("Nec ipsi officiales, vel eorum haeredes possint aliquo tempore conveniri, de his quae fecerint, vel pertinent ad eorum officium", Llei 11). Per tal d'impedir totalment un acord entre ells, fou decretada la seva substitució cada sis mesos, cosa que impedia que tinguessin la sensació d'haver après la seva feina. Només cal pensar en la invariable cantarella del presoner al banc del tribunal per crims de guerra: sóc un pobre home, rebia ordres i les transmetia, en realitat, no sabia res. O en un personatge de Shakespeare:

> Se'm demana aquí lliurar a vostres mans
> el noble duc de Clarence.
> No pensaré en què significa això,
> car seré innocent del significat.
> (*Ricard III*, I. iv., 93-96)

El terrorisme d'estat necessita una reserva d'homes ensinistrats en la "banalitat del mal", en expressió de Hannah Arendt, una incapacitat real o fingida per saber o voler saber les maldats que cometen. Innocenci IV es preocupà per fornir la Inquisició de tals homes.

Tanmateix, el sentit de la decència sorgeix de manera imprevisible entre els éssers humans. En previsió d'aquesta eventualitat, el papa ordena que no es dugui a terme cap ajornament d'un càstig per heretgia com a resultat d'una reunió pública, de qualsevol protesta popular o de la innata humanitat de qui detesta l'autoritat ("Omnes autem condemnationes, vel poenae, quae occasione haeresis factae fuerint, neque per concionem... neque ad vocem populi ullo modo, aut *ingenio*, aliquo tempori valeant relaxari", Llei 32; destacament afegit). Malgrat l'*ingenium* o impuls compassiu d'algun inquisidor ocasional, les execucions cruels van acabar convertint-se en quelcom apreciat i en una segona naturalesa. Fins al segle XVIII van fer-se a Espanya grans cremes de jueus i heretges per a celebrar les noces reials.

La Llei 32 planteja algun dubte sobre l'afirmació de William E. H. Lecky al final de la seva *History of the Rise and Influence of the Spirit of Rationalism in Europe* (1865): si bé deplorem el mal comès durant els segles cristians, no podem negar una certa dignitat moral a qui l'ha perpetrat perquè creia en allò que estava fent, contràriament al que passa sovint avui dia. La Llei 32 d'*Ad exstirpanda* n'indica el contrari: els inquisidors sentien repulsa pels seus propis actes i el papa havia d'ordenar-los que reprimissin els seus sentiments. La incapacitat del papa per pronunciar les paraules *tortura* o *cremat viu*, quan això era justament el que volia dir, corrobora aquesta idea.

*Ad exstirpanda* va dur a la creació de la Inquisició en tot just unes poques províncies del nord d'Itàlia. Tanmateix, proposava un pla que aspirava al lucre, atès que qualsevol estat compartiria amb els inquisidors els béns del condemnat per heretgia. D'aquesta manera, s'esperava que el pla s'estengués per tot Europa, com així va ser; amb els conqueridors, fins i tot es va dur fins a Mèxic i al Perú.

Conseqüentment, els governs i les zones geogràfiques esmentades en aquestes lleis tan sols hi són referides en termes genèrics: en el cas del govern, com a "potestas aut rector", autoritat o governant; en el cas de la zona, "civitas aut locus", ciutat o lloc.

Tal com l'esment dels membres laics de la Inquisició indica la "banalitat del mal" del segle XX, els eufemismes d'*Ad exstirpanda* també són uns precursors dels estats totalitaris en què l'assassinat en massa era "liquidació"; una cambra de tortura, un *Sonderbunker* o "búnker especial"; i l'assassinat a una escala sense precedents en la història, la "solució final".

Així doncs, a la Llei 24 d'*Ad exstirpanda*, els convictes d'heretgia havien de ser lliurats reduïts ("relictos") a l'autoritat estatal, que "aplicarà les constitucions promulgades contra ells" ("circa eos constitutiones contra tales editas serviturus"). Innocenci IV obeí una ordre del seu predecessor, Bonifaci VIII, per a emprar eufemismes en aquest cas: als inquisidors "s'advertia que sols han de parlar d'executar les lleis sense esmentar la pena concreta, per tal d'evitar de caure en la 'irregularitat', tot i que l'únic càstig reconegut com a suficient per l'Església en cas d'heretgia era ser cremat viu" (Henry C. Lea, *A History of the Inquisition in the Middle Ages*, Nova York, Macmillan, 1922, vol. I, p. 537).

La infame Llei 25 omet l'esment del terme *turment* ("tormentum") i diu que els funcionaris estatals forçaran ("cogere") els acusats d'heretgia a confessar "citra membri diminutionem, aut mortis periculum" ("sens disminució dels seus membres [expressió obscura que significa probablement no trencar-los] ni perill de mort [és a dir, sense matar-los]").

*Ad exstirpanda* també disposa que un heretge detingut o a punt de ser-ho es veurà envoltat d'un núvol de sospita i por prou gran per a esquitxar la seva família i les seves amistats. Tota persona que sigui descoberta donant consell, ajut o favors a un heretge ("Quicumque vero fuerit deprehensus dare alicui haeretico, vel haereticae, consilium, vel auxilium, seu favorem") serà declarada infame i perdrà el dret a ocupar un càrrec públic, a participar en els afers públics o votar, serà incapacitat per a testificar en qualsevol judici ni podrà heretar ni llegar. En resum, "qui presti oïda a les falses doctrines dels heretges serà castigat com els heretges". Queda prou clar que, quan era evident, d'una manera o altra, que algú era a punt de ser detingut sota l'acusació d'heretgia, els seus familiars i amics intentarien per tots els mitjans no semblar que li oferissin "consilium, vel auxilium, seu favorem". Tant Alexander Soljenitsin a *L'arxipèlag Gulag* com Nadejda Mandelstam a *Sense esperança* descriuen la sensació atroç de quan hom és detingut en un país totalitari i es veu rebutjat per la família i els amics.

La Llei 26 disposa que la casa on sigui detingut un heretge sigui enderrocada i no torni a ser construïda mai més, a no ser que l'amo de la casa sigui l'informador que hagi originat la detenció. Si no s'hi anticipa d'aquesta manera, la seva casa serà derruïda i no tornarà a ser bastida mai més qualsevol casa que pugui posseir al veïnat.

Aquesta acció no castiga els heretges però aterreix el propietari de l'habitatge a la vista de la possibilitat que algun dels seus ocupants sigui acusat d'heretgia abans de fer-ho ell mateix. Arendt descriu la manera com els companys de feina i coneguts d'una persona detinguda s'afanyaven a anar a la policia secreta per a explicar que l'havien freqüentat amb l'únic objectiu de reunir proves de la seva deslleialtat per a denunciar-la. La Llei 21 especifica que han de ser construïdes noves presons per als heretges, separades de les destinades a lladres i delinqüents comuns, amb l'evident objectiu d'impedir que, un cop posats en llibertat, aquests darrers puguin informar el món exterior sobre la situació dels heretges.

El *Times Literary Supplement* del 8 de setembre de 2006, en una ressenya del llibre *God's War* de Christopher Tyerman, observa: "De manera encara més sorprenent, les operacions de la Inquisició contra els albigesos al sud de França són elogiades per [Tyerman]. No es tractava d'una 'sinistra institució burocràtica de repressió, com afirma la llegenda', sinó que obrà principalment per mitjà de la 'persuasió i la reconciliació'". Paral·lelament, Gerard Bradley, a "One Cheer for Inquisitions", un article publicat a Catholic.net, recomana si més no una certa tolerància i comprensió envers la Inquisició, ja que la seva pròpia existència és el testimoni d'una època d'una fe més profunda que la nostra. Tanmateix, només cal llegir *Ad exstirpanda* per descobrir que la Inquisició no tenia cap interès per la fe i ni tan sols per l'heretgia, sinó per la riquesa i el poder, així com pel mètode més rudimentari per a assolir-los: el terror.

**DAVID RENAKER**
Professor de la San Francisco State University
Traducció: Gilbert Bofill i Ball

**Nota de l'autor:** La recerca que ha menat a aquest text comença amb la meva necessitat per saber més sobre el verb *exstirpo, exstirpare* i com el seu significat va canviar a l'Edat Mitjana i al segle XVII. Quan vaig esbrinar que aquesta butlla papal mai abans havia sigut publicada en anglès, vaig decidir cobrir també aquesta necessitat.

La font és *Bullarum Privilegiorum Romanorum Pontificum Amplissima Collectio Cui accessere Pontificum omnium Vitae, Notae, & Indices Opportuni.* Opera et Studio Caroli Cocquelines. Tomus Tertius. A Lucio III. Ad Clementem IV., scilicet ab An. MCLXXXI ad An. MCCLXVIII, Romae, M. DCC. XL. Typis et Sumptibus Hieronymi Mainardi.

He trobat aquest llibre gràcies al bon ofici d'Anthony Bliss de la Bancroft Library, U. of California, Berkeley, i de l'equip de la Graduate Theological Union Library, a qui vull expressar el més sincer agraïment.

# Quan els Pirineus no eren frontera

Durant el segle XII s'establí entre Catalunya i Occitània una intensa relació cultural, política, social i religiosa que permeté l'expansió del catarisme a través dels Pirineus. La Corona d'Aragó –que des del 1137 incloïa el Principat de Catalunya i el Regne d'Aragó– es trobava sota el poder polític dels comtes de Barcelona, que durant el segle XII van estendre els seus dominis fins a territori occità. Molts nobles del nord de Catalunya, com els senyors del Rosselló, la Cerdanya i el Conflent, van apostar per la defensa del catarisme. Arnau de Castellbò, comte de la Cerdanya, vescomte de Castellbò i conseller de Jaume I, va unir dinàsticament la seva filla Ermessenda amb Roger Bernat de Foix, tot configurant un territori que s'estenia a ambdós costats del Pirineu, inclosa la major part de les terres del nord-oest de Catalunya, com Castellbò, la Tor de Querol, Berga, Josa i Gósol, fins a Andorra, juntament amb el comtat de Foix, que destacà per la seva defensa del catarisme. La vida d'Arnau estigué marcada per les contínues lluites contra l'església d'Urgell pels drets sobre el territori, disputes que van ser recolzades per la poesia del trobador Guillem de Berguedà. Aquesta situació facilità la penetració del catarisme, que s'estengué a través de lligams familiars. A l'inici del segle XII, es duien a terme predicacions públiques a Castellbò, i el 1221 es constituí una diaconia càtara amb administració pròpia per al territori on residia el *diaconus haereticorum de Catalonia* Guillem Clergue.

Una de les famílies del nord de Catalunya vinculades amb el catarisme eren els Bretós de Berga. Arnau Bretós va ser capturat quan anava a prestar ajuda als assetjats de Montsegur, i la seva declaració del 19 de maig de 1244 revela els viatges que els càtars feien per territori català durant la primera meitat del segle XIII. Un altre dels cercles càtars va ser el de la Serra del Cadí. Ramon de Josa, que havia establert vincles familiars amb Arnau de Castellbò, rebia al seu castell la visita de càtars, entre els quals es trobaven el diaca Pere de la Corona i Guillem de Pou. El propi Pere va realitzar, durant la dècada de 1240, un viatge per les comunitats càtares de Catalunya a Vallporrera (Priorat), Siurana i les muntanyes de Prades, entre altres llocs.

L'aparició de l'heretgia significà un problema polítc per a l'Església i també per a la monarquia. El papa Innocenci III emprengué una política contra l'heretgia que tingué el seu reflex en la coronació de Pere el Catòlic a Roma, el 1204. Poc abans, Innocenci havia donat ordres a l'arquebisbe de Tarragona perquè prestés ajuda als prelats pontificis en la lluita contra l'heretgia, al mateix temps que concedia al rei la potestat de prendre possessió de les terres arrabassades als heretges. Durant els anys previs a la croada, el papa faria una crida constant perquè Pere donés suport a la seva causa. La disputa de Montpeller entre catòlics i heretges, presidida pel rei i que acabà amb la condemna de l'heretgia, significà un acostament a Roma, que tanmateix va ser sempre ambigu atès que molts dels seus vassalls que defensaria a la croada donaven suport al catarisme.

Després de la desfeta de Muret i la mort de Pere (1213), Jaume I dirigí els seus interessos cap a una altra direcció: la conquesta de València (1229) i Mallorca (1239) i l'expansió per la Mediterrània. La signatura del tractat de Corbeil (1256) posava oficialment fi a les pretensions del Casal de Barcelona sobre Occitània. Aquesta situació afectà el desenvolupament del catarisme, ja que Occitània, juntament amb Catalunya, va anar a raure progressivament a l'òrbita de Roma.

Durant el regnat de Jaume I (1213-1276) es dugué a terme l'ofensiva més important contra l'heretgia. El 26 de maig de 1232, Gregori IX promulgà la butlla *Declinante*, en què ordenava a Esparrec de la Barca, arquebisbe de Tarragona, així com a tots els bisbes de les diòcesis sufragànies –Girona, Urgell, Tortosa, Lleida, Elna i Barcelona, entre altres– perquè procedissin contra els heretges i contra els que els protegien o encobrien d'acord amb els estatuts promulgats pel propi papa. Dos anys més tard, Ramon de Penyafort impulsà l'assemblea eclesiàstica reunida el 7 de febrer de 1234 a Tarragona, amb Jaume present, on quedaren establertes les bases de la inquisició catalana medieval. S'hi decretava que *"cap persona laica s'atreveixi a discutir sobre la fe catòlica, ni en public ni en privat. Qui hi contravingui serà excomunicat pel bisbe i, si no compleix la condemna, serà tingut per heretge."* Un cop definit el marc legislatiu, Innocenci III impulsà al IV Concili del Laterà (1215) els ordes de predicadors per a contrarestar la influència de l'heretgia: els dominicans i els franciscans visitaven els indrets sospitosos d'heretgia per a lliurar els culpables al braç secular, encarregat d'executar la sentència. Durant aquests anys, un grup de valdesos convertits de nou al catolicisme i coneguts com a Pobres Catòlics, el prior dels quals va ser Duran d'Osca, s'instal·laren a diverses ciutats europees; a Elna establiren una escola que deixà una important producció escrita contra l'heretgia.

Els primers processos inquisitorials van començar poc després de la creació de la Inquisició. A l'Urgell, la situació arribà a ser tan delicada que calgué un concili, reunit a Lleida el 1237 sota els auspicis del bisbe d'Urgell, Ponç de Vilamur, per a obligar el comte de Foix a permetre l'entrada de la Inquisició en aquesta regió, que va acabar amb un total de 78 inculpats i dues cases derruïdes. Durant aquests anys s'aplicà la inquisició a Puigcerdà i també a Tarragona, on hi hagué diverses condemnes. Un informe de l'inquisidor Guillem Clergue sobre la regió de Berga determinava que *"pocs albergs avie en Gosol que no i tinguessin eretges"* i també *"dix que d'aquels bos homes, que n'avie a Solsona e a Agramunt, e a Lerida e a Sanauia e a la Sed en la muntania de Prades"*. El 1258, l'inquisidor Pere de la Cadireta condemnà pòstumament Ramon de Josa com a *credens hereticorum*. Onze anys més tard, el propi inquisidor declarava heretge Arnau de Castellbò, mort quaranta anys abans, juntament amb la seva filla Ermessenda i ordenà l'exhumació dels seus cossos i la seva expulsió del cementiri de Santa Maria de Costoja.

Al mateix temps que la Inquisició es desplegava per Occitània, Catalunya es convertí en una terra de refugi, amb migracions constants a través dels Pirineus. Les conquestes de València i Mallorca i el procés de colonització també ajudaren a difondre les doctrines càtares en alguns indrets. A València, el comerciant Guillem de Melió va ser un dels inculpats, mentre a Mallorca, Ramona, muller de Bosolens, i Duran de Broille mantenien contacte amb càtars a les seves respectives cases. Durant aquests anys, Lleida es convertí en una ciutat clau per als desplaçaments cap a la zona més meridional del país. Davant el problema de l'heretgia en aquesta ciutat, la Cancelleria Reial emeté el 1257 un salconduit per a facilitar la reconciliació. Vers el 1235, Lucas, bisbe de Tui, escrigué *De Altera Vita* per a refutar en una part del llibre les doctrines dels heretges que van aparèixer a la Corona de Castella. El pas dels càtars per aquest territori, tot i ser minoritari, es va concentrar en les ciutats que es trobaven al Camí de Sant Jaume, com Burgos, Palència i Lleó.

Al llarg del segle XIII, la Inquisició va acabar desarticulant el catarisme. A l'inici del XIV hi hagué un ressorgiment a Catalunya de la mà de l'última comunitat al voltant de Guillem Belibaste i un grup d'exiliats, majoritàriament de Montalhon, que havia fugit de les persecucions: Peire i Joan Mauri, pastors itinerants, la seva germana Guillermina, amb casa pròpia a Sant Mateu (Maestrat), Esperte i Ramona. Tots ells visqueren durant diversos anys en ciutats de València, Catalunya i Aragó. El propi Peire, quan va ser detingut a Lleida, va retreure a l'inquisidor Bernat de Puigcercós que l'ensenyament de Guillem tenia poc a veure amb els Autier. Però el cert és que, malgrat que Belibaste interpretés a voltes l'ensenyament per a benefici personal, el testimoni que ha quedat revela un coneixement profund de la doctrina càtara. El 1321, Guillem va ser traït per Arnau Sicre, pres a Tírvia i lliurat a l'arquebisbe de Narbona. El 24 d'agost d'aquell mateix any, era cremat a la residència de l'arquebisbe al castell de Vila-roja de Térmens, sense haver renunciat a la seva fe.

**SERGI GRAU TORRAS**

Traducció: Gilbert Bofill i Ball

# La memòria del catarisme

Un dels temes que ha marcat significativament la historiografia relativa al catarisme ha estat, sens dubte, el gran silenci que va seguir la fi tràgica d'aquest moviment religiós, un silenci que s'allargaria ben bé fins a l'arribada del Renaixement. Realment, seguir el rastre d'aquestes "brases" incertes en les fonts històriques no és gens fàcil, sobretot perquè, com ha recordat sovint Anne Brenon, l'expansió dels ordes mendicants, la nova mística franciscana i l'ortodòxia subsegüent a l'obra teològica del dominicà Tomàs d'Aquino van canviar completament el marc religiós del final de l'edat mitjana.

En aquest sentit, s'ha dit que dins de la mentalitat popular del Llenguadoc van quedar les restes d'un anticlericalisme que ajudaria a l'eclosió de la Reforma protestant al segle XV. De fet, quan va arribar el protestantisme, l'erudició catòlica va evocar un altre moviment religiós dissident com el catarisme per fer-ne un arma contra els seguidors de la Reforma. Paradoxalment, però, els primers historiadors protestants tractaven els càtars amb menyspreu. Més endavant, al final del segle XVI, els confonien amb els valdesos, tot i considerar-los ja uns antecessors del seu propi corrent reformador. Jacques B. Bossuet (1627-1704), amb la seva *Histoire abrégé des albigeois, des vaudois, des wiclifistes et des hussites* –que forma part de la seva *Histoire des variations des Eglises protestantes* (1688)– és qui va posar fi a la confusió entre càtars i valdesos, i la historiografia protestant, no sense vacil·lacions, va acabar seguint-lo.

Ja en el Segle de les Llums, Voltaire els identificaria una altra vegada amb els valdesos –en el seu *Essai sur les moeurs et l'esprit des nations* (1753)– i Diderot trobaria el seu pensament «buit i deplorable»: a finals del segle XVIII els càtars eren vistos certament com a víctimes tràgiques de la intolerància, però també com uns fanàtics mancats d'un pensament religiós d'una certa entitat...

Caldrà arribar al segle XIX perquè la historiografia protestant renovi l'estudi del catarisme i l'instal·li sobre unes bases més sòlides. En aquest sentit és essencial la figura de Charles Schmidt (1812-1895), un pastor i teòleg fill d'Estrasburg, autor dels dos volums d'una *Histoire et doctrine de la secte des cathares ou albigeois* (1849). Schmidt, que veia el catarisme més com una religió diferent que no pas com una heretgia cristiana, va fonamentar els seus treballs, per primera vegada, en l'estudi seriós de fonts encara inexplorades, en particular els arxius de la Inquisició.

Un xic anterior, i d'un enfocament ben distint, és l'obra de Bernard Mary-Lafont (1810-1884), un calvinista que era bibliotecari de Montalban i fervent patriota occità, autor d'una *Histoire politique, religieuse et littéraire du midi de la France* (quatre volums, 1842-1845). I no gaire més tardana és l'obra d'un altre pastor protestant, Napoléon Peyrat (1809-1881), autor d'una *Histoire des albigeois* (1870-1882) que, tot i basar-se en fonts documentals autèntiques, barrejava de forma inseparable la història i la llegenda. La voluntat de l'autor, que exerciria una enorme influència posterior en la poesia, el teatre i la novel·la, era escriure una espècie d'història-resurrecció total, tal com el seu amic Jules Michelet l'havia dut a terme per a la França sencera. De l'obra de Peyrat, un home romàntic apassionadament arrelat a la seva terra, arrenca bona part de la mitologia que després ha acompanyat moltes de les successives aproximacions al catarisme.

Mentrestant, la historiografia catòlica guardava un clamorós silenci sobre una pàgina tan obscura de la història de l'Església, silenci que no seria trencat, de fet, fins al tombant de segle XIX-XX, amb l'aparició de l'obra del professor i bisbe Ignaz von Döllinger (*Geschichte der gnostisch-manichäischen*

*Sekten in früheren Mittelalter,* «Història de les sectes gnostico-maniquees de l'Alta Edat Mitjana», Munich, 1890) i la del també professor de Besièrs –i després bisbe de Beauvais– Célestin Douais, seguida no gaire més tard per la del laic carcassonès, professor de la universitat de Besançon, Jean Guiraud.

El segle XX va veure l'aparició, en els anys 1939, 1945, 1960 i 1961, de noves fonts lligades directament als càtars i als arxius inquisitorials i, en conseqüència, una renovació a fons de la historiografia existent. I és que, fins fa molt pocs anys, la font principal de les recerques històriques eren encara els tractats, les summes, les cròniques, les cartes i els sermons dels cistercencs i dominics del temps del catarisme, que descrivien l'heretgia per poder-la combatre. No és estrany, doncs, que teòlegs i historiadors haguessin arribat a la conclusió força comuna de considerar el catarisme com un cos estrany dins de la cristiandat occidental. Però avui la historiografia ha canviat de forma substancial la seva visió del fenomen i la bibliografia s'ha multiplicat enormement, en part com una manifestació més del nou interès que ha despertat el catarisme en les darreres dècades.

En la segona meitat del segle XX són múltiples els noms d'estudiosos que, des de punts de vista a vegades discrepants, han anat completant cada vegada millor, i fins avui mateix, el coneixement d'aquest moviment religiós medieval. I en aquest context, cal deixar constància del pas endavant que va significar la fundació, l'any 1982, del Centre National d'Études Cathares a Carcassona, per part de René Nelli, Robert Capdeville i Pierre Racine. Aquest centre, dirigit entre 1982 i 1998 per l'arxivista Anne Brenon i entre 1998 i 2005 per la medievalista Pilar Jiménez, ha estat un focus permanent de recerca historiogràfica i de dinamització al voltant del catarisme i les heretgies medievals.

## El "país càtar"

La fascinació evident que ha produït el catarisme en amplis sectors s'ha apoderat de molts àmbits socials, cosa que ha tingut una traducció directa en la promoció econòmica i el turisme. Això ha fet que, primer d'una manera més o menys espontània i després de forma induïda tant pel sector privat com per l'administració pública, es generés a partir dels anys seixanta una dinàmica d'identificació d'algunes zones del Llenguadoc amb el que fou l'Església dels bons cristians i la creació d'incentius diversos per atreure els forasters cap a aquestes regions.

En aquest camí va ser determinant la creació, el 1989, de la marca "Pays Cathare" per part del Conseil Général de l'Aude, marca que, per la seva delimitació geogràfica i administrativa, redueix l'escenari històric real i es concentra sobretot a la zona de les Corberes. Basada en la revalorització del patrimoni –fonamentalment castells i abadies–, compta també amb la complicitat dels professionals del turisme, artesans, agricultors i vinyaters interessats en una iniciativa de recerca de qualitat. Com a desplegament d'aquest projecte, avui la marca «le Pays Cathare» –que suplanta sovint el terme mateix d'Occitània– vol assegurar una prestació de qualitat i un acolliment personalitzat en una munió de *gîtes* rurals, albergs, restaurants, hostals, hotels, càmpings i cellers, així com la qualitat garantida de productes com el pa, la carn i l'aviram, la fruita o la verdura. En un altre sentit, una intensa campanya de senyalització vertical dels monuments i llocs d'interès en carreteres i camins ha contribuït enormement a facilitar els recorreguts turístics i culturals del departament.

D'altra banda, i com no podia ser d'altra manera, l'explotació turística d'un fet històric com és el catarisme ha provocat també tota mena d'excessos, de manera que la paraula "càtar" –ja sense la marca del «pays»– ha estat atribuïda a tota mena de productes comercials i turístics, que busquen en aquesta etiqueta una imatge de prestigi o d'una pretesa "autenticitat". L'abús del terme ha comportat, com no podia ser d'altra manera, algunes marques i denominacions absolutament delirants i estrafolàries.

Una altra via d'aproximació –més solvent en aquest cas– a la realitat històrica es troba sens dubte en les nombroses guies, itineraris i recorreguts excursionistes que proliferen en tots els territoris on el catarisme va tenir algun tipus d'implantació. En destacarem dos de realment interessants, que tenen una llargària semblant –al voltant dels dos-cents quilòmetres– i que poden ser efectuats a peu, a cavall o amb bicicleta tot terreny: d'una banda, l'anomenat *Senthier Cathare. De la mer à Montsegur et Foix* (GR-36 i GR-7), que uneix la Mediterrània, a partir de La Novèla (Port-la-Nouvelle), amb els Pirineus, concretament fins a Foix, recorrent tot sovint l'antiga frontera entre els regnes de França i d'Aragó; i, de l'altra, l'anomenat *Camí dels Bons Homes* (GR-107) que enllaça el santuari de Queralt, al Berguedà, i el castell de Montsegur, a l'Arièja, i que més o menys segueix les probables rutes de migració dels *bons homes* a través dels colls de muntanya dels Pirineus.

## Esoterisme i llegenda

El catarisme, al cap i a la fi una Església perseguida i aniquilada en un temps tan generador de mites i llegendes com és l'edat mitjana, ha anat acompanyat des del segle XIX de múltiples connotacions de caràcter més o menys esotèric, més o menys fantasiós, que sens dubte han atret damunt seu l'atenció de molta gent, però que al mateix temps han generat una abundosíssima literatura –més de dos-cents títols només en el període 1970-1990– que no guarda cap mena de relació amb els fets estrictament històrics tal com avui els coneixem. Aquesta confusió ha arribat a l'extrem de fer impossible moltes vegades separar, en llibres que pretenen presentar-se si més no amb un vernís d'una certa versemblança històrica, allò que sabem del cert –gràcies als instruments més afinats de la historiografia recent– del que és pura invenció o perpetuació d'antigues llegendes.

Algunes d'aquestes fantasies han donat lloc a moltes pàgines de pretesa erudició o de fèrtil literatura: és el cas dels mites d'Esclarmonda, del temple solar, del tresor càtar, de les grutes del Sabartès, de la recerca del Graal, de la influència oriental o tibetana, etc. etc. D'altres no són tan coneguts però tanmateix no deixen de sorprendre: és el cas, per posar-ne només dos exemples, de quan s'atribueix una significació càtara a l'arbre de vida del vitrall del cor de la catedral de Sant Nazari de Carcassona (Lucienne Julien, 1990) o quan es busca una «clau cataro-platònica» en els frescos de Miquel Àngel de la Capella Sixtina (H. Stein-Schneider, 1984). Altres vegades, a l'últim, l'error ha estat simplement el fruit més o menys culpable d'un notable desconeixement històric, com per exemple quan s'han volgut associar al catarisme símbols com ara la creu –sovint per la confusió amb la creu perlada de Tolosa– o monuments funeraris com ara les esteles discoïdals, seguint la petja de la hipòtesi alimentada sobretot per Déodat Roché.

## Literatura i catarisme

Un moviment religiós com el catarisme, amb les seves característiques pròpies i amb les circumstàncies històriques que el van condemnar, havia d'atreure forçosament l'atenció dels autors de ficció. Així ha estat, en efecte, i aquest fenomen –que arrenca del romanticisme i arriba amb una força extraordinària fins als nostres dies– podria resumir-se, per començar, amb una simple dada merament estadística: en els dos darrers segles s'han publicat, pel cap baix, un centenar de novel·les relacionades amb els càtars –una vintena de les quals centrades en els fets de Montsegur–, una trentena d'obres dramàtiques, una trentena de llibres o sèries de còmics i una vintena de llibres adreçats a un públic juvenil. Incloent tots els gèneres –i, doncs, també, la poesia i l'assaig–, ja al 1978 René Nelli (*Histoire secrète du Languedoc*) parlava igualment d'un centenar d'obres referides només a Montsegur...

La llengua francesa, com és natural, s'emporta la gran majoria d'aquesta producció. D'altra banda, els temes són més aviat recurrents. Per exemple, en el cas de la novel·lla històrica, el protagonista és tot sovint algun personatge de l'època de la croada que simpatitza amb la causa dels heretges. Pel que fa als símbols relatius a Montsegur, són múltiples i la immensa majoria ja es troben en la visió romàntica de Napoléon Peyrat, de qui hem parlat fa un moment: l'aigua –la nau, l'illot enmig del cel–; l'aire i la pedra –les ruïnes del castell–; el colom –la llegenda d'Esclarmonda– i l'àguila –amb el seu niu vist com a símbol de la resistència–; el foc –referit lògicament a la foguera de l'any 1244–; la natura salvatge i turmentada, etc. etc.

La literatura sobre el catarisme va néixer amb el romanticisme del segle XIX i amb el seu reconegut interès pel passat i, més particularment, per l'edat mitjana. A l'estil de fenòmens similars produïts arreu d'Europa, aquest corrent romàntic va generar en el cas específic del Llenguadoc un desvetllament de l'atenció per la peripècia dels càtars i, simultàniament, una literatura pròpia que se'n feia ressò.

L'arrencada hauríem de situar-la concretament l'any 1827, poc després de l'èxit entre els francesos de les traduccions dels llibres de Walter Scott, quan va aparèixer a París *Les Hérétiques de Montségur ou les Proscrits du XIIIe siècle*, d'un autor anònim. De tota manera, el gran impulsor fou sens dubte Frédéric Soulié, fill de Mirapeis, al País de Foix, un prolífic fulletonista que va tenir molt d'èxit i que en les seves novel·les va arribar a publicar més de setze edicions. La seva obra principal és una trilogia que pertany als anomenats *Romans du Languedoc* (*Le Vicomte de Béziers,* 1834; *Le Comte de Toulouse,* 1840; i *Le comte de Foix,* 1852). Sota un fons històric, descriu amb abundància de detalls els llocs on fa reviure personatges de l'edat mitjana, tot evocant a vegades escenes càtares. La influència de Scott, no cal dir-ho, hi és innegable.

L'impuls de la historiografia, sobretot a partir de les obres que ja hem esmentat de dos pastors protestants, Charles Schmidt i Napoléon Peyrat, acabarà fent possible una eclosió d'un apreciable nombre d'obres de ficció. I ja en ple segle XX, l'interès pel catarisme produirà una enorme allau de novel·les que de fet no s'ha interromput i que continua provocant, encara ara, noves obres de forma regular. D'entre la munió d'autors i de títols es poden esmentar com a més significatius els següents: el duc de Lévis-Mirepoix (*Montségur,* 1925); Maurice Magre (*Le sang de Toulouse,* 1931; *Le trésor des albigeois,* 1938); Pierre Benoît *(Montsalvat,* 1957); Zoé Oldenbourg (*La pierre angulaire,* 1953; *Les brûlés,* 1960; i *Les cités charnelles,* 1961); Michel Peyramoure (la trilogia *La passion cathare,* 1978); Henri Gougaud (*Bélibaste,* 1982; *L'inquisiteur,* 1984, i *L'expedition,* 1991) i Dominique Baudis (*Raimond «le Cathare». Mémoires apocryphes,* 1996). En l'àmbit català, dues novel·les van tenir en el seu moment un notable èxit de públic: *Cercamón* (1982), de Lluís Racionero, i *Terra d'oblit. El vell camí dels càtars* (1997), d'Antoni Dalmau.

Pel que fa a la producció dramatúrgica, cal esmentar l'obra de començament de segle de Pierre Bonhomme i, ja en èpoques més recents, les aportacions de Robert Lafont (*Raymond VII,* 1967), René Nelli (*Beatris de Planissòlas: misteri,* 1971) i la mateixa Zoé Oldenbourg (*L'évêque et la vieille dame ou la belle-mère de Peytaví Borsier,* 1983).

L'auge recent de la novel·la històrica ha contribuït sens dubte a multiplicar els llibres que s'ocupen del catarisme en l'àmbit de la ficció. Dissortadament, però, la majoria d'aquestes obres, fent ús de la llibertat absoluta que la narrativa ofereix als seus autors, opten per una visió esotèrica o per una deformació substancial dels fets històrics tal com avui els coneixem. Així, doncs, el lector novell que s'interroga sobre la realitat històrica del catarisme veu com se li esborra a cada moment la tènue línia divisòria que separa els esdeveniments tal com van succeir de la imaginació desbordant d'una mitografia tan nombrosa.

# El silenci del cinema

El catarisme ha demostrat a bastament posseir una gran capacitat d'atracció. Per això sobta més encara que a penes se n'hagi ocupat l'art principal del segle XX: el cinema. Concretament només poden ser esmentades dues aproximacions ja força antigues, i encara amb un abast i unes característiques limitades:

*La fiancée des ténèbres* (1944), una pel·lícula francesa de Serge de Poligny (1903-1983), amb guió de Gaston Bonheur i produïda per Éclair Journal. El guió és, en síntesi, el següent: el vell i malalt Toulzac, "el darrer dels càtars", viu al peu dels murs de Carcassona amb una protegida seva, la jove Sylvie –interpretada per Jany Holt–, i obsessionat a trobar la porta del santuari on reposen des de fa set segles els bons cristians. Ella s'enamora d'un jove compositor, Roland Samblanca (Pierre-Richard Wilm), però el vell, que ha descobert la porta d'entrada a la "catedral", la commina a davallar-hi, com una nova Esclarmonda en sacrifici. Ella l'obeeix, però Roland la segueix a la cripta. Llavors el terra comença a tremolar i els amants acaben fugint a Tournebelle, indret joiós on viuran plegats la seva passió. Però ella se sent perseguida per una maledicció –no pot estimar sense atreure la mort cap al seu amant–, i abandona Roland per desaparèixer per sempre més en la foscor de la nit. El film, d'una realització molt esteticista i rodada durant l'ocupació alemanya, recull sense matisos els mites clàssics de la visió postromàntica del catarisme.

*Les Cathares* (1966), una sèrie televisiva de dos episodis de dues hores i mitja cadascun (titulats *La Croisade* i *L'Inquisition*), també de producció francesa –concretament de l'ORTF– i amb Stellio Lorenzi com a director, Alain Decaux com a guionista i André Castelot com a escenògraf. Va ser l'última realització d'un cicle titulat *La caméra explore le temps*. És, en síntesi, una mirada crítica i anticlerical de la croada contra els albigesos, amb un discurs que oposa constantment els bons càtars als malvats sacerdots i cavallers del nord.

Per completar un quadre tan escàs, podem afegir que el 2006 va estrenar-se a Cannes el film *The Secret Book*, una coproducció de Macedònia/França/Àustria que, fent ús del gènere del *thriller*, tracta sobre els bogomils i el seu presumpte "llibre secret", una obra santa escrita en glagolític, l'alfabet eslau més antic (¿potser una al·lusió a la *Cena Secreta o Interrogatio Iohannis*, l'evangeli apòcrif d'origen bogomil de final del segle XI?). Dirigida per Vlado Cvetanovski, la pel·lícula té com a protagonistes principals Thierry Fremont, Jean-Claude Carrière i Vlado Jovanovski.

En definitiva, el balanç cinematogràfic sobre el catarisme és sorprenent de tan magre –com ho ha estat, d'altra banda, per a la història dels templers. Això indueix a demanar-se si no hi ha cap productora, ni cap director de cinema que consideri la història dels càtars –és a dir, el moviment religiós, la vida quotidiana, la croada albigesa, la Inquisició, etc. etc.– un material susceptible de ser transportat a la gran pantalla i amb una gran capacitat de seducció per al públic. Ara com ara, la resposta és que no...

**ANTONI DALMAU**

lez woue digne de loenge et alles noble
z renôme ou palais leroy. Le ·viii· de
la croiserie dalbigois et de la noble vic
toire q̃ le côte symõ de mõfort ot a nuira

l lan de lincarnacio ·m· cc
riij· fu vne bataille en la t
re dalbigois · Car q̃t le pre

# CRONOLOGIA

~ 970      Tractat de Cosmas, sacerdot búlgar, contra els bogomils.

*«... d'un sacerdot que s'anomena Bogomil (= digne de la pietat de Déu), però que realment és indigne de la pietat de Déu»)* (Cosmas, *Tractat contra els bogomils*, ~970).

~ 1000      Primers rastres de comunitats considerades herètiques per tot Europa.

*«Una nova heretgia ha nascut en aquest món i comença a ser predicada actualment per pseudoapòstols... Per tal de pervertir radicalment la cristiandat, porten, segons diuen, una vida apostòlica»* (Carta d'Erbert, monjo del Perigord).

1022      Una dotzena de canonges herètics són cremats a Orleans, en la primera foguera coneguda de la història de la cristiandat.

*«Refiats erròniament en la seva follia, es vanaven de no tenir por i prometien que sortirien indemnes del foc. [...] Van ser reduïts en cendres de manera instantània»* (Raoul Glaber, monjo borgonyès contemporani).

1073-1085      Gregori VII, papa. Impuls definitiu de l'anomenada reforma gregoriana, començada ja sota el pontificat de Lleó IX (1048-1054).

*«... 23. Que l'Església Romana no ha errat mai, ni mai no errarà, segons el testimoniatge de les Sagrades Escriptures»* (Gregori VII, *Dictatuts Papae*, 1075).

1096-1099      Primera croada a Terra Santa. Conquesta de Jerusalem.

*«Els croats van córrer de seguida per tota la ciutat, saquejant l'or, l'argent, els cavalls, les mules i pillant les cases, plenes de riqueses. Després, tots feliços i plorant de joia, (...) se'n van anar a adorar el Sepulcre del nostre Salvador Jesús i van complir el seu deute envers Ell»* (*Història Anònima de la Primera* Croada, 1099-1100, cap. 39).

~ 1110      A Constantinoble, són cremats a la foguera Basili, un dignatari bogomil, i els seus companys.

*«Basili no sols no va negar l'acusació sinó que, tot seguit i sense ambages, va passar a l'ofensiva, afirmant que estava a punt per afrontar el foc, les fuetades i mil morts»* (Anna Comnè, *Alexíada*, s. XII).

1114      Crema d'heretges a Soissons, a la Xampanya.

*«Diuen que el baptisme dels infants no val per a res. El seu baptisme l'anomenen Paraula de Déu i l'atorguen mitjançant una llarga cantarella...»* (Guibert, abat de Nogent sous Coucy, Aisne, s. XII).

1135-1140      Fogueres a Lieja. Primers bisbes herètics documentats a Renània.

*«Van ser detinguts uns homes a Lieja que eren heretges sota l'aparença de la religió catòlica i amb l'hàbit de la vida espiritual»* (*Annales Rodenses*, s. XII).

~ 1143      Fogueres a Colònia. Everwin von Steinfeld alerta Bernat de Claravall sobre l'extensió de l'heretgia i reprodueix les paraules dels heretges, que es diuen a si mateixos «apòstols».

*«Nosaltres, pobres de Crist, errants, fugint de ciutat en ciutat (Mt 10:23), com ovelles enmig dels llops (Mt 10:16), sofrim la persecució amb els apòstols i els màrtirs»* (Everwin von Steinfeld, prebost dels premostratencs a Renània, carta de ~1143).

| | |
|---|---|
| 1145 | **Bernat de Claravall predica contra els càtars a Tolosa i a Albi.**<br>«... [A Verfuèlh (Verfeil), uns nobles i gent del comú] *van fer xivarri i van colpejar les portes perquè la gentada no poguès sentir la seva veu, de manera que van encadenar la paraula de Déu*» (Guilhem de Puèglaurenç, *Chronica*, 1145, I). |
| 1157 | **Concili catòlic de Reims contra l'heretgia.**<br>«[Va dictar penes contra els "maniqueus", que s'escampen gràcies a] *aquests abjectes teixidors, que fugen sovint d'un lloc a l'altre, que canvien de nom i que "porten dones plenes de pecats"*» (Concili de Reims, 1157). |
| 1163 | **Fogueres a Bonn, Colònia i Magúncia. El canonge Eckbert von Schönau empra per primer cop el nom de *càtars* en els seus *Sermons*.**<br>«... *Hi sunt quos vulgo Catharos vocant: gens perniciosa nimis Catholicae fidei...*» (Eckbert von Schönau, *Sermones contra Catharos*, I, 1163). |
| 1165 | **Concili catòlic a Lombers, a l'Albigès. Presència d'un bisbe càtar, Sicard Cellerier.**<br>«... *Vós condemneu allò que Déu aprova segons l'Escriptura...*» (el bisbe catòlic d'Albi a Sicard. Guilhem de Puèglaurenç, *Chronica*, 1245, IV). |
| 1167 | **Concili a Sant Fèlix del Lauraguès de les Esglésies càtares de l'Albigès, el Tolosà, el Carcassès, l'Agenès o Vall d'Aran, França i la Llombardia.**<br>«... *Cap* [de les Esglésies d'Àsia] *no fa res contra els drets d'una altra- I així viuen en pau: feu vosaltres el mateix*» (el bisbe Nicetas o Niquinta a l'Església de Tolosa. Guillaume Besse, *Histoire des ducs, marquis i comtes de Narbonne...*, París, 1660). |
| 1178-1181 | **Henri de Marsiac, abat de Claravall i legat papal, predica contra els heretges per les terres de Tolosa i d'Albi i dirigeix la *precroada*.**<br>«... *Davant del públic, que aplaudia sense interrupció i s'estremia d'odi contra ells, els vam declarar de bell nou, mentre apagàvem les espelmes, excomunicats...*» (Acte a l'església de Sant Jaume de Tolosa, segons carta del legat). |
| 1184 | **Concili de Verona. Decretal *Ad abolendam* del papa Luci III (1181-1185), que llança l'anatema contra càtars, valdesos i altres heretges.**<br>«*Cal que s'encengui el vigor eclesiàstic per abolir la depravació de les diverses heretgies que en el temps present han començat a pul·lular en diverses parts del món*» (Luci III, *Ad abolendam*, 1184). |
| 1194 | **Raimon VI de Tolosa, dit *el Vell* (1194-1222). Aviat esdevé la bèstia negra del papa.**<br>«*Impiu, cruel i bàrbar tirà, no us avergonyeix afavorir l'heretgia? Amb raó us han excomunicat els nostres legats, i han llançat damunt les vostres terres l'entredit*» (carta del papa Innocenci III a Raimon, 1207). |
| 1196 | **Pere II d'Aragó, I de Barcelona, dit *el Catòlic* (1196-1213).**<br>«... *lo rey En Pere, fo lo pus franch rey que anch fos en Espanya e el pus cortès e el pus avinent (...) E era bon cavaller d'armes, si bo n'avia e·l món*» (Jaume I el Conqueridor, *Llibre dels feits*, 1244-1276, cap. 6). |

1198        Innocenci III, papa (1198-1216).
             *«A Pere, Crist no va deixar-li per governar únicament l'Església universal, sinó tot el segle. Ha estat concedit als prínceps el poder a la terra; però als sacerdots els ha estat atribuït el poder tant a la terra com al cel»* (Innocenci III).

1202-1206   Missions fracassades al Llenguadoc de legats pontificals cistercencs.
             *«Can lo rics apostolis e la autra clercia / viron multiplicar aicela gran folia / plus fort que no soloit, e que creixen tot dia, / tramezon prezicar cascus de sa bailia. / E l'Ordes de Cistel (...) / i trames de sos homes tropa molta vegia»* («Quan el summe pontífex i l'altre clergat van veure multiplicar aquella gran follia amb més força que abans i que creixia cada dia, van enviar a predicar legats de la seva batllia. I l'orde del Cister (...) hi va trametre homes seus moltes vegades». Guilhem de Tudela, *Cansó de la Crozada*, 1212-1213, I, 11-16).

1124        Guilhabert de Castras ordena diverses dames a Fanjaus, en presència del comte de Foix, Raimon Rotger. La seva germana Esclarmonda n'és una. Reconstrucció del castell de Montsegur sol·licitada per l'Església càtara. Disputa de Carcassona entre càtars i catòlics, presidida per Pere el Catòlic.
             *«L'endemà, els vaig declarar heretges per judici, en presència del bisbe d'aquesta ciutat i de molts d'altres»* (carta de Pere el Catòlic).

1206        Concili de 600 càtars a Mirapeis.
             Disputa entre càtars i catòlics, a Servian (vuit dies) i a Verfuèlh.
             Inici de la predicació de Diego de Osma i Domingo de Guzmán al Llenguadoc. Fundació del monestir de Prolha.
             *«Per tancar la boca dels dolents, cal actuar i ensenyar segons l'exemple de Nostre Senyor, presentar-se humilment, anar a peu, sense or ni plata»* (Diego de Osma als legats del papa. Pierre des Vaux-de-Cernay, *Hystoria albigensis*, 1213-1218).

1208        Assassinat del legat del papa Pèire de Castelnou. Innocenci III convoca la croada.
             *«Endavant, cavallers de Crist! Endavant, coratjosos membres de l'exèrcit cristià! Que el crit universal de dolor de la santa Església us arrossegui, que un zel piadós us arbori per venjar una ofensa tan gran feta al vostre Déu...»* (carta d'Innocenci III, 10 març 1208).

1209        Inici de la croada contra els albigesos.
             Penitència pública de Raimon VI a Sant Gèli.
             Setge i massacre de Besièrs.
             *«Caedite eos, novit enim Dominus qui sunt ejus»* («Mateu-los, car el Senyor coneix qui són els seus») (atribuït a Arnau Amalric pel cistercenc Caesarius von Heisterbach, abans de 1223).
             Setge i capitulació de Carcassona. Mort de Raimon Rotger Trencavèl.
             *«En tant cant lo mons dura n'a cavalier milhor, / ni plus pros ni plus larg, plus cortes ni gensor»* («Tant com s'estén el món no hi ha cavaller millor, ni més valent, ni més generós, ni més cortès, ni amb més gràcies». Guilhem de Tudela, *Cansó de la Crozada*, 1212-1213, II, 15).
             Investidura de Simó de Montfort com a vescomte de Carcassona.
             *«Era assenyat, ferm en les seves decisions, prudent en el seus consells, just, competent en les qüestions militars, circumspecte en els seus actes (...) tot ell entregat al servei de Déu»* (Pierre des Vaux-de-Cernay, *Hystoria albigensis*, 1213-1218).

1210        Presa i foguera de Menèrba (140 càtars cremats). Presa de Termas.

| | |
|---|---|
| 1211 | Presa de Lavaur (uns 400 càtars cremats).<br>*«El diable hi havia instal·lat la seva seu* [a Lavaur] *i n'havia fet la sinagoga de Satanàs»* (Guilhem de Puèglaurenç, *Chronica*, 1145, II).<br>Foguera de Los Cassers (més de 60 càtars cremats).<br>Primer setge de Tolosa i batalla de Castelnòu d'Arri. |
| 1212 | Conquesta de l'Agenès, del Carcí i de Comenge per Simó de Montfort. |
| 1213 | Batalla de Muret, mort del rei Pere I el Catòlic i derrota occitano-aragonesa.<br>*«Totz lo mons ne valg mens, de ver o sapiatz, / car Paratges ne fo destruitz e decassatz / e tot Crestianesmes aonitz e abassatz»* («Tot el món fou rebaixat, de veres heu de saber-ho, car Paratge fou destruït i exiliat i tota la Cristiandat ofesa i avergonyida». Anònim, *Cansó de la Crozada*, 1219, XIV, 137). |
| 1215 | Quart Concili del Laterà. Punt àlgid de la teocràcia.<br>Fundació de l'orde dominicà (frares predicadors).<br>Rendició de Tolosa. Investidura de Simó de Montfort com a comte de Tolosa.<br>*«Car Toloza e Paratges so e ma de trachors»* («Car Tolosa i Paratge són en mans dels traïdors». Anònim, *Cansó de la Crozada*, 1219, XXV, 178). |
| 1216 | Inici de la reconquesta de Tolosa (Raimon VI i el "comte jove"). |
| 1218 | Simó de Montfort mor al setge de Tolosa.<br>*«E venc tot dreit la peira lai on era mestiers (...) E'l coms cazec en terra mortz e sagnens e niers»* («I anà tot dret la pedra allà on era menester (...) i el comte caigué a terra mort, sagnant i ert». Anònim, *Cansó de la Crozada*, 1219, XXXV, 205). |
| 1219 | Segona expedició del príncep Lluís.<br>Carnatge de Marmanda, a l'Agenès (unes cinc mil víctimes). |
| 1220-1221 | Reconquesta occitana del comtat de Tolosa. |
| 1221 | Mort de sant Domènec a Bolonya.<br>*«Del seu front i de les seves pestanyes irradiava una espècie d'esplendor que inspirava a tots respecte i simpatia»* (germana Cecília, *Miracula*, 1280). |
| 1222 | Mort de Raimon VI.<br>Raimon VII, comte de Tolosa (1222-1249).<br>*«Lo valens coms joves, Ramundetz»*, segons la *Cansó de la Crozada*. |
| 1223 | Reconquesta de Carcassona per Raimon Trencavèl.<br>*«[Alguns croats] ja no treballaven en l'obra per la qual havien vingut (...) i el Senyor va començar a vomitar-los i a foragitar-los d'aquesta terra que havien conquerit amb la seva ajuda»* (Guilhem de Puèglaurenç, *Chronica*, 1145, XXXI). |
| 1224 | Amalric de Montfort cedeix els seus drets al rei de França. |

1226    Concili càtar de Piussa, creació del bisbat càtar del Rasès.
Croada reial de Lluís VIII. Submissió de Carcassona.
*«Estem impacients per posar-nos a l'ombra de les vostres ales i sota el vostre prudent domini»*
(Bernart Ot de Niort, antic *faidit*).
Mort de Lluís VIII. Lluís IX, rei de França (futur sant Lluís) (1226-1270).

1226-1229    Guerres de Cabaret i de Limós.

1227    Matança de la Beceda (Lauraguès). Crema d'heretges en massa.
*«*[La població va ser massacrada] *en part per l'espasa i en part pel pal. El pietós bisbe, però,
s'esforçava a deixar escapar de la seva sort les dones i els infants»* (Guilhem de Puèglaurenç,
*Chronica*, 1145, XXXV).

1229    Tractat de Meaux-París. Fi de la croada i capitulació de Raimon VII.
Sistematització dels principis de lluita contra l'heretgia.
*«Ab greu cossire / fau sirventes cozen* (...) */ Ai, Toloza e Proensa / e la terra d'Agensa, Bezers e
Carcassey ,/ quo vos vi e quo'us vey!»* («Consirós faig un sirventès coent (...) Ai, Tolosa i
Provença, i la terra d'Agenès, i Besièrs i Carcassès, com us vaig veure i com us veig!». Bernart
Sicart de Maruèjols, trobador, 1230).

1232    El bisbe càtar Guilhabert de Castras s'instal·la a Montsegur.
*«Vaig veure Guilhabert de Castras, bisbe dels heretges,* (...) *i molts d'altres que van venir al*
castrum *de Montsegur. Van demanar per Raimon de Perelha, antic senyor d'aquest* castrum, *i li
van suplicar que els hi acollís, per tal que l'Església dels heretges pogués tenir-hi la seva seu i
el seu cap* [domicilium et caput] *i que pogués, d'allí estant, enviar i defensar els seus
predicadors»* (Berenguer de L'Avelanet, f. Doat, 24, 43 b-44 a.)

1233    Gregori IX funda la Inquisició i l'encomana als ordes mendicants.
*Inquisitio heretice pravitatis* (enquesta sobre la perversitat herètica).

1234-1235    Aixecaments contra la Inquisició a Tolosa, Albi i Narbona.

1239    Foguera de Mont Aimé (Xampanya) (183 càtars cremats).
*«Va fer-se un immens holocaust agradable al Senyor cremant uns* bugres (...), *pitjors que
gossos»* (Aubry de Trois-Fontaines, cistercenc, *Crònica*, 1239).

1242    Atemptat d'Avinhonet contra els inquisidors per part dels cavallers
de Montsegur. Revolta general sota els auspicis de Raimon VII.
*«Cocula carta es trencada...!»* («El c... de papers són estripats», crit d'un creient de Castèl
Sarrasin, Agenès, 1242).

1243    Els aliats de Raimon VII fracassen (pau de Lorris).
Inici del setge de Montsegur.

1244    Rendició i foguera de Montsegur (uns 225 càtars cremats).
Desmantellament de les esglésies occitanes i reorganització de la jerarquia
a la Llombardia.
*«Refusant la conversió a la qual se'ls havia convidat, van ser cremats en un clos fet de pals i
d'estaques on va calar-se foc, i van passar al foc del Tàrtar»* (Guilhem de Puèglaurenç,
*Chronica*, 1145, XLIV).

**1249**  Foguera d'Agen, ordenada per Raimon VII (80 creients càtars cremats). Mort Raimon VII, el succeeix Alfons de Poitiers (1249-1271), gendre seu i germà de Lluís IX de França.

**1252**  Innocenci IV autoritza la tortura contra els heretges

*«Teneantur praeterea Potestas, seu Rector omnes haereticos quos captos habuerit, cogere citra membri diminutionem et mortis periculum...»* («Els *podestàs* o rectors han d'obligar tots els heretges que tinguin sota la seva custòdia, sense arribar a la mutilació dels membres o el perill de mort...». Innocenci IV, butlla *Ad extirpanda*, 1252, 25).

**1255**  Rendició del castell de Queribús, última plaça en mans dels *faidits*.

*«Que tots els lectors d'aquestes pàgines sàpiguen que jo Xacbert de Barberà, cavaller, rendeixo i remeto a l'excel·lentíssim senyor Lluís, per la gràcia de Déu rei de França, (...), el castrum de Queribús...»* (rendició de Xacbert, maig 1255, f. Doat, vol. 154).

**1258**  Tractat de Corbeil entre Jaume I i Lluís IX.

*«... definim, deixem, cedim i del tot remetem tot el que de dret i possessió teníem o podíem tenir o dèiem que teníem tant en dominis o senyories com feus i altres qualssevol coses en els esmentats comtats de Barcelona i d'Urgell... etc., etc.* (Arxiu de la Corona d'Aragó, Canc., pergs, n. 1526 duplicat).

**1271**  Alfons de Poitiers i Joana de Tolosa —filla de Raimon VII— moren sense descendència; en aplicació del tractat de Meaux-París el comtat de Tolosa queda unit a la corona de França (Felip l'Ardit).

**1272**  Campanya de Felip l'Ardit contra Rotger Bernart III de Foix. Inici de la construcció de les catedrals de Narbona i Tolosa.

**1276**  Pere III d'Aragó, II de Barcelona, dit *el Gran* (1276-1285). Rendició de Sirmione (Itàlia), lloc de refugi càtar.

*«Sirmione, perla de les quasi illes i de les illes, de totes aquelles que porta el doble Neptú, el déu dels llacs límpids i de l'àmplia mar, amb quina joia al cor et torno a veure!»* (Catul, s. I a.C., *Elegies*, XXXI).

**1278**  Foguera de l'arena de Verona (200 cremats). Desarticulació del catarisme italià.

**1280-1285**  Complot contra els arxius de la Inquisició a Carcassona.

*«... Hem parlat amb una certa persona que farà per manera de procurar-nos tots els llibres de la Inquisició referents al Carcassès, en els quals llibres hi ha escrites les confessions...»* (paraules de Bernart David, segons el copista Bernart Agasse, 1285).

**1285**  Alfons III d'Aragó, II de Barcelona, dit *el Franc o el Liberal* (1285-1291). Felip IV, rei de França, dit *el Bell*.

**1295**  Pèire Autier i el seu germà Guilhem, notaris d'Acs-dels-Tèrmas, marxen cap a la Llombardia per esdevenir bons homes.

*«... Pèire li va preguntar: "I doncs, germà?" Guilhem va respondre: "Em sembla que hem perdut les nostres ànimes". Pèire va dir-li aleshores: "Marxem, doncs, germà meu, i anem-nos-en a cercar la salvació de les nostres ànimes". Dit això, van abandonar tots els seus béns i se'n van anar a la Llombardia»* (Sebelia Pèire, 1322, *Registre de Jacme Fornier*, p. 566-567).

**1295-1305**    Revolta a Carcassona («*rabies carcassonensis*», segons Bernart Gui) pels excessos inquisitorials dels dominicans. Se'n fa portaveu el franciscà espiritual Bernart Deliciós.

*«Rector dyabolicus»*, segons el dominic Raimond Barrau; *«la columna veritable de l'Església, l'apòstol de Déu a la terra»*, segons la veu popular.

**1300-1310**    Els germans Autier intenten fer renéixer el catarisme a Occitània.

*«Déu vulgui que hàgim vingut oportunament en aquesta casa per salvar les ànimes dels qui s'hi troben. No ens fa por de tenir treballs: no cerquem res més que salvar les ànimes»* (Pèire Autier a la bastida d'Arcas, 1301. Sebelia Pèire, 1322, *Registre de Jacme Fornier*, p. 568).

**1302**    Mort de Rotger Bernart III de Foix, que marca un tombant en la història del comtat.

**1303**    Geoffroy d'Ablis, del convent de Chartes, és nomenat inquisidor a Carcassona.

**1307**    El llemosí Bernart Gui és nomenat inquisidor a Tolosa.

*«Durant aquesta persecució dels inquisidors i la pertorbació de l'Ofici, molts perfectes es van reunir i van començar a multiplicar-se (i les heretgies a pul·lular) i van contaminar moltes persones a les diòcesis de Pàmias, de Carcassona i de Tolosa, i a la regió de l'Albigès»* (situació d'aquell moment segons Gui, *De fondatione et prioribus conventum...*, p. 103).

**1309**    Crema de Jacme i Guilhem Autier i d'altres càtars.
Desmantellament de la seva Església.
Guilhem Belibasta, el darrer càtar coengut, fuig a Catalunya.

**1310**    Pèire Autier és cremat davant la catedral de Tolosa.

*«... I va afegir que Pèire Autier, en el moment de ser cremat, va dir que si el deixaven parlar i predicar al poble, tot el poble es convertiria a la seva fe»* (Guilhem Baile, de Montalhó, 1323, *Registre de Jacme Fornier*, p. 838).

**1318-1325**    Campanya inquisitorial de Jacme Fornier a la diòcesi de Pàmias.

*«L'any del Senyor ..., el dia ... després de la diada de sant ... Havent arribat al coneixement del Reverend Pare en Crist monsenyor Jacme, per la divina providència bisbe de Pàmias, que ... era molt sospitós d'heretgia..., el dit monsenyor bisbe, volent, com escau al seu deure, conèixer la veritat, va fer-lo portar a la seva presència..., etc., etc.»* (Encapçalament de les deposicions dels interrogats, *Registre de Jacme Fornier, passim*).

**1321**    Crema de Guilhem Belibasta a Vilarroja Termenés: és l'últim càtar conegut del Llenguadoc.

*«No em preocupo per la meva carn, ja que no hi tinc res, és cosa dels cucs... La meva ànima i la teva pujaran prop del Pare celestial, on tenim preparades corones i trons, i quaranta àngels amb corones d'or amb pedres precioses ens vindran a buscar per portar-nos al Pare»* (Paraules de G. Belibasta, segons la declaració d'Arnau Sicre, 1321, *Registre de Jacme Fornier*, p. 779-780).

| 1329 | Crema de tres creients càtars, els darrers coneguts, a Carcassona. |

*«Et diré la raó per la qual ens diuen heretges: i és que el món ens odia. I no és gens sorprenent que el món ens odiï (1Jo 3:13), car ja va odiar Nostre Senyor i va perseguir-lo, així com als seus apòstols...»* (Predicació de Pèire Autier, declaració de Pèire Maurí, 1324, *Registre de Jacme Fornier*, p. 924).

| 1412 | Últimes sentències contra càtars italians. |

| 1453 | Els turcs s'apoderen de Constantinoble. |

| 1463 | Els turcs conquisten Bòsnia: fi del catarisme oriental. |

ANTONI DALMAU

# DAS VERGESSENE REICH
# Die Tragödie der Katharer

### 1. TEIL [CD 1]
**Aufstieg und Glanz des Katharismus – Okzitanien auf seinem Höhepunkt**
ca. 950-1204

**I**         **Am Ursprung des Katharismus: Morgenland und Abendland: 950-1099**

**950**       **Ursprung: Die Bogomilen**
     **1**   *Bulgarische Weise* – Taksim & Tanz

**1000**      **Vom Orient nach Europa**
     **2**   *Veri dulcis in tempore* – anonym, Kodex von 1010

**1022**      **Erste Verbrennungen von Ketzern in Orléans und Turin**
     **3**   *Instrumentale Klage I* (Trommeln & Duduk)

**1040**      **Okzitanien nimmt geflohene Juden aus Al-Andalus auf**
     **4**   *Die drei Prinzipien, aleph, mem, schin*
             Kabbalistischer Text aus dem Buch der Schöpfung

**1049**      **Das Konzil von Reims verurteilt die Ketzer**
     **5**   Reis glorios *instrumental* (Trommeln, Glocken, mittelalterliche Harfe)
     **6**   *Payre sant* – rezitierter Text auf Okzitanisch

**1054**      **Kirchenspaltung zwischen Rom und Konstantinopel**
     **7**   *En to stavro pares tosa* – anonymes byzantinisches Lied

**1099**     **8**   **Erster Kreuzzug ins Heilige Land. Eroberung des Südteils von Jerusalem durch
             okzitanische (bzw. provenzalische, nach dem Historiker Raymond d'Agiles, in
             Kontrast zu den französischen) Truppen unter der Führung von Raimund von
             Saint-Gilles, Graf von Toulouse**
             *Kreuzzugfanfare* (instr.)

**II**        **Okzitanien auf seinem Höhepunkt: 1100-1159**

**1100**     **9**   **Okzitanien, christlicher Spiegel von Al-Andalus**
             Taksim & arabisch-andalusischer Tanz *Mawachah Chamoulo* – anonym

# DAS VERGESSENE REICH
## Die Tragödie der Katharer

2. TEIL [CD 2]
**Der Kreuzzug gegen die Albigenser – Einfall in Okzitanien**
1204-1228

# DAS VERGESSENE REICH
## Die Tragödie der Katharer

### 3. TEIL [CD 3]
### Verfolgung, Diaspora und Ende des Katharismus
### 1229-1463

**Sirventes gegen die falschen Geistlichen (Priester)**
2 *Clergue si fan pastor* – Peire Cardenal

1244     **Aufstand, Kapitulation und Verbrennung (225 Katharer) in Montségur**
3 *Instrumentale Klage III* (Duduk & Kaval)

1252     **Legalisierung der Folter durch die Bulle *Ad extirpanda***
4 *Ad exstirpanda* – rezitierter Text

**Sirventes mit Vorwürfen gegenüber Gott beim jüngsten Gericht**
5 *Un sirventes novel vueill comensar* – Peire Cardenal

1268     **Sieg der Welfen gegen die Waiblinger**
6 *Beliche* (Stampitta)

**Sirventes gegen die Inquisitoren**
7 Del tot vey remaner valor – Guilhem Montanhagol

1276     **Kapitulation von Sirmione**
8 Planctus „*Lavandose le mane*" (instrumental) mss. Rossi

1278     **Verbrennung (200 Katharer) in der Arena von Verona**
9 *Pater Noster* – katharisches Gebet

1300     **Aufstand in Carcassonne gegen die Auswüchse der Inquisition. Sirventes gegen die Geistlichen, die dominikanischen Prediger und die Franzosen**
10 *Tartarassa ni voutor* – Peire Cardenal

VII     **Diaspora in Katalonien und Ende der Katharer im Osten 1309-1453**

1305     **Die Apokalypse nach dem katharischen Evangelium des Pseudo-Johannes V, 4**
11 *Audi pontus, audi tellus* – anonym (Las Huelgas)

1306     **Philipp IV. weist die Juden aus Frankreich aus**
12 *El Rey de Francia* – anonym (Sepharad)

1306     **Predigt von Pèire Autier**
13 *Il n'est pas étonnant…* – rezitierter Text

1309     **Verbrennung von Jacme und Guilhem Autier sowie weiterer Katharer**
14 *Trauermarsch* (Trommel)

# DAS VERGESSENE REICH
# DIE TRAGÖDIE DER KATHARER

*Das vergessene Reich* bezieht sich zunächst auf das „Reich Gottes" oder „Himmelsreich", auf das die Katharer so großen Wert legten und allen guten Christen nach der Rückkehr Christi versprochen wurde, doch in unserem Projekt wird damit auch der alten vergessenen Zivilisation Okzitaniens gedacht. Die ehemalige „Provincia Narbonensis", ein Gebiet mit einer althergebrachten Kultur, wo die Römer ihre Spur hinterließen und das Dante als *„das Land, wo die Sprache des Oc gesprochen wird"*, bezeichnete, ist im französischen Standardwörterbuch „Le Petit Robert 2" (1994) unter folgender Erklärung gerade ein paar Worte wert: **„Auxitans Provincia.** *Bezeichnung der Länder der Sprache des Oc im Mittelalter."* Wie es Manuel Forcano in seinem interessanten Artikel mit dem Titel *Okzitanien: Spiegel von al-Andalus und Zufluchtsort von Sepharad* ausdrückt, zeichnete sich dieses Gebiet seit frühen Zeiten bis ins Mittelalter „durch seine Offenheit gegenüber aller Art Einflüsse aus. Es war ein durchlässiges Grenzland für Völker und Gedanken, ein ausgesprochener Schmelztiegel, wo Wissen, Musik und Dichtung aus Süd (dem weisen, entwickelten al-Andalus), Nord (Frankreich und Europa) und Ost (von Italien bis zum Balkan und dem exotischen Byzanz) kamen." All diese verschiedenen Einflüsse machten es zu einem der aktivsten Zentren der romanischen Kultur, einem Land mit einer intensiven intellektuellen Produktion, das ein im Mittelalter unerhört hohes Maß an Toleranz vorweisen konnte. So ist es kaum verwunderlich, dass die *udritische Liebe* der Araber die Dichtung und *Fin'amor* der Trobadors und *Trobairitz* inspirierte. Ebenso wenig überraschend ist es, dass die Kabbala aus den dort ansässigen jüdischen Gemeinden hervorkam und die einheimischen Christen andere Kirchenmodelle – die *guten Menschen* oder Katharer und die katholische Geistlichkeit – hervorbrachten und erörterten.

Der Katharismus ist eine der ältesten und bedeutendsten christlichen Glaubensrichtungen, die sich von der amtlichen Kirchenlehre durch ihre Überzeugung der Existenz zweier immerwährender Prinzipien, das Gute und das Böse unterschied. Seit dem Beginn des Christentums bezeichnete der Begriff *Häresie* (vom griechischen *hairesis*, „eigene Meinung") Auslegungen, die von der von der Amtskirche anerkannten abwichen. Wie es Pilar Jiménez Sánchez in ihrem Artikel „Ursprung und Ausbreitung der katharischen Glaubensströmungen" unmissverständlich darstellt, entwickelten sich diese um die Jahrtausendwende entstandenen dissidenten Gruppierungen im Gegensatz zur ursprünglichen Annahme, dass sie aus dem Orient (Bulgarien) stammten, auf ganz natürliche Weise ausgehend von zahlreichen theologischen Disputen, die im Westen seit dem 9. Jahrhundert stattfanden. In zahlreichen okzitanischen Städten und Dörfern, wo ein ureigener Lebensstil vorherrschte, der seine Blüte in der Kunst der Trobadors erlebte, konnten sie Fuß fassen. Die außerordentliche musikalische und dichterische Reichhaltigkeit dieser Trobador-Kultur, die im 12. und 13. Jahrhundert ihren Höhepunkt erlangte, ist eines der herausragendsten historischen und musikalischen Kapitel in der Entwicklung der westlichen Zivilisation. Diese Zeit war von einem regen Austausch und kreativen Veränderungen, aber auch von zahlreichen Umwälzungen und großer Intoleranz geprägt. Sie ist einer furchtbaren historischen Amnesie zum Opfer gefallen, die teilweise auf die tragischen Ereignisse im Zuge des Kreuzzugs und der unerbittlichen Verfolgung aller Katharer Okzitaniens zurückzuführen ist. Letzten Endes ist es eine wahre „katharische Tragödie", die den fürchterlichen Kreuzzug gegen die Albigenser auslöste.

„Unter allen Ereignissen und allen politischen Wirren, die in unserem Land [Okzitanien] während des Mittelalters ihren Lauf nahmen, sticht eines hervor, das heute noch heftige Gefühle auslöst: der Kreuzzug, zu dem Papst Innozenz III. 1208 gegen die Ketzer aufrief, die sich damals im Süden des

Reichs [Okzitanien] verbreiteten und Albigenser genannt wurden. Wenn die Erinnerung an dieses militärisches Unternehmen nach acht Jahrhunderten so lebendig geblieben ist", behauptet Georges Duby, „so ist es deshalb, weil sie zwei heute sehr empfindliche Aspekte, Toleranz und Nationalgefühl anspricht. Der zugleich religiöse und politische Charakter prägte diese Strategie, die über einen Kreuzzug ihren Lauf nahm und von einem wahren Eroberungskrieg gefolgt wurde, der das heutige Languedoc und seine Nachbarregionen heimsuchte und einen allgemeinen Aufstand auslöste. Durch den Kampf Schulter an Schulter von Katholiken und Ketzern schlug sich Okzitanien von der Fremdherrschaft frei, wurde aber dadurch ausgeblutet, wodurch es letztlich wie reifes Obst in die Hände des Königs von Frankreich fiel. Wie Georges Bordonove treffend bemerkt, „war es ein wahrer Unabhängigkeitskrieg, der mit Siegen, Niederlagen, Wenden unglaublicher Situationen, unsäglichen Belagerungen, unentschuldbaren Massakern, Erhängungen und schauderhaften Verbrennungen mit gelegentlichen, allzu seltenen Gesten der Großzügigkeit gespickt war. Dieser Widerstand stand immer wieder wie der Phönix von der Asche auf, bis die lange Götterdämmerung erreicht war, an deren Ende plötzlich das Autodafé in Montségur entfacht wurde. Danach gingen die letzten Perfekten (katharische Priester) in den Untergrund, ehe sie einer nach dem anderen gefangen genommen wurden und auf dem Scheiterhaufen verbrannten. Die *Faidits* (enteignete Herren) verkamen im Nichts. Eine neue Ordnung, die der Könige von Frankreich, wurde eingeführt."

Ohne die vielfältige Recherchierarbeit durch Historiker und Forscher wie Michel Roquebert, dem Autor von „L'épopée cathare", dem großen René Nelli, Georges Bordonove u. v. a. sowie im Bereich der Musik und Texte der Trobadors durch Friedrich Gennrich, Martí de Riquer und den unvergessenen Francesc Noy, der seit 1976 uns – Montserrat Figueras und mich – während der Vorbereitung zur Einspielung für die Reihe Réflexe von EMI Electrola meisterhaft in die Welt der *Trobairitz* einführte, wäre dieses Projekt niemals zustande gekommen. Durch die Arbeit, Gespräche und Diskussionen, vor allem aber die großzügige Unterstützung und Verfügbarkeit von Anne Brenon, Antoni Dalmau, Francesco Zambon, Martín Alvira Cabrer, Pilar Jiménez Sánchez, Manuel Forcano, Sergi Grau und Anna Maria Mussons (für die Aussprache des Okzitanischen) konnte das Projekt letztlich zu Ende geführt werden. Daher möchten wir uns bei ihnen allen von Herzen bedanken. Ihr gründliches Wissen und Einfühlungsvermögen, ihre weisen Bücher und aufgeklärten Thesen waren und sind immer noch eine unversiegbare Quelle ständiger Gedanken, Wissens und Inspiration. Ihrer akribischen, allumfassenden Arbeit ist es zu verdanken, dass wir durch alle Sirventes, Kanzonen und Klagelieder, die uns heute immer noch mit solcher Kraft und Zartheit ansprechen, mit diesem kleinen, jedoch aufrichtigen Tribut einen Beitrag zur Wiederbelebung der Geschichte Okzitaniens und der Katharer leisten, die uns so teuer ist. Auf sehr anschauliche Weise unterstreichen sie die nach wie vor rührende Sprache dieser herausragenden Dichter und Musiker, die direkte Zeugen (und vielleicht auch indirekte Opfer) der Ereignisse während des goldenen Zeitalters der okzitanischen Kultur waren, die mit der Entstehung, der Entwicklung und der brutalen, gnadenlosen Ausrottung dieser uralten christlichen Glaubensform zusammenfielen.

Durch die Improvisationsfähigkeit und Phantasie, durch die Anstrengung, Geduld und Widerstandskraft (diese endlosen Nächte!) des gesamten Sängerteams mit Montserrat Figueras, Pascal Bertin, Marc Mauillon, Lluís Vilamajó, Furio Zanasi, Daniele Carnovich und die Mitglieder von La Capella Reial de Catalunya sowie der Instrumentalisten, Andrew Lawrence-King, Pierre Hamon, Michaël Grébil, Haïg Sarikouyomdjian, Nedyalko Nedyalkov, Driss el Maloumi, Pedro Estevan, Dimitri Psonis und der übrigen Musiker von Hespèrion XXI einschließlich der Rezitatoren Gérard Gouiran und René Zosso dringen wir bis in das Innere dieser tragischen, jedoch stets faszinierenden musikalischen Geschichte Okzitaniens und der Katharer vor. In sieben großen Abschnitten erfolgt ein Überblick über fünf Jahrhunderte, vom Ursprung des Katharismus zur Blüte Okzitaniens, von der Verbreitung des Katharismus zum Konflikt des Albigenserkreuzzugs und der Einführung der Inquisition, von der

Verfolgung der Katharer bis zu deren Ausrottung, von der Diaspora in Italien, Katalonien und Kastilien zum Ende der östlichen Katharer mit der Eroberung Konstantinopels und Bosniens durch das osmanische Heer. Die zahlreichen, oft einzigartigen historischen, urkundlichen, musikalischen und literarischen Quellen ermöglichen eine Darstellung der wichtigsten Augenblicke dieser rührenden, tragischen Geschichte. Die aufrührerischen bzw. äußerst kritischen Texte der Trobadors und der damaligen Chronisten bilden den roten Faden, insbesondere die außerordentliche „Cançon de la Crozada" (Lied des Albigenserkreuzzugs) in epischer Form mit annähernd 10.000 Versen, die in einem einzigen vollständigen Manuskript in der französischen Nationalbibliothek erhalten geblieben ist. Dieses Manuskript gehörte Mazarin, bevor es im 18. Jahrhundert in den Besitz eines Beraters Ludwigs XV. kam. Bei diesem fertigte einer der ersten Medievalisten, La Curne de Sainte-Palaye, eine Kopie an, um sie zu studieren und verbreiten.

Abgesehen von den vier Teilen des „Lieds des Albigenserkreuzzugs" haben wir die bedeutendsten Gesangtexte nach dem dichterischen und musikalischen Interesse sowie ihrem Verhältnis zu den verschiedenen historischen Zeitpunkten ausgewählt. So sind der „erste" Trobador, Guilhem de Peitieu, und die „erste" *Trobairitz*, Condesa de Dia, sowie die sonstigen großartigen Trobadors wie Pèire Vidal, Raimon de Miraval, Guilhem Augier Novella, Pèire Cardenal, Guilhem Montanhagol und Guilhem Figueira zu erwähnen. Bei den Liedern ohne Musik sind wir dem Brauch gefolgt, bei Melodien anderer Autoren wie Bernat de Ventadorn, Guiraut de Borneilh sowie anonymer Verfasser Anleihe zu nehmen. Diese Verfahrensweise war in der mittelalterlichen Dichtung weit verbreitet, was heute mitunter vergessen wird. Von den 2542 bis heute erhaltenen Werken der Trobadors handelt es sich bei 514 mit Gewissheit und bei 70 weiteren wahrscheinlich um Imitationen oder Parodien. Unter den 236 erhaltenen Weisen der 43 uns bekannten Trobadors befindet sich nur eine einzige, *A chantar m'er de so q'ieu no voldria*, von einer *Trobairitz*, der geheimnisvollen Condesa de Dia.

Für die älteren und moderneren Texte haben wir die Manuskripte verschiedener Epochen ausgewählt, die in unmittelbarem Verhältnis zu wichtigen historischen Ereignissen stehen – so der Planctus *Mentem meam* in Bezug auf den Tod Raimund Berengars IV. und die *Lamentatio Sancta Eclesia Matris Constantinopolitanæ* von Guillaume Dufay. In Anbetracht der Bedeutung der Apokalypse des Johannes sind zwei Stücke von grundlegender Bedeutung: die großartige *Okzitanische Sibylle* eines anonymen Trobadors, die im Improvisationsstil ausgeführt wird, der unserer Ansicht nach für diesen so dramatischen Gesang geeignet ist, sowie das klosterhafte *Audi pontus, audi tellus* nach einem Zitat aus der Apokalypse nach dem katharischen Evangelium des Pseudo-Johannes (V. 4). Zwei weitere größere Herausforderungen in der musikalischen Darstellung dieser großen Katastrophe bestanden in der bildhaften Schilderung der katharischen Feiern und Rituale sowie in der Form der musikalischen Symbolisierung der zahllosen grausamen Verbrennungen von vermeintlichen Ketzern, die weder ignoriert noch vergessen werden dürfen. Beim katharischen Ritual bilden das Aufsagen aller okzitanischen Texte und eine uralte Form des Cantus planus in den lateinischen Texten die jeweilige Grundlage. Dagegen erschien es uns bei den Bezugnahmen auf die Verbrennungen rührender und dramatischer, auf die Zerbrechlichkeit der Improvisationen auf Blasinstrumenten orientalischen Ursprungs wie dem *Duduk* und dem *Kaval* zurückzugreifen, die als Kontrast zum drohenden, furchterregenden Trommelwirbel, der damals zumeist die Grundbegleitung zu öffentlichen Hinrichtungen war, den Geist der Opfer symbolisieren. Nach dem Ende der letzten Katharer in Okzitanien gedenken wir weiters einer grausamen Hinrichtung, die der Jungfrau Johanna, die mit 19 Jahren den Flammen der unerbittlichen Inquisitoren zum Opfer fiel.

Die fürchterliche Amnesie der Menschen ist eindeutig einer der Hauptgründe für ihre Unfähigkeit, aus der Geschichte zu lernen. Der Einfall in Okzitanien, insbesondere das Massaker an den 20.000

Einwohnern von Béziers am 22. Juli 1209 unter dem Vorwand der Anwesenheit von 230 Ketzern, die sich der Stadtrat dem Kreuzfahrerheer auszuliefern weigerte, erinnert uns auf dramatische Weise an moderne Gegenbeispiele wie den Spanischen Bürgerkrieg, den Francos Truppen 1936 unter dem Vorwand der kommunistischen Gefahr und des Zerfalls Spaniens lostraten, sowie 1939 den Einmarsch Hitlerdeutschlands in die Tschechoslowakei wegen der Sudetenfrage und in Polen mit Danzig als Hintergrund. Jüngere Ereignisse sind die Kriege in Vietnam (1958-1975), Afghanistan (2001) als Antwort auf die Anschläge am 11. September und Irak (2003) mit der fadenscheinigen Begründung der Massenvernichtungswaffen. Auch wurden in den von Papst Innozenz IV. in der Bulle *Ad Exstirpanda* (1252) angeführten Gesetzen zur Folter alle Anschuldigungsmethoden ohne mögliche Verteidigung – die heute noch in Guantanamo Prinzip sind – festgelegt und die Folter genehmigt, um den Ketzern alle mögliche Information zu entlocken, wie es heutzutage in diktatorischen bzw. im Umgang mit den Rechten von Beschuldigten wenig zimperlichen Ländern der Fall ist. Auch wurden Ketzereiverdächtige ohne Gerichtsverfahren bestraft und ihre Häuser bis auf die Fundamente zerstört, eine Methode, die noch heute gegen die Wohnungen palästinensischer Terroristen praktiziert wird. Das absolute Böse ist immer das, was der Mensch dem Menschen zufügt. Daher glauben wir wie François Cheng, „dass es unsere dringende und ständige Aufgabe ist, diese zwei Geheimnisse zu lüften, die die Extreme des lebenden Universums bilden – einerseits das Böse, andererseits die Schönheit. Auf dem Spiel steht nicht weniger als die Wahrheit des menschlichen Schicksals, das die Grundwerte unserer Freiheit anspricht."

Acht Jahrhunderte sind verstrichen, und die Erinnerung an diesen Kreuzzug gegen die Albigenser ist nicht verschwommen. Sie weckt immer noch Nostalgie und Mitleid. Jenseits von Mythen und Legenden verdient die zerstörte Erinnerung an diese außergewöhnliche Kultur des *Landes des Oc*, aus dem ein wahrlich **vergessenes Reich** wurde, die furchtbare **Tragödie der Katharer** oder „guten Menschen" und das Zeugnis, das sie von ihrem Glauben ablegten, unseren vollen Respekt und all unsere Anstrengung zu deren Fortbestehen.

**JORDI SAVALL**

Bellaterra, 3. Oktober 2009

Übersetzung: Gilbert Bofill i Ball

# Ursprung und Ausbreitung
# der Katharischen Glaubensströmungen

Die allgemein als Katharismus bekannte dissidente Christenbewegung erschien im Abendland erstmals im 12. Jahrhundert. Je nach Verbreitungsgebiet erhielten ihre Anhänger unterschiedliche Bezeichnungen: Katharer und Manichäer in Deutschland, Patariner und Katharer in Italien, Piphler in Flandern, Bugren in Burgund und der Champagne, Albigenser in Südfrankreich. Selber nannten sie sich gute Menschen oder gute Christen und taten sich überall durch ihre heftige Kritik an der katholischen Kirche und ihrer Hierarchie hervor, die sie wegen des Verrats an den Idealen Christi und der Apostel für unwürdig hielten.

Nach dem Vorbild der ersten christlichen Kirchen betrachteten sich die guten Menschen als die wahren Christen, da sie die Geisttaufe, die Taufe Christi durch Handauflegen praktizierten, die sie *Consolamentum* nannten. Nach ihrer Auffassung brachte allein diese Taufe den Trost, die Rettung durch den Heiligen Geist, den Jesus zu Pfingsten zu seinen Jüngern herabließ. Aus diesem Sakrament und der strengen Praxis der Askese bildeten die Dissidenten ihre Glaubensauffassung heraus und stellten die Wirksamkeit der katholischen Sakramente (Wassertaufe, Eucharistie, Ehe) in Frage. Durch die monastische Spiritualität, die die vorangegangenen Jahrhunderte prägte, und die Verachtung der darin dargestellten Welt trieben sie einige Teile des Neuen Testaments ins Extreme, in denen die Existenz zweier entgegen gesetzter Welten, einer guten spirituellen und einer bösen materiellen – unsere Welt – beteuert wird. Letztere stünde im Zeichen des Teufels, dem „Fürsten dieser Welt", wie es im Evangelium nach Johannes heißt. Für die Katharer war diese Welt also Satans Werk, während Gott allein für die spirituelle Schöpfung sorgte. Denn nach der katharischen Auslegung der Prophezeiung Jesajas (14, 13-14) sündigte Luzifer, eine göttliche Gestalt, aus Stolz, indem er sich Gott gleichsetzen wollte, worauf dieser ihn aus seinem Reich auswies. Nachdem er zum Teufel wurde, schuf er die Gewänder aus Haut und die Körper aus Menschenfleisch, in denen er die Engel gefangen hielt, die mit ihm vom Himmel fielen. Daraufhin gestaltete er diese Welt ausgehend der von Gott als alleinigem Schöpfer geschaffenen Grundelemente: Erde, Wasser, Luft und Feuer. Zur Verkündung der Rückkehr der gefallenen Engel in das „vergessene Reich" des Vaters entsandte Gott seinen Sohn Jesus. Indem er eine Menschengestalt annahm, kam er zur Befreiung der Seelen (gefallenen Engel) von ihren „Gewändern der Vergessenheit" (Körper) mittels Rettung durch Handauflegen oder *Consolamentum*, was ihnen die Rückkehr in das Reich Gottes ermöglichte.

Es ist durchaus denkbar, dass die katharische Auffassung des Bösen, seines Ursprungs und der Sünde aus den Polemiken hervorkam, die die lateinischen Theologen seit der Karolingerzeit im 9. Jahrhundert führten. Damals entstanden die ersten Dispute über Sakramente wie die Taufe und die Eucharistie. Im Laufe des 10. Jahrhunderts stellte sich in den abendländischen gelehrten Kreisen die Frage des Bösen, die vom Teufel begangene Sünde und ihr Ursprung, die Menschlichkeit und Fleischwerdung Christi sowie die Gleichheit der Personen der Dreifaltigkeit. Die Entstehung der katharischen Dissidenz in den ersten Jahrzehnten des 12. Jahrhunderts ist somit auf die scholastischen Kreise und die Teilnahme am Rationalisierungs- und Lehrbildungsprozess zurückzuführen, der in der westlichen Christenheit ab der Mitte des 9. Jahrhunderts stattfand. Angefacht durch die so genannte gregorianische Reformbewegung, die die päpstliche Gewalt während des 11. Jahrhunderts durchsetzte, entstand die katharische Dissidenz aus der Mitte weiterer Widerstandsbewegungen, die dem Papst seine Abkehr von den Reformidealen vorwarfen. In verschiedenen Gebieten des Abendlandes konnten sie sich über eine unterschiedlich lange Zeit etablieren – so im Reich (dem heutigen Deutschland und Belgien) in Städten wie etwa Köln, Bonn und Lüttich, aber auch in der Champagne, Burgund und Flandern sowie im südlichen Bereich der Christenheit, Italien und Südfrankreich. Über zahlreiche Zeugen wird eine geographisch bedingte Vielfalt innerhalb der Dissidenz ersichtlich, die sowohl die Lehre als auch die Organisation ihrer Mitglieder und die liturgische Praxis betraf. Dies rechtfertigt die obige Verwendung des Ausdrucks „katharische Glaubensströmungen" in der Mehrzahl und ist ein Anlass zum Nachdenken über die Identität der „Ketzer", die ab der ersten Hälfte des 12. Jahrhunderts verfolgt wurden.

Aus den ersten Zeugen aus dem Heiligen Römischen Reich zwischen 1140 und 1160 wird jedoch die Dissidenz zumindest nicht in der Form erkennbar, in der sie später aus Südfrankreich oder Italien überliefert wurde, wo sie länger wirkte. Im Rahmen der Glaubenskrise, aber auch eines regen intellektuellen Treibens entstanden in den Städten des Nordens am Beginn der Umsetzung der römischen Reform Schulen, die sehr wohl als Brutstätten der religiösen Dissidenz dienen dürften. Der prompte Aufbau der Repression und der Triumph der römischen Politik im Laufe der zweiten Hälfte des 12. Jahrhunderts erklären die Schwierigkeiten der Dissidenz, in diesen Gebieten Fuß zu fassen.

In der folgenden Periode um 1160-1170 wurde weiter südlich, vor allem im Languedoc und Nord- und Mittelitalien, die Verbreitung dissidenter Bewegungen begünstigt, die sich so wie ihre nördlichen Glaubensbrüder von der Politik Roms loslösten. Die relativ friedlichen Verhältnisse, die sie in diesen Gebieten genossen, ermöglichte die Entwicklung ihrer Organisationsstruktur sowie ihres Glaubens und ihrer liturgischen Praxis. Auch ist zu erwähnen, dass ebenso wie im 12. Jahrhundert in den deutschen und nordfranzösischen Städten in Italien mehrere Schulen im 13. Jahrhundert entstanden, die sich in Fragen wie dem Ursprung der Schöpfung, dem Bösen, dem Menschen, der Rettung und dem Jenseits voneinander unterschieden. Diese Schulen beteiligten sich auch an den Überlegungen zu diesen Grundfragen, die damals im Abendland aufgeworfen wurden, deren radikalste Antwort Giovanni di Lugio um 1230 formulierte. Dieser Meister der Schule von Desenzano in Norditalien verfasste das *Buch der zwei Prinzipien*, wo er die Existenz zweier ewiger, entgegen gesetzter Prinzipien behauptet – Gut und Böse, beide am Ursprung zweier Schöpfungen, der spirituellen und der sichtbaren.

Unter den Antworten, die aus dem Rationalisierungsprozess in den katharischen Schulen hervorkamen, war der Dualismus entgegen gesetzter Prinzipien weder mehrheitlich noch aus dem Orient eingeführt, wie die traditionelle Meinung behauptet, die auf das Mittelalter zurückgeht. Die Einordnung in den Manichäismus und der bogomilisch-orientalische Ursprung der katharischen „Häresie" ist das Ergebnis eines Hirngespinstes, das im 12. und 13. Jahrhundert von katholischen Geistlichen und später im 19. Jahrhundert von Inquisitoren gewoben wurde. Obwohl Kontakte zwischen orientalischen (Bogomilen) und abendländischen (Katharer) dissidenten Kreisen zu dieser Zeit urkundlich belegt sind, gibt es keinen Beweis für diese lange angenommene Abhängigkeit. Insbesondere über ihren Austausch von Texten dürften die Kontakte zwischen Bogomilen- und Katharergemeinden den Rationalisierungsprozess unter letzteren begünstigt haben. Im übrigen bezeugen diese Urkunden auch die gegenseitige Anerkennung der dissidenten christlichen Bewegungen und den Kampf, den sie gegen ihre jeweilige Kirche führten – die orientalisch-byzantinische im Fall der Bogomilen, die römisch-katholische bei den Katharern.

**PILAR JIMÉNEZ SÁNCHEZ**
Doktorin der Geschichte und Forscherin im Labor CNRS-UMR 5136 FRAMESPA,
Universität Toulouse-Le Mirail

Übersetzung: Gilbert Bofill i Ball

# Okzitanien: Spiegel von al-Andalus und Zufluchtsort von Sepharad

> *„Mir reichen die Wünsche*
> *und die Hoffnung des Verzweifelten."*
> **Jamil ibn Ma'amar (8. Jh.)**

## Okzitanien: Spiegel von al-Andalus

Okzitanien, dieses weitläufige, großzügige Gebiet, das Dante als *„das Land, wo die Sprache des Oc gesprochen wird"*, bezeichnete, entspricht der alten römischen „Provincia Narbonensis" und umfasste im Mittelalter die Grafschaften Toulouse und Foix, das gesamte Languedoc, die Grafschaft Venaissin mit Avignon sowie Aquitanien und die Provence zu beiden Seiten dieser Gebiete. Nach dem französischen Kreuzzug unter Simon von Montfort gegen die Katharer im 13. Jahrhundert fiel Okzitanien unter die Herrschaft des Königs von Frankreich und wurde zum heute weithin als *Midi* bekannten Süden Frankreichs. Vor der Übernahme durch diese aufgezwängte Macht aus dem Norden war Okzitanien ein Mosaik aus Landschaften, die größtenteils Lehnsgebiete des Königreichs Katalonien-Aragonien waren, doch nach der Niederlage des katalanischen Königs Peter I. in Muret 1213 gegen Simon von Montfort fielen die Städte Toulouse, Carcassonne, Nîmes, Béziers und Narbonne mit dem gesamten Languedoc an Frankreich, wobei Montpellier bis 1349 als katalanische Enklave bestand. Die eigentliche Grafschaft Provence, die früher unter der Oberhoheit des Grafen von Barcelona stand, wurde ebenfalls französisches Lehnsgebiet, obwohl es erst 1481 nach dem Tod des umsichtigen Grafen René von Frankreich eingegliedert wurde.

Vor dem zerstörerischen Einfall der von Papst Innozenz III. entsandten Kreuzfahrer zeichnete sich Okzitanien durch seine Offenheit gegenüber aller Art Einflüsse aus. Es war ein durchlässiges Grenzland für Völker und Gedanken, ein ausgesprochener Schmelztiegel, wo Wissen, Musik und Dichtung aus Süd (dem weisen, entwickelten al-Andalus), Nord (Frankreich und Europa) und Ost (von Italien bis zum Balkan und dem exotischen Byzanz) kamen. Als Erbe der lateinischen Kultur, zum Mittelmeer offen, an der Schwelle zur deutlich unter arabischem Einfluss stehenden Iberischen Halbinsel stieg Okzitanien ab dem 9. Jahrhundert zu einem der aktivsten Zentren der romanischen Kultur auf. Dieser kulturelle Aufschwung war die Folge des direkten Kontakts während des Hochmittelalters mit dem intensiven intellektuellen Treiben in al-Andalus.

Nach der Niederlage der brüchigen westgotischen Macht im Jahr 711 fiel die Iberische Halbinsel unter islamische Herrschaft, deren Gebiet sich von Persien und Mesopotamien im Osten bis zur Biskaia und den Pyrenäen im Westen erstreckte. So entstand al-Andalus, und von nun an wurde der Kontakt zum Orient trotz der Ferne häufiger und einfacher. Über Handel, Pilgerfahrten zu den heiligen Stätten und Studienreisen nach Damaskus, Alexandria und Bagdad drang die orientalische Kultur in die Iberische Halbinsel ein und fand dort bald einen fruchtbaren Nährboden, wo sie solide Fuß fassen konnte. So entwickelte sich al-Andalus im 10. Jahrhundert von einem kulturellen Empfängerland zu einem kreativen Zentrum, das seine Produktion auch exportierte. Das Erbe des klassischen Wissens der Hellenen, das vom Syrischen und Altgriechischen ins Arabische übersetzt wurde, erreichte die Iberische Halbinsel und führte zu einem außerordentlichen wissenschaftlichen und philosophischen Erwachen. Noch vor der Jahrtausendwende war die Zahl der Werke aus Hellas, die über ihre arabischen Fassungen bekannt waren, deutlich größer als die der damals auf Lateinisch bekannten altgriechischen Bücher.

Im Kielwasser dieser kulturellen und wissenschaftlichen Blüte gehörte das Okzitanische zu den ersten Sprachen, die das Lateinische in vielen Urkunden sowie literarischen und wissenschaftlichen Werken ersetzte. Dazu gehört die erste Grammatik, die berühmten *Leys d'Amors*. Zwischen dem 11. und 13. Jahrhundert erlebte Okzitanien eine kulturelle Blüte. Dank einer ausgereiften Kultur aufgrund der gekonnten Zusammenführung abend- und morgenländischer Einflüsse stieg die okzitanische Schriftsprache zum Vorbild einer eigenen, heute als *Trobadordichtung* bekannte Literaturform, die die Trobadors rund um das Thema der *höfischen Liebe* komponierten und sangen und nach dem Vorbild von al-Andalus auf dem poetisch-philosophischen Begriff der *udritischen Liebe* beruhte.

Die udritische Liebe drückt in der arabischen Dichtung eine keusche, „reine" Liebe aus, durch die der Liebende zugleich Freude und Leid gegenüber der Geliebten erlebt, denn trotz der Begierde beabsichtigt er nicht sie zu besitzen oder geschlechtlichen Kontakt mit ihr zu pflegen. Als erste praktizierten die Mitglieder des arabischen Stammes der Banu Udra (9. Jh.) diese Art der Liebe – sie verlängerten die Begierde ins Endlose und verzichteten auf jegliche körperliche Berührung mit den von ihnen Geliebten. Ihre Dichtung thematisierte eine Liebe, die nichts anderes als ein schmerzhaftes Geheimnis war, das nicht gebrochen werden durfte und überhaupt jegliche Berührung scheute. Diesem Geheimnis sollte bis zum Tod mit leidenschaftlicher Hingabe gehuldigt werden. Der Dichter erklärte sich der von ihm Geliebten hörig und untergab sich ihr völlig. Die zwei berühmtesten Autoren arabischer Gedichte *udritischer Liebe* waren **Jamil ibn Ma'amar** († 710), der von seiner geliebten Butaina zutiefst angetan war, und **Qays ibn al-Mulawwah** (8. Jh.), der nach seiner geliebten Laila verrückt wurde, die mit einem anderen Mann verheiratet war, weshalb er den Beinamen *Majnun*, „der Wahnsinnige" erhielt. Doch die meisten Gedanken und Theorien zu dieser Form der Liebesbeziehung kam vom Philosophen, Theologen, Historiker, Erzähler und Dichter **Ibn Hazm von Córdoba** (994-1064). Sein berühmtestes Werk ist *Tawq al-hamama*, „Das Halsband der Taube", eine 1023 in Xàtiva bei Valencia verfasste Abhandlung über die Liebe, wo er sich unter Einbeziehung einer langen Reihe ausgereifter Liebesgedichte mit den Grundlagen des Liebesgefühls eingehend auseinandersetzte.

Als Spiegel von al-Andalus griff Okzitanien diese Auslegung der Liebe auf, aus der die *höfische Liebe*, eine ebenfalls platonische und mystische Liebesauffassung entstand, die über zahlreiche Gemeinsamkeiten mit der *udritischen Liebe* aus der arabischen Dichtung erklärt werden kann. Dazu gehört die völlige Unterwerfung des Liebenden seiner Dame (durch direkte Umsetzung des Lehensverhältnisse, in denen sich der Vasall seinem Herrn unterwarf); die körperlich wie moralisch vollkommene Geliebte bleibt stets distant, was ihr all das Lob einbringt; mittels Umsetzung des Liebesgefühls auf die religiöse Gedankenwelt ist jenes eine Art seliger Zustand, den der, ehrt, der ihn ausübt; die Liebenden sind in jedem Fall adlig; der Liebende fasst die Liebe als Aufstieg bzw. Fortschritt innerhalb einer Skala von Liebeszuständen auf, die vom Flehenden oder *Fenhedor* bis zum *Drutz* oder vollkommenen Liebeszustand reichen. Erst wenn dieser letzte Liebesgrad erreicht ist, darf hin und wieder darauf gehofft werden, ihn mit einer fleischlichen Belohnung zu krönen, doch da die Beziehung dadurch ehebrecherisch wird, verschleiert der Liebende den Namen seiner Geliebten hinter einem Pseudonym oder *Senhal*. Die Auffassung der höfischen Liebe der okzitanischen Trobadors als Spiegelbild der in der arabischen Dichtung gepflegten Liebe übte einen großen Einfluss auf die spätere abendländische Literatur aus, insbesondere auf große Namen wie **Dante** (1265-1324) mit seiner idealisierten Beatrice und **Petrarca** (1304-1374) mit seiner geliebten Laura sowie auch auf die katalanische Literatur, wie es die Liebesdichtung des letzten großen katalanischen Trobadors, dem Valencianer **Ausiàs March** (1400-1459) beweist.

Die Einführung dieser Liebesauffassung aus der arabischen Welt und ihre Umsetzung in ein literarisches Modell, das auch in christlichen Landen erfolgreich wurde, ist ein eindeutiger Beweis für die Durchlässigkeit der Pyrenäengrenze und das Wesen der okzitanischen Nation, wo alle Art Einflüsse aufeinander trafen und im Mittelalter einzigartige gesellschaftliche Verhaltensmuster wie die intellektuelle Öffnung und religiöse Toleranz eingeführt wurden. Vielleicht sind es diese okzitanischen Wesenszüge, die Graf **Raimund IV. von Toulouse** dazu brachten, beim Ersten Kreuzzug, genauer beim Endsturm auf das belagerte Jerusalem am 15. Juli 1099, mit äußerster Umsicht gegenüber den moslemischen Befehlshabern zu handeln, die die Stadt gegen das Kreuzfahrerheer verteidigten. Angesichts des unmittelbaren Falls Jerusalems verhandelte der fatimidische Statthalter **Iftikhar ad-Dawla** in ritterlich-diplomatischer Manier mit Raimund von Toulouse die Übergabe, wonach dieser dem arabischen Führer und seinem Gefolge das Verlassen der Stadt erlaubte. Damit entgingen sie dem Massaker, das die von den anderen christlichen Rittern angeführten Soldaten an der gesamten moslemischen und jüdischen Bevölkerung Jerusalems anrichteten. Der Chronist Raimund von Aguilers, der den Grafen von Toulouse auf seinem Feldzug nach Palästina begleitete, hinterließ eine schriftliche Urkunde der Eroberung von Jerusalem im Ersten Kreuzzug in Form seiner *Historia Francorum qui ceperunt Hierusalem*, wo er eindeutig zwischen *Provenzalen* und *Francigeni* unterschiedete, wobei es sich bei ersteren um die okzitanischen Soldaten, bei letzteren um alle anderen Kreuzritter aus Nordfrankreich und Deutschland handelte. Der arabische Historiker Ibn al-Athir (1160-1233) berichtet von der Kapitulation und Rettung von Iftikhar und dem arabischen Heer, wobei er die europäischen Kreuzfahrer als Franken bezeichnet, trifft dabei aber eine Unterscheidung zwischen beiden Gruppen, indem er die französischen und deutschen Kreuzritter „*die anderen Franken*" nennt und den Verdienst und die Ritterlichkeit der Okzitanier anerkennt: „*Die Franken vereinbarten, sie am Leben zu lassen und ließen sie unter Einhaltung ihres Ehrenwortes des Nachts nach Askalon ziehen, wo sie sich niederließen. Dagegen metzelten die anderen Franken über zehntausend Menschen in der al-Aqsa-Moschee nieder.*" Nach allen anderen Berichten, die das rücksichtslose, blutrünstige Vorgehen der Kreuzfahrer darstellen, wurde die tolerante und nachsichtige Haltung Raimunds von Toulouse gegenüber den moslemischen Besiegten von seinen Zeitgenossen stark kritisiert.

## Okzitanien: Zufluchtsort von Sepharad

Die Kraft, die die Kultur von al-Andalus ausstrahlte, führte auf der Iberischen Halbinsel zu einer ebenfalls beeindruckenden Blüte der jüdischen Literatur. Die Juden in al-Andalus wurden zu einem Schlüsselelement bei der Vermittlung des Wissens hellenischen Ursprungs – damals in arabischer Hand – im mittelalterlichen Europa, da sie als Bindeglied zwischen Islam und Christentum in Einrichtungen wie der berühmten Übersetzerschule in Toledo auftraten, wo sie viele zuvor aus dem Altgriechischen und Syrischen ins Arabische übersetzte Werke ins Lateinische und Hebräische übertrugen. Da sie auch in der arabischen Kultur bewandert waren, betätigten sich die Juden auch auf Gebieten wie Sprachwissenschaft, Rhetorik und Dichtung und pflegten später Disziplinen wir Naturwissenschaften und Philosophie, wodurch sie nebenbei das Hebräische als literarische und wissenschaftliche Hochsprache wiederbelebten. Somit waren die Araber in al-Andalus die Lehrer der Juden, wie es sonst im Morgen- und Abendland nirgendwo der Fall war.

Doch der Aufstieg der Almohaden auf der Iberischen Halbinsel im zweiten Drittel des 12. Jahrhunderts setzte dem so genannten goldenen Zeitalter der jüdischen Kultur in al-Andalus ein Ende. Wegen ihrer Intoleranz gegenüber Nichtmoslems flüchteten damals viele Juden nach Nordafrika, in die christlichen Reiche Kastilien, Aragonien und Katalonien sowie in okzitanische Gebiete. Die jüdischen Gemeinden in Katalonien und Okzitanien nahmen ganze arabischsprachige Familien auf, die Träger einer großartigen Kultur waren, zu denen Philosophie, Naturwissenschaften, Geschichte, Literatur, Grammatik und andere Wissensbereiche gehörten, die den nicht arabischsprachigen Juden bis dahin unbekannt waren, da sie sich nach althergebrachter Manier ausschließlich mit den Schriften und dem Talmud auseinandersetzten. Die Begegnung dieser beiden Welten führte zu einem großartigen Austausch – die Neuankömmlinge teilten gerne die Schätze ihrer reichhaltigen Kultur mit ihren Gastgebern, und diese interessierten sich plötzlich für all diese Fachgebiete und waren bereit, das neue Wissen aufzunehmen. In diesem Bestreben schloss sich ein Teil der damaligen intellektuellen Elite in mehreren Städten in Bruderschaften zusammen, um sich nicht nur dem Studium der Religion, sondern auch den weltlichen Wissenschaften, insbesondere der Philosophie zu widmen, die für die Flüchtlinge aus al-Andalus zum wahren Erlernen der Grundlagen der Religion von vorrangiger Bedeutung waren. Mit dem Ziel, ihren intellektuellen Horizont zu erweitern, übersetzten einige jüdische Gelehrte verschiedene, sowohl religiöse als auch wissenschaftliche Werke ins Hebräische, die andere jüdische Gelehrte auf Arabisch verfasst hatten. Von den Städten, wo diese Tätigkeit stattfand, spielte Lunel bei Montpellier im Languedoc eine besondere Rolle.

Ein beträchtlicher Teil dieser Übersetzungen auf dem Gebiet der Philosophie und der Naturwissenschaften geht auf die Angehörigen einer jüdisch-okzitanischen Familie zurück, die aus dem Übersetzen ein von Vater zu Sohn übertragenes Handwerk machte – die berühmten Tibboniden. Deren bekanntester Vertreter ist **Samuel ibn Tibbon** (1150-1230), dessen Ruf auf seiner Übersetzung aus dem Arabischen ins Hebräische des *Führers der Unschlüssigen*, dem berühmten Werk des großen jüdischen Philosophen und Rechtsgelehrten **Maimonides** (1135-1204) begründet ist. Dieses Buch versuchte, die Zweifel der jüdischen Gelehrten zu lösen, die sich mit Logik, Mathematik, Naturwissenschaften und Metaphysik auseinandersetzten und nicht in der Lage waren, die Tora mit den Grundsätzen der menschlichen Vernunft zu vereinbaren. Das Hauptziel des *Führers der Unschlüssigen* war es, ausgehend von einer übertragenen bzw. darstellenden Auslegung einiger biblischer Texte diese Verwirrung aus dem Weg zu räumen. Doch anstatt den Weg zu ebnen, löste Maimonides' Methode zur Auslegung des Glaubens einen philosophischen Streit aus, der das intellektuelle Leben der jüdischen Gemeinden im 13. und 14. Jahrhundert insbesondere in Katalonien und Okzitanien erschütterte. Der Maimonides-Streit hatte schwerwiegende und unvorhersehbare Folgen wie die faktische Spaltung der Gemeinden in zwei Parteien, die sich sogar gesellschaftlich und politisch bekämpften. Maimonides' Gegner griffen unmissverständlich dessen intellektuellen Ansatz an, den sie als unverschämte Unterwanderung des Judentums durch die hellenische Kultur betrachteten, die die heiligen Schwellen der jüdischen Heime und Schulen unbeschadet überschritt und so ihren althergebrachten Glauben gefährdete. So zögerten die konservativen Talmudgelehrten nicht, ihre Stimme gegen zahlreiche Theorien von Maimonides zu erheben und sie unverhohlen als ketzerisch abzustempeln.

Neben der traditionellen Talmudströmung, die sich gegen die rationalistische Bewegung der Anhänger Maimonides' richtete, entwickelte das okzitanisch-katalanische Judentum im 13. Jahrhundert eine Reihe esoterischer, theosophischer und mystischer Ausrichtungen – die **Kabbala**. Ausgehend von der Verflechtung alter jüdischer gnostischer Strömungen und philosophischer Gedanken neuplatonischer Prägung reihte sie sich schnell in die antirationalistische Bewegung ein, schienen doch Maimonides' Anhänger die Vernunft vor den Glauben zu stellen. Für die Kabbalisten waren die Methoden der kalten aristotelischen Logik für das Ausdrücken der Gefühle und Emotionen ihrer mystisch-religiösen Impulse ungeeignet. Während die Rationalisten anstrebten, Gott über die Prüfung und Betrachtung natürlicher Phänomene zu erfahren, ging in der kabbalistischen Mystik dieser Ansatz von den Namen und Mächten der Gottheit aus, die sich in den zehn Sphären oder *Sefirot*, dem hebräischen Alphabet und ins Ziffern offenbarten, die auch die Buchstaben darstellten.

Die esoterisch-theosophische Lehre der Kabbala entstand in Okzitanien und drehte sich hauptsächlich um den mysteriösen Gehalt mehrerer Gedankenströmungen sowie zweier Hauptwerke, das **Buch der Schöpfung** und das **Buch der Helle**. Ersteres ist eine alte, im 3. und 4. Jahrhundert in Palästina verfasste theoretische Abhandlung über Kosmologie und Kosmogonie, die als meditativer, rätselhafter Text allein für die Eingeweihten dient, wo die göttlichen Ausstrahlungen oder *Sefirot*, die Macht der Buchstaben des hebräischen Alphabets und ihre astrologische Entsprechung behandelt werden. Dabei wird die Macht und Bedeutung dreier Buchstaben betont – *Aleph*, *Mem* und *Schin*, die jeweils Erde, Wasser und Himmel, die Elemente der materiellen Welt, oder auch die drei Jahrestemperaturen (Hitze, Kälte, Wärme) oder sogar die drei Teile des menschlichen Körpers (Kopf, Rumpf, Bauch) darstellen. Das *Buch der Schöpfung* wurde von den okzitanischen und katalanischen Kabbalisten eingehend studiert, und es sind unzählige Kommentare darüber erhalten geblieben. Dagegen entstand das *Buch der Helle* später; es wird angenommen, dass es gegen 1176 in Deutschland oder gar direkt in Okzitanien geschrieben wurde. In dieser Abhandlung sind zahlreiche gnostische Elemente enthalten, darin werden auch die zehn *Sefirot*, die ersten Verse der Genesis und die mystischen Seiten des hebräischen Alphabets, die 32 von den Buchstaben vorgegebenen Wege der Weisheit behandelt, und weiters ist auch von der Seelenwanderung oder *Gilgul* die Rede. Diese zwei Werke stellten das Hauptkorpus, aus dem die ersten Kabbalisten schöpften, um ihre Lehren und Grundsätze zu bilden, aus denen sie den verborgenen Sinn des biblischen Textes entnahmen und dann die Einheit mit Gott über die *Sefirot* und die himmlische Essenz anstrebten.

Nach einigen rabbinischen Quellen offenbarte um 1200 – als Okzitanien unter politischer Obhut des Grafen von Barcelona stand – der Prophet Elia einer Gruppe okzitanischer Lehrer und Rabbis eine Reihe Geheimnisse und esoterischer Lehren, die uns unter der Bezeichnung *Kabbala*, wörtlich „Tradition" geläufig sind. Elia offenbarte sie dem Rabbi **David Narboni**, später seinem Sohn, dem Rabbi **Abraham ben David von Posquières** sowie dessen Sohn, dem berühmten Rabbi **Isaak ben Abraham**, der als **Isaak der Blinde** († 1235) bekannter ist und „Vater der Kabbala" genannt wird, nicht weil er als erster diese Lehre aufnahm, sondern weil er der brillanteste unter deren ersten Vertretern war. Die theosophischen Gedanken dieser Rabbis aus Narbonne erreichten bald Girona über **Asser ben David**, einem Neffen von Isaak dem Blinden, wo sie den richtigen Rahmen für ihre Entwicklung und die Annahme eigener Wesenszüge in Katalonien und später in Kastilien fanden, wo schließlich das dritte große Buch der mittelalterlichen Kabbala, der berühmte *Zohar* entstand.

Über die zeitliche und geographische Übereinstimmung des Aufblühens der Kabbala in Okzitanien ausgerechnet zu jener Zeit, als sich der Katharismus ebenda verbreitete, wurde viel spekuliert. Wie der große Gelehrte der Kabbala Gershom Scholem besagt, dürften die okzitanischen Kabbalisten einige Gedanken der alten jüdischen Gnostik wiederbelebt haben, die bis dahin sehr im Verborgenen erhalten blieben, doch am einleuchtendsten erscheint es, dass angesichts der Verbreitung der Gedanken und des Glaubens der Katharer in ganz Okzitanien einige ihrer Vorstellungen – Dualismus, Wiederauferstehung, religiöse Disziplin der Anhänger, Bestreben nach Entkommen aus dieser sichtbaren, natürlichen Welt in himmlische Sphären und zur Essenz des Göttlichen – dazu beitrugen, der Lehre der Kabbala ihre endgültige Form zu verleihen. Schließlich predigten die Katharer ja gegen die Korruption des Klerus, seine gesellschaftlichen Privilegien und die Lehrsätze der katholischen Kirche, womit sie Rom offen den Kampf ansagten. Dieser deutliche Konfrontationskurs zur Kirche weckte sicherlich Sympathie und Solidarität unter den Juden, und obwohl die Katharer glaubten, dass die Offenbarung des Neuen Testaments die des Alten Testaments und der Tora vollständig aufhob, hinderte sie ihr grundsätzlicher Antisemitismus nicht daran, Beziehungen zu den Juden zu pflegen und allerlei Gedanken mit den jüdischen Gemeinden auszutauschen, die ebenfalls Widersacher des Katholizismus waren, von dem sie damals rastlos angeschwärzt und verfolgt wurden. In seinem *Adversus Albigenses* wirft Luc de Tuy, ein französischer katholischer Polemiker aus dem 13. Jahrhundert, den Katharern ihre engen Beziehungen zu den Juden vor, und es ist unvorstellbar, dass diese sie weder kannten noch von der großen religiösen und politischen Agitation wussten, die durch die Verbreitung des Katharismus in Okzitanien und den brutalen Kreuzzug ausgelöst wurde, den Papst Innozenz III. und König Philipp II. August von Frankreich zu dessen Unterdrückung anführten. Wie dem auch sei, liegt es auf der Hand, dass eindeutige Berührungspunkte zwischen dem Katharismus und der jüdischen Kabbala vorliegen. Der große Unterschied ist jedoch darin zu finden, dass während die katholischen Kreuzritter und Inquisitoren ersteren gänzlich vernichteten, das Judentum, das über das gesamte Mittelalter einem ähnlichen Bedrängnis ausgesetzt war, letztlich doch überlebte – umso mehr die Kabbala, die sich auf einen engen, geschlossenen Kreis reduzierte, dessen Angehörige niemals seine Ausbreitung suchten, sondern dem Satz des Talmud stets treu blieben: „*Ein Wort ist eine Münze wert, Schweigen zwei.*"

**MANUEL FORCANO**

Doktor der Semitischen Philologie an der Universität Barcelona

Übersetzung: Gilbert Bofill i Ball

# Die Katharer in der okzitanischen Gesellschaft (12.-13. Jh.)

Vor der großen Repression und Gleichschaltung im 13. Jahrhundert galten die Katharer in Okzitanien über Generationen nicht als Ketzer. Sie waren lediglich Geistliche, die in den Augen des christlichen Volkes dem Weg der Apostel beispielhaft folgten und die höchste Macht über das Seelenheil innehatten. Die Häresie ist nämlich kein objektiver Zustand, sondern ein Werturteil, ja gar eine Verurteilung, die aus einer vereinheitlichenden Macht hervorgeht, wo Religion mit Politik vermischt wird. In Okzitanien waren weder Grafen noch Landesherren, ja nicht einmal kirchliche Würdenträger oder einheimische Priester die Handlanger der päpstlichen Gewalt in Rom, die die Katharer der Ketzerei beschuldigte – auch lag ihnen nicht daran. Nicht einmal das Wort „Katharer" war hier geläufig. Überhaupt ist es wahrscheinlich, dass die meisten okzitanischen Katharer niemals wussten, dass sie eben „Katharer" waren. Sie nannten sich einfach Christen, ihre Gläubigen nannten sie respektvoll gute Christen oder gute Menschen. Es handelte sich um Geistliche, die einem archaischen christlichen Ritus, der Rettung durch Geisttaufe und Handauflegen folgten und das Evangelium nach einer Form der Exegese predigten, die alte gnostische Bestrebungen nach dem Reich Gottes, das nicht von dieser Welt ist – das *vergessene Reich* – mit moderner Kritik an den abergläubischen Kultformen der römischen Kirche vereinte und so Hoffnung auf universale Rettung schöpfen ließ, die dieser Glaubensrichtung großen Zulauf brachte. In den okzitanischen Städten wurden die Katharer oft von den Priestern als Schwestern und Brüder betrachtet, während Adlige ihren Predigten voller Eifer zuhörten.

Dennoch gehörten sie einer dissidenten Glaubensbewegung an, die vom gregorianischen Papsttum von der Christenheit verbannt und an den historischen Aufzeichnungen ihrer Repression im 12. und 13. Jahrhundert, die überall in Europa im allgemeinen auf dem Scheiterhaufen endete, festgemacht wurde. Unter dem Deckmantel verschiedener anklagender Bezeichnungen, die von der Kirche erfunden wurden – Katharer, Patariner, Publikaner, Manichäer, Arianer, Piphler, Bogomilen, Albigenser usw. – ist eine Verwandtschaft zwischen den meisten dieser als Ketzer verurteilten Gruppen sichtbar, die auf ihre Organisation in Form bischöflicher Kirchen zurückgeht. Ferner hielten sie alle an der wahren Abstammung von den Aposteln, der spiritualistischen Auffassung der Person Christi, der dualistischen biblischen Exegese, vor allem aber der Einheit ihres Rituals fest. Die Anhänger dieses breiten, schwammigen Kontinuums, das von Flandern und dem Rhein über die Champagne und Burgund bis Italien, Bosnien und Okzitanien erkennbar ist, werden hier der Einfachheit halber „Katharer" genannt.

Unter den dissidenten christlichen Gemeinden sind die der guten Menschen in Südeuropa, Italiener und vor allem Okzitanier, am Bekanntesten. Im Gegensatz zu ihren Brüdern aus dem Norden, die im Untergrund blieben und nur aus negativer Sichtweise belegt sind, gediehen sie in einem friedlichen Umfeld, das es ihnen ermöglichte, in der Gesellschaft Fuß zu fassen. Zu ihrem religiösen Wesen sind mehrere aufschlussreiche handgeschriebene Originalwerke erhalten geblieben, drei Rituale und zwei Abhandlungen auf Lateinisch und Okzitanisch. Die systematische Verfolgung, der sie über das gesamte 13. Jahrhundert ausgesetzt waren – Albigenserkreuzzug, Eroberung der okzitanischen Grafschaften durch das Königreich Frankreich und später Inquisition – brachte auch eine unermessliche Menge an Urkunden, Berichten und vor allem Gerichtsakten hervor, die uns einen direkten Zugang zum Alltag einer *ketzerischen* Gesellschaft verschaffen. Somit haben wir die Möglichkeit, uns auf eine dankbare Reise in das katharische Okzitanien zu begeben.

## Die katharischen Kirchen in Okzitanien

„Zu jener Zeit hielten die Ketzer ihre Häuser öffentlich im *Castrum*." Die Aufzeichnungen der Inquisition, die mögliche Hinweise auf das frühe 13. Jahrhundert, also die Zeit vor der Repression enthalten, berichten von zahllosen guten Menschen, deren Gemeindehäuser in den befestigten Städten der Lehnsgebiete von Toulouse, Foix, Albi und Carcassonne standen. In aktiven, bevölkerungsreichen Städten wie Fanjeaux, Laurac, Cabaret, Le Mas Saintes Puelles, Puylaurens, Lautrec, Caraman, Lanta, Mirepoix, Rabastens usw. begeisterten sich allen voran die Adelsgeschlechter für ihre Predigten – so wurde aus mancher Gräfin von Foix eine gute Frau. Es handelte sich um einen christlichen Orden, der von Rom unabhängig war. Zwischen dem Languedoc, dem Agenais und den Pyrenäen entstanden fünf katharische Kirchen bzw. Bistümer, die unter der Gewalt wahrer Bischofshierarchien standen. Dieser Aufbau der Gemeinden ausgehend von geweihten Bischöfen nach dem Vorbild der frühchristlichen Kirchen ist überhaupt eines der Hauptmerkmale der Katharerbewegung, die sich die wahre Kirche Christi und der Apostel nannte. In den Ritualen der okzitanischen guten Menschen wird dies *Ordenament de sancta Gleisa* (Ordnung der heiligen Kirche) genannt. Die Existenz dissidenter Bischöfe wird in den Quellen bereits im zweiten Drittel des 12. Jahrhunderts erwähnt, zunächst im Rheinland, nämlich im Erzbistum Köln und im Bistum Lüttich.

Die italienischen und okzitanischen Katharerpriester sind erst in der folgenden Generation belegt, obwohl in den Städten zwischen Albi und Toulouse bereits ab 1145 dissidente Gemeinden auftraten – so wird 1165 ein Bischof der guten Menschen im Albigeois erwähnt. 1167 trafen in Saint-Félix en Lauragais an der Grenze zwischen der Grafschaft Toulouse und den Vizegrafschaften Albi und Carcassonne vier in deutlichem Aufschwung begriffene südliche Katharerkirchen mit ihren Bischöfen bzw. Kirchenräten und Gemeinden zu einem Konzil zusammen. Es waren die Kirchen aus dem Toulousain, dem Albigeois, dem Carcassès und sicherlich dem Agenais, wo ein katharischer Bischof im 13. Jahrhundert belegt ist, obwohl im Text von „Aranais", also dem Arantal die Rede ist. Dort wurden Gesandtschaften der Schwesterkirchen in Frankreich (Champagne, Burgund) und der Lombardei unter dem Vorsitz eines bogomilischen Würdenträgers namens Niketas empfangen, der höchstwahrscheinlich Bischof von Konstantinopel war. In ihm soll keineswegs ein Papst oder Gegenpapst der Ketzer zu deuten sein; ganz im Gegenteil, unter den lateinischen Kirchen der guten Menschen predigte er das brüderliche, jedoch eigenständige Miteinander. Somit wurden die vier okzitanischen Kirchen geographisch wie wahre Bistümer eingegrenzt.

Die rheinländischen Kirchen, die von der Versammlung in Saint-Félix abwesend waren, scheinen recht schnell unter die Räder einer intensiven Repression geraten zu sein, die ihre Bischöfe nach 1160 auf den Scheiterhaufen brachte. Die lombardische Kirche splittete sich noch im 12. Jahrhundert in sechs getrennte Bistümer auf, die in den italienischen Städten von der langzeitigen Unterstützung durch die Waiblinger, die für den Kaiser eintraten, gegen die Welfen als Befürworter des Papstes – und somit auch der Inquisition – genossen. Nach rastloser Verfolgung überlebte die Kirche der Franzosen im italienischen Exil, bis sie sich im späten 13. Jahrhundert auflöste. Gegen 1200 fanden zwei Domherren aus Nevers, die auch katharische Würdenträger waren, bei ihren Brüdern im Carcassès Zuflucht, um der Verbrennung in Burgund zu entkommen. Während das christliche Europa unter dem Druck des Papstes und des Zisterzienserordens zu den Waffen gegen die Ketzer griff, waren die okzitanischen Gebiete wie die Grafschaften Toulouse und Foix sowie die Vizegrafschaften Carcassonne, Béziers, Albi und Limoux unter dem Herrschergeschlecht der Trencavel ein Zufluchtsort für die Dissidenten. Dort genossen ihre Kirchen einen fast institutionellen Status, und nicht einmal der „Albigenserkreuzzug" ab 1209 schaffte es trotz kollektiver Verbrennungen, ihre Lebendigkeit zu brechen. Zu den vier im 12. Jahrhundert eingerichteten Kirchen gesellte sich gegen 1225 eine fünfte im Razès hinzu. Erst nach der Einverleibung von Carcassonne und Albi in das Königreich Frankreich und der Unterwerfung der Grafschaft Toulouse ab 1229 wurden die katharischen Kirchen in den Untergrund gedrängt, aus dem sie mittels Drosselung durch die Inquisition und trotz des heldenhaften Widerstands ihrer Gläubigen durch fast ein Jahrhundert der Verfolgung nie wieder hervortraten.

## Volksnahes Christentum

Warum setzte sich der Glaube in Okzitanien besser als sonst wo durch? Warum wurden fünf Bistümer der guten Menschen zwischen Agenais, Quercy, Pyrenäen und Mittelmeer eingerichtet? So erkennbar die Ursachen auch sein mögen, sind sie doch vielschichtig – kulturell, gesellschaftlich wie politisch. Die anpassungsfähige, offene, eigenständige Struktur der katharischen Kirchen passte sich den politischen Gegebenheiten der verschiedenen okzitanischen Gebiete gut an, die weniger streng hierarchisch gegliedert als das fränkische Lehnswesen waren und von einem offeneren, toleranteren Adel beherrscht wurden. Die Aussagen vor der Inquisition weisen darauf hin, dass ab dem Ende des 12. Jahrhunderts zumeist der Adel selbst, allen voran die Damen, mit gutem Beispiel voranging und sich in den Rängen der *guten Christen* für den Glauben einsetzte. Dieses Beispiel wurde mit Eifer von Bürgern und Handwerkern im *Castrum*, der landesherrlichen Stadt, sowie von der Landbevölkerung befolgt. Im übrigen rief der Widerstand großer Teile des südlichen Klerus gegen die Gleichschaltung durch die gregorianische Reform die uneingebremste Entstehung zugleich archaisierender und kritischer christlicher Glaubensströmungen hervor. Die Katharer waren keineswegs Ortsfremde, sondern Einheimische, die alle gemeinschaftlichen und emotionalen Bande aufrecht erhielten.

Die Archive der Inquisition ermöglichen eine rückblickende Erkundung der Innerlichkeiten dieser fast gewöhnlichen christlichen, in ihren befestigten Städten zahlreich vertretenen Gesellschaft. Für diese mittelalterlichen Bewohner handelte es sich bei den Gemeinden guter Menschen, die unter ihnen lebten und von ihnen verehrt wurden, ganz einfach um „gute Christen, die die höchste Macht über die Rettung der Seele innehatten". Den Begriff *Ketzer* oder *Katharer* nahm damals lediglich der eine oder andere von Rom entsandte Legat oder Zisterzienserabt so nebenbei in den Mund. Ziemlich oft kam es sogar vor, dass der örtliche Pfarrer mit diesen dem Papst abgeneigten Geistlichen brüderlich verkehrte, von denen die meisten von ortsansässigen Familien abstammten. Zahlreiche Adelsgeschlechter teilten ihre Kinder auf beide Kirchen auf. Das gewiss beste Beispiel christlicher Ökumene in dieser Gesellschaft stammt 1208 vom katholischen Bischof von Carcassonne, Bernat Raimond de Roquefort. Er war Mitglied eines großen Geschlechts aus der Montagne Noire, das lange Zeit der französischen Eroberung standhielt; seine Mutter und drei Brüder waren gute Menschen, von denen einer, Arnaut Raimond de Durfort, 1244 auf dem Scheiterhaufen von Montségur den Tod fand. Erst die Einführung der systematischen Repression zwang einen jeden in ein Lager im Rahmen des eigenen Dorfs und der eigenen Familie. In dieser Hinsicht tragen die Aufzeichnungen der Inquisition dem Aufbrechen der Solidaritätsverhältnisse innerhalb einer ganzen Gesellschaft auf tragische Weise Rechnung.

Während der Zeit des „katharischen Friedens" in den okzitanischen Herrschaftsgebieten lebten die katharischen Geistlichen inmitten des christlichen Volkes, fern jeglicher kontemplativer Isolierung in von der Welt abgeschnittenen Klöstern. Somit griffen sie mindestens eine Generation im Voraus der Praxis des „Klosters in der Stadt" vor, die den Erfolg der Bettlerorden wie Dominikaner und Franziskaner ausmachte. Die guten Menschen, die in ständigem Kontakt zur Bevölkerung der Städte, ihren „Gläubigen" standen, bildeten den Sockel des katharischen Kirchensystems. Sie schlossen sich zu religiösen Gemeinden im eigentlichen Sinne zusammen und führten ein Leben „für Gott und das Evangelium", wobei sie oft die Merkmale eines regulären und weltlichen Klerus aufwiesen. Wie die Mönche und Nonnen legten sie alle ein Armuts-, Keuschheits- und Gehorsamsgelübde ab und führten ihr Gemeinschaftsleben in strenger monastischer Askese, indem sie den Vorschriften des Evangeliums bzw. dem „Weg der Gerechtigkeit und Wahrheit des Apostel" folgten. Der Sünde – Lüge, Betrug, Mord selbst an Tieren, sachliche und fleischliche Lust – schwörten sie ab. Jeden Monat kam ein Diakon ihrer

Kirche und verabreichte ihnen die kollektive Schuld des *Aparelhament*. Dennoch unterschieden sich die katharischen von den traditionellen Klostergemeinden in zwei wesentlichen Punkten. Zunächst bestanden sie hauptsächlich nicht aus jungfräulichen geweihten Mitgliedern, sondern aus sozialisierten Menschen, die bereits eine „Lebenserfahrung" hatten: Witwen, Witwer und an ihrem Lebensabend getrennte Paare auf der Suche nach dem Seelenheil, um in Ruhe zu sterben. Zudem war im Gegensatz zu den großen katholischen Klöstern, selbst jener der Bettlerorden, die Klausur in den katharischen Gemeindehäusern fremd. Die guten Menschen kehrten dort ein und aus, blieben unter ihrer Familie und nahmen am Stadtleben teil.

Diese Religionshäuser übten eine bedeutende gesellschaftliche Rolle aus. In den Gassen der *Castra* waren sie zahlreich (angeblich fünfzig Häuser in Mirepoix und hundert in Villemur) und waren offenbar kleine Einrichtungen, wo zumeist höchstens zehn gute Männer unter der Leitung eines Ältesten bzw. gute Frauen unter der Führung einer Oberin untergebracht waren. Dort führten die Geistlichen ihr gemeinschaftliches Leben, sagten ihre rituellen Gebete auf und hielten ihre Enthaltsamkeit (ganzjährige Magerkost mit drei Fastenzeiten sowie nur Brot und Wasser alle zwei Tage) ein. Doch sie taten es vor den Augen des christlichen Volkes. Da sie zur apostolischen Arbeit berufen waren und Berufe ausübten, nahmen ihre Häuser oft das Aussehen von Handwerkstätten an. Auch waren sie Hospizien, bevor der Begriff als solcher geläufig war, da dort für Verpflegung gesorgt wurde und Kranke und Notleidende Aufnahme fanden. Einige Häuser waren der Ausbildung von Novizen gewidmet, manchmal dienten sie auch als Schule. Die Geistlichen empfingen dort auch Besucher sowie Gläubige, Nachbarn, Freunde und Verwandte, denen sie das Wort Gottes wie Laienpriester predigten – auch die guten Frauen. Ohne sich von ihren Nächsten oder der Gesellschaft abzuschotten, gingen sie durch ihre Treue nach dem Vorbild der Apostel und der Botschaft des Evangeliums mit gutem Beispiel voran. Unermüdlich ermahnten sie zum Guten, indem sie allen das *Entendensa del Be*, das Verständnis des Guten verabreichten.

Diese intensive Predigt unter dem Christenvolk, die auf Übersetzungen der Heiligen Schrift in romanischer Sprache beruhten, machte die Stärke der dissidenten Kirche aus. Während sich in der Zeit der freien Religionsausübung die Glaubensgemeinschaften eher der Anwendung der Lehre des Evangeliums widmeten, behielt sich die bischöfliche Hierarchie das eigentliche Priesteramt vor. Im allgemeinen waren es die Bischöfe und Diakone, die am Sonntag und zu Kirchenfesten (Weihnachten, Karwoche, Ostern, Pfingsten usw.) feierliche Predigten zum Evangelium hielten. Sie weihten die Novizen und trösteten die Sterbenden. Nur in Abwesenheit eines Bischofs oder Diakons durften gute Menschen, auch Frauen, das Heilssakrament erteilen. Nach dem Gang in den Untergrund war dies häufig der Fall. Als einfache gute Menschen lebten die Katharerbischöfe in einem Gemeindehaus in ihrem Amtsgebiet nach dem Wunsch des Volkes. So residierte der Bischof des Toulousain oft in Saint-Paul Cap de Joux und Lavaur, der des Carcassès in Cabaret und der des Albigeois in Lombers, bis die Repression durch die Inquisition ab 1233 die Bischöfe des Toulousain, Razès und vielleicht auch des Agenais zum Rückzug in das aufsässige *Castrum* Montségur sowie den Bischof des Albigeois nach Hautpoul zwang. Nichtsdestoweniger handelte es sich um große Persönlichkeiten, die sogar auf die Herrscherschicht einwirkten, um besonders eine Rolle als Schieds- und Friedensrichter zu spielen, verbot ihnen doch ihre christliche Ordnung die menschliche Gerechtigkeit und die Verurteilung zum Tod.

Die zugleich schlichte und sakral ausgerichtete Praxis dieser Kirche, die am Beispiel des großartigen Rituals des *Consolament* veranschaulicht wird, zeugt von einem archaischen Zustand der christlichen Liturgie. Alles war kollektiv und öffentlich. Beim Gottesdienst wurde der Friedenskuss ausgetauscht; zu Beginn jeder Mahlzeit segneten und teilten die guten Menschen das Brot – Symbol von Gottes Wort, das unter den Menschen zu verbreiten ist – zur Erinnerung an das letzte Abendmahl. Diese Kommunion ohne Transsubstantiation – das Brot bleibt Brot und wird nicht zum Fleisch Christi – ist in die Tradition des brüderlichen Mahls der ersten Christengemeinschaften einzureihen. Dabei handelt es sich um einen Ritus, der die Gläubigen an ihre Kirche bindet – ein Zeichen, das ihren Glauben bestimmt, früher oder später selber gute Christen zu werden und ihre Seele zu retten. Diese Hoffnung wurde weiters durch das *Melhorier* (Verbesserung), der dreifachen Bitte um Segnung zum Ausdruck gebracht, mittels derer die Gläubigen zufällig begegnete gute Menschen begrüßten.

## Eine ketzerische Gesellschaft?

Die Aufzeichnungen der Inquisition ermöglichen eine Annäherung an die menschliche Seite dieser im Alltag der okzitanischen Städte – und später in den Verstecken im Untergrund – sehr präsenten Kirche, jedoch gestaltet sich die Bestimmung ihres wahren Verbreitungsgrads weitaus schwieriger. Obwohl Urkunden in Hülle und Fülle vorliegen (Tausende Aussagen blieben erhalten, die die Namen Tausender guter Menschen und Gläubigen sowie von etwa dreißig Bischöfen und fünfzig Diakonen preisgaben), sind sie voller Leerstellen, wodurch jeder Versuch einer Hochrechnung der Verbreitung der Häresie zum Scheitern verurteilt ist. Auch stellte sich damals diese Frage gar nicht unter diesen Vorzeichen, da der katharische und der katholische Glaube allgemein als einander ergänzend und nicht entgegengesetzt galten. Dennoch sind dieser Urkundenmasse zwei eindeutige Tatsachen zu entnehmen, zunächst die überaus große soziale Verbreitung des Glaubens. Bei den Gottesdiensten der guten Menschen mischten sich die Herrscher unter der einheimischen Bevölkerung. In den Glaubenshäusern lebten einfache Bäuerinnen mit der alten Dame aus dem lokalen Herrschergeschlecht zusammen und ehemalige Ritter übten sich beim Weben. Der ungeheure Zulauf unter dem Adel wirft zwar für den Historiker von heute wie für die Päpste und Zisterzienser von gestern ein merkwürdiges Licht auf den okzitanischen Katharismus, doch wäre es falsch, dies als einfachen elitären Spleen abzutun. In den Archiven der Inquisition tritt eine gewöhnliche christliche Bevölkerung zum Vorschein, die unter Vermischung aller Gesellschaftsschichten den Glauben der guten Menschen ausübte.

Des weiteren ist die bedeutende Rolle der Frauen in der dissidenten Kirche überraschend. Nach den Zeugenaussagen war zur Zeit der freien Religionsausübung die Zahl und Funktion der guten Frauen jener ihrer männlicher Pendants praktisch gleich, obwohl keine Frau innerhalb der Oberschicht zu erkennen ist. Die zahlreichen Aussagen der Gläubigen gewähren einen oft rührenden Einblick in diese weibliche Pflichtausübung, die ausgehend von der Familie während eines ganzen Jahrhunderts systematischer Verfolgung dem Katharismus die Widerstandskraft eines mütterlichen Glaubens verlieh. Sogar die Inquisitoren im 14. Jahrhundert verfluchten den *Genus hereticum*, ein abwertender Ausdruck, der mit „ketzerische Gattung", wenn gar nicht „Ketzergen" übersetzt werden kann.

Indem die guten Menschen der okzitanischen katharischen Kirchen in den Städten als Büßergemeinschaften und Garanten des Heils auftraten, bildeten sie einen wirksamen, attraktiven volksnahen Klerus. Sie waren bis in ihre eigenen Familien präsent und aktiv und stellten eine tiefe Verankerung in Gesellschaft und Familie sicher, der die Verfolgung im 13. Jahrhundert nur schwer ein Ende setzte, selbst dann, als der Krieg die schützenden Herrschergeschlechter dahingerafft hatte.

**ANNE BRENON**
Übersetzung: Gilbert Bofill i Ball

# Die Trobadors im Lichte des Katharismus

Bei einer näheren Betrachtung der mittelalterlichen okzitanischen Kultur wird die weitgehende chronologische und geographische Übereinstimmung zwischen der Trobadordichtung und dem katharischen Glauben sofort ersichtlich. In einem Zeitraum, der sich mindestens von der Mitte des 12. bis zum Ende des 13. Jahrhunderts erstreckt, und auf einem Gebiet, das das westliche Languedoc mit einigen angrenzenden Gebieten wie das Quercy und das Périgord umfasst, entfalteten sich beide Bewegungen gemeinsam an den selben Höfen, in den selben Städten und Burgen. Allerdings ist diese Übereinstimmung nicht vollständig, da sich die Trobadordichtung über das gesamte Midi von der Gascogne bis zu den Alpen verbreitete und ihr Ursprung bereits auf das Ende des 11. Jahrhunderts zurückgeht (obwohl nach jüngsten ernstzunehmenden Thesen die Entstehung des Katharismus auf die ersten Jahrzehnte nach der Jahrtausendwende rückzudatieren ist). Dennoch tritt ein Gebiet wie das Carcassès auf der Schwelle vom 12. zum 13. Jahrhundert als ein fast wundersamer Begegnungsort zwischen dem *Trobar* und der katharischen Spiritualität in Erscheinung. So war das *Castrum* Fanjaux, das Peire Vidal in seiner Sirventes-Kanzone *Mos cors s'alegr'e s'esjau* als ein höfisches „Paradies" bezeichnet, auch eines der bedeutendsten Zentren der Häresie, wo der berühmte Guilhabert de Castres predigte und Esclarmonda, die Schwester des Grafen Raimon-Rogier de Foix von ihm das *Consolament* erhielt. Auch fehlen nicht Trobadors – wie Peire Rogier de Mirapeis, Raimon Jordan, Aimeric de Peguilhan u. a. – die sich zumindest vorübergehend dem heterodoxen Glauben anschlossen.

Spätestens im frühen 19. Jahrhundert führte dies einige Gelehrte zur Erforschung möglicher Einflüsse oder Beziehungen zwischen beiden Phänomenen. Auf der Grundlage früherer Studien von Gabriele Rossetti (insbesondere die fünf Bände von *Il mistero dell'amor platonico del Medio Evo*, London 1840) formulierte ein französischer Amateurhistoriker und Rosenkreuzer, Eugène Aroux, um die Jahrhundertmitte das Mythos der „geheimen Sprache" der Trobadors in seinem Werk *Les Mystères de la chevalerie et de l'amour platonique au moyen âge* (1858). Seiner These zufolge, die jeglichen seriösen Fundaments entbehrt, stand in der gesamten okzitanischen Minneproduktion die geliebte Frau für die Gemeinde oder Diözese, der Liebende für den „perfekten" Katharer und der eifersüchtige Ehemann für den katholischen Bischof oder Pfarrer; so weise die Einheit in der Ehe, die die Trobadors ablehnten, auf die Zugehörigkeit einer Gemeinschaft zum katholischen Glauben hin, während die – im höfischen Gesang gelobte – ehebrecherische Beziehung zwischen der Dame und dem *fin aman* den Überlauf der Gemeinde zum Glauben der Katharer oder „Albigenser" darstelle. Diese naive Auslegung, die die gesamte Minnedichtung der Trobadors auf eine kodierte Darstellung der Lehre und Geschichte der Häretiker reduzierte, wurde sofort von anderen gleichsam bizarren Schriftstellern wie Joséphin Péladan (*Le Secret des Troubadours*, 1906) und Otto Rahn (*Kreuzzug gegen den Gral*, 1933) übernommen, jedoch schnell von Historikern und Philologen als lächerlich abgetan. Dennoch wurde der Gedanke einer Beziehung, in welcher Form auch immer, zwischen der *fin'amor* und dem Katharismus nicht verworfen. Diese Überlegung bildet sogar den Kern des bedeutenden Werks von Denis de Rougemont, *L'Amour et l'Occident* (1939), in dem behauptet wird, dass einige Hauptthemen der Trobadors wie der „Tod" und das „Geheimnis" erst im Gegenvergleich mit der katharischen Lehre ihre gesamte Bedeutung erlangen. Nicht, dass die okzitanischen Dichter eigentliche „Gläubige" der häretischen Kirche gewesen seien, doch seiner Auffassung nach wurden sie vom religiösen Ambiente des Katharismus zumindest inspiriert. So sei die in ihren Gedichten besungene Frau die Seele, der spirituelle Teil des Menschen, der vom Leib gefangen gehalten wird und mit dem er erst nach dem Tod eins wird. Von diesen Gedanken sowie weiteren ähnlichen von Déodat Roché leitet sich auch die Auffassung einer „okzitanischen Inspiration" platonischer Prägung ab, die Simone Weil in einem berühmten Essay ausarbeitete, das 1942 in den „Cahiers du Sud" erschien.

Jedoch handelt es sich um rein subjektive Interpretationen, die aber in Bezug auf die Geschichte des zeitgenössischen Denkens interessant sind. Die Romanisten, die ab der Mitte des vergangenen Jahrhunderts diese Frage mit solideren Mitteln behandelten, dürften nicht nur das Fehlen jeglichen Beweises für die Verwendung einer kodierten Sprache durch die Trobadors, sondern auch die fast völlige Abwesenheit von Bezugnahmen auf die katharische Lehre in ihrer Minnedichtung festgestellt haben. Diese Abwesenheit ist bei jenen Dichtern umso bedeutsamer, deren Zugehörigkeit zur häretischen Kirche gewiss ist. In der gesamten mittelalterlichen Dichtung ist nur ein einziger Text zu finden, in denen einige katharischen Gedanken offen dargestellt werden. Sein Autor ist kein Okzitanier, sondern ein italienischer Dichter aus dem späten 13. Jahrhundert, Matteo Paterino, der in seiner Kanzone *Fonte di sapïenza nominato*, die an den berühmten Guittone d'Arezzo gerichtet ist und erst vor kurzem in einer kommentierten Fassung veröffentlicht wurde, der katholischen Lehre, zu der sich der Empfänger bekannte, die Theologie der zwei Prinzipien gegenüberstellt, die er in enger Anbindung an die Auffassung von Giovanni di Lugio und der häretischen Kirche von Desenzano darstellte. Eigentlich liegt auch ein okzitanischer poetischer Text vor, in dem die Grundgedanken des Katharismus zusammengefasst sind, doch handelt es sich dabei nicht um einen lyrischen Text, sondern um einen Disput zwischen einem Inquisitor, Isarn, und einem konvertierten katharischen „Perfekten", Sicart de Figueiras: die *Novas del heretge*. Obwohl Sicart eine in den Quellen der Inquisition durchaus belegte historische Figur ist und die historischen Ereignisse, auf die das Gedicht Bezug nimmt, größtenteils nachvollziehbar sind, bedient sich der Autor des Textes – wahrscheinlich Isarn selbst – einer höchst abwertenden Sprache, mit der er die katharische Lehre karikaturisiert. Auch das große Gedicht von *Paratge*, der zweite Teil der *Canso de la Crozada*, dessen Autor eindeutig für die Grafen von Toulouse gegen die französischen Kreuzritter und die Kirche Partei ergreift, weist nicht die geringste Spur der katharischen Theologie auf.

Bedeutet dies etwa, dass den Trobadors das große religiöse Phänomen ihrer Zeit völlig gleichgültig war und sie zur Tragödie schwiegen, die im 13. Jahrhundert über ihr eigenes Volk hereinbrach? Natürlich nicht. Die erwähnte *Canso de la Crozada*, in der die Ereignisse des Albigenserkreuzzugs von Kriegsbeginn (1209) bis zur dritten Belagerung von Toulouse durch die Kreuzritter (1218) dargestellt werden, ist ein beeindruckendes literarisches Zeugnis, das über ein einziges Manuskript glücklicherweise erhalten geblieben ist und aus zwei Teilen mit jeweils verschiedenen Verfassern besteht. Der erste, vom navarrischen Geistlichen Wilhelm von Tudela im Gefolge der Ereignisse verfasste Teil reicht bis zum Vorabend der katastrophalen Niederlage der Okzitanier bei Muret (1213). Wilhelm spricht sich dabei für den Kreuzzug aus, bringt aber auch respektvoll seine Bewunderung für die südlichen Herren zum Ausdruck, die seiner Meinung nach schuldlos in diesen gerechten Kampf gegen die Ketzer verwickelt wurden. Gleichzeitig beschreibt er mit außerordentlicher Wirksamkeit und Anteilnahme die Gräuel eines verheerenden Kriegs. Unter den Stellen im Gedicht, die sich unweigerlich ins Gedächtnis einprägen, befindet sich das wahllose Massaker an der Zivilbevölkerung in der Kathedrale von Béziers, wo die Bewohner der Stadt nach deren Einnahme durch die Kreuzfahrer Zuflucht gesucht hatten (1209), und die grausame Steinigung wegen Ketzerei von Girauda, Herrin von Lavaur, ebenfalls nach der Eroberung der Stadt (1211). Der zweite, anonyme Teil der *Canso* – sein Verfasser will vor kurzem mit dem Trobador Gui de Cavaillon identifiziert worden sein – der gegen 1228-29 vor dem Vertrag von Meaux-Paris geschrieben wurde, nimmt die Erzählung genau an der Stelle wieder auf, wo sie der Vorgänger abbrach, allerdings unter ganz anderen Vorzeichen, wodurch eines der größten Meisterwerke der gesamten mittelalterlichen Literatur entstand. Der Autor, ein enthusiastischer Anhänger der Grafen von Toulouse und radikaler Gegner von Simon von Montfort und seinen Kreuzrittern, ist der große Sänger von *Paratge* – der südliche Edelmut, seine Heimat, seine Ideale – also dessen, was er als eine ausgezeichnete Zivilisation (die „höfische" Kultur) bezeichnet, die der blanken, barbarischen Gewalt zum Opfer fiel, die vom Klerus und den Franzosen unter dem Deckmantel des Kampfes gegen die Ketzer ausgelöst wurde. Seine oft als unbeugsame Gewissheit dargestellte Hoffnung ist die Wiederherstellung von *Paratge* durch das Handeln der Grafen von Toulouse und Gottes Gnade.

Die eingangs erwähnte okkultistische Tradition suchte in der Minnedichtung der Trobadors vergeblich nach Spuren katharischen Gedankenguts, doch entging ihr dagegen das Augenscheinliche völlig – die große Übereinstimmung zwischen der antirömischen Haltung der Katharer und der Meinung, die in einer großen Zahl von Sirventes ausgedrückt wird, die vor allem in der ersten Hälfte des 13. Jahrhunderts geschrieben wurden und von einer starken Agitation gegen die Kirche und die Franzosen geprägt sind. In dieser „militanten" Produktion sind die wahren Beziehungen zwischen Trobadordichtung und Katharismus zu finden. Dabei ist der Fall von Raimon de Miraval bezeichnend, dessen Liedersammlung praktisch als Drehscheibe zwischen der Minnedichtung des 12. und dem politisch-moralischen *Trobar* des 13. Jahrhunderts auftritt. Raimon war Herr einer kleinen Burg, die von Simon von Montfort in den ersten Jahren des Kreuzzugs (wahrscheinlich 1211) erobert wurde, was den Trobador in den demütigenden Stand eines *faidit*, eines Besitzlosen versetzte. In den ersten sechs *Coblas* der Kanzone *Bel m'es qu'ieu chant e coindei* werden die üblichen erotischen Sujets (Lob der geliebten Frau, Verlangen nach Liebe, Beschreibung von Freude und Leid durch Leidenschaft usw.) entfaltet, doch das Register nimmt in der letzten *Cobla* und den zwei *Tornadas* eine radikale Wende. Hier erfolgt eine eingehende Bitte an König Peter II. von Aragonien, die Franzosen zu bekämpfen, damit er von Miraval erneut Besitz ergreifen könne und die Stadt Beaucaire an den Grafen von Toulouse Raimund VI. zurückfiele. Erst dann, so erklärt er, *poiran dompnas e drut / tornar el joi q'ant perdut*. Die Katastrophe bei Muret, wo Peter II. den Tod fand, gab diesen Hoffnungen den Gnadenstoß.

Besonders nach Muret erhob sich die Stimme zahlreicher Dichter, die zumeist Beziehungen zu den Grafen von Toulouse pflegten und heftige Kampfschriften gegen die französischen Eindringlinge und die immer stärkere Einmischung des Klerus in Okzitanien und den Nachbargebieten verfassten. Die bedeutendsten Namen sind hier Peire Cardenal, Guilhem Figueira und Guilhem Montanhagol. In ihren Werken sowie jenen vieler anderer Trobadors sind die Kirche und ihre Würdenträger Ziel von religiös oder politisch motivierten Attacken. Einerseits wurden die im Klerus üblichen Laster, insbesondere Wollust und Völlerei verspottet und angeprangert – so im herrlichen Sirventes *Ab votz d'angel, lengu'esperta, non blesza*, das Peire Cardenal gegen die Dominikaner richtete; andererseits werden die zeitlichen Ambitionen der Kirche, ihre gemeinsame Sache mit den französischen Eindringlingen und der Ablass, der jenen versprochen wurde, die Christen in einem verbrecherischen Kreuzzug ermordeten, noch heftiger kritisiert. Nach 1233 wurden auch die von den Inquisitionsgerichten oft angewendeten brutalen Verfolgungsmethoden verurteilt, beispielsweise im Sirventes *Del tot vey remaner valor* von Guilhem Montanhagol. In einigen Werken von Peire Cardenal wie *Falsedatz e desmezura* und *Un sireventes vuelh far dels auls glotos* wird die von der Kirche und den Franzosen verursachte Lage in Okzitanien als wahrhaftige „Kopf stehende Welt" dargestellt, wo *feunia vens amor / e malvestatz valor, / e peccatz cassa sanctor / e baratz simpleza* – eine Welt, in der die wahren Christen der Ketzerei bezichtigt und von den „Boten des Antichristen", also den Mitgliedern der römischen Kirche zum Märtyrertod verurteilt werden.

Die große Affinität zwischen dieser Stimmung und der antirömischen Haltung der Katharer ist bar jeden Zweifels. Zwar war die Kritik an der Kirche ein in der mittelalterlichen Literatur seit langem weit verbreitetes Sujet, doch die Ähnlichkeiten zwischen der Trobadordichtung und den katharischen Texten sind manchmal so groß, dass ihre Eigenständigkeit voneinander undenkbar ist. So entsprechen etwa die Anschuldigungen in den ersten zwei *Coblas* des Sirventes *Li clerc si fan pastor* von Peire Cardenal – wo die katholischen Geistlichen sukzessive als „Mörder", „räuberische Wölfe" im Schafspelz und unrechtmäßige weltliche Machthaber angeschwärzt werden – genau denen, die in einem Auszug der auf Okzitanisch verfassten katharischen Abhandlung *La Gleisa de Dio* enthalten sind. Weiters ist in einer Zeugenaussage 1334 vor dem berühmten Inquisitor Jacques Fournier zu lesen, dass etwa zwanzig Jahre zuvor – also zu Beginn des Jahrhunderts – ein gewisser Guilhem Saisset die erste *Cobla* dieses Sirventes vor seinem Bruder, dem Bischof von Pamiers aufsagte. Gleichzeitig bat ihn ein dort anwesender notorischer Ketzer, Bertran de Taïx, sie ihm beizubringen und behauptete, dass der Klerus nicht nur die von Peire Cardenal aufgezählten Fehler, sondern auch viele weitere aufwies. Aus all dem wird deutlich ersichtlich, dass die Häretiker die

Trobadors als Vermittler ihrer Gedanken und Hoffnungen betrachteten, obwohl in diesem Fall nicht gesagt wird, dass Peire aus dem katharischen Text schöpfte. Vielleicht ist der Dichtung zurückzugeben, was ihr gebührt. Angesichts der Zeitabfolge der Texte ist es durchaus möglich – wenn gar nicht geradeweg wahrscheinlich – dass *La Gleisa de Dio* die Argumente und Bilder eines äußerst erfolgreichen dichterischen Meisterwerks übernahm – über zehn Manuskripte blieben erhalten.

In zahlreichen anderen Kompositionen von Peire Cardenal und ideologisch ihm nahe stehenden Trobadors finden sich ebenfalls Berührungspunkte mit den katharischen Gedanken zum Kirchenstreit, obwohl sie – wie bereits erwähnt – nicht eine effektive Zugehörigkeit dieser Dichter zur häretischen Lehre bedeuten. Im Gegenteil, aus Peires religiöser Dichtung klingt ein vollkommen regelkonformer Glaube durch. Doch der Text, der die antirömische Lehre der Katharer am besten widerspiegelt, ist gewiss das glühende Sirventes von Guilhem Figueira *D'un sirventes far en est son que m'agenssa*. Die heftigen Anschuldigungen des Trobadors gegen die Kirche, die er als *cima e razitz* allen Unheils abstempelt, geht weit über Peire Cardenals Argumente hinaus. Ausgehend von einer grundlegenden dichotomischen Gegenüberstellung von Falsch und Wahr (die falsche Kirche Roms im Gegensatz zur wahren Lehre Christi) baut Figueiras Diskurs geschickt auf drei Schichten intertextueller Bezugnahmen auf. Die Wortwahl ist von Marcabrus Schmähschriften gegen die *falsas putas* abgeleitet – die Dirnen, die die jungen Ritter verführten. Über eine zweite Bezugsschicht, die hier der Bibel entnommen ist, werden die von Marcabru entfalteten moralischen Themen auf eine vielmehr spirituelle und religiöse Ebene übertragen. Die gegen die Kirche gerichteten Anschwärzungen biblischen Ursprungs, die über verschiedene Stellen aufgeteilt sind, leiten sich mehrheitlich von einem ganz konkreten Passus des Evangeliums nach Matthäus ab, der Schmährede Jesu gegen die Schriftgelehrten und Pharisäer (Mt 23,13-33). So wird die Kirche mit denen gleichgesetzt, die nach den Worten Jesu die Nachfolger jener waren, die die Propheten umbrachten und den Menschen die Tore zum Himmelreich versperrten. Diese letzte Beschuldigung ist umso bedeutsamer, da sie nicht nur die Korruption und die Sünden des Klerus ins Visier nimmt, sondern – so wie die Katharer – grundsätzlich die Macht in Frage stellt, die die Kirche für sich in Anspruch nahm, um die Seelenrettung der Menschen zu erteilen, ja es wird ihr sogar der Status als Kirche Gottes abgesprochen. Zum soeben erwähnten evangelischen Palimpsest kommt im Sirventes eine dritte Schicht intertextueller Bezüge hinzu, die direkt zur katharischen Kirchenlehre führt. Die Schmährede Jesu gegen die Schriftgelehrten und Pharisäer ist eine der von den Katharern im Rahmen ihres Kampfes gegen die Verfolgung durch die Kirche am häufigsten zitierten Auszüge des Evangeliums, auch in erhaltenen Originaltexten wie *La Gleisa de Dio* und das *Libro dei due Principi*. Unter den zahlreichen Stellen, die zitiert werden könnten, befindet sich ein bezeichnender Vers, wo Rom beschuldigt wird, *per esquern dels crestians martire* zu handeln. Der Begriff *Martire* wird hier in einer in der Trobadordichtung ganz ungewöhnlichen Bedeutung verwendet. Im Gegensatz zur üblichen Bezugnahme auf den Liebeskummer oder das Leiden Christi und der Heiligen wird hier wie in zahlreichen katharischen Texten, wo er dem Begriff „Martyrium in Christus" genau entspricht, auf die Opfer der Kirche Bezug genommen. Bedenkt man darüber hinaus, dass *Crestians* ausgerechnet der Begriff ist, mit dem sich die Häretiker selbst bezeichneten (*Christen* oder *gute Christen*), so ist es leicht vorstellbar, dass der Vers von Guilhem Figueira genauso gut von einem von ihnen in den Mund genommen werden könnte. Daher ist es nicht überraschend, dass sogar dieses Sirventes in einer Inquisitionsurkunde, dem Protokoll eines 1274 eingeleiteten Ketzereiprozesses gegen einen Kaufmann aus Toulouse, Bernart Raimon Baranhon, zitiert wird. Die Frage der Inquisitoren, ob er jemals im Besitz eines Buches mit dem Titel *Biblia in Romano* gewesen sei, das mit den Worten *Roma trichairitz* beginnt, beantwortete Baranhon ablehnend, gab jedoch zu, einmal ein paar *Coblas* von einem Dichter namens Figueira gehört zu haben, worauf er die gesamte erste *Cobla* aus *D'un sirventes far en est son que m'agenssa* auswendig zitierte und erklärte, sie mehrere Male öffentlich aufgesagt zu haben. Offensichtlich handelt es sich hier nicht um pauschale antiklerikale Klischees; in Texten wie dem antirömischen Sirventes von Guilhem Figueira sind die wahren, belegbaren Berührungspunkte zwischen der Trobadordichtung und der katharischen Lehre zu suchen.

**FRANCESCO ZAMBON**

Übersetzung: Gilbert Bofill i Ball

# Der Kreuzzug gegen die Albigenser

Ab der Mitte des 11. Jahrhunderts fand in der westlichen Kirche eine intensiver interner Änderungsprozess statt. Die Einführung der so genannten *gregorianischen Reform* erlaubte die Straffung der gesamten Hierarchie (vom Dorfpfarrer bis zum Erzbischof) und ihre Unterordnung an die theokratische Macht des Papstes als Vikar Christi. Während die Kirchenstruktur zentralisiert wurde, setzte sich die Papstgewalt gegen die weltlichen Machtzentren der Christenheit, Könige, Adel, ja sogar den Kaiser selbst durch. Diese aus der *gregorianischen Reform* entstandene Kirche fühlte sich berufen, die katholischen christlichen Werte gemäß der Auffassung der päpstlichen Theokratie zu etablieren. Jede Glaubensbewegung abseits von Rom wurde als enorme Bedrohung für die christliche Gesellschaft betrachtet. Die religiösen Dissidenten, die Ketzer griffen die Einheit der Kirche an und brachten die Seele der Christen, ihr ewiges Leben in Gefahr, das viel wichtiger als das Leben auf Erden ist. Natürlich bestand diese Auffassung zu den Ketzern bereits seit früheren Zeiten, doch lag der Unterschied darin, dass die Kirche erst ab dem 11. Jahrhundert eine viel breitere und wirksamere Aufsicht und Repression ausüben konnte.

Schon früh wurde Gewalt gegen die Dissidenten eingesetzt (bereits im 11. Jahrhundert fanden Verbrennungen statt), doch allgemein wurde die ketzerfeindliche Politik Roms in dem Maße erhärtet, in dem sich das theokratische Papsttum etablierte. Die Angst vor der Ausbreitung der großen Häresien des 12. Jahrhunderts – Waldenser und Katharer – spielte dabei eine entscheidende Rolle. Auch darf die aktive Zusammenarbeit der weltlichen Machthaber nicht vergessen werden. In Frankreich, England, Kastilien und Aragonien bauten die Könige strukturierte, solide Monarchien auf. Dazu benötigten sie die Unterstützung durch die Kirche und waren auch nicht bereit, dissidente Gruppen zu dulden, die ihre Autorität in Frage stellten. Diese Allianz zwischen Hirtenstab und Schwert war für die spätere Repressionskraft der Kirche von grundlegender Bedeutung.

Aus ideologischer Perspektive wurde der Weg zum Gewalteinsatz durch die Zisterziensermönche geebnet, die die Verteidigung der katholischen Orthodoxie im Namen Roms übernahmen. In ihrem Wunsch, den Irrtum auszulöschen, beschworen sie eine ausgeprägte ketzerfeindliche Stimmung herauf, die das wahre Ausmaß der Häresie überzog. Ohne zu bemerken, dass es sich allgemein um ein zerstreutes, heterogenes, keineswegs massives Phänomen handelte, glaubten die Zisterzienser in den Ketzern einen homogenen, koordinierten inneren Feind zu sehen, eine Art „fünfte Kolonne", deren letztliches Ziel die Zerstörung der Christenheit war. Die Verbreitung dieser Stimmung führte die christliche Gesellschaft dazu, die Ketzer als *schlimmere Feinde als die Sarazenen* zu betrachten und die Anwendung von Extremlösungen zu ihrer Auslöschung als legitim und notwendig zu akzeptieren.

## Der Weg zum Krieg

Die kirchlichen Maßnahmen gegen die Häresie wurden ab dem Ende des 12. Jahrhunderts intensiver. Am beunruhigendsten war für Rom die Verbreitung der Waldenser und Katharer im Süden des Königreichs Frankreich, in dem Gebiet, das heute unter dem Namen *Midi*, *Languedoc* oder *Okzitanien* geläufig ist. Der bislang einegschlagene Weg der Überzeugung und Wiedereingliederung (Predigten, Dispute mit Ketzerführern usw.) hatte nicht den erwünschten Erfolg gebracht. Die Straffung der Kirchengesetzgebung einschließlich spiritueller (Kirchenbann, Verdammnis), finanzieller (Einzug von Gütern) und ziviler Strafen (Ausschluss aus der Gesellschaft, Ächtung, Aufhebung von Rechten, Verbot der Bekleidung öffentlicher Ämter usw.) erwies sich in einer komplexen, instabilen okzitanischen Gesellschaft, die von familiären, politischen, kirchlichen und religiösen Treuebeziehungen geprägt war, als ebenso wenig zielführend. Der Rückgriff auf den Krieg als legitimes Repressionsmittel wurde bereits im Dritten Laterankonzil (1179) aufgeworfen, worauf 1181 ein erster Feldzug gegen das Toulousain geführt wurde. Es war ein Warnsignal.

Obwohl die Realität viel komplexer und vielschichtiger war, glaubte die Papstgewalt, dass die Verbreitung der Häresie in Südfrankreich konkrete Verantwortliche hatte: die okzitanischen Bischöfe und Adligen. Beide duldeten und beschützten sogar die Ketzer und ermöglichten so ihre Verbreitung. Diese wohlwollende Kirche und dieser korrupte Adel gehörten durch erwiesenermaßen orthodoxe Personen ersetzt, die bereit waren, die Häresie zu bekämpfen. Die Absetzung einheimischer Würdenträger zugunsten von Zisterziensern, die an die Anweisungen aus Rom gebunden waren, begann gegen Ende des 12. Jahrhunderts und wurde in den ersten Jahren des 13. beschleunigt. Der nächste Schritt war die Läuterung der weltlichen Macht, angefangen mit Graf Raimund VI. von Toulouse (1194-1222), der den okzitanischen Adel anführte.

Die Stimmung für eine Strafexpedition gegen die okzitanischen Ketzer und ihre Mitstreiter wurde um 1200 immer günstiger. Die Niederlagen im Heiligen Land, der Verlust Jerusalems, der Druck der Almohaden auf der Iberischen Halbinsel, die Krise im Reich und die Verbreitung der Häresie schürten die Angst unter der bedrohten Christenheit. In dieser unruhigen Stimmung wurde Lotario di Segni, ein junger, gebildeter Mann mit starken theokratischen Überzeugungen zum Papst gewählt; er nahm den Namen Innozenz III. (1198-1216) an. Noch im selben Jahr seiner Wahl schrieb er einen Brief an den Bischof von Auxerre, in dem er sich offen für den Gewalteinsatz aussprach – der Kreuzzug, der heilige Krieg, der seit dem 11. Jahrhundert gegen die Muslime, den äußeren Feind geschlagen wurde, war auch gegen die Ketzer und ihre Gehilfen, den inneren Feind zu führen. Allerdings war die Anklage der Häresie, die Bekämpfung und die anschließende Verlusterklärung der Besitztümer und Titel eines großen Feudalherrn nicht so einfach wie die kirchenrechtliche Absetzung eines Bischofs. Das Lehnsrecht war einzuhalten, wodurch Innozenz III. den direkten Landesherrn des Grafen von Toulouse, den König von Frankreich anrief. Ab 1204 bat er ihn sowie den französichen Adel und Klerus wiederholt, im Midi zur Bekämpfung der Ketzer einzugreifen, ihre Ländereien einzuziehen und dem korrupten okzitanischen Adel Einhalt zu gebieten. Der Papst glaubte, die Häresie würde mit einer starken politischen Macht unter der Herrschaft der Kapetinger verschwinden, so wie es in anderen Gebieten geschehen war. Doch der französische König Philipp II. August (1180-1223), der in einem langen Krieg mit den englischen Königen aus dem Haus Plantagenet verstrickt war, weigerte sich wiederholt, sich in die okzitanischen Wirren ziehen zu lassen.

Der Papst hätte einen seiner treuesten Verbündeten in Okzitanien um Hilfe bitten können – Peter den Katholischen (1196-1213), König von Aragonien und Graf von Barcelona. Seit dem 11. Jahrhundert waren die Könige von Aragonien Vasalle Roms, und Peter erneuerte diesen Treueeid 1204, als er in Rom von Innozenz III. gekrönt wurde. Zudem übte Aragonien seit dem späten 12. Jahrhundert eine De-facto-Vorherrschaft über die okzitanischen Gebiete aus. Nach fast einem Jahrhundert offenen Kriegs gegen die Grafen von Toulouse (dem so genannten „großen südlichen Krieg") hatten die katalanisch-aragonesischen Monarchen erreicht, die meisten okzitanischen Landesherren zusammenzubringen und unter ihren Einflussbereich zu stellen, die einen als Vasallen – der Vizegraf von Béziers und Carcassonne, der Graf von Comminges, der Vizegraf von Béarn – die anderen als Verbündete – der Graf von Foix. Zu Beginn des 13. Jahrhunderts gestand der Graf von Toulouse seine Niederlage ein, indem er mit dem König von Aragonien ein festes politisch-militärisches Bündnis und eine dynastische Union vereinbarte. So heiratete Raimund VI. die Infantin Leonore von Aragonien und sein Nachkomme Raimondet (der spätere Raimund VII.) die Infantin Sancha, beide Peters Schwestern. Von Rom aus gesehen war diese politische und familiäre Nähe hinsichtlich Peters Eingriff in die okzitanische Ketzerfrage gefährlich. Da war der König von Frankreich vorzuziehen, der der komplexen Politik im

Süden fernstand, während der König von Aragonien lieber die Grenzen der Christenheit gegen die iberischen Muslime weiter verteidigen sollte.

Angesichts der fehlenden Reaktion des französischen Königs hielt Innozenz III. die gewaltlosen Maßnahmen mit den Predigten der kastilischen Priester Diego de Osma und Domingo de Guzmán aufrecht, die allerdings recht erfolglos waren. Doch am 14. Januar 1208 wollte ein Gefolgsmann des Grafen von Toulouse die Gunst seines Herrn erheischen – so besagt es die *Cansó de la Crozada* von Guilhem de Tudela – indem er dessen größtes Problem, den päpstlichen Legaten Pèire de Castelnau durch Mord aus dem Weg räumte. Die Würfel waren gefallen. Im März 1208 predigte Innozenz III. unter dem Aufruf *„Vorwärts, Ritter Christi!"* den Kreuzzug gegen die okzitanischen Ketzer und ihre Gehilfen, die nach der Stadt Albi und ihrem Umland, das *Albigeois*, als *Albigenser* bezeichnet wurden – ab 1209 wurde dieser Begriff mit *Ketzer* gleichgesetzt.

## Der Albigenserkreuzzug (1209-1229)

Zu diesem Krieg liegen vier Hauptquellen vor: der erste Teil de *Cansó de la Crozada* (1212-1213) von Guilhem de Tudela (Wilhelm von Tudela), einem in Okzitanien ansässigen navarrischen Geistlichen, der ein Bündnis zwischen den Kreuzfahrern und dem okzitanischen Adel anstrebte, um der Häresie ein Ende zu setzen; die *Hystoria Albigensis* (1213-1218) des französischen Zisterziensers Pierre des Vaux-de-Cernay, die offizielle Version der Kreuzfahrer; der zweite Teil der *Cansó de la Crozada* (ca. 1228), der von einem anonymen tolosanischen Dichter verfasst wurde, der ein glühender Verfechter der Grafen von Toulouse und der okzitanischen Sache war; und die *Chronica* von Guilhem de Puèglaurens (französisch: Guillaume de Puylaurens), einem tolosanischen Geistlichen, der den Kreuzzug aus katholischer, jedoch kritischer und weniger leidenschaftlicher Perspektive betrachtete.

Durch diese und andere Quellen ist bekannt, dass sich im Frühling 1209 ein großes Heer französischer Kreuzfahrer in Lyon sammelte, in dem auch Flamen, Deutsche, Engländer, Italiener und Okzitanier – sowohl aus der Grafschaft Provence als auch aus dem Languedoc und der Gascogne – zu finden waren. Sie alle strebten nach dem geistlichen und materiellen Gewinn eines viel näheren und angenehmeren Kreuzzugs als jene im Heiligen Land. Trotz des päpstlichen Aufrufs weigerte sich der französische König Philipp August, direkt einzugreifen, so dass die militärische Führung des Feldzugs dem päpstlichen Legaten Arnold Amalrich, einem Zisterzienser katalanisch-okzitanischen Ursprungs, ehemaliger Abt von Poblet, Abt von Cîteaux und zukünftiger Erzbischof von Narbonne überlassen wurde. Er vertrat die härteste Linie der ketzerfeindlichen Politik Roms.

In der Gewissheit, dass der Kreuzzug prinzipiell gegen ihn gerichtet war, unterwarf sich Raimund VI. in letzter Minute dem Willen der Kirche unter harten Bedingungen. Damit konnte er den Kreuzzug zu den Gebieten des zweitwichtigsten Herrn in der Region, Raimund-Roger Trencavel abwenden, dessen Besitztümer – die Vizegrafschaften Béziers, Albi, Agde und Nîmes und die Grafschaften Carcassonne und Razès – bekannte Ketzerherde waren. Die Kreuzfahrer zogen gegen eine seiner Hauptstädte, Béziers, und forderten vom Bischof Rainaut de Montpeirós die Übergabe von 223 Ketzern (es ist unbekannt, ob es sich dabei um Gläubige, Perfekte oder katharerfreundliche Familienoberhäupte handelte). Die mehrheitlich katholische Bevölkerung und die Stadtregierung, die unter der Leitung von Konsuln oder *Capitols* stand, weigerte sich aber, ihre Mitbürger im Stich zu lassen. Angesichts dieser Herausforderung belagerte das Kreuzfahrerheer Béziers.

Die Stadt war gut verteidigt, und es bahnte sich eine lange Belagerung an, doch am 22. Juli 1209 verursachte ein leichtgläubiger Ausfall der Belagerten einen Überraschungsangriff und den massiven Einfall der Kreuzfahrer. Es heißt, dass der Legat Arnold Amalrich auf die Frage, wie die Ketzer von den

Katholiken unter der Bevölkerung auseinanderzuhalten seien, folgende Antwort gab: *„Tötet sie alle, der Herr wird die Seinen erkennen."* (*„Caedite eos. Novit enim Dominus qui sunt eius."*). Dieses berühmte Kapitel ist zwar erdichtet – der deutsche Zisterziensermönch Caesarius von Heisterbach erwähnt es in seinem *Dialogus miraculorum* (1219-1223) – widerspiegelt aber sehr gut den harten, unnachgiebigen Charakter des päpstlichen Legaten und den erbarmungslosen Kampf, der im Laufe des gesamten Konflikts geführt wurde. Der Einfall der Kreuzfahrer führte zu einem der größten Massaker des Albigenserkreuzzugs. Einige Berichte behaupten, dass die gesamte Bevölkerung niedergemetzelt wurde; der Zisterzienser Arnold Amalrich spricht von 20.000 Toten, während bei anderen Chronisten von 60.000, ja sogar 100.000 Toten die Rede ist. In Wirklichkeit hatte Béziers damals etwa 10.000 Einwohner, und die Stadt erholte sich bald nach 1209, so dass den überzogenen mittelalterlichen Zahlenangaben kein allzu großer Glaube zu schenken ist, wobei dies dem Gräuel des Massakers kein Bisschen abtut. Dieses rief nämlich eine große Bestürzung hervor und flößte der okzitanischen Bevölkerung eine generelle Furcht ein, was dem Ziel des Kreuzzugs äußerst förderlich war.

Nach dem Fall von Béziers belagerte das Kreuzfahrerheer Carcassonne, die zweite Hauptstadt der Vizegrafschaften der Trencavel, die unter der Oberhoheit des Königs von Aragonien stand. Trotz Peters Vermittlungsversuchs sah sich Raimund-Roger Trencavel gezwungen, Mitte August zu kapitulieren, und Carcassonne wurde von den Kreuzfahrern besetzt. Die auffälligere erste Phase des Albigenserkreuzzugs, die die zeitgenössischen Quellen auch am nachhaltigsten prägte, endete mit der Übergabe der Besitztümer und Adelstitel des Vizegrafen Trencavel an den französischen Baron Simon von Montfort, der den Kampf gegen die Ketzer fortsetzte und die militärische Führung des Kreuzzugs übernahm.

Ab September 1209 ging der anfängliche Terror zurück, im Zuge dessen sich das Land den Kreuzfahrern unterwarf. Die erste Gegenreaktion gegen den Kreuzzug wurde vom Grafen Raimund-Roger von Foix angeführt, einem alten Verbündeten des Königs von Aragonien. In den Folgemonaten nahm Simon von Montfort die Unterwerfung der Besitzungen in Angriff, die ihm rechtlich zustanden. Neben der Unterstützung Roms und den von den Zisterziensern kontrollierten okzitanischen Bistümern konnte sich Montfort auf die Kreuzfahrertruppen verlassen, die jeden Sommer im Süden regelmäßig eintrafen. In diesen Monaten eroberte er die berühmten *Castra* (befestigte Städte) Minerve, Montréal, Termes und Cabaret-Lastours nach zähen Belagerungen, die üblicherweise mit der Verbrennung der Katharer endeten, die dort Zuflucht gefunden hatten. Ende 1210 erlange er die vollständige Kontrolle über die Vizegrafschaften, die früher im Besitz der Trencavel gestanden hatten.

Im März 1211 schlossen Simon von Montfort, der König von Aragonien und der Graf von Foix mehrere Vereinbarungen mit dem Einverständnis der Kirche, jedoch ohne Raimund VI. von Toulouse, der wegen Unterstützung der Ketzerei erneut mit dem Kirchenbann belegt wurde. So nahm das Kreuzfahrerheer die Offensive gegen die Grafschaft Toulouse auf. Dabei ist eines der bekanntesten Kapitel die Eroberung des *Castrum* Lavaur, dessen Verteidiger – einschließlich der Burgherrin Girauda und ihres Bruders Aimeric von Montreal – gemeinsam mit einigen hundert Katharern hingerichtet wurden (Mai 1211). Der erste direkte Angriff auf die Hauptstadt erfolgte einen Monat später. Die Okzitanier wurden sich der gemeinsamen Gefahr bewusst und schlossen sich zusammen. Sie hätten sogar das Kreuzfahrerheer während der Belagerung von Castelnaudary (August 1211) schlagen können, nahmen jedoch die Gelegenheit nicht wahr. Die Aufstände gegen die Kreuzfahrer wurden unterdrückt, und während Peter von Aragonien und der päpstliche Legat Arnold Amalrich die Almohaden in der großen Schlacht von Las Navas de Tolosa (16. Juli 1212) erfolgreich bekämpften, konnte Simon von Montfort einen Großteil der Grafschaft Toulouse unter seine Herrschaft bringen. Noch im selben Jahr schien der Endsieg unmittelbar bevorzustehen, wodurch er die *Statuten von Pamiers* erließ, eine auf französischem Lehnsrecht beruhende Ordnung, die von nun an in den eroberten Gebieten gelten sollte.

Der Angriff auf die Grafschaft Toulouse bedrohte jedoch die Vorherrschaft Aragoniens in Südfrankreich. Von seinem Status als Vasall des Papstes und seiner brillanten Teilnahme an der Schlacht von Las Navas de Tolosa bestärkt, griff Peter in den Konflikt auf der Seite seiner Vasallen und Verbündeten ein. Er schlug Innozenz III. eine diplomatische Lösung vor, die die Wiederherstellung der Orthodoxie und das Fortbestehen des okzitanischen Adels sicherstellte. Als Beweis für die Unterstützung dieses Vorhabens nahm er den Grafen von Toulouse, Foix und Comminges, dem Vizegrafen von Béarn und den Konsuln von Toulouse und Montauban den Treueeid ab (27. Januar 1213). Indem sie sich zu Peters Vasallen erklärten, besagten die Okzitanier, dass ihr König nicht der König von Frankreich, sondern der König von Aragonien war, dessen Lehnshoheit sich nun über ein riesiges Gebiet jenseits der Pyrenäen erstreckte. Ein iberisch-okzitanisches „Großreich Aragonien" war im Entstehen, dem die Geschichte jedoch keine Entfaltungsmöglichkeit gab. Der Papst, der durch den Sieg bei Las Navas de Tolosa beeindruckt und mit den Plänen für einen bevorstehenden Kreuzzug ins Heilige Land beschäftigt war, unterstützte zunächst das Vorhaben des Königs, änderte jedoch wenige Monate später seine Meinung, da er Peters expansionistischen Bestrebungen misstraute. Darauf beschloss der katalanisch-aragonesische Monarch, den Kreuzzug auf militärischem Wege zu liquidieren, bevor er wieder mit Rom verhandelte. Alles deutete auf einen Sieg des iberisch-okzitanischen Heers unter Peters Führung hin, doch die Schlacht bei Muret (12. September 1213) endete in einer verheerenden Niederlage und dem Tod des Königs von Aragonien.

Das Desaster von Muret machte jede Einmischung Aragoniens in die Albigenserfrage für die kommenden zwei Jahrzehnte unmöglich. Für die Okzitanier bedeutete es den Verlust ihres einzigen äußeren Befürworters und all ihrer Legitimität – der *wundersame* Sieg Simons von Montfort bewies, dass der Albigenserkreuzzug ein gerechter, heiliger Krieg war. Unter diesen Vorzeichen unterwarfen sich die Okzitanier. 1215 bestätigte das Vierte Laterankonzil die Mitschuld von Graf Raimund VI. an der Ketzerei und erklärte ihn seiner Titel, Rechte und Besitztümer verlustig. Diese wurden Simon von Montfort übergeben, der somit nun *Herzog von Narbonne, Graf von Toulouse und Vizegraf von Béziers und Carcassonne* war.

Damit war der Krieg aber noch lange nicht zu Ende. Der okzitanische Adel und viele Städte, die sich der Herrschaft durch *Geistliche und Franzosen* widersetzten, griffen 1216 erneut zu den Waffen. Unter der Führung des Nachfolgers Raimunds VI., Raimondet (dem zukünftigen Raimund VII.), konnten die Okzitanier einen Großteil der verlorenen Gebiete zurückerobern, besonders nach dem Tod Simons von Montfort 1218 während der zweiten Belagerung von Toulouse. Die militärische Unterstützung durch das Königreich Frankreich stärkte die Position der Kreuzfahrer 1219, konnte aber die endgültige Niederlage von Simons Sohn Amalrich von Montfort nicht verhindern, dessen militärisches Talent von dem seines Vaters weit entfernt war. Amalrich kapitulierte 1224 vor dem Grafen Raimund VII. von Toulouse (1222-1249) und trat alle seine Rechte über Okzitanien dem König von Frankreich ab. Diese Jahre der so genannten „okzitanischen Rückeroberung" ermöglichten ein Wiederaufflammen des Katharismus. *Der unreine Geist, der bereits aus der Provincia Narbonensis vertrieben worden war, […] hat erneut in das Haus Einzug gehalten, von wo es zuvor weggefegt wurde,* schrieb 1224 der alte Zisterzienser Arnold Amalrich dem König von Frankreich.

Nach der Niederlage der Montfort übernahmen die Kapetinger, die an einer strengen Kontrolle über den Süden des Reichs und am Zugang zum Mittelmeer interessiert waren, die Führung über den Albigenserkreuzzug. Die Feldzüge unter Ludwig VIII. (1226) und dem jungen Ludwig dem Heiligen (1227-1228) beschleunigten die Besetzung durch Frankreich und die Erschöpfung der okzitanischen Kräfte. Trotz der Aufrufe der Trobadors hielt sich der junge Jakob I. von Aragonien heraus, da er sich nicht auf eine weitere Konfrontation mit der Kirche einlassen wollte und sein Augenmerk auf die Expansion im Mittelmeer richtete. Das Kriegsende kam mit der Unterzeichnung des Vertrags von

Meaux-Paris (1229). Im Gegenzug zur Anerkennung der Vorherrschaft des Königs von Frankreich in der Region erhielt Raimund VII. von Toulouse seine Titel und einen Großteil seiner Besitztümer zurück. Die Hauptkonsequenz des Albigenserkreuzzugs war also nicht die Ausrottung des Katharismus, sondern die Veränderung der politischen Karte Europas, im Zuge derer der Süden Frankreichs von der Vorherrschaft Aragoniens 1213 zur effektiven Herrschaft durch den König von Frankreich ab 1229 überging.

## Nach dem Kreuzzug

Der okzitanische Adel erhob sich noch einmal in den vierziger Jahren, wobei er König Jakob I. von Aragonien wieder um Hilfe bat, doch die militärische Übermacht Frankreichs setzte sich erneut durch. 1244 erzwang der Seneschall des französischen Königs die Kapitulation der Festung Montségur in der Grafschaft Foix, dem Hauptsitz der katharischen Kirche. Zu Füßen der *Synagoge des Satans* – nach den Worten von Guilhem de Puèglaurens – wurden etwa 220 Katharer verbrannt. Die letzte Burg in den Händen der Ritter, die die Katharer unterstützten, war Quéribus, die 1255 von den Franzosen eingenommen wurde. Im Vertrag von Corbeil (1258) trat Jakob I. Ludwig dem Heiligen schließlich alle seine Rechte über Okzitanien ab, was den katalanisch-aragonesischen Ansprüchen jenseits der Pyrenäen ein Ende setzte und einen entscheidenden Schritt für die Eingliederung des Midi in das Königreich Frankreich bedeutete.

So paradox es auch klingen mag, setzte der Albigenserkreuzzug dem Katharismus kein Ende – dieser überlebte noch ein Jahrhundert. Während des Kriegs wurden viele Katharer verbrannt, andere gingen in den Untergrund und viele weitere wanderten nach Norditalien und ins Königreich Aragonien (Katalonien, Mallorca, nördliches Valencia) in Gebiete aus, die historisch mit Südfrankreich verbunden und ein sicherer Zufluchtsort sowohl häretischer als auch katholischer Exilierter aus Okzitanien waren. Erwies sich der vom Kreuzzug verkörperte „militärische Weg" für die Auslöschung des Katharismus als unwirksam, so ermöglichte der 1229 durch den Vertrag von Meaux-Paris durchgesetzte *Friede der Geistlichen und Franzosen* die Schaffung des Inquisitionsgerichts (1232), ein wirksamer „polizeilicher Weg" zur Fahndung, Verfolgung und Repression der Häresie, der letztlich deren Ende zu Beginn des 14. Jahrhunderts bewirkte.

MARTÍN ALVIRA CABRER
Universität Complutense Madrid
Überzetzung: Gilbert Bofill i Ball

Qen autres enbaisaz.
No sui alegoraz.
pos eu anc uos ui gaire.
Donna puus mi elam.
Retoz art yaflam.
Tan debon cor uos am.
ba francha res uemla.
Car tan es solaz.
Lo desir qin tornamta.
Merceus clam dona gcta.
Color dautra beutaz.
Re si orguoil isaz.
La uostra humilitaz.
y merceus mo consenta.
Chausimenz emerce.
podes auer deme.
Leus ameiai cause.
Etot cho qi neschaia.
donna pentai enpaz.
Ausi co bon sofrire.
Reus am tan eos dsire.
Onus me ual usoiaz.
Lannoit qan sui colgaz.
Eos oz entre mos bras.
Re dautre ester iauzire.

oie diz delamot estraite. don eu

nom ipse partir: eps ill nom rete.

nillaus clamar merce toz solaz

mi son estraig. pos y leis mi sofraig.

Molt era dolz mei ossir eser tot

marrime. qan labella abloccor

gen humils frange debon aire.

donna sius plaghes sofrir.
pure chausime.
Cabdolz prees car humilme.
Merceian co fis amaire.
vos ausses mon cor retraire.
En luoc dautre iauzir.
vos no costeia re.
Emi feitaz gran be.
Rel maluttes qan seplaig.
Si noill ual sise refraig.
dolza dona eu desir.
pure ensegname.
vostre bel Acuillime.
nom uedes qem soles faire.
deplus nous aus pgar gaire.
Tan sui espauentaz.
Cares dtan ries plais.
Ras ouieus retrait.

# Die Zeit der Inquisition
# (13.-14. Jh.)

Der Albigenserkreuzzug (1209-1229), der vom Papst gegen die okzitanischen Fürsten als Schutzherren der Ketzer ausgerufen wurde und mit dem Sieg des Königs von Frankreich endete, veränderte das bis dahin für die Dissidenten günstige Kräfteverhältnis. Nach der Unterwerfung der Grafen und Herrscherhäuser, die die Katharer unterstützten, schlüpften diese in den Untergrund, wobei sie seit den großen Verbrennungen im Laufe des Kreuzzugs als Märtyrer galten. Die ab 1233 vom Papst eingesetzte Inquisition spürte sie im besiegten und gedemütigten Land durch Verfolgung und Aufbrechen ihrer Solidaritätsverhältnisse nach und nach auf. Durch die Unterstützung eines noch zahlreichen und religiösen Kirchenvolkes hielt die verbotene Kirche der Verfolgung aber noch ein Jahrhundert stand.

Die Inquisition, die sich im 13. Jahrhundert gegen die katharischen Kirchen herauskristallisierte, war die vollkommene Form der Glaubensverfolgung, die erst durch die völlige Kollaboration zwischen weltlicher Macht und geistlichem Schwert – in den okzitanischen Landen also durch die französische Herrschaft – ermöglicht wurde.

## Die Inquisition. *Inquisitio heretice pravitatis.*

Nach den ersten Anklagen wegen Ketzerei im 11. Jahrhundert setzte sich ein Denkmuster durch, das sich in der Christenheit mit der Zeit zuspitzte – eine Ideologie des ständigen Kampfes, die nach den Worten des britischen Medievalisten Robert Moore eine „Gesellschaft der Verfolgung" und des Ausschlusses heraufbeschwor. Die zwei Speerspitzen dieser militanten Theokratie waren jeweils im 12. Jahrhundert der Zisterzienserorden, dessen Einfluss nach dem Albigenserkreuzzug zu Ende kam, und im 13. Jahrhundert der Dominikanerorden als Zeremonienmeister der Inquisition.

Mit der Verfügung *Vergentis in senium* setzte Papst Innozenz III. 1199 die Ketzerei dem höchsten aller Verbrechen, der Majestätsbeleidigung vor Gott gleich. Die Ketzer waren fortan den nach römischem Recht für Hochverrat vorgesehenen Strafen ausgesetzt. Dennoch hatte im Languedoc die Kirche erst nach dem Sieg Frankreichs 1229 freien Handlungsspielraum. So entfaltete das effektive Bündnis mit der Monarchie seine Gewaltmittel. Für den Papst und den König ging es darum, die militärisch befriedeten okzitanischen Grafschaften durch die endgültige Ausrottung der Häresie in den katholischen Glauben wieder einzugliedern. Die Inquisition, die aus den Stuben der päpstlichen Kurie und der Rechtsschulen in Toulouse hervorging, war als Mittel dieser doppelten Straf- und Polizeifunktion gedacht.

Die Inquisition oder *Inquisitio heretice pravitatis* (Untersuchung ketzerischer Perversion) setzte sich letzten Endes als ausschließliche rechtliche Instanz durch, die in Kenntnis über das Verbrechen der Ketzerei zu setzen war. Sie wurde den jungen Bettlerorden, den Franziskanern und vor allem den Dominikanern anvertraut und ersetzte die ordentlichen bischöflichen Gerichte, die der Papst einer teils allzu starken Bindung an das Kirchenvolk verdächtigte. Die Inquisition handelte als Ausnahmegerichtsbarkeit durch direkte Vertretung der Papstgewalt – die Inquisitoren waren einzig und allein dem Papst Rechenschaft schuldig. So „löste sie alles Recht ab". Nachdem sie gegen die deutschen Katharer ab 1227 und ihre Glaubensbrüder in der Champagne, Burgund und Flandern ab 1230 aufgerollt wurde, weitete sie sich 1233 auf die gesamte Christenheit als solides Geflecht der päpstlichen Gewalt aus, das über die lokalen Behörden gestellt war – angefangen mit Toulouse.

Obwohl die Inquisition einen unbestreitbaren „Fortschritt" in rechtlicher Hinsicht darstellte, rief sie unter der betroffenen Bevölkerung nur Hass und Misstrauen hervor, war sie doch das Instrument eines institutionellen Terrors, das die Vollmachten eines Zwangsbeichtstuhls und Polizeigerichts vereinte und für sich das Gottesrecht beanspruchte, über Lebende und Tote bis ins Jenseits und für alle Ewigkeit zu urteilen. „Modern" war die Inquisition im 13. Jahrhundert dahingehend, dass sie auf Jahrhunderte das Recht der Behörden begründete, im Namen einer willkürlichen Transzendenz die Gewissen zu nötigen und die Kritik zu drosseln. Darin ist der Keim der „modernen" totalitären Bürokratien zu finden. Sie beruhte auf dem Denunziantentum als Methode und hatte das Geständnis, also die Selbstkritik zum Zweck.

Die Rolle der Inquisition als Strafinstanz war von großer Bedeutung. Die Richter waren Geistliche, die der erwachsenen Bevölkerung der okzitanischen Dörfer (Männer über 14 und Frauen über 12) die Beichte abnahmen, um sie von der Ketzerei freizusprechen, in den Schoß des päpstlichen und königlichen Glaubens zurückzuführen und in die christliche Gemeinschaft wieder einzugliedern, außerhalb derer es keine Rettung gab. Doch handelte es sich dabei auch um Fahnder, die die Beichte und die Aussagen vor Gericht benutzten und das Denunziantentum zum System machten. Die Anzeige von Ketzern und Ketzerfreunden unter Nahestehenden war für den Büßer – zugleich Angeklagter und Zeuge – die einzige Möglichkeit, dem Inquisitor, der die Funktion des Beichtvaters, Fahnders, Richters und Klägers in einer Person vereinte, die Ehrlichkeit der eigenen Reue zu beweisen und den Sündenablass zu erwirken.

Die Geständnisse bzw. Aussagen wurden von den Notaren der Inquisition aufgezeichnet, wodurch ganze Karteien über Verdächtige der Ketzerei angelegt wurden, die Fahndungen durch Vergleich von Zeugenaussagen ermöglichten. Damit wurde auch die sofortige Enttarnung Rückfälliger möglich.

Als Religionspolizei erwog die Inquisition die Seelen in Gottes Namen. So unterschiedete sie zwischen einfachen *Ketzergläubigen*, die mittels angebrachter Buße in die Herde zurückzuführen waren, und den eigentlichen *Ketzern*, gute Menschen, die als der Ketzerei schuldig und zumeist nicht rekonzilierbar befunden wurden. Die Inquisitoren sprachen ihre Urteile in feierlichen Predigten vor den Kathedralen aus und trugen so die grausame Verurteilung der Ketzer zur Erbauung des versammelten christlichen Volkes vor.

Die Inquisition tötete relativ selten – auch war dies nicht ihre Rolle. Die Hinrichtung durch Verbrennung ausschließlich der unreuigen Ketzer und der rückfälligen Gläubigen überließ sie dem weltlichen Arm – ein geschickter Vorgang seitens der Geistlichkeit, um die Vorschriften des Evangeliums zu umgehen. Die reumütigen Gläubigen wurden über festgelegte Strafen rekonziliert: Wallfahrten, Tragen des Büßerkreuzes, Vermögenseinzug, Kerker – oft lebenslang, so im berüchtigten Mur in Carcassonne. Die Rückfälligen – jene Unseligen also, die nach Abschwören der Ketzerei erneut vor einem Inquisitor als Angeklagte standen – galten als unheilbar und wurden systematisch verbrannt. „Als Zeichen ihrer ewigen Verdammnis" überließ die Inquisition Rückfällige und Unreuige dem weltlichen Arm, so wie sie die Leichen der toten Gläubigen „mitsamt ihrem ketzerischen Gestank" und die Häuser verbrennen ließ, die unfromme Zeremonien beherbergt hatten.

Dennoch stellte der Scheiterhaufen einen Misserfolg für die Inquisitoren dar. Er bedeutete nämlich, dass das verlorene Schaf nicht zur Herde zurückgeführt werden konnte und der unreuige Ketzer, der nach dem Kirchenrecht ein Verbrecher vor Gott war, ein Feind des Glaubens blieb. Als direkter Vertreter des Papstes, der wiederum Vikar Gottes auf dieser Welt ist, konnte der Inquisitor nichts weiteres für ihn tun. Seine Nichtreue war für eine verlorene Seele bezeichnend, der somit das Feuerurteil „als Zeichen ihrer ewigen Verdammnis" zuteil wurde. Der tiefe Sinn des Scheiterhaufens war es, die Ketzer „vom Feuer dieser Welt in das Höllenfeuer" zu versetzen, wie es der Chronist der Verbrennungen in Montségur ausdrückte.

Die zweifelhafte Wirksamkeit des Systems lag in der Spaltung der Dorf- und Familiensolidarität durch die Angst vor der Denunziation sowie im Verruch der untergetauchten Geistlichen, die Verwandten und Freunden als Unheil bringende Verdammte gelten sollten. Das Schamdenken breitete seinen Mantel aus, damit die Häresie aus der Gesellschaft und dem Bewusstsein verschwände.

## Die Vernichtung der Häresie

Die okzitanischen Fürsten entkamen nicht der kapetingischen Herrschaft. Nach der Niederlage des Vizegrafen Trencavel 1240 und des Grafen von Toulouse 1242 setzte der Fall von Montségur, eine von einer Handvoll rebellischer Ritter gehaltene widerspenstige Festung, der politischen Hoffnungen der Okzitanier ein Ende. Es war auch das Ende der katharischen Kirchen in Languedoc. Auf dem großen Scheiterhaufen am 16. März 1244 fiel die katharische Hierarchie, die dort Zuflucht gefunden hatte, den Flammen zum Opfer. Ab 1249 herrschte ein Kapetingergraf über Toulouse, das 1271 in die französische Krone einverleibt wurde. Von nun an nahm der Untergrund vor der Inquisition verzweifelte Züge an. Die letzten guten Menschen irrten auf dem Land von Unterschlupf zu Unterschlupf, zwischen Scheunen und Hütten in Waldlichtungen unter dem Schutz von Gläubigen, die von der Inquisition terrorisiert wurden. Zu dieser Zeit entstand ihr Erscheinungsbild als heimliche Prediger im Untergrund. Die dezimierten okzitanischen Kirchen rafften die Überbleibsel ihrer Hierarchie in Italien zusammen, wo die Inquisition ihre Mühe hatte sich durchzusetzen, bis 1269 der Endsieg der Befürworter des Papstes (Welfen) über jene des Kaisers (Waibliger) auch dort der Repression Tür und Tor öffnete.

Das Gericht der Inquisition setzte sich nun in den Bischofsstädten Albi, Toulouse und Carcassonne fest, wo es die Verdächtige zum Verhör zitierte. 1252 genehmigte der Papst den Einsatz der Folter. In den vom König von Frankreich erneut befriedeten okzitanischen Landen wurde die Häresie auf diese Weise bis zum ersten Drittel des 14. Jahrhunderts fast völlig ausgerottet. Die großen Inquisitoren, die die Aufgabe vollendeten – Geoffroy d'Ablis, Bernard Gui und Jacques Fournier – bearbeiteten akribisch die Aufzeichnungen ihrer Vorgänger, setzten Agenten und Informanten gezielt ein, verglichen ihre Akten, führten abgestimmte Fahndungsaktionen in ganzen Dörfern wie Montaillou dourch, vermehrten die Verbrennungen von Rückfälligen, die Ausgrabungen von Leichen und die Zerstörung von Häusern. So nahmen sie 1309 und 1310 die letzten Prediger um den guten Menschen Pèire Autier in ihren Verstecken zwischen Quercy und den Pyrenäen fest und verbrannten sie einen nach dem anderen. 1321 wurde schließlich der letzte überlieferte gute Mensch, Guilhem Bélibaste verbrannt, nachdem er aus seinem Zufluchtsort in Aragonien entführt wurde.

Dies war das Ende der katharischen Kirche. Von nun an wurde die *Häresie* der guten Menschen nicht mehr praktiziert. Ihre Glaubens- und Kirchenstrukturen waren aufgelöst, ihr Klerus ausgerottet. Nichts Vernehmbares – keine liturgische Geste oder Wort, Brotsegnung, rituelle Rettung, Gebet – konnte nun „als Häresie verbrochen" noch den Inquisitoren mitgeteilt werden; niemand konnte angeklagt werden, weil er einen Ketzer gesehen oder einem *Consolament* beigewohnt hatte. Der Glaube konnte zwar im Inneren einer bestimmten Gruppe verwaister Gläubigen fortleben, doch die Kirche war tot, sie konnte nicht wieder auferstehen. Die Hoffnung auf Rettung, das „Wohl der Hände der guten Menschen" war mit der Verbrennung des letzten unter ihnen erloschen. Die Häresie siechte nicht wie eine überholte Modeerscheinung dahin, sondern wurde zu Asche verbrannt. Sie war das Opfer einer systematischen Ausrottung.

## Texte für die Geschichte

Zwar ist nicht zu bestreiten, dass das Ende des Katharismus durch eine Reihe vielschichtiger Faktoren hervorgerufen wurde – so der Aufstieg der neuen franziskanischen Geistlichkeit, die sich auf die menschliche Leidensfigur Christi konzentrierte, die neue pastorale Dogmatik, die die Dominikaner umsetzten, die Veränderungen in der okzitanischen Gesellschaft und die Macht der königlichen Gewalt. Sie alle begleiteten und erleichterten zweifelsohne die Aufgabe der Inquisition. Ebenso unbestreitbar ist, dass die päpstliche Inquisition im Mittelalter (die Rede ist nicht von der Inquisition der Moderne) die Ausrottung des Katharismus, wofür sie ja gegründet wurde, nach einem Jahrhundert bewirkte. Ihr weltliches Wirken blieb danach massiv und unerbittlich. Trotz aller Verluste und der Zerstörung bezeugen dies die angesammelten Urkunden, die Aufzeichnungen einer außerordentlichen Bürokratie, die das Heilige, die Rettung der Seele, die Ewigkeit behandelten. Durch Aufzeichnungen von Geständnissen unter Eid mit aufgelegter Hand auf den sakrosankten vier Evangelien, die der Rekonziliation der Sünder mit der heiligen römisch-apostolischen Kirche Rechnung trugen, sowie von Bußen, die für das Jenseits gültig waren, sprengen diese Urkunden den üblichen Rahmen, zumal ihr heiliger Charakter der Garant ihrer Wahrheit ist – was keineswegs die Kritik daran ausschließen soll.

Es sind also keine leichtfertigen Geschäfte, etwa Schenkungen oder Teilungen, die die Notare der Inquisition vermerkten und besiegelten, sondern schwere Geständnisse, Selbstkritik vor Gott. Der oberste Richter wachte allgegenwärtig über die Verfahren, sein Blick drang bis ins Innere der Gewissen ein – des Richters wie des Angeklagten, des Zeugen wie des Notars. Im Notfall schwieg der Verdächtigte, umging die Antwort, konnte sogar Meineid leisten. Der Inquisitor hüllte sich in sein Recht. So dienen die Archive der Inquisition einem historischen Zweck als zwingend wahre Urkunden, die mit dem Gewicht menschlicher Zeugen erschwert werden. Hinter dem Wortlaut der siegreichen Orthodoxie wird das beharrliche Flüstern der Dissidenz vernehmbar.

**ANNE BRENON**

Übersetzung: Gilbert Bofill i Ball

Photo: © Nomah

Dimitri Psonis, Michael Grébil, Pierre Hamon, Driss El Maloumi

# Die Bulle Ad Exstirpanda
# von Papst Innozenz IV. (1252)

Ein Grundzug dieses Erlasses, dessen Bedeutung nur betont werden kann, ist die makellose Abwesenheit jeglicher Bezugnahme auf die Ketzerei. Nirgendwo erscheinen Worte wie *Katharer*, *Waldenser*, *Albigenser*, *Sabellianer*, *Arianer* oder *Amalrichaner*. Obwohl der Papst Inquisitoren berief und sie zur Suche von Ketzern einwies, gab er ihnen keinen Hinweis, wie sie zu erkennen seien. Auch wussten die Inquisitoren umgekehrt keinen Beweis für die kirchentreue Glaubensausübung festzustellen. Also gab es kein *Homoousion*, kein athanasisches Glaubensbekenntnis, keine Abgrenzung der zwei Personen Christi und kein sorgfältiges Gleichgewicht zwischen Prädestination und freiem Willen. Die Bulle bot absolut keinen Anhaltspunkt, um zu entscheiden, wer gefangen zu nehmen und wer nicht zu stören sei. Der kraft dieses Erlasses allmächtige Bischof einer jeden Diözese konnte Jeden innerhalb seines Amtsbereichs festnehmen und einsperren lassen, ohne den Geist oder den Wortlaut der Bulle zu brechen.

Die Unschlüssigkeit des Ketzerbegriffs wird durch einen merkwürdigen Wortlaut hervorgehoben, die Formel „haereticus vel haeretica", „Ketzer oder Ketzerin". Da Bezeichnungen wie Katharer, Waldenser und Albigenser überflüssig waren, wurde nur ein einziger Begriff als notwendig erachtet, der der grundlegendsten Einteilung der Menschheit Rechnung trägt – Mann oder Frau. Alle Menschen sind männlich oder weiblich, und die Ketzer ebenso. Auf diese Weise stimmte die Einteilung der Ketzer mit der Einteilung der Menschen überein. Auch das NKWD entwickelte während der großen stalinistischen Säuberungen einen mystischen Glauben, wonach jeder Mensch den Verrat an Stalin hegte, der nach ausreichenden Verhören stets zutage trat.

Ein der Ketzerei Verdächtiger hatte somit keine Möglichkeit, freigesprochen zu werden. Die Inquisitoren bestimmten die Schuld, noch bevor er festgenommen wurde. Die weltlichen Staatsdiener hatten die Befugnis, Alle gefangen zu nehmen, die der Ketzerei verdächtigt wurden, worauf sie an den Bischof und die Inquisitoren für „eine Prüfung ihrer selbst und ihrer Häresie" („pro examinatione de ipsis et eorum haeresi facienda", §23) überführt wurden. Die Inquisition funktionierte also nicht wie eine große Jury, die über das Vorliegen eines wahrscheinlichen Verbrechens bestimmt, und schon gar nicht als Gericht, das über Schuld oder Unschuld urteilt, sondern prüfte allein die Schuld und das damit verbundene Verbrechen.

Wer die Unschuld eines festgenommenen Ketzers beteuerte, wurde der Arglist („dolum") überführt, wodurch sein gesamter Besitz für alle Ewigkeit an den Staat fiel (§22).

Der Nationalsozialismus war nicht nur eine Erfindung Hitlers, sondern entstand auch aus der Zusammenarbeit mit Anton Drexler. Dieser war kein Mörder, erarbeitete aber zusammen mit dem noch unsicheren Hitler die „25 Punkte" des nationalsozialistischen Programms (1920), die einen zusammenhanglosen, aber rührenden Liberalismus gemischt mit Realsozialismus zum Ausdruck bringen und anfangs kaum, später aber schon gar nichts mit dem tatsächlichen Verhalten der Nazis zu tun hatten. Diese fragten letztlich ihren Führer: „Sollten wir nicht die 25 Punkte loswerden?", worauf Hitler antwortete: „Lasst sie bleiben. Wenn man uns nach unserem Programm fragt, können wir sie auspacken, und dann können wir tun und lassen, was wir wollen." Selig ist die Terrororganisation, die weder Grundsätze noch Programm hat.

Da niemand einen Ketzer definieren kann, kann es aus dem selben Grund ein Jeder tun – genauer, die Aufgabe wird bis ins Absurde einfach. Dazu benötigt man keine Fähigkeit, sondern Autorität. §2 erfordert, dass die Staatsgewalt (nicht ein Inquisitor) zu Beginn ihres Mandats alle Ketzer in ihrem Machtbereich beschuldigt, Verbrechen begangen zu haben, worauf ihr Besitz von den staatlich eingesetzten Beamten oder vom Ersten eingezogen wird, in dessen Hände sie fallen. In diesem Fall waren die Plünderer dann „rechtmäßige" Eigentümer dieses Besitzes. Keine Untersuchung, kein Verfahren, kein Urteilsspruch, keine Verurteilung – eine bloße Beschuldigung reichte für eine sofortige Strafe. Im Film *Casanova* (2005) ruft der Inquisitor Pucci aus: „Ketzerei ist, was ich sage, dass es ist." Wahrscheinlich ist das der geschichtstreueste Augenblick im Film.

Im Einklang mit der ideologischen Reinheit der Bulle – d. h. die reine Abwesenheit jeglichen Gedankens – war es in der Inquisition nur den Geistlichen, jedoch nicht den Laien gestattet, ihre Tätigkeit zu interpretieren. In allen Diözesen Europas wurde durch *Ad exstirpanda* ein Verfolgerheer unter der Leitung des Diözesanbischofs (im Namen der Kirche) geschaffen, dem die Dominikaner („fratres predicatores") und Franziskaner („fratres minores") untergeordnet waren; der Staat war durch Diener („servitores"), zwei Notare und zwölf Laien vertreten. Letzteren war es ausdrücklich verboten, irgendwelche Gedanken zu ihrer Tätigkeit oder Pflichten über die Befehle hinaus zu hegen, die ihnen der Bischof oder die Mönche erteilten („Nec ipsi officiales, vel eorum haeredes possint aliquo tempore conveniri, de his quae fecerint, vel pertinent ad eorum officium", §11). Um eine Übereinkunft untereinander völlig auszuschließen, wurde ihre Absetzung nach sechs Monaten angeordnet, wodurch sie nicht das Gefühl entwickelten, ihre Arbeit ausgelernt zu haben. Man denke hier an die immer wiederkehrende Leier eines Angeklagten vor dem Kriegsverbrechertribunal: Ich bin ein armer Mensch, ich erhielt Befehle und gab sie weiter, eigentlich wusste ich von nichts. Oder auch an Shakespeare:

> Ich werde hier befehligt, euren Händen
> Den edlen Herzog Clarence auszuliefern.
> Ich will nicht grübeln, was hiemit gemeint ist,
> Denn ich will schuldlos an der Meinung sein.
> (*Richard III.*, I. iv., 93-96)

Der Staatsterror braucht ein Reservoir an Menschen, denen die „Banalität des Bösen" – in Hannah Arendts Worten – eingeflößt wird, eine wahre oder vorgetäuschte Unfähigkeit, die von ihnen begangenen Untaten zu begreifen oder begreifen zu wollen. Innozenz IV. bemühte sich, die Inquisition mit solchen Menschen auszustatten.

Und doch schlägt der Anstand im Menschen unvorhergesehen durch. In Anbetracht dieser Möglichkeit verordnete der Papst, dass Strafen wegen Ketzerei aufgrund einer öffentlichen Versammlung, eines Volksaufstandes oder der angeborenen Menschlichkeit der Machtausübenden unter keinen Umständen aufzuschieben seien („Omnes autem condemnationes, vel poenae, quae occasione haeresis factae fuerint, neque per concionem […] neque ad vocem populi ullo modo, aut *ingenio*, aliquo tempori valeant relaxari", §32; Hervorhebung durch den Autor). Trotz des *Ingenium* oder Anfalls von Mitleid des einen oder anderen Inquisitors wurden die grausamen Hinrichtungen schließlich ein beliebtes Spektakel, sozusagen eine zweite Natur. In Spanien fanden zur Feier königlicher Hochzeiten bis ins 18. Jahrhundert große Verbrennungen von Juden und Ketzern statt.

§32 wirft einige Zweifel zur Behauptung von William E. H. Lecky am Ende seiner *History of the Rise and Influence of the Spirit Rationalism in Europe* (1865) auf. Obwohl das seit dem Beginn des Christentums zugefügte Leid bedauernswert sei, könne denen, die es begingen, ihre moralische Aufrichtigkeit nicht abgesprochen werden, da sie im Gegensatz zu heute von ihrem Handeln überzeugt wären. *Ad exstirpanda* weist in §32 jedoch auf das Gegenteil hin. Die Inquisitoren verspürten Abscheu gegenüber ihren eigenen Handlungen, und der Papst musste ihnen sogar anordnen, ihre Gefühle zu unterdrücken. Die Unfähigkeit des Papstes, die Begriffe *Folter* oder *Verbrennung bei lebendigem Leib* in den Mund zu nehmen, wo er doch ausgerechnet dies ausdrücken wollte, läuft auf das gleiche hinaus.

Durch *Ad exstirpanda* wurde die Inquisition in nur wenigen norditalienischen Provinzen geschaffen. Dennoch wurde darin ein Plan gehegt, der auf Gewinn abzielte, da sich jeder Staat den Besitz der als Ketzer Verurteilten mit den Inquisitoren teilen würde. Damit erhoffte man sich eine Verbreitung des Systems über ganz Europa, was letztlich auch geschah; mit den Konquistadoren wurde es sogar auf Mexiko und Peru ausgedehnt. Die Regierungsbehörden und Gebiete erschienen in diesen Gesetzen aber unter allgemeinen Begriffen – so wurden erstere „potestas aut rector" (Gewalt oder Herrscher), letztere „civitas aut locus" (Stadt oder Ort) genannt.

So wie die Bestimmungen zu den Laienmitgliedern der Inquisition auf die „Banalität des Bösen" im 20. Jahrhundert vorgreifen, sind die Euphemismen in *Ad exstirpanda* ein Vorbild für die totalitären Regimes, in denen der Massenmord „Liquidierung", eine Folterkammer ein „Sonderbunker" und ein in der Weltgeschichte beispielloser Mord die „Endlösung" war.

So waren nach §24 die der Ketzerei Verurteilten der Staatsgewalt gefesselt („relictos") zu übergeben, die ihrerseits „die gegen sie erlassenen Bestimmungen zur Anwendung zu bringen hat" („circa eos constitutiones contra tales editas serviturus"). Innozenz IV. folgte einer Verordnung seines Vorgängers Bonifatius VIII. zur Benutzung von Euphemismen in solchen Fällen. So wurden die Inquisitoren „gemahnt, nur von Gesetzesvollzug zu sprechen, ohne die genaue Strafe zu nennen, um nicht in ‚Unregelmäßigkeiten' zu verfallen, obwohl die einzige von der Kirche als angemessen anerkannte Strafe auf Ketzerei die Verbrennung bei lebendigem Leib war" (Henry C. Lea, *A History of the Inquisition in the Middle Ages*, New York, Macmillan, 1922, Bd. I, S. 537).

Der berüchtigte §25 unterschlägt den Begriff *Folter* („*tormentum*") und besagt an dessen Stelle, dass die Staatsdiener die der Ketzerei Beschuldigten zum Geständnis zu zwingen („cogere") haben „citra membri diminutionem, aut mortis periculum" (ohne Verringerung ihrer Gliedmaßen [obskurer Ausdruck, der wohl bedeutet, dass sie nicht gebrochen werden durften] oder Lebensgefahr [d. h. ohne sie zu töten]").

Weiters zielte *Ad exstirpanda* darauf ab, einen festgenommenen Ketzer bzw. einen, dessen Festnahme unmittelbar bevorstand, in einen Wirbel des Verdachts und der Angst zu saugen, in den auch seine Familie und Freunde mitgerissen würden. Jeder, der dabei ertappt wurde, einem Ketzer Rat, Hilfe oder Gefallen zu erweisen („Quicumque vero fuerit deprehensus dare alicui haeretico, vel haereticae, consilium, vel auxilium, seu favorem"), wurde zur Infamie verdammt und verlor das Recht auf Bekleidung eines öffentlichen Amts sowie Teilnahme an öffentlichen Angelegenheiten und Wahlen und durfte weder als Zeuge vor Gericht aussagen noch erben oder ein Erbe vermachen. Zusammenfassend, „wer den falschen Lehren der Ketzer zuhört, wird wie ein Ketzer bestraft". Wenn es also in der einen oder anderen Form offensichtlich wurde, dass die Festnahme einer Person wegen Ketzerei kurz bevorstand, versuchten ihre Angehörigen und Freunde mit allen Mitteln, ja nicht den Anschein zu erwecken, ihr „consilium, vel auxilium, seu favorem" zu geben. Sowohl Alexander Solschenizyn in *Der Archipel Gulag* als auch Nadeschda Mandelstam in *Ohne Hoffnung* beschreiben das schauderhafte Gefühl, unter einem totalitären Regime verhaftet und von Familie und Freunden abgestoßen zu werden.

Nach §26 war das Haus abzureißen, in dem ein Ketzer gefangen genommen wurde, und durfte nie mehr wieder gebaut werden, es sei denn, der Hausherr sei der Informant, durch den die Festnahme erfolgt war. Wenn also der Hausherr dem nicht zuvorkam, wurde das Gebäude abgerissen, und kein Haus könnte je wieder errichtet werden, das er in der Umgebung besaß.

Zwar wurden die Ketzer dadurch nicht bestraft, doch die Hausbesitzer plagte die Furcht angesichts der Möglichkeit, dass ein Bewohner der Ketzerei beschuldigt würde, bevor er es selbst tat. Arendt beschreibt, wie die Arbeitskollegen und Bekannten eines Verhafteten zur Geheimpolizei eilten und erklärten, sie haben mit ihm nur deshalb zu tun gehabt, weil sie Beweise für seine Untreue sammeln wollten, bevor sie ihn anzeigten. §21 besagt, dass neue, von den Kerkern für Räuber und gemeine Verbrecher getrennte Gefängnisse für Ketzer einzurichten seien, damit erstere nach ihrer Freilassung der Außenwelt nichts über die Lage der Ketzer berichten könnten.

Im *Times Literary Supplement* vom 8. September 2006 wird in einer Rezension des Buches *God's War* von Christopher Tyerman angemerkt: „Überraschenderweise werden die Handlungen der Inquisition gegen die Albigenser in Südfrankreich [von Tyerman] gelobt. Es handle sich dabei nicht um eine, unheimliche bürokratische Institution zur Repression, wie die Legende behauptet', sondern sie sei hauptsächlich durch ‚Überzeugung und Versöhnung' vorgegangen". Gerard Bradley empfiehlt wiederum in „One Cheer for Inquisitions", einem in Catholic.net veröffentlichten Artikel, zumindest etwas Toleranz und Mitgefühl gegenüber der Inquisition entgegen zu bringen, da ihre bloße Existenz Zeuge einer Zeit gewesen sei, in der ein tieferer Glaube als heute herrschte. Dennoch reicht das Lesen von *Ad exstirpanda*, um festzustellen, dass die Inquisition nicht am Frieden, ja nicht einmal an der Häresie, sondern nur an Reichtum und Macht interessiert war, und zwar über die primitivste Methode, um dies zu erlangen: Terror.

**DAVID RENAKER**
Professor an der San Francisco State University
Übersetzung: Gilbert Bofill i Ball

**Anmerkung des Verfassers:** Die Recherche zu diesem Text begann mit dem Bedürfnis, Näheres zum Verb *exstirpo, exstirpare* sowie seiner Bedeutungsänderung im Mittelalter und im 17. Jahrhundert zu erfahren. Als ich feststellte, dass diese päpstliche Bulle allem Anschein nach noch nicht auf Englisch veröffentlicht wurde, beschloss ich, auch diese Aufgabe zu übernehmen.

Die Quelle lautet *Bullarum Privilegiorum Romanorum Pontificum Amplissima Collectio Cui accessere Pontificum omnium Vitae, Notae, & Indices Opportuni.* Opera et Studio Caroli Cocquelines. Tomus Tertius. A Lucio III. Ad Clementem IV., scilicet ab An. MCLXXXI ad An. MCCLXVIII, Romae, M. DCC. XL. Typis et Sumptibus Hieronymi Mainardi.

Der Zugang zu diesem Buch wurde mir durch die Bemühungen von Anthony Bliss von der Bancroft Library an der U. of California, Berkeley und der Mitarbeiter der Graduate Theological Union Library ermöglicht, denen ich zutiefst dankbar bin.

# Als die Pyrenäen keine Grenze waren

Während des 12. Jahrhunderts kam zwischen Katalonien und Okzitanien eine enge kulturelle, politische, gesellschaftliche und religiöse Bindung zustande, die die Verbreitung des Katharismus jenseits der Pyrenäen ermöglichte. Das Königreich Aragonien, das sich ab 1137 aus dem Fürstentum Katalonien und dem eigentlichen Königreich Aragonien zusammensetzte, stand unter der politischen Herrschaft der Grafen von Barcelona, die im Laufe des 12. Jahrhunderts ihr Machtgebiet nach Okzitanien ausdehnten. Viele Adlige aus Nordkatalonien wie die Herrscher des Roussillon, der Cerdanya und des Conflent traten als Beschützer der Katharer auf. Arnau de Castellbò, Graf der Cerdanya, Vizegraf von Castellbò und Berater von Jakob I., verheiratete seine Tochter Ermessenda mit Roger Bernat von Foix, wodurch ein zusammenhängendes Gebiet entstand, das sich zu beiden Seiten der Pyrenäen erstreckte und die meisten Gebiete in Nordwestkatalonien mit Castellbò, La Tor de Querol, Berga, Josa und Gósol bis nach Andorra sowie die Grafschaft Foix umfasste, die den Katharern besonderen Schutz gewährte. Arnaus Leben war von ständigen Kämpfen um Gebietsansprüche gegen die Kirche von Urgell geprägt, die in der Dichtung des Trobadors Guillem de Berguedà Unterstützung fanden. So hielt die katharische Lehre Einzug, die sich über Familienbande verbreitete. Anfang des 12. Jahrhunderts fanden in Castellbò öffentliche Predigten statt, und 1221 wurde ein katharisches Diakonat mit eigener Verwaltungshoheit auf dem Gebiet eingerichtet, wo der *Diaconus haereticorum de Catalonia* Guillem Clergue residierte.

Zu den Familien in Nordkatalonien, die mit dem Katharismus in Verbindung standen, gehörten die Bretós aus Berga. Eines ihrer Mitglieder, Arnau Bretós, wurde gefangen genommen, als er sich auf dem Weg nach Montségur befand, um den Belagerten zu helfen. In seiner Aussage vom 19. Mai 1244 berichtete er von den Reisen, die die Katharer in Katalonien während der ersten Hälfte des 13. Jahrhunderts unternahmen. Ein weiterer katharischer Kreis befand sich im Gebirgszug des Cadí. Dort empfing Ramon de Josa, der familiäre Beziehungen zu Arnau de Castellbò geschlossen hatte, in seiner Burg Katharer wie beispielsweise den Diakon Pere de la Corona und Guillem de Pou. Pere besuchte um 1240 die katharischen Gemeinschaften in Katalonien, u. a. in Vallporrera, Siurana und Prades im südlichen Teil des Landes.

Der Aufstieg der Häresie stellte die Kirche, aber auch die Monarchie vor ein politisches Problem. Papst Innozenz III. unternahm eine ketzerfeindliche Politik, deren Spiegelbild die Krönung Peters I. in Rom 1204 war. Kurz davor forderte der Papst den Erzbischof von Tarragona auf, seine Vertreter im Kampf gegen die Häresie zu unterstützen, während er dem König die Befugnis erteilte, von den Ländereien Besitz zu ergreifen, die den Ketzern abgenommen worden waren. In den Jahren vor dem Kreuzzug mahnte der Papst Peter immer wieder zur Unterstützung in dieser Frage. Der Disput von Montpellier zwischen Katholiken und Häretikern unter königlichem Vorsitz, der schließlich zur Verurteilung der Häresie führte, bedeutete eine Annäherung an Rom, die jedoch stets doppeldeutig war, da viele Vasallen, auf deren Seite Peter im Kreuzzug eintrat, die Katharer unterstützten.

Nach der Niederlage bei Muret und Peters Tod (1213) richtete Jakob I. seine Interessen neu aus, worauf die Eroberung von Valencia (1229) und Mallorca (1239) sowie die Expansion im Mittelmeerraum folgte. Die Unterzeichnung des Vertrags von Corbeil (1256) setzte den Ansprüchen des Grafenhauses von Barcelona auf Okzitanien offiziell ein Ende. Dies betraf besonders die weitere Entwicklung des Katharismus, da Okzitanien gemeinsam mit Katalonien allmählich in den Machtbereich Roms fiel.

Unter der Herrschaft Jakobs I. (1213-1276) erfolgte die heftigste Offensive gegen die Häresie. Am 26. Mai 1232 erließ Gregor IX. die Bulle *Declinante*, in der der Erzbischof von Tarragona Espàrrec de la Barca sowie alle Bischöfe der untergeordneten Diözesen (Girona, Urgell, Tortosa, Lleida, Elne, Barcelona u. a.) aufgefordert wurden, gegen die Ketzer und ihre Beschützer gemäß der vom Papst erlassenen Statuten vorzugehen. Zwei Jahre später veranlasste Raimund von Penyafort eine Kirchenversammlung, die am 7. Februar 1234 in Tarragona unter König Jakobs Anwesenheit tagte und die Grundlagen der mittelalterlichen katalanischen Inquisition festlegte. Darin wurde angeordnet, dass „*kein Laie wagen soll, den katholischen Glauben weder öffentlich noch privat in Frage zu stellen.* Zuwiderhandelnde gehören von ihrem Bischof exkommuniziert und, sollten sie die Strafe nicht abbüßen, als Ketzer behandelt.*" Als der rechtliche Rahmen feststand, förderte Innozenz III. im Vierten Laterankonzil (1215) die Schaffung von Predigerorden, die dem Einfluss der Häresie Einhalt gebieten sollten. So suchten Dominikaner und Franziskaner der Ketzerei verdächtigte Gebiete heim, um die Schuldigen an den weltlichen Arm zur Vollstreckung des Urteils zu überführen. In diesen Jahren ließ sich eine Gruppe zum Katholizismus übergetretener Waldenser, die sich arme Katholiken nannten und unter der Führung von Durand von Huesca standen, in verschiedenen europäischen Städten nieder. In Elne im Roussillon richteten sie eine Schule ein, die eine bedeutende Produktion an ketzerfeindlichen Schriften hinterließ.

Kurz nach der Einrichtung der Inquisition begannen die ersten Prozesse. In Urgell spitzte sich die Lage derart zu, dass der Bischof Ponç de Vilamur 1237 ein Konzil in Lleida einberufen musste, um den Grafen von Foix zur Einführung der Inquisition auf seinem Herrschaftsgebiet zu zwingen, was letztlich zu 78 Anklagen und dem Abriss zweier Häuser führte. Zur selben Zeit hielt das Gericht auch in Puigcerdà und Tarragona Einzug, wo mehrere Verurteilungen ausgesprochen wurden. Ein Bericht des Inquisitors Guillem Clergue über das Gebiet um Berga besagte, dass es „*wenige Häuser in Gósol gibt, wo keine Ketzer zu finden seien*" und „*diese guten Menschen anscheinend in Solsona und Agramunt, in Lleida und Sanaüja, in La Seu und den Bergen von Prades anzutreffen sind*". 1258 verurteilte der Inquisitor Pere de la Cadireta Ramon de Josa posthum als *Credens hereticorum*. Elf Jahre später erklärte er den vierzig Jahre zuvor verstorbenen Arnau de Castellbò gemeinsam mit seiner Tochter Ermessenda zu Ketzern und ordnete die Exhumierung ihrer Leichname und deren Aussetzung aus dem Friedhof in Santa Maria de Costoja an.

Während sich die Inquisition in Okzitanien ausbreitete, wurde Katalonien zu einem Zufluchtsort mit ständigen Wanderströmen über die Pyrenäen. Die Eroberung von Valencia und Mallorca und der damit verbundene Ansiedlungsprozess trugen zur Verbreitung der katharischen Lehre an einigen Orten bei. In Valencia wurde der Kaufmannn Guillem de Melió vor Gericht gebracht, und in Mallorca pflegten Raimunda, Ehefrau von Boussoulens, und Durand de Broille Kontakte mit Katharern bei sich zu Hause. Damals wurde Lleida eine Schlüsselstelle für die Reisen in südlichere Landesteile. Angesichts der Ketzerfrage, die sich in dieser Stadt stellte, erteilte die königliche Kanzlei 1257 freies Geleit zur Erleichterung der Rekonziliation. Um 1235 verfasste der Bischof von Tui Lucas *De Altera Vita*, wo er die häretische Lehre widerlegte, die auch in Kastilien Einzug hielt. Die Anwesenheit der Katharer auf diesem Gebiet konzentrierte sich auf die Städte am Jakobsweg wie Burgos, Palencia und León, war jedoch spärlich.

Im Laufe des 13. Jahrhunderts zerschlug die Inquisition schließlich den Katharismus. Anfang des 14. Jahrhunderts fand noch ein Aufflammen der Lehre in Katalonien durch die letzte Gemeinde um Guillem Belibaste und eine Gruppe Exilierter hauptsächlich aus Montaillou statt, die vor der Verfolgung flohen. Darunter befanden sich die Wanderhirten Peire und Joan Mauri, ihre Schwester Guillermina, die ein eigenes Haus in Sant Mateu (Valencia) besaß, Esperte und Raimunda. Sie alle lebten mehrere Jahre in Städten in Valencia, Katalonien und Aragonien. Als Peire in Lleida gefangen genommen wurde, hielt ihm dem Inquisitor Bernat de Puigcercós vor, dass Guillems Lehre mit den Autier wenig zu tun habe. Tatsache ist aber, dass Belibaste zwar die Lehre gelegentlich zu seinem persönlichen Vorteil auslegte, seine aufgezeichneten Aussagen jedoch eine tiefe Kenntnis der katharischen Lehre beweisen. 1321 wurde er von Arnau Sicre verraten, in Tírvia gefangen genommen und an den Erzbischof von Narbonne ausgeliefert. Am 24. August des selben Jahres wurde Guillem Belibaste auf der erzbischöflichen Residenz auf der Burg Villerouge-Termenès verbrannt, ohne von seinem Glauben abzuschwören.

**SERGI GRAU TORRAS**

Übersetzung: Gilbert Bofill i Ball

# Die Erinnerung an die Katharer

Ein Umstand, der die Geschichtsschreibung über die Katharer entscheidend beeinflusst hat, ist zweifellos die große Stille um diese Glaubensbewegung nach ihrem tragischen Ende, die bis gut in die Renaissance andauerte. Die Nachvollziehung dieser dürftigen Spuren in den Geschichtsquellen gestaltet sich keineswegs einfach, vor allem weil die Verbreitung der Bettlerorden, die neue franziskanische Mystik und die Orthodoxie nach dem theologischen Werk des Dominikaners Thomas von Aquin den religiösen Rahmen im Spätmittelalter von Grund auf veränderten, wie Anne Brenon häufig betont.

In dieser Hinsicht heißt es, dass die Überbleibsel eines gewissen Antiklerikalismus im Bewusstsein der Menschen des Languedoc fortdauerten und später zum Ausbruch der Reformation im 15. Jahrhundert beitrugen. Als der Protestantismus in Erscheinung trat, bedienten sich die katholischen Gelehrten des Katharismus als eine weitere abtrünnige Bewegung, um die Befürworter der Reformation zu bekämpfen. Paradoxerweise wurden aber die Katharer von den ersten protestantischen Historikern verachtet. Gegen Ende des 16. Jahrhunderts wurden sie mit den Waldensern verwechselt, obwohl diese als Vorläufer ihrer eigenen reformatorischen Glaubensrichtung galten. In seiner *Histoire abrégé des albigeois, des vaudois, des wiclifistes et des hussites* („Zusammengefasste Geschichte der Albigenser, Waldenser, Wiklifiten und Hussiten") – ein Teil der *Histoire des variations des Eglises protestantes* („Geschichte der Ausrichtungen der protestantischen Kirchen", 1688) – setzte Jacques B. Bossuet (1627-1704) dieser Verwechslung zwischen Katharern und Waldensern ein Ende. Die protestantische Geschichtsschreibung leistete dem schließlich Folge, wenn auch mit gewissem Zögern.

Zu Zeiten der Aufklärung setzte Voltaire in seiner *Essai sur les moeurs et l'esprit des nations* („Abhandlung über die Sitten und den Geist der Nationen", 1753) erneut Katharer mit Waldensern gleich, und Diderot fand deren Gedanken „hohl und erbärmlich". Gegen Ende des 18. Jahrhunderts wurden die Katharer zwar als tragische Opfer der Intoleranz, jedoch auch als Fanatiker ohne jeglichen bedeutsamen Glaubensgedanken betrachtet.

Erst im 19. Jahrhundert fand in der protestantischen Geschichtsschreibung eine Wende im Studium des Katharismus statt, der auf eine solide Basis gesetzt wurde. In dieser Hinsicht ragt Charles Schmidt (1812-1895), ein Pastor und Theologe aus Straßburg hervor, der eine *Histoire et doctrine de la secte des cathares ou albigeois* („Geschichte und Lehre der Sekte der Katharer oder Albigenser", 1849) in zwei Bänden verfasste. Schmidt, der den Katharismus eher als eine eigene Religion und nicht als christliche Häresie betrachtete, begründete seine Arbeit erstmals auf dem ernsthaften Studium von bis dahin unerforschten Quellen, insbesondere die Archive der Inquisition.

Etwas früher erschien mit einem recht unterschiedlichen Ansatz das Werk von Bernard Mary-Lafont (1810-1884), einem Calvinisten, Bibliothekar in Montauban und glühenden okzitanischen Patrioten: die *Histoire politique, religieuse et littéraire du midi de la France* („Politische, religiöse und literarische Geschichte des Süden Frankreichs", vier Bände, 1842-1845). Kurz danach kam das Werk eines weiteren protestantischen Pastors, Napoléon Peyrat (1809-1881), eine *Histoire des albigeois* („Geschichte der Albigenser", 1870-1882) heraus, die trotz Berufung auf urkundliche Quellen Wahrheit und Legende miteinander vermischte. Die Absicht des Autors, der einen enormen Einfluss auf Dichtung, Theater und Roman ausübte, war eine Art vollständige Auferstehungsgeschichte nach dem Vorbild seines Freundes Jules Michelet, der zuvor eine Geschichte Frankreichs herausgebracht hatte. Vom Werk von Peyrat, einem romantischen, seiner Heimat leidenschaftlich verbundenen Menschen, ging ein Großteil des Mythos hervor, das viele spätere Auseinandersetzungen mit dem Katharismus begleitet hat.

Währenddessen hüllte sich die katholische Geschichtsschreibung in auffälliges Schweigen zu dieser düsteren Seite der Kirchengeschichte. Erst um die Wende vom 19. zum 20. Jahrhundert wurde dieses Schweigen gebrochen, als die *Geschichte der gnostisch-manichäischen Sekten im früheren Mittelalter* (München 1890) des Professors und Bischofs Ignaz von Döllinger sowie das Werk von Célestin Douais, Professor in Béziers und späterer Bischof von Beauvais veröffentlicht wurden, denen wenig später Jean Giraud, ein Laie aus Carcassonne und Professor an der Universität Besançon folgte.

Im 20. Jahrhundert – genau genommen 1939, 1945, 1960 und 1961 – erschienen neue Quellen, die direkt auf die Katharer und die Inquisitionsarchive Bezug nahmen und somit die bisher vorhandene Geschichtsschreibung zutiefst erneuerten. Noch bis vor kurzer Zeit bestand die Hauptquelle der historischen Recherchen nämlich immer noch aus Abhandlungen, Summen, Chroniken, Briefen und Predigten der Zisterzienser und Dominikaner aus der Katharerzeit, in denen die Häresie zu deren Bekämpfung beschrieben wurde. So ist es nicht verwunderlich, dass Theologen und Historiker zum allgemeinen Schluss kamen, den Katharismus als Fremdkörper im westlichen Christentum zu betrachten. Doch die Geschichtsschreibung hat heute eine deutlich andere Auffassung dazu, und die Bibliographie hat enorm zugenommen, zum Teil als Ausdruck des in den letzten Jahrzehnten neu erwachten Interesses am Katharismus.

So traten in der zweiten Hälfte des 20. Jahrhunderts zahlreiche Gelehrte auf, die aus verschiedenen, teils entgegengesetzten Perspektiven die Kenntnis dieser mittelalterlichen Glaubensbewegung bis in die Gegenwart immer besser vervollständigt haben. In dieser Hinsicht sei der große Fortschritt erwähnt, der durch die Gründung 1982 des Centre National d'Études Cathares in Carcassonne durch René Nelli, Robert Capdeville und Pierre Racine erzielt wurde. Dieses Zentrum, das von 1982 bis 1998 von der Archivarin Anne Brenon und von 1998 bis 2005 von der Medievalistin Pilar Jiménez geleitet wurde, ist ein ständiger Brennpunkt der Geschichtsforschung und Belebung des Interesses an den Katharern und den mittelalterlichen Ketzerbewegungen.

## Das „katharische Land"

Die eindeutige Faszination, die die Katharer auf breite Gruppen ausgeübt hat, dehnt sich auf mehrere Gesellschaftsbereiche aus, was sich direkt auf die Wirtschaftsförderung und den Fremdenverkehr ausgewirkt hat. Dadurch wurde ab den sechziger Jahren eine Dynamik in Gang gesetzt – zunächst mehr oder weniger spontan, später sowohl privat als auch öffentlich gefördert – durch die einige Gebiete im Languedoc mit der Kirche der guten Christen identifiziert und mehrere Anreize geschaffen wurden, sie als Anziehungspunkt für Besucher zu gestalten.

In dieser Hinsicht war die Schaffung 1989 der Marke „Pays Cathare" („katharisches Land") durch den Conseil Général de l'Aude entscheidend. Durch die geographische und verwaltungspolitische Einschränkung wurde der eigentliche Schauplatz des historischen Geschehens reduziert und konzentrierte sich vor allem auf das Gebiet um den Gebirgszug der Corbières. Sie beruht auf der Wiederbelebung des Kulturerbes – grundsätzlich Burgen und Abteien – wird aber auch vom Fremdenverkehr, Handwerk, Landwirtschaft und Weinbau mitgetragen, die alle Interesse an einer Qualitätsinitiative haben. Zur Umsetzung dieses Vorhabens strebt heute die Marke „le Pays Cathare" – die oft selbst den Begriff Okzitanien ersetzt – Qualität und persönliche Betreuung in einer Reihe von *Gîtes* (Ferienunterkünfte) am Land, Herbergen, Restaurants, Gasthäusern, Hotels, Campingplätzen und Weinkellereien sowie Qualitätsgarantie in Erzeugnissen wie Brot, Fleisch und Geflügel, Obst und Gemüse an. Des weiteren hat eine intensive Kampagne zur Beschilderung von Denkmälern und Sehenswürdigkeiten an Straßen und Wegen zur Erschließung von Touristen- und Kulturrouten im Departement erheblich beigetragen.

Natürlich hat die touristische Ausbeutung einer historischen Erscheinung wie die Katharer auch zu aller Art Auswüchse geführt, so dass das Wort „katharisch" – ohne dem Zusatz „Land" – für eine Unzahl von Kommerz- und Tourismusprodukten gerade stehen muss, die mit dieser Bezeichnung Prestige oder vermeintliche „Echtheit" vermitteln möchten. Diese Ausschlachtung des Begriffs hat letztlich zu vollkommen abstrusen Marken und Bezeichnungen geführt.

Eine weitere, in diesem Fall seriösere Annäherung an die Geschichte erfolgt über die zahlreichen Reiseführer, Routen und Wanderwege, die überall zu finden sind, wo der Katharismus Fuß fasste. Darunter möchten wir zwei wahrlich interessante, ähnlich (etwa 200 km) lange Routen erwähnen, die zu Fuß, zu Pferd oder mit Mountainbike zurückgelegt werden können. Es ist einerseits der so genannte *Senthier Cathare. De la mer à Montségur et Foix* („Katharerweg, vom Meer bis Montségur und Foix", GR-36 und GR-7), der ausgehend von Port-la-Nouvelle (okzitanisch: La Novèla) das Mittelmeer mit Foix in den Pyrenäen verbindet und zumeist entlang der alten Grenze zwischen den Königreichen Frankreich und Aragonien verläuft. Der andere ist der so genannte *Camí dels Bons Homes* („Weg der guten Menschen", GR-107), der die Kirche in Queralt im katalanischen Berguedà mit der Burg Montségur im Departement Ariège verbindet und etwa mit den wahrscheinlichen Wanderrouten der „guten Menschen" über die Pyrenäenpässe übereinstimmt.

## Esoterik und Legende

Als verfolgte und vernichtete Kirche in einer Zeit, die unzählige Mythen und Legenden hervorbrachte, tritt der Katharismus seit dem 19. Jahrhundert in Begleitung zahlreicher, mehr oder weniger esoterischer bzw. phantastischer Nebenerscheinungen auf, die zweifelsohne die Aufmerksamkeit vieler Menschen darauf gerichtet haben, zugleich aber auch eine unermessliche Literatur – über 200 Titel allein im Zeitraum 1970-1990 – begründeten, die mit den rein historischen Begebenheiten, wie wir sie heute kennen, absolut nichts zu tun hat. Diese Verwirrung ist so weit gegangen, dass es oft unmöglich ist, in Büchern, die sich zumindest mit einem Hauch historischer Wahrheit verstehen, konkretes Wissen – durch die präzisesten Mittel der modernen Geschichtsschreibung – von reiner Erfindung bzw. der Fortsetzung alter Legenden auseinander zu halten.

Einige dieser Phantasien haben viele Seiten vermeintlichen gelehrten Wissens sowie ausgiebiger Literatur produziert – so die Mythen der Esclarmonde, des Sonnentempels, des Katharerschatzes, der Grotten des Sabarthès, der Gralsuche, des orientalischen und tibetischen Einflusses usw. Andere, weniger bekannte Sagen sind nicht minder überraschend, wie die Deutung in katharischem Sinne des Lebensbaums im Glasfenster des Chors der Kathedrale Saint-Nazaire zu Carcassonne (Lucienne Julien, 1990) oder die Suche nach einem „katharisch-platonischen Schlüssel" in Michelangelos Fresken in der Sixtinischen Kapelle (H. Stein-Schneider, 1984). In anderen Fällen liegt der Fehler letztlich in der eindeutigen historischen Unkenntnis, wie beispielsweise bei der vermeintlichen Verbindung zum Katharismus von Symbolen wie das Kreuz – oft aufgrund der Verwirrung um das Perlenkreuz von Toulouse – oder Grabstätten wie die Scheibenstelen nach einer vor allem von Déodat Roché verbreiteten Annahme.

## Literatur und Katharismus

Mit all den Besonderheiten und historischen Umständen, die letztlich zu seinem Untergang führten, war der Katharismus geradezu vorbestimmt, die Aufmerksamkeit der Schriftsteller zu erregen. So kann dieses Phänomen, das seinen Ursprung in der Romantik hat und bis heute ungebrochen besteht, zunächst mit einem rein statistischen Faktum belegt werden: In den letzten zwei Jahrhunderten wurden mindestens hundert Romane mit den Katharern als Hauptthema – davon etwa zwanzig zum Endkampf von Montségur – dreißig Theaterstücke, weitere dreißig Comic-Bücher oder -Serien und etwa zwanzig Jugendbücher veröffentlicht. Unter Einbeziehung aller Genres – einschließlich Dichtung und Essay – zählte René Nelli (*Histoire secrète du Languedoc*, „Geheime Geschichte des Languedoc") 1978 etwa hundert Werke allein zu Montségur.

An dieser Produktion hat die französische Sprache natürlich den größten Anteil. Jedoch sind die Themen eher eintönig. So ist im Fall des historischen Romans die Hauptfigur oft eine Person aus der Zeit des Albigenserkreuzzugs, die mit der Sache der Ketzer sympathisiert. Die Symbole bezüglich Montségur sind mannigfaltig, zumeist jedoch im Einklang mit der romantischen Sicht Napoléon Peyrats: Wasser (Schiff, Insel mitten im Himmel), Luft und Stein (Burgruinen), Taube (Sage der Esclarmonde) und Adler (mit dem Nest als Symbol des Widerstands), Feuer (bezogen auf die Verbrennungen 1244), die wilde, geplagte Natur usw.

Die literarische Produktion zu den Katharern begann im 19. Jahrhundert mit der Romantik und ihrem bekanntlichen Interesse für die Vergangenheit, insbesondere das Mittelalter. Gemäß ähnlicher Phänomene in ganz Europa weckte diese Strömung im konkreten Fall des Languedoc die Aufmerksamkeit auf die Geschichte der Katharer und begründete zugleich eine eigene Literatur, die sie thematisierte.

Der Startpukt ist konkret im Jahr 1827 kurz nach dem Erfolg in Frankreich der Übersetzungen der Bücher von Walter Scott anzusetzen, als *Les Hérétiques de Montségur ou les Proscrits du XIIIe siècle* von einem anonymen Verfasser in Paris erschien. Die große Antriebskraft war jedoch zweifelsohne Frédéric Soulié aus Mirepoix im Pays de Foix, ein erfolgreicher Feuilletonist, dessen Romane in bis zu sechzehn Auflagen erschienen. Sein Hauptwerk ist eine Trilogie, die den so genannten *Romans du Languedoc* angehört: *Le Vicomte de Béziers* (1834), *Le Comte de Toulouse* (1840) und *Le Comte de Foix* (1852). Unter einem historischen Deckmantel beschreibt er sehr detailliert die Orte, an denen mittelalterliche Figuren dargestellt werden, und bringt dabei manchmal die Katharer ins Spiel. Scotts Einfluss ist eindeutig unübersehbar.

Der Impuls der Geschichtsschreibung, besonders ausgehend von den bereits erwähnten Werken zweier protestantischer Pastoren, Charles Schmidt und Napoléon Peyrat, ermöglichte letztlich das Erscheinen zahlreicher Romane. Im 20. Jahrhundert führte das Interesse an den Katharern zu einer Romanflut, die eigentlich immer noch nicht abgerissen hat und nach wie vor regelmäßig neue Werke hervorbringt. Unter den zahllosen Autoren und Titeln sind folgende nennenswert: der Herzog von Lévis-Mirepoix (*Montségur*, 1925), Maurice Magre (*Le sang de Toulouse*, 1931; *Le trésor des albigeois*, 1938), Pierre Benoît *(Montsalvat*, 1957), Zoé Oldenbourg (*La pierre angulaire*, 1953; *Les brûlés*, 1960; *Les cités charnelles*, 1961), Michel Peyramoure (die Trilogie *La passion cathare*, 1978), Henri Gougaud (*Bélibaste*, 1982; *L'inquisiteur*, 1984; *L'expedition*, 1991) und Dominique Baudis (*Raymond «le Cathare». Mémoires apocryphes*, 1996). In katalanischer Sprache waren seinerzeit zwei Romane unter dem Publikum recht beliebt: *Cercamón* (1982) von Lluís Racionero und *Terra d'oblit. El vell camí dels càtars* (1997) von Antoni Dalmau.

Bezüglich der Theaterproduktion sind Pierre Bonhommes vor etwa hundert Jahren uraufgeführtes Werk sowie jüngere Beiträge von Robert Lafont (*Raymond VII*, 1967), René Nelli (*Beatris de Planissòlas: mistèri*, 1971) und Zoé Oldenbourg (*L'évêque et la vieille dame ou la belle-mère de Peytaví Borsier*, 1983) zu erwähnen.

Der jüngste Höhenflug des historischen Romans hat ebenfalls zur Vermehrung der literarischen Titel beigetragen, die sich mit den Katharern befassen. Leider nehmen die meisten dieser Werke durch die absolute Freiheit, die das Genre ihren Autoren zugesteht, eine esoterische Sichtweise an oder es werden darin die historischen Fakten, wie wir sie heute kennen, einschneidend verzerrt. Aufgrund einer an Mythen äußerst reichhaltigen Überlieferung verschwindet somit oft die hauchdünne Trennlinie zwischen den historisch belegten Ereignissen und der überschwänglichen Phantasie vor den Augen des uneingeweihten Lesers, der der Geschichte der Katharer nachgeht.

## Das Schweigen des Kinos

Der Katharismus übt erwiesernermaßen eine große Anziehungskraft aus. Umso überraschender ist es, dass das bedeutendste Kunstgenre des 20. Jahrhunderts, das Kino, sich des Themas kaum angenommen hat. Konkret sind hier lediglich zwei bereits alte, in ihrem Umfang beschränkte Ansätze zu nennen:

*La fiancée des ténèbres* (1944), ein französischer Film von Serge de Poligny (1903-1983) mit Drehbuch von Gaston Bonheur und produziert von Éclair Journal. Zusammenfassend lautet das Drehbuch wie folgt: Der alte und kranke Toulzac, „der letzte Katharer", lebt bei der Mauer von Carcassonne mit seinem Schützling, der jungen Sylvie (Jany Holt), besessen von der Absicht, den Zugang zum Schrein zu finden, wo die guten Christen seit sieben Jahrhunderten ruhen. Sie verliebt sich in einen jungen Komponisten, Roland Samblanca (Pierre-Richard Wilm), doch der Greis, der das Eingangstor zur „Kathedrale" bereits gefunden hat, fordert sie auf, wie eine neue sich opfernde Esclarmonde hinabzusteigen. Sie folgt ihm, doch Roland geht ihr bis zur Krypta hinterher. Darauf beginnt der Boden zu beben, und das Liebespaar flüchtet nach Tournebelle, einem lieblichen Ort, wo sie gemeinsam ihre Leidenschaft ausleben können. Doch sie fühlt sich von einem Fluch verfolgt – sie kann nicht lieben, ohne den Tod auf ihren Liebhaber anzuziehen – und verlässt Roland, bevor sie auf ewig im Dunkel der Nacht verschwindet. Der Film, der während der deutschen Besatzungszeit mit großer Liebe zur Ästhetik gedreht wurde, wiedergibt eindeutig die klassischen Mythen der postromantischen Betrachtungsweise des Katharismus.

*Les Cathares* (1966) ist eine Fernsehserie aus zwei Kapiteln zu je zweieinhalb Stunden (mit den Titeln *La Croisade* und *L'Inquisition*), ebenfalls eine französische Produktion (ORTF) mit Stellio Lorenzi in der Regie, Alain Decaux am Drehbuch und André Castelot als Bühnenbildner. Es war der letzte Teil einer Reihe mit dem Titel *La caméra explore le temps* („Die Kamera erforscht die Zeit"). Zusammenfassend handelt es sich um eine kritische, antiklerikale Betrachtung des Albigenserkreuzzugs, mit einer Handlung, die die guten Katharer den bösen Priestern und Rittern aus dem Norden ständig gegenüber stellt.

Zur Vervollständigung dieses recht dürftigen Bilds kann hinzugefügt werden, dass 2006 in Cannes der Thriller *The Secret Book*, eine mazedonisch-französisch-österreichische Koproduktion vorgestellt wurde. Dessen Hauptthema sind die Bogomilen und ihr vermeintliches „geheimes Buch", ein heiliges Buch in glagolitischer Schrift, dem ältesten slawischen Alphabet (etwa eine Anspielung auf das *geheime Abendmahl* oder *Interrogatio Iohannis*, dem apokryphischen Evangelium bogomilischen Ursprungs aus dem späten 11. Jahrhundert?). Regie führt Vlado Cvetanovski, mit Thierry Fremont, Jean-Claude Carrière und Vlado Jovanovski in den Hauptrollen.

Alles in allem ist die Kinoausbeute zum Katharismus erstaunlicherweise spärlich – so wie auch zum Thema Templer. Dies führt zur berechtigten Frage, ob es keine Produktionsfirma oder keinen Regisseur gibt, der die Geschichte der Katharer (die Glaubensbewegung, den Alltag, den Albigenserkreuzzug, die Inquisition usw.) für filmreich und publikumswirksam hält. Derzeit lautet die Antwort eher nein.

**ANTONI DALMAU**
Übersetzung: Gilbert Bofill i Ball

# CHRONOLOGIE

ca. 970     Abhandlung des bulgarischen Priesters Kosmas gegen die Bogomilen.

„[...] *eines Priesters namens Bogomil* [= der Erbarmung Gottes würdig]*, der aber eigentlich Gottes Erbarmung unwürdig ist.*" (Kosmas, *Abhandlung gegen die Bogomilen*, ca. 970)

ca. 1000     Erste Spuren häretischer Gemeinden überall in Europa.

„*Eine neue Häresie ist auf dieser Welt entstanden und wird allmählich von falschen Aposteln gepredigt.* [...] *Zur grundsätzlichen Täuschung der Christenheit führen sie nach ihren Angaben ein apostolisches Leben.*" (Brief des Erbert, Mönch aus dem Périgord)

1022     Ein Dutzend häretischer Domherren werden in Orléans auf dem ersten überlieferten Scheiterhaufen der Geschichte der Christenheit verbrannt.

„*Im Irrglauben an ihren Wahn beteuerten sie sich nicht zu fürchten und versprachen, das Feuer unbehelligt zu überstehen.* [...] *Sie verbrannten sofort zu Asche.*" (Raoul Glaber, zeitgenössischer burgundischer Mönch)

1073-1085     Papst Gregor VII. setzt die so genannte gregorianische Reform endgültig durch, die bereits unter Leo IX. (1048-1054) eingeleitet wurde.

„ [...] *23. Die römische Kirche hat niemals geirrt noch wird sie jemals irren, wie die Heilige Schrift es belegt.*" (Gregor VII., *Dictatuts Papae*, 1075)

1096-1099     Erster Kreuzzug ins Heilige Land. Eroberung Jerusalems.

„*Die Kreuzfahrer eilten sofort durch die ganze Stadt, rissen Gold, Silber, Pferde und Maultiere an sich und plünderten die reich bestückten Häuser. Danach gingen sie, voll des Glücks und vor Freude weinend,* [...] *das Grab unseres Erlösers Jesus anbeten und erfüllten ihre Pflicht Ihm gegenüber.*" (*Anonyme Geschichte des Ersten Kreuzzugs*, 1099-1100, Kap. 39)

ca. 1110     In Konstantinopel wird Basileios, ein bogomolischer Würdenträger, mit seinen Gefährten verbrannt.

„*Basileios wies nicht nur die Anschuldigung zurück, sondern ging sofort unverblümt zum Angriff über und behauptete, er sei bereit, sich dem Feuer, den Peitschenhieben und tausend Toden zu stellen.*" (Anna Komnena, *Alexiade*, 12. Jh.)

1114     Verbrennung von Ketzern in Soissons in der Champagne.

„*Sie sagen, die Kindertaufe sei nichts wert. Ihre Taufe nennen sie das Wort Gottes, und sie verabreichen sie mit einem langatmigen Gesang* [...]*.*" (Wibert, Abt von Nogent-sous-Coucy, Aisne, 12. Jh.)

1135-1140     Verbrennungen in Lüttich. Erste belegte Ketzerbischöfe im Rheinland.

„*In Lüttich wurden etliche Männer gefangen genommen, hinter deren Anschein katholischen Glaubens und ihrem geistlichem Gewand Ketzer steckten.*" (*Annales Rodenses*, 12. Jh.)

ca. 1143     Verbrennungen in Köln. Everwin von Steinfeld warnt Bernhard von Clairvaux vor der Verbreitung der Häresie und gibt die Worte der Ketzer wieder, die sich selbst „Apostel" nennen.

„*Wir, die Armen Christi, die umherirren und von einer Stadt in die andere fliehen (Mt 10,23) wie Schafe mitten unter den Wölfen (Mt 10,16), werden wie die Apostel und die Märtyrer verfolgt.*" (Everwin von Steinfeld, Prämonstratenserprobst im Rheinland, Brief ca. 1143)

**1145**      Bernhard von Clairvaux predigt gegen die Katharer in Toulouse und Albi.
„[In Verfuèlh (Verfeil) sorgten einige Adlige und Gemeine] *für Aufruhr und klopften heftig an die Türen, damit die Menge ihre Stimme nicht hören könne, so dass sie das Wort Gottes in Ketten legten.*" (Guilhem de Puèglaurenç, *Chronica*, 1145, I)

**1157**      Katholisches Konzil von Reims gegen die Häresie.
„[Es wurden Strafen gegen die „Manichäer" erlassen, die sich durch] *diese verwerflichen Weber* [ausbreiten], *die oft von einem Ort zum anderen fliehen, ihren Namen ändern und ,Frauen voller Sünden führen'.*" (Konzil von Reims, 1157)

**1163**      Verbrennungen in Bonn, Köln und Mainz. Der Domherr Eckbert von Schönau verwendet in seinen *Predigten* erstamals den Begriff *Katharer*.
„[…] *Hi sunt quos vulgo Catharos vocant: gens perniciosa nimis Catholicae fidei* […]." (Eckbert von Schönau, *Sermones contra Catharos*, I, 1163)

**1165**      Katholisches Konzil in Lombers im Albigeois unter Anwesenheit eines katharischen Bischofs, Sicard Cellerier.
„*Ihr verurteilt, was Gott nach der Heiligen Schrift billigt* […]." (Der katholische Bischof von Albi zu Sicard. Guilhem de Puèglaurenç, *Chronica*, 1145, IV)

**1167**      Konzil in Saint-Félix en Lauragais der katharischen Kirchen aus dem Albigeois, Toulousain, Carcassès, Agenais oder Arantal, Frankreich und der Lombardei.
„*Keine* [Kirche in Asien] *geht gegen die Rechte einer anderen vor – und so leben sie in Frieden. Tut das selbe.*" (Bischof Niketas oder Nikita zur Kirche von Toulouse. Guillaume Besse, *Histoire des ducs, marquis et comtes de Narbonne...*, Paris, 1660)

**1178-1181**      Henri de Marsiac, Abt von Clairvaux und päpstlicher Legat, predigt gegen die Ketzer im Land um Toulouse und Albi und führt den *Vorkreuzzug* an.
„*Vor der versammelten Menge, die pausenlos Beifall klatschte und vor Hass gegen sie bebte, belegten wir sie erneut mit dem Kirchenbann, während wir die Kerzen löschten* […]." (Feier in der Jakobskirche in Toulouse nach einem Brief des Legaten)

**1184**      Konzil von Verona. Dekretale *Ad abolendam* von Papst Lucius III. (1181-1185), der den Bannfluch gegen Katharer, Waldenser und andere Häretiker ausspricht.
„*Die kirchliche Strenge ist zu entflammen, um die Verdorbenheit der verschiedenen Häresien abzuschaffen, die nun an mehreren Orten auf der Welt umher schwirren.*" (Lucius III., *Ad abolendam*, 1184)

**1194**      Raimund VI. von Toulouse, genannt *der Alte* (1194-1222). Bald steigt er zum Feindbild des Papstes auf.
„*Ihr seelenloser, grausamer, barbarischer Tyrann, schämt ihr euch nicht, die Ketzer zu fördern? Zurecht exkommunizierten euch unsere Legaten und belegten eure Ländereien mit dem Kirchenbann.*" (Brief von Papst Innozenz III. an Raimund VI., 1207)

**1196**      Peter II. von Aragonien, I. von Barcelona, genannt *der Katholische* (1196-1213).
„[…] *lo rey En Pere, fo lo pus franch rey que anch fos en Espanya e el pus cortès e el pus avinent* […] *E era bon cavaller d'armes, si bo n'avia e·l món*" („[…] *König Peter war der ehrlichste König, den es je in Spanien gab und der höfischste und großzügigste* […] *Und er war ein guter Ritter, einen besseren gab es auf der Welt nicht.*" Jakob I. der Eroberer, *Llibre dels feits*, 1244-1276, Kap. 6)

**1198**

Papst Innozenz III. (1198-1216)

*„Christus sah für Peter nicht nur die Herrschaft über die Weltkirche, sondern auch über all das Zeitliche vor. Den Fürsten wurde die Macht auf Erden erteilt, doch die Priester haben die Macht auf Erden wie im Himmel erhalten."* (Innozenz III.)

**1202-1206**

Misslungene Missionen von päpstlichen Legaten des Zisterzienserordens im Languedoc.

*„Can lo rics apostolis e la autra clercia / viron multiplicar aicela gran folia / plus fort que no soloit, e que creixen tot dia, / tramezon prezicar cascus de sa bailia. / E l'Ordes de Cistel [...] / i trames de sos homes tropa molta vegia"* („Als der Papst und die restliche Geistlichkeit zusahen, wie sich dieser Wahn mit noch größerer Kraft als bisher verbreitete und jeden Tag zunahm, entsandten sie ihre Legaten zur Predigt. Und der Zisterzienserorden [...] entsandte oft seine Männer dorthin." Wilhelm von Tudela, *Cansó de la Crozada*, 1212-1213, I, 11-16)

**1204**

Guilhabert de Castras weiht mehrere Damen in Fanjaux in Anwesenheit des Grafen Raimund-Roger von Foix, darunter dessen Schwester Esclarmonde.

Wiederaufbau der Festung Montségur auf Bitte der katharischen Kirche.

Disput von Carcassonne zwischen Katharern und Katholiken unter dem Vorsitz Peters des Katholischen.

*„Am Tag danach erklärte ich sie in Anwesenheit des Bischofs dieser Stadt und vieler anderer nach einem Gericht zu Ketzern."* (Brief von Peter dem Katholischen)

**1206**

Konzil von 600 Katharern in Mirepoix.

Disput zwischen Katharern und Katholiken in Servian (acht Tage) und Verfeil.

Beginn der Predigt von Diego de Osma und Domingo de Guzmán im Languedoc. Gründung des Klosters Prouille.

*„Um die Bösen zum Schweigen zu bringen, gilt es nach dem Beispiel unseres Herrn zu handeln und zu lehren, bescheiden aufzutreten, zu Fuß zu gehen, ohne Gold und Silber."* (Diego de Osma an die Legaten des Papstes. Pierre des Vaux-de-Cernay, *Hystoria albigensis*, 1213-1218)

**1208**

Ermordung des päpstichen Legaten Pèire de Castelnou. Innozenz III. ruft zum Kreuzzug auf.

*„Vorwärts, Ritter Christi! Auf, tapfere Kämpfer des Christenheeres! Möge der allgemeine Schmerzensschrei der heiligen Kirche euch mitreißen, der fromme Eifer euch treiben, um diese so große Schmach zu rächen, die an eurem Gott begangen wurde [...]."* (Brief von Innozenz III. 10. März 1208)

**1209**

Beginn des Kreuzzugs gegen die Albigenser.

Öffentliche Buße Raimunds VI. in Saint-Gilles.

Belagerung und Massaker von Béziers.

*„Caedite eos, novit enim Dominus qui sunt ejus"* („Tötet sie alle, der Herr wird die Seinen erkennen." Nach dem Zisterziensermönch Caesarius von Heisterbach angeblicher Ausspruch von Arnold Amalrich, vor 1223)

Belagerung und Kapitulation von Carcassonne. Tod von Raimund-Roger Trencavel.

*„En tant cant lo mons dura n'a cavalier milhor, / ni plus pros ni plus larg, plus cortes ni gensor"* (So groß die Welt auch sei, gibt es da keinen besseren, tapfereren, großzügigeren, höfischeren, tugendhafteren Ritter." Wilhelm von Tudela, *Cansó de la Crozada*, 1212-1213, II, 15)

Ernennung von Simon von Montfort zum Vizegrafen von Carcassonne.

*„Er war vernünftig, standhaft in seinen Entscheidungen, vorsichtig bei Ratschlägen, gerecht, militärisch bewandert, umsichtig bei seinen Handlungen [...] ganz im Dienste Gottes."* (Pierre des Vaux-de-Cernay, *Hystoria albigensis*, 1213-1218)

| | |
|---|---|
| 1210 | Eroberung von Minerve und Verbrennung von 140 Katharern. Eroberung von Termes. |

1211      Eroberung von Lavaur (Verbrennung von etwa 400 Katharern).

*„Der Teufel hatte* [in Lavaur] *seinen Sitz eingerichtet und daraus die Synagoge des Satans gemacht."* (Guilhem de Puèglaurenç, *Chronica*, 1145, II)

Verbrennung in Les Cassers (über 60 Katharer).

Erste Belagerung von Toulouse und Schlacht bei Castelnaudary.

1212      Eroberung des Agenais, Quercy und Comminges durch Simon von Montfort.

1213      Schlacht bei Muret, Tod von König Peter I. dem Katholischen und okzitanisch-aragonesische Niederlage.

*„Totz lo mons ne valg mens, de ver o sapiatz, / car Paratges ne fo destruitz e decassatz / e tot Crestianesmes aonitz e abassatz"* („Alle Welt wurde erniedrigt, das müsst ihr wissen, denn Paratge wurde zerstört und entfremdet und die gesamte Christenheit erniedrigt und geschändet." Anonym, *Cansó de la Crozada*, 1219, XIV, 137)

1215      Viertes Laterankonzil. Höhepunkt des Gottesstaates.

Gründung des Dominikanerordens (Predigermönche).

Kapitulation von Toulouse. Ernennung von Simon von Montfort zum Grafen von Toulouse.

*„Car Toloza e Paratges so e ma de trachors"* („Denn Toulouse und Paratge sind in den Händen der Verräter." Anonym, *Cansó de la Crozada*, 1219, XXV, 178)

1216      Beginn der Rückeroberung von Toulouse (Raimund VI. und der „junge Graf").

1218      Simon von Montfort kommt bei der Belagerung von Toulouse ums Leben.

*„E venc tot dreit la peira lai on era mestiers [...] E'l coms cazec en terra mortz e sagnens e niers"* („Und der Stein traf dort, wo es vonnöten war [...] und der Graf sackte blutend tot zu Boden." Anonym, *Cansó de la Crozada*, 1219, XXXV, 205)

1219      Zweiter Feldzug von Prinz Ludwig.

Massaker von Marmande im Agenais (etwa 5000 Opfer).

1220-1221      Okzitanische Rückeroberung der Grafschaft Toulouse.

1221      Tod des Hl. Dominikus in Bologna.

*„Seine Stirn und seine Wimpern strahlten eine Art Schimmer aus, der Allen Respekt und Mitgefühl einflößte."* (Schwester Cecilia, *Miracula*, 1280)

| | |
|---|---|
| 1222 | **Tod Raimunds VI.**<br>**Raimund VII., Graf von Toulouse (1222-1249).**<br>*„Lo valens coms joves, Ramundetz"* („Der tapfere junge Graf Raimondet") nach der *Cansó de la Crozada.* |
| 1223 | **Rückeroberung von Carcassonne durch Raimund Trencavel.**<br>*„[Einige Kreuzfahrer] dienten nicht mehr der Aufgabe, für die sie gekommen waren […] und der Herr speite und vertrieb sie aus diesen Landen, die sie mit seiner Hilfe erobert hatten."* (Guilhem de Puèglaurenç, *Chronica*, 1145, XXXI) |
| 1224 | **Amalrich von Montfort tritt seine Rechte dem König von Frankreich ab.** |
| 1226 | **Katharisches Konzil von Pieusse, Gründung des katharischen Bistums Razès.**<br>**Königlicher Kreuzzug unter Ludwig VIII. Unterwerfung von Carcassonne.**<br>*„Wir brennen schon darauf, uns in den Schatten eurer Flügel unter eurer umsichtigen Herrschaft zu stellen."* (Bernart Ot de Niort, ehemaliger *Faidit*)<br>**Tod Ludwigs VIII. Ludwig IX. (später Hl. Ludwig) König von Frankreich (1226-1270).** |
| 1226-1229 | **Krieg in Cabarès und Limoux.** |
| 1227 | **Massaker von Bessède (Lauragais). Massive Ketzerverbrennungen.**<br>*„[Das Gemetzel an der Bevölkerung erfolgte] teils durch das Schwert, teils durch den Stock. Der fromme Bischof bemühte sich aber, Frauen und Kinder vor ihrem Schicksal zu bewahren."* (Guilhem de Puèglaurenç, *Chronica*, 1145, XXXV) |
| 1229 | **Vertrag de Meaux-Paris. Ende des Kreuzzugs und Kapitulation Raimunds VII.**<br>**Systematisierung des Kampfes gegen die Häresie.**<br>*„Ab greu cossire / fau sirventes cozen […] / Ai, Toloza e Proensa / e la terra d'Agensa, Bezers e Carcassey ,/ quo vos vi e quo'us vey!"* („Tief bedrückt schreibe ich ein glühendes Sirvente […] Ach, Toulouse und Provence, und das Land des Agenais, Béziers und das Carcassès, wie wart ihr einst und wie seid ihr jetzt!" Bernart Sicart de Maruèjols, Trobador, 1230) |
| 1232 | **Der katharische Bischof Guilhabert de Castras siedelt sich in Montségur an.**<br>*„Ich sah den Ketzerbischof Guilhabert de Castras […] und viele andere, die ins* Castrum Montségur *zogen. Sie fragten nach Raimon de Perelha, dem ehemaligen Herrn des* Castrum, *und baten ihn darum, sie aufzunehmen, damit die Ketzerkirche dort ihren Sitz und Haupt* [domicilium et caput] *einrichte und von dort aus ihre Prediger entsende und verteidige."* (Berenguer de L'Avelanet, f. Doat, 24, 43 b-44 a.) |
| 1233 | **Gregor IX. gründet die Inquisition und überlässt sie den Bettlerorden.**<br>*Inquisitio heretice pravitatis* (Untersuchung der ketzerischen Perversion). |
| 1234-1235 | **Aufstände gegen die Inquisition in Toulouse, Albi und Narbonne.** |
| 1239 | **Verbrennung von 183 Katharern in Mont Aimé (Champagne).**<br>*„Ein riesiger, dem Herrn wohlgesinnter Scheiterhaufen wurde angelegt, auf dem Bugrer […], die schlimmer als Hunde sind, verbrannten."* (Aubry de Trois-Fontaines, Zisterziensermönch, *Crònica*, 1239) |

| 1242 | Attentat von Avignonet gegen die Inquisitoren durch die Ritter von Montségur. Allgemeiner Aufstand unter der Führung Raimunds VII. |

*„Cocula carta es trencada...!"* („Die verfluchten Papiere sind zerrissen!" Ruf eines Gläubigen aus Castelsarrasin im Agenais, 1242).

| 1243 | Die Verbündeten Raimunds VII. scheitern (Friede von Lorris). Beginn der Belagerung von Montségur. |

| 1244 | Fall von Montségur und Verbrennung von etwa 225 Katharern. Auflösung der okzitanischen Kirchen und Neuorganisierung der Hierarchie in der Lombardei. |

*„Nachdem sie die Bekehrung ablehnten, zu der sie eingeladen wurden, wurden sie in einer Palisade verbrannt, die angezündet wurde, und gingen durch das Feuer des Tartaros."* (Guilhem de Puèglaurenç, *Chronica*, 1145, XLIV)

| 1249 VII. | Verbrennung von 80 gläubigen Katharern in Agen, angeordnet von Raimund |

Tod Raimunds VII., dem sein Schwiegersohn Alfons von Poitiers (1249-1271), Bruder von Ludwig IX. von Frankreich folgt.

| 1252 | Innozenz IV. genehmigt die Folter gegen die Ketzer. |

*„Teneantur praeterea Potestas, seu Rector omnes haereticos quos captos habuerit, cogere citra membri diminutionem et mortis periculum [...]"* („Die Podestaten oder Rektoren haben alle Ketzer unter ihrer Obhut zu nötigen, ohne dass es zur Verstümmelung oder Lebensgefahr komme [...]." Innozenz IV., Bulle *Ad extirpanda*, 1252, 25)

| 1255 | Übergabe der Burg Quéribus, der letzten Bastion der *Faidits*. |

*„Alle Leser dieser Seiten sollen wissen, dass ich, Ritter Xacbert de Barberà, das Castrum Quéribus aufgebe und an den durchlauchten Herrn Ludwig, König von Frankreich von Gottes Gnaden [...] übertrage."* (Kapitulation von Xacbert, Mai 1255, f. Doat, Bd. 154)

| 1258 | Vertrag von Corbeil zwischen Jakob I. und Ludwig IX. |

*„[...] legen wir fest, veranlassen, überlassen und übertragen vollständig alles, was wir an Rechten und Besitztümern hatten oder haben könnten oder zu haben sagten, sowohl an Besitzungen und Herrschaften als auch an Lehen und sonstigen Dingen in den besagten Grafschaften Barcelona und Urgell [...]"* (Archiv des Königreichs Aragonien, Kanz., Perg. Nr. 1526 Duplikat)

| 1271 | Alfons von Poitiers und Johanna von Toulouse, Tochter Raimunds VII., sterben kinderlos; in Anwendung des Vertrags von Meaux-Paris wird die Grafschaft Toulouse mit dem Königreich Frankreich (Philipp der Kühne) vereint. |

| 1272 | Feldzug Philipps des Kühnen gegen Roger-Bernhard III. von Foix. Baubeginn der Kathedralen von Narbonne und Toulouse. |

| 1276 | Peter III. von Aragonien, II. von Barcelona, genannt *der Große* (1276-1285). Kapitulation des katharischen Zufluchtsorts Sirmione in Italien. |

*„Sirmione, Perle der Halbinseln und der Inseln, all jener, die der doppelte Neptun, der Gott der kristallklaren Seen und des weiten Meeres trägt, mit welcher Freude sehe ich dich wieder!"* (Catull, 1. Jh. v. Chr., *Elegien*, XXXI)

| | |
|---|---|
| 1278 | Verbrennung in der Arena von Verona (200 Opfer). Zerschlagung des Katharismus in Italien. |

| | |
|---|---|
| 1280-1285 | Komplott gegen das Archiv der Inquisition in Carcassonne. |

*„Wir sprachen mit einer gewissen Person, die danach trachten wird, uns alle Bücher der Inquisition über das Carcassès zu besorgen, in denen die Geständnisse enthalten sind […]."* (Worte von Bernart David nach dem Kopisten Bernart Agasse, 1285)

| | |
|---|---|
| 1285 | Alfons III. von Aragonien, II. von Barcelona, genannt *der Prächtige* oder *der Freisinnige* (1285-1291). |
| | Philipp IV., König von Frankreich, genannt *der Schöne*. |

| | |
|---|---|
| 1295 | Pèire Autier und sein Bruder Guilhem, Notare aus Ax-les-Thermes, ziehen in die Lombardei, um gute Menschen zu werden. |

*„[…] Pèire fragte ihn: ,Und, Bruder?' Und Guilhem antwortete: ,Ich glaube, wir haben unsere Seelen verloren.' Darauf sagte Pèire: ,Gehen wir also, mein Bruder, die Rettung unserer Seelen suchen.' Anschließend hinterließen sie all ihre Güter und zogen in die Lombardei."* (Sebelia Pèire, 1322, *Registre de Jacme Fornier*, S. 566-567)

Aufstand in Carcassonne (*„Rabies carcassonensis"* nach Bernart Gui) wegen der inquisitorischen Exzesse der Dominikaner. Der franziskanische Geistliche Bernart Deliciós wird dessen Sprecher.

*„Rector dyabolicus"* nach dem Dominikaner Raimond Barrau; *„die wahre Säule der Kirche, des Apostels Gottes auf Erden"* im Volksmund.

| | |
|---|---|
| 1300-1310 | Die Gebrüder Autier versuchen eine Wiederauferstehung des Katharismus in Okzitanien. |

*„Möge Gott, dass unsere Ankunft in diesem Haus gelegen ist, um die Seelen jener zu retten, die sich darin befinden. Wir scheuen die Mühe nicht – allein die Rettung der Seelen suchen wir."* (Pèire Autier in der Neustadt von Arques, 1301. Sebelia Pèire, 1322, *Registre de Jacme Fornier*, S. 568)

| | |
|---|---|
| 1302 | Tod von Roger-Bernhard III. von Foix, der einen Wendepunkt in der Geschichte der Grafschaft bedeutet. |

| | |
|---|---|
| 1303 | Geoffroy d'Ablis aus dem Kloster Chartres wird zum Inquisitor von Carcassonne ernannt. |

| | |
|---|---|
| 1307 | Bernart Gui aus dem Limousin wird zum Inquisitor von Toulouse ernannt. |

*„Während dieser Verfolgung durch die Inquisitoren und die Störung durch das Amt versammelten sich viele Perfekten und begannen sich zu verbreiten (und die Häresien griffen um sich) und verunreinten viele Menschen in den Diözesen Pamiers, Carcassonne und Toulouse sowie im Albigeois."* (Damalige Lage nach Gui, *De fondatione et prioribus conventum...*, S. 103)

| | |
|---|---|
| 1309 | Verbrennung von Jacme und Guilhem Autier sowie anderer Katharer. Zerschlagung ihrer Kirche. |
| | Guilhem Belibasta, der letzte bekannte Katharer, flieht nach Katalonien. |

**1310**      Pèire Autier wird vor der Kathedrale von Toulouse verbrannt.

*„[…] und fügte hinzu, dass Pèire Autier zum Zeitpunkt seiner Verbrennung behauptete, dass sich das gesamte Volk zu seinem Glauben bekehren würde, ließe man ihn sprechen und zu ihm predigen."* (Guilhem Baile aus Montaillou, 1323, *Registre de Jacme Fornier*, S. 838)

**1318-1325**      Inquisitorische Offensive durch Jacques Fournier in der Diözese Pamiers.

*„Im Jahr des Herrn ..., am ... Tag nach dem Fest des Hl. ... Nach Benachrichtigung von Ehrwürden Pater in Christus Jacme, Bischof von Pamiers durch göttliche Vorsehung, dass ... der Ketzerei hochverdächtig sei, wollte besagter Bischof in Erfüllung seiner Pflicht die Wahrheit erfahren, wonach er ihn vor sich bringen ließ […]"* (Einleitung der Aussagen der Befragten, *Registre de Jacme Fornier, passim*)

**1321**      Verbrennung von Guilhem Belibasta in Villerouge-Termenès; er ist der letzte bekannte Katharer aus dem Languedoc.

*„Mich bekümmert nicht mein Fleisch, da nichts daran ist, das ist eine Sache der Würmer […] Meine und deine Seele werden zum himmlischen Vater emporsteigen, wo Kronen und Throne für uns bereit stehen, und vierzig Engel mit Kronen aus Gold und Edelsteinen werden uns holen und vor den Vater bringen."* (Worte von Guilhem Belibasta laut Aussage von Arnau Sicre, 1321, *Registre de Jacme Fornier*, S. 779-780)

**1329**      Verbrennung dreier katharischer Gläubiger, der letzten bekannten, in Carcassonne.

*„Ich werde dir den Grund nennen, weshalb wir Ketzer genannt werden: Die Welt hasst uns. Und es ist gar nicht überraschend, dass die Welt uns hasst (Ijob 3,13), da sie bereits unseren Herrn hasste und verfolgte, ihn wie seine Apostel […]."* (Predigt von Pèire Autier, Aussage von Pèire Maurí, 1324, *Registre de Jacme Fornier*, S. 924)

**1412**      Letzte Urteile gegen italienische Katharer.

**1453**      Die Türken nehmen Konstantinopel ein.

**1463**      Die Türken erobern Bosnien. Ende des orientalischen Katharismus.

ANTONI DALMAU
Überzetzung: Gilbert Bofill i Ball

# IL REGNO DIMENTICATO
## La Tragedia Catara

1ª Parte [CD 1]
**Comparsa e Splendore del Catarismo - Lo sviluppo dell'Occitania**
ca. 950-1204

**I**          **Alle Origini del Catarismo: Oriente ed Occidente: 950-1099**

**950**       **Origini: I Bogomili.**
     **1**  *Musica bulgara* – Taksim & Danza

**1000**     **Dell'Oriente all'Europa**
     **2**  *Veri dulcis in tempore* – Anonimo. Codice del 1010

**1022**     **Primi roghi di eretici ad Orléans e a Torino.**
     **3**  *Lamento strumentale I* (Tamburi & Duduk)

**1040**     **L'Occitania accoglie gli ebrei fuggiti da Al Ándalus.**
     **4**  *I Tre Principi: alef, mem, shin*
        Testo cabalistico dal Libro della Creazione

**1049**     **Il Concilio di Reims condanna gli eretici.**
     **5**  *Reis glorios* – Strumentale (Tamburi, Campane, Arpa medievale)
     **6**  *Payre sant* – Testo recitato in occitano

**1054**     **Scisma tra Roma e Costantinopoli.**
     **7**  *En to stavro pares tosa* – Canto bizantino anonimo

**1099**     **Prima Crociata in Terra Santa. Conquista della parte sud di Gerusalemme da parte delle truppe degli Occitani (o Provenzali, secondo lo storico Raymond d'Agiles, contrapposte alle truppe dei Francesi), comandate da Raimondo di Saint-Gilles, Conte di Tolosa.**
     **8**  *Fanfara di Crociata* (strumentale)

**II**         **Lo sviluppo dell'Occitania: 1100-1159**

**1100**     **L'Occitania specchio cristiano di Al Ándalus.**
     **9**  Taksim & Danza arabo andalusa *Mawachah Chamoulo* – Anonimo

# IL REGNO DIMENTICATO
## La Tragedia Catara

2ª Parte [CD 2]
**La Crociata contro gli Albigesi - Invasione dell'Occitania**
1204-1228

# IL REGNO DIMENTICATO
## La Tragedia Catara

3ª Parte [CD 3]
**Persecuzione, diaspora e fine del Catarismo**
1229-1463

# IL REGNO DIMENTICATO
# LA TRAGEDIA CATARA

*Il Regno dimenticato* si riferisce in primo luogo al "Regno di Dio" o "Regno dei cieli", così caro ai catari, promesso a tutti i buoni cristiani in seguito alla venuta di Cristo, ma nel nostro progetto ricorda anche l'antica civiltà dimenticata dell'Occitania. Questa antica "Provincia Narbonensis", terra di lontana civilizzazione, dove i Romani hanno lasciato la loro impronta e che Dante definisce come "il paese dove si parla la lingua d'oc", merita soltanto esattamente dieci parole nel dizionario "Il Piccolo Robert 2" del 1994, con la breve spiegazione: *n.f.* **Auxitans Provincia.** *Uno dei nomi dei paesi di lingua d'oc nel Medioevo.* Come segnala Manuel Forcano nel suo interessante articolo *Occitania: specchio di Al Ándalus e rifugio dei Sefarditi*, "l'Occitania fu già a partire da epoche molto lontane e fino al Medioevo, un territorio aperto ad ogni tipo di influenza, una frontiera permeabile a persone e idee, un delicato crogiolo dove confluivano le conoscenze, le musiche e i poemi provenienti dal sud, dal saggio e sofisticato Al Ándalus, come dal nord, da Francia ed Europa, e dall'est, dall'Italia e perfino dai Balcani e dall'esotica Bisanzio". Queste diverse influenze ne fanno uno dei centri più attivi della cultura romanica, un paese d'intensa attività intellettuale e in possesso di un grado di tolleranza raro, per l'epoca medievale. Non è strano che *l'amore udri* degli arabi abbia ispirato la poesia ed il *fin'amor* delle *trobairitz* e dei trovatori. Non è neanche strano che la cabala prenda vita tra le sue comunità ebraiche. Non è strano dunque neppure che i suoi cristiani propongano e discutano dei modelli di Chiesa differenti: quello dei *Buoni Uomini*, o Catarismo, e quello del clero cattolico.

Il Catarismo è una delle più antiche e più importanti credenze cristiane, che si differenzia della dottrina della Chiesa ufficiale per la sua certezza nell'esistenza di due principi co-eterni, quello del Bene e quello del Male. Fin dai primi tempi del Cristianesimo, il termine di eresia (che viene dalla parola greca *hairesis* "opinione propria") fu applicato alle interpretazioni differenti da quelle approvate dalla Chiesa ufficiale. Come sottolinea con chiarezza Pilar Jiménez Sanchez nel suo articolo *Origini ed espansione dei Catarismi*, anche se si pensò all'inizio che queste credenze dissidenti che apparvero all'approssimarsi dell'anno mille, fossero originarie dell'oriente (Bulgaria), è evidente che si svilupparono in modo del tutto naturale a partire dalle numerose controversie teologiche che erano già in corso in Occidente fin dal IX secolo. Esse si stabilirono con forza in molte città e villaggi dell'Occitania, dove c'era un modo di vivere molto particolare, che ebbe la sua manifestò nell'arte dei trovatori. La straordinaria ricchezza musicale e poetica di questa cultura "trovadorica", che si esprime lungo i secoli XII e XIII, rappresenta uno dei momenti storici e musicali più notevoli nello sviluppo della civiltà occidentale. Epoca ricca di scambi e di trasformazioni creative, ma piena anche di sconvolgimenti e d'intolleranza, ha sofferto di una terribile amnesia storica, dovuta in parte agli eventi tragici della crociata e alla persecuzione implacabile di tutti i catari di Occitania. È in fin dei conti una vera "tragedia catara", quella che scatena la terribile crociata contro gli albigesi.

"Tra tutti gli avvenimenti, tutte le peripezie politiche che si sono sviluppate nel nostro paese (allora il *Pays d'oc*) durante il Medioevo – sostenne Georges Duby –, uno solo suscita ancora oggi passioni violente: la crociata che il papa Innocenzo III lanciò nel 1208 contro gli eretici che prosperavano nel Sud del regno (allora l'Occitania), e che si indicavano col nome di albigesi. Se il ricordo di questa impresa militare rimane tanto vivo dopo otto secoli, è perché tocca due corde che ai nostri giorni sono molto sensibili: lo spirito di tolleranza e il sentimento nazionale". Il carattere al tempo stesso religioso e politico segnò questa tragedia, cominciata con una crociata ma proseguita con una vera guerra di conquista che arroventò l'attuale Linguadoca e le regioni vicine, provocando una ribellione generale. Cattolici ed eretici combatterono allora fianco a fianco, ma l'Occitania, finalmente liberata dall'invasore ma esangue, cadde come un frutto maturo nelle mani del re di Francia. Come osserva molto bene Georges Bordonove "fu una vera guerra di Secessione, la nostra, punteggiata di vittorie, di disfatte, di incredibili ribaltamenti di situazioni, di innumerevoli assedi, di massacri inqualificabili, di impiccagioni, di roghi mostruosi, con, qua e là, gesti troppo rari di generosità. Una resistenza che, come la fenice, rinasceva instancabilmente delle sue ceneri, fino all'inizio di un lungo crepuscolo, al termine del quale si accese improvviso l'autodafé di Montségur. Gli ultimi Perfetti (i sacerdoti catari) vissero da allora nella clandestinità, prima di essere catturati uno ad uno e perire nei roghi. I *faidits* (signori spodestati) si persero nel nulla. Un nuovo ordine fu instaurato, quello dei re di Francia".

Questo progetto non si sarebbe potuto realizzare senza i numerosi lavori di ricerca realizzati dagli storici e da ricercatori specializzati, come Michel Roquebert, autore di "L'epopea catara", il grande René Nelli e Georges Bordonove, tra tanti altri, e per la musica e i testi dei trovatori i maestri Friedrich Gennrich, Martin di Riquer e il rimpianto Francesc Noy, che fin dal 1976 introdusse magistralmente Montserrat Figueras e me nel mondo delle *trobairitz* durante la preparazione della registrazione realizzata per la collezione Reflexe di EMI Electrola. Più recentemente, soprattutto grazie ai lavori, le conversazioni, le discussioni e soprattutto grazie all'aiuto e alla disponibilità generosa e indispensabile di Anne Brenon, Antoni Dalmau, Francesco Zambon, Martin Alvira Cabrer, Pilar Jiménez Sánchez, Manuel Forcano, Sergi Grau e Anna Maria Mussons (per la pronuncia dell'occitano), è riuscito ad arrivare a compimento questo progetto. Per ciò vogliamo ringraziarli tutti, di tutto cuore. Il loro profondo sapere e la loro sensibilità, i loro dotti libri e le loro tesi illuminate sono stati e continueranno ad essere una sorgente inesauribile di riflessione, di conoscenza e di costante ispirazione. Grazie al loro lavoro scrupoloso ed esauriente possiamo contribuire, con questo piccolo ma intenso tributo, al risveglio di questa memoria storica occitana e catara, che ci è così cara, attraverso la bellezza e l'emozione della musica e della poesia di tutti questi *Sirventesi,* Canzoni o Lamenti che ancora oggi ci interpellano con tanta forza e dolcezza. Con eloquenza essi sostengono e sottolineano il discorso sempre emozionante di alcuni dei poeti e dei musicisti più notevoli, che furono testimoni diretti (e talvolta anche vittime indirette) degli avvenimenti legati all'epoca dorata della cultura occitana, e allo stesso tempo alla nascita, allo sviluppo e allo sradicamento brutale e spietato di questa antichissima credenza cristiana.

Grazie alle capacità di improvvisazione e di fantasia, grazie allo sforzo, alla pazienza e alla resistenza (quelle notti interminabili!) di tutti i cantanti, con Montserrat Figueras, Pascal Bertin, Marc Mauillon, Lluís Vilamajó, Furio Zanasi, Daniele Carnovich e quelli della Capella Reial de Catalunya, e degli strumentisti, con Andrew Lawrence-King, Pierre Hamon, Michaël Grébil, Haïg Sarikouyomdjian, Nedyalko Nedyalkov, Driss el Maloumi, Pedro Estevan, Dimitri Psonis e gli altri membri di Hespèrion XXI, senza dimenticare i narratori Gérard Gouiran e René Zosso, entreremo in profondità in questa tragica ma sempre meravigliosa avventura musicale occitana e catara. In sette grandi capitoli, attraverseremo più di cinque secoli, dalle origini del Catarismo allo sviluppo dell'Occitania, dall'espansione del Catarismo al lancio della crociata contro gli albigesi e all'instaurazione dell'Inquisizione, dalla persecuzione dei catari all'eliminazione del Catarismo, dalla diaspora verso l'Italia, la Catalogna e la Castiglia alla fine dei catari orientali con la presa di Costantinopoli e della Bosnia da parte delle truppe ottomane. Le numerose e spesso straordinarie fonti storiche, documentarie, musicali e letterarie, ci permettono di illustrare i principali momenti di questa storia tragica e commovente. I testi sconvolgenti o molto critici dei trovatori e dei cronisti dell'epoca saranno il nostro filo conduttore, e specialmente la straordinaria "Canzone della crociata albigese", in forma di *chanson de geste*, composta di circa 10.000 versi, conservata in un solo manoscritto completo alla Biblioteca Nazionale di Francia. Questo manoscritto, che era appartenuto a Mazarino, era diventato nel Settecento proprietà di un consigliere di Luigi XV. È da lui che uno dei primi medievalisti, La Curne de Sainte-Palaye, ne fece una copia per potere studiarla e farla conoscere.

I principali testi che abbiamo deciso di cantare – a parte i quattro frammenti della Canzone della crociata albigese – sono stati scelti innanzi tutto per l'interesse della poesia e della musica, e poi per la loro speciale relazione coi differenti momenti storici. È il caso di citare il "primo" trovatore, Guilhem de Peitieu, e la "prima" *trobairitz*, Condesa de Dia, e naturalmente gli altri meravigliosi trovatori come Pèire Vidal, Raimon de Miraval, Guilhem Augier Novella, Pèire Cardenal, Guilhem Montanhagol e Guilhem Figueira. Per le canzoni senza musica, abbiamo utilizzato il procedimento del prestito di melodie di altri autori come Bernat de Ventadorn, Guiraut de Borneilh e di altri autori anonimi, procedimento che era un'usanza molto diffusa nella poesia medievale, cosa che oggi talvolta s'ignora. Sulle 2542 opere dei trovatori che ci sono pervenute, 514 sono certamente – e altre 70 probabilmente – delle imitazioni o delle parodie. Tra le 236 melodie conservate dei 43 trovatori che ci sono noti, non ce n'è che una sola, *A chantar m'er de so q'ieu no voldria*, che sia di una *trobairitz*, la misteriosa Condesa de Dia.

Per quanto riguarda i testi, sia i più antichi che i più moderni, abbiamo scelto i manoscritti delle diverse epoche che avessero anch'essi una relazione diretta con i momenti storici decisivi, come il Planctus *Mentem meam*, per la morte di Raimondo Berengario IV, o la *Lamentatio Sanctæ Matris Ecclesiæ Constantinopolitanæ* di Guillaume Dufay. Data l'importanza dell'Apocalisse di San Giovanni, due momenti sono particolarmente essenziali: la meravigliosa *Sibilla Occitana* di un trovatore anonimo, realizzata in uno stile d'improvvisazione che crediamo appropriato a questo canto così drammatico, e il più conventuale *Audi pontus, audi tellus*, basato su una citazione dell'Apocalisse secondo il Vangelo Cataro dello Pseudo-Giovanni (V.4). Due altri grandi problemi per la rappresentazione musicale di questa grande tragedia erano come illustrare le celebrazioni e i rituali catari, e come simboleggiare musicalmente i molti terribili roghi di presunti eretici, che non si potevano ignorare né dimenticare. Per il rituale cataro la base le la recitazione di tutti i testi in occitano e una forma molto antica di canto piano per i testi in latino. Per i riferimenti ai roghi, ci è sembrato invece più toccante e più drammatico mescolare la fragilità delle improvvisazioni fatte con gli strumenti a fiato di origine orientale come il *duduk* ed il *kaval*, simboleggianti lo spirito delle vittime, in opposizione e in contrasto con la presenza minacciosa e angosciante del rullare dei tamburi, che in quei tempi erano, spesso, l'accompagnamento obbligato delle esecuzioni pubbliche. Dopo la fine degli ultimi catari di Occitania, ci ricordiamo anche di una terribile esecuzione, quella di Giovanna La Pulzella, morta a 19 anni nel fuoco degli implacabili inquisitori.

La terribile amnesia degli uomini è certamente una delle principali cause della loro incapacità di imparare dalla storia. L'invasione dell'Occitania, e specialmente il massacro, il 22 luglio 1209, dei 20.000 abitanti di Béziers con il pretesto della presenza dei 230 eretici che il consiglio della città negò di consegnare alle truppe dei crociati, ci richiama drammaticamente gli equivalenti dei tempi moderni, come l'inizio della guerra civile spagnola nel 1936 da parte dell'esercito di Franco, con la scusa del pericolo comunista e della divisione della Spagna, le invasioni nel 1939 della Cecoslovacchia, con la scusa dei Sudeti, o della Polonia, per la questione di Danzica, da parte delle truppe tedesche di Hitler. Più recentemente, abbiamo le guerre del Vietnam (1958-1975), dell'Afghanistan (2001) in reazione agli attentati dell'11 settembre, e dell'Iraq (2003) con la scusa delle armi di distruzione di massa. Come nelle leggi emanate dal Papa Innocenzo IV nella sua bolla sulla tortura *Ad Exstirpanda*, del 1253, ci sono già tutti i metodi di accusa senza possibilità di difesa – che sono ancora oggi in vigore a Guantanamo – e l'autorizzazione a usare la tortura per strappare agli eretici tutte le loro informazioni, come avviene oggi in paesi dai regimi dittatoriali o con pochi scrupoli riguardo ai diritti degli imputati. Si punivano anche gli imputati d'eresia, senza processo, con la distruzione della loro casa fino alle fondamenta, procedimento che è utilizzato anche oggi contro le case dei terroristi palestinesi. Il male assoluto è, sempre, quello che l'uomo infligge all'uomo. È per questo che crediamo, con François Cheng, che "abbiamo per compito urgente, e permanente, di studiare questi due misteri che costituiscono le estremità dell'universo vivente: da un lato il male; dall'altro la bellezza. La posta in gioco è nientemeno che la verità del destino umano, un destino che implica gli elementi fondamentali della nostra libertà".

Otto secoli sono passati, e il ricordo della crociata contro gli albigesi non si è cancellato. Esso risveglia ancora il dolore e la pietà. Al di là dei miti e delle leggende, la distruzione della memoria di quella formidabile civiltà che era quella del *Paese d'oc*, diventato quindi un vero **regno dimenticato**, la terribile **tragedia dei catari** o "Buoni Uomini" e la testimonianza che hanno dato della loro fede, meritano tutto il nostro rispetto e tutto il nostro sforzo di memoria storica.

**JORDI SAVALL**
Bellaterra, 3 ottobre 2009
Traduzione: Luca Chiantore / MUSIKEON.NET

# Origini ed espansione dei Catarismi

Generalmente conosciuta col nome di catarismo, questa dissidenza cristiana appare nell'occidente medievale nel XII secolo. I suoi adepti sono chiamati in modo diverso secondo le regioni della cristianità dove si sono stabiliti: catari e manichei in Germania, patarini e catari in Italia, *piphles* nelle Fiandre, *bougres* in Borgogna e Champagne, albigesi nel Sud della Francia. Da parte loro, essi si denominano Buoni Uomini/Buone Donne o Buoni Cristiani/Buone Cristiane e sono ovunque caratterizzati dalla loro critica virulenta contro la Chiesa cattolica e la sua gerarchia, considerata indegna per avere tradito gli ideali di Cristo e degli apostoli.

Ispirandosi al modello delle prime Chiese cristiane, i Buoni Uomini si considerano come i veri cristiani perché praticano il battesimo spirituale, battesimo di Cristo mediante l'imposizione delle mani, che chiamano *consolamentum*. Ai loro occhi, questo battesimo è il solo a portare la consolazione, la salvezza tramite lo Spirito Santo che Gesù fece scendere sui suoi discepoli nella Pentecoste. Intorno a questo sacramento e alla pratica rigorosa dell'ascesi, questi dissidenti costruiscono la loro concezione della Chiesa e dei sacramenti, contestando l'efficacia dei sacramenti cattolici (battesimo con l'acqua, eucarestia, matrimonio). Impregnati della spiritualità monastica che ha dominato i secoli precedenti e del disprezzo del mondo che essa portava con sé, essi forzano anche al limite certi passaggi del Nuovo Testamento dove è affermata l'esistenza di due mondi contrapposti: uno buono e spirituale, l'altro malvagio e materiale, questo nostro mondo. Quest'ultimo è sotto l'influenza del diavolo, "principe di questo mondo", come è chiamato nel vangelo di Giovanni. Per i catari, il mondo è dunque l'opera del diavolo, mentre Dio è unicamente responsabile della creazione spirituale. Perché, secondo l'interpretazione catara della profezia di Isaia (14, 13-14), Lucifero, creatura divina, peccò per primo d'orgoglio volendo farsi uguale a Dio, che lo cacciò dal suo regno. Divenuto diavolo, egli fabbricò le tuniche di pelle e i corpi di carne degli uomini in cui imprigionò gli angeli, creature divine cadute del cielo con lui. Fu allora che egli fece questo mondo visibile a partire dagli elementi primordiali (terra, acqua, aria, fuoco) creati da Dio, unica entità capace di creare. Per annunciare agli angeli caduti il mezzo per ritornare al "regno dimenticato", quello del Padre, Dio mandò suo Figlio, Gesù. Adottando un simulacro di carne, venne a liberare le anime (angeli caduti) dalle loro "tuniche di oblio" (corpi), portando la salvezza attraverso l'imposizione delle mani o *consolamentum*, che permetterà infine il loro ritorno al regno divino.

È lecito pensare che la concezione catara del male, delle origini del male, così come il peccato, si siano generate dai controversi dibattiti che fecero affrontare tra loro i teologi latini dall'epoca carolingia, nel IX secolo. Fu allora che sorsero le prime dispute sui sacramenti come il battesimo e l'eucarestia. Nel corso del X secolo, la questione del male, del peccato commesso dal diavolo e quindi delle origini di quest'ultimo, così come le questioni dell'umanità o dell'incarnazione del Figlio di Dio e quella dell'uguaglianza delle persone della Trinità, s'impongono nei circoli dei sapienti dell'occidente medievale. È dunque dentro a questi ambiti scolastici e nella partecipazione al processo di razionalizzazione e di formulazione dottrinale, in corso nella cristianità occidentale dalla metà del IX secolo, che si deve localizzare la nascita della dissidenza catara nei primi decenni del XII secolo. Nutrita dal movimento della riforma detta "gregoriana", condotta dal Papato lungo tutto l'XI secolo, la dissidenza catara si distingue tra altri movimenti di contestazione, rimproverando al Papato di essersi allontanato dagli ideali riformatori. Essa riesce a stabilirsi in modo più o meno duraturo in diverse regioni dell'occidente, quali l'impero (attuali Germania e Belgio), nelle città di Colonia, Bonn e Liegi, ma anche i principati del nord del regno di Francia, in Champagne, Borgogna e Fiandre, e poi nel sud della cristianità, in Italia e nel sud della Francia. Le numerose testimonianze rivelano diversità di forme o modelli della dissidenza secondo le zone, diversità documentata sia in materia di dottrina, che di organizzazione, che di pratiche liturgiche. Essa giustifica l'uso del plurale "catarismi" che proponiamo, e obbliga a riflettere sull'identità degli "eretici" denunciati a partire dai primi decenni del XII secolo.

Certo, le prime testimonianze che provengono da territori dell'impero tra il 1140 e il 1160 non permettono di riconoscere la dissidenza, almeno non nella forma sotto la quale è documentata poi nel sud della Francia o in Italia, territori nei quali riesce a stabilirsi in modo più durevole. Negli ambienti urbani dei territori settentrionali, nei primi tempi dell'applicazione della riforma romana, appaiono, in questo contesto di crisi religiosa, ma anche di grande effervescenza intellettuale, delle scuole di formazione che hanno potuto avere il ruolo di laboratori della dissidenza religiosa. La pronta organizzazione della repressione ed il trionfo della politica romana durante la seconda metà del XII secolo spiega la difficoltà incontrata dalla dissidenza nel radicarsi in questi territori.

Nel corso del periodo seguente, negli anni 1160-1170, sono i territori meridionali, principalmente la Linguadoca e l'Italia settentrionale e centrale, a favorire l'insediamento dei dissidenti che, come quelli delle regioni settentrionali, sono in rottura con la politica romana. La situazione di calma relativa di cui profittano i dissidenti in queste regioni, permette loro di evolversi, sia dal punto di vista della loro organizzazione che delle loro credenze e pratiche liturgiche. Si può notare anche che, come negli ambiti urbani delle zone dell'impero e del nord del Regno di Francia a metà del XII secolo, abbiamo a che fare, all'inizio del XIII secolo nel territorio italiano, con scuole di insegnamento differenti e divergenti tra loro a proposito di questioni come le origini della creazione, del male, dell'uomo, la salvezza e l'aldilà. Queste scuole partecipano così alla riflessione medievale intorno a queste domande fondamentali, dibattute nell'occidente dell'epoca, proponendo delle risposte, la più radicale delle quali sarà formulata intorno al 1230 da Giovanni di Lugio. Dottore della scuola di Desenzano, nel nord d'Italia, è l'autore del trattato *Libro di due principi*, dove afferma l'esistenza di due principi opposti ed eterni, uno del Bene, l'altro del Male, ciascuno all'origine delle due creazioni, quella spirituale e quella visibile.

Tra le risposte espresse dal processo di razionalizzazione condotto dai dissidenti catari dentro alle loro scuole, il dualismo di principi opposti non è la più importante, né è importata dall'Oriente, come affermava l'idea tradizionale risalente al Medioevo. Elaborata dai chierici cattolici e poi dagli inquisitori nei secoli XII e XIII, la filiazione manichea e le origini bogomilo-orientali dell'"eresia" catara sono il frutto di una costruzione che risale a più di ottocento anni fa. Se dei contatti e degli scambi tra gli ambienti di dissidenti orientali (bogomili) e occidentali (catari) sono attestati dalla documentazione dei secoli XII e XIII, questi scambi non provano la dipendenza, a lungo supposta, di un movimento dall'altro. Soprattutto attraverso i loro scambi scritti, i contatti tra comunità di bogomili e di catari hanno potuto nutrire il processo di razionalizzazione intrapresa dai nostri dissidenti. Questi scritti del resto testimoniano la riconoscenza reciproca di questi movimenti cristiani dissidenti e la lotta che essi conducevano rispettivamente contro la propria Chiesa: i bogomili contro la Chiesa orientale o bizantina, i catari contro la Chiesa occidentale o cattolica.

**PILAR JIMENEZ SANCHEZ**
Dottore di Storia e ricercatore associato del laboratorio CNRS-UMR 5136 FRAMESPA,
Università di Toulouse-Le Mirail
Traduzione: Luca Chiantore / MUSIKEON.NET

# L'Occitania: specchio di Al Ándalus
# e rifugio dei Sefarditi

*Mi bastano i desideri*
*e la speranza del disperato*
**Jamil ibn Ma'amar (secolo VIII)**

## L'Occitania, specchio di Al Ándalus

L'Occitania, questo territorio ampio e generoso che Dante definì come "le terre dove si parla la lingua d'oc", appartiene all'antica Provincia Narbonensis romana che abbracciava quelli che poi sarebbero state la contea di Tolosa, la contea di Foix, tutta la Linguadoca, la contea Venaissin con Avignone e, ai due estremi di queste regioni, Aquitania e Provenza. Dopo la crociata francese di Simone di Montfort contro i catari, nel Duecento, l'Occitania sarebbe rimasta sotto il dominio politico del re di Francia e si sarebbe trasformata in quello oggi che si suole chiamare il Midi francese. Prima dell'introduzione di questo potere imposto con la forza dal nord, l'Occitania era un mosaico di territori, in maggioranza politicamente feudatari della corona catalano-aragonese. Come conseguenza della sconfitta, nel 1213, del re Pietro il Cattolico di fronte a Simone di Montfort a Muret, le città di Tolosa, Carcassona, Nimes, Béziers, Narbona e tutta la Linguadoca passarono in mani francesi, mentre Montpellier, come un'isola, avrebbe continuato ad essere catalana fino al 1349. Anche la contea di Provenza, che fino a quel momento era sotto la tutela dei conti di Barcellona, sarebbe passata sotto il vassallaggio francese, anche se non sarebbe stata annessa alla Francia fino al 1481, dopo la morte del prudente conte Renato.

Prima dell'arrivo devastante dei crociati inviati dal papa Innocenzo III, l'Occitania si era distinta come un territorio aperto ad ogni tipo di influenza, una frontiera permeabile a persone e idee, un delicato crogiolo dove confluivano le conoscenze, le musiche ed i poemi provenienti dal sud, dal saggio e sofisticato Al Ándalus, ma anche dal nord, dalla Francia e dall'Europa centrale, e dall'est, dall'Italia e perfino dai Balcani e dall'esotica Bisanzio. L'Occitania, erede della cultura latina, aperta e orientata al Mediterraneo, alle soglie della Penisola Iberica che era sotto chiara influenza araba, si era trasformata, a partire dal secolo IX, in uno dei centri più attivi della cultura romanica. Quell'apice culturale sarebbe stata la conseguenza del contatto diretto dell'Occitania con l'intensa attività intellettuale che si sviluppò durante l'alto Medioevo in Al Ándalus.

Nel 711, una volta rimossa la rovinosa autorità visigota, la Penisola Iberica passò a fare parte dell'Impero Islamico, che si estendeva dalla Persia e la Mesopotamia fino all'Occidente del Cantabrico e dei Pirenei. Nacque Al Ándalus e, a partire da quel momento, i contatti con l'Oriente, nonostante la sua lontananza, furono più frequenti e più facili. Grazie al commercio, ai pellegrinaggi ai luoghi santi ed ai viaggi di studio a Damasco, Alessandria o Baghdad, la cultura orientale penetrò nella Penisola Iberica e non tardò a trovare un suolo fertile in cui mettere vigorose radici. A partire dal secolo X, Al Ándalus passò da una fase ricettiva ad un'altra di creazione ed esportazione di cultura. L'eredità della sapienza classica greca, tradotta dal siriaco e dal greco all'arabo, arrivò nella Penisola e produsse uno straordinario risveglio scientifico e filosofico. Prima dell'anno 1000, il numero di traduzioni greche conosciute nella versione in arabo superava in misura impressionante la quantità di libri greci conosciuti a quell'epoca in latino.

Emulando quel risveglio culturale e scientifico, la lingua occitana fu una delle prime a sostituire il latino in una moltitudine di atti, documenti, opere letterarie e scientifiche, come le prime grammatiche, le celebri *Leys d'amors.* I secoli XI, XII e XIII furono l'epoca di maggiore effervescenza e valore della cultura occitana: grazie ad una civiltà raffinata, prodotto di un intarsio perfetto di influenze occidentali ed orientali, la lingua d'oc scritta riuscì a diventare il modello per un tipo specifico di letteratura, conosciuta come *trovadorica,* cioè la poesia composta e cantata da trovatori, incentrata sul concetto dell'*amor cortese* e che si ispirò, specchiandosi in Al Ándalus, al concetto poetico-filosofico dell'*amor udrí* degli arabi.

L'*amor udrí* della poesia araba esprime un amore casto, un amore "puro" che fa godere e soffrire contemporaneamente l'amante davanti alla persona amata perché, nonostante la desideri, non pretende di possederla né di mantenere con lei contatto sessuale alcuno. I membri della tribù araba dei Banu Udra (secolo IX) furono i primi a praticare questo tipo di amore: cercavano di perpetuare il desiderio e rinunciavano a qualunque contatto fisico con le persone che amavano. La loro poesia parlava di un amore che altro non era che un segreto doloroso, che non doveva corrompersi né cercare alcun contatto, e che bisognava servire con fervore e devozione fino al punto di lasciarsi morire. Il poeta si dichiarava vassallo della persona amata e a lei si sottometteva completamente. I due poeti arabi più celebri per le loro composizioni di *amor udrí* furono **Jamil ibn Ma'amar** (m. 710), completamente asservito alla sua amata Butaina, e **Qays ibn al-Mulawwah** (secolo VIII) che impazzì per la sua amata Laila sposata con un altro uomo e che per ciò ricevette l'appellativo di Majnun, cioè il Matto. Tuttavia chi più rifletté e teorizzò su questo tipo di relazione amorosa fu il filosofo, teologo, storiografo, narratore e poeta **Ibn Hazm de Córdoba** (994-1064): la sua opera più famosa, *Tawq al-hamama* ("La collana della colomba"), è un trattato sulla natura dell'amore scritto a Játiva nel 1023, nel quale riflette a fondo sulle essenze del sentimento amoroso ed include una serie di delicati ed eleganti poemi di tematica amorosa.

L'Occitania, specchio di Al Ándalus, raccolse quella formulazione dell'amore e diede origine all'*amor cortese,* una concezione altrettanto platonica e mistica dell'amore, che è possibile descrivere a partire da molti punti in comune con l'*amor udrí* della poesia araba: la totale sottomissione dell'innamorato alla dama (per trasposizione diretta delle relazioni feudali, nelle quali il vassallo si sottomette al suo signore); l'amata si mantiene sempre distante e questo la fa meritevole di tutti gli elogi e riunisce tutte le perfezioni fisiche e morali. Lo stato amoroso, per trasposizione dell'immaginario religioso, è una specie di stato di grazia che nobilita chi lo pratica; gli amanti sono sempre di condizione aristocratica; l'amante concepisce l'amore come un cammino di ascensione o progressione di stati di innamoramento che vanno dal supplicante, o *fenhedor,* fino al culmine nel *drutz,* lo stato di amante perfetto. Solo dopo avere raggiunto questo grado amoroso egli può aspirare a volte a coronarlo con alcuni favori carnali; però, siccome allora la relazione diventa adultera, l'amante nasconde il nome dell'amata con uno pseudonimo, o *senhal.* La teoria dell'*amor cortese* dei trovatori occitani, riflesso di questo tipo di amore coltivato nella poesia araba, esercitò un'enorme influenza sulla successiva letteratura occidentale; specialmente in figure come **Dante** (1265-1324), con la sua idealizzata Beatrice, e **Petrarca** (1304-1374), con la sua adorata Laura, e nella letteratura catalana, come dimostra la poesia amorosa dell'ultimo dei grandi trovatori catalani, il valenciano **Ausiàs March** (1400-1459).

La penetrazione di questo concetto dell'amore, proveniente dal mondo arabo, e la sua traduzione in un modello letterario applicato con successo anche in terre cristiane, è una chiara prova della permeabilità della frontiera pirenaica e delle caratteristiche della nazione occitana, dove confluirono ogni tipo di influenze e dove si instaurarono modelli di comportamento sociale con assai pochi precedenti durante il Medioevo, come era il caso dell'apertura intellettuale e della tolleranza religiosa. Questi fattori intrinseci dell'Occitania spiegano forse perché il conte **Raimondo IV di Tolosa**, nella sua partecipazione alla prima crociata e, in particolare, all'assalto finale alla città assediata di Gerusalemme il 15 luglio 1099, agisse con correttezza e tatto verso l'autorità musulmana che la difendeva dall'attacco dei crociati: di fronte all'imminente caduta di Gerusalemme in mani crociate, **Iftijar ad-Dawla**, il governatore fatimita della città, patteggiò con cavalleria e diplomazia la sua resa davanti a Raimondo di Tolosa, nella quale il tolosano permise che il capo arabo ed il suo seguito abbandonassero la città senza essere giustiziati, come successe alla totalità della popolazione musulmana e giudea di Gerusalemme per mano dei soldati degli altri cavalieri cristiani, che assassinarono quanti trovarono sul loro passaggio. Il cronista Raimundo de Agiles, che accompagnò il conte di Tolosa nella sua avventura militare in Palestina, lasciò il resoconto scritto degli eventi della presa di Gerusalemme durante la prima crociata nel suo *Historia francorum qui ceperunt Hierusalem*, dove differenzia con chiarezza i provenzali e i "francigeni", essendo i primi i soldati occitani e i secondi tutti gli altri crociati del nord di Francia e di Germania. Lo storiografo arabo Ibn al-Athir (1160-1233) racconta la capitolazione e la salvezza di Iftijar e della milizia araba, chiamando i crociati europei col nome di franchi, ma distingue tra un gruppo e l'altro, indicando i crociati francesi e tedeschi come "gli altri franchi" e riconoscendo il merito e la cavalleria degli occitani. "I franchi decisero di salvare loro la vita e, mantenendo la parola, li lasciarono partire di notte verso Ascalona, dove si stabilirono. Nella moschea di Al-Aqsa, al contrario, gli altri franchi assassinarono oltre diecimila persone". L'atteggiamento tollerante e rispettoso di Raimondo di Tolosa verso i vinti musulmani fu duramente criticato dai suoi contemporanei, come testimoniano tutte le altre cronache che narrano le brutali e sanguinarie gesta crociate.

## L'Occitania, rifugio dei Sefarditi

La forza che irradiava la cultura andalusa provocò nella Penisola Iberica il fiorire altrettanto impressionante delle lettere tra i giudei. Gli ebrei di Al Ándalus si sarebbero trasformati in un elemento chiave del processo di trasmissione della sapienza di radice greca – in possesso allora degli arabi – verso l'Europa medievale, poiché più tardi avrebbero sostenuto il ruolo di nesso tra il mondo islamico e quello cristiano con istituzioni come la famosa scuola di traduttori di Toledo, che tradusse in latino e in ebraico molte opere tradotte in precedenza in arabo dal greco o dal siriaco. Imbevuti di cultura araba, gli ebrei decisero anche di dedicarsi a campi, come la linguistica, la retorica e la poesia, e passarono poi a coltivare discipline come le scienze e la filosofia, rivitalizzando così l'ebraico come lingua di espressione letteraria e scientifica. In Al Ándalus, più che in qualsiasi altra regione dell'Oriente e dell'Occidente, gli arabi furono, dunque, i maestri degli ebrei.

Tuttavia, l'invasione della Penisola Iberica da parte degli almohadi negli anni quaranta del secolo XII determinò la fine di quella che è stata denominata l'Età d'Oro della cultura ebrea di Al Ándalus. Come conseguenza della loro scarsa tolleranza verso i non musulmani, molti ebrei fuggirono verso il nord dall'Africa o verso i regni cristiani di Castiglia, Aragona, Catalogna, e i feudi dell'Occitania. Le comunità ebree catalane e occitane accolsero allora famiglie intere che parlavano arabo e custodivano una grande cultura: filosofia, scienza, storia, letteratura, grammatica e altre discipline sconosciute per gli ebrei non arabofoni, dediti esclusivamente, fino a quel momento, agli studi tradizionali delle Scritture e del Talmud. L'incontro di quei due mondi provocò un grande processo di scambio e trasmissione: i nuovi arrivati desideravano condividere con i loro ospiti i tesori della loro ricca cultura, e quelli che li accoglievano si interessavano a tutte quelle materie e si mostravano disposti ad acquisire il nuovo sapere. Desiderosa di imparare, una parte dell'elite intellettuale del tempo si raggruppò, in diverse località, in confraternite col fine di dedicarsi, oltre che agli studi religiosi, allo studio delle scienze profane (soprattutto, la filosofia) che secondo i fuggiaschi di Al Ándalus erano essenziali ed indispensabili per comprendere pienamente i fondamenti della religione. Con l'obiettivo di ampliare i propri orizzonti intellettuali, in quei luoghi (tra i quali emerse, nella Linguadoca, la cittadina di Lunel, vicino a Montpellier), alcuni ebrei eruditi si dedicarono a tradurre in ebraico opere di carattere religioso e scientifico scritte in arabo da altri sapienti ebrei.

Una parte considerevole di queste traduzioni nei campi della filosofia e delle scienze si deve ad una famiglia ebrea occitana, che fece della traduzione un mestiere trasmesso di padre in figlio: sono i celebri Tibonidi. Il più famoso di quella saga di traduttori fu **Samuel ibn Tibón** (1150-1230), grazie alla traduzione che fece dall'arabo all'ebraico della *Guida dei perplessi*, la famosa opera del grande filosofo e giurista ebreo **Maimonide** (1135-1204). In essa, Maimonide cercò di mitigare il dubbio sorto nelle menti degli studiosi ebrei che, dedicandosi alla logica, alla matematica, alle scienze naturali o alla metafisica, non riuscivano a conciliare la Torah coi principi della ragione umana. L'obiettivo della *Guida* era eliminare la confusione e la perplessità a partire da un'interpretazione figurata o allegorica di alcuni testi biblici. Lungi dall'appianare il cammino, il metodo di Maimonide per interpretare la fede ebraica avrebbe provocato l'esplosione di una polemica filosofica che scosse con forza la vita intellettuale delle comunità ebree medievali, e specialmente quelle della Catalogna e dell'Occitania, durante i secoli XIII e XIV. La controversia maimonidiana ebbe alcuni effetti e conseguenze molto gravi ed imprevedibili, come la virtuale divisione interna delle comunità in due fazioni separate e opposte anche nella vita sociale e politica. Gli oppositori attaccarono senza ambagi l'intellettualismo di Maimonide, considerato come una spudorata infiltrazione della cultura greca che oltrepassava impunemente le sacre soglie delle case e delle scuole ebree, mettendo in pericolo la loro fede tradizionale. Per ciò, i talmudisti conservatori non esitarono ad alzare la voce contro molte delle sue teorie tacciandole, semplicemente e chiaramente, di eresia.

Insieme alla corrente talmudico-tradizionale opposta al movimento razionalista dei seguaci di Maimonide, il giudaismo occitano-catalano del Duecento sviluppò anche una serie di tendenze esoteriche, teosofiche e mistiche: la **Cabala.** Nata dall'intreccio di antiche correnti gnostiche ebraiche e di idee del mondo filosofico di ispirazione neoplatonica, la Cabala si trovò facilmente in accordo col movimento anti-razionalista, perché i seguaci di Maimonide sembravano privilegiare la ragione rispetto alla fede. Per i cabalisti, invece, i metodi della fredda logica aristotelica non erano validi per esprimere il mondo di sensazioni ed emozioni dei loro impulsi religiosi di carattere mistico. Mentre i seguaci della tendenza razionalista cercavano di arrivare alla conoscenza di Dio attraverso l'esame e la contemplazione dei fenomeni naturali, il misticismo cabalistico tentava di farlo a partire dai nomi e dai poteri della divinità che si scoprivano nelle dieci sfere *sefirot*, l'alfabeto ebraico e le cifre rappresentate anche dalle lettere.

Le teorie esoterico-teosofiche della Cabala nacquero in terre occitane e giravano principalmente intorno ai contenuti misterici di diverse correnti di pensiero e a due opere capitali: il *Libro della Creazione* e il *Libro della chiarezza.* Il primo trattato è un antico saggio teorico di cosmologia e cosmogonia, scritto tra i secoli III e IV in Palestina; si presenta come un testo meditativo ed enigmatico, destinato unicamente agli iniziati, dove si abbordano le emanazioni divine, o *sefirot*, il potere delle lettere dell'alfabeto ebraico e la loro corrispondenza astrologica. Esso insiste molto sul potere e sul significato di tre lettere dell'alfabeto – *alef, mem* e *shin* – che rappresentano rispettivamente la terra, l'acqua e il cielo, gli elementi del mondo materiale, o anche le tre temperature dell'anno – caldo, freddo e tiepido – e le tre parti del corpo umano: testa, torso e ventre. Il *Libro della Creazione* fu molto studiato dai cabalisti occitani e catalani, e se ne conservano un buon numero di commentari. *Il Libro della chiarezza*, invece, è più tardo; la sua redazione si può forse situare in Germania o nella stessa Occitania verso l'anno 1176. È un trattato che contiene molti elementi gnostici; anch'esso affronta le dieci *sefirot*, analizza a fondo i primi versetti della Genesi, così come gli aspetti mistici dell'alfabeto ebraico, le 32 vie della saggezza indicate dalle lettere, e parla anche della teoria della trasmigrazione, o *guilgul.* Queste due opere furono il *corpus* principale nel quale si immersero i primi cabalisti per dare forma a dottrine e principi a partire dai quali decifrare il significato occulto del testo biblico e tentare la comunione con Dio mediante la meditazione sulle *sefirot* e le essenze celestiali.

Secondo alcune fonti rabbiniche, intorno al 1200 il profeta Elia rivelò ad un gruppo di maestri e rabbini occitani – quando l'Occitania si trovava sotto la tutela politica dei conti di Barcellona – i segreti e gli insegnamenti esoterici che conosciamo col nome di Cabala, cioè, letteralmente, "tradizione". Elia li rivelò al rabbino **David Narboní**, poi a suo figlio, il rabbino **Abramo ben David di Posquières**, e ancora al figlio di questi, il celebre rabbino **Isaac ben Abraham**, più conosciuto come **Isaac il Cieco** (m. 1235) e chiamato "il padre della Cabala", non perché nascesse propriamente con lui, ma perché fu il più brillante tra i primi che la formularono. Le idee teosofiche di quei rabbini della città di Narbona non avrebbero tardato ad arrivare a Girona ad opera di **Asher ben David**, nipote di Isaac il Cieco, e in quella città trovarono la cornice adeguata per svilupparsi e perfezionarsi con caratteristiche proprie in Catalogna e poi in terre castigliane, dove sarebbe infine nato il terzo dei grandi compendi cabalistici medievali: il celebre libro dello *Zohar* ("splendore").

Si è speculato molto sulla coincidenza temporale e geografica dell'apparizione della Cabala in Occitania nel momento in cui quel territorio viveva l'introduzione del catarismo. Come annota il grande studioso della Cabala Gershom Scholem, i cabalisti occitani poterono ridare vita ad alcune idee dell'antico gnosticismo ebraico mantenutesi fino ad allora in forma molto velata, ma risulta più logico credere che, data l'estensione di idee e credenze catare per tutta l'Occitania, alcuni dei loro principi (il dualismo, la teoria delle reincarnazioni, la disciplina religiosa degli adepti, l'anelito di fuggire da questo mondo visibile e naturale per conoscere ed entrare nelle sfere celesti e nell'essenza della divinità) contribuissero a disegnare il *corpus* dottrinale del cabalismo. Non dobbiamo dimenticare che i catari predicavano contro la corruzione del clero, contro i suoi privilegi sociali e contro i dogmi della Chiesa cattolica; e che mantenevano, pertanto, una posizione di aperta belligeranza di fronte a Roma. Quell'opposizione frontale contro la Chiesa suscitò sicuramente simpatia e solidarietà tra gli ebrei. Benché i catari ritenessero che la rivelazione del Nuovo Testamento annullasse completamente quella dell'Antico Testamento e la Torah, il loro antisemitismo metafisico non impedì che si rapportassero con essi in modo attivo e scambiassero anche ogni genere di idee con le comunità ebree, anch'esse avversarie del cattolicesimo che allora le accusava e perseguitava senza tregua. Nel suo *Adversus albigenses*, il polemista cattolico francese del secolo XIII, Luc de Tuy, rimprovera ai catari le intense relazioni con gli ebrei, ed è impossibile credere che questi non li conoscessero e non sapessero della profonda agitazione religiosa e politica che i catari provocarono in Occitania con la diffusione del loro credo e con la brutale crociata che il papa Innocenzo III e il re Filippo Augusto di Francia sostennero per metterli a tacere. In qualsiasi caso, è chiaro che ci sono punti di contatto più che evidenti tra il catarismo e le idee della Cabala ebrea. Ciò nonostante, la grande differenza sta nel fatto che, mentre i crociati e gli inquisitori cattolici misero completamente fine al catarismo, il giudaismo, che subì un assedio simile durante tutto il Medioevo, avrebbe resistito, e ancor più la Cabala, ridotta ad un circolo chiuso e minoritario di adepti che non cercarono mai di propagarla, bensì di rispettare alla lettera la frase del Talmud che dice: "Se la parola vale una moneta, il silenzio ne vale due".

**MANUEL FORCANO**
Dottore in Filologia Semitica all'Università di Barcellona
Traduzione: Luca Chiantore / MUSIKEON.NET

# I catari nella società occitana
# (XII-XIII secolo)

Nel *pays d'oc*, per parecchie generazioni prima della grande repressione e normalizzazione del XIII secolo, i catari non furono degli eretici. Erano solamente dei religiosi che, agli occhi del popolo cristiano, seguivano in modo esemplare la via degli apostoli e avevano la massima possibilità di salvare le anime.

L'eresia non è uno stato oggettivo, è un giudizio di valore che già porta con sé una condanna, emanato da un potere normativo dove il religioso si combina col politico. Nel *pays d'oc*, né i conti né i signori, ma neppure i prelati e i curati locali fungevano da convenienti cinghie di trasmissione dell'accusa di eresia che il papato romano formulava contro i catari. La stessa parola "cataro" non era usata qui: è probabile che la maggior parte dei catari occitani non abbia mai saputo di essere un "cataro". Essi da parte loro si chiamavano semplicemente cristiani; i loro fedeli li chiamavano rispettosamente Buoni Cristiani e Buone Cristiane, o Buoni Uomini e Buone Donne. Erano dei religiosi che seguivano un rito cristiano arcaico, quello della salvezza attraverso il battesimo di Spirito e l'imposizione delle mani, e predicavano il Vangelo secondo un'esegesi dove le vecchie aspirazioni gnostiche al Regno di Dio che non è di questo mondo – *il regno dimenticato* – si mescolavano a più moderne critiche dei culti superstiziosi della Chiesa romana, per una speranza di salvezza universale che era alla base delle adesioni. Molto spesso, all'interno delle borgate occitane, parroci e coadiutori li consideravano come fratelli e sorelle, mentre dame e signori ascoltavano con fervore le loro predicazioni.

Appartenevano tuttavia ad un movimento religioso dissidente, messo al bando dalla cristianità da parte del papato gregoriano, e che la storia oggi ritrova un po' dovunque nell'Europa dei secoli XII e XIII, alla luce dei documenti sulla sua repressione, vale a dire, in generale, sui roghi. Sotto i diversi nomi usati per accusarli, inventati dalle autorità religiose: catari, patarini, pubblicani, manichei, ariani, *piphles*, *bougres*, albigesi ecc., la parentela della maggior parte di questi gruppi condannati per eresia è fondata sull'analogia del loro modo di organizzarsi, in ambito religioso, in Chiese episcopali, della rivendicazione dell'autentica discendenza dagli apostoli, delle concezioni spiritualistiche della persona di Cristo e della loro esegesi biblica di carattere dualistico, e soprattutto sull'uguaianza del loro rituale. È questa vasta nebulosa – individuabile nel mondo latino di Fiandre e Renania, passando per la Champagne e la Borgogna, fino in Italia, in Bosnia e nel *pays d'oc* – che qui, per comodità, indicheremo con il termine "catari".

Tra queste comunità cristiane dissidenti, quelle dei Buoni Uomini dell'Europa meridionale (italiani e soprattutto occitani) sono le più note. Godendo di condizioni di pace, a differenza delle loro sorelle settentrionali, che restavano clandestine e sono documentate solamente in negativo, esse si sono create uno spazio nella società. Di esse si sono conservati parecchi libri manoscritti originali, tre rituali e due trattati, in latino e in occitano, che illuminano la loro religiosità. La sistematica repressione che lungo tutto il XIII secolo sarà messa in atto contro di loro – la crociata contro gli albigesi, la conquista da parte della monarchia francese delle contee occitane, e infine l'Inquisizione – è a sua volta produttrice di un'importante massa di documenti, cronache e soprattutto archivi giudiziari che danno accesso, letteralmente nel quotidiano, al vissuto di una società *eretica*. È dunque ad un viaggio gratificante nell'Occitania catara che siamo invitati.

## Le Chiese catare occitane

"In quel tempo, gli eretici abitavano pubblicamente le loro case nel *castrum*...". I registri dell'Inquisizione che ci consegnano ricordi datati già dal principio del XIII secolo, e quindi prima della repressione, ridanno vita a nugoli di Buoni Uomini e Buone Donne le cui case comunitarie si aprono in seno ai villaggi fortificati dei signori vassalli di Tolosa, di Foix, di Albi o di Carcassona. In queste borgate attive e popolose, come Fanjeaux, Laurac, Cabaret, Le Mas Saintes Puelles, Puylaurens, Lautrec, Caraman, Lanta, Mirepoix, Rabastens, ecc., i casati aristocratici sono i primi ad infatuarsi della loro predicazione: si vedono delle contesse di Foix farsi Buone Donne; si è costituito un ordine religioso cristiano indipendente dal papa di Roma. Tra Linguadoca, Agenais e Pirenei, cinque Chiese o vescovati catari sono così istituiti pubblicamente, sotto l'autorità di vere gerarchie episcopali. Di fatto, questa strutturazione delle comunità intorno a vescovi ordinati, ad immagine delle prime Chiese cristiane, è uno dei principali caratteri d'identità dell'eresia detta catara, che si definisce la vera Chiesa di Cristo e degli Apostoli. I rituali dei Buoni Uomini occitani lo chiamano *Ordenament de sancta Gleisa*: ordine della Santa Chiesa. L'esistenza di vescovi dissidenti appare già in fonti precedenti addirittura la metà del XII secolo, all'inizio in Renania, nell'arcivescovato di Colonia e nel vescovato di Liegi.

I vescovi catari italiani e occitani sono documentati solamente nella generazione successiva, anche se delle comunità dissidenti sono visibili nelle borgate tra Albi e Tolosa fin dal 1145; un vescovo dei Buoni Uomini nell'Albigeois è citato nel 1165. Nel 1167, a Saint Félix en Lauragais, alla congiunzione fra la contea di Tolosa e le viscontee di Albi e Carcassona, quattro Chiese catare meridionali, manifestando in pieno dinamismo, si riuniscono in concilio, coi loro vescovi o consigli di chiesa e le loro comunità di uomini e di donne. Si tratta delle Chiese di Toulousain, di Albigeois, di Carcassès e sicuramente di Agenais, dove un vescovato cataro sarà documentato effettivamente nel XIII secolo, sebbene il testo rechi "di Aranais", che vorrebbe dire della Valle di Aran. Esse ricevono delegazioni delle Chiese sorelle francesi (Champagne, Borgogna) e lombarde, sotto la presidenza di un dignitario dei bogomili, probabilmente vescovo di Costantinopoli, chiamato Nicétas. Non bisogna vedere in questo personaggio un papa o anti-papa degli eretici. Al contrario, ciò che predica a tutte queste Chiese latine di Buoni Uomini, è di vivere fra loro in modo fraterno ma autonomo. Si vedranno così le quattro Chiese occitane delimitate secondo i criteri territoriali di veri e propri vescovati.

Le Chiese renane, assenti all'assemblea di Saint-Félix, sembrano essere state abbastanza rapidamente abbattute da un'intensa repressione, che portò al rogo i loro vescovi negli anni intorno al 1160. La Chiesa di Lombardia si articolerà prima della fine del XII secolo in sei vescovati distinti, godendo, nelle città italiane, del durevole sostegno dei ghibellini, sostenitori dell'imperatore, contro i guelfi, sostenitori del papa (e dell'Inquisizione). Costantemente perseguitata, la Chiesa dei francesi riuscirà a sopravvivere, nell'esilio italiano, fino alla fine del XIII secolo. Ma verso il 1200, per sfuggire ai roghi della Borgogna, due canonici di Nevers, che erano anche dignitari catari, si rifugiano presso i loro fratelli della Chiesa di Carcassès. Nel frattempo, sotto la pressione del papato e dell'ordine cisterciense, l'Europa cristiana si arma contro l'eresia, i grandi principati occitani, le contee di Tolosa e di Foix, e le viscontee Trencavel di Carcassona, Béziers, Albi e Limoux rappresentano, per i dissidenti, una terra di rifugio; le loro Chiese vi hanno un insediamento quasi istituzionale di cui l'irruzione della "crociata contro gli albigesi", a partire dal 1209, nonostante i suoi grandi roghi collettivi, non giunge a bloccare il dinamismo. Alle quattro Chiese costituitesi nel XII secolo, se ne aggiunge così, verso il 1225, una quinta, quella di Razès. È solamente dopo la conquista di Carcassona e Albi da parte della corona di Francia, e la sottomissione del conte di Tolosa, dal 1229, che le Chiese catare saranno costrette a passare nella clandestinità dalla quale, poco a poco assottigliate dall'Inquisizione e malgrado la resistenza eroica dei loro credenti per quasi un secolo di persecuzione, non usciranno mai più.

## Un cristianesimo di vicinato

Perché nel *pays d'oc* meglio che altrove? Perché cinque vescovati dei Buoni Uomini sorti tra Agenais, Quercy, i Pirenei ed il mare? Le ragioni, per quanto si riesce a capire, sono molteplici, di ordine culturale, sociale e politico. La struttura delle Chiese catare, agili, aperte, autonome, si adattava bene allo schema delle signorie occitane, meno rigorosamente gerarchizzate del modello feudale franco, ma tenute da un gruppo aristocratico prosperoso e plurale. Le deposizioni davanti all'Inquisizione indicano che, spesso, dalla fine del XII secolo, era questa stessa casta nobiliare, dame in testa, che dava l'esempio dell'impegno nella fede e nell'appartenenza all'ordine dei *buoni cristiani*. Un esempio seguito con zelo dai borghesi e dagli artigiani del borgo signorile, il *castrum,* e dalla popolazione contadina della campagna. Del resto, la forte resistenza opposta da larghe frange del clero meridionale alle normalizzazioni della Riforma gregoriana lasciava manifestamente libero corso a forme cristiane nello stesso tempo arcaizzanti e critiche. I catari non erano degli stranieri per il villaggio, ma dei famigliari cui li legavano stretti vincoli di comunità e d'affetto.

Gli archivi dell'Inquisizione permettono di esplorare, retroattivamente, gli ingranaggi intimi di questa società cristiana sostanzialmente ordinaria, popolosa nelle sue borgate fortificate. Per questi paesani medievali, le comunità dei Buoni Uomini e delle Buone Donne che vivevano in mezzo a loro e a cui essi portavano devozione erano semplicemente "dei buoni cristiani e delle buone cristiane che avevano la massima possibilità di salvare le anime". Il solo a parlare allora di *eretici* o di *catari*, di passaggio, era qualche legato o qualche abate cistercense mandato da Roma. Abbastanza frequentemente, avveniva pure che il curato della parrocchia frequentasse fraternamente questi religiosi sprezzanti nei confronti del papa, che erano in maggior parte membri delle famiglie del luogo. Buon numero di famiglie notabili ripartiva i propri figli e figlie in soprannumero tra le due Chiese. Il migliore esempio dell'ecumenismo cristiano di quella società è probabilmente quello offerto, nel 1208, dal vescovo cattolico di Carcassona, Bernat Raimond de Roquefort. Rappresentante di una grande famiglia aristocratica della Montagna Nera, che resisterà per molto tempo alla conquista francese, questo prelato ha per madre una Buona Donna, e per fratelli tre Buoni Uomini di cui uno, Arnaut Raimond di Durfort, morrà nel 1244 sul rogo di Montségur. Solo la messa in atto di una repressione sistematica obbligherà ciascuno a scegliere il suo campo, in seno al villaggio, in seno alla famiglia. I registri dell'Inquisizione costituiscono, a questo riguardo, il tragico rapporto della distruzione dei legami di solidarietà di una società intera.

Al tempo della "pace catara", nell'ambiente delle signorie occitane, religiosi e religiose catari, lungi dall'isolarsi in vita contemplativa in monasteri tagliati fuori del mondo, vivono in mezzo al popolo cristiano. Prefigurano così, con almeno una generazione di anticipo, la pratica del "convento in città" che farà il successo degli ordini mendicanti, domenicani e francescani. Questi Buoni Uomini e Buone Donne, in contatto permanente con la popolazione delle borgate, i loro "credenti", formano lo scaglione di base del sistema ecclesiastico cataro. Essi costituiscono delle vere e proprie comunità religiose, conducendo una vita consacrata "a Dio e al vangelo", cumulando tuttavia i caratteri di un clero regolare e secolare. Come i monaci e le monache, tutti hanno fatto voto di povertà, castità e ubbidienza, e conducono in rigorosa ascesi monastica la loro vita comunitaria, seguendo la regola dei precetti del vangelo, ossia la "via di giustizia e di verità degli Apostoli". Hanno rinunciato al peccato: menzogna, inganno, assassinio anche degli animali, cupidigia materiale o carnale. Ogni mese, un diacono della loro Chiesa viene a celebrare l'*aparelhament*, la confessione collettiva dei peccati. Le comunità catare si distinguono tuttavia delle comunità monastiche tradizionali in due punti essenziali. Innanzitutto, il loro organico è prevalentemente composto non di vergini consacrati ma di persone inserite nella società, che hanno già un "vissuto": vedovi, vedove o coppie che si separano all'avvicinarsi del termine della vita per fare una buona fine e salvare la loro anima. Infine, a differenza dei grandi monasteri cattolici, e anche dei conventi dei Mendicanti, le loro case comunitarie non conoscono la parola chiusura. Buoni Uomini e Buone Donne ne escono liberamente, restano presenti nelle loro famiglie, partecipano alla vita del borgo.

Queste case religiose assolvono una funzione sociale importante. Numerose nelle viuzze dei *castra* – cinquanta case, si dice, a Mirepoix, cento a Villemur – costituiscono evidentemente delle piccole strutture, non ospitando, per la maggior parte, più di una decina dei Buoni Uomini, sotto l'autorità di un Anziano, o di Buone Donne, dirette da una Priora. I religiosi conducono la loro vita comunitaria, dicendo le preghiere rituali ed osservando le loro astinenze (cibi di magro per tutto l'anno, ritmato da tre quaresime, e un giorno su due a pane e acqua). Ma lo fanno sotto gli occhi del popolo cristiano del borgo. Siccome sono obbligati al lavoro apostolico e praticano dei mestieri, le loro case hanno spesso le caratteristiche di laboratori di artigianato. Sono anche degli ospizi *ante litteram*, perché hanno la tavola aperta, e ricevono malati e bisognosi. Certe case sono soprattutto dedicate all'insegnamento a novizi o novizie; e a volte fungono da scuola. I religiosi vi ricevono visitatori e credenti, vicini, amici e parenti per i quali, come dei chierici secolari, essi, e anche esse, predicano la Parola di Dio. Senza separarsi dai loro vicini né dalla loro società, predicano con l'esempio, con la loro fedeltà al modello degli apostoli ed al messaggio evangelico. Instancabilmente, ammoniscono al Bene, aprendo a tutti l'*Entendensa del Be*: l'intendimento del Bene.

Questa predicazione intensiva al popolo cristiano, basata su traduzioni delle Scritture in lingua romanza, costituisce la forza della Chiesa dissidente. Al tempo del libero culto, se le comunità religiose si dedicano soprattutto a mettere in pratica il Vangelo, la gerarchia episcopale si riserva la funzione sacerdotale propriamente detta. Sono in generale i vescovi e i diaconi che predicano solennemente sul Vangelo delle domeniche e delle feste religiose: Natale, la Passione, Pasqua, Pentecoste ecc. Sono loro che ordinano i novizi, e ancora loro che consolano i morente. È solamente in assenza del vescovo o di un diacono che Buoni Uomini e anche Buone Donne conferiscono il sacramento della Salvezza. Sarà un caso frequente, una volta venuto il tempo della clandestinità. Come semplici Buoni Uomini, i vescovi catari vivono in una casa comunitaria, con l'accordo delle borgate della loro giurisdizione. Il vescovo di Toulousain risiede spesso a St Paul Cap de Joux, o a Lavaur; quello di Carcassès a Cabaret; quello di Albigeois a Lombers, finché la repressione dell'Inquisizione, a partire dal 1233, non obbliga i vescovi di Toulousain, di Razès e forse di Agenais a rifugiarsi nel *castrum* non sottomesso di Montségur, e quello di Albigeois a Hautpoul. Sono tuttavia personaggi di grande spessore, che si vedono intervenire fino al vertice della casta signorile, in particolare per svolgere un ruolo di arbitraggio e di giustizia pacifica: il loro ordine cristiano rifiutando la giustizia umana e la condanna a morte.

Le pratiche della Chiesa, al tempo stesso semplici e piene di sacralità, sull'esempio del grande rito del *consolament,* sono testimonianza di uno stile arcaico delle liturgie cristiane. Tutte sono collettive e pubbliche. Nel corso delle cerimonie, ci si scambia il bacio della pace; al loro tavolo, all'inizio di ogni pasto ed in memoria dell'Ultima Cena, Buoni Uomini e Buone Donne benedicono e spezzano il pane, simbolo della parola di Dio da spargere tra gli uomini. Questa comunione senza transustanziazione – il pane resta pane, non diventa carne di Cristo – s'iscrive nella tradizione del pasto fraterno delle prime comunità cristiane. È una dei riti che legano i credenti alla loro Chiesa, uno dei gesti che segnano la loro fede di diventare anch'essi, presto o tardi, dei buoni cristiani e salvare la loro anima. Questa stessa speranza, i credenti l'esprimono anche tramite il *melhorier* – il gesto che rende migliore – tripla richiesta di benedizione con la quale essi salutano i Buoni Uomini e le Buone Donne che incontrano.

## Una società eretica?

Di questa realtà di Chiesa molto presente nella vita quotidiana delle borgate occitane – poi nel deserto dei nascondigli della clandestinità – i registri dell'Inquisizione ci permettono di apprezzare la qualità umana, ma non di misurarne in modo adeguato l'incidenza demografica. Sebbene massiccia (sono migliaia le deposizioni che ci sono state conservate, consegnandoci i nomi di migliaia di Buoni Uomini, di Buone Donne e di credenti di entrambi i sessi, di una trentina di vescovi, di una cinquantina di diaconi), questa documentazione è in effetti tanto piena di lacune da rendere assurda qualsiasi generalizzazione di percentuali che tenda a quantificare l'eresia, anche perché la questione non si poneva allora in questi termini, dal momento che i culti cataro e cattolico erano vissuti in generale come complementari più che concorrenziali. Due elementi ne escono tuttavia in modo chiaro, a cominciare da quello dello spettro sociale molto ampio di diffusione dell'eresia. Nell'assistere alle cerimonie dei Buoni Uomini, i grandi signori si mescolano al popolo del borgo. Dentro alle case religiose, delle semplici contadine coabitano con la vecchia signora del luogo, degli anziani cavalieri si esercitano nella tessitura. L'impressionante adesione della classe nobiliare dà certamente un'inquadratura particolare al fenomeno cataro occitano, oggi per lo storico come ieri agli occhi dei cistercensi e del papa; ma sarebbe un errore considerarlo una semplice infatuazione elitaria. È una popolazione cristiana normale, con tutte le sue classi mescolate, quella che gli archivi dell'Inquisizione mostrano praticare la fede dei Buoni Uomini.

Si resta d'altra parte colpiti dall'importanza della posizione e del ruolo delle donne in seno alla Chiesa dissidente. Il numero e le funzioni delle Buone Donne citate nelle deposizioni sono quasi equivalenti, nel periodo del libero culto, a quelli dei Buoni Uomini, anche se nessuna donna è identificabile in seno all'alta gerarchia. Le numerose testimonianze delle credenti consentono peraltro di riconoscere, spesso in modo commovente, quanto questo impegno femminile, crescendo all'interno stesso della famiglia, conserverà al catarismo, per tutto un secolo di persecuzione sistematica, la forza, per resistere, di una fede materna. Al punto che gli inquisitori del XIV secolo malediranno il *genus hereticum*: un'espressione di disprezzo che si può tradurre "genìa eretica", se non gene eretico...

Presentandosi, all'interno delle borgate, come comunità di penitenti di entrambi i sessi, garanti della buona fine, i Buoni Uomini e le Buone Donne delle Chiese catare occitane formavano un clero di vicinato efficace e attraente; presenti e attivi fino all'interno stesso delle loro stesse famiglie, gli uni e le altre assicuravano alla loro fede un ancoraggio sociale e familiare profondo, che la persecuzione del XIII secolo farà molta fatica a sradicare, anche quando la guerra avrà distrutto le famiglie signorili che li proteggevano.

**ANNE BRENON**

Traduzione: Luca Chiantore / MUSIKEON. NET

# I trovatori di fronte al catarismo

Una constatazione si impone immediatamente a chi osserva la civiltà occitana del medioevo: è la larga coincidenza cronologica e geografica che esiste fra la diffusione della poesia dei trovatori e quella della religione catara: infatti, in un periodo che va almeno dalla metà del XII secolo alla fine del XIII e in un'area che comprende tutto il Languedoc occidentale e alcune regioni limitrofe come il Quercy e il Périgord, le due esperienze convissero fianco a fianco nelle stesse corti, nelle stesse città, negli stessi borghi. È vero che questa coincidenza non è totale poiché la poesia trobadorica si irradiò in tutto il Midi, dalla Guascogna alle Alpi, e le sue origini risalgono già alla fine del secolo XI (ma secondo alcune autorevoli tesi recenti, anche la nascita del catarismo dovrebbe essere retrodatata ai primi decenni del Mille). Tuttavia una regione come quella del Carcassès appare, a cavallo fra XII e XIII secolo, come un quasi miracoloso punto d'incontro fra il *trobar* e la spiritualità catara: per esempio il *castrum* di Fanjaux, che Peire Vidal descrive nella canzone-sirventese *Mos cors s'alegr'e s'esjau* come un "paradiso" cortese, era anche uno dei più importanti centri di eresia, dove predicò il celebre Guilhabert de Castres e ricevette da lui il *consolament* Esclarmonda, sorella del conte Raimon-Rogier de Foix. Non mancarono nemmeno i trovatori – come Peire Rogier de Mirapeis, Raimon Jordan, Aimeric de Peguilhan e qualche altro – che aderirono, almeno per un periodo della loro vita, alla fede eterodossa.

Ben presto, almeno a partire dai primi decenni dell'Ottocento, questi dati di fatto hanno spinto alcuni studiosi a ricercare gli eventuali influssi o rapporti che possono aver legato i due grandi fenomeni. Basandosi su precedenti studi di Gabriele Rossetti (in particolare i cinque volumi de *Il mistero dell'amor platonico del Medio Evo*, Londra 1840), uno storico dilettante francese affiliato ai rosacrociani, Eugène Aroux, formulò intorno alla metà del secolo nel suo *Les Mystères de la chevalerie et de l'amour platonique au moyen âge* (1858) il mito del «linguaggio segreto» dei trovatori. Secondo la sua tesi, priva di qualsiasi serio fondamento, in tutta la produzione amorosa occitana la donna amata rappresenterebbe la parrocchia o la diocesi, l'amante sarebbe il "perfetto" cataro, e il marito geloso il vescovo o il parroco cattolico: l'unione matrimoniale, rifiutata dai trovatori, adombrerebbe così l'appartenenza di una comunità alla fede cattolica, mentre il rapporto adulterino fra la dama e il *fin aman* – esaltato dal canto cortese – significherebbe il passaggio di questa comunità alle credenze dei catari o "albigesi". Questa ingenua chiave di lettura, che riduce tutta la poesia amorosa dei trovatori a una esposizione in codice delle dottrine e delle vicende storiche degli eretici, fu ripresa anche in seguito da scrittori altrettanto bizzarri, come Joséphin Péladan (autore di un *Le Secret des Troubadours*, 1906) e Otto Rahn (nella sua *Crociata contro il Gral*, 1933); ma fu subito ridicolizzata da storici e filologi. Non fu però del tutto abbandonata l'idea di una qualche relazione tra la *fin'amor* e il catarismo: questa idea costituisce anzi il nucleo centrale dell'importante libro di Denis de Rougemont, *L'Amour et l'Occident* (1939). Rougemont sostiene infatti che alcuni temi fondamentali dei trovatori come quelli della "morte" o del "segreto" rivelano tutto il loro significato solo nella comparazione con la dottrina catara; non che i poeti occitani siano stati dei veri e propri "credenti" della Chiesa eretica, ma secondo lui essi furono *almeno* ispirati dall'atmosfera religiosa del catarismo. La donna cantata nelle loro poesie sarebbe così l'Anima, la parte spirituale dell'uomo che è prigioniera della carne e con la quale egli potrà ricongiungersi solo dopo la morte. Da queste idee, e da quelle simili di Déodat Roché, deriva anche la nozione di una "ispirazione occitanica" di matrice platonica, che Simone Weil elaborò in un famoso saggio uscito nei "Cahiers du Sud" del 1942.

Ma come si vede si tratta di interpretazioni puramente soggettive, per quanto interessanti dal punto di vista della storia del pensiero contemporaneo. I filologi romanzi che, a partire dalla metà del secolo scorso affrontarono il problema con strumenti più rigorosi, dovettero constatare non solo la mancanza di qualsiasi prova dell'uso di un linguaggio cifrato da parte dei trovatori, ma anche la pressoché totale assenza di echi delle dottrine catare nella loro poesia amorosa: assenza che appare tanto più significativa nei poeti di cui conosciamo con certezza l'affiliazione alla Chiesa eretica. In tutta la produzione lirica medievale esiste un solo testo in cui siano esposte apertamente alcune concezioni catare: il suo autore non è un occitano ma un poeta italiano del tardo Duecento, Matteo Paterino, che nella canzone *Fonte di sapïenza nominato*, indirizzata al celebre Guittone d'Arezzo e pubblicata solo recentemente in edizione critica, oppone alla dottrina cattolica professata dal destinatario la teologia dei due Princìpi, da lui illustrata in termini strettamente aderenti a quelli di Giovanni di Lugio e della Chiesa eretica di Desenzano. A dire il vero, esiste anche un testo poetico occitano nel quale sono riassunte le idee fondamentali del catarismo; ma non si tratta di un testo lirico, bensì di un dibattito fra un inquisitore, Isarn, e un "perfetto" cataro convertito, Sicart de Figueiras: le *Novas del heretge*. Ora, benché Sicart sia un personaggio storico ben attestato dalle fonti inquisitoriali e i fatti storici cui si riferisce il poemetto siano in gran parte accertabili, l'autore del testo – probabilmente lo stesso Isarn – lo presenta in termini fortemente denigratori e inserisce le dottrine catare da lui professate in un contesto caricaturale. Nemmeno il grande poema di *Paratge*, la seconda parte della *Canzone della Crociata albigese*, il cui autore prende decisamente le parti dei conti di Tolosa contro i crociati francesi e il clero, mostra la minima traccia della teologia catara.

Ciò significa forse che i trovatori si disinteressarono completamente del grande fenomeno religioso a loro contemporaneo e che tacquero davanti alla tragedia vissuta dal loro popolo nel corso del XIII secolo? Naturalmente non è così. Una impressionante testimonianza letteraria è innanzitutto la appena citata *Canzone della Crociata albigese*, che narra gli eventi della guerra dal suo inizio (1209) fino al terzo assedio di Tolosa da parte dei crociati (1218). Giunta fortunosamente fino a noi – ce la conserva un solo manoscritto – essa è formata da due parti, opera di due autori distinti. La prima, composta dal chierico navarrese Guilhem de Tudela a ridosso degli avvenimenti, giunge fino alla vigilia della disastrosa sconfitta occitana di Muret (1213) e si mostra favorevole alla Crociata; ma Guilhem esprime ripetutamente anche la sua ammirazione per i signori meridionali, coinvolti a suo giudizio senza colpa nella giusta lotta contro gli eretici, e descrive con straordinaria efficacia e partecipazione le violenze di una guerra devastatrice: fra gli episodi del suo poema che rimangono indelebilmente impressi nella memoria sono il massacro indiscriminato degli abitanti di Béziers nella cattedrale dove si erano rifugiati dopo la presa della città da parte dei crociati (1209) e la crudele lapidazione come eretica di dama Girauda, signora di Lavaur, anche in questo caso dopo la conquista della città (1211). La seconda parte della *Canzone* – opera di un anonimo che si è proposto recentemente di identificare con il trovatore Gui de Cavaillon e composta verso il 1228-29, prima della pace di Meaux-Parigi – riprende la narrazione esattamente nel punto in cui l'aveva lasciata interrotta il suo predecessore, ma le imprime un carattere completamente diverso, creando uno dei più grandi capolavori di tutta la letteratura medievale. Il suo autore, entusiasticamente favorevole ai conti di Tolosa e violentemente ostile a Simone di Montfort e ai suoi crociati, è il grande cantore di *Paratge* – la nobiltà meridionale, la sua patria, i suoi ideali – cioè di quella che descrive come una splendida civiltà (la civiltà "cortese") vittima di una violenza cieca e barbarica, scatenata dal clero e dai Francesi con il falso pretesto della lotta contro l'eresia. La sua speranza, spesso presentata come una certezza incrollabile, è che *Paratge* sarà restaurato grazie all'azione dei conti di Tolosa e per volontà di Dio stesso.

La tradizione occultista alla quale si è accennato in precedenza cercò invano nella poesia amorosa dei trovatori qualche traccia di idee catare; si lasciò invece sfuggire ciò che era sotto gli occhi di tutti: la profonda consonanza esistente fra le posizioni antiromane dei catari e quelle espresse in una vasta produzione di sirventesi composti soprattutto nella prima metà del XIII secolo e dominati da una violenta polemica contro il clero e contro i Francesi. È appunto in questa produzione "militante" che vanno ricercati i veri rapporti fra poesia trobadorica e catarismo. Emblematico è il caso di Raimon de Miraval, il cui canzoniere fa quasi da cerniera fra il *trobar* amoroso del XII secolo e quello politico-morale che domina nel successivo. Raimon era cosignore di un piccolo castello, che fu conquistato da Simon de Monfort nei primi anni della Crociata (probabilmente nel 1211) costringendo il trovatore alla umiliante condizione di *faidit*, di esule. Nelle prime sei *coblas* della canzone *Bel m'es q'ieu chant e coindei* egli sviluppa i tradizionali temi erotici (elogio della donna amata, richiesta d'amore, descrizione delle gioie e dei tormenti provocati dalla passione ecc.), ma cambia completamente registro nell'ultima *cobla* e nelle due *tornadas*. Qui egli rivolge una accorata supplica al re Pietro II d'Aragona invitandolo a combattere contro i Francesi per consentirgli di riprendere possesso di Miraval e per restituire la città di Beaucaire al conte di Tolosa, Raimondo VI: solo allora, egli dichiara, *poiran dompnas e drut / tornar el joi q'ant perdut*. Il disastro di Muret, dove Pietro II trovò la morte, darà il colpo di grazia a queste speranze.

E fu soprattutto dopo Muret che incominciò a levarsi la voce di numerosi poeti, per lo più legati ai conti di Tolosa, che composero violente invettive contro i Francesi invasori e contro le sempre più pesanti ingerenze del clero in Occitania e nelle regioni confinanti. Fra questi i nomi più importanti sono quelli di Peire Cardenal, Guilhem Figueira e Guilhem Montanhagol. Nei loro componimenti, come in quelli di numerosi altri trovatori, la Chiesa e il clero sono oggetto di attacchi portati sia sul piano propriamente religioso, sia su quello politico. Da una parte, sono messi in caricatura e fustigati i vizi diffusi fra il clero, soprattutto la lussuria e la gola: è per esempio il caso del godibilissimo sirventese contro i Domenicani di Peire Cardenal, *Ab votz d'angel, lengu'esperta, non blesza*; dall'altra – e con maggiore durezza – sono criticate le ambizioni temporali della Chiesa, la sua complicità con i Francesi invasori, le indulgenze promesse a chi uccideva dei cristiani in una criminale Crociata. Dopo il 1233, sono severamente censurati anche i metodi brutali e persecutori spesso praticati dal tribunale dell'Inquisizione, come nel sirventese *Del tot vey remaner valor* di Guilhem Montanhagol. In alcuni componimenti di Peire Cardenal, come *Falsedatz e desmezura* o *Un sirventes vuelh far dels auls glotos*, la situazione creata dalla Chiesa e dai Francesi nel Midi è descritta come un vero e proprio "mondo alla rovescia" in cui *feunia vens amor / e malvestatz valor, / e peccatz cassa sanctor / e baratz simpleza*: un mondo in cui i veri Cristiani sono accusati di eresia e condannati al martirio dai "messaggeri dell'Anticristo", cioè dai membri della Chiesa romana.

La stretta affinità di queste posizioni con quelle antiromane dei catari è indiscutibile. Certo, i temi anticlericali erano da tempo diffusissimi nella letteratura medievale; ma a volte le somiglianze fra le poesie dei trovatori e i testi catari sono così precise da far escludere la possibilità di una loro totale indipendenza. Così, per esempio, le accuse contenute nelle prime due *coblas* del sirventese *Li clerc si fan pastor* dello stesso Peire Cardenal – dove i membri del clero cattolico sono successivamente descritti come "assassini", come "lupi rapaci" travestiti da pecore e come illegittimi detentori del potere nel mondo – corrispondono esattamente a quelle rivolte loro in un passo del trattato originale cataro (scritto in occitano) *La Gleisa de Dio*. Del resto, in una deposizione resa nel 1334 davanti al celebre inquisitore Jacques Fournier, si legge che una ventina d'anni prima – cioè all'inizio del secolo – un certo Guilhem Saisset si mise a recitare proprio la prima *cobla* di questo sirventese davanti al fratello, vescovo di Pamiers; allora un eretico notorio presente in quella occasione, Bertran de Taïx, gli chiese di insegnargliela affermando che il clero non solo possedeva tutti i difetti elencati da Peire Cardenal, ma molti altri ancora. Non vi è dubbio, perciò, che gli eretici considerassero il trovatore come un portavoce delle loro idee e delle loro speranze, anche se non è detto che in questo caso Peire sia dipendente dal testo cataro. Forse bisogna restituire alla poesia i suoi diritti: è infatti possibile, se non addirittura probabile considerando la cronologia dei testi, che sia stato proprio il trattato sulla

*Gleisa de Dio* a riprendere gli argomenti e le immagini di un capolavoro poetico che dovette sicuramente godere di un successo straordinario (ce lo conservano infatti ben dieci manoscritti).

Punti di contatto con le idee catare relative alla polemica contro la Chiesa si trovano anche in numerosi altri componimenti di Peire Cardenal e di trovatori a lui ideologicamente vicini, anche se essi non implicano – come si è detto – una effettiva adesione di questi poeti alla dottrina eretica; al contrario, i componimenti di argomento religioso di Peire esprimono una teologia perfettamente ortodossa. Ma il testo più conforme in assoluto ai temi della predicazione antiromana dei catari è certamente l'infuocato sirventese contro Roma di Guilhem Figueira, *D'un sirventes far en est son que m'agenssa*. Le violente accuse che il trovatore lancia contro la Chiesa, accusata di essere *cima e razitz* di tutti i mali, vanno ben oltre gli argomenti di Peire Cardenal. A partire da una fondamentale opposizione dicotomica tra Falso e Vero (la falsa Chiesa di Roma contrapposta al vero insegnamento di Cristo), il discorso di Figueira è abilmente costruito su tre strati di riferimenti intertestuali. Il lessico deriva dalle invettive di Marcabru contro le *falsas putas*, le meretrici che corrompono i giovani cavalieri; ma, attraverso un secondo strato di riferimenti tratti questa volta dalla Bibbia, i temi morali sviluppati da Marcabru sono trasferiti su un piano più propriamente spirituale e religioso. Le ingiurie di origine biblica scagliate contro la Chiesa e disseminate in vari punti del componimento derivano infatti per la maggior parte da un brano ben preciso del Vangelo di Matteo: l'invettiva di Gesù contro gli scribi e i farisei (*Mt* 23,13-33). La Chiesa viene così assimilata a coloro che, secondo le parole di Gesù, erano gli eredi di chi uccise i profeti e chiudevano agli uomini le porte del regno dei Cieli. Quest'ultima accusa è particolarmente significativa, poiché non si limita a prendere di mira la corruzione e i peccati del clero, ma mette radicalmente in discussione – come facevano i catari – il potere che la Chiesa si arroga di dare la salvezza spirituale agli uomini: giunge cioè a negarle lo statuto stesso di Chiesa di Dio. In effetti, al palinsesto evangelico appena indicato si sovrappone nel sirventese un terzo strato di riferimenti intertestuali, che conduce direttamente all'ecclesiologia catara. L'invettiva di Gesù contro gli scribi e i farisei, infatti, è uno dei passi del Vangelo più spesso citati dai catari – anche nei testi originali che ci sono pervenuti, come la *Gleisa de Dio* e il *Libro dei due Principi* – nel quadro della loro polemica contro la persecuzione della Chiesa nei loro confronti. Fra i tanti passi del componimento che si potrebbero citare, un verso è particolarmente rivelatore: quello in cui Roma è accusata di fare *per esquern dels crestians martire*. Il termine *martire* è qui usato in una accezione assolutamente insolita nella poesia trobadorica: abitualmente riferito alle pene d'amore o al martirio di Cristo e dei santi, esso è qui riferito alle vittime della Chiesa stessa, come in numerosi testi catari dove corrisponde esattamente alla nozione di "martirio in Cristo"; se poi si pensa che il termine *crestians* era quello con cui gli eretici designavano sé stessi (*cristiani* o *boni cristiani*), si può immaginare che il verso di Guilhem Figueira sarebbe suonato perfettamente nella bocca di uno di loro. Non sorprende, perciò, che anche questo sirventese sia citato in un documento inquisitoriale, il verbale di un processo per eresia intentato nel 1274 contro un mercante di Tolosa, Bernart Raimon Baranhon. A una domanda degli inquisitori, che gli chiedono se fosse mai venuto in possesso di un libro intitolato *Biblia in Romano* e che incominciava con le parole *Roma trichairitz*, Baranhon risponde di no ma ammette di aver ascoltato una volta alcune *coblas* composte da un giullare di nome Figueira; e cita a memoria tutta la prima *cobla* di *D'un sirventes far en est son que m'agenssa*, dichiarando di averla recitata più volte in pubblico. Evidentemente, non si tratta qui di generici *clichés* anticlericali: è in testi come il sirventese contro Roma di Guilhem Figueira che bisogna cercare i veri e documentabili punti di incontro fra la poesia dei trovatori e la predicazione catara.

**FRANCESCO ZAMBON**

# La Crociata contro gli Albigesi

Dalla metà del secolo XI, la Chiesa occidentale sperimentò un intenso processo di trasformazione interna. L'avvio della cosiddetta "Riforma Gregoriana" permise il rinvigorimento di tutta la gerarchia (dal parroco locale fino all'arcivescovo) e la sua subordinazione all'autorità teocratica del Papa, Vicario di Cristo. Nel momento stesso in cui centralizzava le strutture ecclesiastiche, il Papato riuscì anche ad imporsi ai poteri laici della cristianità, i re, i nobili e, in certe occasioni, lo stesso imperatore. Questa Chiesa nata dalla "Riforma Gregoriana" si sentiva in obbligo di instaurare i valori cristiani cattolici come li intendeva la teocrazia pontificia. Qualunque movimento religioso non in perfetta linea con Roma era considerato un pericolo enorme per la società cristiana. Il dissidente religioso, l'eretico, attaccava l'unità della Chiesa e metteva a rischio l'anima del cristiano, la sua vita eterna, molto più importante della vita terrena. È certo che questa visione dell'eretico esisteva già in tempi precedenti; la differenza stava nel fatto che, dal secolo XI in poi, la Chiesa poté esercitare una vigilanza e una repressione molto più estese ed efficaci.

La violenza fu usata presto contro i dissidenti (già nel secolo XI si ebbero alcuni roghi), ma si può dire che la politica antieretica di Roma andò indurendosi man mano che il Papato teocratico si consolidava. Decisiva, in questo processo, fu anche la paura della proliferazione delle grandi eresie del secolo XII, il Valdismo e il Catarismo. E non si deve dimenticare la collaborazione attiva dei poteri feudali laici. In Francia, in Inghilterra, in Castiglia o nella Corona d'Aragona, i re stavano costruendo delle monarchie sempre più strutturate e solide. Per questo avevano bisogno dell'appoggio della Chiesa, e non erano quindi disposti a tollerare gruppi dissidenti che sfidassero la sua autorità. Questa alleanza del pastorale e della spada sarebbe stata un elemento chiave nel progredire della capacità repressiva della Chiesa.

Dal punto di vista ideologico, la strada verso l'uso della violenza fu appianata dai monaci cistercensi chi si assunsero la difesa dell'ortodossia cattolica a nome di Roma. Desiderosi di sradicare l'errore, i cistercensi elaborarono un potente discorso antieretico che sovradimensionava la natura reale dell'eresia. Senza rendersi conto che si trattava di un fenomeno, in generale, disperso, eterogeneo e non di massa, i cistercensi credettero di vedere negli eretici un nemico interno omogeneo e coordinato, una specie di "quinta colonna" il cui fine ultimo era la distruzione della cristianità. La diffusione di questo discorso fece sì che la società cristiana finisse per percepire gli eretici come nemici *peggiori dei saraceni* e che finisse per accettare, come legittima e necessaria, l'applicazione di soluzioni estreme per farla finita con loro.

## Il cammino verso la guerra

Le misure antieretiche della Chiesa si intensificarono dalla fine del secolo XII. La cosa più preoccupante per Roma era l'espansione degli eretici valdesi e catari nelle terre meridionali del regno di Francia, quello che modernamente chiamiamo *Midi*, Linguadoca o Occitania. I metodi di persuasione e reinserimento adottati negli anni precedenti (predicazioni, dibattiti con leader eretici, ecc.), non avevano dato buoni risultati. Neppure il rafforzamento della legislazione canonica – che includeva pene spirituali (scomunica, dannazione), pene economiche (confisca di beni) e pene civili (esclusione dalla società, infamia, privazione di diritti giuridici, impossibilità di occupare cariche pubbliche) – era efficace dentro una società occitana complessa, instabile e di intricate lealtà familiari, politiche, ecclesiastiche e religiose. Il ricorso alla guerra come strumento legittimo di repressione si pose già nel terzo Concilio Lateranense (1179), dando luogo ad una prima operazione militare contro i tolosani nel 1181. Fu un primo avviso.

Benché la realtà fosse molto più complessa e sfumata, il Papato credeva che la proliferazione dell'eresia nel sud della Francia avesse dei responsabili precisi: i vescovi e i nobili occitani. Gli uni e gli altri tolleravano e perfino proteggevano gli eretici, favorendone così la diffusione. Era necessario sostituire questa Chiesa compiacente e questa nobiltà corrotta con persone di provata ortodossia, disposte a combattere l'eresia. La sostituzione di prelati locali con cistercensi ligi alle direttive di Roma incominciò alla fine del secolo XII e accelerò nei primi anni del XIII. Il passo seguente era la depurazione dei poteri laici, cominciando dal conte di Tolosa Raimondo VI (1194-1222), principale esponente della nobiltà occitana.

Il clima favorevole ad una spedizione armata contro gli eretici occitani e i loro complici si intensificò intorno all'anno 1200. Le disfatte in Terra Santa, la perdita di Gerusalemme, la pressione degli almohadi nella Penisola Iberica, la crisi dell'Impero e la propagazione dell'eresia incrementarono le paure di una cristianità che si sentiva minacciata. In questo clima mentale di inquietudine fu eletto papa Lotario di Segni, un uomo giovane, di buona formazione e di forti convinzioni teocratiche, che adottò il nome di Innocenzo III (1198-1216). Lo stesso anno della sua intronizzazione, scrisse una lettera al vescovo di Auxerre patrocinando apertamente l'uso della violenza: la crociata, la guerra sacra che si combatteva dal secolo XI contro i musulmani, il nemico esterno, si doveva intraprendere anche contro gli eretici e i loro complici, il nemico interno. Ma accusare di eresia, combattere e poi deporre un grande signore feudale, privandolo delle sue terre e dei suoi titoli, non era la stessa cosa che destituire canonicamente un vescovo. Bisognava rispettare la legalità feudale, e perciò Innocenzo III ricorse al sovrano diretto del conte di Tolosa, il re di Francia. Dal 1204 gli chiese in varie occasioni, rivolgendosi anche alla nobiltà e al clero francesi, che intervenisse nelle regioni meridionali per reprimere gli eretici e porre un freno alla corrotta nobiltà occitana. Il Papa pensava che, come era successo in altri luoghi con poteri politici forti, l'eresia sarebbe sparita sotto la dominazione dal re capetingio. Tuttavia, il re di Francia Filippo II Augusto (1180-1223), incastrato in una lunga guerra con i re Plantageneti d'Inghilterra, si rifiutò più volte di intervenire nel vespaio occitano.

Il Papa avrebbe potuto chiedere aiuto a uno dei suoi alleati più fedeli nel mezzogiorno di Francia: Pietro il Cattolico (1196-1213), re d'Aragona e conte di Barcellona. I re d'Aragona erano vassalli di Roma dal secolo XI, vassallaggio che rinnovò lo stesso Pietro nel 1204 quando fu incoronato a Roma da Innocenzo III. Inoltre, la Corona d'Aragona esercitava, dalla fine del secolo XII, un'egemonia *de facto* sulle terre occitane. Dopo quasi un secolo di guerra aperta coi conti di Tolosa (la cosiddetta "Grande Guerra Meridionale"), i monarchi catalano-aragonesi erano riusciti ad agglutinare e mettere nella loro orbita il grosso dei signori occitani: alcuni come vassalli (il visconte di Béziers e Carcassona, il conte di Comminges, il visconte di Bearn), altri come alleati (il conte di Foix). Agli inizi del secolo XIII, lo stesso conte di Tolosa riconobbe la sua sconfitta, stipulando con il re d'Aragona una ferma alleanza politico-militare e un'unione dinastica: Raimondo VI sposò l'infanta Eleonora d'Aragona ed il suo erede Raimondet (il futuro Raimondo VII) l'infanta Sancia, entrambe sorelle di re Pietro. Vista da Roma, questa comunanza politica e familiare rendeva pericoloso l'intervento di questo monarca nel tema dell'eresia occitana. Era preferibile il re di Francia, estraneo alla complessa politica meridionale, lasciando che il re d'Aragona continuasse a difendere le frontiere della cristianità di fronte ai musulmani della Penisola Iberica.

Di fronte alla mancanza di risposta del monarca francese, Innocenzo III mantenne in vigore le misure non violente, comprese le predicazioni dei chierici castigliani Diego di Osma e San

Domenico di Guzman, che non furono, in realtà, molto efficaci. Ma il 14 gennaio 1208, uno scudiero del conte di Tolosa volle guadagnarsi i favori del suo signore – secondo quanto ci narra la *Cansó de la Cruzada* di Guilhem de Tudela – facendola finita con il suo principale problema, il legato papale Pietro di Castelnau, che fu assassinato. La guerra era servita. Nel marzo del 1208, al grido di "Avanti, cavalieri di Cristo!", Innocenzo III predicò la crociata contro gli eretici occitani e i loro complici, identificati col nome di *albigesi*, una definizione di appartenenza locale (di Albi e del suo territorio, l'Albigese, in francese *Albigeois*) che divenne dal 1209 sinonimo di eretico.

## La Crociata Albigese (1209-1229)

Quattro sono le fonti principali di questa guerra: la prima parte della *Cansó de la Crozada* (1212-1213), composta da Guilhem (o Guillermo) de Tudela, un chierico navarrese stabilitosi in territorio occitano, che aspirava ad un patto tra i crociati e la nobiltà occitana per venire a capo dell'eresia; la *Hystoria Albigensis* (1213-1218) del cistercense francese Pierre des Vaux-de-Cernay che è la versione ufficiale dei crociati; la seconda parte della *Cansó de la Crozada* (c. 1228) composta da un poeta tolosano anonimo, fermo sostenitore dei conti di Tolosa e della causa occitana; e la *Chronica* di Guilhem de Puèglaurens (in francese, Guillaume de Puylaurens), un chierico tolosano che osservò la Crociata con un'ottica cattolica, ma critica e meno appassionata.

Da queste e altre fonti, sappiamo che nella primavera del 1209 si riunì a Lione un grande esercito di crociati, in maggioranza francesi, benché ci fossero anche fiamminghi, tedeschi, inglesi, italiani e occitani, tanto della contea di Provenza che della Linguadoca e della Guascogna. Tutti aspiravano a guadagnarsi i benefici spirituali e materiali di una crociata molto più vicina e comoda di quelle in Terra Santa. A dispetto degli appelli papali, il re di Francia Filippo Augusto si rifiutò di partecipare alla crociata, di modo che la direzione militare della campagna fu affidata al legato papale Arnaldo Amalrico, un cistercense di origine catalano-occitana, antico abate di Poblet, abate di Citeaux e futuro arcivescovo di Narbona, che rappresentava la linea più dura della politica antieretica di Roma.

Il conte di Tolosa Raimondo VI, sapendo di essere il principale obiettivo della crociata, si sottomise alla volontà della Chiesa *in extremis* e sotto alcune dure condizioni. Con ciò riuscì a deviare la crociata verso le terre del secondo più importante signore della regione, Raimondo Ruggiero Trencavèl, le cui terre – le viscontee di Béziers, Albi, Agde e Nimes, e le contee di Carcassona e Razès – erano un noto focolaio di eresia. I crociati avanzarono verso una delle sue capitali, Béziers, e ordinarono al suo vescovo, Rainaut de Montpeirós, la consegna di 223 eretici (non si sa se credenti, religiosi o capi di famiglie filo-catare). Ma la popolazione, in maggioranza cattolica, e il governo municipale, con a capo i consoli o *capitols*, si rifiutarono di abbandonare una parte dei loro concittadini. Di fronte a una simile sfida, l'esercito crociato assediò Béziers.

La città era ben difesa e l'assedio si preannunciava lungo, ma il 22 luglio 1209, inaspettatamente, un'avventata uscita degli assediati fuori dalle mura scatenò un attacco a sorpresa e l'entrata in forze dei crociati nella città. Si dice che fu allora che domandarono al legato Arnaldo Amalrico come fare a distinguere, tra la gente, gli eretici dai cattolici; al che egli rispose: *"Uccideteli tutti; il Signore riconoscerà i suoi"* (*"Caedite eos. Novit enim Dominus qui sunt eius"*). Questo episodio, tanto noto, è apocrifo – lo cita il cistercense tedesco Cesareo di Heisterbach nella sua opera *Dialogus miraculorum* (1219-1223) –, ma certamente riflette bene la personalità dura e intransigente del legato papale e lo spirito di guerra senza quartiere che avrebbe caratterizzato tutto il conflitto. L'assalto dei crociati diede luogo a una delle grandi carneficine della crociata albigese. Talune cronache assicurano che massacrarono tutta la popolazione, il cistercense Arnaldo Amalrico parla di 20.000 morti; altri cronisti di 60.000 e perfino di 100.000. In realtà, Béziers aveva una popolazione di circa

10.000 persone e si riprese rapidamente dopo il 1209. Si deve quindi diffidare delle esagerate cifre medievali, senza che questo tolga un briciolo di orrore al massacro. Questo provocò una grande emozione e una paura generalizzata nella popolazione occitana, il che favorì enormemente gli obiettivi della crociata.

Una volta conquistata Béziers, i crociati assediarono Carcassona, seconda capitale dei visconti Trencavèl e città sotto la sovranità del re d'Aragona. Nonostante il tentativo di mediazione di Pietro il Cattolico, il visconte Trencavèl fu costretto a capitolare a metà d'agosto e Carcassona fu occupata dai crociati. La prima fase della crociata albigese, la più spettacolare e quella che lasciò un'impronta più evidente nelle fonti dell'epoca, finì con la consegna delle terre e dei titoli del visconte Trencavèl al barone francese Simone di Montfort, che assunse l'impegno di continuare la lotta contro gli eretici e, pertanto, prese il comando militare della crociata.

Da settembre 1209, si andò dissipando il terrore iniziale che aveva causato la sottomissione del paese. La prima reazione contro la crociata fu guidata dal conte Raimondo Ruggiero di Foix, da lungo tempo alleato del re d'Aragona. Durante i mesi seguenti, Simone di Montfort procedette a sottomettere le terre che legalmente erano sue. Oltre all'appoggio di Roma e dell'episcopato occitano, controllato dai cistercensi, Montfort contava su truppe crociate che arrivavano regolarmente al sud ogni estate. In quei mesi conquistò i famosi *castra* (città fortificate) di Minerve, Montréal, Termes e Cabaret-Lastours, con dure campagne di assedio che normalmente finivano con il rogo dei catari ivi rifugiati. Alla fine del 1210 conseguì il controllo delle viscontee che erano state dei Trencavèl.

Nel marzo del 1211, Simone di Montfort, il re d'Aragona e il conte di Foix arrivarono a vari accordi con l'approvazione della Chiesa; non così Raimondo VI di Tolosa, che fu scomunicato di nuovo per la sua complicità con l'eresia. I crociati intrapresero allora l'offensiva contro la contea tolosana. Uno degli episodi più conosciuti fu la conquista del *castrum* di Lavaur, i cui difensori – compresa la castellana Donna Gerauda e suo fratello Aimeric de Montreal – furono giustiziati assieme a varie centinaia di catari (maggio 1211). Il primo attacco diretto contro la capitale fu sferrato un mese più tardi. Gli occitani percepirono il pericolo comune e unirono le loro forze. Avrebbero perfino potuto sconfiggere Montfort durante l'assedio di Castelnaudary (agosto 1211), ma non approfittarono dell'opportunità. Le rivolte contro i crociati furono soffocate e, mentre Pietro il Cattolico ed il legato papale Arnaldo Amalrico combattevano gli almohadi nella grande battaglia di Las Navas de Tolosa (16 luglio 1212), Montfort poté controllare gran parte del territorio tolosano. Alla fine di quell'anno la vittoria sembrava imminente, al punto che fece redigere gli *Statuti di Pamiers*, la norma giuridica ispirata al diritto feudale francese, che sarebbe entrato in vigore nelle terre conquistate agli eretici.

L'attacco alla contea di Tolosa minacciava l'egemonia che la Corona d'Aragona esercitava nel sud della Francia. Il re Pietro il Cattolico, qualificato dalla sua condizione di vassallo del Papa e dalla brillante partecipazione alla battaglia di Las Navas, decise di intervenire nel conflitto in difesa dei suoi vassalli e alleati. Propose a Innocenzo III una soluzione diplomatica che garantiva il ristabilimento dell'ortodossia e la sopravvivenza della nobiltà occitana. Per dimostrare che contava sul loro appoggio, il re si fece prestare giuramento di fedeltà dai conti di Tolosa, Foix e Comminges, dal visconte di Bearn e dai consoli delle città di Tolosa e Montauban (27 gennaio 1213). Riconoscendosi vassalli di Pietro il Cattolico, gli occitani stavano proclamando che il loro re non era il re di Francia, bensì il re d'Aragona, la cui sovranità feudale si estendeva ora sopra un enorme territorio transpirenaico. Stava nascendo una "Grande Corona d'Aragona" ispanico-occitana, alla quale la Storia non avrebbe dato nessuna opportunità di prosperare. Il Papa, colpito dalla vittoria di Las Navas e impegnato in una prossima crociata in Terra Santa, diede il suo appoggio al piano del re, ma cambiò opinione dopo pochi mesi, sospettando delle sue intenzioni espansioniste. Il monarca catalano-aragonese decise allora di liquidare militarmente la crociata prima di tornare a negoziare con Roma. Tutto faceva pensare ad una vittoria dell'esercito ispanico-occitano di Pietro il Cattolico, ma la battaglia di Muret (12 settembre 1213) finì con la disfatta totale e la morte del re d'Aragona.

Il disastro di Muret rese impossibile qualsiasi intervento della Corona d'Aragona nella questione albigese per quasi due decenni. Per gli occitani significò la perdita dell'unico protettore esterno e di ogni legittimità: la vittoria *miracolosa* di Simone di Montfort dimostrava che la crociata contro gli albigesi era una guerra giusta e santa. Gli occitani, in quelle condizioni, si sottomisero. Nel 1215, il quarto Concilio Lateranense confermò la complicità del conte Raimondo VI con gli eretici e procedette alla sua deposizione: i suoi titoli, diritti e terre furono ceduti a Simone di Montfort, che divenne *duca di Narbona, conte di Tolosa e visconte di Béziers e Carcassona.*

La guerra, tuttavia, non finì qui. La nobiltà e buona parte delle popolazioni occitane, contrarie alla dominazione *dei chierici e dei francesi*, scesero in guerra nel 1216. Sotto il comando dell'erede di Raimondo VI, Raimondet (il futuro Raimondo VII), gli occitani recuperarono buona parte del terreno perduto, soprattutto dopo la morte di Simone di Montfort, nel 1218, durante il secondo assedio di Tolosa. L'appoggio militare della monarchia francese puntellò le posizioni dei crociati nel 1219, ma non poté evitare la sconfitta finale di Amalrico di Montfort, figlio di Simone, che mancava del talento militare del padre. Amalrico capitolò nel 1224 di fronte al conte Raimondo VII di Tolosa (1222-1249) e cedette tutti i suoi diritti occitani al re di Francia. Questi anni di quella che è chiamata "Riconquista Occitana", permisero un certo risorgere del catarismo. "*Lo Spirito immondo che era stato cacciato della provincia di Narbona (...) è tornato ad entrare nella dimora dalla quale era stato spazzato via,*" scrisse il vecchio cistercense Arnaldo Amalrico al re di Francia nel 1224.

Dopo la sconfitta dei Montfort, la crociata albigese fu ripresa dalla monarchia capetingia, interessata in controllare fermamente il sud del regno e accedere al Mediterraneo. Gli interventi militari del re Luigi VIII (1226) e delle truppe del giovane Luigi IX il Santo (1227-1228) affrettarono l'occupazione francese del paese e l'esaurimento delle forze occitane. A dispetto degli appelli dei trovatori, il giovane re d'Aragona Giacomo I si tenne fuori, negandosi ad un altro scontro con la Chiesa e concentrandosi sull'espansione mediterranea. La fine della guerra arrivò con la firma del Trattato di Meaux-Parigi (1229): Raimondo VII di Tolosa recuperò i suoi titoli e gran parte delle sue terre, ma in cambio del riconoscimento dell'egemonia del re di Francia sulla regione. La conseguenza fondamentale della crociata albigese non fu, dunque, lo sradicamento del catarismo, bensì la modifica della mappa politica dell'Europa del Duecento: il sud del regno di Francia passò dell'egemonia della Corona d'Aragona nel 1213, alla dominazione effettiva del re di Francia dal 1229.

## Dopo la crociata

La nobiltà occitana sarebbe tornata a sollevarsi negli anni 40, sollecitando un'altra volta l'aiuto del re Giacomo I d'Aragona, ma la superiorità militare francese si impose di nuovo. Nel 1244, il siniscalco del re di Francia fece capitolare la fortezza di Montségur (nella contea di Foix), centro morale e fisico della Chiesa catara. Ai piedi della *sinagoga di Satana* – secondo l'espressione di Guilhem de Puèglaurens – furono arsi circa 220 catari. L'ultimo castello in mano di cavalieri legati al catarismo fu Quéribus, occupato dai francesi nel 1255. Infine, col Trattato di Corbeil (1258), il re Giacomo I cedette a San Luigi tutti i suoi diritti occitani, il che rappresentò il termine delle aspirazioni catalano-aragonesi oltre i Pirenei, e un passo decisivo nell'integrazione del *Midi* nel regno di Francia.

Per paradossale che sembri, la crociata albigese non servì a farla finita col catarismo, che avrebbe impiegato un altro secolo per sparire. Molti catari furono bruciati durante la guerra, altri passarono alla clandestinità e molti altri emigrarono nel nord dell'Italia e nei territori della Corona d'Aragona (Catalogna, Maiorca, nord di Valencia), terre legate storicamente alla Francia meridionale che si trasformarono in santuario degli esiliati occitani, sia eretici sia cattolici. Ma se la "via militare" rappresentata dalla crociata non fu efficace nell'eliminazione del catarismo, la *pace di chierici e francesi* imposta nel 1229 dal Trattato di Meaux-Parigi fu quella che permise la creazione del Tribunale dell'Inquisizione (1232), un efficace "via poliziesca" di indagine, persecuzione e repressione dell'eresia che sarebbe stata la responsabile ultima della sua sparizione agli inizi del Trecento.

**MARTÍN ALVIRA CABRER**

Università Complutense di Madrid

Traduzione: Luca Chiantore / MUSIKEON.NET

# Il periodo dell'Inquisizione (XIII-XIV secolo)

La crociata contro gli albigesi (1209-1229), predicata dal papa contro i principi occitani protettori di eretici e infine vinta dal re di Francia, rovescia il rapporto di forze che, in questa zona, era favorevole ai dissidenti. Dopo la sottomissione dei conti e delle dinastie signorili che le sostenevano, le Chiese catare, che i grandi roghi della crociata hanno aureolato con la corona del martirio, entrano tutte, con le loro gerarchie, in clandestinità. Ma a poco a poco l'Inquisizione, istituita dal papato a partire dal 1233 nel paese vinto, e spalleggiata dal potere reale, s'impegna a scovarle con la persecuzione, smantellando le sue reti di solidarietà. Sostenuta da una popolazione credente ancora numerosa e fervente, la Chiesa interdetta resisterà per un secolo.

L'Inquisizione, che si cristallizza nel XIII secolo contro le Chiese catare, è la forma compiuta della persecuzione religiosa, resa possibile dalla totale collaborazione data alla spada spirituale dal potere secolare, che nelle contee occitane era costituito dal dominio reale francese.

## L'Inquisizione. *Inquisitio heretice pravitatis.*

Dalle prime denunce dell'eresia, nell'XI secolo, è in marcia un'unica logica che vede prendere quota, in seno alla cristianità, un'ideologia di lotta permanente, generando ciò che il medievalista britannico Robert Moore chiama una "società di persecuzione" e di esclusione. I due capisaldi successivi di questa teocrazia militante sono, nel XII secolo, l'ordine cistercense, la cui influenza terminerà con la crociata contro gli Albigesi, e poi, nel XIII, l'ordine domenicano, supervisore dell'Inquisizione.

Nel 1199, il papa Innocente III, con il decretale *Vergentis in senium*, assimila l'eresia al crimine più assoluto: quello di lesa maestà verso Dio. Gli eretici sono quindi passibili delle pene e dei castighi previsti dal Diritto romano per il crimine di alto tradimento. In Linguadoca, tuttavia, è solamente dopo la vittoria francese, suggellata nel 1229, che la Chiesa ha le mani libere per agire. O meglio, l'alleanza effettiva della monarchia decuplica i suoi mezzi di azione. Per il papa e per il re si tratta oramai di riportare alla fede cattolica le contee meridionali militarmente pacificate, sterminando definitivamente l'eresia. Uscendo dai laboratori giuridici della curia pontificia e dalle scuole di diritto tolosane, l'Inquisizione è concepita come lo strumento di questo duplice obiettivo, penitenziale e poliziesco.

L'Inquisizione, *Inquisitio heretice pravitatis* ("Inchiesta sulla perversione eretica"), s'impose come l'unico organo giuridico competente sul crimine di eresia. Affidata ai giovani ordini medicanti, i Francescani e soprattutto i Domenicani, soppianta i tribunali ordinari dei vescovi, una parte dei quali il papa ha potuto sospettare che sia legata con le popolazioni diocesane. Funziona come un tribunale straordinario, su delega diretta del potere pontificio: gli inquisitori rispondono solamente al papa. Per questo essa "deroga con pieno diritto". Rodata contro i catari della Germania già nel 1227, e contro quelli di Champagne, Borgogna e Fiandre a partire dal 1230, è estesa nel 1233 all'intera cristianità, come una solida trama dell'autorità della Santa Sede sopra i poteri locali, a cominciare da Tolosa.

Sebbene costituisse innegabilmente un "progresso" sul piano giuridico, l'Inquisizione sarà odiata e temuta dalle popolazioni coinvolte, vista come lo strumento di un terrore istituzionale che cumulava i pieni poteri di un confessionale obbligatorio e di un tribunale poliziesco, vantandosi del diritto divino per giudicare i vivi e i morti perfino nell'aldilà e per l'eternità. "Moderna" è l'Inquisizione, in pieno XIII secolo, perché essa fonde – e lo farà per secoli – il diritto dei poteri a forzare le coscienze e soffocare la critica, in nome di un arbitrario trascendente, alla radice delle burocrazie totalitarie "moderne". I suoi due pilastri: la delazione come metodo, e come scopo la confessione, vale a dire l'autocritica.

Il suo ruolo penitenziale è primario. I giudici sono prima di tutto dei religiosi, incaricati di sentire in confessione le popolazioni adulte dei villaggi meridionali (uomini di più di 14 anni, donne di più di 12), per assolverli da ogni eresia e riconciliarli alla fede del papa e del re, reintegrarli nella comunità cristiana fuori dalla quale non c'è la Salvezza. Ma sono anche degli inquirenti che utilizzano le confessioni come deposizioni in tribunale ed elevano la delazione a sistema. Denunciare, tra i propri vicini, gli eretici e gli amici degli eretici costituisce per il penitente – al tempo stesso imputato e testimone – il solo modo di provare la sincerità del proprio pentimento all'inquisitore, che riunisce le funzioni di confessore, inquirente, giudice e procuratore, e ottenere da lui l'assoluzione.

Le confessioni-deposizioni sono registrate dai notai dell'Inquisizione, costituendo così un vero schedario dei sospetti d'eresia che permette di fare inchieste con controllo incrociato delle testimonianze. Questo sistema permette anche di smascherare immediatamente i recidivi.

L'Inquisizione è una polizia religiosa, che pesa le anime in nome di Dio. Distingue così i semplici *credenti di eresie*, da riportare all'ovile con le penitenze appropriate, dagli *eretici* propriamente detti, Buoni Uomini e Buone Donne, pienamente colpevoli del crimine di eresia e il più delle volte irreconciliabili. Gli inquisitori pronunciano le loro sentenze in solenni sedute di Sermone generale, sul sagrato delle cattedrali, martellando l'orrida condanna dell'eresia per l'edificazione del popolo cristiano ivi raccolto.

L'Inquisizione uccide relativamente poco; non è questo il suo ruolo. Essa non consegna al braccio secolare, per l'esecuzione mediante il fuoco – abile procedimento, da parte di religiosi, per aggirare i precetti del vangelo – altro che gli eretici impenitenti e i credenti recidivi. I credenti pentiti sono riconciliati per mezzo di penitenze codificate: pellegrinaggi, trasporto della croce d'infamia, confisca dei beni, prigione (il Muro inquisitorio) spesso a vita. I recidivi – quei disgraziati che, dopo avere abiurato ogni eresia, si trovano denunciati di nuovo ad un inquisitore – sono considerati come incurabili e sistematicamente bruciati. L'Inquisizione, "come segno della loro dannazione eterna", abbandona al braccio secolare recidivi e impenitenti, così come fa bruciare i corpi dei credenti morti "in pestilenza eretica" e le case che hanno ospitato le cerimonie empie...

Per l'inquisitore, l'accensione del rogo costituisce tuttavia un insuccesso. Significa che non si è potuto riportare all'ovile la pecora perduta, e che l'eretico impenitente, criminale nei confronti di Dio secondo il Diritto canonico, rimane un nemico della fede. L'inquisitore, delegato diretto del papa, lui stesso vicario di Dio in questo mondo, non può più niente per lui. La sua impenitenza è il marchio di un'anima perduta, che riceve così la sentenza del fuoco "come segno della sua dannazione eterna." Il senso profondo del rogo è di fare passare gli eretici "dal fuoco di questo mondo a quello dell'inferno", secondo l'espressione di un cronista del rogo di Monségur.

La terribile efficacia del sistema è di incrinare, nell'angoscia della delazione, le solidarietà paesane e familiari, di trasformare i religiosi clandestini, per la maggior parte anziani parenti o vecchi amici, in maledetti su cui si abbatte la sciagura. L'ideologia dell'infamia stende la sua cappa, purché l'eresia sparisca dalla società e dalle coscienze.

## L'eliminazione dell'eresia

I principi occitani non riescono a sottrarsi al dominio capetingio. Dopo l'insuccesso della "guerra del visconte" Trencavel nel 1240, e quello della "guerra del conte" di Tolosa nel 1242, la caduta di

Montségur, fortezza pirata difesa da un pugno di cavalieri ribelli, segna la fine delle speranze politiche meridionali. È anche la fine delle Chiese catare strutturate in Linguadoca. Il grande rogo del 16 marzo 1244 porta nelle fiamme la gerarchia delle Chiese catare che vi si era rifugiata. A partire dal 1249, un conte capetingio regna su Tolosa, che sarà annessa alla Corona nel 1271. Oramai, di fronte all'Inquisizione, ogni clandestinità diventa disperata. Gli ultimi Buoni Uomini e Buone Donne erranti battono la campagna di nascondiglio in nascondiglio, di fienile in capanno, sotto la protezione di credenti terrorizzati dall'Inquisizione. È allora che si forma la loro immagine di predicatori furtivi e clandestini. Le Chiese occitane dilaniate raccolgono dei brandelli della loro gerarchia al riparo dell'Italia, dove l'Inquisizione fatica a stabilirsi, finché la definitiva vittoria dei sostenitori del papa (i guelfi) su quelli dell'imperatore (i ghibellini), nel 1269, non apre la porta alla repressione.

Il tribunale dell'Inquisizione è oramai stabile nelle città episcopali: Albi, Tolosa, Carcassona, dove esso cita a comparire gli indiziati. A partire dal 1252, il papa lo autorizza ad adoperare la tortura. Nel *pays d'oc*, di recente pacificato dal re, l'eresia sarà così sradicata pressoché totalmente nel primo terzo del XIV secolo. I grandi inquisitori che ne vengono a capo – Geoffroy d'Ablis, Bernard Gui, poi Jacques Fournier – riprendono con metodo i registri-schedari dei loro predecessori, utilizzando sapientemente delatori e informatori, si comunicano i loro dossier, conducono operazioni di polizia concertate su dei villaggi interi, come Montaillou, moltiplicano i roghi di recidivi, le esumazioni di cadaveri, le distruzioni di case, e uno dopo l'altro, nel 1309 e nel 1310, catturano e bruciano gli ultimi predicatori che, intorno al Buon Uomo Pèire Autier, vivono ancora alla macchia tra Quercy e i Pirenei. Nel 1321, è giustiziato l'ultimo Buon Uomo di cui si abbia memoria, Guilhem Bélibaste, strappato al suo rifugio aragonese.

Così sparisce la Chiesa catara. Oramai, l'*eresia* dei Buoni Uomini non è più praticata. Le sue strutture religiose ed ecclesiali sono state annientate, il suo clero distrutto. Più niente di percettibile – né gesto né parola liturgica, benedizione del pane, saluto rituale, preghiera – potrà "essere commesso in materia di eresia" né confessato agli inquisitori; nessuno potrà più essere denunciato per avere visto un eretico né assistito ad un *consolament*. La fede può restare viva nel cuore di una certa popolazione di credenti orfani, ma la Chiesa è morta, e non può rinascere. La speranza del Saluto, la "buona fine per le mani dei Buoni Uomini", si è spenta col rogo dell'ultimo di loro. L'eresia non si è spenta come una moda che passa, ma si è consumata e ridotta in ceneri. È stata sistematicamente sradicata.

## Dei testi per la storia

Certo, è innegabile che un certo numero di "fattori molteplici" è entrato in gioco per concorrere alla scomparsa del catarismo, come l'emergere della nuova spiritualità francescana, centrata sulla persona umana e sofferente del Cristo, la nuova pastorale dogmatica messa in atto dai Domenicani, le trasformazioni della società occitana, il peso del potere reale. Questi elementi hanno sicuramente accompagnato e facilitato il lavoro dell'Inquisizione. Non meno importante il fatto che l'Inquisizione medievale e pontificia (non parliamo ancora dell'Inquisizione dei tempi moderni), in un secolo di funzionamento, sia riuscita a sradicare il catarismo, l'obiettivo per cui era stata fondata. E il suo secolare lavoro rimane, massiccio e inesorabile. Ne sono una testimonianza, nonostante le perdite e le distruzioni, gli archivi accumulati, quei registri-schedari di una burocrazia non ordinaria, poiché inglobava il sacro, la salvezza dell'anima, l'eternità. Registri di confessioni effettuate sotto giuramento, la mano posta sui quattro santi vangeli, che contabilizzano la riconciliazione del peccatore con la santa Chiesa apostolica e romana; registri di penitenze che valgono per l'aldilà; questi documenti escono dal comune, e il loro carattere sacro è garante della loro sincerità, il che non impedisce la critica.

Non sono degli atti di poco peso, donazioni o eredità, quello che registrano e sigillano i notai dell'Inquisizione, ma delle pesanti confessioni, delle autocritiche davanti a Dio. Il sovrano giudice aleggia onnipresente sotto le procedure, il suo occhio vede nel fondo di tutte le coscienze, quella del giudice come quella dell'imputato, quella del testimone, quella del notaio. Esausto, l'indiziato tace, sfugge, può arrivare a mentire sotto giuramento. L'inquisitore è ammantato del suo diritto. È così che si leggeranno, nella storia, gli archivi dell'Inquisizione, come fondamentalmente veritieri, e carichi di un grande peso di testimonianza umana. Dietro il fraseggiare dell'ortodossia trionfante, il mormorio insistente della dissidenza.

**ANNE BRENON**
Traduzione: Luca Chiantore / MUSIKEON.NET

Photo: © Toni Peñarroya

Jordi Savall, Pascal Bertin

# La *Ad Exstirpanda* di Papa Innocenzo IV (1252)

In questo decreto, una caratteristica che non sarà mai abbastanza rimarcata è l'immacolata assenza di qualunque concezione di eresia. Parole come *cataro, valdese, albigese, sabelliano, ariano, amalriciano* e simili non vi appaiono mai. Benché il papa crei inquisitori e li istruisca sul modo di cacciare gli eretici, non offre loro la minima indicazione sul come identificare le loro prede. Neppure, all'opposto, gli inquisitori ricevono testi di ortodossia. Non c'è, cioè, consustanzialità, né dottrina di Atanasio, né delimitazione delle due nature di Cristo, né attento equilibrio tra predestinazione e libero arbitrio; in breve, la bolla non propone alcun parametro per decidere chi arrestare e chi lasciare in pace. Il vescovo di una qualunque diocesi, onnipotente grazie a questo decreto, può, senza violarne né lo spirito né la lettera, arrestare e imprigionare chiunque sia sotto la sua giurisdizione.

Una curiosa espressione sottolinea l'indeterminazione del concetto di eretico: quando si deve nominarlo, la formula è *haereticus vel haeretica*, "eretico o eretica". Siccome le denominazioni "cataro", "valdese" o "albigese", sono superflue, l'unica considerata necessaria è la più elementare divisione possibile dell'umanità, quella tra uomo e donna. Tutte le persone sono uomo o donna, e questo è anche ciò che sono tutti gli eretici; così la classe degli eretici e la classe delle persone coincidono. Anche l'NKVD durante il periodo delle grandi purghe staliniste sviluppò una credenza mistica secondo la quale ogni essere umano ospitava il tradimento contro Stalin, che sarebbe sempre venuto allo scoperto con un interrogatorio adeguato.

Di conseguenza, un accusato di eresia non ha alcun modo di ottenere un verdetto di innocenza. Gli inquisitori stabiliscono la sua colpevolezza ancora prima di arrestarlo. I funzionari laici dello Stato hanno il potere di arrestare i sospetti di eresia, e devono poi consegnarli al vescovo e agli inquisitori per "un esame degli stessi e della loro eresia" (*"pro examinatione de ipsis et eorum haeresi facienda"*, Legge 23). L'Inquisizione non funziona quindi come una grande giuria per stabilire se si è probabilmente in presenza di un delitto, né, ancor meno, come un tribunale per determinare la colpevolezza o l'innocenza, bensì soltanto per esaminare un colpevole e il suo delitto.

Chiunque affermi che un eretico arrestato non è colpevole, produce un danno (*dolum*), e perciò tutte le sue proprietà devono passare per sempre allo Stato (Legge 22).

Il nazionalsocialismo non fu inventato esclusivamente da Hitler, ma nacque dalla sua collaborazione con un appassionato economista dilettante, Anton Drexler. Quest'uomo, che non era un assassino, e un Hitler ancora insicuro di se stesso, redassero i "25 Punti" del programma nazionalsocialista (1920), che esprimono un incoerente ma toccante liberalismo e un *socialismo reale* che, all'atto pratico, all'inizio ebbero poca relazione, e in seguito nessuna, col comportamento reale dei nazisti. Questi finirono per chiedere francamente al loro leader: "Perché non disfarci dei 25 Punti?" Hitler rispose: "Lasciateli. Quando ci domandino quale è il nostro programma, potremo tirarli fuori e saremo liberi di fare quello che vogliamo". Felice l'organizzazione terroristica che non ha né principi né programma.

Dato che nessuno può definire un eretico, per la stessa regola chiunque può farlo; o, piuttosto, il compito risulta ridicolamente semplice. Quello che occorre non è la capacità, ma l'autorità per farlo. La Legge 2 esige che, all'inizio del suo mandato, la principale autorità dello stato (non un inquisitore) accusi tutti gli eretici che ci sono nelle sue terre di commettere un crimine; quindi le loro proprietà devono essere confiscate, o da agenti incaricati dallo stato, o da chiunque riesca ad impadronirsene per primo. In questo caso, i predatori ne avranno la proprietà "con pieno diritto". Nessuna inchiesta, nessun giudizio, nessun verdetto, nessuna condanna; la semplice accusa è seguita da una punizione immediata. Nel film *Casanova* (2005), l'inquisitore Pucci afferma: "Eresia è quello che io dico che è." Ed è forse il punto del film più storicamente corretto.

D'accordo con la purezza ideologica di *Ad exstirpanda* – cioè la totale assenza di qualsiasi idea –, solo agli ecclesiastici dell'Inquisizione, non ai laici, è concesso di capire le loro stesse attività. *Ad exstirpanda* crea, in tutte le diocesi d'Europa, una squadra di persecutori comandati (in nome della Chiesa) dal vescovo e, sotto di lui, composte di domenicani (*fratres predicatores*) e francescani (*fratres minores*). Lo Stato è rappresentato da agenti (*servitores*), due notai e dodici laici. A questi ultimi è espressamente proibito di farsi qualunque idea su ciò che stanno facendo, o su quali siano i loro doveri, al di là di quello che dicano loro il vescovo e i monaci ("*Nec ipsi Officiales, vel eorum haeredes possint aliquo tempore conveniri, de his quae fecerint, vel pertinent ad eorum officium*", Legge 11). Per evitare che essi possano mai farsene un'opinione comune, il decreto stabilisce la loro sostituzione ogni sei mesi, impedendo loro di raggiungere la sensazione di avere imparato il mestiere. Viene in mente la solita solfa del prigioniero sul banco degli imputati di un processo per crimini di guerra: "Io ero solo un sottoposto; ricevevo ordini e li eseguivo: davvero non sapevo niente", e un personaggio di Shakespeare:

> "Mi ordinano, ora, di consegnare
> il nobile Duca di Clarence nelle vostre mani.
> Non penserò a ciò che questo significa,
> perché non avrò colpa di tale significato."
> (*Riccardo III*, I.iv, 93-96).

Il terrorismo di stato ha bisogno di una riserva di uomini imbevuti della "banalità del male", come la chiama Hannah Arendt, un'incapacità, reale o simulata, di avere la consapevolezza o la volontà delle malvagità che commettono. Innocenzo IV si preoccupò di garantire all'Inquisizione questi uomini.

Tuttavia, il senso della decenza emerge imprevedibilmente negli esseri umani, minacciando la gerarchia del terrorismo con la sovversione. Prevedendo questa eventualità, il papa ordina che non si possa dare luogo ad alcun rinvio di una punizione per eresia in seguito ad una mozione pubblica, a qualunque forma di protesta popolare, o all'*innata umanità* di chi detiene il potere (*Omnes autem condemnationes, vel poenae, quae occasione haeresis factae fuerint, neque per concionem... neque ad vocem populi ullo modo, aut ingenio, aliquo tempori valeant relaxari*, Legge 32). Nonostante l'*ingenium* o impulso compassionevole di qualche inquisitore occasionale, le esecuzioni crudeli finirono per diventare qualcosa di apprezzato e con una seconda natura. Fino al secolo XVIII, si fecero in Spagna roghi collettivi di ebrei ed eretici per celebrare le nozze reali.

La Legge 32 getta dubbi sull'affermazione di William E. H. Lecky alla fine del suo *History of the Rise and Influence of the Spirit of Rationalism in Europe* ("Storia dello sviluppo e dell'influenza dello spirito del Razionalismo in Europa", 1865): che mentre deploriamo il male commesso nei secoli cristiani, non possiamo negare una certa dignità morale a chi lo commise, dato che credevano a quello che stavano facendo, cosa che spesso oggi non è. La Legge 32 di *Ad exstirpanda* suggerisce il contrario: agli inquisitori ripugnavano i loro atti, e il papa dovette ordinare loro di reprimere i propri sentimenti. L'incapacità del papa di usare la parole *tortura* o *bruciare vivo*, quando questo era ciò che voleva dire, rimarca lo stesso concetto.

*Ad exstirpanda* creò l'Inquisizione soltanto in poche province del nord d'Italia. Tuttavia, propose uno schema che faceva appello al guadagno, dato che lo Stato avrebbe diviso con gli inquisitori le proprietà del condannato per eresia. Perciò ci si aspettava che lo schema si propagasse per tutta l'Europa, come infatti successe. Portato dai *conquistadores*, si estese perfino a Messico e Perù. D'accordo con queste intenzioni, nelle leggi della bolla governi e regioni sono indicati solo in termini generici: per il governo, *potestas aut rector* ("capo dello stato o del governo"); per la regione, *civitas aut locus* ("città o località").

Come la regola relativa ai membri laici dell'Inquisizione anticipa la "banalità del male" del secolo XX, anche gli eufemismi di *Ad exstirpanda* anticipano quelli degli Stati totalitari nei quali l'assassinio di massa era una "liquidazione", una camera di tortura era un *Sonderbunker* o "bunker speciale", e l'assassinio in una scala senza precedenti nella storia era la "soluzione finale".

Così nella Legge 24 di *Ad exstirpanda*, i rei di eresia devono essere portati in catene (*relictos*) davanti alla massima autorità dello stato, che "deve applicare le regole promulgate contro tali persone" (*circa eos Constitutiones contra tales editas servirurus*). Innocenzo IV obbedì all'ordine del suo predecessore Bonifacio VIII di usare eufemismi in questo caso: gli inquisitori erano "avvisati che dovevano parlare di eseguire le leggi senza menzionare di modo specifico la pena, per evitare di cadere in 'irregolarità', benché l'unica punizione riconosciuta sufficiente dalla Chiesa, per l'eresia, era essere arso vivo" (H.C. Lea, *A History of the Inquisition in the Middle Ages* ["Storia dell'Inquisizione nel Medioevo"], New York, Macmillan, 1922, vol. I, p. 537).

L'infame Legge 25 omette di menzionare le parole *torqueo, tormentum*, e dice che i funzionari statali devono *costringere* (*cogere*) gli accusati di eresia a confessare *citra membri diminutionem, aut mortis periculum* (senza riduzione delle membra [espressione oscura che probabilmente significa "senza rompere loro braccia o gambe"] né pericolo di morte [cioè "senza ammazzarli"]).

*Ad exstirpanda* dispone anche che un eretico arrestato o sul punto di esserlo sia circondato da un alone di sospetto e paura abbastanza grande da avvolgere la sua famiglia e i suoi amici. Chiunque è *colto* (sic) a dare consiglio, o aiuto, o favore ad un eretico (*Quicumque vero fuerit deprehensus dare alicui haeretico, vel haereticae, consilium, vel auxilium, seu favorem*), sarà dichiarato infame e perderà il diritto a coprire incarichi pubblici, a partecipare in pubblici affari, e a votare; gli sarà impedito di testimoniare in qualunque processo, e neanche potrà ricevere né lasciare eredità. Nessuno sarà obbligato a rispondere ai suoi solleciti, ma egli deve rispondere a chiunque altro. In sintesi "Chi presta orecchio alle false dottrine degli eretici, sarà punito come eretico". Chiaramente, non appena era evidente in un modo o in un altro che una persona stava per essere arrestata con l'accusa di eresia, i suoi famigliari e amici avrebbero a tutti i costi fatto in modo di non sembrare che gli offrissero *consilium, vel auxilium, seu favorem*. Aleksandr Solženicyn in *L'arcipelago Gulag* e Nadezhda Mandel'stam in *L'epoca e i lupi* descrivono l'atroce sensazione, quando si è arrestati in un paese totalitario, di essere evitati dalla famiglia e dagli amici.

La legge 26 stabilisce che la casa nella quale si sia arrestato un eretico venga abbattuta e non possa essere mai più ricostruita, a meno che non sia lo stesso padrone di casa l'informatore all'origine dell'arresto. Inoltre, sempre a meno che il padrone di casa non sia stato il delatore, si abbatterà anche, e non si potrà mai più ricostruire, qualsiasi casa che egli possieda nel vicinato.

Questo non punisce gli eretici, ma riempie ogni proprietario d'abitazione del terrore che qualcuno dei suoi inquilini possa essere accusato di eresia prima che l'abbia fatto lui. Arendt descrive come colleghi e conoscenti di un arrestato si precipitavano alla polizia segreta a spiegare che l'avevano frequentato con l'unico obiettivo di raccogliere prove della sua slealtà al fine di denunciarlo. La Legge 21 specifica che si devono costruire nuove prigioni per gli eretici, separate da quelle destinate a ladri e delinquenti comuni, con l'obiettivo evidente di impedire che questi ultimi, una volta rilasciati, possano informare il mondo esterno della situazione degli eretici.

Il *Times Literary Supplement* dell'8 settembre 2006, nella recensione del libro *God's War* ("La guerra di Dio") di Christopher Tyerman, osserva: "Fatto ancora più sorprendente, le azioni dell'Inquisizione contro gli albigesi nel sud della Francia ricevono elogi [da Tyerman]. Non si trattò della 'sinistra istituzione burocratica di repressione come afferma la leggenda', ma operò principalmente per mezzo di 'persuasione e riconciliazione'". E Gerard Bradley in *One Cheer for Inquisitions* ("Una parola in favore dell'Inquisizione"), un saggio edito in Catholic.net, raccomanda almeno una certa tolleranza e simpatia per l'Inquisizione, per il fatto che la sua stessa esistenza fu la prova di un'epoca dalla fede più profonda della nostra. Tuttavia, basta leggere *Ad exstirpanda* per scoprire che l'Inquisizione non era interessata alla fede e neanche all'eresia, ma alla ricchezza e al potere, ed era lo strumento più rudimentale per ottenerli: il terrore.

**DAVID RENAKER**
Professore della San Francisco State University
Traduzione: Luca Chiantore / MUSIKEON.NET

**Nota dell'Autore:** Le ricerche che hanno condotto a questa traduzione, sono cominciate con il mio bisogno di conoscere il verbo *exstirpo, exstirpare*, e il modo in cui il suo significato è cambiato nel Medioevo e nel XVII secolo. Quando ho trovato che questa bolla papale non aveva apparentemente mai fatto la sua comparsa in inglese, ho deciso di colmare la lacuna, considerandola una necessità.

La fonte è: *Bullarum Privilegiorum Romanorum Pontificum Amplissima Collectio Cui accessere Pontificum omnium Vitae, Notae, & Indices Opportuni.* Opera et Studio Caroli Cocquelines. Tomus Tertius. A Lucio III. Ad Clementem IV., scilicet ab An. MCLXXXI ad An. MCCLXVIII, Romae, M. DCC. XL. Typis et Sumptibus Hieronymi Mainardi.

Ho trovato questo libro tramite i buoni uffici di Anthony Bliss della Bancroft Library, U. of California, Berkeley, e lo staff del Graduate Theological Union Library, che ringrazio con riconoscenza.

# Quando i Pirenei non erano una frontiera

Durante il secolo XII si stabilì tra Catalogna ed Occitania un'intensa relazione culturale, politica, sociale e religiosa, che permise l'espansione del catarismo attraverso i Pirenei. La Corona d'Aragona – che includeva dal 1137 il Principato di Catalogna e il Regno d'Aragona – si trovava sotto il potere politico dei conti di Barcellona, che nel corso del XII secolo espansero i loro domini verso il territorio occitano. Molti nobili del nord della Catalogna, come i signori del Roussillon, della Cerdagna e del Conflent, presero posizione in difesa del catarismo. Arnaldo di Castellbó, conte di Cerdagna, visconte di Castellbó e consigliere di Giacomo I, unì dinasticamente la figlia Ermesenda con Roger Bernat di Foix, delineando un territorio che si estendeva ad entrambi i lati dei Pirenei e includeva la maggior parte delle terre del nordovest della Catalogna, come Castellbó, la Tor de Querol, Berga, Josa e Gòsol fino ad Andorra, insieme alla contea di Foix, che si distinse per la sua difesa del catarismo. La vita di Arnaldo fu segnata dalle continue lotte per i diritti sul territorio contro la Chiesa di Urgell, dispute che furono riportate dalla poesia del trovatore Guillem de Berguedà. Questa situazione facilitò la penetrazione del catarismo, che si estese attraverso legami familiari. Agli inizi del secolo XII, a Castellbó si tenevano predicazioni pubbliche e nel 1221 si costituì un diaconato cataro con una propria amministrazione per il territorio, nel quale risiedeva il *diaconus haereticorum de Catalonia* Guillem Clergue.

Una delle famiglie del nord della Catalogna legate al catarismo erano i Bretós di Berga. Arnau Bretós fu catturato mentre si dirigeva a prestare aiuto agli assediati di Montsegur e la sua dichiarazione del 19 maggio 1244 raccontava i viaggi che i catari compivano in territorio catalano nella prima metà del secolo XIII. Un altro dei circoli del catarismo fu quello della Serra del Cadì. Ramon de Josa, che aveva stabilito vincoli familiari con Arnaldo di Castellbó, riceveva nel suo castello la visita di catari tra i quali si trovavano il diacono Pere de la Corona e Guillem de Pou. Lo stesso Pere effettuò, durante il decennio del 1240, un viaggio attraverso le comunità catare di Catalogna a Vallporrera (Tarragona), Ciurana, la montagna di Prades e altre località.

L'apparizione dell'eresia rappresentò un problema politico per la Chiesa e anche per la monarchia. Il papa Innocenzo III intraprese una politica contro l'eresia che ebbe il suo riflesso nell'incoronazione di Pietro a Roma nel 1204. Poco prima avevano incominciato ad arrivare gli ordini di Innocenzo all'arcivescovo di Tarragona perché prestasse aiuto ai prelati pontifici nella lotta contro l'eresia, mentre concedeva al re il diritto di entrare in possesso delle terre strappate agli eretici. Il papa avrebbe mantenuto costantemente, durante gli anni precedenti la crociata, l'appello a Pietro perché appoggiasse la sua causa. La disputa di Montpellier tra cattolici ed eretici, presieduta da Pietro, che finì con la condanna dell'eresia, significò un avvicinamento a Roma, un avvicinamento che fu sempre ambiguo perché molti dei suoi vassalli, che egli difese nel corso della crociata, appoggiarono il catarismo.

Dopo la sconfitta di Muret e la morte di Pietro (1213), Giacomo I orientò i suoi interessi in un'altra direzione: la conquista di Valencia (1229), Maiorca (1239) e l'espansione verso il Mediterraneo. Con la firma del Trattato di Corbeil (1256) terminavano ufficialmente le pretese della casa comitale di Barcellona sull'Occitania. Questa situazione frenò lo sviluppo del catarismo, perché l'Occitania, insieme alla Catalogna, rimase sempre più nell'orbita di Roma.

L'offensiva più importante contro l'eresia ebbe luogo durante il regno di Giacomo I (1213-1276). Il 26 maggio 1232 Gregorio IX emise la bolla *Declinante* nella quale ordinava a Espàrrec de la Barca, arcivescovo di Tarragona, e a tutti i vescovi delle diocesi suffraganee – Girona, Urgell, Tortosa, Lerida, Elna e Barcellona tra le altre – che procedessero contro gli eretici e contro chi li proteggesse o li nascondesse, d'accordo con gli statuti promulgati dallo stesso papa. Due anni dopo, Ramon de Peñafort si adoperò per riunire l'assemblea ecclesiastica che, il 7 febbraio 1234 a Tarragona, presente re Giacomo, stabilì le basi dell'inquisizione catalana medievale. In esse si decretava: *"Nessuna persona laica osi discutere sulla fede cattolica, né pubblicamente né privatamente. Chi contraddica questo, sia scomunicato dal suo vescovo e, se non compie la relativa penitenza, sia considerato eretico"*. Una volta definita la cornice legislativa, Innocenzo III, nel Concilio Laterano IV (1215), incitò gli ordini di predicatori a contrastare l'influenza dell'eresia. Domenicani e francescani visitavano i luoghi sospetti di eresia per consegnare i colpevoli al braccio secolare, incaricato di eseguire la sentenza. Durante questi anni, un gruppo di valdesi riconvertiti al cattolicesimo, conosciuti come i Poveri Cattolici, il cui priore fu Durand di Huesca, si stabilirono in diverse città europee, e ad Elna, nel Roussillon, crearono una scuola che lasciò un'importante produzione scritta contro l'eresia.

I primi processi inquisitori incominciarono poco dopo la creazione dell'Inquisizione. Ad Urgell la situazione arrivò ad essere tanto delicata che fu necessario un concilio, riunito a Lerida nel 1237 su iniziativa del vescovo di Urgell, Pons de Vilamur, per obbligare il conte di Foix a permettere l'entrata dell'Inquisizione in questa regione, che si concluse con un totale di 78 incriminati e due case diroccate. Durante quegli anni l'Inquisizione operò a Puigcerdà e anche a Tarragona, dove ci furono varie condanne. Una relazione dell'inquisitore Guillem Clergue sulla regione di Berga affermava che *"pocs albergs avie en Gosol que no i tinguessin eretges* (poche case vi erano a Gòsol che non ospitassero eretici)" ed anche *"dix que d'aquels bos homes, que n'avie a Solsona e a Agramunt, e a Lerida e a Sanauia e a la Sed en la muntania de Prades* (disse che di quei buoni uomini ce n'erano a Solsona e a Agramunt, e a Lerida e a Sanauia e alla Sed nella montagna di Prades)". Nel 1258, l'inquisitore Pere de la Cadireta emise la condanna postuma di Ramon de Josa come *credens hereticorum*. Undici anni più tardi lo stesso inquisitore dichiarava eretico Arnaldo di Castellbó, che era morto da quarant'anni, e anche la figlia Ermesenda, e ordinava di esumare i loro resti e cacciarli fuori dal cimitero di Santa Maria di Costoja.

Nel periodo in cui si sviluppava l'inquisizione in Occitania, la Catalogna si trasformò in una terra di asilo, con migrazioni continue attraverso i Pirenei. Le conquiste di Valencia e Maiorca, e il processo di colonizzazione, aiutarono poi a diffondere le dottrine catare in altre zone. A Valencia uno degli accusati fu il commerciante Guillem de Melió, e a Maiorca, Raimunda di Boussoulens e Durand de Broille tenevano contatti con catari nelle loro rispettive case. In quegli anni, Lerida divenne una città chiave per gli spostamenti verso la zona più meridionale del paese. Di fronte al problema dell'eresia in questa città, la Cancelleria Reale emise nel 1257 un salvacondotto per facilitare la riconciliazione. Intorno al 1235 Lucas, vescovo di Tuy, scrisse *De Altera Vita* per confutare, in una parte del libro, le dottrine degli eretici che erano comparse nella Corona di Castiglia. Il passaggio dei catari per questo territorio, benché di scarsa importanza, si incentrò nelle città del cammino penitenziale diretto a Santiago di Compostela, come Burgos, Palencia e León.

Durante il XIII secolo l'Inquisizione riuscì a disarticolare il catarismo. Agli inizi del XIV secolo ci fu una ripresa in Catalogna ad opera dell'ultima comunità che girava intorno a Guillem Belibaste e a un gruppo di esiliati, in maggioranza di Motaillou, sfuggiti alle persecuzioni: Peire e Joan Mauri, pastori itineranti, la loro sorella Guillermina, che aveva una propria casa a San Mateo (Valencia), Esperte e Raimunda. Tutti loro vissero in città del Valenciano, in Catalogna e in Aragona durante vari anni. Lo stesso Peire, quando fu arrestato a Lerida, contestava all'inquisitore Bernardo de Puigcercós che l'insegnamento di Guillem poco aveva a che vedere con gli Autier. Ma la cosa certa è che, nonostante in alcune occasioni Belibaste interpretasse l'insegnamento a beneficio personale, la testimonianza che ce ne è rimasta rivela una conoscenza profonda della dottrina del catarismo. Nel 1321 Guillem fu tradito da Arnau Sicre, catturato a Tìrvia e consegnato all'arcivescovo di Narbona. Il 24 agosto di quello stesso anno, Guillem era bruciato nella residenza dell'arcivescovo, nel castello di Vila Roja-Termenés, senza rinunciare alla sua fede.

**SERGI GRAU TORRAS**

Traduzione: Luca Chiantore / MUSIKEON.NET

# La memoria del catarismo

Uno degli aspetti che ha influito in modo decisivo sulla storiografia relativa al catarismo è stato senz'altro il grande silenzio che fece seguito alla tragica fine di quel movimento religioso, un silenzio che si prolungò fino all'inizio del Rinascimento. Certo è che non risulta facile seguire le tracce di quelle "braci" incerte nelle fonti storiche, soprattutto perché – come ha ricordato ripetutamente Anne Brenon – l'espansione degli ordini mendicanti, la nuova mistica francescana e l'ortodossia posteriore all'opera teologica del domenicano Tommaso d'Aquino modificarono completamente il quadro religioso alla fine del Medioevo.

In questo senso, si è detto che nella mentalità popolare della Linguadoca rimasero i residui di un anticlericalismo che avrebbe contribuito allo scoppio della Riforma protestante nel Quattrocento. In realtà, quando sorse il protestantesimo, la cultura cattolica evocò il catarismo, che pure era stato un altro movimento religioso dissidente, per utilizzarlo come arma contro i seguaci della Riforma.

Paradossalmente, i primi storiografi protestanti trattarono i catari con disprezzo. In seguito, alla fine del Cinquecento, li confusero con i valdesi, nonostante li considerassero come antesignani del proprio movimento riformatore. Fu Jacques-Bénigne Bossuet (1627-1704) chi mise fine, con la sua *Histoire abrégée des albigeois, des vaudois, des viclifites et des ussite* – che fa parte del suo *Histoire des variations des églises protestantes* (1688) –, alla confusione tra catari e valdesi, e la storiografia protestante finì per seguirlo, non senza incertezze.

Nel Secolo delle Luci, Voltaire li avrebbe identificati un'altra volta coi valdesi (nel suo *Essai sur les mœurs et l'esprit des nations*, 1753) e Diderot avrebbe trovato la loro dottrina "vuota e deplorevole": alla fine del Settecento, i catari erano visti abitualmente come vittime tragiche dell'intolleranza, ma anche come dei fanatici privi di un pensiero religioso di una certa entità...

Bisognerà arrivare al secolo XIX perché la storiografia protestante rinnovi lo studio del catarismo e lo sviluppi su basi più solide. In questo senso, è essenziale la figura di Charles Schmidt (1812-1895), un pastore e teologo nato a Strasburgo, autore dei due volumi di una *Histoire et doctrine de la secte des cathares ou albigeois* (1849). Schmidt, che vedeva il catarismo più come una religione differente che come un'eresia cristiana, basò i suoi lavori, per la prima volta, sullo studio serio di fonti fino ad allora inesplorate: in particolare, gli archivi dell'Inquisizione.

Quasi contemporanea, ma con un'ottica molto diversa, è l'opera di Bernard Mary-Lafont (1810-1884), un calvinista bibliotecario di Montauban e fervente patriota occitano, autore di una *Histoire politique, religieuse et littéraire du Midi de la France* (quattro volumi, 1842-1845). E poco dopo apparve l'opera di un altro pastore protestante, Napoléon Peyrat (1809-1881), autore di una *Histoire des albigeois* (1870-1882) che, nonostante si basasse su fonti documentali autentiche, mescolava indissolubilmente la storia e la leggenda. La volontà dell'autore, che avrebbe in seguito esercitato un'enorme influenza nella poesia, nel teatro e nella narrativa, era di scrivere una specie di storia e resurrezione totale, come aveva fatto il suo amico Jules Michelet nel caso della Francia. Dall'opera di Peyrat, un romantico radicato con passione nella sua terra, nasce buona parte della mitologia che ha accompagnato molti dei successivi avvicinamenti al catarismo.

La storiografia cattolica, nel frattempo, mantenne un clamoroso silenzio su una pagina tanto oscura della storia della Chiesa, un silenzio che sarebbe stato rotto solo al passaggio dal XIX al XX secolo, con l'apparizione dell'opera del professore e vescovo Ignaz von Döllinger (*Geschichte der gnostisch-manichäischen Sekten in früheren Mittelalter*, "Storia delle sette gnostico-manichee dell'Alto Medioevo", Monaco di Baviera, 1890), e quella di un altro professore di Béziers (in seguito vescovo di Beauvais), Célestin Douais, alla quale seguì, poco dopo, quella di un laico carcassonese, professore dell'Università di Besançon, Jean Guiraud.

Il Novecento vide l'apparizione, negli anni 1939, 1945, 1960 e 1961, di nuove fonti collegate direttamente con i catari e gli archivi inquisitori, con un conseguente profondo rinnovamento della storiografia esistente. Il fatto è che, fino a pochi anni fa, la fonte principale delle ricerche storiche erano ancora i trattati, i compendi, le cronache, le lettere e i sermoni dei cistercensi e domenicani dell'epoca del catarismo, che descrivevano l'eresia per poterla combattere. Non è sorprendente, dunque, che teologi e storiografi fossero giunti alla conclusione abbastanza generalizzata di considerare il catarismo come un corpo estraneo nel seno della cristianità occidentale. Oggi, la storiografia ha cambiato in modo sostanziale la sua visione del fenomeno, e la bibliografia si è moltiplicata enormemente, in parte grazie al rinnovato interesse che il catarismo ha suscitato negli ultimi decenni.

Nella seconda metà del Novecento sono molti gli studiosi che, da punti di vista a volte discrepanti, hanno completato sempre meglio la conoscenza di quel movimento religioso medievale. E, in questo contesto, bisogna evidenziare il passo in davanti che presuppone la fondazione, nel 1982, del Centro Nazionale di Studi Catari a Carcassona, da parte di René Nelli, Robert Capdeville e Pierre Racine. Questo centro, diretto dal 1982 al 1998 dall'archivista Anne Brenon e dal 1998 al 2005 dalla medievalista Pilar Jiménez, è stato un focolaio permanente di ricerca storica e di sensibilizzazione intorno al catarismo e alle eresie medievali.

## Il "paese cataro"

Il fascino evidente che ha suscitato il catarismo in ampli settori della società si è tradotto in una forte promozione economica e turistica. Questo ha fatto sì che, prima in modo più o meno spontaneo, poi ad opera di organizzazioni private ed anche dell'amministrazione pubblica, si generasse a partire dagli anni sessanta una dinamica di identificazione di alcune zone della Linguadoca con quella che era stata la Chiesa dei Buoni Cristiani, creando incentivi diversi per attrarre visitatori verso quelle regioni.

In questo percorso risultò determinante la creazione, nel 1989, del marchio *Pays Cathare* da parte del Conseil Général de l'Aude. È un marchio che, per la sua delimitazione geografica e amministrativa, riduce lo scenario storico reale e si concentra soprattutto nella zona di Corbières. Basandosi sulla rivalutazione del patrimonio (fondamentalmente castelli e abbazie), conta anche sulla complicità dei professionisti del turismo, artigiani, agricoltori e viticoltori interessati ad un'iniziativa di ricerca di qualità. Come risultato di questo progetto, oggi il marchio *Pays Cathare* – che spesso soppianta il termine stesso di Occitania – vuole assicurare una prestazione di qualità ed un'accoglienza personalizzata in una moltitudine di case rurali, alberghi, ristoranti, ostelli, campeggi e cantine, così come la qualità garantita di prodotti come il pane, la carne, la frutta o la verdura. In altro modo, un'intensa campagna di segnaletica verticale dei monumenti e luoghi d'interesse lungo strade e itinerari, ha contribuito enormemente a rendere agevoli i percorsi turistici e culturali nel dipartimento.

D'altra parte – come non poteva essere altrimenti – lo sfruttamento turistico di un evento storico come il catarismo ha provocato anche ogni genere di eccessi, di modo che la parola *cataro*, anche senza il marchio "paese", è stata attribuita ad ogni tipo di prodotti commerciali e turistici, che cercano in quell'etichetta un'immagine di prestigio o una supposta "autenticità." L'abuso del termine ha comportato, inevitabilmente, l'apparizione di alcune marche e denominazioni assolutamente deliranti e strampalate.

Un'altra via di avvicinamento alla realtà storica – in questo caso più attendibile – si trova nelle guide, gli itinerari e i percorsi escursionistici che proliferano in tutti i territori dove il catarismo ebbe qualche diffusione. Vale la pena di segnalarne due, realmente interessanti, che hanno inoltre una lunghezza simile, circa duecento chilometri, e che si possono effettuare a piedi, a cavallo o in mountain bike: da un lato, quello denominato *Sentier Cathare. De la mer à Montségur et Foix* (GR-36 e GR-7), che unisce il Mediterraneo, a partire da Port-la-Nouvelle, con i Pirenei, precisamente fino a Foix, percorrendo spesso l'antica frontiera tra i regni di Francia e Aragona; dall'altro, quello chiamato *Chemin des Bons Hommes* (GR-107), che collega il santuario di Queralt, nel Berguedà, ed il castello di Montsegur, nell'Ariège, seguendo più o meno le rotte probabili di migrazione dei "Buoni Uomini" attraverso i passi dei Pirenei.

## Esoterismo e leggenda

Il catarismo – che fu una Chiesa perseguitata ed annientata in un'epoca capace di generare tanti miti e leggende come il Medioevo – è stato accompagnato, dall'Ottocento in poi, da molteplici connotazioni di carattere più o meno esoterico, più o meno fantasioso. Queste connotazioni hanno attirato l'attenzione di molte persone e, nel contempo, hanno generato una abbondante letteratura (più di duecento titoli solo nel periodo 1970-1990) che non ha nessuna relazione coi fatti strettamente storici come li conosciamo oggi. La confusione è tale che spesso risulta impossibile separare, in libri che pretendono di presentarsi con una minima vernice di fedeltà storica, quello che sappiamo con certezza scientifica grazie ai raffinati strumenti della storiografia recente, da quello che è pura invenzione o perpetuazione di antiche leggende.

Alcune di quelle fantasie hanno dato luogo a molte pagine di supposta erudizione o di fertile letteratura: i miti di Esclarmonda, del tempio solare, del tesoro cataro, delle grotte del Sabartés, della ricerca del Graal, dell'influenza orientale o tibetana, eccetera. Altre non sono tanto conosciute, ma non per questo sono meno sorprendenti: l'attribuzione di un significato cataro all'albero della vita della vetrata del coro della cattedrale di San Nazario di Carcassona (Lucienne Julien, 1990) o la ricerca di una "chiave cataro-platonica" negli affreschi di Michelangelo della Cappella Sistina (H. Stein-Schneider, 1984), per fare solo due esempi. Altre volte, infine, l'errore è solo il frutto più o meno colpevole di una notevole ignoranza storica; per esempio, quando si è voluto associare al catarismo simboli come la croce (spesso facendo confusione con la croce perlata di Tolosa) o monumenti funerari come le steli discoidali, seguendo le tracce dell'ipotesi alimentata soprattutto da Déodat Roché.

## Letteratura e catarismo

Un movimento religioso come il catarismo, con le sue caratteristiche proprie e con le circostanze storiche che lo condannarono, doveva per forza richiamare l'attenzione degli autori di *fiction*. Così è stato, in effetti, e questo fenomeno, che nasce nel Romanticismo e arriva con forza straordinaria fino ai nostri giorni, potrebbe essere riassunto, per cominciare, con un semplice dato statistico: negli ultimi due secoli si è pubblicato almeno un centinaio di romanzi che hanno relazione con i catari – dei quali una ventina centrati sui fatti di Montségur –, una trentina di opere drammatiche, una trentina di libri o serie di fumetti, e una ventina di libri diretti ad un pubblico giovanile. Già nel 1978 René Nelli (*Histoire secrète du Languedoc*) parlava di un centinaio di opere riferite solo a Montségur, includendo tutti i generi e, pertanto, anche la poesia e il saggio.

La grande maggioranza di questa produzione, come è logico, è in lingua francese. D'altra parte, i temi sono abbastanza ricorrenti. Per esempio, nel caso del romanzo storico, il protagonista è frequentemente qualche personaggio dell'epoca della crociata che simpatizza con la causa degli eretici. Per quello che riguarda i simboli relativi a Montségur, questi sono numerosi, e la stragrande maggioranza si trova già nella visione romantica di Napoléon Peyrat, citato in precedenza: l'acqua (l'imbarcazione e l'isolotto in mezzo al cielo); l'aria e la pietra (le rovine del castello); la colomba (la leggenda di Esclarmonda) e l'aquila (col suo nido visto come simbolo della resistenza); il fuoco (riferito logicamente al rogo del 1244); la natura selvaggia e tormentata, e così via.

La letteratura sul catarismo nacque col Romanticismo del secolo XIX, con il suo noto interesse per il passato, e in particolare per il Medioevo. Analogamente a fenomeni simili sorti in tutta l'Europa, quella corrente romantica generò, nel caso specifico della Linguadoca, un rinascere dell'attenzione per le peripezie dei catari e, contemporaneamente, una letteratura specifica che se ne faceva eco.

Questo rinnovato interesse ha il suo inizio nel 1827, quando apparve a Parigi, poco dopo il successo in Francia delle traduzioni dei libri di Walter Scott, *Les hérétiques de Montségur ou les proscrits du XIIIe siècle*, di un autore anonimo. Però il grande impulso venne senza dubbio da Frédéric Soulié, originario di Mirepoix, nel Foix, un prolifico autore di romanzi d'appendice che ebbe molto successo e che arrivò a pubblicare più di sedici edizioni di suoi lavori. La sua opera principale è una trilogia che appartiene alla sua serie *Romans du Languedoc* (*Le Vicomte de Béziers,* 1834; *Le Comte de Toulouse,* 1840; e *Le Comte de Foix,* 1852). Dentro a uno sfondo storico, egli descrive con profusione di dettagli i luoghi nei quali fa rivivere personaggi del Medioevo, evocando a volte scene catare. Neanche a dirlo, l'influenza di Scott è innegabile.

Lo sviluppo della storiografia, soprattutto a partire dalle opere già menzionate dei due pastori protestanti Charles Schmidt e Napoléon Peyrat, finirà per rendere possibile la nascita di un apprezzabile numero di opere di fiction. E già in pieno Novecento l'interesse per il catarismo produrrà un'enorme valanga di romanzi, che non si è mai interrotta e continua ancor oggi con la continua apparizione di nuove opere. Tra tanti autori e titoli, sono da citare come specialmente significativi i seguenti: Duca di Lévis-Mirepoix (*Montségur,* 1925); Maurice Magre (*Le sang de Toulouse,* 1931; *Le trésor des albigeois,* 1938); Pierre Benoît (*Montsalvat,* 1957); Zoé Oldenbourg (*La pierre angulaire,* 1953; *Les brûlés,* 1960; e *Les cités charnelles,* 1961); Michel Peyramoure (la trilogia *La passion cathare,* 1978); Henri Gougaud (*Bélibaste,* 1982; *L'inquisiteur,* 1984, e *L'expédition,* 1991), e Dominique Baudis (*Raimond "le Cathare",* *Mémoires apocryphes,* 1996). Nell'ambito catalano, due romanzi ottennero a loro tempo un notevole successo di pubblico: *Cercamón* (1982), di Luis Racionero, e *Terra d'oblit. El vell camí dels càtars* (1997), di Antoni Dalmau.

Per quel che riguarda la produzione drammaturgica, bisogna menzionare l'opera, all'inizio del Novecento, di Pierre Bonhomme e, in epoche più recenti, gli apporti di Robert Lafont (*Raymond VII,* 1967), René Nelli (*Beatris de Planissòlas: mistèri,* 1971) e ancora di Zoé Oldenbourg (*L'évêque et la vieille dame ou la belle-mère di Peytaví Borsier,* 1983).

Il recente successo del romanzo storico ha contribuito ulteriormente a moltiplicare i libri che trattano del catarismo nell'ambito della *fiction*. Sfortunatamente, facendo uso della libertà assoluta che offre la narrativa ai loro autori, la maggioranza di queste opere optano per una visione esoterica o per una deformazione sostanziale dei fatti storici come oggi li conosciamo. Così, il lettore inesperto che leggendoli si interroga sulla realtà storica del catarismo si vede continuamente sparire davanti agli occhi la tenue linea divisoria che separa gli avvenimenti come davvero successero dall'immaginazione straripante di una mitografia tanto numerosa.

# Il silenzio del cinema

Il catarismo ha abbondantemente dimostrato di possedere una grande capacità di attrazione. Per questo motivo sorprende anche di più che di esso non si sia quasi occupata la principale arte del Novecento: il cinema. Di fatto, si possono citare solo due approcci già abbastanza vecchi e, per di più, di portata e caratteristiche limitate:

*La fiancée des ténèbres* (1944), un film francese di Serge de Poligny (1903-1983), con copione di Gaston Bonheur e prodotto da Éclair Journal. La storia, in sintesi, è la seguente: l'anziano e malato Toulzac, "l'ultimo cataro", vive ai piedi delle mura di Carcassona con una protetta, la giovane Sylvie, interpretata da Jany Holt, ed è ossessionato dalla ricerca della porta del santuario dove riposano da sette secoli i Buoni Cristiani. Ella si innamora di un giovane compositore, Roland Samblanca (Pierre-Richard Wilm), ma l'anziano, che ha scoperto la porta di entrata nella "cattedrale", le intima di discendere attraverso di essa, quale nuova Esclarmonda in sacrificio. Ella gli ubbidisce, ma Roland la segue nella cripta. In quel momento il suolo incomincia a tremare, e gli amanti riescono a fuggire a Tournebelle, un luogo gradevole dove vivranno insieme la loro passione. Tuttavia, ella si sente perseguitata da una maledizione (non può amare senza attrarre la morte verso il suo amante), abbandona Roland e sparisce per sempre nell'oscurità della notte. Il film, con una realizzazione molto estetizzante e girato durante l'occupazione tedesca, raccoglie senza sfumature i miti classici della visione post-romantica del catarismo.

*Les Cathares* (1966), una serie televisiva in due episodi di due ore e mezza ciascuno (intitolati *La Croisade* e *L'Inquisition*), anch'essa di produzione francese (precisamente dell'ORTF), con Stellio Lorenzi come regista e sceneggiatore (in questo caso insieme ad Alain Decaux e André Castelot). Fu l'ultima realizzazione di un ciclo intitolato *La caméra explore le temps*. Si tratta, in sintesi, di uno sguardo critico e anticlericale sulla crociata contro gli albigesi, con un discorso che oppone costantemente i buoni catari ai malvagi sacerdoti e cavalieri del nord.

Per completare un panorama tanto ridotto, possiamo aggiungere che nel 2006 fu presentato a Cannes il film *The Secret Book*, una coproduzione di Macedonia, Francia ed Austria che, ricorrendo al genere *thriller*, tratta dei bogomili e del loro presunto "libro segreto", un'opera sacra scritta in glagolítico, l'alfabeto slavo più antico (un'allusione forse alla *Cena Segreta o Interrogatio Iohannis*, il vangelo apocrifo uscito tra i bogomili verso la fine dell'XI secolo?). Diretto da Vlado Cvetanovski, il film ha come protagonisti principali Thierry Fremont, Jean-Claude Carrière e Vlado Jovanovski.

In definitiva, il bilancio cinematografico sul catarismo sorprende per magrezza. È successo anche, d'altra parte, con la storia dei templari. Questa situazione induce a domandarsi se non ci sia nessun produttore né nessun regista che consideri la storia dei catari (il movimento religioso, la vita quotidiana, la crociata albigese, l'Inquisizione, ecc.) come un materiale suscettibile di essere trasportato al grande schermo con grande capacità di coinvolgimento del pubblico. Per il momento, la risposta è no...

**ANTONI DALMAU**

Traduzione: Luca Chiantore / MUSIKEON.NET

nea ex uolũtate uiri · s; ex deo
nati s̃. Et ũbũ caro factũ est.
Et habitauit in nobis. 7 uidimus
gl'am eius · gl'am q̃si unigeniti a
patre · Plenũ gracie 7 ueritatis ·
Iohs testimoniũ phibet de ipo · E
t clamabat dicens · hic est qm
dixi · q̃post me uenturus est · q̃
ante me fact est · q̃ prior me erat ·
Et de plenitudine eius nos
oms accepim9 grãm pro grã · q̃a
lex per moysen data est · grã e
ueritas p'ihm xp̃m facta est.

Os eñ
uešut
dñaut
du · es
nãr ui
os · ed
nãt la
ordina
uit de
sca ghisa preceptibus huius · expo · e
penedõsia · dtuit h nãr pecꝛ li
glauient tuit uidiꝰ · unpessãr ui
obtatꝰ sl nãre nauerent cr h na

oea · echrem nãia aduȝ · tauor̃ que
uos ꝯguet꞉ prior loꝛꝛure · 7
sl nãra ꝯnor pedo ·

Adoꝛem deu emamẽiẽt tuiꝰ
Alitũ ĩe peccar · cl̃aꝛ uñaꝛ mo
utaꝛ greuiꝰ ofensioꝛ · Aꝛer gar
dantũ sl ꝛaure edltũ · edl onoꝛã
s̃ · etꝛ pꝛ · edlꝰ onoꝛaꝛ · uãbꝰ au
ãgeliꝰ · edlꝰ onoꝛaꝛ · s̃ · apostoliꝰ
P̃la oꝛõ · explare · expla saluaꝛð · s
tuit lidiꝛꝛerꝰ gẽlioffeꝛ eꝛeiharꝰ · e
edlꝰ bonauinaꝛ diruꝛ ꝼ ẽ · ãceioꝛꝛ ·
edlꝰ tieꝛ emauiꝛo eꝛtaꝛ · eduãꝛ
noꝛ · s̃ · ienlio ꝗ̃noꝛ pdoneꝛ totꝛ co
ẽ noꝛ pecꝛm · būdicite parcẽꝛ obꝛ ·

Quar moutꝛ solet uꝛeꝛ peca
carꝛ elꝰ q̃lꝰ noꝛ ofedẽ ani
cadia · piuuir experdia · ꝛpaiũ
la · ꝛeõbiꝛ eꝛegõ ꝯluier · abuo
lõtar eꝛeneꝛ uoluotar · Exp̃u p̃
la nãra uoluotar · laẽl dñaꝛ noꝛ
aperiã leꝛ maligniũ eꝛꝝpiꝛ en
laꝛ cãꝛ que ueiteñ · būdici
te parcite nobiꝰ ·

Miu ai cũla scã parmila
dðu noꝛ ꝯdũba eiꝰ · g̃ · a

# CRONOLOGIA

~ 970        Trattato di Cosma, sacerdote bulgaro, contro i bogomili.
             *"di un sacerdote che si chiama Bogomilo* [degno della pietà di Dio], *ma che realmente è indegno della pietà di Dio"* (Cosma, *Trattato contro i bogomili*, ~970).

~ 1000       Prime tracce di comunità considerate eretiche per tutta l'Europa.
             *"Una nuova eresia è nata in questo mondo e incomincia ad essere predicata oggi da falsi apostoli.* [...] *Col fine di pervertire radicalmente la cristianità, conducono, a loro dire, una vita apostolica"* (Lettera di Herbert, monaco del Périgord).

1022         Una dozzina di canonici eretici sono bruciati ad Orleans, nel primo rogo conosciuto della storia della cristianità.
             *"Fiduciosi erroneamente nella loro pazzia, si vantavano di non avere paura e promettevano che sarebbero usciti indenni dal fuoco.*[...] *Furono ridotti in cenere istantaneamente"* (Raoul Glaber, monaco borgognone contemporaneo).

1073-1085    Gregorio VII, papa. Impulso definitivo alla riforma detta gregoriana, iniziata sotto il pontificato di Leone IX (1048-1054).
             *"23. Che la Chiesa Romana non si è sbagliata mai, né mai si sbaglierà, secondo quanto attestano le Sacre Scritture"* (Gregorio VII, *Dictatus papae*, 1075).

1096-1099    Prima crociata in Terra Santa. Conquista di Gerusalemme.
             *"I crociati percorsero tutta la città, saccheggiando l'oro, l'argento, i cavalli, le mule e svuotando le case, piene di ricchezze. Dopo, felici e piangendo di allegria,* [...] *accorsero ad adorare il Sepolcro del nostro Salvatore Gesù e compirono il loro dovere verso di Lui"* (*Storia anonima della prima crociata*, 1099-1100, cap. 39).

~ 1110       A Costantinopoli sono arsi nel rogo Basilio, un dignitario bogomilo, e i suoi compagni.
             *"Basilio non solo non negò l'accusa, ma subito, senz'ambagi, passò all'offensiva, affermando che era disposto ad affrontare il fuoco, le frustate e mille morti"* (Anna Comnena, *Alessiade*, secolo XII).

1114         Rogo di eretici a Soissons, nella Champagne.
             *"Dicono che il battesimo dei bambini non vale niente. Chiamano il loro battesimo Parola di Dio e lo danno mediante una lunga cantilena"* (Guiberto, abate di Nogent-sous-Coucy, Aisne, secolo XII).

1135-1140    Roghi a Liegi. Primi vescovi eretici documentati in Renania.
             *"Furono fermati alcuni uomini a Liegi che erano eretici sotto l'apparenza della religione cattolica e con l'abito della vita spirituale"* (*Annales Rodenses*, secolo XII).

~ 1143       Roghi a Colonia. Evervino di Steinfeld avverte Bernardo di Chiaravalle sull'estensione dell'eresia e riferisce le parole degli eretici che chiamano se stessi "apostoli".

*"Noi, poveri di Cristo, erranti, fuggiaschi di città in città* [Matteo 10:23], *come pecore in mezzo ai lupi* [Matteo 10:16], *soffriamo la persecuzione con gli apostoli e i martiri"* (Evervino di Steinfeld, prevosto dei premostratensi in Renania, lettera, c. 1143).

**1145**      Bernardo di Chiaravalle predica contro i catari a Tolosa e Albi.

"... [A Verfeil, nobili e gente comune] *fecero rumore e batterono le porte perché non si potesse sentir la sua voce, di modo che incatenarono la parola di Dio"* (Guilhem de Puylaurens, *Chronica*, 1145, I).

**1157**      Concilio cattolico di Reims contro l'eresia.

"[Dettò pene contro i "manichei" che si diffondono grazie a] *questi abietti imbroglioni che fuggono frequentemente da un posto a un altro, che cambiano nome e che 'hanno donne piene di peccato'"* (Concilio di Reims, 1157).

**1163**      Roghi a Bonn, Colonia e Magonza. Il canonico Egberto di Schönau usa per la prima volta la parola *catari* nei suoi *Sermoni*.

"Questi sono quelli che il volgo chiama catari: gente perniciosa, nemica della fede cattolica" (Egberto di Schönau, *Sermoni contro i catari*, I, 1163).

**1165**      Concilio cattolico a Lombers, nell'Albigeois. Presenza di un vescovo cataro, Sicard Cellerier.

*"Voi condannate quello che Dio approva secondo la scrittura"* (il vescovo cattolico di Albi a Sicard. Guilhem de Puylaurens, *Chronica*, 1245, IV).

**1167**      Concilio a Saint-Félix-Lauragais delle Chiese catare dell'Albigeois, del Toulousain, del Carcassès, dell'Agenais o valle di Arán, della Francia e della Lombardia.

*"Nessuna* [delle Chiese dell'Asia] *fa niente contro i diritti delle altre. E così vivono in pace. Fate lo stesso anche voi"* (il vescovo Nicétas o Niquinta alla Chiesa di Tolosa. Guillaume Besse, *Histoire des ducs, marquis et comtes de Narbonne*, Parigi, 1660).

**1178-1181**      Enrico di Marciac, abate di Chiaravalle e legato pontificio, predica contro gli eretici nelle terre di Tolosa e Albi e dirige la *precrociata*.

*"Davanti al pubblico che applaudiva senza sosta e tremava di odio, li dichiarammo di nuovo, mentre spegnevamo le candele, scomunicati"* (atto nella chiesa di San Giacomo a Tolosa, secondo una lettera del legato).

**1184**      Concilio di Verona. Decretale *Ad abolendam* del papa Lucio III (1181-1185) che scaglia l'anatema contro catari, valdesi e altri eretici.

*"Deve accendersi l'animo della Chiesa per abolire la depravazione delle diverse eresie che hanno incominciato a pullulare in varie parti del mondo nel tempo presente"* (Lucio III, *Ad abolendam*, 1184).

**1194**      Raimondo VI di Tolosa, detto il Vecchio (1194-1222). Non tarda a trasformarsi nella bestia nera del papa.

*"Empio, crudele e barbaro tiranno, non vi vergognate di favorire l'eresia? Con ragione vi hanno scomunicato i nostri legati, e hanno gettato l'imterdetto sulle vostre terre"* (lettera del papa Innocenzo III a Raimondo, 1207).

1196            Pietro II d'Aragona, I di Barcellona, detto il Cattolico (1196-1213).

*"il re Pietro fu il re più nobile che mai ci sia stato in Spagna e il più cortese e più amabile. [...]*
*E fu un buon cavaliere d'armi, se ci furono buoni cavalieri nel mondo"* (Giacomo I il
Conquistatore, *Libro de los hechos,* 1244-1276, cap. 6).

1198            Innocenzo III, papa (1198-1216).

*"A Pietro, Cristo non lasciò solo il governo della Chiesa universale, bensì di tutto il mondo. Ai*
*principi è stato concesso il potere sulla terra, ma ai sacerdoti è stato concesso il potere tanto*
*sulla terra che nel cielo"* (Innocenzo III).

1202-1206    Missioni fallite in Linguadoca di legati pontifici cistercensi.

*"Can lo rics apostolis e la autra clercia / viron multiplicar aicela gran folia / plus fort que no*
*soloit, e que creixen tot dia, /  tramezon prezicar cascus de sa bailia. / E l'Ordes de Cistel [...] / i*
*trames de sos homes tropa molta vegia"* ("Quando il sommo pontefice e l'altro clero / videro
moltiplicarsi quella grande pazzia / con forza crescente e maggiore ogni giorno, / mandarono a
predicare nei territori. / E l'ordine di Citeaux / inviò i suoi uomini ripetute volte" (Guilhem de
Tudela, *Canzone della crociata,* 1212-1213, I, 11-16).

1124            Guilhabert de Castres ordina diverse dame in Fanjaus, in presenza del conte
di Foix, Raimondo Ruggiero. Sua sorella Esclarmonda è una di loro.
Ricostruzione del castello di Montségur sollecitata dalla Chiesa catara.
Disputa di Carcassona tra catari e cattolici, presieduta da Pietro il Cattolico.

*"Il giorno seguente li dichiarai eretici mediante giudizio, in presenza del vescovo di questa città*
*e molti altri"* (lettera di Pietro il Cattolico).

1206            Concilio di 600 catari a Mirepoix.
Disputa tra catari e cattolici, a Servian (otto giorni) ed a Verfeil.
Inizio della predicazione di Diego di Osma e Domenica di Guzmán in
Linguadoca. Fondazione del monastero di Prouille.

*"Per chiudere la bocca ai malvagi, bisogna agire ed insegnare secondo l'esempio di Nostro*
*Signore, presentarsi umilmente, andare a piedi, senza oro né argento"* (Diego di Osma ai legati
del papa. Pierre des Vaux-de-Cernay, *Hystoria albigensis,* 1213-1218).

1208            Assassinio del legato pontificio Pietro di Castelnau. Innocenzo III proclama
la crociata.

*"Avanti, cavalieri di Cristo! Avanti coraggiose reclute dell'esercito cristiano! L'universale grido*
*di dolore della Santa Chiesa vi trascini! V'infiammi uno zelo devoto per vendicare una così*
*grande offesa fatta al vostro Dio!"* (lettera di Innocenzo III, 10 marzo 1208).

1209            Inizio della crociata contro gli albigesi.
Penitenza pubblica di Raimondo VI a Saint-Gilles.
Assedio e massacro di Béziers.

*"Caedite eos, novit enim Dominus qui sunt ejus"* ("Ammazzateli, il Signore riconosce i suoi")
(attribuito ad Arnaldo Amalrico dal cistercense Cesario di Heisterbach, prima del 1223).

Assedio e capitolazione di Carcassona. Morte di Raimondo Ruggiero
Trencavèl.

*"En tant cant lo mons dura n'a cavalier milhor, / ni plus pros ni plus larg, plus cortes ni gensor"*
("In tutta l'estensione del mondo non c'è migliore cavaliere / né più coraggioso, né più generoso,
né più cortese né più gentile." Guilhem de Tudela, *Canzone della crociata,* 1212-1213, II, 15).

Investitura di Simone di Montfort come visconte di Carcassona.
*"Era giudizioso, fermo nelle sue decisioni, prudente nei suoi consigli, giusto, competente nei temi militari, circospetto nei suoi atti [...] dedito completamente al servizio di Dio"*, Pierre des Vaux-de-Cernay, *Hystoria albigensis*, 1213-1218).

**1210**  Presa e roghi di Minerve (140 catari bruciati). Presa di Termes.

**1211**  Presa di Lavaur (circa 400 catari bruciati).
*"Il diavolo aveva installato la sua sede* [a Lavaur] *e l'aveva trasformata nella sinagoga di Satana"* (Guilhem de Puylaurens, *Chronica*, 1145, II).
Roghi di Cassers (più di 60 catari bruciati).
Primo assedio di Tolosa e battaglia di Castelnaudary.

**1212**  Conquista dell'Agenais, Carsi e Comenge da parte di Simone di Montfort.

**1213**  Battaglia di Muret, morte del re Pietro il Cattolico e sconfitta occitano-aragonese.
*"Totz lo mons ne valg mens, de ver o sapiatz, / car Paratges ne fo destruitz e decassatz / e tot Crestianesmes aonitz e abassatz"* ("Tutto il mondo, sappiatelo, vale di meno, / la nobiltà fu distrutta ed esiliata, / la Cristianità vessata ed umiliata." Anonimo, *Canzone della crociata*, 1219, XIV, 137).

**1215**  IV Concilio Lateranense. Punto culminante della teocrazia.
Fondazione dell'ordine domenicano (frati predicatori).
Resa di Tolosa. Investitura di Simone di Montfort come conte di Tolosa.
*"Car Toloza e Paratges so e ma de trachors"* ("Perché Tolosa e nobiltà sono in mano di traditori." Anonimo, *Canzone della crociata*, 1219, XXV, 178).

**1216**  Inizio della riconquista di Tolosa (Raimondo VI e il "conte giovane").

**1218**  Simone di Montfort muore nell'assedio di Tolosa.
*"E venc tot dreit la peira lai on era mestiers [...] e'l coms cazec en terra mortz e sagnens e niers"* ("E la pietra arrivò ben diretta al posto giusto [...] e il conte cadde a terra morto, insanguinato e nero". Anonimo, *Canzone della crociata*, 1219, XXXV, 205).

**1219**  Seconda spedizione del principe Luigi.
Massacro di Marmande, nell'Agenais (circa cinquemila vittime).

**1220-1221**  Riconquista occitana della contea di Tolosa.

**1221**  Morte di san Domenico a Bologna.
*"Dalla sua fronte e dalle sue ciglia irradiava una specie di splendore che a tutti ispirava rispetto e simpatia"*, (sorella Cecilia, *Miracula*, 1280).

**1222**  Morte di Raimondo VI.
Raimondo VII, conte di Tolosa (1222-1249).
*"Lo valens coms joves, Ramundetz"* ("Il coraggioso conte giovane, Ramundetz", secondo la *Canzone della crociata*).

1223            Riconquista di Carcassona da parte di Raimondo Trencavèl.

*"[Alcuni crociati] non lavoravano più all'opera per la quale erano venuti, e il Signore incominciò a vomitarli ed espellerli da quella terra che avevano conquistato col suo aiuto"* (Guilhem de Puylaurens, *Chronica*, 1145, XXXI).

1224            Amalrico di Montfort cede i suoi diritti al re di Francia.

1226            Concilio cataro a Pieusse, creazione dell'episcopato cataro del Rasés.
                Crociata del re Luigi VIII. Sottomissione di Carcassona.

*"Siamo impazienti di metterci all'ombra delle vostre ali e sotto il vostro prudente dominio"* (Bernardo Ottone di Niort, antico *faydit*, cavaliere ribelle).

Morte di Luigi VIII. Luigi IX, re di Francia (futuro san Luigi) (1226-1270).

1226-1229      Guerre di Cabaret e Limoges.

1227            Massacro della Bécède (Lauragais). Rogo di una moltitudine di eretici.

*"[La popolazione fu assassinata] in parte con la spada ed in parte col bastone. Tuttavia, il pio vescovo si sforzò di permettere che donne e bambini sfuggissero al loro destino"* (Guilhem de Puylaurens, *Chronica*, 1145, XXXV).

1229            Trattato di Meaux-Parigi. Fine della crociata e capitolazione
                di Raimondo VII.
                Sistematizzazione dei principi di lotta contro l'eresia.

*"Ab greu cossire / fau sirventes cozen* [...] *I Ai, Toloza e Proensa / e la terra d'Agensa, Bezers e Carcassey ,/ quo vos vi e quo'us vey!"* ("Con gran dispiacere / faccio un sirventese acerbo / Ahi, Tolosa e Provenza, / e la terra di Agen, Béziers e Carcassès, / come vi vidi e come vi vedo!." Bernart Sicart di Maruèjols, trovatore, 1230).

1232            Il vescovo cataro Guilhabert de Castres si stabilisce a Montségur.

*"Vidi Guilhabert de Castres, vescovo degli eretici,* [...] *e molti altri che andarono al* castrum *di Montségur. Chiesero di Raimondo di Perelha, antico signore di quel* castrum, *e lo supplicarono che li accogliesse, affinché la Chiesa degli eretici potesse avere lì la sua sede e centro* [domicilium et caput] *e potesse, da lì, inviare e difendere i suoi predicatori"* (Berenguer di L'Avelanet, fondo Doat, 24, 43 b-44 a.)

1233            Gregorio IX istituisce l'Inquisizione e l'affida agli ordini mendicanti.

*Inquisitio heretice pravitatis* (Inchiesta sulla perversione eretica).

1234-1235      Sollevazioni contro l'Inquisizione a Tolosa, Albi e Narbona.

1239            Rogo di Mont-Aimé (Champagne) (183 catari bruciati).

*"Si fece un immenso olocausto gradito al Signore, bruciando alcuni* bougres [...], *peggiori dei cani"* (Aubry de Trois-Fontaines, cistercense, *Chronica*, 1239).

1242            Attentato di Avinhonet contro gli inquisitori da parte dei cavalieri di
                Montségur. Rivolta generale sotto gli auspici di Raimondo VII.

*"Cocula carta es trencada...!"* ("Le maledette carte sono stracciate", grido di un credente di Castelsarrassin, Agenais, 1242).

**1243**      Falliscono gli alleati di Raimondo VII (pace di Lorris).
Inizio dell'assedio di Montségur.

**1244**      Resa e rogo di Montségur (circa 225 catari bruciati).
Smantellamento delle chiese occitane e riorganizzazione della gerarchia in
Lombardia.
*"Dopo che ebbero rifiutato la conversione alla quale furono invitati, furono bruciati in un
recinto fatto di pali e bastoni dove si accese un fuoco, e passarono al fuoco del Tartaro"*
(Guilhem de Puylaurens, *Chronica*, 1145, XLIV).

**1249**      Rogo di Agen, ordinato da Raimondo VII (80 credenti catari bruciati).
Morto Raimondo VII, gli succede Alfonso di Poitiers (1249-1271), suo
genero e fratello di Luigi IX di Francia.

**1252**      Innocenzo IV autorizza la tortura contro gli eretici.
*"Teneantur praeterea Potestas, seu Rettore omnes haereticos quos captos habuerit, prenderò
citra membri diminutionem et mortis periculum"* ("L'autorità o governante costringerà tutti gli
eretici che tenga prigionieri, sempre che lo faccia senza riduzione delle loro membra né pericolo
di morte, a confessare i loro errori". (Innocenzo IV, bolla *Ad exstirpanda*, 1252, 25).

**1255**      Resa del castello di Quéribus, ultima piazza nelle mani di *faydits*.
*"Tutti i lettori di queste pagine sappiano che io, Xacbert de Barberà, cavaliere, rendo e
consegno all'eccellentissimo signore Luigi, per la grazia di Dio re di Francia, [...], il castrum di
Quéribus..."* (resa di Xacbert, maggio 1255, fondo Doat, vol. 154).

**1258**      Trattato di Corbeil tra Giacomo I e Luigi IX.
*"definiamo, lasciamo, cediamo e consegniamo totalmente quanto per diritto o possesso avevamo
o potevamo avere o dicevamo di avere, tanto in domini o signorie, quanto in feudi o qualunque
altra cosa nelle menzionate contee di Barcellona e Urgel [...]"* (Archivio della Corona
d'Aragona, Canc, perg. n. 1526, duplicato).

**1271**      Alfonso di Poitiers e Giovanna di Tolosa (figlia di Raimondo VII) muoiono
senza discendenza. In applicazione del trattato di Meaux-Parigi, la contea
di Tolosa è incorporata nella corona di Francia (Filippo l'Ardito).

**1272**      Campagna di Filippo l'Ardito contro Ruggiero Bernardo III di Foix.
Inizio della costruzione delle cattedrali di Narbona e Tolosa.

**1276**      Pietro III d'Aragona, II di Barcellona, detto il Grande (1276-1285).
Resa di Sirmione, rifugio cataro.
*"Sirmione, perla delle penisole e delle isole che, nei laghi di acque dolci e nell'ampio mare,
sostengono uno o un altro Nettuno, con che gusto e che gioia torno a vederti"* (Catullo, secolo I
a.C., *Odi*, XXXI).

**1278**      Roghi nell'Arena di Verona (200 bruciati). Disgregazione del catarismo
italiano.

| 1280-1285 | Complotto contro gli archivi dell'Inquisizione a Carcassona. |

*"Abbiamo parlato con una certa persona che cercherà di procurarci tutti i libri dell'Inquisizione relativi al Carcassès, libri nei quali sono scritte le confessioni"* (parole di Bernart David, secondo il copista Bernart Agasse, 1285).

| 1285 1291). | Alfonso III d'Aragona, II di Barcellona, detto il Franco o il Liberale (1285-1291). |

Filippo IV, re di Francia, detto il Bello.

| 1295 | Pèire Autier e suo fratello Guilhem, notai di Ax-les-Thermes, partono per la Lombardia, per diventare Buoni Uomini. |

*"Pèire gli domandò: "E dunque, fratello?" Guilhem rispose: Mi sembra che abbiamo perduto le nostre anime". Pèire disse allora: "Partiamo, dunque, fratello mio, e cerchiamo la salvezza delle nostre anime". Detto questo, abbandonarono tutti i loro beni e partirono per la Lombardia".* (Sebelia Pèire, 1322, *Registre de Jacques Fournier*, pp. 566-567).

| 1295-1305 | Rivolta a Carcassona (*"rabia carcasonensa"*, secondo Bernardo Gui) per gli eccessi inquisitori dei domenicani. Di essa si fa portavoce il francescano spirituale Bernardo Delizioso. |

*"Maestro diabolico"*, secondo il domenicano Raimond Barrau; *"autentica colonna della Chiesa, apostolo di Dio in terra"*, secondo la voce popolare.

| 1300-1310 | I fratelli Autier cercano di fare rinascere il catarismo in Occitania. |

*"Dio voglia che siamo venuti opportunamente in questa casa per salvare le anime di chi vi si trova. Non ci spaventa il lavoro: cerchiamo solo di salvare le anime"* (Pèire Autier nel castello di Arques, 1301. Sebelia Pèire, 1322, *Registre de Jacques Fournier*, p. 568).

| 1302 | Morte di Ruggiero Bernardo III di Foix che segna una pietra miliare nella storia della contea. |

| 1303 | Geoffroy d'Ablis, del convento di Chartres, è nominato inquisitore di Carcassona. |

| 1307 | Il limosino Bernard Gui è nominato inquisitore di Tolosa. |

*"Durante quella persecuzione degli inquisitori e la perturbazione dell'Ufficio, molti religiosi (perfetti) si riunirono e incominciarono a moltiplicarsi, e l'eresia a pullulare, e contaminarono molte persone delle diocesi di Pamiers, Carcassona e Tolosa, e della regione dell'Albigeois"* (situazione contemporanea secondo Gui, *De fondatione et prioribus conventum*, p. 103).

| 1309 | Jacme e Guilhem Autier bruciati insieme ad altri catari. Smantellamento della loro Chiesa. Guilhem Belibaste, ultimo cataro conosciuto, fugge in Catalogna. |

| 1310 | Pèire Autier è bruciato davanti alla cattedrale di Tolosa. |

*"E aggiunse che Pèire Autier, nel momento di essere bruciato, disse che se lo lasciavano parlare e predicare al popolo, tutto il popolo si sarebbe convertito alla sua fede"* (Guillaume Baile, di Montaillou, 1323, *Registre de Jacques Fournier*, p. 838).

| | |
|---|---|
| 1318-1325 | **Campagna inquisitoria di Jacques Fournier nella diocesi di Pamiers.** |

*"L'anno del Signore..., il giorno... dopo il giorno di san... Essendo arrivato a conoscenza dello Stimabile Padre in Cristo monsignor Jacme, per la divina provvidenza vescovo di Pamiers, che... era molto sospetto di eresia..., il menzionato monsignore, volendo, come è suo dovere, conoscere la verità, comandò che lo portassero alla sua presenza..., etc., etc."* (Intestazione delle dichiarazioni degli interrogati, *Registre de Jacques Fournier*, passim)

| | |
|---|---|
| 1321 | **Rogo di Guilhem Belibaste a Villerouge-Termenès: è l'ultimo cataro noto della Linguadoca.** |

*"Non mi preoccupo per la mia carne, poiché lì non c'è niente, è cosa per i vermi [...]. La mia anima e la tua saliranno davanti al Padre celeste, dove ci aspettano corone e troni, e quaranta angeli con corone d'oro e pietre preziose ci verranno a prendere per portarci al Padre"* (Parole di G. Belibaste, secondo la dichiarazione di Arnau Sicre, 1321, *Registre de Jacques Fournier*, p. 779-780).

| | |
|---|---|
| 1329 | **Rogo di tre credenti catari, gli ultimi conosciuti, a Carcassona.** |

*"Ti dirò la ragione per la quale ci chiamano eretici: è che il mondo ci odia. Non c è da meravigliarsi che il mondo ci odi [1 Giovanni 3:13], perché odiò già Nostro Signore e lo perseguitò, come i suoi apostoli"* (Predicazione di Pèire Autier, dichiarazione di Pèire Maurí, 1324, *Registre de Jacques Fournier*, p. 924).

| | |
|---|---|
| 1412 | Ultime sentenze contro catari italiani. |

| | |
|---|---|
| 1453 | I turchi si impadroniscono di Costantinopoli. |

| | |
|---|---|
| 1463 | I turchi conquistano la Bosnia: fine del catarismo orientale. |

**ANTONI DALMAU**

Traduzione: Luca Chiantore / MUSIKEON.NET

## CD1
## Apparition et Rayonnement du Catharisme – L'Essor de l'Occitanie ca. 950-1204

## CD1
## Apparition et Rayonnement du Catharisme – L'Essor de l'Occitanie ca. 950-1204

### I Aux Origines du Catharisme : Orient et Occident: 950-1099

### I Aux Origines du Catharisme : Orient et Occident: 950-1099

### 2. VERI DULCIS IN TEMPORE
**Anonyme, Codex de 1010**

Veri dulcis in tempore
Florenti stat sub arbore
Juliana cu[m] sorore.

*R/. Dulcis amor! Q[u]i te charet*
*in tempore Fit vilior.*

Ecce florescunt arbores,
Lascive canunt volucres,
Inde tepescu[n]t virgines.

*R/. Dulcis amor!...*

Ecce florescunt gramina,
Et virgines dant agmina
Sumo dolorum carmina.

*R/. Dulcis amor!...*

Si viderem quod cupio!
Pro scribis sub exilio
Velut pro regis filio.

*R/. Dulcis amor!...*

### 2. AU TEMPS DU DOUX PRINTEMPS
**Anonyme, Codex de 1010**

Au temps du doux printemps
sous l'arbre en fleurs
Julienne avec sa sœur se tient.

*R./ Doux amour ! Qui te délaisse*
*en ce temps est indigne.*

Voici que les arbres fleurissent,
et que, folâtres, les oiseaux chantent,
alors que les vierges tiédissent.

*R./ Doux amour ! ...*

Voici que refleurit la verdure,
et que les vierges élèvent, nombreuses,
leur chant d'essentielle douleur.

*R./ Doux amour ! ...*

Si (seulement) je voyais qui je désire
Pour lui je donnerais les scribes de Silos
ou même le fils du roi !

*R./ Doux amour ! ...*

### 4.    מזמור יהודי על הקבלה

אל"ף, מ"ם, שי"ן

ג' אמות א' מ' ש',
סוד גדול מכסה מפלא,
וחתום בו' טבעות,
וממנו יוצאין אש ורוח ומים,
ומתחלקים זכר ונקבה.

ג' אמות א' מ' ש' בעולם,
רוח ומים ואש.
שמים נבראו תחלה מאש,

### 4. LES TROIS PRINCIPES
**Chant Juif sur la Cabala**
**(Sefer Yesirah)**

*Alef, mem, shin.*
Trois principes, *alef, mem, shin.*
Grand mystère,
dissimulé, merveilleux,
scellé par six anneaux,
d'où sout issus le feu, l'air et l'eau,
se divisant en mâle et femelle.

Trois principes, *alef, mem, shin,* dans l'univers
sont l'air, l'eau et le feu.
L'origine du ciel est le feu,

# CD1
## The Emergence and Heyday of Catharism
## The Rise of Occitania
### c. 950 – 1204

# CD1
## Aparición y difusión del catarismo
## Auge de Occitania
### c. 950 – 1204

I  The origins of Catharism:
East and West: 950-1099

I  Orígenes del catarismo:
Oriente y Occidente: 950-1099

**2. IN THE SPRINGTIME SWEET**
**Anonymous, Codex of 1010**

**2. EN LA DULCE PRIMAVERA**
**Anónimo, códice de 1010**

In the springtime sweet,
Juliana and her sister stand
beneath a flowering tree.

En la dulce primavera
bajo un árbol florecido
Juliana está con su hermana.

*R. Sweet love! Wretched is she*
*who in  this season lacks your company.*

*R/. ¡Dulce amor! Es miserable*
*el que ahora no te tiene.*

There trees are hung with blossom,
the birds rehearse their lusty song,
and the maidens grow less cold.

Mirad, florecen los árboles,
retozando están las aves,
menos frías las doncellas.

*R. Sweet love!...*

*R/. ¡Dulce amor!...*

Behold, the grasses spring,
and maidens sing
their songs of utmost woe.

Mirad, rebrota la hierba,
y las doncellas entonan
cantos al sumo dolor.

*R. Sweet love!...*

*R/. ¡Dulce amor!...*

Could I but see the one I love!
I would gladly forego the scribes of Silos
And even the king's son.

¡Ojalá viera a quien quiero!
Por él daría los escribas de Silos
o el mismo hijo del rey.

*R. Sweet love! ...*

*R/. ¡Dulce amor!...*

**4. THE THREE PRINCIPLES**
**Jewish chant on the Cabbala**
**(Sefer Yesirah)**

**4. LOS TRES PRINCIPIOS**
**Texto cabalístico del Libro de la Creación**
**(Sefer Yesirah)**

*Aleph, mem, shin.*
Three principles, *aleph, mem* and *shin.*
A great and secret,
wondrous mystery,
sealed with six rings,
whence spring fire, air and water,
dividing into male and female.

*Alef, mem, shin.*
Tres principios, *alef, mem, shin.*
Gran misterio,
oculto, maravilloso,
sellado por seis anillos,
del que surgieron fuego, aire y agua,
que en macho y hembra se dividieron.

Three principles are there in this universe :
*aleph, mem* and *shin,*
which are air, water and fire.
The origin of the heavens is fire,

Tres principios, *alef, mem shin*, en el universo
son el aire, el agua y el fuego.
Origen del cielo es el fuego,

## CD1
### Apareis e daradalha lo Catarisme
### Espelís Occitània
### ca. 950 – 1204

## CD 1
### Aparició i esplendor del catarisme
### L'auge d'Occitània
### vers 950-1204

I A las originas del catarisme :
Orient e Occident: 950-1099

I Als orígens del catarisme:
Orient i Occident: 950-1099

**2. AU TEMPS DU DOUX PRINTEMPS**
**Anonim, codex de 1010**

**2. A LA DOLÇA PRIMAVERA**
**Anònim, còdex de 1010**

Al temps de prima doça
jos l'arbre a mand de florejar
Juliana se ten amb la sòrre.

A la dolça primavera
sota un arbre florit
és na Juliana amb sa germana.

*R/. Doç amor ! Lo que te desdaissa*
*en tal moment es indigne.*

*R/. Dolç amor! És miserable*
*qui ara no et té.*

2. Aquí que los arbres florejan,
e que, folastres, los aucèls cantan,
mentre que venon tebesas las verges.

Mireu, els arbres floreixen,
els ocells salten alegres,
les donzelles són menys fredes.

*R/. Doç amor !*

*R/. Dolç amor! ...*

3. Aquí que floreja la verdedura,
e que las verges enauran, numerosas,
lor cant d'essenciala dolor.

Mireu, l'herba rebrota
i les donzelles entonen
cants al summe dolor.

*R/. Doç amor !*

*R/. Dolç amor! ...*

4. Vegèsse ieu solament lo que desiri !
Per el donariái los copistas de Silos
e mai lo quite filh del rei !

Tant de bo veiés qui estimo!
Per ell donaria els escribans de Silos
o el mateix fill del rei.

*R/. Doç amor !*

*R/. Dolç amor! ...*

**4. LOS TRES PRINCIPIS**
**Tèxt cabalístic del Libre de la Creacion**
**(Sefer Yesirah)**

**4. ELS TRES PRINCIPIS**
**Text cabalístic del Llibre de la Creació**
**(Sefer Yesirah)**

*Àlef, mem, shin.*
Tres principis, *alef, mem, shin.*
Grand mistèri,
amagat, meravilhós,
que sièis anèls lo sagèlan,
que ne venon lo fuòc e l'aire e l'aiga,
se destriant en mascle e feme.

*Àlef, mem, xin.*
Tres principis, *àlef, mem, xin.*
Gran misteri,
dissimulat, meravellós,
marcat per sis anells,
d'on sorgeixen foc, aire i aigua,
dividint-se en mascle i femella.

Tres principis, *alef, mem, shin*, dins l'univèrs
son l'aire, l'aiga e lo fuòc.

Tres principis, *àlef, mem, xin*, dins l'univers
són l'aire, l'aigua i el foc.

## CD1
# Aufstieg und Glanz des Katharismus –
# Okzitanien auf seinem Höhepunkt
## ca. 950-1204

## CD 1
# Comparsa e Splendore del Catarismo
# Lo sviluppo dell'Occitania
## ca. 950-1204

**I Am Ursprung des Katharismus:**
**Morgenland und Abendland: 950-1099**

**I Alle Origini del Catarismo:**
**Oriente ed Occidente: 950-1099**

**2. IM ZARTEN FRÜHLING**
**Anonym, Kodex von 1010**

**2. CON UN TEMPO DOLCISSIMO**
**Anonimo. Codice del 1010**

Im zarten Frühling
unter einem verblühten Baum
ist Juliana mit ihrer Schwester.

Con un tempo dolcissimo,
sta sotto un albero fiorito
Giuliana con sua sorella.

*R/. Zarte Liebe! Elend ist,*
*wer dich jetzt nicht hat.*

*R/. Dolce amore! Chi non ti ha,*
*nel tempo si svilisce.*

Seht, die Bäume blühen,
die Vögel schwirren umher,
wärmer sind die Jungfrauen.

Ecco, fioriscon gli alberi,
suadenti cantano gli uccelli,
e si scalda il sangue delle vergini.

*R/. Zarte Liebe! ...*

*R/. Dolce amore!...*

Seht, das Gras treibt aus
und die Jungfrauen stimmen
dem höchsten Schmerz Lieder an.

Ecco, fioriscono i prati,
e le vergini intonano
canti al sommo dolore.

*R/. Zarte Liebe! ...*

*R/. Dolce amore!...*

Sähe dies doch, den ich begehre!
Für ihn gäbe ich die Schreiber von Silos
oder den Sohn des Königs her.

Ah, vedessi chi desidero!
Per gli scrittori in esilio,
o per il figlio del re.

*R/. Zarte Liebe! ...*

*R/. Dolce amore!...*

**4. DIE DREI PRINZIPIEN**
**Jüdischer Gesang zur Kabbala**
**(Sefer Yesirah)**

**4. I TRE PRINCIPI**
**Testo cabalistico del Libro della Creazione**
**(Sefer Yesirah)**

Aleph, mem, schin.
Drei Prinzipien, aleph, mem, schin.
Großes Mysterium,
verborgen, wundersam,
von sechs Ringen geprägt,
aus denen Feuer, Luft und Wasser treten,
die sich in männlich und weiblich teilen.

*Alef, mem, shin.*
Tre principi: *alef, mem, shin.*
Grande mistero,
dissimulato, meraviglioso,
sigillato con sei anelli
da cui son generati il fuoco, l'aria e l'acqua,
dividendosi in maschio e femmina.

Drei Prinzipien, aleph, mem, schin im Universum,
sie sind Luft, Wasser und Feuer.

Tre principi: *alef, mem, shin,* nell'universo,
sono l'aria, l'acqua e il fuoco.

וְהָאָרֶץ נִבְרֵאת מִמַּיִם,
וַאֲוִיר נִבְרָא מֵרוּחַ
מַכְרִיעַ בֵּינָתַיִם.

l'origine de la terre est l'eau,
l'origine de l'éther est l'air,
mettant l'équilibre entre eux.
*Alef, mem, shin.*

### 6. PAYRE SANT

Payre sant, Dieu dreyturier de bons sperits, qui anc no falhist, ni mentist, ni errest, ni duptest, per paor de mort a pendre al mon de dieu estranh, car nos no em del mon ni-l mon no es de nos, e dona nos a conoiscer so que tu conoyshes e amar so que tu amas.

### 6. PADRE SANTO

Saint Père, Dieu droiturier des bons esprits qui jamais ne faillit, ni ne mentit, ni n'erra, ni ne trompa, par peur de la mort à prendre au monde du dieu étranger, puisque nous ne sommes pas du monde, puisque ce monde n'est pas nous, donne-nous à connaître ce que Toi Tu connais, et à aimer ce que Toi Tu aimes.

### 7. ἘΝ ΤΩΙ ΣΤΑΥΡΟ ΠΑΡΕΣΤΩΣΑ
(Βυζαντινὸ ἀνώνυμο τροπάριον)

Ἐν τῷ σταυρῷ παρεστῶσα,
ἡ ἀμνὰς, ἡ ἄσπιλος, καὶ μήτηρ καὶ παρθένος
τοῦ Λυτρωτοῦ
ὀλοφυρομένη ἐβόα,
δακρυρροοῦσα θερμῶς.
Τί τοῦτο, τὸ μέγα θαῦμα,
ὃ τοῖς ὀφθαλμοῖς μου ὁρᾶται σήμερον;
Πῶς ἡ ζωὴ θανάτου γεύεται,
οἴμοι τέκνον ποθεινόν;
τί τοῦτο τὸ παράδοξον;
καὶ τὸ μέγα μυστήριον
ὃ εἰργάσω ἐπὶ γῆς,
διὰ τὸ σῶσαι τὸν Ἀδὰμ
καὶ σὺν τούτῳ πάντας
ἀπαύστως τοὺς μεγαλύνοντας
τὰ ἑκούσιά σου πάθη,
καὶ τὴν θείαν ἔγερσιν,
καὶ τὴν ἀσπόρως σε κυήσασαν.

### 7. DROITE AU CÔTÉ DE LA CROIX
**Chant byzantin anonyme**

Droite au côté de la croix, la pure, l'immaculée,
du Sauveur la mère et tout à la fois vierge,
elle criait entre ses plaintes,
défaite de larmes brûlantes :
« Quelle grande merveille est-ce là,
que mes yeux voient en ce jour-ci
Et comment en va-t-il que la Vie savoure la mort,
ah, mon pauvre fils regretté !
Quel est ce fait si étrange ?
Le grand mystère qui est advenu sur la terre,
par le salut d'Adam,
et avec lui, celui de tous ceux qui exaltent
la souffrance que tu as assumée de ton plein gré,
la divine résurrection,
et ta conception sans semence. »

## II  L'Essor de l'Occitanie : 1100-1159

## II  L'Essor de l'Occitanie : 1100-1159

### 11. POS DE CHANTAR M'ES PRES TALENZ
**Guilhem de Peitieu**

### 11. PUISQUE DE CHANTER M'A PRIS L'ENVIE
**Guilhem de Peitieu**

Pos de chantar m'es pres talenz,
farai un vers, don sui dolenz :
mais non serai obedienz
en Peitau ni en Lemozi.

Qu'era m'en irai en eisil ;
en gran paor, en gran peril,
en guerra laissarai mon fil ;
e faran li mal siei vezi.

Lo departirs m'es aitan grieus

Puisque de chanter m'a pris l'envie
je ferai un poème duquel je suis souffrant :
nul ne m'obéira plus
ni en Poitou ni en Limousin.

Désormais je n'en irai en exil ;
en grande peur, en grand péril,
en guerre je laisserai mon fils ;
ses voisins lui feront du mal.

Me départir de la seigneurie

| | |
|---|---|
| and water the origin of the earth, the origin of the ether is air, which holds them in equilibrium. *Alef, mem, shin.* | origen de la tierra es el agua, y origen del éter es el aire, que equilibrio ponen entre ellos. *Alef, mem, shin.* |

## 6. HOLY FATHER

## 6. PADRE SANTO

| | |
|---|---|
| Holy Father, O God thou judge of good souls who never failed, nor lied, nor erred, nor doubted, for fear of death in the world of the alien god; since we are not of the world, and this world is not of us, teach us to know what Thou knowest, and to love what Thou lovest. | Padre santo, Dios justo de los buenos espíritus, que nunca fallaste ni mentiste, ni erraste ni dudaste, por miedo de la muerte posible en el mundo del dios extranjero, porque no somos del mundo y el mundo no es de nosotros, danos a conocer lo que tú conoces y a amar lo que tu amas. |

## 7. BESIDE THE CROSS
**Anonymous Byzantine chant**

## 7. DE PIE JUNTO A LA CRUZ
**Canción anónima bizantina**

| | |
|---|---|
| Beside the Cross, the pure immaculate virgin mother of our Saviour stood and bathed in burning tears cried out in grief: What great miracle is this that I witness here today? How can Life thus relish death, ah, my poor lamented son! What can this strange paradox mean? The great mystery that has taken place on earth is the salvation of Adam's line and of all those who extol and praise the suffering that you willingly accept, the divine resurrection, and your conception without human seed. | De pie junto a la cruz, la pura, inmaculada, del Salvador la madre y a un tiempo virgen entre lamentos gritaba deshecha en ardientes lágrimas: ¿Qué gran prodigio es este que ven mis ojos hoy? ¡Cómo la Vida saborea la muerte, pobre hijo añorado! ¿Qué es esto tan extraño? El gran misterio que en la tierra ha ocurrido para salvación de Adán y con él de quienes te enaltecen, el sufrir que aceptas de buen grado, la resurección divina, y tu concepción sin simiente. |

## II The Rise of Occitania: 1100-1159

## II Auge de Occitania: 1100-1159

## 11. SINCE NOW I HAVE A MIND TO SING
**Guilhem de Peitieu**

## 11. PUES ME HA VENIDO DESEO DE CANTAR
**Guilhem de Peitieu**

| | |
|---|---|
| Since now I have a mind to sing, a song I'll make, which gives me pain: no more Love's servant shall I be in Poitou or in Limousin. | Pues me ha venido deseo de cantar, un canto haré, por el que estoy doliente: nunca servidor seré en Peitieu ni en Lemosín. |
| Now I must be exiled from this land, and amid great fear and dangers must my son at war abandon to the mischief of his neighbours. | Me marcho ahora al exilio, con gran miedo, en gran peligro, en guerra dejo a mi hijo, que dañarán los vecinos. |
| Oh, how it grieves me to take my leave | ¡Partir me resulta duro |

Dins lo cèl s'origina lo fuòc,
dins la tèrra s'origina l'aiga,
dins l'etèr s'origina l'aire,
s'equilibrant entre eles.

L'origen del cel és el foc,
l'origen de la terra és l'aigua,
l'origen de l'èter és l'aire,
que posa l'equilibri entre ells.

### 6. PAIRE SANT

Paire sant, Dieu dreiturièr dels bons esperits, que jamai falhiguèt, ni mentiguèt, ni errèt, ni dupèt pas, per páur de la mòrt de prene al mond del dieu estranh, ja que nosautres sèm pas del mond e que lo mond es pas de nosautres, dona-nos de conéisser çò que Tu coneisses, e d'aimar çò que tu aimas.

### 6. PARE SANT

Pare sant, Déu dreturer dels bons esperits que mai no falleu, ni mentiu, ni erreu, ni dubteu, per por que la mort prengui al món el déu estrany, car no som pas del món ni aquest món és nosaltres, doneu-nos a conèixer el que Vós coneixeu, i a estimar el que Vós estimeu.

### 7. DREITA AL COSTAT DE LA CROTZ
**Cant bizantin anònim**

Dreita a costat de la crotz, la blosa, l'immaculada,
del Salvaire la maire e a l'encòp verge,
entre planhs cridava,
desfaita en lagremas ardentas :
"Quina granda meravilha es aquesta,
la que veson los mieus uèlhs, auèi ?
Coma ne va que la Vida sabora la mòrt,
aï, paure filh mieu regretat !
Quin es aqueste fait tant estranh ?
Lo grand mistèri qu'es advengut sobre la tèrra,
per la salvacion d'Adam,
e amb el la de totes los qu'exaltan
lo patiment qu'as assumit de grat,
la divinala resurreccion,
e la tieuna concepcion sens semença".

### 7. DRETA AL COSTAT DE LA CREU
**Cant bizantí anònim**

Dreta al costat de la creu, la pura, la immaculada,
del Salvador la mare i ensems verge,
entre planys cridava,
desfeta en llàgrimes ardents:
Quina gran meravella és aquesta,
la que veuen els meus ulls avui?
Com és que la Vida assaboreix la mort,
ai, pobre fill meu enyorat!
Quin és aquest fet tan estrany?
El gran misteri que s'ha esdevingut sobre la terra,
per a la salvació d'Adam,
i amb ell la de tots els qui enalteixen
el patiment que has assumit de grat,
la divina resurrecció,
i la teva concepció sense semença.

## II  Espelís Occitània : 1100-1159

## II  L'auge d'Occitània: 1100-1159

### 11. JA QUE DE CANTAR M'A PRES TALENT
**Guilhem de Peitieu**

Ja que de cantar m'a pres talent
farai un poèma que ne patissi :
degun mai m'obedirà pas
en Peitau ni en Lemosin.

D'ara enlà me'n irai en exili ;
en granda páur, en grand perilh,
en guèrra daissarai lo filh ;
sos vesins li faràn de mal.

Me despartir del senhoratge

### 11. PUIX QUE TINC GANES DE CANTAR
Guillem IX d'Aquitània

Puix que tinc ganes de cantar
faré un poema del meu patiment:
ningú no m'obeirà més
ni al Peitau ni al Llemosí.

Ara ja no aniré a l'exili;
en gran por, en gran perill,
en guerra deixaré mon fill;
sos veïns li faran mal.

Deixar la senyoria de Poitiers

| DEUTSCH | ITALIANO |
|---|---|
| Der Ursprung des Himmels ist das Feuer, | L'origine del cielo è il fuoco, |
| der Ursprung der Erde ist das Wasser, | l'origine della terra è l'acqua, |
| der Ursprung des Äthers ist die Luft, | l'origine dell'etere è l'aria, |
| die das Gleichgewicht zwischen ihnen herstellt. | mettendo equilibrio tra di loro. |

### 6. HEILIGER VATER

### 6. PADRE SANTO

| | |
|---|---|
| Heiliger Vater, aufrichtiger Gott der guten Geister, der niemals verlässt, lügt, irrt oder irreführt aus Angst, der Tod nehme die Welt dem fremden Gott ab, denn wir stammen nicht von dieser Welt, denn diese Welt ist nicht wir, gebt uns bekannt, was Ihr kennt, und lehrt uns lieben, was Ihr liebt. | Padre Santo, Dio signore dei buoni spiriti, che mai non sbagli, non menti, non erri, non inganni, per timore di morire aderendo al mondo del dio straniero, poiché noi non siamo del mondo, né questo mondo è nostro, facci conoscere ciò che tu conosci, e amare ciò che tu ami. |

### 7. AUFRECHT NEBEN DEM KREUZ
**Anonymes byzantinisches Lied**

### 7. IN PIEDI ACCANTO ALLA CROCE
**Canto bizantino anonimo**

| | |
|---|---|
| Aufrecht neben dem Kreuz stand die reine, unbefleckte Mutter des Erlösers und Jungfrau zugleich und jammerte voll der Klage, aufgelöst in brennenden Tränen: Welch großes Wunder ist das, was meine Augen heute sehen? Wie kann das Leben den Tod auskosten, ach, mein armer, verlorener Sohn! Was ist dieser sonderliche Zustand? Das große Mysterium, das auf Erden geschah für die Rettung Adams und damit Aller, die das Leid erheben, das du willentlich auf dich nahmst, die göttliche Wiederauferstehung und deine samenlose Empfängnis. | In piedi accanto alla croce, la pura, l'immacolata, la madre del Salvatore, al tempo stesso vergine, gridava tra i lamenti, disfatta in cocenti lacrime: "Che grande meraviglia è questa, che oggi vedono i miei occhi? Com'è che la Vita assapora la morte, povero figlio mio rimpianto? Che è questo fatto sì strano? Il grande mistero accaduto sulla terra, per la salvezza di Adamo, e con lui quella di tutti coloro che esaltano la sofferenza che hai liberamente assunto, la divina risurrezione e la tua concezione senza seme". |

## II  Okzitanien auf seinem Höhepunkt: 1100-1159

## II  Lo sviluppo dell'Occitania: 1100-1159

### 11. DA ES MICH NACH GESANG GELÜSTET
**Guilhem de Peitieu**

### 11. POICHÉ M'È VENUTA VOGLIA DI CANTARE
**Guilhem de Peitieu**

| | |
|---|---|
| Da es mich nach Gesang gelüstet, schreibe ich ein Gedicht, an dem ich leide; niemand wird mir wieder gehorchen in Poitou noch im Limousin. | Poiché m'è venuta voglia di cantare, canterò quello che sto soffrendo: più non presterò servizio né nel Poitou né nel Limosino. |
| Nun trete ich das Exil an, in großer Furcht, in großer Gefahr, im Krieg lasse ich meinen Sohn, seine Nachbarn werden ihm schaden. | Ora me ne andrò in esilio; con gran paura, in grande pericolo lascerò in guerra mio figlio; i suoi vicini gli faranno del male. |
| Mein Abgang von der Herrschaft | Andarmene dalla signoria |

del seignoratge de Peiteus !
En garda lais Folcon d'Angieus
tota la terra e son cozi.

Si Folcos d'Angieus no-l socor,
e-l reis de cui ieu tenc m'onor,
faran li mal tut li plusor,
felon Gascon et Angevi.

Si ben no s'es savis ni pros,
cant ieu serai partiz de vos,
vias l'auran tornat en jos,
car lo veiran jov¡e mesqui.

Merce quier a mon compaingon :
s'anc li fi tort, qu'il m'o perdon ;
et ieu prec en Jesu del tron
et en romans et en lati.

De proeza e de joi fui,
mais ara partem ambedui ;
et eu irai m'en a scelui
on tut peccador troban fi.

Mout ai estat cuendes e gais,
mas Nostre Seiger no-l vol mais :
ar non puesc plus soffrir lo fais,
tant soi aprochatz de la fi.

Toz mos amics prec a la mort
que vengan tut e m'onren fort ;
qu'eu ai avut joi e deport
loing e pres et e mon aizi.

Aissi guerpisc joi e deport,
e vair e gris e sembeli.

de Poitiers m'est si douloureux !
Je laisse en garde de Foulques d'Angers[1]
toute la terre de son cousin.

Si Foulques d'Angers – ni le roi[2]
de qui je tiens mes terres – ne le secourent,
la plupart lui feront du mal :
félons Gascons et Angevins.

S'il n'est ni très sage ni très preux,
lorsque je serai parti loin de vous,
ils l'auront vite reversé,
car ils le verront si jeune et si faible.

Je prie de merci mon compagnon[3],
si je lui fis tort, qu'il me pardonne ;
et qu'il prie Jésus, sur son trône,
en latin et en occitan[4].

Je fus de « joy » et prouesse[5],
mais maintenant nous nous séparons
et, pour ma part, je m'en irai vers Celui
où tout pécheur trouve la fin[6].

J'ai été très aimable et très gai,
mais Notre Seigneur ne le veut plus :
désormais, je ne peux plus supporter le fardeau,
tant je me suis approché de la fin.

Je prie tous mes amis, à ma mort,
qu'ils viennent et m'honorent fort ;
car moi, j'ai eu « joy » et transport
loin et près, même en ma demeure.

Ainsi je laisse « joy » et transport,
et vair, et gris, et zibeline[7].

## 12. A CHANTAR M'ER DE SO Q'IEU NO VOLRIA
### Comtessa (Beatritz) de Dia, sègle XII

A chantar m-er de so q'ieu no voldria,
tant me rancur de lui cui sui amia
car eu l'am mais que nuilla ren que sia ;
vas lui no-m val merces ni cortesia,
ni ma beltatz, ni mos pretz, ni mos sens,
c'atressi-m sui engañad'e trahia
cum degr'esser, s'ieu fos desavinens.

D'aisso-m conort car anc non fi faillensa,
amics, vas vos per nuilla captenenssa,
anz vos am mais non fetz Seguis Valenssa,
e platz mi mout quez eu d'amar vos venssa,

## 12. IL ME FAUDRA CHANTER CE QUE JE NE VOUDRAIS PAS
### Comtesse (Beatritz) de Dia, XIIe siècle

Il me faudra chanter ce que je ne voudrais pas,
tant j'ai à me plaindre de celui duquel je suis l'amie
car je l'aime plus que qui que ce soit ;
avec lui, ne me profitent en rien ni ma compassion ni ma courtoisie,
ni ma beauté, ni ma valeur, ni mon bon sens[8],
car je m'en trouve toute aussi trompée et trahie
que je devrais l'être si j'étais repoussante.

Je me réconforte du fait que je n'ai jamais failli,
ami, vis à vis de vous, en aucune occasion,
au contraire, je vous aime plus que Seguin (n'aima) Valensa[9],

| ENGLISH | CASTELLANO |
|---|---|

of this, the lordship of Poitou!
I commend to Fulk of Angers' care[1]
this territory and his cousin too.

If Fulk does not come to his aid,
nor yet the kin[2], my feudal lord,
he will take harm from most of them,
those villains of Gascony and Anjou.

Unless he is both wise and brave,
when I have departed and gone,
they very soon will make of him their prey,
perceiving that he is weak and young.

My friend  to show me mercy, I entreat[3]
if ever I did do him wrong;
and beg him pray to Jesus on his throne
in Latin and in his Romance tongue. [4]

I revelled in my exploits and my joy, [5]
but both I now must lay aside,
and go to keep my tryst with One
with whom at last all sinners shall abide.[6]

I have been gay and carefree in this life,
but the Lord wills not that I should tarry;
and I am so near the end of strife
that I can no more this burden carry.

I entreat my friends, when I am dead,
to come and do me fitting honour;
for joy and dalliance I had my fill
both far and wide, and here on my estate.

To joy and dalliance now, farewell,
farewell to ermine, silver fox and sable.[7]

del señorío de Peitieu!
Que guarde Fulco de Angiers[1]
de la tierra de su primo.

Si Fulco no lo socorre,
ni el rey[2] de quien tengo el feudo,
casi todos le harán daño,
gascón y agevino viles.

Si no es sabio ni valiente
cuando yo haya partido,
pronto lo derribarán
pues lo verán joven débil.

Merced a mi compañero[3]
pido si le hice ofensa;
que a Jesús del trono rece
en romance y su latín[4]

Fui de la hazaña y del gozo,[5]
mas a ambos dejar debo;
y marcho hacia Aquel
que es del pecador final[6]

He sido amable y alegre,
mas el Señor no ya quiere:
no puedo más con la carga,
tanto me he acercado al fin.

Tras mi muerte, a mis amigos,
que acudan ruego y me honren,
que gozo y diversión tuve
cerca y lejos, y en mi casa.

El gozo y diversión dejo,
y el vero, el gris y el armiño.[7]

## 12. I MUST SING OF WHAT I WOULD NOT SPEAK
### Countess (Beatritz) of Día, 12th century

I must sing of what I would not speak,
so bitterly I complain of him who calls me friend,
for I love him more than all else in the world;
to him my grace and manners me scarce commend,
nor yet my beauty, virtue and my good sense[8],
for now I stand deceived and betrayed
as by rights I should if I had been unkind.

I console myself that I have never failed,
my friend, on any occasion, in your sight;
more than Seguin loved Valensa[9] do I love you,
and I revel in trumping you at love,

## 12. DEBO CANTAR DE LO QUE NO QUERRÍA
### Condesa (Beatriz) de Día, siglo XII

Debo cantar de lo que no querría,
tanto me lamento de quien soy amiga,
pues lo amo más que cuanta cosa exista;
con él no sirven merced ni cortesía,
ni belleza, ni mérito, ni buen juicio,[8]
pues me veo engañada y traicionada
como merecería si fuera esquiva.

Me consuelo pensando que no he fallado,
ante vos, amigo, con conducta alguna;
pues más os amo que Seguís a Valensa, [9]
y  harto me complace que en amor os venza,

de Peiteus m'es tant dolent !
Daissi en garda de Folcon d'Angeus[1]
tota la tèrra e son cosin.

Si Folcon d'Angeus – ni lo rei[2]
que d'el teni mas tèrras – lo secorrisson pas,
mantas gents li faràn de mal :
felons Gascons e Angevins.

S'es pas plan savi ni plan pros,
quand serai partit luènh de vosautres,
l'auràn plan lèu tornat enjós,
car lo veiràn jove e freulet.

Pregui de mercé mon companhon[3],
se li faguri tòrt, que me perdone ;
e que pregue En Jèsus, sul tròn,
en latin e en occitan[4].

Foguèri de jòi e de prosesa[5],
mas ara nos desseparam
e ieu, me n'anarai cap a-n-Aquel
que tot pecador i tròba fin[6].

Fòrça soi estat aimable e gai,
mas Nòstre Senhor o vòl pas mai :
ara, pòdi pas mai sofrir lo fais,
tant me soi sarrat de la fin.

Pregui totes mos amics, a ma mòrt,
que totes i vengan e m'onoren fòrt ;
car ieu, j'ai agut jòi e despòrt
luènh e prèp, e mai a l'ostal.

Aital daissi jòi e despòrt,
e vaire, e gris, e gibelina[7].

em causa tant dolor!
Deixo a la cura de Folc d'Angers[1]
tota la terra del seu cosí.

Si Folc d'Angers – ni el rei[2]
de qui rebo mes terres – no el socorren,
la majoria li farà mal:
fellons gascons i angevins.

Si no és prou savi ni valent,
quan hagi marxat lluny de vós,
ràpidament l'hauran capgirat,
car el veuran tan jove i tan feble.

Demano de tot cor, company meu[3],
si li he fet mal, que em perdoni;
i que pregui a Jesús, al seu tron,
en llatí i en occità[4].

Tinguí joia i proesa[5],
però ara ens separem
i, per part meva, me n'aniré amb Ell
on tot pecador troba la fi[6].

He sigut molt amable i molt gai,
però nostre Senyor no ho vol més:
ara ja no podré suportar més el llast,
tant m'he acostat a la fi.

Demano a tots mos amics, a la meva mort,
que vinguin i m'honorin força;
car jo he tingut joia i transport
lluny i prop, fins i tot en ma estança.

Així deixo joia i transport,
i vair, gris i gibelí[7]..

## 12. AURAI DE CANTAR ÇÒ
## QUE IEU VOLDRIÁI PAS
### Comtèssa (Beatritz) de Dia

Aurai de cantar çò que ieu voldriá pas,
tant me rencuri d'aquel que ne soi l'amiga
car ieu l'aimi mai que cap òme que siá ;
amb el, me valon pas res ma mercé ni ma cortesiá,
ni ma beutat, ni mon prètz, ni mon sen[8],
ja que me'n tròbi aitant plan enganada e traïda
coma o deuriái èsser, foguèsse ieu desavinenta.

Me refortissi de çò que jamai falhiguèri pas,
amic, de cara a vos, dins cap encastre,
al revès, vos aimi mai que Seguin (aimèt) Valensa[9],
e me plai fòrça de vos véncer d'amor,
amic mieu, estant qu'i sètz lo mai valent ;

## 12. HAURÉ DE CANTAR
## EL QUE NO VOLIA
### Comtessa (Beatritz) de Dia, segle XII

Hauré de cantar el que no volia,
tant tinc a plànyer del que sóc amiga,
car l'estimo més que altra cosa;
amb ell no val la meva mercè ni cortesia,
ni ma bellesa, ni mon valor, ni mon seny[8],
car jo també em trobo enganyada i traïda,
que ho hauria d'ésser si fos repugnant.

Em reconforta que no hagi fallat mai,
amic, davant vostre, en cap moment,
ans us estimo més que Seguís no estimà Valensa[9],
i molt em plau de sobrepassar-vos en amor,
amic meu, car sou el més valerós;

über Poitiers schmerzt mir so sehr!
In der Obhut von Fulko von Angers[1]
lasse ich seines Vetters ganzes Land.

Wenn Fulko von Angers – noch der König[2],
von dem ich meine Lande habe – ihm nicht hilft,
werden die Meisten ihm schaden,
böse Gascogner und Angeviner.

Wenn er weder weise noch mutig ist,
nachdem ich weit von euch bin,
wird er schnell vereinnahmt,
da sie ihn so jung und schwach sehen.

Ich bitte gnädigst, mein Gefährte[3],
dass er mir verzeihe, sollte ich ihm Unrecht getan,
und bete er zu Jesus auf seinem Thron
auf Lateinisch und Okzitanisch[4].

Ich war voll Freude und Heldenmut[5],
doch nun trennen wir uns,
und ich gehe meinerseits zu Ihm,
wo alle Sünder ihr Ende finden[6].

Ich war sehr freundlich und fröhlich,
doch unser Herrgott möchte nicht mehr;
nun kann ich die Last nicht mehr tragen,
so sehr naht schon mein Ende.

Bei meinem Tod bitte ich alle Freunde
zu kommen und mich wohl zu ehren,
denn ich erfuhr Freude und Begeisterung
nah und weit, selbst in meinem Heim.

So lasse ich nun Freude und Begeisterung
und Feh, Grau und Zobel[7].

## 12. ICH WERDE SINGEN, WAS ICH NICHT WOLLTE
### Gräfin (Beatritz) de Dia, 12. Jh.

Ich werde singen, was ich nicht wollte,
so sehr habe ich über meinen Angefreundeten zu klagen,
denn ich schätze ihn über alles;
bei ihm nützt meine Gnade und Höflichkeit nicht,
noch meine Schönheit, Tugend oder Vernunft,[8]
denn auch ich fühle mich getäuscht und verraten,
was ich auch sein sollte, wäre ich abscheulich.

Mich tröstet, mein Freund, dass ich
euch niemals im Stich gelassen habe,
denn ich schätze euch mehr, als Seguis Valensa liebte,[9]
gerne übertreffe ich euch an Liebe,
mein Freund, denn ihr seid der Tugendhafteste;

di Poitiers mi è così doloroso!
Lascio in mano di Foulques d'Angers[1]
tutta la terra di suo cugino.

Se Foulques d'Angers non l'aiuta,
né lo fa il re[2] di cui sono le mie terre,
molti gli faranno del male,
tra i felloni guasconi e dell'Angiò.

Se non è molto saggio né prode,
quando sarò lontano da voi
lo rovesceranno ben presto,
vedendolo così giovane e debole.

Prego di cuore il mio compagno[3],
se mai gli feci torto, che mi scusi;
e che preghi Gesù, sul suo trono,
in lingua romanza e nel suo latino.

Ebbi Gaudio ed ardimento[4],
ma entrambi ora lascio,
e me ne andrò da Colui dove
ogni peccatore trova la fine[5].

Sono stato molto amabile ed allegro,
ma Nostro Signore non lo vuole più:
non riesco a sopportare il mio fardello,
tanto sono vicino alla fine.

Prego tutti gli amici, alla mia morte,
che vengano e mi diano grande onore;
perché io ho avuto gaudio e passione
lontano e vicino, e nella mia dimora.

Così io lascio gaudio e passione,
e vaio, e grigio, e zibellino[6].

## 12. DOVRÒ CANTARE QUEL CHE NON VORREI
### Contessa (Beatrice) de Dia, s. XII

Dovrò cantare quel che non vorrei,
tanto mi devo dolere di colui di cui sono l'amica,
perché l'amo di più di ogni altra cosa;
con lui non valgono la mia mercé né la mia cortesia,
né la mia bellezza, né il mio valore, né il mio buonsenso[7],
visto che mi ritrovo da lui ingannata e tradita
come solo dovrei essere se fossi un'essere repellente.

Mi conforta il fatto che non ho mai mancato,
amico, di fronte a voi, in nessuna occasione,
al contrario, vi amo più di quanto Seguin amò Valenza[8],
e mi piace molto superarvi in amore,
perché in esso, amico mio, siete il più valente;

lo mieus amics, car etz lo plus valens ;
mi faitz orguoill en digz et en parvensa,
e si etz francs vas totas autras gens.

Meravilh cum vostre cors s'orguoilla,
amics, vas me, per q'ai razon qe-m duoilla ;
non es ges dreitz c'autr'amors vos mi tuoilla
per nuilla ren qu-us diga ni-us acuoilla ;
e membre vos cals fo-l comensamens
de nostr'amor. Ja Dompnidieus non vuoilla
q'en ma colpa sia-l departimens!

Mas aitan plus vuolh li digas, messatges,
qu'en trop d'orguolh ant gran dan maintas gens.

et il me plait beaucoup de vous surpasser en amour,
mon ami, car vous y êtes le plus valeureux :
vous ne me montrez qu'orgueil en parole et dans vos
manières,
tandis que vous êtes si ouvert avec tous et chacun.

Je suis très surprise (de voir) combien âpre se rend votre
cœur,
ami, vis à vis de moi, et j'ai là raison de beaucoup
m'atrister :
il n'est pas du tout juste qu'un autre amour vous enlève à
moi,
pour qui ce soit, quoi qu'elle vous dise et n'importe
comment qu'elle vous accueille ;
souvenez-vous ce que fut le commencement
de notre amour ! Que le Seigneur Dieu ne permette pas
que par ma faute il parvienne à son terme !

Mais surtout, je veux que tu lui dise, messager
que par trop d'orgueil, bien des gens ont beaucoup perdu.

## 13. EPISTOLA EVERNINI STEINFELDENSIS AD PATREM BERNARDUM (1143)

## 13. CORRESPONDANCE D'EVERNIN DE STEINFELD AU PERE BERNARD (1143)

Dicunt apud se tantum Ecclesian esse, eo quod ipsi soli vestigiis Christi inhæreant; et apostolicæ vitæ veri sectatores permaneant, ea quæ mundi sunt non quærentes, non domum, nec agros, nec aliquid peculium possidentes: sicut Christus non possedit, nec discipulis suis possidenda concessit.

Ils disent d'eux mêmes qu'ils sont l'Eglise, parce qu'eux seuls suivent le Christ ; et qu'ils demeurent les vrais disciples de la vie apostolique, parce qu'ils ne recherchent pas le monde et ne possèdent ni maison, ni champ ni aucun argent. Comme le Christ ne posséda rien lui-même, il ne permit pas à ses disciples de rien posséder.

De se dicunt: Nos pauperes Christi, instabiles, de civitate in civitate fugientes, sicut oves in medio luporum, cum apostolis et martyribus persecutionem patimur: cum tamen sanctam et aretissimam vitam ducamus inh jejunio et abstinentiis, in orationibus et laborius die ac nocte persistentes, et tantum necessaria ex eis vitæ quarentes. Nos hoc sustinemus, quia de mundo non sumus: vos autem mundi amatores, cum mundo pacem habetis, quia de mundo estis.

D'eux mêmes ils disent : « Nous pauvres du Christ, errants, fuyant de cité en cité (Mat 10,23), comme des brebis au milieu des loups (Mat 10,16), nous souffrons la persécution avec les apôtres et les martyrs. Pourtant, nous menons une vie sainte et très stricte, en jeûne et en abstinences, passant jour et nuit à prier et à travailler, ne cherchant à retirer de ce travail que ce qui est nécessaire à la vie. Nous supportons tout cela parce que nous ne sommes pas du monde : mais vous, qui aimez le monde, vous êtes en paix avec le monde parce que vous êtes du monde (paraphrase de Jo 15,19).

Nos et patres nostri generati apostoli, in gratia Christi permansimus, et in finem sæculi permanebimus. Ad distinguendum nos et vos, Christus dixit: *A fructibus eorum cognoscetis eos* (Matth. VII. 16). Fructus nostri sunt vestigia Christi.

Nous et nos pères, de la lignée des apôtres, nous sommes demeurés dans la grâce du Christ et nous y demeurerons jusqu'à la fin des siècles. Pour nous distinguer, vous et nous, le Christ a dit : "C'est à leurs fruits que vous les reconnaîtrez" (Mat 7,16). Nos fruits à nous sont les traces du Christ. »

for in this, my friend, you are all others above;
with me you are haughty in the way you speak and act,
despite your openness with everyone you meet.

pues sois, amigo mío, el más valiente;
me mostráis orgullo en dichos y modos,
y tan abierto, en cambio, que sois con todos.


I marvel at the harshness of your heart
with me, my friend, and I have reason to be hurt:
it is unjust that another love should steal you from me,
no matter what she tells you and the favours she bestows;
think back to the early days
when first we loved! May God forbid
that by my fault we should ever part!

Me asombra el orgullo del corazón vuestro
ante mí, amigo, y con razón me duele:
no es justo que otro amor me os arrebate,
por mucho que os diga o que os acoja;
y no olvidéis cómo fue el comienzo
de nuestro amor. No quiera el Señor Dios
que por mi culpa llegue a término.

Above all else, my messenger, tell him this:
that many through arrant pride have come to grief.

Quiero, mensajero, que también le digas
que por gran orgullo han sufrido muchos.


## 13. THE EPISTLE OF EBERWIN OF STEINFELD TO SAINT BERNARD (1143)

## 13. CARTA DE EVERVIN DE STEINFELD A BERNARDO (1143)

This is their heresy. They say of themselves that they are the Church, because they alone follow Christ; and that they are the true disciples of the apostolic life, because they do not seek the world and they possess neither house, nor land nor money. As Christ himself possessed nothing, so he is content for his disciples to possess nothing.

Dicen de ellos mismos que son la Iglesia, porque sólo ellos siguen las huellas de Cristo; y que siguen siendo los verdaderos discípulos de la vida apostólica, porque no buscan este mundo y ni casa, ni tierras ni algún ahorro poseen: así como Cristo no poseyó nada, tampoco a los discípulos permitió poseer.

They say of themselves "We, the poor of Christ, wandering, fleeing from one city to another like sheep in the midst of wolves, suffer persecution with the apostles and the martyrs. Nevertheless, we lead a holy and very strict life of fasting and abstinence, praying and working both day and night, seeking by our work to obtain only what we need to live. We bear all this because we are not of the world: but you, who love the world, are at peace with the world because you are of the world.

De ellos mismos dicen: «Nosotros, pobres de Cristo, errantes, fugitivos de ciudad en ciudad» [Mateo 10:23], como ovejas en medio de lobos [Mateo 10:16], padecemos la persecución con los apóstoles y los mártires; sin embargo, llevamos una vida santa y muy estricta, de ayuno y abstinencia, persistiendo día y noche en la oración y el trabajo, buscando en ese trabajo lo necesario para la vida. Soportamos todo eso porque no somos del mundo: vosotros, que amáis el mundo, estáis es paz con el mundo porque sois del mundo [paráfrafris de Juan 15:19].

We and our fathers, as heirs to the apostles, remain and shall remain in the grace of Christ until the end of the world. To set you and ourselves apart, Christ has said: "By their fruits you shall know them." Our fruits are the traces of Christ.

Nosostros y nuestros padres, de la estirpe de los apóstoles, hemos permanecido en la gracia de Cristo y en ella permaneceremos hasta el final de los siglos. Para distinguirnos, a nosotros y vosotros, Cristo dijo: «Por sus frutos los conoceréis» [Mateo, 7:16]. Nuestros frutos son las huellas de Cristo.

me mostratz pas qu'orguèlh en paraula e en faits,
mentre que sètz tant dobèrts amb totas las autras gents.

em mostreu orgull en paraula i en maneres,
mentre sou franc envers tots els altres.

Me suspren fòrça quant se fa aspre lo vòstre còr,
amic, de cara a ieu, e d'aiçò ai rason de m'entristesir :
es pas ges dreit qu'un autre amor vos enlèva a ieu,
per cap autra que siá, qué que vos diga e quin que vos acuèlhe ;
remembratz-vos çò que foguèt lo començament
de la nòstra amor ! Que lo Senhor Dieu volga pas
qu'en causa de ieu n'advenga lo tèrme !

Em meravello de com el vostre cor es fa aspre,
amic, envers meu, i per això m'entristeixo:
no hi ha dret que un altre amor se us endugui,
sigui quin sigui el motiu que us diu i com us aculli;
recordeu quin va ser el començament
del nostre amor. Que Déu senyor no vulgui
que per culpa meva arribi a la seva fi!

Mas subretot, vòli que li digas, messatge
qu'a trop d'orguèlh mantas gents perdon fòrça.

Però sobretot, vull que li diguis, missatgera,
que per massa orgull molta gent ho ha perdut tot.

## 13. EPISTÒLA D'EVERNIN DE STEINFELD AL PAIRE BERNAT (1143)

## 13. CARTA D'EVERWIN DE STEINFELD A SANT BERNAT (1143)

Dison d'eles-meteissas que son la Glèisa, pr'amor qu'eles sonque seguisson lo Crist ; e que demòran sos vertadièrs discípols de la vida apostolica, pr'amor que cèrcan pas lo mond ni possedisson pas cap ostal, cap camp, ni cap argent. Estant que lo Crist possediguèt pas res El tanpauc, permetèt pas a sos discípols de possedit qué que foguès.

Diuen d'ells mateixos que són l'Església perquè sols ells segueixen Crist, i que són els autèntics deixebles de la vida apostòlica perquè no cerquen el món ni posseeixen casa, ni terra, ni diners. Com Crist mateix no posseïa res, tampoc permetia als seus deixebles de posseir res.

D'eles-meteissas, dison : « Nosautres, paures del Crist, vagamonds, fugissent de ciutat (Mat 10,23), coma fedas demèst los lops (Mat 10,16), patissèm lo secutiment amb los apòstols e los martiris. Pr'aquò, menam vida santa e plan estricta, de june e d'abstinéncia, passant jorn e nuèit en pregar e trabalhar, en cercar pas a traire res mai d'aquel trabalh que çò necessari a la vida. Enduram tot aiçò estant que sèm pas del mond : mas vosautres, qu'aimatz lo mond, sètz en patz amb lo mond estant que sètz del mond (parafrasa de Jo 15,19) ».

D'ells mateixos diuen: nosaltres, pobres de Crist, errants, fugim de ciutat en ciutat (Mt 10,23), com ovelles enmig de llops (Mt 10,16), patim la persecució amb els apòstols i els màrtirs. Tanmateix, duem una vida santa i molt estricta, en dejú i en abstinència, passant dia i nit pregant i treballant, i cercant de treure d'aquest treball tot just el necessari per a la vida. Suportem tot això perquè no som del món: però vosaltres, que estimeu el món, esteu en pau amb el món perquè vosaltres sou del món (paràfrasi de Jn 15,19).

« Nosautres e los nòstres paires, del linhatge dels apòstols, demorèrem dins la gràcia del Crist e i demorarem fins al cap dels sègles. Per nos distinguir, vosautres e nosautres, çò lo Crist : "Aquò's a sos fruches que los reconeisseretz" (Mat 7,16). Los fruches nòstres son las traças del Crist. »

Nosaltres i els nostres pares, del llinatge dels apòstols, estem en la gràcia de Crist i hi estarem fins a la fi dels segles. Per a distingir-nos, vosaltres i nosaltres, Crist digué: "pels seus fruits els reconeixereu" (Mt 7,16). Els nostres fruits, per a nosaltres, són les traces de Crist.

## 14. LA DOLOR M'AFLIGÍS LA MENT
### Anonim

## 14. EL DOLOR EM TURMENTA LA MENT
### Anònim

La dolor m'afligís la ment,
e ara la color originala,
la mieuna color, disi, autentica,
tot d'una es venguda estranha.

El dolor em turmenta la ment
i el meu color original,
el meu color, dic, genuí
de sobte ha esdevingut estrany.

vor mir erweist ihr euch stolz in Wort und Tat,
während ihr allen anderen gegenüber offen seid.

Mich wundert, mein Freund, wie euer Herz
mir gegenüber rau wird, was mich traurig stimmt;
es ist ungerecht, dass euch eine andere Liebe nimmt,
gleich was sie euch sagt und wie sie euch empfängt.
Erinnert euch nur daran, wie
unsere Liebe begann. Möge Gott nicht,
dass sie meinetwegen zu Ende geht!

Vor allem sage ihm aber, mein Bote,
dass viele Leute vor Stolz alles verloren haben.

ma con le parole e le maniere non mi mostrate altro che
orgoglio
mentre siete così aperto con tutti gli altri.

Sono sorpresa di quanto s'indurisca il vostro cuore,
amico, di fronte a me, e ho motivo di dolermene.
Non è giusto che un altro amore vi tolga a me,
qualunque cosa vi dica e in qualsiasi modo vi accolga.
Ricordatevi qual fu il principio
del nostro amore! Che il Signore non voglia
che per colpa mia esso giunga alla fine!

Ma soprattutto, voglio che tu gli dica, messaggero,
che dal troppo orgoglio, molti hanno gran danno.

## 13. BRIEF VON EVERWIN VON STEINFELD AN DEN HEILIGEN BERNHARD (1143)

## 13. LETTERA DI EVERNINO DI STEINFELD A PADRE BERNARDO (1143)

Von sich behaupten sie, sie seien die Kirche, denn nur sie folgen Christus, und sie seien die wahren Jünger des apostolischen Weges, denn sie begehren nicht die Welt und besitzen weder Haus noch Land oder Geld. So wie Christus selbst nichs besaß, erlaubte er seinen Jüngern keinen Besitz.

Dicono di sé che sono la Chiesa, perché essi solo seguono il Cristo; e che rimangono i veri discepoli della vita apostolica, perché non ricercano il mondo e non possiedono né casa, né campo né denaro. Come il Cristo non possedette niente, non permise ai suoi discepoli di possedere nulla.

Von sich behaupten sie: Wir Armen Christi irren umher und fliehen von einer Stadt in die andere (Mt 10,23), und wie Schafe mitten unter den Wölfen (Mt 10,16) werden wir wie die Apostel und die Märtyrer verfolgt. Dennoch führen wir ein strenges, heiliges Leben durch Fasten und Enthaltsamkeit, verbringen Tag und Nacht mit Beten und Arbeit, von der wir lediglich das Lebensnotwendige zu gewinnen trachten. Wir ertragen all dies, denn wir stammen nicht von dieser Welt; doch ihr, die die Welt liebt, lebt in Frieden mit der Welt, weil ihr von der Welt stammt (Paraphrasierung von Joh 15,19).

Di sé dicono; "Noi poveri di Cristo, erranti, in movimento di città in città (Mt 10,23), come pecore in mezzo ai lupi (Mt 10,16), soffriamo la persecuzione con gli apostoli e i martiri. Tuttavia, conduciamo una vita santa e molto rigorosa, in digiuni e in astinenze, passando giorno e notte a pregare e a lavorare, non cercando di trarre da questo lavoro se non ciò che è necessario alla vita. Sopportiamo tutto ciò perché non siamo del mondo: ma voi che amate il mondo, siete in pace col mondo perché siete del mondo (parafrasi di Gv 15,19).

Wir und unsere Väter vom Stamm der Apostel stehen in der Gnade Christi und dort bleiben wir bis in alle Ewigkeit. Um uns von euch zu unterscheiden sprach Christi: „An ihren Früchten werdet ihr sie erkennen." (Mt 7,16). Unsere Früchte sind für uns die Spuren Christi.

Noi e i nostri padri, discendenti degli apostoli, siamo rimasti nella grazia di Cristo e vi rimarremo fino alla fine dei secoli. Per distinguere voi e noi, il Cristo ha detto: 'Li riconoscerete dai loro frutti' (Mt 7,16). I nostri frutti sono le tracce di Cristo".

## 14. DER SCHMERZ PLAGT MEINEN GEIST
Anonyme

## 14. IL DOLORE MI STRAZIA LA MENTE
Anonimo

Der Schmerz plagt meinen Geist
und meine ursprüngliche Farbe,
meine eigentliche Farbe, sage ich,
sieht plötzlich merkwürdig aus.

Il dolore mi strazia la mente,
e il mio colore natale,
il mio colore, ripeto, genuino
mi è diventato di colpo estraneo.

## 14. MENTEM MEAM LEDIT DOLOR
Anonyme

Mentem meam ledit dolor,
nam natalis soli color.
Color, inquam, genuinus
fit repente peregrinus.

Color quippe naturalis
nunc afflictam gentem malis
Mire nuper decorabat,
dum vir magnus radiabat.

Sensit Lorcha virum tantum,
et Siurana mons gigantum,
Almeria cum carinis,
sed Tortose mox vicinis.

Magnus, inquam, comes ille,
qui destruxit seras mille
Mahumeti fede gentis,
genu nobis iam flectentis.

Hunc Hylerde urbs expavit,
Fraga virum trepidavit,
que sub una simul luce
hoc succumbunt nostro duce.

Barchinonam, Tarragonem,
[Arelatem, Ta]raschonem
rexit florens ope, fama,
terrens hostes his plus flamma.

Victor semper, [nunquam v]ictus
cuius terror fuit hictus
sepe fures emit auro
illos ornans crucis lauro.

Ausu constans pertinaci,
[sensu vi]gens perspicaci,
ad se orbem fere totum
traxit tonans in remotum.

Nam hunc magnus rex Francorum
mir[abatur] et Anglorum,
Huic favebat Alemannus,
Dextram dabat Toletanus.

Mentem team ledit dolor,
nam natalis soli color.
Sub communi cessit morte,
sed celesti vivat sorte.

Amen

## 14. LA DOULEUR AFFLIGE MON ESPRIT
Anonyme

La douleur afflige mon esprit,
et maintenant, ma couleur originale,
ma couleur, dis-je, authentique,
est soudainement devenue étrange.

La couleur réellement naturelle
est désormais celle de l'affliction.
tandis qu'elle semblait admirable,
et ce grand homme en rayonnait .

Ce grand comte,
qui détruisit par milliers
ceux de la foi de Mahomet
qui avant lui nous tenaient à genoux.

Lorca prouva la grandeur de cet homme
et Siurana aux grandes montagnes,
et Almeria avec ces navires,
puis les environs de Tortosa.

La cité de Lleida d'effroi se livra à lui,
à Fraga il sema la terreur,
car sous une même splendeur
à notre chef elles succombèrent.

A Barcelone, Tarragone,
Arles, Tarascon,
il régna avec richesse et gloire,
et terrassa son ennemi de son ardeur.

Toujours vainqueur, jamais vaincu,
avec ses coups terrifiants
souvent il récupéra l'or volé
et en décora la croix.

Toujours constant dans son audace,
et gouvernant avec sagesse,
presque tout le monde connut
sa gloire qui parvint fort loin.

L'admirait le grand roi
des Francs et des Anglais ;
et le soutenait l'empereur,
il s'allia au Tolédan.

La douleur afflige mon esprit,
et maintenant, ma couleur originale,
Il est mort comme le commun des mortels,
mais il jouit de la gloire céleste.

Amen

## 14. MY MIND IS SEARED WITH SORROW
**Anonymous**

My mind is seared with sorrow,
and the natural colour of my face,
by that I mean its native hue,
has faded without trace.

Now my natural colour
is that of the afflicted,
although not long ago I shone
in the radiance of that exemplary man.

The count, that noble lord
did breach a thousand ramparts
and he routed all the Saracens
who kneel down before us now.

This great man's might prevailed in Lorca,
and in the lofty mountains of Siurana;
he conquered Almeria in his galleys,
and neighbouring Tortosa was swift to follow.

In Lerida he commanded fear,
and Fraga trembled at his might;
both surrendered to our leader,
dazzled by that selfsame light.

In Barcelona, Tarragona,
the cities of Arles and Tarascon
he ruled with brilliance and fame,
cowing the enemy with his ardour.

Ever victorious, never vanquished,
he who often with his furious sword
dealt many a terrifying blow,
now lays a laurel wreath upon the cross.

Constant in his boldness and resolve,
he governed with sound judgment
and almost the whole world held him in awe,
in which his fame resounds both near and far.

That great king was much admired
by both the English and the French,
the Germans gave him their support
and Toledo also was his friend.

My mind is seared with sorrow,
and the natural colour of my face,
by that I mean its native hue,
has faded without trace.

Amen

## 14. MI MENTE AFLIGE EL DOLOR
**Anónimo**

Mi mente aflige el dolor,
y ahora el natal color,
el color, digo, genuino,
de repente ha huido.

Color natural ahora
es color de la congoja.
Hace poco relucía,
cuando gran hombre fulgía.

El conde, el gran señor,
que mil candados rompió
de sarracena milicia
hasta doblar su rodilla.

Lorca descubrió su fuerza
y de Siurana las peñas,
con naves en Almería,
luego en Tortosa vecina.

Él a Lérida espantó,
a Fraga causó temblor,
que bajo un mismo destello
a nuestro jefe cedieron.

Barcelona, Tarragona,
Arelate, Tarascona,
rigió con riqueza y fama,
barrió al rival con sus llamas.

Vencedor, jamás vencido,
propinó golpes terríficos;
su espada asestaba cólera,
ahora la cruz adorna

Siempre constante en su empeño,
lleno de conocimiento,
a sí casi el mundo entero
trajo tonante a lo lejos.

Este gran rey por los francos
admirado, y los ingleses,
por alemán respaldado
y amigo del toledano.

Mi mente aflige el dolor,
y ahora el natal color,
Murió como un común mortal,
pero goza de la gloria celestial.

Amen

| | |
|---|---|
| La color realament naturala | El color realment natural |
| es adara la dels afligits, | és ara el dels afligits, |
| mentre qu'abans, semblava remirabla, | mentre abans semblava admirable |
| e aquel grand òme ne dardalhava. | i l'irradiava aquell gran home. |
| | |
| Aquel grand comte, | Aquell gran comte, |
| que per milierats destrusiguèt | que a milers destruïa |
| las gents de la fe de Mahomet | les gents de la fe de Maomet |
| qu'abans nos tenián agenolhats. | que abans ens tenien agenollats. |
| | |
| Lhorca provèt la grandesa d'aqueste òme | Llorca provà la grandesa d'aquest home |
| e Siurana de las grandas èrras, | i Siurana a les grans muntanyes |
| e Almeria amb las sieuna naus, | i Almeria amb les seves naus |
| puèi los alentorns de Tortosa. | i els voltants de Tortosa. |
| | |
| Lheida, l'espantèt, | La ciutat de Lleida s'hi lliurà, |
| las gents de Fraga terrifiquèt, | la gent de Fraga tremolà, |
| que jos un meteis trelús | que sota una mateixa llum |
| al nòstre cap sucombiguèron. | sucumbiren al nostre príncep. |
| | |
| Barcelona, Tarragona, | Barcelona, Tarragona, |
| Arles, Tarascon, | Arle, Tarascó |
| regiguèt amb riquesa e glòria, | governà amb riquesa i fama, |
| aclapant los enemics amb ardor. | aterrant els seus enemics amb el seu ardor |
| | |
| Sempre vencedor, jamai vençut, | Sempre vencedor, mai vençut, |
| amb los sieus trucs terrificants ; | amb els seus terribles cops |
| sovent cobrèt l'aur raubat | sovint recuperà l'or robat |
| e n'ondrèt la crotz. | i n'ornamentà la creu. |
| | |
| Sempre constant dins son engatjament, | Constant en la gosadia contínua |
| e governant amb saviesa, | i governant amb saviesa, |
| lo mond sancer gaireben | quasi tot el món conegué |
| coneguèt sa glòria qu'arribèt luènh. | la seva fama que arribà lluny. |
| | |
| Lo remirava lo grand rei | L'admirava el gran rei |
| dels Francs e dels Angleses ; | dels francs i dels anglesos; |
| lo sosteniá l'Emperador, | li donava suport l'emperador, |
| n'èra aligat del Toledan. | n'era aliat el toledà. |
| | |
| La dolor m'afligís la ment, | El dolor em turmenta la ment |
| e ara la color originala, | i el meu color original, |
| Moriguèt coma un mortal comun, | Morí com un comú mortal, |
| pr'aqò gausís de la glòria celestiala. | però gaudeix de la glòria celestial. |
| | |
| Amén | Amén |

| DEUTSCH | ITALIANO |
|---|---|
| Die wahrlich natürliche Farbe<br>ist nun die der Sorge Tragenden,<br>doch früher war sie bewundernswert,<br>wie sie dieser große Mann ausstrahlte. | Il colore davvero naturale<br>è ora quello degli afflitti,<br>mentre prima appariva ammirabile<br>mentre lo irraggiava quel grande uomo, |
| Dieser große Graf<br>zerstörte zu Tausenden<br>die Gläubigen des Mohammed,<br>die uns ehemals in die Knie zwangen. | quel grande conte,<br>che distrusse a migliaia<br>le persone della fede di Maometto,<br>che prima ci tenevano in ginocchio. |
| Lorca stellte seine Größe auf die Probe,<br>sowie Siurana in den hohen Bergen,<br>Almeria mit seinen Schiffen<br>und die Umgebung von Tortosa. | Lorca provò la grandezza di quest'uomo,<br>e Siurana, nelle grandi montagne,<br>e Almeria colle sue navi,<br>e i dintorni di Tortosa. |
| Die Stadt Lleida ergab sich ihm,<br>vor ihm zitterten die Leute von Fraga,<br>die sich unter dem selben Licht<br>vor unserem Fürsten beugten. | Qui la città di Lerida termò,<br>la gente di Fraga trepidò,<br>che sotto una stessa luce<br>soccombono al nostro duce. |
| Barcelona, Tarragona,<br>Arles und Tarascon<br>regierte er mit Reichtum und Ruhm,<br>sein Eifer verschreckte die Feinde. | Barcellona, Tarragona,<br>Arles, Tarascona<br>Governò con ricchezza, fama,<br>Sgomentando i suoi nemici col suo ardore. |
| Immer Sieger, niemals besiegt,<br>mit seinen mächtigen Schlägen<br>holte er oft das gestohlene Gold zurück<br>und verzierte damit das Kreuz. | Sempre vincitore, vinto mai,<br>coi suoi terribili colpi<br>spesso riprese l'oro rubato<br>e ne fece ornamento di croce. |
| Unnachgiebig im ständigen Mut,<br>regierte er mit großer Weisheit;<br>fast die ganze Welt kannte<br>seinen weit reichenden Ruhm. | Costante nel continuo osare,<br>governando con saggiezza,<br>quasi tutto il mondo conobbe<br>la sua fama che giunse lontano. |
| Es bewunderte ihn der große König<br>der Franken und der Engländer,<br>der Kaiser unterstützte ihn,<br>sein Verbündeter war der Toledaner. | Lo ammirava il grande re<br>dei Franchi e degli Inglesi;<br>lo sosteneva l'Imperatore,<br>gli era alleato il Toledano. |
| Der Schmerz plagt meinen Geist<br>und meine ursprüngliche Farbe,<br>Er starb als Gemeinsterblicher,<br>genießt aber nun himmlische Ehre. | Il dolore mi strazia la mente,<br>e il mio colore natale,<br>È morto como un comune mortale,<br>ma goda della gloria celeste. |
| Amen | Amen |

## III L'expansion du Catharisme : 1160-1204

III L'expansion du Catharisme : 1160-1204

### 16. CONSOLAMENT
**Pregaria Catara**

Diacre: « Aquel sant baptisme per loqual Sant Esperit es datz a tengut la gleisa de Deu dels apostols en sa, e es vengutz de bos homes en bos homes entro aici, e o fara entro la fi del segle. »

Cantor: « In principo erat Verbum, et verbum erat apud Deum »
Diacre : « e Deus era la paraula. Aquo era al comensament amb Deu. Totas causas son faitas per el, et senes el es fait nient... »

Bons Hommes: Adoremus Patrem et Filium et Spiritum sanctum (3 fois)

### 16. CONSOLAMENT
**Prière Cathare**

Diacre: « Ce saint baptême par lequel le Saint Esprit est donné, l'Eglise de Dieu l'a reçu des apôtres en son sein, et il est venu, de bons hommes et bons hommes jusque ici, et elle le fera jusqu'à la fin du monde. »

Cantor : « Au commencement était le Verbe, et le Verbe était auprès de Dieu »
Diacre : « et Dieu était le Verbe. Cela était au commencement avec Dieu. Toutes choses sont faites par Lui, et sans Lui est fait le néant. »

Bons Hommes : « Nous adorons le Père, et le Fils, et l'Esprit Saint » (3 fois)

### 17. A PER PAUC DE CHANTAR NO-M LAIS
**Pèire Vidal**

A per pauc de chantar no-m lais,
quar vei mort joven e valor
e pretz, que non trob'on s'apais,
qu'usquecs l'empenh e-l gita por ;
e vei tan renhar malvestat
que-l segl' a vencut e sobrat,
si qu'apenas trop nulh paes
que-l cap non aj'en son latz pres.

Qu'a Rom'an vout en tal pantais
l'Apostolis e-lh fals doctor
Sancta Gleiza, don Deus s'irais ;
que tan son fol e peccador,
per que l'eretge son levat.
E quar ilh commenso-l peccat,
greu es qui als far en pogues ;
mas ja no volh esser plages.

E mou de Fransa totz l'esglais,
d'els qui solon esser melhor,
que-l Reis non es fis ni verais
vas pretz ni vas Nostre Senhor.
Que-l Sepulcre a dezamparat
et compr'e vent e fai mercat
atressi cum sers o borges :
per que son aunit sei Frances.

Totz lo mons es en tal biais
qu'ier lo vim mal e oi pejor ;
et anc pos lo guitz de Deu frais

### 17. IL S'EN FAUT DE PEU QUE JE N'ABANDONNE LE CHANT
**Pèire Vidal**

Il s'en faut de peu que je n'abandonne le chant,
car je vois morts jeunesse[10] et valeur,
ainsi que le mérite qui ne se trouve aucun de refuge,
car tout le monde le repousse et le rejette ;
je vois tellement régner la méchanceté
qui a vaincu et soumis le monde,
que je ne trouve aucun pays
dont la tête ne soit prise dans son lacet.

Car, à Rome, le Pape et les faux docteurs
ont voué au cauchemar
la sainte Église, ce dont Dieu conçoit colère.
Ils sont si fous et si pécheurs
que les hérétiques s'en sont levés.
Comme ce sont eux qui commencent à pécher,
il est difficile qu'il en soit autrement ;
mais je ne veux y plaider nulle cause.

C'est de France que vient tout l'effroi,
de ceux qui étaient d'ordinaire meilleurs ;
car le roi n'est ni fiable, ni honnête,
ni envers mérite, ni envers Notre Seigneur.
Car il a abandonné le Saint-Sépulcre,
il (y) achète, vend et fait le commerce,
comme un serf ou un bourgeois :
aussi ses Français sont-ils honnis.

Le monde est de telle sorte
qu'hier nous les vîmes mauvais et aujourd'hui pire encore ;
depuis que l'empereur a secoué le joug de Dieu,

## III  The expansion of Catharism: 1160-1204

## III  Expansión del catarismo: 1160-1204

### 16. CONSOLATION
**Cathar prayer**

### 16. CONSUELO
**Oración Cátara**

Deacon: This holy baptism, by which the Holy Spirit is given, was received by God's Church from the apostles, and it has been handed down to us, from good men to good men until the present time, and so it will be until the end of the world.

Diácono: «Aquel santo bautismo por el cual es dado el Espíritu Santo la Iglesia lo ha recibido en su seno de los apóstoles, y ha llegado aquí de buenos hombres en buenos hombres, y lo hará hasta el fin del mundo»

Cantor: In the beginning was the Word and the Word was with God,

Deacon: and the Word was God. The same was in the beginning with God. All things were made by Him, and without Him was not any thing made."

Cantor: «En el principio era el Verbo y el Verbo estaba con Dios...»

Diácono: «y Dios era la palabra. Él estaba en el principio con Dios. Todas las cosas fueron hechas por él, y sin él no se hizo nada…»

Good Men: "Let us worship the Father, and the Son, and the Holy Spirit" (Three times)

Buenos hombres: «Adoremos al Padre, y al Hijo, y al Espíritu Santo.» (3 veces)

### 17. I WOULD FAIN STOP SINGING
**Pèire Vidal**

### 17. A PUNTO ESTOY DE NO CANTAR CANCIÓN
**Pèire Vidal**

I would fain stop singing,
for I can see youth[10] and valour lying dead,
as is merit, which finds no refuge,
as everyone repels and rejects it,
I can see that wickedness,
which has conquered the world into submission, reigns,
and I cannot find any land
whose head is not caught in its noose.

A punto estoy de no cantar canción,
porque veo muertos juventud[10] y valor,
y mérito, que no halla ningún refugio,
pues todo el mundo lo rechaza y expulsa;
y, tanto veo dominar la maldad
que al siglo ha vencido y sometido,
que apenas encuentro un país
cuya cabeza no esté en su soga.

For in Rome the Pope and the false doctors
have consecrated the holy Church to a nightmare,
which has made God angry.
They are so mad and so sinful
that the heretics have risen up.
As they have begun to sin,
it is difficult for it to be any different,
but I am pleading no man's cause.

Porque en Roma han cambiado en pesadilla
el papa y falsos doctores
a la santa Iglesia, lo que a Dios enoja;
pues son tan locos y pecadores
que los herejes se han alzado.
Y pues el pecado ellos empezaron,
difícil que sea de otro modo,
mas defender no quiero ninguna causa.

All the fear has come from France,
from those who were usually better,
for the king is neither trustworthy nor honest,
whether we speak of merit or of our Lord.
For he has abandoned the Holy Sepulchre,
he buys, sells and trades there ,
like a serf or a townsman.
for that reason his Frenchmen are despised.

Viene de Francia todo el espanto,
de quienes solían ser mejores,
pues el rey no es leal ni es sincero
ni al mérito ni a Nuestro Señor.
Pues el Sepulcro ha abandonado,
y compra, vende y comercia
igual que hace el siervo o el burgués:
están deshonrados sus franceses.

The world is such
that yesterday we saw that they were evil
and today they are still worse

El mundo entero tiene tal sesgo
que ayer lo vimos mal y hoy peor;
y, tras quebrar la guía de Dios,

| | |
|---|---|
| **III S'espandís lo Catarisme : 1160-1204** | **III L'expansió del catarisme: 1160-1204** |

## 16. CONSOLAMENT
### Pregària Catara

Aquel sant baptisme per loqual lo Sant Esperit es donat, la Gleisa de Dieu dels apòstols en son si, e es vengut, de bons òmes en bons òmes fins aicí, e o farà fins a la fin del mond.

## 16. CONSOLAMENT
### Pregària càtara

Diaca: Aquest sant baptisme pel qual l'Esperit Sant és donat, l'Església de Déu l'ha rebut dels apòstols al seu si, i ha vingut de bons homes i bons homes fins aquí, i ho farà fins a la fi del món.

Cantor : "Al començament èra lo Vèrb, e lo Vèrb èra al prèp de Dieu

Cantor: Al principi existia el que és la Paraula. La Paraula estava amb Déu.

Diacre: " e Dieu èra lo Vèrb. Aquò èra al començament amb Dieu. Totas caysas son faitas per El, e sens el es fait neient."

Diaca: I la paraula era Déu. Ell estava amb Déu al principi. Per ell tot ha vingut a l'existència, i res no hi ha vingut sense ell.

Bons òmes: "Adoram lo Paire, e lo Filh, e lo Sant Esperit" (Tres còps)

Bons homes: Adorem el Pare, el Fill i l'Esperit Sant. (tres vegades)

## 17. PAUC SE'N MANCA QUE QUITE IEU DE CANTAR
### Pèire Vidal

Pauc se'n manca que quite ieu de cantar,
car vesi mòrts jovent[10] e valor,
tant coma prètz, que tròba pas refugi enlòc,
ja que cadun lo rebuta e l'ensaca ;
 e vesi tant regnar la maissantesa,
qu'a vençut e sotmés lo mond,
tant e mai que tròbi pas cap país
qu'aja pas lo cap pres al sieu laç.

Ja qu'a Roma, lo Papa e los doctors falces
an vodada a tant mal pantais
la Santa Glèsia, çò de que Dieu s'encolèra.
Tan son fòls e pecadors
que los erètges se ne son levats.
Estant que son eles que començan per pecar,
es malaisit que ne siá autrament ;
mas i vòli pas ieu plaidejar.

E es de França que perven tot l'esglai,
d'aqueles que, de costuma, èran melhors
ja que lo rei es pas fisable ni onèste
ni de cara al prètz, ni de car al Nòstre Senhor.
Car a abandonat lo Sant Sepulcre,
e (i) crompa, vend e fa mercat,
tant coma un servi o un borgés :
tanplan son aunits sos Franceses.

## 17. PER POC NO DEIXO DE CANTAR
### Peire Vidal

Per poc no deixo de cantar,
car veig morts la joventut[10] i el valor,
així com el mèrit que no troba cap refugi,
car tothom el rebutja i repudia;
veig talment regnar la malvestat
que ha vençut i sotmès el món,
que no trobo cap país,
el cap del qual no estigui lligat.

A Roma, el papa i els falsos doctors
han condemnat al malson
la santa Església, cosa que Déu ha irat.
Són tan fòlls i pecadors
que els heretges s'han aixecat.
Com són ells qui comença a pecar,
és difícil que sigui diferent,
però jo no hi vull defensar cap causa.

És de França que vé tota la paüra
dels que solien ésser millors,
car el rei no és fiable ni honest
ni per mèrit ni davant nostre Senyor
perquè abandonà el Sant Sepulcre
i hi compra, ven i comercia
com un serf o un burgès:
també els francesos se n'avergonyeixen.

## III Verbreitung des Katharismus: 1160-1204

## III L'espansione del Catarismo: 1160-1204

### 16. TROST
**Katharisches Gebet**

### 16. CONSOLAZIONE
**Preghiera catara**

Diakon: Diese heilige Taufe, durch die der Heilige Geist gegeben wird, erhielt die Kirche Gottes von den Aposteln in ihrem Schoß, und er kam von guten Menschen und von guten Menschen hierher, und sie wird es bis in alle Ewigkeit tun.

Diacono: Questo santo battesimo, mediante il quale ci è dato lo Spirito Santo, la Chiesa di Dio l'ha ricevuto dentro di sé dagli apostoli nel suo seno, ed esso è giunto, di Buoni Uomini in Buoni Uomini, fin qui, e lo farà fino alla fine del mondo.

Kantor: Im Anfang war das Wort, und das Wort war bei Gott.

Cantore: "Al principio era il Verbo, e il Verbo era presso Dio,"

Diakon: Und das Wort war Gott. Im Anfang war es bei Gott. Alles ist durch das Wort geworden, und ohne das Wort wurde nichts, was geworden ist.

Diacono: "e il Verbo era Dio. Egli era in principio presso Dio. Tutto è stato fatto per mezzo di lui, e senza di lui niente è stato fatto".

Gute Menschen: Wir ehren den Vater, den Sohn und den Heiligen Geist. (dreimal)

Buoni Uomini: "Adoriamo il Padre, il Figlio, e lo Spirito Santo" (tre volte.)

### 17. WENIG FEHLT MIR, UM DAS SINGEN ZU LASSEN
**Peire Vidal**

### 17. MANCA BEN POCO A CH'IO ABBANDONI IL CANTO
**Pèire Vidal**

Wenig fehlt mir, um das Singen zu lassen,
denn Jugend[10] und Mut sehe ich siechen,
sowie das Verdienst, das keine Zuflucht findet,
da es Alle abweisen und verweigern.
So sehr sehe ich das Ungemüt herrschen,
das die Welt besiegt hat und unterdrückt,
dass ich kein Land finde,
dessen Haupt nicht gefesselt sei.

Manca ben poco a ch'io abbandoni il canto,
perché vedo morti gioventù[9] e valore,
e il merito che non trova alcun rifugio,
perché tutti lo respingono e lo rigettano;
vedo tanto regnare la malvagità,
che ha vinto e sottomesso il mondo,
sì he non trovo nessun paese
la cui testa non sia presa nel suo laccio.

In Rom haben Papst und falsche Gelehrte
die heilige Kirche zum Albtraum
verdammt, was Gott erzürnt hat.
Sie sind solche Tore und Sünder,
dass sich die Ketzer erhoben.
Da sie als erste sündigen,
kann es kaum anders kommen,
doch ich möchte hier nichts verfechten.

Perché, a Roma, il Papa e i falsi dottori
hanno votato all'incubo la santa Chiesa
cosa per cui Dio è entrato in collera.
Sono così pazzi e così peccatori
che gli eretici si sono sollevati.
Siccome sono loro i primi a peccare,
è difficile che sia diversamente;
ma non voglio difendere nessuna causa.

Aus Frankreich kommt all die Angst
derer, die früher besser waren,
denn der König ist weder verlässlich noch ehrlich
weder im Verdienst noch vor unserem Herrn,
denn er verließ das heilige Grab
und kauft, verkauft und handelt
wie ein Leibeigener oder Bürger;
auch seine Franzosen sind beschämt.

È dalla Francia che viene la paura,
da quelli che di solito erano i migliori;
perché il re non è né affidabile, né onesto,
né quanto a merito, né verso Nostro Signore.
Perché ha abbandonato il Santo Sepolcro,
e compra e vende e fa commercio,
come un popolano o un borghese:
perciò i suoi francesi sono disprezzati.

non auzim pois l'Emperador
creisser de pretz ni de barnat.
Mas pero s'oimais laiss' en fat
Richart, pos en sa preizon es,
lor esquern en faran Engles.

nous n'avons pas appris que sa réputation
et son honneur aient grandi.
Mais cependant s'il abandonne sottement
Richard qui est dans sa prison,
les Anglais feront entendre leur mépris.

## 21. EL CANT DE LA SIBIL·LA OCCITANA
**Anònim**

## 21. LE CHANT DE LA SIBYLLE OCCITANE
**Anonyme**

Un rei vendra perpetual
del cel, que anc nun fu aital;
en carn vendra, certanamens,
per far del segle jutjament.
*Al jorn del judisi*
*parra qui haura fac servici.*

Un roi viendra, perpétuel,
du ciel, un roi comme il n'en fut jamais ;
en chair il viendra, assurément,
pour juger ce monde.
*Au jour du Jugement,*
*on verra qui L'aura servi.*

Mai del judisi tot enant
parra una senya mot gran :
li terra gitara susor
e tremira de gran pavor.
*Al jorn del judisi*
*parra qui haura fac servici.*

Mais avant le jugement
paraîtra un signe très grand :
la terre se couvrira de sueur
et tremblera de grande frayeur.
*Au jour du Jugement,*
*on verra qui L'aura servi.*

Li puei e's plans seran eguals;
aqui seran li bons e'l mals,
li contes, e'l reis, e'l barons
que de llur fatz rendran rason.
*Al jorn del judisi*
*parra qui haura fac servici.*

Les monts et les plaines seront égaux ;
ici seront les bons et les mauvais,
les comtes, les rois et les barons
qui de leurs actes rendront compte.
*Au jour du Jugement,*
*on verra qui L'aura servi.*

Fuoc deisendra del cel ardent
an solpre que es mot pudent;
cel, terra, mar, tot perira
e tot can es fuoc delira.
*Al jorn del judisi*
*parra qui haura fac servici.*

(Un) feu descendra du ciel ardent
avec du soufre très puant ;
ciel, terre, mer, tout périra
et tout dans le feu sera détruit.
*Au jour du Jugement,*
*on verra qui L'aura servi.*

Li enfans que nas no seran
dedins los ventres cridaran
an clara vos, mot autamens,
merce a Dieu omnipotent.
*Al jorn del judisi*
*parra qui haura fac servici.*

Les enfants qui ne seront pas nés
dans les ventres crieront
d'une voix claire, et très fort,
compassion à Dieu tout puissant.
*Au jour du Jugement,*
*on verra qui L'aura servi.*

E diran tot enaisi:
"Glorios Dieus, sener, merces
may volgram esser de nient
que car venem a naissement."

Et tous diront ainsi :
« Dieu de Gloire, Seigneur, merci,
jamais nous ne voudrions être du néant
car nous en sommes encore à naître. »

since the emperor shook God's yoke,
we haven't heard that his reputation and honour have grown.
But yet if he stupidly abandons
Richard in his prison,
the English will make their contempt felt.

no hemos visto que el emperador
aumente mérito ni nobleza.
Mas en cambio abandona cual necio
a Ricardo recluido en la cárcel:
harán sentir su escarnio los ingleses.

## 21. THE OCCITAN SONG OF THE SIBYL
**Anonymous**

## 21. EL CANTO DE LA SIBILA OCCITANA
**Anónimo**

An eternal king will come
from heaven, such as never was seen;
certainly, in flesh he will come,
to pass his judgment on this world.
*On Judgment Day*
*the service of each one shall be repaid.*

Un rey perpetuo vendrá
del cielo, un rey como nunca hubo;
en carne vendrá, sin duda,
para el juicio del mundo.
*En el día del juicio*
*se verrá quién lo ha servido.*

But ere the judgment is delivered
a great sign will appear:
upon that day the earth will sweat
and it shall quake with fear.
*On Judgment Day*
*the service of each one shall be repaid.*

Pero antes del juicio
se verá señal muy grande:
la tierra echará sudor
y temblará de pavor.
*En el día del juicio*
*se verrá quién lo ha servido.*

Hills and plains shall all be equal;
here the good and bad shall gather,
with counts and kings and barons,
and all shall answer for their deeds.
*On Judgment Day*
*the service of each one shall be repaid.*

Montes y llanos será iguales;
ahí estarán buenos y malvados,
los condes y los reyes y los barones,
que de sus actos rendirán cuenta.
*En el día del juicio*
*se verá quién lo ha servido.*

A fire shall fall from the burning sky
with stinking, sulphurous fumes;
all shall perish, earth and sky and sea,
and everything in the fire shall be consumed.
*On Judgment Day*
*the service of each one shall be repaid.*

Fuego bajará del cielo ardiente
con azufre, que es muy maloliente;
cielo, tierra y mar, todo morirá,
y cuanto es el fuego destruirá.
*En el día del juicio*
*se verá quién lo ha servido.*

Then the unborn babes shall cry
within their mothers' wombs,
and in a clear and powerful voice
beg mercy from almighty God.
*On Judgment Day*
*the service of each one shall be repaid.*

Los niños que aún no hayan nacido
gritarán desde los vientres
con grito claro y muy fuerte
merced a Dios el omnipotente
*En el día del juicio*
*se verá quién lo ha servido.*

All shall utter then these words:
God in Heaven, Lord, have mercy,
we would not be creatures of the void,
save us, for we are not yet born.

Y todos dirán así:
«Dios de Gloria, Señor, ten merced,
nunca querríamos nada ser
pues estamos por nacer».

Tot lo mond es en tal biais
qu'ièr lo vegèrem maissant e auèi pièger encara ;
e dempuèi que s'insotmet a Dieu,
ausissèm pas l'Emperador
crèisser de prètz ni de noblesa.
 Pr'aquò, se d'ara enlà, coma un fat, daissa
Ricart, ja qu'es empreisontat,
los Engleses li ne tendràn mesprètz.

Tot el món és de tal manera
que ahir era dolent el que avui és pitjor;
des que l'emperador s'espolsà el jou de Déu
no hem pas vist que el seu nom
i el seu honor hagin crescut.
Però si mentrestant abandona vilment
Ricard, que es troba empresonat,
els anglesos mostraran menyspreu.

## 21. EL CANT DE LA SIBILLA OCCITANA
### Anonim

Un rei viendrà, perpetual,
del cèl, que jamai n'i aguèt d'aital ;
en carn vebdrà, asseguradament,
per far Jutjament d'aqueste mond.
*Al jorn del Jutjament,*
*se veirà plan lo que L'aurà servit.*

Mas abans lo Jutjament
pareisserà un fòrça grand senhal :
la tèrra getarà susor
e tremolarà de granda páur.
*Al jorn del Jutjament,*
*se veirà plan lo que L'aurà servit.*

Un còrn plan trist ressonarà
del cèl estant, que mantas gents despertarà ;
la luna e lo solelh s'escuresiràn,
cap estela lusirà pas.
*Al jorn del Jutjament,*
*se veirà plan lo que L'aurà servit.*

(Un) fuòc davalarà del cèl arderós
amb de solpre qu'es plan pudent ;
cèl, tèrra, mar, tot perirà
e tot canton en fuòc s'avalirà.
*Al jorn del Jutjament,*
*se veirà plan lo que L'aurà servit.*

Los enfants que seràn pas nascuts
cridaràn de dedins los ventres
amb clara votz, plan nautament,
mercé, a Dieu tot poderós.
*Al jorn del Jutjament,*
*se veirà plan lo que L'aurà servit.*

E diràn totes aital :
"Dieu Gloriós, Senhor, mercé,
jamai voldriam pas èsser del neient
ja que sèm encara de nàisser".

## 21. EL CANT DE LA SIBIL·LA OCCITANA
### Anònim

Un rei vindrà per sempre
Del cel, com mai n'hi hagué abans;
Vindrà en carn, certament,
Per jutjar el món.
*El dia del Judici*
*Es veurà qui l'haurà servit.*

Però abans del judici
Apareixerà un senyal molt gran:
La terra es cobrirà de suor
I tremolarà de gran paor.
*El dia del Judici*
*Es veurà qui l'haurà servit.*

Els puigs i les planes seran iguals,
Aquí seran el bé i el mal,
Els comtes, els reis i els barons
Que de llurs fets retran compte.
*El dia del Judici*
*Es veurà qui l'haurà servit.*

Baixarà foc del cel ardent
Així com sofre, molt pudent;
Cel, terra, mar, tot perirà
I en tot de foc es tornarà.
*El dia del Judici*
*Es veurà qui l'haurà servit.*

Els infants encara nonats
De dins els ventres cridaran
Amb clara veu, molt altament,
Mercè a Déu omnipotent.
*El dia del Judici*
*Es veurà qui l'haurà servit.*

I diran tots així:
"Gloriós Déu senyor, mercè,
Mai volguem ésser de no-res,
Car venim al naixement."

Die ganze Welt ist so beschaffen,
dass der Böse von gestern heute schlimmer ist.
Seit der Kaiser das Joch Gottes abwarf,
haben sein Ruf oder seine Ehre
nicht sichtlich zugenommen;
doch während er hinterhältig
Richard im Verlies harren lässt,
werden die Engländer Unmut zeigen.

Il mondo è così fatto,
che ieri li vedevamo malvagi e oggi ancora peggiori;
da quando l'imperatore ha scosso il giogo di Dio
non abbiamo appreso che la sua reputazione
e il suo onore siano cresciuti.
Tuttavia, se abbandona stupidamente
Riccardo che è nella sua prigione,
gli inglesi faranno sentire il loro scherno.

## 21. LIED DER OKZITANISCHEN SIBYLLE
**Anonym**

## 21. IL CANTO DELLA SIBILLA OCCITANA
**Anonimo**

Vom Himmel kommt auf ewig
ein nie da gewesener König;
er kommt gewiss in Fleisch
über die Welt urteilen.
*Am Tag des Gerichts*
*weist sich, wer ihm gedient.*

Un re verrà, eterno, dal cielo,
un re come non ci fu mai;
in carne verrà, senza dubbio,
per fare il giudizio del mondo.
*Il giorno del giudizio*
*si vedrà chi avrà ben servito.*

Doch vor dem Gericht
wird ein großes Zeichen erscheinen,
die Erde wird in Schweiß getränkt
und vor Todesfurcht beben.
*Am Tag des Gerichts*
*weist sich, wer ihm gedient.*

Ma prima che cominci il giudizio
apparirà un segno assai grande:
la terra si coprirà di sudore
e tremerà di grande spavento.
*Il giorno del giudizio*
*si vedrà chi avrà ben servito.*

Hügel und Ebene gleichen sich aus,
hier sind Gut und Böse gemein,
Grafen, Könige und Landesherren
werden zur Rechenschaft gezogen.
*Am Tag des Gerichts*
*weist sich, wer ihm gedient.*

Monti e pianure saranno uguali;
e ci saranno i buoni e i cattivi,
i conti, i re e i baroni,
che dei loro atti renderanno conto.
*Il giorno del giudizio*
*si vedrà chi avrà ben servito.*

Vom glühenden Himmel steigt herab
wie Schwefel stinkendes Feuer;
Himmel, Erde, Meer, alles kommt um
und geht in Flammen auf.
*Am Tag des Gerichts*
*weist sich, wer ihm gedient.*

Un fuoco scenderà dal cielo ardente,
con un fortissimo odore di zolfo;
cielo, terra, mare, tutto perirà
e tutto sarà distrutto nel fuoco.
*Il giorno del giudizio*
*si vedrà chi avrà ben servito.*

Die noch ungeborenen Kinder
flehen aus dem Mutterleib
ganz laut und deutlich
den Allmächtigen um Gnade.
Am Tag des Gerichts
*weist sich, wer ihm gedient.*

I bambini non ancora nati
nei ventri grideranno
con voce chiara,e assai forte,
pietà a Dio onnipotente.
*Il giorno del giudizio*
*si vedrà chi avrà ben servito.*

Und alle werden sie sprechen:
„Herrlicher Gott, seid gnädig,
niemals sollen wir aus Nichts sein,
denn wir kommen zur Geburt."

E tutti diranno così:
"Dio di Gloria, Signore, grazie,
mai non vorremmo essere nulla,
perché dobbiamo ancora nascere."

# CD2
## La Croisade contre les Albigeois
## Invasion de l'Occitanie
## 1204-1228

### IV  Vers l'affrontement : 1204-1208

#### 1. EGO ENIM SCIO

Le cathare Baudoin : « Ego enim scio quale spirito repletus es. In veritate, in spiritu Eliæ venisti. »

L'évêque D'osma : « Si vero in spiritu Eliæ veni, tu ergo in spiritu Antechristi. »

Le cathare Arnaud Oton : « Ecclesiam Romanam, non esse sanctam nec sposam Christi, sed Ecclesiam diaboli et doctrinam demoniorum, et esse illam Babillonem quam Johannes in Apochalipsi appelat ' matrem fornicationum et abhominationum, ebriamque sanguine sanctorum et martyrum Ihesu Christi.' »

L'Évêque d'Osma : « Vobis contingit libros vestros legisse, scilicet adversum. »

#### 3. QUANT AI LO MON CONSIRAT
**Anonim**

*Quant ai lo mon consirat*
*tot l'als es nient mas Deu,*
*e com be-m son apensat*
*lo comjat es for[t]ment greu.*

E car nos em              de greus pecatz carregats,
si-u enquerem,            podra-ns esser perdonat,
car Senhor tal avem cui plad merce, pus que platz,
                          c'aixi n'es acustumat.

E./ Hon prejarem          totz ensems lo Creador
que-ns do s'amor          e-ns gart de mal e d'error?

R./ *Quant ai lo mon consirat ...*

Aital Senhor              devem tembre e onrar,
qui per nos totz          se volc tant umiliar,
can trames l'angel seu per la dona saludar,
                          e'l plac en ela entrar.

---

# CD2
## La Croisade contre les Albigeois
## Invasion de l'Occitanie
## 1204-1228

### IV  Vers l'affrontement : 1204-1208

#### 1. JE SAIS

Le cathare Baudoin : « Je sais de quel esprit tu es. En vérité, c'est dans l'esprit d'Elie que tu es venu. »

L'évêque d'Osma : « Si c'est dans l'esprit d'Elie que je suis venu, toi, c'est dans celui de l'antéchrist. »

Le cathare Arnaud Oton : « L'église romaine n'est ni sainte ni épouse du Christ, mais elle est l'église du diable et sa doctrine celle des démons, et elle est cette Babylone que Jean, dans l'Apocalypse, appelle "mère de fornication e d'abomination", qui s'enivre du sang des saints et des martyres de Jésus Christ. »

L'évêque d'Osma : « Ce qui vous arrive, c'est que vous avez lu vos libres apparemment à l'envers. ».

#### 3. A BIEN CONSIDERER LE MONDE
**Anonyme**

*A bien considérer le monde,*
*en dehors de Dieu, tout n'est que néant,*
*et, comme je l'ai bien pensé,*
*en partir est donc fort grave.*

Car nous nous sommes chargés de lourds péchés ;
si nous en faisons la requête, nous pourrons en être pardonnés,
car nous avons un Seigneur tel qu'Il plaide la compassion, plus qu'il ne plait,
et qui, ainsi, en a l'habitude.

E./ Où prierons-nous tous ensembles le Créateur qui nous donna son amour et nous garde du mal et de l'erreur ?

R./ *A bien considérer...*

Un tel Seigneur, nous devons Le craindre et L'honorer, car, pour nous tous, Il fit acte de tant d'humilité, lorsqu'Il envoya Son ange saluer la dame, qu'il Lui plut d'entrer en elle.

# CD2
## The Albigensian Crusade
## Invasion of Occitania
## 1204-1228

# CD2
## Cruzada contra los albigenses
## Invasión de Occitania
## 1204-1228

**IV  Heading for confrontation: 1204-1208**

**IV  Hacia el enfrentamiento: 1204-1208**

### 1. I KNOW

### 1. SE, EN EFECTO

The Cathar Baldwin to the Bishop of Osma: "I know in which spirit you come. In truth, it is in the spirit of Elijah that you have come."

El cátaro Balduino: «Sé, en efecto, de qué espíritu estás lleno. En verdad, has venido en el espíritu de Elías.»

The Bishop of Osma to Baldwin: "If I have come in the spirit of Elijah, then you have come in the spirit of the Antchrist."

El Obispo de Osma: «Si he venido en el espítitu de Elías, tú has venido en el del Anticristo.»

The Cathar Arnold Othon: "The church of Rome is neither holy, nor the bride of Christ, but she is the church of the devil and her doctrine is that of demons, and she is that Babylon that John, in the Book of Revelation, calls the 'mother of fornication and abomination, who is drunk on the blood of the saints and martyrs of Jesus Christ."

El cátaro Arnaud Oton: «La Iglesia romana, no es santa ni la esposa de Cristo, sino la Iglesia del diablo y la doctrina de los demonios, y aquella Babilonia a la que Juan en el Apocalipsis llama "la madre de las rameras y de las abominaciones, embriagada con la sangre de los santos y mártires de Jesucristo".»

The Bishop of Osma: "The trouble with you is that you have apparently read your books back to front."

El obispo de Osma: «A vosotros os sucede que habéis leído vuestros libros claramente al revés.»

### 3. EVERYTHING CONSIDERED, IN THIS WORLD
Anonymous

### 3. BIEN PENSADO EN EL MUNDO
Anónimo

*Everything considered, in this world*
*all things are nothing, save God;*
*and having this much pondered,*
*saying goodbye is grievous hard.*

*Bien pensado en el mundo,*
*todo es nada salvo Dios;*
*y, lo he meditado mucho,*
*gravísimo es el adiós.*

Though we are heavy laden with sins,
if we ask they may be forgiven,
for our Lord is such that he is pleased to plead compassion,
and thus he is accustomed so to do.

Porque nos cargamos de graves pecados,
si lo pedimos se podrán perdonar,
pues tal Señor tenemos que a la merced place,
más de lo que place,
y que así está acostumbrado.

*All. Where shall we gather to pray to the Creator*
*who loves and keeps us from all evil and error?*

E./ ¿Dónde oraremos juntos al Creador
que nos da su amor y nos libra del mal y el error?

*R. Everything considered...*

R./ *Bien pensado...*

To such a Lord both fear and honour we owe,
since for our sakes he humbled himself so,
when to the Lady an angel he did send
and in her womb to enter was content.

A tal Señor temer y honrar debemos,
que por nosotros quiso humillarse tanto,
cuando envió al ángel saludar a la dama,
y le plugo entrar en ella.

## CD2
### La Croisade contre les Albigeois
### Invasion de l'Occitanie
### 1204-1228

## CD 2
### La croada contra els albigesos
### Invasió d'Occitània
### 1204-1228

#### IV  Cap a l'afrontament: 1204-1208

#### IV  Cap a l'enfrontament: 1204-1208

#### 1. SABI

Lo catar Baldoin : « Sabi de quin esperit ès. De vertat, es dins l'esperit d'Elia qu'ès vengut. »

L'avèsque d'Osma : « S'aquò's dins l'esperit d'Elia que soi vengut, tu, es dins lo de l'antecrits. »

Lo catar Arnaut Oton : "La gleisa romana es pas santa ni molhèr del Crist, mas es gleisa del diable e sa doctrina la dels demònis, e es aquela Babilona que Joan, dins l'Apocalipsi, sona "maire de fornicacion e d'abonminacion, que s'embriaga de la sang dels sants e dels martiris de Jèsus Crist."

L'avèsque d'Osma : "Çò que vos arriba, es qu'avètz legit los vòstres libres, çò sembla, al revèrs."

#### 1. SÉ EN EFECTE

El càtar Balduí: Jo sé de quin esperit ets. En realitat, és en l'esperit d'Elies que has vingut.

El bisbe d'Osma: Si és en l'esperit d'Elies que he vingut, tu ho has fet en el de l'anticrist.

El càtar Arnau Odó: L'església romana no és ni santa ni esposa de Crist, sinó l'església del diable i la seva doctrina la dels dimonis, i ella és aquesta Babilònia que Joan anomena a l'Apocalipsi "mare de les prostitutes i de les abominacions de la terra, embriagada de la sang del poble sant i dels màrtirs de Jesús".

El bisbe d'Osma: El que us passa és que sembleu haver llegit els vostres llibres a l'inrevés.

#### 3. QUAND AI CONSIDERAT LO MOND
**Anònim**

*Quand ai considerat lo mond,*
*a despart de Dieu, tot çò mai es neient,*
*e, coma o me soi plan pensat,*
*ne partir es fòrça grèu.*

Car nos sèm cargats de grèus pecats ;
se ne fasèm resquèsta, poirem n'èsser perdonats,
car avem un tal Senhor que plaideja mercé, mai que plai,
qu'aital n'es acostumat.

#### 3. BEN CONSIDERAT EL MÓN
**Anònim**

*Ben considerat, el món*
*fora de Déu és tot no-res*
*i com que m'ho he ben pensat*
*marxar-ne és força greu.*

Com que ens hem carregat de greus pecats
si ho demanem ens podrà ser perdonat,
car tenim un Senyor que defensa la mercè, més que
plaure-li, que així hi està acostumat.

E./ Ont pregarem totes ensems lo Creador
que nos dona son amor e nos garda del mal e de l'error ?

R./ *Quand ai considerat lo mond…*

Un Senhor aital, lo devèm crénher e onorar,
car, per nosautres totes, se volguèt tant umiliar,
quand mandèt l'àngel sieu per la dòna saludar,
que li plaguèt de dintrar en ela.

E./ Ont pregarem totes ensems lo Creador
que nos dona son amor e nos garda del mal e de l'error ?

E./ On pregarem tots junts al Creador
que ens dóna amor i ens guarda del mal i de l'error?

R./ *Ben considerat …*

Un Senyor així hem de témer i honrar,
que per tots nosaltres va fer acte de tanta humilitat,
quan envià el Seu àngel la dona saludar,
i Li plagué d'entrar-hi.

E./ On pregarem tots junts al Creador
que ens dóna amor i ens guarda del mal i de l'error?

## CD2
## Der Kreuzzug gegen die Albigenser
### Einfall in Okzitanien
### 1204-1228

## CD2
## La Crociata contro gli Albigesi
### Invasione dell'Occitania
### 1204-1228

**IV  Auf dem Weg zum Konflikt: 1204-1208**

**IV  Verso lo scontro: 1204-1208**

**1. ICH WEIß**

**1. IO DUNQUE SO**

Der Katharer Baudoin: Ich weiß, von welchem Geist du bist. In Wahrheit bist du im Geiste Elias gekommen.

Il cataro Baldovino: "Io dunque so di che spirito sei. In verità, è nello spirito di Elia che sei venuto".

Der Bischof von Osma: Wenn ich im Geiste Elias gekommen bin, dann bist du im Geiste des Antichristen gekommen.

Il vescovo di Osma: "Se è nello spirito di Elia che sono venuto, tu lo sei in quello dell'anticristo".

Der Katharer Arnaut Oton: Die römische Kirche ist weder heilig noch mit Christus verheiratet, sondern die Kirche des Teufels und ihre Lehre die der Dämonen, sie ist das Babylon, das Johannes in seiner Offenbarung „die Mutter der Huren und aller Abscheulichkeiten der Erde" nennt, die „betrunken ist vom Blut der Heiligen und vom Blut der Zeugen Jesu".

Il cataro Arnaldo Oton: "La Chiesa romana non è né santa né sposa di Cristo, ma è la chiesa del diavolo e la sua dottrina quella dei demoni. E' quella Babilonia che Giovanni, nell'Apocalisse, chiama 'madre di fornicazione e di abominazione, che si ubriaca del sangue dei santi e dei martiri di Gesù Cristo'".

Der Bischof von Osma: Was euch widerfährt ist, dass ihr eure Bücher anscheinend verkehrt gelesen habt.

Il vescovo di Osma: "Ciò che vi succede, è che avete letto i vostri libri apparentemente al contrario".

**3. EIGENTLICH IST DIE WELT**
**Anonym**

**3. BEN CONSIDERATA OGNI COSA**
**Anonimo**

*Eigentlich ist die Welt*
*außerhalb Gottes Nichts,*
*und da ich es wohl überlegt,*
*ist ein Abgang recht schlimm.*

*Ben considerata ogni cosa,*
*tutto è nulla all'infuori di Dio,*
*e, pensatoci bene,*
*il congedo mi è molto gravoso.*

Da wir die Last schwerer Sünden tragen,
wird uns verziehen, wenn wir darum bitten,
denn der Herr ergötzt sich nicht an der Gnade, sondern
erteilt sie,
dies ist bei ihm so üblich.

Perché ci siamo caricati di gravi peccati;
ma se lo domandiamo, possiamo esserne perdonati,
perché abbiamo un Signore cui piace la compassione più
di ogni altra cosa,e che così usa fare.

E./ Wo beten wir alle den Schöpfer an,
der uns Liebe gibt und vor Bösem und dem Irrtum wahrt?

E. / Dove pregheremo tutti insieme il Creatore
che ci dia il suo amore e ci guardi dal male e dall'errore?

R./ *Eigentlich ist ...*

R. / *Ben considerata ogni cosa ...*

Solch ein Herr ist zu fürchten und zu ehren,
da er für uns alle sich in Bescheidenheit übte,
als er seinen Engel entsandte, um die Jungfrau zu retten
und sie einzunehmen.

Un tal Signore dobbiamo temerlo e onorarlo,
perché per noi tutti si volle tanto umiliare,
quando mandò il suo angelo a salutare la donna
in cui gli piacque entrare.

E./ Wo beten wir alle den Schöpfer an,
der uns Liebe gibt und vor Bösem und dem Irrtum wahrt?

E. / Dove pregheremo tutti insieme il Creatore
che ci dia il suo amore e ci guardi dal male e dall'errore?

E./ Hon prejarem          totz ensems lo Creador
que-ns do s'amor          e-ns gart de mal e d'error?

*R./ Quant ai lo mon consirat ...*

Quan so fe fait           per nosaltres a salvar,
sus en la crotz           lo seu sang volc escampar,
e apres la seu' mort al terç jorn ressucitar,
                          que'ns pogues totz deliurar.

E./ Hon prejarem          totz ensems lo Creador
que-ns do s'amor          e-ns gart de mal e d'error?

*R./ Quant ai lo mon consirat ...*

Al quarante               dia volc al cel pujar,
e'l cinquante             Sent Espirit enviar,
per zo que'ls enflames e poguessin preicar
                          la fe per nos a salvar.

E./ Hon prejarem          totz ensems lo Creador
que-ns do s'amor          e-ns gart de mal e d'error?

*R./ Quant ai lo mon consirat ...*

Apres la fi               del mon, venra per jutjar
los bons e'ls mals,       segons lur merit, cobrar
gasardo e trobar, car aixi cove a far
                          per dretura a salvar.

E./ Hon prejarem          totz ensems lo Creador
que-ns do s'amor          e-ns gart de mal e d'error?


E./ Où prierons-nous tous ensembles le Créateur
qui nous donna son amour et nous garde du mal et de l'erreur ?

*R./ A bien considérer...*

Lorsque cela fut fait, pour nous sauver,
sur la croix, Il voulu répandre son sang,
et, après sa mort, au troisième jour, ressusciter,
afin qu'Il puisse tous nous délivrer.

E./ Où prierons-nous tous ensembles le Créateur
qui nous donna son amour et nous garde du mal et de l'erreur ?

*R./ A bien considérer...*

Au quarantième jour, Il voulut monter au ciel,
et, au cinquantième, envoyer le Saint Esprit,
afin qu'Il enflammât (les Apôtres) et qu'eux pussent prêcher
la foi, pour nous sauver.

E./ Où prierons-nous tous ensembles le Créateur
qui nous donna son amour et nous garde du mal et de l'erreur ?

*R./ A bien considérer...*

Après la fin du monde, Il viendra pour juger
les bons et les mauvais, et, selon leur mérite, recouvrer
et trouver récompense, car ainsi convient-il de procéder
pour sauver la rectitude d'âme.

E./ Où prierons-nous tous ensembles le Créateur
qui nous donna son amour et nous garde du mal et de l'erreur ?


## 4. MOT ERA DOUS E PLAZENS
**Guiraut de Bornelh**

Mot era dous e plazens
lo temps gays, cant fon eslitz
paratges et establitz
qe-ls drechuriers, conoisens,
lials, francx, de ric coratge,
plazens, larcx, de bona fe,
vertadiers, de gran merce
establi hom de paratge,
per cui fo servirs trobatz,
cortz e domneis e donars,
amors e totz benestars
d'onor e de gran drechura.

E paratges e bos sens
deu esser capdels e guitz
de totz autres bes complitz ;
per que las premieiras gens
donero al ric linhatge
rendas que tenguesso be


## 4. ETAIT TRÈS DOUX ET TRÈS PLAISANT
**Guiraut de Bornelh**

Etait très doux et très plaisant,
le temps joyeux où choisirent
et établirent Paratge
des gens droits, savants,
loyaux, francs, d'un valeureux élan du cœur,
plaisants, généreux, de bonne foi,
authentiques, de grande compassion,
des hommes établis sur Paratge,
tels que pussent se trouver services (d'amour),
courts, courtisements et dons,
amours et bien être
d'honneur et de grande droiture.

Et Paratge et bon sens
doivent complètement dominer et guider
tous les autres biens ;
c'est pour cela que les anciens
donnèrent au précieux lignage
des rentes suffisant bien

| | |
|---|---|
| *All. Where shall we gather to pray to the Creator*<br>*who loves and keeps us from all evil and error?* | E./ ¿Dónde oraremos juntos al Creador<br>que nos da su amor y nos libra del mal y el error? |
| *R. Everything considered…* | R./ *Bien pensado…* |
| And after that, to save our souls,<br>upon the cross he shed his blood,<br>and, having died, the third day rose again<br>to free us from our bonds. | Cuando aquello se hizo para salvarnos,<br>sobre la cruz quiso derramar su sangre<br>y tras su muerte resucitar al tercer día,<br>y poder liberarnos a todos. |
| *All. Where shall we gather to pray to the Creator*<br>*who loves and keeps us from all evil and error?* | E./ ¿Dónde oraremos juntos al Creador<br>que nos da su amor y nos libra del mal y el error? |
| *R. Everything considered…* | R./ *Bien pensado…* |
| The fortieth day he rose to heaven,<br>and the fiftieth he sent the Holy Ghost<br>to give them tongues of fire that they might preach<br>the faith by which we are saved. | Al cuarenteno día quiso subir al cielo,<br>y al cincuenteno mandar al Santo Espíritu,<br>que los inflamara y predicar pudieran<br>la fe para salvarnos. |
| *All. Where shall we gather to pray to the Creator*<br>*who loves and keeps us from all evil and error?* | E./ ¿Dónde oraremos juntos al Creador<br>que nos da su amor y nos libra del mal y el error? |
| *R. Everything considered…* | R./ *Bien pensado…* |
| At the end of the world he will come to judge<br>the good and the bad, according to their worth,<br>dispensing rewards and penalties, as due,<br>to save our souls with righteous rectitude. | Después del fin del mundo vendrá para juzgar<br>los buenos y los malos, según su mérito, cobrar<br>cobrar y hallar el premio, pues así conviene hacer<br>para salvar la rectitud. |
| *All. Where shall we gather to pray to the Creator*<br>*who loves and keeps us from all evil and error?* | E./ ¿Dónde oraremos juntos al Creador<br>que nos da su amor y nos libra del mal y el error? |

## 4. 'TWAS VERY MILD AND PLEASANT
### Guiraut de Bornelh

'Twas very mild and pleasant,
the joyous time when upright, learned, loyal, sincere
people,
whose hearts sprang with valour,
chose and established Peerage,
pleasing, generous people who acted in good faith,
authentic men possessed of immense compassion
and established by Peerage,
such as could perform loving service,
courts, courting and gifts,
honourable and truly upright love
and well-being.

Both Peerage and good sense
must completely dominate and guide
all other material things,
that is why the ancients gave the precious lineage
money enough
for Peerage's needs.

## 4. FUE MUY DULCE Y AGRADABLE
### Guiraut de Bornelh

Fue muy dulce y agradable
el tiempo alegre en que fue elegida
y establecida nobleza,
en que los justos, conocedores,
leales, francos, de noble corazón,
agradables, generosos, de buena fe,
auténticos, de gran merced,
establecieron nobleza
para que se encontraran servicios,
cortes, cortejos, dones,
amores y bienestar
de honor y de gran justicia.

La nobleza y el buen juicio
deben ser caudillo y guía
de todos los demás bienes;
así, las primeras gentes
dieron al noble linaje
rentas que bastaran bien

R./ *Quand ai considerat lo mond…*

Quand aiçò foguèt fait, per nos salvar,
sus la crotz volguèt escampar la sieuna sang,
e, aprèp la sieuna mòrt, al jorn tresen, reviscolar,
per que nos poguès totes desliurar.

E./ Ont pregarem totes ensems lo Creador
que nos dona son amor e nos garda del mal e de l'error ?

R./ *Quand ai considerat lo mond…*

Al jorn quaranten volguèt pujar al cel,
e, al cinquanten, enviar lo Sant Esperit,
per qu'enflambès (los Apòstols) e que poguèssen presicar
la fe, per nos salvar.

E./ Ont pregarem totes ensems lo Creador
que nos dona son amor e nos garda del mal e de l'error ?

R./ *Quand ai considerat lo mond…*

Aprèp la fin del mon, vendrà per jutjar
los bons e los maissants, segon lor meriti, cobrar
e trobar gasardon, car aital conven d'o far
per salvar dreitura.

E./ Ont pregarem totes ensems lo Creador
que nos dona son amor e nos garda del mal e de l'error ?


R./ *Ben considerat …*

Quan ço fou fet per a salvar-nos a nosaltres,
a la creu la seva sang volgué escampar,
i després de la seva mort, al tercer dia ressuscità,
per a poder-nos tots alliberar.

E./ On pregarem tots junts al Creador
que ens dóna amor i ens guarda del mal i de l'error?

R./ *Ben considerat …*

Al quarantè dia al cel volgué pujar
i al cinquantè l'Esperit Sant enviar,
perquè els incités (els apòstols) a poder predicar
la fe per salvar-nos.

E./ On pregarem tots junts al Creador
que ens dóna amor i ens guarda del mal i de l'error?

R./ *Ben considerat …*

Després de la fi del món vindrà a jutjar
els bons i els dolents i segons llur mèrit cobrar
recompensa i trobar-la, car així li convé fer
per salvar la rectitud.

E./ On pregarem tots junts al Creador
que ens dóna amor i ens guarda del mal i de l'error?


## 4. ÈRA FÒRÇA DOÇ E PLASENT
**Guiraut de Bornelh**

Èra fòrça doç e plasent,
lo temps gai, quand Paratge
causiguèron e establiguèron
los dreiturièrs, conoissents,
leials, francs, de preciós coratge,
plasents, generoses, de bon fe,
vertadièrs, de granda mercé,
òmes establits de Paratge,
per que se poguès trobar servici,
cort, cortejament e don,
amor e benestar
d'onor e de granda dreitura.

E Paratge e bon sen
devon complidament superar e menar
totes los autres bens ;
es per aiçò que los ancians
donèron al preciós linhatge
rendas que tenguèsson ben
çò qu'a Paratge conven.
E donc, lo que ten l'eiretatge


## 4. ERA MOLT DOLÇ I PLAENT
**Guiraut de Bornelh**

Era molt dolç i plaent
el temps gai quan trià
i s'establí a Paratge
gent dreta, sàvia,
lleial, franca, d'esperit valerós,
plaent, generosa, de bona fe,
vera, plena de mercè,
homes establerts a Paratge
que podien trobar serveis (d'amor),
corts, cortejaments i dons,
amors i benestar
d'honor i de gran dretura.

Paratge i seny
han de dominar i guiar
tots els altres béns complerts;
és per això que els antics
donaven al preciós llinatge
rendes prou dotades
per al que convenia a Paratge.
Així doncs, tenint l'hereu

R./ *Eigentlich ist ...*

Als dies erfolgt, um uns alle zu retten,
wollte am Kreuz er sein Blut verbreiten,
und am dritten Tag nach seinem Tod stand er wieder auf,
um uns alle zu befreien.

E./ Wo beten wir alle den Schöpfer an,
der uns Liebe gibt und vor Bösem und dem Irrtum wahrt?

R./ *Eigentlich ist ...*

Am vierzigsten Tag wollte er in den Himmel
und am fünfzigsten den heiligen Geist entsenden,
damit er sie (die Apostel) auffordere, den Glauben
zu unserer Rettung zu predigen.

E./ Wo beten wir alle den Schöpfer an,
der uns Liebe gibt und vor Bösem und dem Irrtum wahrt?

R./ *Eigentlich ist ...*

Nach dem Ende der Welt kommt er urteilen
über Gut und Böse und je nach Verdienst
den Lohn erteilen oder einholen, denn so handelt er
um die Aufrichtigkeit zu wahren.

E./ Wo beten wir alle den Schöpfer an,
der uns Liebe gibt und vor Bösem und dem Irrtum wahrt?

## 4. SEHR LIEBLICH UND ANGENEHM
### Guiraut de Bornelh

Sehr lieblich und angenehm
war die fröhliche Zeit, als Paratge
wählten und sich dort niederließen
rechte, weise Leute,
treu, ehrlich, wertschätzend,
angenehm, großzügig, gutgläubig,
wahrhaftig, gütig;
ansässige Menschen in Paratge,
die Minnedienste dichteten,
Höfe, Hofierungen und Gaben,
Liebe und Wohlbefinden
voller Ehre und Aufrichtigkeit.

Paratge und Verstand
sollen alles andere Gut
beherrschen und leiten;
daher vermachten die Ahnen
das herrliche Geschlecht
mit betuchten Einkünften,
so wie es Paratge gebührte.
Da also der Erbe das Lehen

R. / *Ben considerata ogni cosa ...*

Quando ciò avvenne, per salvarci,
sulla croce egli volle spargere il suo sangue,
e, dopo la morte, il terzo giorno, resuscitare,
per poterci tutti liberare.

E. / Dove pregheremo tutti insieme il Creatore
che ci dia il suo amore e ci guardi dal male e dall'errore?

R. / *Ben considerata ogni cosa ...*

Al quarantesimo giorno volle salire al cielo,
e al cinquantesimo mandare lo Spirito Santo,
perché infiammasse gli Apostoli, e potessero predicare
la fede, per salvarci.

E. / Dove pregheremo tutti insieme il Creatore
che ci dia il suo amore e ci guardi dal male e dall'errore?

R. / *Ben considerata ogni cosa ...*

Dopo la fine del mondo, verrà per giudicare
i buoni e i cattivi, e, secondo i loro meriti, riscuotere
e dare la ricompensa, perché così è giusto che si faccia
per rispettare la giustizia.

E. / Dove pregheremo tutti insieme il Creatore
che ci dia il suo amore e ci guardi dal male e dall'errore?

## 4. ERA MOLTO DOLCE E PIACEVOLE
### Guiraut de Bornelh

Era molto dolce e piacevole
il tempo gioioso in cui scelsero
d'istituire Paratge[10]
persone rette, sapienti,
leali, franche, di nobile cuore,
amabili, generose, di buona fede,
sincere, di grande pietà,
uomini che istituirono Paratge
si che potessero trovarsi servizi,
corti, corteggiamenti e doni,
amori e benessere,
d'onore e di gran rettitudine.

E Paratge e buonsenso
devono dominare e guidare
del tutto ogni altro bene.
Per questo gli antichi
diedero al lignaggio nobile
rendite ben sufficienti
per ciò che occorre a Paratge.
Se dunque l'erede

zo c'a paratge cove.
E doncx qui ten l'eretatge
ni-l fieu, don el es cazatz,
no serf, com vol esser pars
als pros, mas tot l'er pezars
a far so don pretz melhura?

E doncx hom fals, maldizens,
periurs, avars, deschausitz,
desconoissens, apostitz
pos renh'ab gualiamens,
lauzengiers e ples d'otratge
pos tot paratge mescre,
be volgra saber per que
vol aver nulh senhoratge,
mas non conois don fon natz.
Car bos pretz es aitan cars
que no-l sap comprar avars;
mas l'altrui ben-fach rancura.

E de donas eyssamens
fon ia lur bos pretz auzitz
per tot lo mon e grasitz
e fasion honoramens
ab cor de gran vassalatie.
E.l forlinars per iasse
a so tornat a non-re,
e teno s'a nesciatge.
Qui lur vol esser privatz,
mas fais lmal dirs e guabars
lor platz, e suau parlars
ab selas de lur mezura

E sil ab los fers luzens
de l'altrui dreit enriquitz,
qui viran tost la cervitz
lai on tanh aculhimens,
son vila per pla uzatge,
e totz hom pros que-ls mante
ahuntis paratg'e se
e, si tot no m'es salvatge,
car ab lor no-m sui molhatz
de la pluieia que s'espars,
no-m platz lor vilaneiars,
on ilh me fan car'escura.

pour ce qui à Paratge convient.
Ainsi donc, l'héritier
détenant le fief qui lui sert de demeure,
s'il ne le conserve point, comment veut-il faire partie
des preux ? Il conviendra qu'il mette toutes ses pensées
à faire ce qui améliore la valeur courtoise.

Or donc un homme fourbe, médisant,
parjure, avare, grossier,
ignorant, factice
puisque il règne par duperie,
beau parleur et plein d'excès
puisque il méprise Paratge,
je voudrais bien savoir pourquoi
il voudrait détenir quelque seigneurie
quand il ne sait pas même d'où il vient.
Car bon mérite courtois est plus précieux encore
puisque un avare ne sait pas l'acheter ;
et il en vient à reprocher les bienfaits d'autrui.

Et pour les dames, il en va de même :
leur bon mérite fut entendu
et apprécié de tout le monde,
et les vigoureux lignages d'antan
les honoraient
et leur offraient loyaux services,
tandis que ceux-ci ont jeté tout cela au néant,
le considérant comme imbécilité.
Qui voudrait les côtoyer
alors que fourbes médisances et moqueries
leur plaisent, tout comme de parler à voix basse
en secret, de leurs intimes.

Et ceux qui, avec leur quincaille luisante,
enrichis (du) droit des autres,
se tournent vite, inclinés[11] du côté
où l'accueil leur convient bien
sont vils, selon le bon usage,
et tout homme qui les soutient
se couvre de honte, et en couvre Paratge,
et, si de tout cela je ne deviens pas farouche,
c'est qu'avec eux je ne me suis point mouillé
sous une même pluie qui éclabousse :
je n'aime pas leur manières vulgaires
et pour cela, ils me dédaignent.


## 5. E L'ABAS DE CISTELS
### Cançon de la crosada (primièr part)
### Guilhem de Tudèla

## 5. ET L'ABBE DE CITEAUX
### Chanson de la croisade (première partie)
### Guilhem de Tudela


### Vers 4

E l'abas de Cistels, cui Dieus amava tant,
que ac nom fraire Arnaut, primier el cap denant,
a pe et a caval anavan disputant

### Lais 4

Et l'abbé de Cîteaux que Dieu aimait tant,
il avait pour nom Frère Arnaud, au devant de tous les
autres,

| | |
|---|---|
| Thus, if the man who has inherited<br>the fief which is his home,<br>does not keep it, how can he aspire<br>to be one of the valiant? The improvement<br>of courtly love should be his only thought. | para sostener nobleza.<br>Y así quien tiene heredad<br>y que el feudo a su cuidado<br>no sirve, ¿cómo será<br>de los valientes? Que piense siempre<br>en hacer lo que aumenta su mérito. |
| Now, therefore, a perfidious false-speaking man,<br>who lies, is mean and coarse,<br>ignorant and false<br>since he reigns by fooling others,<br>speaking fine words and filled with excess<br>since he holds Peerage in contempt ,<br>I would dearly like to know why<br>he wishes to hold lands<br>when he does not even know where he comes from.<br>For good courtly merit is still more precious<br>and cannot be bought by a miser;<br>who comes to reproach others for their good deeds. | Por ello un hombre falso, calumniador,<br>perjuro, avaro, grosero<br>ignorante, embaucador,<br>pues gobierna con embustes,<br>lisonjero y ultrajante,<br>pues desprecia la nobleza,<br>quisiera saber por qué<br>un señorío querría<br>si dónde nació no sabe.<br>Porque el buen mérito es tanto más precioso<br>por cuanto el avaro no sabe comprarlo,<br>pero lamenta buenos actos ajenos. |
| And 'tis the same for the ladies:<br>their good merit was heard<br>and appreciated by everyone,<br>and the strong lineages of ancient times<br>honoured them<br>and offered them loyal service,<br>whereas the latter men threw all that away,<br>and considered it stupid.<br>Who would wish to mix with them,<br>perfidious men who love<br>speaking ill of others and mocking them,<br>like speaking softly or secretly about their friends. | Y de las damas lo mismo:<br>fue su buen mérito oído<br>y apreciado en todo el mundo<br>y le rindieron honores<br>y ofrecieron vasallaje<br>grandes linajes de antaño,<br>que han convertido ya en nada<br>y tienen por necedad.<br>Quién querría frecuentarlos,<br>si falso rumor y burla<br>les placen, y el hablar bajo<br>en secreto de negrura. |
| And those who, with their shining armour,<br>enriched with what belongs to others,<br>turn quickly[11] towards the side<br>whose welcome suits them,<br>are wicked, according to good custom,<br>and any man who supports them<br>covers himself, and Peerage, with shame,<br>and if all that has not made me wild,<br>it is because I have not been soaked<br>in the same rain that has splashed them:<br>I do not like their vulgar ways<br>and for that they despise me. | Y esos con los metales lucientes<br>enriquecidos con derecho ajeno,<br>que se vuelven enseguida[11]<br>hacia donde conviene acogida,<br>son viles según uso común,<br>y el hombre noble que los sostiene<br>deshonra a la nobleza y a sí,<br>y, si ello no me es penoso,<br>pues con ellos no me mojo<br>bajo la lluvia que cae,<br>no me placen sus bajezas,<br>y me miran con encono. |

## 5. AND THE ABBOT OF CITEAUX
### Song of the Cathar Wars (Part One)
**Guilhem de Tudela**

**Laisse 4**
And the abbot of Citeaux, beloved of God,
Brother Arnaut by name, leading all
on foot and horseback, went to dispute

## 5. Y EL ABAD DE CÎTEAUX
### Canción de la cruzada (primera parte)
**Guilhem de Tudela**

**Canción 4**
Y el abad de Cîteaux, que Dios amaba tanto,
de nombre fray Arnaud, primero ante todos,
a pie y a caballo, partió a disputar

e lo fièu, que li servís d'ostal,
se non lo serva, cossí vòl far part
dels proses ? Mas tot li serà de pensar
de far çò que melhora Prètz.

E donc un òme fals, maldisent,
perjur, avar, calhòl,
desconeissent, apostís
estant que règna amb trichariá,
parlassejaire e plen d'excèsses
estant que mescrei tot Paratge,
voldriái ben saber perqué
vòl aver una senhoriá
quand sap pas d'ont ven, solament.
Car bon Prètz es mai car encara
estant qu'un avar lo sap pas crompar ;
e mai rencura los ben-faits dels autres.

E per las dònas, es çò meteis :
lor bon Prètz foguèt ausit
e grasit de tot lo mond,
e los fòrts linhatges d'abans
las onoravan
e lor mostravan grand vasselatge,
mentre qu'aicestes an sacat tot aiçò al non-res,
o tenent per necitge.
Qual voldriá los costejar
quand falsas maldisenças e trufariás
lor plason, e tanben de parlar bais
en secret, de lor intims.

E los aigaits baissats[11] qu'amb lor fers lusents,
enriquesits (del) dreit dels autres,
se viran lèu, clinats[12] del costat
que lor conven ben l'acuèlh
son vils, de pel bon usatge,
e tot òme que los manten
se cobrís de vergonha, e Paratge tanben,
e, se de tot veni pas salvatge,
es qu'amb elas me soi pas molhat
de la pluèja que resquita :
me plai pas lor mal anar
e per aiçò me desdenhan.

el feu que li serveix de casa,
si no el conserva, com vol formar part
dels valents? Haurà de dedicar-se
a millorar el seu valor cortès.

Heus un home fals, malparlant,
perjur, avar, groller,
ignorant, farsant,
puix domina per engany,
llenguerut i excessiu,
puix menysprea Paratge,
que jo voldria saber perquè
vol detenir cap senyoria
quan ni tan sols sap on fou nat.
Car és més preciós el mèrit cortès
perquè un avar no el sap comprar
però ve a reprendre les bones obres d'altri.

Qui voldria intimar-hi
quan les falses dites i burles
els agraden, com xiuxiueigs
en secret, de ses intimitats.
I en les dames és el mateix:
el seu mèrit és percebut
i apreciat per tothom
i els forts llinatges d'abans
les honraven
i hi oferien lleials serveis,
mentre aquests tot ho llencen al no-res,
tenint-ho per una fotesa.

I aquests, que amb tanta lluentor
dels drets d'altri s'han enriquit,
es giren ràpid, girats[11] de cantó
cap on tenen bona acollida
i són vils, segons l'usatge,
i tothom que els suporta
es cobreix de vergonya, ells i Paratge,
i si tot això no em torna ferotge,
és que amb ells no m'he mullat gens
sota la mateixa pluja que esquitxa:
no m'agraden llurs formes vulgars
i per això em desdenyen.

## 5. E L'ABAT DE CISTÈL
### Cançon de la crosada (primièr part)
### Guilhem de Tudèla

**Vèrs 4**

E l'abat de Cistèl que Dieu aimava tant,
lo disián fraire Arnaut, en davant de totes los autres,

## 5. L'ABAT DE CÎTEAUX
### Cançó de la Croada (primera part)
### Guillem de Tudela

**Vers 4**

L'abat de Cîteaux, a qui Déu estimava tant,
que es deia frare Arnau, al capdavant dels legats,

innehat, das ihm als Heim dient,
wie soll er zu den Tapferen gehören,
wenn er es nicht hält? Trachten muss er
nach der Besserung seiner höfischen Tugend.

Und ein falscher, übel nachredender Mann,
meineidig, habgierig, grob,
unwissend, falsch,
da er durch Täuschung gebietet,
geschwätzig und überschwänglich,
denn er verachtet Paratge;
gerne würde ich wissen,
wie er denn je herrschen will,
wenn er nicht mal seinen Ursprung kennt,
denn die höfische Tugend ist noch wertvoller,
da ein Geiziger sie nicht kaufen kann,
aber die guten Taten Anderer rügt.

So ist es auch bei den Damen:
Ihr Verdienst wird von Allen
verstanden und geschätzt,
und die starken Geschlechter
ehrten sie früher
und boten ihnen treue Dienste,
während diese alles ins Nichts werfen,
da sie es als einfältig betrachten.
Wer will schon mit ihnen verkehren,
wenn sie an übler Nachrede und Hohn
und geheimem Geflüstere
über Vertrauliches Gefallen finden.

Und diese, die mit glänzendem Zeug
sich mit den Rechten Anderer bereicherten,
wenden sich schnell, zur Seite geneigt[11],
wo sie mit größerer Gunst empfangen,
und nach dem Brauch sind sie verächtlich,
so wie alle, die sie unterstützen,
sich und Paratge schänden;
und wenn mich dies nicht zum Zorn treibt,
so dann, weil ich nicht mit ihnen
vom selben Regen angespritzt werde.
Ihre gemeine Art mag ich nicht,
und daher verachten sie mich.

del feudo ove egli dimora
non lo conserva, come vuole
fare parte dei prodi? Metta ogni cura
nel far ciò che aumenta il suo merito.

Or dunque un uomo falso, maldicente,
spergiuro, avaro, grossolano,
ignorante, posticcio
poiché regna per imbroglio,
pieno di lusinghe e superbia
poiché disprezza Paratge,
io vorrei sapere perché
vorrebbe possedere una signoria,
quando neanche sa da dove viene.
Poiché il buon merito è assai più prezioso,
ed un avaro non sa acquistarlo;
ma intanto biasima i benefici altrui.

E per le dame è la stessa cosa:
il loro buon merito era compreso
e apprezzato da tutti,
e i vigorosi nobili di un tempo
le onoravano, e offrivano
leali servizi. Questi, invece,
hanno gettato tutto ciò tra i rifiuti,
considerandolo stupidità.
Chi li vorrebbe come amici,
se amano le sleali maldicenze
e deridere, e parlare sottovoce,
in segreto, dei loro intimi.

Essi, con la loro ferraglia lucente,
arricchiti sul diritto degli altri,
pronti nel volgersi[11] dalla parte
dove trovano accoglienza migliore,
sono meschini rispetto alle buone
maniere, e chi li sostiene
offende Paratge e se stesso.
E se per questo non divento furioso,
è perché non mi bagno con loro,
inzaccherandomi sotto la stessa pioggia.
Non amo i loro modi volgari,
e per ciò essi mi disdegnano.

## 5. DER ABT VON CÎTEAUX
### Canso de la Crozada (1. Teil)
### Guillem de Tudela

**Strophe 4**
Der Abt von Cîteaux, den Gott so sehr liebte,
der sich Bruder Arnold nannte und allen Legaten

## 5. E L'ABATE DI CÎTEAUX
### Canzone della crociata (prima parte)
### Guilhem de Tudela

**Canzone 4**
E l'abate di Cîteaux, che Dio amava tanto
e si chiamava Frate Arnaldo, davanti a tutti,

contra-ls felos eretges, qui eran mescrezant;
E-ls van de lors paraulas mot fortment encausant,
mans eli no n'an cura ni no-ls prezo niant.
Peire del Castelnou es vengutz ab aitant
ves Rozer en Proensa ab so mulet amblant :
Lo com-e de Toloza anet escumenjant,
car mante los roters que-l païs van raubant.
Ab tant us escudiers, qui fo de mal talant,
per so qu'el agues grat del comte an avant,
l'aucis en traïcio dereire en trespassant,
e-l ferit per la esquina am son espeut trencant:
E pueish si s'en fugit am son caval corant
El fenic en apres, a l'alba pareichant.
L'arma s'en es aleia al Paire omnipotant;
A Sant Gili-l sosterran ab mot ciri ardant,
e am mot *Kyrieleison* que li clerc van cantant.

à pied ou à cheval, aller se disputer
avec les félons hérétiques, qui étaient mécréants ;
ils vont, de leur paroles, argumenter avec force,
mais nul d'entre eux n'en fit cas, on les dénia même.
Pierre de Castelnau vint, de même manière
vers le Rhône, en Provence, avec son mulet amblant :
il venait d'excommunier le Comte de Toulouse
qui protégeait les routiers[12] passant leur temps à piller le pays.
Alors un écuyer, animé de mauvaises intentions,
parce qu'il avait envie de plaire à son Comte,
tua (Peire de Castelnau) par traîtrise, le prenant à revers,
il le frappa dans le dos avec son épieu tranchant :
et puis il prit la fuite sur son cheval au galop
L'aube paraissait lorsqu'il s'éteignit.
Son âme s'en alla au Père omnipotent.
A Saint Gilles on l'ensevelit avec maints cierges brûlants
et beaucoup de « Kyrie Eleison » que chantèrent les clercs.

## 6. NOUS EXHORTONS

« Nous exhortons à tous ceux qui sont animés par le zèle de la foi catholique à venger le sang du juste qui élève de la terre un appel incessant jusqu'à ce que le Dieu des vengeances descende du ciel sur la terre.

En avant, chevaliers du Christ ! En avant, courageuses recrues de l'armée chrétienne ! Que l'universel cri de douleur de la sainte Eglise vous entraîne ! Qu'un zèle pieux vous enflamme pour venger une si grande offense faite à votre Dieu ! Depuis le meurtre de ce juste, l'Eglise de ce pays reste sans consolateur, assise dans la tristesse et dans les larmes. La foi, dit-on, s'en est allée, la paix est morte, la peste hérétique et la rage guerrière ont pris des forces nouvelles : la barque de l'Eglise est exposée à un naufrage total si dans cette tempête inouïe on ne lui apporte un puissant secours. C'est pourquoi nous vous prions de bien entendre nos avertissements, nous vous exhortons avec bienveillance, nous vous enjoignons avec confiance au nom du Christ, devant un tel péril nous vous promettons la rémission de vos péchés afin que sans tarder vous portiez remède à de si grands dangers. Efforce-vous de pacifier ces populations au nom du Dieu de paix et d'amour. Appliquez-vous à détruire l'hérésie par tous les moyens que Dieu vous inspirera. Avec plus d'assurance encore que les Sarrasins car ils sont plus dangereux, combattez les hérétiques d'une main puissante et d'un bras étendu. Dépouillez-les de leurs terres afin que les habitants catholiques y soient substitués aux hérétiques éliminés et, conformément à la discipline de la foi orthodoxe qui

## 6. NOUS EXHORTONS

« Nous exhortons à tous ceux qui sont animés par le zèle de la foi catholique à venger le sang du juste qui élève de la terre un appel incessant jusqu'à ce que le Dieu des vengeances descende du ciel sur la terre.

En avant, chevaliers du Christ ! En avant, courageuses recrues de l'armée chrétienne ! Que l'universel cri de douleur de la sainte Eglise vous entraîne ! Qu'un zèle pieux vous enflamme pour venger une si grande offense faite à votre Dieu ! Depuis le meurtre de ce juste, l'Eglise de ce pays reste sans consolateur, assise dans la tristesse et dans les larmes. La foi, dit-on, s'en est allée, la paix est morte, la peste hérétique et la rage guerrière ont pris des forces nouvelles : la barque de l'Eglise est exposée à un naufrage total si dans cette tempête inouïe on ne lui apporte un puissant secours. C'est pourquoi nous vous prions de bien entendre nos avertissements, nous vous exhortons avec bienveillance, nous vous enjoignons avec confiance au nom du Christ, devant un tel péril nous vous promettons la rémission de vos péchés afin que sans tarder vous portiez remède à de si grands dangers. Efforce-vous de pacifier ces populations au nom du Dieu de paix et d'amour. Appliquez-vous à détruire l'hérésie par tous les moyens que Dieu vous inspirera. Avec plus d'assurance encore que les Sarrasins car ils sont plus dangereux, combattez les hérétiques d'une main puissante et d'un bras étendu. Dépouillez-les de leurs terres afin que les habitants catholiques y soient substitués aux hérétiques éliminés et, conformément à la discipline de la foi orthodoxe qui

with the felonious heretics and miscreants;
Armed with words, they argued with force,
but none would listen and even called them false.
Pierre Castelnau in like manner also came
to the Rhone in Provence, riding on his mule;
he had excommunicated the Count of Toulouse
for protecting the bandits[12] who looted the land.
Suddenly, a squire of evil intent,
In his eagerness to curry favour with the count,
treacherously drew near and slayed him,
piercing his back with his sharp sword:
Then he galloped away on his horse
and then, at dawn of day, he died.
To the Father almighty his soul did fly;
he was buried at Saint Giles with candles all around,
and many a *Kyrie eleison* sung by priests did sound.

con felones herejes, que eran descreidos;
mucho discutieron con palabras,
pero nadie hizo caso e incluso las negaron.
Pierre Castelnau llegó de esa misma manera
al Ródano en Provenza, con su amblante mulo:
de excolmulgar venía al conde de Tolosa,
protector de bandidos[12] que la región saquean.
De pronto un escudero, lleno de taimería,
para ganarse así la gratitud del conde
al pasar junto a él lo mató a traición
y lo hirió en la espalda con su espada cortante.
Y después escapó con caballo al galope (…)
Y falleció después, al despuntar el alba.
Partió su alma al Padre omnipotente;
En Saint-Gilles lo enterraron con multitud de cirios,
y muchos *Kyrie eleison* que cantaron los clérigos.

## 6. WE EXHORT

## 6. EXHORTAMOS

"We exhort all those who are moved by the zeal of the Catholic faith to avenge the blood of the righteous one which incessantly appeals for the God of vengeance to descend from heaven to earth.

«Exhortamos a todos cuantos están animados por el celo de la fe católica a vengar la sangre del justo que alza desde la tierra una llamada incesante hasta que el Dios de las venganzas descienda del cielo sobre la tierra.

"Forward then, Christian knights! Forward, courageous recruits of the Christian army! May the universal cry of distress of the Holy Church lead you along! May a pious zeal set you on fire to avenge so great an offence against your God! The murder of the just one has left the Church of this country plunged in sadness and tears, with none to console her. They say that the faith has departed, peace is dead, and the plague of heresy and the warring fury have regained new strength: the ship of the Church will suffer total shipwreck unless it receives strong help in this unprecedented storm. This is why we ask you to give heed to our warnings, we exhort you with kindness, we order you with confidence in the name of Christ, in the face of such peril we promise the remission of your sins, so that you may thwart such great dangers without delay. Make every effort to pacify these populations. Be diligent to destroy the heresy by any means God will inspire you to use. With greater assurance than with the Saracens, since they are more dangerous, fight the heretics with a mighty hand and an outstretched arm. As far as the Count of Toulouse is concerned, who seems to have made an alliance with death without considering his own, if by any chance torment can give him understanding, and if his face covered with ignominy starts to implore the name of God, continue to lay threats on him until he satisfies us, the

»¡Adelante, caballeros de Cristo! ¡Adelante valientes soldados del ejército cristiano! ¡Que el universal grito de dolor de la santa Iglesia os arrastre! ¡Que un celo piadoso os inflame para vengar una ofensa tan grande hecha a vuestro Dios! Desde el asesinato de ese justo, la Iglesia de este país permanece sin consolador, sentada en la tristeza y las lágrimas. La fe, según se dice, se ha ido, la paz está muerta, la peste herética y el furor guerrero han adquirido fuerzas nuevas: la nave de la Iglesia está expuesta a un naufragio absoluto si no se le presta poderoso auxilio en esta tormenta nunca vista. Por ello os rogamos a atender nuestras advertencias, os exhortamos con benevolencia, os ordenamos con confianza en el nombre de Cristo, ante semejante peligro os prometemos la remisión de los pecados para que sin tardanza pongáis remedio a tan grandes peligros. Esforzaos por pacificar esas poblaciones en el nombre del Dios de paz y amor. Aplicaos a destruir la herejía por todos los medios que Dios os inspire. Con más decisión aun que los sarracenos porque son más peligrosos, combatid a los herejes con mano poderosa y brazo extendido. Despojadlos de sus tierras para que los habitantes católicos sustituyan a los herejes eliminados y, de conformidad con la disciplina de la fe ortodoxa que es la vuestra, sirvan en presencia de Dios en la

de pè o de cavalhon, anavan en se disputir
amb los felons erètges, qu'èran de mescresents ;
los van, de lors paraulas, argumentar amb fòrça,
mas totes plan se'n chautèron, amai los deneguèron.

Pèire de Castèlnòu venguèt, del meteis biais
cap a Ròse, en Provença, amb son muòl amblant :
veniá d'escumenjar lo Comte de Tolosa
qu'aparava los rotièrs[13] qu'anvan raubant lo país.

Alara un escudièr, animat de mala intencion,
per çò qu'el aguès enveja d'agradar al sieu Comte,
tuèt (Pèire de Castèlnòu) per traitesa, lo prenent per
darrièr,
lo truquèt per l'esquina amb son espieut trencant :
e puèi s'enfugiguèt amb son caval corrent.
L'alba èra de parèisser quora s'amortèt el.
Son arma se n'anèt al Paire omnipotent.
A Sant Gèli lo sebeliguèron amb mants ciris brandants
amb fòrça « Kyrie Eleison » que cantèron los clèrgues.

bé a peu, bé a cavall, anava disputant
contra els fellons heretges, que eren uns descreguts.
Ells els van encausar molt durament,
però els altres no els atenen i els menystenen.

Així que Pere de Castellnou se n'ha vingut
cap a Provença, a la vora del Roine, amb mul amblant.
El comte de Tolosa excomunicà,
car manté els roders[12] que el país van barrejant
En això un escuder, de mal talent,
per guanyar-se el favor del comte,
el va matar [Pere de Castellnou] a traïció, en travessar-li
per l'esquena la columna amb el seu esmolat dard.
Després se'n va fugir amb el seu cavall corrents
Quan van combregar, a l'hora que canta el gall,
ell morí després, a trenc d'alba.
L'ànima se'n va anar a Déu omnipotent,
i a Sant Geli en soterraren el cos, amb molts ciris
cremant,
i força Kirie eleison, que els clergues anaven cantant.

## 6. EXORTAM

« Exortam totes los que lo zèl de la fe catolica anima a
venjar la sang del just qu'enaira de la tèrra una crida
contunha fins que lo Dieu de las venjanças davale del cèl
sus la tèrra.
Fai tirar, cavalièrs del Crits ! Cap abans, recrutas
coratjosas de l'armada crestiana ! Que lo siscal universal
de la dolor de Santa Glèisa vos empòrte ! Qu'un zèl piós
vos abrande per venjar tan granda ofensa faita al Dieu
vòstre ! Dempuèi lo murtre d'aqueste just, la Gleisa
d'aquel país demòra sens consolador, sietada dins la
tristesa e dins las lagremas. La fe, çò se ditz, s'es enanada,
la patz es mòrta, la rèba eretica e la ràbia guerrejaira an
presas fòrças novèlas : la barca de la Gleisa es butada al
naufragi complit se, dins aquesta tempèsta inausida se vei
pas poderosament secorrida. Es per aiçò que vos pregam
de plan entendre los nòstres avertiments, vos exortam amb
benevolença, vos enjonhèm amb fisança, al nom del Crist,
davant tal perilh vos prometèm de remettre los vòstres
pecats, per que remediètz sens tardar a tan grands dangièrs.
Esforçatz-vos de pacificar aquelas populacions al nom del
Dieu de patz e d'amor. Aplicatz-vos a destrusir l'eretgia
amb totes los biaisses que Dieu vos inspirarà. Amb mai
d'assegurança encara que los sarrasins, ja que son mai
dangieroses, combatètz los erètges d'una man poderosa e
d'un braç espandit. Despolhatz-los de las lors tèrras, que
substituïscatz d'estajants catolics als erètges erradicats e
que, conformadament a la disciplina de la fe ortodòxa

## 6. EXHORTEM

Exhortem tots aquells que són animats pel zel de la fe
catòlica a venjar la sang del just que eleva de la terra una
crida incessant fins que el Déu de les venjances baixa del
cel a la terra.
Endavant, cavallers de Crist! Endavant, coratjosos reclutes
de l'exèrcit cristià! Que el crit universal de dolor de la
santa Església us arrossegui! Que un zel piadós us arbori
per venjar una ofensa tan gran feta al vostre Déu! Després
de l'assassinat del just, l'Església d'aquest país resta sense
consol, presa per la tristesa i per les llàgrimes. La fe, hom
diu, se n'ha anat, la pau és morta, la pesta heretge i la fúria
guerrera han pres noves forces: la barca de l'Església es
troba exposada a un naufragi total si en aquesta tempesta
mai vista no li prestem potent auxili. Per això, us
demanem d'escoltar les nostres advertències, us exhortem
amb benevolència, us comminem amb confiança en nom
de Crist, davant d'aquest perill us prometem la remissió
dels vostres pecats perquè sense torbar-vos poseu remei a
perills tan grans. Esforceu-vos en pacificar aquestes
poblacions en nom del Déu de la pau i de l'amor.
Esmerceu-vos en destruir l'heretgia per tots els mitjans
que Déu us inspirarà. Amb encara més determinació que
contra els sarraïns, combateu els heretges amb mà ferma i
braç estès, car són més perillosos. Desposseïu-los de llurs
terres perquè els habitants catòlics hi substitueixin els
heretges eliminats i, d'acord amb la disciplina de la fe

vorstand,
bekämpfte zu Fuß oder zu Pferde
die widerspenstigen, ungläubigen Ketzer.
Mit ihren Worten redeten sie kräftig auf sie ein,
wurden jedoch nicht erhört und nur verhöhnt.
So kam Peire de Castelnau an die Rhone
in der Provence auf Maultier im Passgang.
Den Grafen von Toulouse verbannte er,
denn er erhielt die Routiers[12], die das Land plagten.
Um die Gunst des Grafen zu erheischen,
tötete ihn [Peire de Castelnau] ein böswilliger
Gefolgsmann
aus dem Hinterhalt, indem er ihm
einen scharfen Speer in den Rücken rammte.
Im Morgengrauen starb er dann.
Die Seele stieg zu Gott dem Allmächtigen auf,
den Körper begrub man zu Saint Gilles mit vielen
brennenden Kerzen
und großem „Kyrie eleison", das die Priester sangen.

a piedi o a cavallo, andava a combattere
i felloni eretici, che erano miscredenti.
Delle loro dottrine, essi argomentano con forza,
ma nessuno in mezzo a loro ci fa caso, e neppur li
contraddice.
Pietro di Castelnau venne, parimenti,
verso il Rodano, in Provenza, col suo mulo all'ambio.
Aveva appena scomunicato il Conte di Tolosa,
che proteggeva i predoni[12] che saccheggiano il paese,
quando uno scudiero, animato da cattive intenzioni,
volendo compiacere il suo Conte,
lo uccise a tradimento, assalendolo di spalle,
lo colpì alla schiena col suo spiedo tagliente:
e poi prese la fuga a cavallo, al galoppo,
Quindi si spense, mentre appariva l'alba.
L'anima se ne andò al Padre onnipotente.
Fu sepolto a Saint Gilles tra molti ceri ardenti,
e molti "Kyrie Eleison" che cantarono i chierici.

## 6. WIR FORDERN

„Wir fordern all jene auf, die vom Eifer des katholischen Glaubens beseelt sind, das Blut des Gerechten zu rächen, der von der Erde einen unablässlichen Aufruf erhebt, bis der vergeltende Gott vom Himmel auf Erden absteigt.

Vorwärts, Ritter Christi! Auf, tapfere Kämpfer des Christenheeres! Möge der allgemeine Schmerzensschrei der heiligen Kirche euch mitreißen, der fromme Eifer euch treiben, um diese so große Schmach zu rächen, die an eurem Gott begangen wurde! Nach dem Mord an diesem Gerechten hat die Kirche in diesem Land, befallen von Trauer und Tränen, keinen Trost. Der Glaube, so sagt man, ist gegangen, der Friede ist tot, die Ketzerplage und die kriegerische Wut haben neue Kraft geschöpft. Das Boot der Kirche ist einem vollständigen Schiffbruch ausgesetzt, wenn in diesem unerhörten Sturm keine mächtige Rettung ihm zu Hilfe eilt. Daher bitten wir euch, unseren Mahnungen Gehör zu schenken, fordern euch mit Wohlwollen auf, laden euch mit Vertrauen im Namen Christi, versprechen euch angesichts solcher Not den Ablass eurer Sünden, damit ihr dieser großen Gefahr unverzüglich Abhilfe schafft. Bemüht euch, dieses Volk im Namen des Gottes des Friedens und der Liebe zu befrieden. Strengt euch an, die Häresie mit allen Mitteln, die euch Gott einflößt, zu zerstören. Mit größerer Entschlossenheit als gegen die Sarazenen bekämpft die Ketzer, denn sie sind noch gefährlicher, mit strenger Hand

## 6. NOI ESORTIAMO

"Noi esortiamo tutti coloro che sono animati dallo zelo per la fede cattolica a vendicare il sangue del giusto che alza della terra un appello incessante finché il Dio delle vendette non discenda dal cielo sulla terra.
Avanti, cavalieri di Cristo! Avanti, coraggiose reclute dell'esercito cristiano! L'universale grido di dolore della santa Chiesa vi trascini! V'infiammi un zelo devoto per vendicare una così grande offesa fatta al vostro Dio! Dal momento dell'omicidio di questo giusto, la Chiesa di questo paese resta senza consolazione, abbattuta nella tristezza e nelle lacrime. La fede, si dice, se ne è andata, la pace è morta, la peste eretica e la rabbia guerriera hanno preso nuove energie: la barca della Chiesa è esposta a un totale naufragio se in questa tempesta inaudita non le si porta un potente soccorso. È per questo che vi preghiamo di intendere bene i nostri avvertimenti, vi esortiamo con benevolenza, vi ingiungiamo con fiducia in nome di Cristo – e davanti ad una tale minaccia vi promettiamo la remissione dei vostri peccati – che senza tardare portiate rimedio a così grandi pericoli. Sforzatevi di pacificare queste popolazioni con il nome del Dio di pace e di amore. Impegnatevi a distruggere l'eresia con tutti i mezzi che Dio vi ispirerà. Con maggiore prudenza ancora che con i Saraceni, perché sono più pericolosi, combattete gli eretici con mano potente e braccio disteso. Spogliateli delle loro terre, affinché gli abitanti cattolici si sostituiscano agli eretici eliminati e, conformemente alla disciplina della

est la votre, servent en présence de Dieu dans la sainteté
et dans la justice. »

est la votre, servent en présence de Dieu dans la sainteté
et dans la justice. »

**V  La Croisade contre les Albigeois :
1209-1229**

**V  La Croisade contre les Albigeois :
1209-1229**

### 7. CANT L'APOSTOLIS SAUB
**Cançon de la crosada (primièr part)
Guilhem de Tudèla**

### 7. QUAND LE PAPE LE SUT
**Chanson de la Croisade (première partie)
Guilhem de Tudèla**

**Vers 5**
Cant l'apostolis saub, cui hom ditz la novela,
que sos legatz fo mortz, sapchatz que no-lh fo bela :
De mal talent que ac, se tenc a la maichela ;
E reclamet sant Jacme, aisel de Compostela[...]
[...] dont motz homes so mortz fendutz per la büela
et manta rica dona, mota bela piuzela,
Que anc no lor remas ni mantels ni gonela.
De lai de Monpeslier entro fis a Bordela
o manda tot destruire, si vas lui se revela.

**Lais 5**
Quand le pape le sut, quand on lui communiqua la nouvelle,
comme quoi son légat avait été tué, sachez qu'elle ne lui fut
point bonne :
il s'en sentit si mal que, que les mains sur sa bouche,
il réclama Saint Jacques, celui de Compostelle [...]
[...] vers tant d'hommes morts, pourfendus, étripés,
et tant de hautes dames, de belle demoiselles (…)
à qui il ne resta ni robe ni manteau.
Depuis Montpellier jusqu'à Bordeaux,
(le conseil) envoie tout détruite,
dès que ça semble résister.

**Vers 6**
Mais l'abas de Cistel, qui tenc lo cap enclin,
S'es levatz en estans, latz un pilar marbrin,
E ditz a l'apostoli: "Senher, per sant Martin!
Trop fam longa paraula d'aiso e lonc traïn;
Car faitz far vostras cartas e escriure en latin
Aitals cum vos plaira, q'ieu me met'en camin,
e trametre en Fransa e per tot Lemozi
per Peitau, per Alvernha, tro en Peiragorzin;
E vos faitz lo perdo de sa tot atersi
per tratosta la terra e per tot Costantin;
E qui no's crozara ja no beva de vin
ni mange en toalha, de ser ni de matin,
ni ja no viesca drap de carbe ni de lin,
ni no sia rebost, si mor, plus qu'un mastin."
En aquest mot s'acordo tuit, can venc a la fin,
al cosselh que lor dona.

**Lais 6**
Mais l'abbé de Cîteaux, qui se gardait la tête inclinée,
se redressa totalement, près d'un piler en marbre,
et dit à l'apôtre[13] : « Seigneur, par saint Martin !
nous parlons trop de cela, et nous perdons du temps ;
faites faire vos cartes et écrire en latin,
comme cela vous plaira, que moi, je me mette en chemin,
(pour) les transmettre en France, et à travers tout le Limousin,
en Poitou, par l'Auvergne et jusqu'en  Périgord[14] ;
promettez l'indulgence[15] à travers tous ces domaines
et dans le monde entier jusqu'à Constantinople ;
que celui qui ne se croisera pas ne boive pas de vin,
ni ne mange à table sur une nappe, ni le soir ni le matin,
et qu'il ne se vête ni de chanvre ni de lin,
et qu'il ne soit, s'il meurt, enterré mieux qu'un chien. »
A de tels propos, tous s'accordèrent, une fois terminés,
sur le conseil qui leur donna.

### 9. LE BARNATGES DE FRANSA
**Cançon de la crosada (primièr part)
Guilhem de Tudèla**

### 9. LE BARNATGES DE FRANSA
**Chanson de la Croisade (première partie)
Guilhem de Tudèla**

**Vers 21-(22-23)**
Le barnatges de Fransa e sels de vas Paris,
e li clerc e li laic, li princeps e-ls marchis,

**Lais 21-(22-23)**
Tous les seigneurs de France, ceux des alentours de
Paris,

Church, and God. Drive him and his accomplices out of the tents of the Lord. Strip them of their land, so that Catholics may replace the eliminated heretics and serve in God's presence in holiness and justice according to the discipline of your orthodox faith."

santidad y la justicia.»

## V The Albigensian Crusade: 1209-1229

## V La cruzada contra los albigenses: 1209-1229

### 7. WHEN THE POPE KNEW
### Song of The Crusade (First Part)
### Guilhem of Tudela

### 7. CUANDO EL APÓSTOL SUPO
### Canción de la cruzada (primera parte)
### Guilhem de Tudèla

**Stanza 5**

When the Pope knew, when he heard the news
that his legate had been killed, you must know that he
did not consider it good news:
he was so badly affected that, hand on mouth
he called on Saint John of Compostella (...)
(...) to come to so many dead, stabbed and eviscerated men,
and so many high ladies and lovely damsels (...)
who now lack both dress and coat.
From Montpellier to Bordeaux,
is that anything which shows the slightest resistance
must be destroyed.

**Canción 5**

Cuando el apóstol [13]supo, al dársele la noticia,
que a su legado habían matado, sabed que no fue buena;
se sintió tan mal que se llevó las manos a la cara,
e invocó a Santiago, el de Compostela [...]
[...] hacia tantos hombres muertos, destripados
y tanta alta dama, mucha hermosa doncella,
a quienes no han quedado ni mantos ni gonelas.
Desde Montpellier hasta Burdeos
mandó destruirlo todo, si contra él se rebela.

**Stanza 6**

But the Abbot of Cîteaux, who kept his head bowed,
stood straight up near a marble pillar
and said to the apostle[13]: "Lord, in Saint Martin's name!
we are talking about that too much, and we are wasting time,
have your cards made and written in Latin,
as you wish, and I will set off,
(to) send them to France, and across the Limousin,
in Poitou, through Auvergne and as far as Périgord[14];
promise indulgence[15] throughout all those lands
and throughout the entire world as far as Constantinople;
and may no-one save Crusaders drink wine,
nor eat at table from a cloth, neither morning nor evening,
and may such a man wear neither hemp nor linen,
and if he dies may he be buried no better than if he were a dog.
Once he had concluded, everyone agreed with the advice he
gave them.

**Canción 6**

Mas el abad de Cîteaux, que mantenía la cabeza gacha,
se irguió del todo, junto a un pilar de mármol
y dijo al apóstol: «¡Señor, por san Martín!
Hablamos demasiado y perdemos el tiempo;
mandad hacer las cartas y escribir en latín,
tal como os plazca, para ponerme en marcha
y mandarlas por Francia y todo el Lemosín
por Poitou, Auvernia y hasta el Périgord;[14]
prometed la indulgencia[15] a toda vuestra hueste
a través de la tierra y hasta Constantinopla;
quien no se haga cruzado que nunca beba vino,
ni coma con mantel, de noche ni de día,
de cáñamo no vista ni tampoco de lino,
que no sea enterrado, muerto, mejor que un perro.»
Y con estas palabras, una vez acabadas,
coicidieron todos, y con su consejo.

### 9. ALL THE LORDS OF FRANCE
### Song of the Cathar wars (Part One)
### Guilhem de Tudela

### 9. TODOS LOS SEÑORES DE FRANCIA
### Canción de la cruzada (primera parte)
### Guilhem de Tudela

**Stanza 21**

All the lords of France and those near Paris,
the clerics and the lay folk, the princes and the
marquesses,

**Canción 21-(22-23)**

Todos los señores de Francia y los de en torno a París,
los clérigos y seglares, los príncipes y marqueses,

| OCCITAN | CATALÀ |
|---|---|
| qu'es vòstra, serviscan en preséncia de Dieu dins la santetat e dins la justícia.» | ortodoxa que és la vostra, serveixin en presència de Déu en la santedat i en la justícia. |

## V La crosada contra los Albigeses : 1209-1229

## V La croada contra els albigesos: 1209-1229

| | |
|---|---|
| **7. QUANT LO PAPA O SAUPÈT**<br>**Cançon de la Crosada (Primièr Part)**<br>**Guilhem de Tudèla** | **7. QUAN EL PAPA VA SABER**<br>**Cançó de la Croada (Primera Part)**<br>**Guillem de Tudela** |
| **Vèrs 5**<br>Quant lo papa o saupèt, que li diguèron la novèla,<br>que lo sieu légat èra estat tuat, sapchatz que non li foguèt bêla :<br>tant mal se'n sentiguèt que las mans sus la boca<br>reclamèt Sant Jacmes, lo de Compostèla (…)<br>(…) cap a mants òmes mòrts, asclats, desbudelats,<br>e mantas ricas dònas, mantas bèlas domaisèlas (…)<br>que lor demorèt pas ni mantèl ni rauba.<br>Dempuèi Montpelhièr fins a Bordèus<br>o manda tot destruire, tre que sembla de tene cap. (…) | **Vers 5**<br>Quan el papa va saber, perquè hom li va dir la nova,<br>que el seu llegat havia estat mort, heu de saber que no li va ser gens agradable.<br>Del mal talent que tingué, es va tapar la cara amb les mans<br>i va invocar sant Jaume, el de Compostel· la (…),<br>(..) perquè molts homes foren morts i esbudellats,<br>i moltes dones riques, molta bella poncella (…)<br>a qui no el va quedar ni mantell ni gonella.<br>Des de Montpeller fins a Bordeus<br>mana destruir tot el que contra ell es rebel· li. |
| **Vèrs 6**<br>Mas l'abat de Cistèl, que se teniá cap clinat,<br>se quilhèt plan dreit, prèp d'un pilar de marbre,<br>e çò diguèt a l'apostòli[14] : « Senhor, per sant Martin !<br>fasèm d'aiçò tròpas paraulas, e perdèm temps ;<br>fasètz far las vòstras cartas e escriure en latin,<br>coma aquò vos plairà, qu'ieu me meta en camin,<br>(per) las trasmetre en França, e per tot Limosin,<br>en Peitavin, per Auvernha e fins en Peirigòrd[15] ;<br>prometètz indulgéncia[16] per totes aquestes parçans<br>pel mond sancer fins a Constantinopòli ;<br>que lo que se crosarà pas bega pas de vin,<br>ni mange pas en taula sus toalha, ni de ser ni de matin,<br>ni se vestisca pas de cambe ni de lin,<br>ni siá pas sebelit, se se morís, mièlhs qu'un can.»<br>Sus talas paraulas s'acordèron totes, fin finala,<br>sul conselh que lor donèt. | **Vers 6**<br>Però l'abat del Císter, que mantenia el cap inclinat,<br>es redreçà del tot, prop d'un pilar de marbre,<br>i diguè a l'apòstol[13]: "Senyor, per Sant Martí!<br>N'estem parlant massa i perdem el temps;<br>feu fer vostres cartes i escriure-les en llatí,<br>com això us plaurà, que jo em faig al camí<br>a transmetre-les per França, a través de tot el Llemosí,<br>al Poitou, a Alvèrnia i fins al Perigord;[14]<br>prometeu la indulgència[15] per tots aquests dominis<br>i al món sencer fins a Constantinoble;<br>que qui no prengui la creu no begui vi<br>ni mengi a taula amb tovalles, ni al vespre ni al matí,<br>que no es vesteixi ni amb cànem ni amb lli,<br>ni que sigui, si es mor, enterrat millor que un gos."<br>Per a aquest propòsit, tots acataren, un cop acabats,<br>el consell que els donà. |
| **9. LA BARONALHA DE FRANÇA**<br>**Cançon de la crosada (primièr part)**<br>**Guilhem de Tudèla** | **9. ELS BARONS DE FRANÇA**<br>**CANÇÓ DE LA CROADA (PRIMERA PART)**<br>**Guillem de Tudela** |
| **Vèrs 21-(22-23)**<br>La baronalha de França, e los del ròdol de París,<br>los clèrgues e los laïcs, los princes e los marqueses, | **Vers 21-(22-23)**<br>Els barons de França i aquells dels voltants de París,<br>i els clergues i els laics, els prínceps i els marquesos, |

und ausgestrecktem Arm. Nehmt ihnen die Ländereien ab, damit die katholischen Bewohner an die Stelle der ausgerotteten Ketzer treten und im Einklang mit der Strenge des Kirchenglaubens, der der eure ist, in Anwesenheit Gottes in Heiligkeit und Gerechtigkeit dienen."

fede ortodossa che è la vostra, servano alla presenza di Dio nella santità e nella giustizia".

## V Der Kreuzzug gegen die Albigenser: 1209-1229

## V La crociata contro gli Albigesi: 1209-1229

### 7. ALS DER PAPST ES ERFUHR
Cançon de la Crosada (Erster Teil)
Guilhem de Tudela

### 7. QUANDO IL PAPA LO SEPPE
Canzone della crociata (prima parte)
Guilhem de Tudela

**Vers 5**

Als der Papst es erfuhr, da man ihm die Nachricht überbrachte, dass sein Legat getötet wurde, wisset, dass es ihm gar nicht gefiel.
So übel stimmte es ihn, dass er mit den Händen auf dem Mund den Heiligen Jakob von Compostella anrief [...]
[...] um zahlreiche Männer zu töten und entweiden sowie viele reiche Damen und schöne Fräulein [...]
denen gar Mantel und Hemd abgenommen wurde.
Von Montpellier bis nach Bordeaux
lässt er alles zerstören, das sich gegen ihn auflehnt.

**Canzone 5**

Quando il papa lo seppe, quando gli diedero la notizia che il suo legato era stato ucciso, sappiate che non la prese affatto bene:
si sentì così male che con le mani sulla bocca invocò San Giacomo, quello di Compostela [...]
[...] verso tanti uomini morti, fatti a pezzi, sventrati, e tante dame d'alto lignaggio, belle damigelle, cui non restarono vestiti né mantelli.
Da Montpellier fino a Bordeaux, tutto venga distrutto, di chi mai si ribella. [...]

**Vers 6**

Doch der Abt von Cîteaux, der sein Haupt neigte, richtete sich neben einer Marmorsäule vollends auf und sprach zum Apostel[13]: „Herr, beim heiligen Martin!
Zu viel sprechen wir darüber und verlieren Zeit;
lasst eure Briefe schreiben und auf Latein verfassen, wie es euch gefällt, da ich mich auf den Weg mache, um sie in Frankreich zu übermitteln, im ganzen Limousin, im Poitou, der Auvergne und bis ins Périgord[14];
versprechet den Ablass[15] in all diesen Gebieten sowie in der ganzen Welt bis nach Konstantinopel;
wer nicht zum Kreuz greife, soll keinen Wein trinken, zu Tisch auf keinem Tuch essen, weder abends noch morgens, sich weder in Hanf noch in Leinen kleiden, und nach dem Tod nicht besser als ein Hund begraben sein."
Nachdem dies zu Ende, fügten sich alle dem Rat, den er ihnen mitgab.

**Canzone 6**

Ma l'abate di Cîteaux, che teneva il capo inclinato, si alzò in piedi, presso un pilastro di marmo, e disse all'apostolo[13]: "Signore, per San Martino!
Parliamo troppo di questo, e perdiamo del tempo.
Fate fare le vostre carte ben scritte in latino, come vi piaccia. Io mi metto in cammino, a trasmetterle in Francia, e per tutto il Limosino, il Poitou, l'Alvernia e fino al Périgord[14].
Promettete l'indulgenza[15] in questi territori e nel mondo intero fino a Costantinopoli.
Chi non si farà il segno della croce non beva vino, né mangi su una tovaglia, né la sera né la mattina, e non si vesta di canapa né di lino, e non sia, quando muore, sepolto meglio di un cane".
Quando ebbe terminato queste parole, tutti concordarono sui consigli che aveva loro dato.

### 9. DIE HERREN FRANKREICHS
CANÇON DE LA CROSADA (ERSTER TEIL)
Guilhem de Tudela

### 9. TUTTI I SIGNORI DI FRANCIA
Canzone della crociata (prima parte)
Guilhem de Tudela

**Vers 21-(22-23)**

Die Herren Frankreichs und der Umgebung von Paris, Geistliche und Laien, Fürsten und Marquis,

**Canzone 21-(22-23)**

Tutti i signori di Francia, quelli dei dintorni di Parigi, i chierici e i laici, i principi e i marchesi,

e li un e li autre an entre lor empris
que a calque castel en que la ost venguis,
que no-s volguessan redre, tro que l'ost les prezis,
qu'aneson a la espaza e qu'om les aucezis ;
E pois no trobarian qui vas lor se tenguis
per paor que aurian e per so c'auran vist.
E si aiso no fos, ma fe vos en plevis,
ja no foran encara per lor forsa conquis.

les clercs et les laïcs, les princes et les marquis,
ensemble, d'un commun accord, convinrent
que quelque château que ce soit devant lequel se
présenterait l'ost
et qui ne voudrait pas se rendre, dès que l'ost l'aurait pris,
passerait au fil de l'épée, jusqu'à ce que tous, à l'intérieur,
y périssent ;
ensuite, ainsi, ils ne trouveraient plus personne qui leur
résistât
par peur qu'ils auraient eu de ce qu'ils auraient vu.
Et même, s'ils n'en avaient pas fait ainsi, par ma foi, je
vous en assure,
n'auraient pas encore été conquis par la force.

Quant sels lor o an tout, tug escrian a fais:
"A foc! a foc!" escrian li garzt tafur pudnais.
Que arseron la vila las molhers e·ls efans
E los velhs e los joves, e·ls clercs messa cantans,
que eran revestit, ins el mostier laians.

Quand (les barons) les eurent privés (de leur butin),
ils crièrent tous en masse ;
« En feu ! En feu ! » s'écrièrent ces misérables truands
puants […]
[…] qui brûlèrent la ville, et les femmes, et les enfants,
et les vieux et les jeunes, et les clercs chantant la messe
qui étaient revêtus, enfermés dans le monastère.

Per so son a Bezers destruit e a mal mis
que trastotz los aucisdron : no lor podo far pis.
E totz sels aucizian qu'el mostier se son mis,
que no-ls pot grandir crotz, autar ni cruzifis ;
E los clercs aucizian li fols ribautz mendics
e femnas e efans, c'anc no cug us n'ichis.
Dieus recepia las armas, si-l platz, en paradis !
C'anc mais tan fera mort del temps Sarrazinis
no cuge que fos faita ni c'om la cossentis.

C'est pour cela qu'à Béziers, ils détruisirent tout, ils mirent
tout à mal,
et ils tuèrent tout le monde, car il ne pouvaient leur faire
pire.
Et ils tuèrent aussi tous ceux qui s'étaient réfugiés dans le
monastère
car rien ne les protégea, ni croix, ni autel, ni crucifix ;
les ribauds, fous et avides de rapine, tuèrent les clercs,
les femmes, les enfants, et je crois que pas un seul n'en
réchappa.
Dieu reçoive leurs âmes, s'il Lui plait, au Paradis !
Je ne crois pas qu'il y aie jamais eu tuerie aussi sauvage,
du temps des Sarrasins[16]
ni même que nul n'y ait consenti alors.

## 10. QUASCUS PLOR E PLANH
## SON DAMPNATGE
**Guilhem Augier Novella (pel planh)**
**Giraut de Bornelh (per la musica)**

## 10. CHACUN PLEURE ET PLAINT SON
## DOMMAGE
**Guilhem Augier Novella (textes)**
**Giraut de Bornelh (textes)**

Quascus plor e planh son dampnatge,
sa malenans'e sa dolor.
Mais yeu las! N'aie mon coratge
tan gran ir'e tan gran tristor,
que ja mos jorns planh ni plorat
non aurai lo valent prezat,
lo pros Vescomte, que mortz es,
de Bezers, l'ardit e.l cortes,
lo gay e.l mielhs adreg e.l blon,
lo mellor cavallier del mon.

Chacun pleure et plaint son dommage,
sa malchance et sa douleur.
Mais moi, hélas ! J'en ai au cœur
si grande colère et si grande tristesse,
que jamais de mes jours, plaint ni pleuré
(assez) n'aurai-je, le vaillant, l'apprécié,
le preux vicomte de Béziers qui est mort,
le hardi et le courtois,
le gai, le plus adroit, le blond,
le meilleur chevalier du monde.

Mort l'an, et anc tan gran otrage
no vi hom ni tan gran error

Ils l'ont tué, et jamais on ne vit commettre ni aussi grand
outrage

| ENGLISH | CASTELLANO |
|---|---|
| together and of one accord agreed<br>that whenever troops approached a castle-town,<br>as soon as they took it, if the town would not surrender,<br>its inhabitants would all perish by the sword.<br>And thus no soul would dare resist,<br>for dread of all that they had seen.<br>And, upon my faith, had they not acted thus,<br>those lands would be unconquered yet by force. | unos y otros, en común acordaron<br>que todo castillo al que la hueste llegara<br>y no quisiera rendirse, cuando la hueste lo tomara,<br>sería pasado por la espada y a todos matarían;<br>Y así no hallarían quien se les resistiera<br>por el miedo que tendrían a lo que habían visto.<br>Y de no haber obrado así, por mi fe os aseguro,<br>que no habría sido su fuerza conquistada. |
| When they [the barons] had stripped them [of their booty],<br>they gave a shout:<br>"Raze it to the ground!" those filthy, wretched rogues cried<br>out (…)<br>(…) who burned the town, the women and their babes,<br>young men and old, and the priests who sang at mass<br>dressed in their vestments, within the monastery gates. | Cuando los despojaron, todos juntos gritaron:<br>«¡Fuego! ¡Fuego!», exclamaron esos viles truhanes (...)<br>(...) quemaron la ciudad, las mujeres y niños,<br>y los viejos y jóvenes, cantando misa los clérigos<br>con sus vestiduras, en el convento cerrados. |
| They took Béziers and razed it to the ground,<br>and for want of greater injury, they slaughtered all they<br>found.<br>They killed all those who, gathered in the monastery,<br>no help could find in cross, or altar or crucifix.<br>That mad and low-born rabble killed the priests,<br>and women and children, and none, I think, escaped.<br>Please God their souls be taken into paradise!<br>There cannot since the Sarracens[16] have been such slaughter<br>carried out with man's consent. | Pero eso Béziers destruyeron y arrasaron,<br>a todos mataron: no podían hacerles más daño.<br>Y mataron a cuantos se refugiaron en el monasterio,<br>que no les protegió cruz, altar ni crucifijo;<br>y a los clérigos mataron los locos ribaldos infames,<br>y a las mujeres y niños, que no creo que nadie escapara.<br>Que Dios reciba sus almas, si le place, en el Paraíso. |

| | |
|---|---|
| **10. EACH MAN WEEPS<br>AND MOURNS HIS LOSS**<br>**Guilhem Augier Novella (planh)**<br>**Giraut de Bornelh (music)** | **10. CADA CUAL LLORA Y LAMENTA<br>SU DAÑO**<br>**Guilhem Augier Novella (planh)**<br>**Giraut de Bornelh (música)** |
| Each man weeps and laments his loss,<br>his ill fortune and his woe.<br>But, alas, my heart is swollen<br>with such great rage and sorrow<br>that, even a lifetime's grief<br>and tears are not enough to mourn that brave,<br>beloved, noble viscount of Béziers,<br>the cheerful, dexterous, knight with golden hair,<br>the best the world has ever seen.[17] | Cada cual llora y lamenta su daño<br>su desgracia y su dolor.<br>Mas yo, ay, tengo en el corazón<br>tan gran ira y tan gran pena<br>que nunca habré lamentado ni llorado<br>en toda mi vida al valiente, apreciado<br>y noble vizconde, que muerto está,<br>de Béziers, el audaz y el cortés.<br>el alegre, el más diestro, el rubio,<br>el mejor caballero del mundo.[18] |
| They have killed him, and never was such outrage<br>nor such terrible wrong endured. | Lo han matado, y nunca tan gran ultraje<br>se vio ni tan gran error |

amassa, en plan s'i endevenir, convenguèron
que qualque castèl que foguès qu'endavant i venguès
l'òst
e que non s'i volguès rendre, tre que l'òst l'aguès pres,
passariá per l'espasa fins que totes endintre ne
moriguèssen ;
aprèp, aital, torbarián pas degun mai que resistiguès
per la paur que n'aurián e per çò qu'aurián vist.
e mai, ne foguès pas aital, ma fe, vos asseguri,
(aquestes castèls) sérian pas encara estats conqueses per
la fòrça.
Quand (los barons) los aguèron privats (de lor pilha),
cridèron totes en faisses ;
« A fuòc ! A fuòc ! » çò s'escridèron aqueles miserables
gorimands pudents.
Que que cremèron la ciutat, e las femnas, e los enfants,
e los vièlhs e los joves, e los clergues cantant mèssa
qu'èran revestits, embarrats dins lo monastère.
Es per aiçò qu'a Besièrs, o destrusèron tot, o sagatèron
tot,
e tuèron tot lo mond, ja que lor podián pas far pièger.
E tuèron tanben totes los que s'èran refugiats dins lo
mostièr
que res non los aparèt pas, ni crotz, ni altar, ni crucifics ;
los fòls ribauts, aganits de rapina, tuèron los clèrgues,
las femnas, los enfants, e cresi que pas un solet se'n
rescapèt.
Dieu recépia lors armas, se Li plai, al Paradís !
Jamai tuariá tan salvatja, del temps dels Sarrasins[17]
cresi pas que i agès agut, ni mai qu'òm i consentiguès.

els uns i els altres acordaren entre ells
que a cada castell al qual l'host anés
i que no es volgués retre fins que l'host el prengués,
que els passessin per l'espasa i que els matessin.
I després no trobarien qui contra ells resistís
per la por que tindrien pel que haurien vist.
I si no hagués estat així, per ma fe us ho dic,
no hauria pogut ser que per força els haguessin conquerit.

Quan els privaren (del botí), van cridar tots en massa:
"Al foc! Al foc!" bramaven aquests miserables brètols
pudents (…)
(…) que cremaren la ciutat, amb dones i infants,
vells i joves, i els clergues que cantaven missa,
que estaven vestits i tancats al monestir.

Per això han Besiers destruït i malmenat,
que a tots els mataren: no ho pogueren fer pitjor.
I mataren a tots aquells que eren a l'església ficats,
que no els va poder lliurar creu, altar ni crucifix;
i els clergues occien els folls ribalds captaires
i les dones i els infants, que crec que ni un se'n sortís.
Déu rebi les seves ànimes, si li plau, al Paradís!
Crec que mai tant fes mort, des dels temps dels sarraïns,[16]
no crec que es fes, ni que ningú la consentís.

## 10. CADUN PLORA PLAN SON DAMATGE
**Guilhem Augier Novella (pel planh)**
**Giraut de Bornelh (per la musica)**

Cadun plora plan son damatge,
sa mala sòrt e sa dolor.
Mas ieu, ailàs N'ai al còr
tant granda ira e tant granda tristesa,
que jamai de mos jorns aurai pas (pro)
plangut ni plorat lo valent, lo presat,
lo pros vescomte de Bezièrs que s'es mòrt,
l'ardit e lo cortés,
lo gai, lo mai adreit, lo blond,
lo cavalhièr melhor del mond.

L'an tuat, e degun vegèt pas ni tan grand otratge
ni tan granda error,
ni se far causa tant cranament desplasenta
a Dieu e al nòstre Senhor,
que çò qu'an fait aqueles cans renegats,
del fals linhatge de Pilat,
que l'an tuat ; estant que Dieu prenguèt la mòrt

## 10. CADASCÚ PLORA I PLANY LA SEVA PENA
**Guilhem Augier Novella (plany)**
**Giraut de Bornelh (música)**

Cadascú plora i plany la seva pena,
la seva malastrugança i el seu dolor.
Però jo, ai las! Duc al cor
tanta ira i tanta tristesa,
que mai als meus dies he planyut i plorat
ni hauria, valent de mi, apreciat
el valerós vescomte, que és mort,
de Besiers, l'ardit i cortès,
el gai, el més adret, el ros,
el millor cavaller del món.

L'han mort, i mai he vist tan gran ultratge
ni tampoc tan gran error,
ni cometre cosa tan gran desagradable
a Déu i a nostre Senyor,
com han fet aquests gossos renegats
del felló llinatge de Pilat,
que l'han mort; i puix que Déu morí

sie alle vereinbarten untereinander,
dass jede Burg, die vom Heer heimgesucht werde
und sich bis zur Eroberung nicht ergeben wolle,
durch das Schwert ginge, bis alle drinnen tot seien.
Und so würden sie niemanden finden, der ihnen
standhielte
vor lauter Angst, dass ihn das Schicksal ereile, das er
gesehen.
Und wären sie nicht so vorgegangen, so versichere ich
euch,
sie hätten alles nicht durch Kraft erzwingen können.

Als ihnen [die Beute] vorenthalten wurde, brüllten sie
allesamt:
„Feuer! Feuer!" So riefen diese stinkenden, elenden
Rüpel […]
[…] die die Stadt niederbrannten, mit Frau und Kind,
jung und alt sowie den Priestern, die Messe hielten
und gekleidet sich im Kloster eingesperrt hatten.

Daher haben sie in Béziers alles zerstört und geplündert
und alle niedergemetzelt; schlimmer ging es wohl nicht.
Sie töteten alle, die in die Kirche geflüchtet waren,
und weder Kreuz, Altar noch Kruzifix erlöste sie;
die wilden, gierigen Rabauken brachten die Priester um,
und von den Frauen und Kindern kam wohl auch
niemand davon.
Gott empfange ihre Seelen, so bitte ich, im Paradies!
Ich meine, seit der Sarazenenzeit gab es nicht solchen
Totschlag,[16]
niemand tat dies noch duldete es wohl.

insieme e di comune accordo convennero
che qualsiasi castello davanti a cui si presentasse l'armata
e che non volesse arrendersi, appena l'avessero preso,
fosse passato a fil di spada, finché tutti vi fossero uccisi.
Così, non si sarebbe più trovato nessuno che resistesse,
per la paura di subire ciò che avevano visto.
e se non avessero fatto così, in fede mia vi assicuro
che con la forza non sarebbero ancora stati conquistati.
Quando i baroni li ebbero privati del bottino gridarono tutti
in massa:
"Al rogo! Al rogo!", gridarono questi miserabili assassini
fetenti (…)
(…) che bruciarono la città, e le donne, e i bambini,
e i vecchi e i giovani, e i chierici che cantavano la messa
con gli abiti talari, chiusi nel monastero.
È per questo che a Béziers demolirono tutto, tutto
distrussero
e tutti uccisero; non potevano fare male più grande.
Uccisero anche tutti quelli che si erano rifugiati nel
monastero:
niente li riparò, né croce, né altare, né crocifisso.
I dissoluti, pazzi e avidi di rapina, uccisero i chierici,
le donne, i bambini; e io credo che non uno solo ne sia
scampato.
Dio accolga le loro anime, se gli piace, in Paradiso!
Non credo ci sia mai stato massacro così selvaggio, dal
tempo dei saraceni[16],
e credo che neppure allora sia stato permesso niente di
simile.

## 10. JEDER WEINT UND KLAGT SEIN LEID
### Guilhem Augier Novella (Klage)
### Giraut de Bornelh (Musik)

Jeder weint und klagt sein Leid,
sein Unglück und seinen Schmerz.
Doch ich, ach! Trage im Herzen
solchen Zorn und solche Trauer,
wie ich in meinem Lebtag nie geklagt und geweint,
und hätte ich Tapferer nicht den mutigen
Vizegrafen von Béziers, der tot ist,
geschätzt, den kühnen und höfischen,
den fröhlichen, aufrichtigsten, blonden,
den besten Ritter der Welt.

Getötet wurde er, und nie sah ich solche Schmach
noch solch großen Irrtum,
so Unangenehmes zu begehen
an Gott, unserem Herrn,
wie diese abscheulichen Hunde
vom üblen Geschlecht des Pilatus,
die ihn töteten; und da Gott starb,

## 10. CIASCUNO PIANGE E LAMENTA IL SUO DANNO
### Guilhem Augier Novella (testo)
### Giraut de Bornelh (musica)

Ciascuno piange e lamenta il suo danno,
la sua malasorte e il suo dolore.
Ma io, ahimè, io ho in cuore
sì grande collera e sì grande tristezza
che passerò i miei giorni a lamentare
e piangere il valoroso, lo stimato,
il prode visconte di Béziers[17],
che è morto: l'ardito, il cortese,
l'allegro, il più abile, il biondo,
il miglior cavaliere del mondo.

L'hanno ucciso, e mai si vide compiere
sì grande oltraggio né così grande errore,
né commettere atto più sgradito
a Dio e a Nostro Signore, di ciò
che han fatto questi cani rinnegati
del fellone lignaggio di Pilato,
che l'hanno ucciso; e poiché Dio morì

fach mai ni tan gran estranhatge
de Dieu et a Nostre Senhor,
cum an fag li can renegat
dels fals linhatge de Pilat
que l'an mort; e pus Dieus mort pres
per nos a salvar, semblans es
de lui, qu'es passatz al sieu pon
per los sieus estorser, l'aon.

Mil cavalhier de gran linhatge
e mil dompnas de gran valor
iran per la sua mort arratge,
mil borzes et mil servidor,
que totz foran gent heretat,
s'el visques, e ric et honrat.
Ar est mortz! Ai dieus, quals dans es!
Gardatz quals etz ni quo.us es pres,
ni selhs qui l'an mort, cui ni don,
qu'eras no.us acuelh ni.us respon.

Ric cavalier, ric de linhatge,
ric per erguelh, ric per valor,
ric de sen, ric per vassallatge,
ric per dar e bon servidor,
ric d'orguelh, ric d'umilitat,
ric de sen e ric de foudat,
belhs e bos, complitz de totz bes,
anc no fo nulhs hom que.us valgues.
Perdut avem en vos la fon
d'on tug veniam jauzion.

Belhs papaguais, anc tan vezat
no.m tenc amors, c'ar plus torbat
no.m tenga e.l dan que ai pres
del melhor Senhor c'anc nasques
aitan can clau mar en redon,
que m'an mort trachor, no sai don.

ni aussi grande erreur,
ni commettre chose aussi fortement déplaisante
à Dieu et à notre Seigneur,
que ce qu'ont fait ces chiens renégats,
du félon lignage de Pilate,
qui l'ont tué ; et puisque Dieu prit la mort
pour nous sauver, il[17] Lui est semblable,
(lui qui) est passé outre à son propre intérêt
pour sauver les siens.

Mille chevaliers de grand lignage
et mille dames de grande valeur
se désespèreront à cause de sa mort,
(tout comme) mille bourgeois et mille serviteurs,
qui tous eussent été noblement dotés
s'il eût vécu et puissants et honorés.
Maintenant il est mort ! Ah ! Dieu, quel désastre !
Considérez ce que Vous êtes et ce qui vous est pris,
et ceux qui l'ont tué, qui [ils sont] et d'où [ils viennent],
car maintenant il ne nous accueille et ne nous répond.

Riche chevalier, de riche lignage,
riche de fierté, riche de valeurs,
riche de sagesse, riche de courage,
riche pour donner [en largesse] et bon [loyal] pour servir,
riche de fierté, riche d'humilité,
riche de sagesse et riche de [amoureuse] folie,
beau et bon, comblé de toutes les qualités,
il ne fut jamais homme qui vous valût.
En vous nous avons perdu la fontaine
d'où nous revenions tous joyeux.

Beau Perroquet, jamais si joyeux
ne m'a tenu l'amour que désormais tourmenté
il ne me tienne dans la perte que j'ai subie,
du meilleur seigneur qui jamais soit né
sur autant d'espace que la mer encercle ;
il me l'ont tué, les traîtres venus de je ne sais où.

## 11. LAVAURS FON TAN FORTZ
### Cançon de la crosada (primièr part)
### Guilhem de Tudèla

**Vers 68**

Lavaurs fon tan fortz vila que anc e nulh regnat
plus fort en terra plana non vi om que fos natz,
ni ab milhor clausura ni ab plus prions fossatz,
dins a mot cavaer, que son mot gent armatz:
De docent cavalers li an son feu mermat.
N'ot plus ric cavaler en Tolza ni el comtat,
ni plus larc depesaire, ni de major barnat.
Mala vi los eretges e los ensabatatz;
C'anc mais tant gran baro en la crestiandat
no cug que fos pendutz, ab tant caver de latz;

## 11. LAVAURS FUT UNE CITE SI PUISSANTE
### Chanson de la Croisade (première partie)
### Guilhem de Tudèla

**Lais 68**

Lavaur fut une cité si puissante que jamais en nul royaume
aucun home au monde n'en vit de plus fortes en plaine,
ni avec meilleure enceinte fortifiée, ni avec des fossés aussi
profonds,
ni avec autant de chevaliers si noblement armés :
les croisés l'avaient dépossédé de Montréal et de Laurac
et du reste de ses terre, ce dont il était furieux ;
de deux cents chevaliers avait-on réduit son fief.
Il n'y avait pas plus haut chevalier en pays toulousain ni dans
tout le Comté,

| | |
|---|---|
| Never was there seen such a godless act,<br>nor one so heinous to Our Lord,<br>as that committed by those renegade dogs<br>of Pilate's criminal horde.<br>They have killed him; and as God did die<br>for our salvation, so did he;<br>for, heedless of his own interests,<br>he put his people's freedom above all | ni hacer nunca nada tan alejado<br>de Dios y de Nuestro Señor<br>como lo que han hecho esos perros renegados<br>del falso linaje de Pilates,<br>que lo han matado; y como Dios murió<br>para salvarlos, también su caso es semejante,<br>pues desoyó su propio interés<br>para librar a los suyos. |

A thousand knights of noble lineage
and a thousand ladies of great worth
despaired at the news that he was dead;
likewise, a thousand burghers and a thousand servers,
who, if only that knight had lived, would have grown
  in wealth and honour and power.
Now he is dead! Oh, God, what disarray!
Consider who Thou art and whom they have taken away,
and who has slain him, and whence they came;
for he never more shall greet us, and he never shall
answer again.

Mil caballeros de gran linaje
y mil damas de grandes virtudes
irán por su muerte a la aventura,
mil burgueses y mil servidores,
todos serían gentes de bienes,
si él viviera, ricos y honrados.
¡Ahora ha muerto! ¡Dios, qué desgracia!
Mirad qué sois y qué se os quita,
y quién lo mató, y de dónde viene,
pues ya no os acoge ni os responde.

O Knight, so rich in lineage,
so rich in pride and valour,
rich in judgment, rich in vassalage,
rich in bounty and a servant true,
rich in pride and in humility,
rich in reason and in lover's folly,
good and comely, with all qualities endowed,
there never was a man to match your worth.
In you we have lost the fountain
whence our joys all flowed.

Rico caballero, de rico linaje,
rico en altivez, rico en valor
rico en juicio, rico en vasallaje
rico en dar y buen servidor,
rico en orgullo, rico en humildad,
rico en juicio, rico en locura,
bello y bueno, cumplido de todos los bienes,
nunca hubo hombre que lo que vos valiera.
En vos hemos perdido la fuente
de la que volvíamos gozosos.

O beautiful plumed parrot, never was my heart
so stirred to joy by love as now
it is tormented by my loss
of the finest knight that ever was born
upon this sea-encircled earth.
Traitors from I know not where have killed my lord.

Bello papagayo, nunca tan alegre
me tuvo el amor como ahora triste
me tiene la pérdida sufrida
del mejor señor que haya nacido
en cuanto la mar rodea,
me lo han matado traidores, no sé de dónde.

## 11. LAVAUR WAS SO POWERFUL
### Song of The Crusade (Part One)
### Guilhem Tudela

## 11. LAVAUR FUE VILLA TAN PODEROSA
### Canción de la cruzada (primera parte)
### Guilhem de Tudèla

### Stanza 68

Lavaur was so powerful a city that no stronger one
situated in the plain had ever been seen in any kingdom
anywhere in the world,
nor city with better ramparts, nor deeper ditches,
nor so many nobly armed knights.
the crusaders had taken his properties at Montréal and
Laurac
and the rest of his lands, which had made him furious;
his fief had been reduced by two hundred knights.
there was no greater knight in the land of Toulouse nor

### Canción 68

Lavaur fue villa tan poderosa que en ningún reino
nunca nadie vio más fuerte en llanura,
ni con mejor muralla, ni fosos más profundos,
ni tantos caballeros, noblemente armados.
De doscientos caballeros le mermaron el feudo.
No había caballero más alto en Tolosa ni en el condado,
ni más pródigo ni de mayor nobleza.
Por desgracia frecuentó herejes [19] y *sabatats*.[20]
No creo que en toda la cristiandad señor tan noble
fuera nunca colgado junto a tantos caballeros;

| OCCITAN | CATALÀ |
|---|---|
| per nos salvar, el[19] Lo sembla,<br>qu'a traspassat lo sieu interès pròpi<br>per salvar los sieus. | per salvar-nos, ell[17] s'hi assembla,<br>que ha traspassat en interès propi<br>per a salvar els seus. |
| Ric cavalièr, ric de linhatge,<br>ric per fiertat, ric per valor,<br>ric de sen, ric per vassalatge,<br>ric per donar[20] e bon servidor,<br>ric de fiertat, ric d'umilitat,<br>ric de sen e ric de [amorosa] foliá,<br>bèl e bon, complit de totas qualitats,<br>jamai foguèt pas òme que vos valguès.<br>En vos avèm perduda la font<br>que ne veniam totes joioses. | Mil cavallers de gran llinatge<br>i mil dames de gran valor<br>es deseperen a causa de la seva mort,<br>(com) mil burgesos i mil servidors,<br>que tots serien noblement dotats<br>si visqués, i poderosos i honorables.<br>Ara ell és mort! Ai las! Déu, quin desastre!<br>Considereu què sou i què us ha sigut pres,<br>i qui l'ha matat, qui (són) i d'on (venen),<br>car ara ja no ens aixopluga ni respon (més) de nosaltres. |
| Ric cavalièr, ric de linhatge,<br>ric per fiertat, ric per valor,<br>ric de sen, ric per vassalatge,<br>ric per donar  e bon servidor,<br>ric de fiertat, ric d'umilitat,<br>ric de sen e ric de [amorosa] foliá,<br>bèl e bon, complit de totas qualitats,<br>jamai foguèt pas òme que vos valguès.<br>En vos avèm perduda la font<br>que ne veniam totes joioses | Ric cavaller, ric de llinatge,<br>ric d'orgull, ric de valors,<br>ric de seny, ric de coratge,<br>ric per donar i bon servidor,<br>ric d'orgull, ric d'humilitat,<br>ric de seny i ric de follia [amorosa],<br>bell i bo, complert amb tots els béns,<br>mai no va ser home que us valgués.<br>En vós hem perdut la font<br>d'on veníem tots joiosos. |
| Bèl papagai, jamai tan joiós<br>non me tenguèt amor que d'ara enlà torbat<br>me tenga dins la mala sòrt qu'ai endurada,<br>del melhor senhor que jamai foguès nascut<br>sus aitant d'espandi que la mar enròda,<br>lo m'an tuat, los traïdors venguts de sabi pas ont. | Bell papagai, mai tan alegre,<br>no m'ha tingut l'amor que ara l'ha torbat,<br>em manté en la pèrdua que he sofert<br>del millor senyor que mai hagi nascut<br>en un espai tan gran envoltat pel mar;<br>me l'han matat, els traïdors vinguts de no sé on. |

## 11. LAVAUR FOGUET CIUTAT TAN PODEROSA
### Cançon de la Crosada (Part Primièr)
### Guilhem de Tudèla

**Vèrs 68**

Lavaur foguèt ciutat tan poderosa que jamai en cap reialme
cap òme al mond ne vegèt pas mai fòrtas en tèrra plana,
ni amb melhora encinta fortificada, ni amb dogas mai prigondas,
ni amb mants cavalhièrs que son plan cranament armats :
los crosats l'avián despossedit de Montreial e de Laurac
e del demai de sas terras, e d'aiçò n'èra irat ;
de dos cents cavalhièrs li avián mermat lo fièu.
I aviá pas cavalhièr mai naut en tèrra de Tolosa ni de pel Comtat tot
de mai granda larguesa ni de mai nauta noblesa.
Malastrugament, se faguèt amb los erètges[21] e los ensabatats[22].
Jamai, o cresi, tan grand senhor en tota la crestiantat
foguèt pas penjat, amb tantes cavalhièrs a la sieuna latz,

## 11. LAVAUR ERA UNA VILA TAN FORTA
### Cançó de Croada (Primera part)
### Guillem de Tudela

**Vers 68**

Lavaur era una vila tan forta que mai en cap regne,
de més forta en terra plana, no n'havia vist cap home nat,
ni amb millor muralla ni més prodund fossar.
Dins hi havia molts cavallers, que estaven ben armats.
El germà de na Girauda hi era, n'Aimeric,
i ella era la senyora de la vila; ell dins se n'havia entrat,
el comte de Montfort deixat sense comiat;
Montreal i Laurac li ha tolt el croat
i tota l'altra terra, per què està irat;
el seu feu de dos-cents cavallers li han mermat.
No hi havia més ric cavaller al Tolosà ni al comtat,
ni més llarg en despeses ni de major baronia.
En mala hora veié els heretges[18] i els ensabatats[19];
mai tan gran baró a la Cristiandat
no crec que fos penjat amb tants cavallers al costat,
que, només dels cavallers que hi havia llavors al comtat,

um uns zu retten, ist er[17] ihm gleich,
der aus Uneigennutz verstarb,
um die Seinen zu retten.

per salvarci, è somigliante a Lui,
giacché è passato sopra al proprio interesse
per salvare i suoi.

Tausend Ritter edlen Stammes
und tausend Damen voller Tugend
verzweifeln ob seines Todes,
[wie auch] tausend Bürger und tausend Diener,
die alle reich beschenkt wären
und ehrhaft und mächtig, wäre er am Leben.
Doch nun ist er tot! Ach, Gott, welch Unheil!
Denkt daran, was Ihr seid und was Euch genommen,
und die, die ihn töteten, wer [sie sind] und woher [sie kommen],
denn nun beschützt und spricht er nicht [mehr] für uns.

Mille cavalieri di grande lignaggio
e mille dame di grande valore
si disperarono per la sua morte,
sì come mille borghesi e mille servitori,
che, se egli fosse vissuto, sarebbero stati
nobilmente dotati, potenti e onorati.
Ora è morto! Ah! Dio, che tragedia!
Considerate chi voi siete chi vi è stato tolto,
e quelli che l'hanno ucciso, chi sono e donde vengono,
poiché ora non ci accoglie né ci risponde più.

Reicher Ritter, reiche Herkunft,
reich an Stolz, reich an Tugend,
reich an Vernunft, reich an Mut,
reich zum Geben und guter Diener,
reich an Stolz, reich an Bescheidenheit,
reich an Vernunft und reich an Liebeswahn,
schön und gut, vollbracht mit allen Gütern,
er war ein Mann, den ihr niemals verdientet.
In euch verloren wir die Quelle,
in der wir uns alle freudig labten.

Ricco cavaliere, di ricco lignaggio,
ricco di fierezza, ricco di valore,
ricco di saggezza, ricco di coraggio,
ricco nel dare e leale nel servire,
ricco di orgoglio, ricco di umiltà,
ricco di senno e ricco di allegria,
bello e buono, colmo di ogni qualità,
mai ci fu uomo che quanto voi valesse.
Con voi abbiamo perso la fonte
da cui tornavamo pieni di gioia.

Schöner Papagei, niemals hielt so fröhlich
mich die Liebe, die nun stört
und mich in meinem Verlust verfängt
des besten je geborenen Herrn
auf solch großem Raum zwischen den Meeren;
getötet wurde er von Verrätern aus weiß Gott wo.

Bel pappagallo, mai così lieto
mi rese l'amore, come ora triste
mi rende la perdita che ho subito,
del migliore signore che mai sia nato
in tutta la terra che il mare circonda.
Me l'hanno ucciso dei traditori, venuti da non so dove.

## 11. LAVAUR WAR EINE SO MÄCHTIGE STADT
**Cansó de La Crozada (Erster Teil)**
**Guilhem de Tudela**

## 11. LAVAUR FU UNA CITTÀ COSÌ POTENTE
**Canzone della crociata (prima parte)**
**Guilhem de Tudèla**

### Vers 68
Lavaur war eine so mächtige Stadt, dass in keinem Reich
kein Mensch jemals eine stärkere in der Ebene gesehen
hatte,
weder mit festerer Mauer noch mit tieferem Graben,
noch mit so vielen gut gerüsteten Rittern.
Die Kreuzfahrer nahmen ihm Montréal und Laurac ab
sowie die weiteren Besitzungen, daher war er erzürnt;
sein Lehen von zweihundert Rittern war dezimiert.
Keinen reicheren Ritter gab es im Toulousain noch in der
Grafschaft,
auch keinen großzügigeren oder edleren.
Leider trat er auf Seiten der Ketzer[18] und Beschuhten[19] ein.
Ich meine, niemals ward in der gesamten Christenheit ein
so edler Herr
gehenkt mit so vielen Rittern zu seiner Seite,
denn allein der Ritter zählte man

### Canzone 68
Lavaur fu una città così potente che mai in nessuno regno
alcun uomo al mondo ne vide di più forti in pianura,
né con migliore cinta di mura, né con fossati tanto profondi,
né con altrettanti cavalieri così nobilmente armati.
Di duecento cavalieri si era ridotto il suo feudo.
Non c'era cavaliere più alto nel Tolosano né in tutta la
Contea,
di più grande generosità né di più alta nobiltà.
Purtroppo, fiancheggiò gli "eretges"[18] e gli "ensabatatz"[19].
Mai, certo, un così nobile signore in tutta la cristianità
fu impiccato con tanti cavalieri ai suoi lati,
perché soltanto di cavalieri se ne contarono
ben più di ottanta, secondo quanto mi ha detto un chierico.
Quanto alle persone della città, ne misero in un prato
circa quattrocento, che vi furono bruciate[20];
e per finire, gettarono Dama Girauda in fondo a un pozzo,

Que sol de cavaliers n'i a ladoncs comtat
trop mais de quatre vins, so me dig un clergat;
e de sels de la vila ne mes om en un prat
entro a quatre cens que son ars e cremat;
Estiers dama Girauda qu'an en un potz gitat:
De peiras la cubiron; don fo dols e pecatz,
que ja nulhs hom del segle, so sapchatz de vertatz,
no partira de leis entro agues manjat.
So fo la Santa Crotz de mai, qu'es en estat,
que fo Lavaurs destruida, si co vos ai comtat.
Senhor, be s'en devrian ilh estre castiat
que, son vi e auzi, son trop malaürat,
car no fan so que·ls mando li clerc e li crozat;
c'a la fi o fairan, can siran desraubat,
aisi co aisels feiron, e ja non auran grat
de Dieu ni d'aquest mon.

de plus grande générosité ni de plus haute noblesse.
Malheureusement, il côtoya les hérétiques[18] et les ensavatés[19].
Jamais, je crois, un si noble seigneur dans toute la chrétienté
ne fut pendu, avec autant de chevaliers à ses côtés,
car rien que pour les chevaliers, on en compta
 bien plus de quatre-vingt, selon ce que me dit un clerc ;
et pour ce qui est des gens de la ville, ils en mirent en un pré
autour de quatre cents qui y furent brûlés[20] ;
et par dessus tout, ils jetèrent Dame Girauda au fond d'un puits :
ils la couvrirent de pierres, ce qui fut un grand mal et un grand péché,
car personne au monde, sachez-le en vérité,
ne partit de chez elle sans avoir (bien) mangé.
Ce fut à la douce saison, pour la Sainte Croix de mai[21],
qu'ils détruisirent Lavaur, comme je vous l'ai conté.
Seigneurs, ces hérétiques devraient en être assez châtiés
car, d'après ce qui fut vu et entendu, s'ils sont tellement
frappés par le malheur,
c'est parce qu'ils ne font pas ce que leur commandent les
clercs et les croisés ;
ils finiront bien par le faire, quand ils seront pillés,
tout comme ceux-là le firent, et alors nul ne leur en tiendra
plus rigueur
ni Dieu, ni personne en ce monde.

### 12. CRUXIFERI EX PRECEPTO
**Cronique**

Anno M°CC°VIII° Cruciferi ex precepto domini Pape ad destruendam gentem hereticorum et coadiutores eorum, venerunt in Bederres et in Carcassona et ceperunt eas cum omnibus terminis earum et interfecerunt vicecomitem dominum illius predicte terre, et deddit cruciferis dominus Papa ducem et principem abbatem Cistellentium, et ceperunt Benerba et Termens, et Pamias, et Albi, et Caparetum, et Zabaurum, et obsederunt Tolosam, et interfecerunt in omnibus predictis civitatibus, et castellis, et villis et terris amplius quam centum milia virorum et mulierum cum parvulis suis, et pregnantes mulieres interficiebant, et quosdam excoriabant, et nullus a manibus eorum evadere poterat, et multa alia que ab eis facta sunt, non possunt enumerari.

### 12. SUR LES PRÉCEPTES
**Cronique**

L'année 1208, sur les préceptes du seigneur Pape de détruire la gent hérétique et ceux qui les soutiennent, les croisés vinrent à Béziers et à Carcassonne, et ils les prirent ainsi que tous leurs domaines, et ils tuèrent le vicomte seigneur des dites terres, et le seigneur Pape donna aux croisés comme chef et prince l'abbé de Cîteaux, et ils capturèrent Minerve et Termes et Pamiers et Albi et Cabaret et Lavaur, et ils assiégèrent Toulouse, et ils tuèrent dans toutes les cités et châteaux et villages et terres plus de cent mille hommes et femmes avec leurs enfants, et ils tuaient les femmes enceintes, et il y en eut qu'ils égorgèrent, et personne ne put s'échapper de leurs mains, et on ne peut pas dénombrer toutes les autres choses qui furent faites par eux.

### 13. VAI, HUGONET, SES BISTENSA
**Raimon de Miraval**

Vai, Hugonet, ses bistensa

### 13. VA, HUGONET, SANS HESITER
**Raimon de Miraval**

Va, Hugonet, sans hésiter,

| | |
|---|---|
| throughout the County,<br>nor more generous or noble.<br>Unfortunately, he mixed with the heretics[18] and the clog-wearers[19].<br>Never in the whole of Christianity, to my knowledge, had such a noble lord<br>been hanged, with so many knights by his side, there were<br>many more than eighty of them, according to what a priest told me,<br>and as for the townspeople, they put about four hundred of them in a field<br>where they were burned[20],<br>and worst of all, they threw the Lady Girauda down a well.<br>they covered her with stones, which was very wicked and a great sin,<br>for no-one in the world, know that this is the truth,<br>ever left her house without having eaten his fill.<br>It was in the mild season, for the Holy Cross in May[21],<br>that they destroyed Lavaur, as I have told.<br>Lords, those heretics ought to have been sufficiently punished<br>for, from what was seen and heard, if ill fortune has hit them so hard,<br>it is because they don't obey the priests and crusaders,<br>in the end they will obey them, when they have been pillaged, just as these men did, and then neither man nor God nor anyone on earth<br>will hold it against them. | que sólo caballeros fueron allí contados<br>muchos más de ochenta, según me dijo un clérigo;<br>y habitantes de la villa, reunidos en un prado,<br>unos cuatrocientos fueron asados y quemados;[21]<br>además, a dama Girauda un pozo arrojaron:<br>con piedras la cubrieron, fue dolor y pecado,<br>porque nunca un hombre, sépase en verdad,<br>que sin haber comido saliera de su casa.<br>Fue en la Santa Cruz de mayo, que es en verano,[22]<br>cuando Lavaur fue destruida, como os he contado.<br>Señor, bien que debían ser castigados,<br>que, por lo visto y oído, si son tan malhadados<br>es por no hacer lo que mandan clérigos y cruzados;<br>acabarán por hacerlo, cuando sean despojados,<br>como ocurrió con ésos, y no tendrán rigor luego<br>de Dios ni de nadie de este mundo. |

## 12. THE CRUSADERS
### Chronicle

In the year 1208, acting on orders from the Pope to destroy the heretics and those who supported them, the Crusaders came to Béziers and Carcassonne. And they stripped them of all their domains, and killed the viscount who was the lord of those lands. And the Pope made the abbot of Cîteaux the prince and leader of the Crusaders; and they captured Minerve and Termes and Pamiers and Albi and Cabaret and Lavaur, and they besieged Toulouse. In all the said cities, castles, villages and lands they killed more than one hundred thousand men and women and children; they killed pregnant women, in some cases cutting their throats, and nobody could escape from them. It is impossible to recount all their other deeds.

## 12. BAJO EL PRECEPTO
### Crónica

Año 1208. Bajo el precepto del señor papa de destruir a la gente herética y sus partidarios, los cruzados llegaron a Béziers y Carcasona y las tomaron, así como todos sus dominios, y mataron al vizconde señor de las dichas tierras, y el señor papa dio a los cruzados como jefe y príncipe al abad de Cîteaux, y capturaron Minerva, Termes, Pamiers, Albi, Cabaret y Lavaur, y asediaron Tolosa, y mataron en todas esas ciudades, castillos, villas y tierras a más de cien mil hombres y nujeres con sus hijos, mataron a mujeres embarazadas, y a algunos despellejaron, y nadie pudo escapar de sus manos, y no se pueden enumerar las muchas otras cosas que hicieron.

## 13. GO, HUGONET, WITHOUT DELAY
### Raimon de Miraval

Go, Hugonet, without delay,

## 13. VE, HUGONET, SIN DEMORA
### Raimon de Miraval

Ve, Hugonet, sin demora,

ja que sonque de cavalhièrs, i se'n comptèt
plan mai de ueitanta, çò me diguèt un clèrgue ;
e pel mond de la vila, ne botèron de per un prat
a l'entorn de quatre cents que foguèron cremats[23] ;
en subre d'aiçò, Dòna Girauda, la saquèron de per un
potz :
la cobriguèron de pèiras, çò que foguèt grand mal e grand
pecat,
que cap òme al mond, sapchatz-ne la vertat,
se desseparèt pas d'ela sens aver (plan) manjat.
Foguèt a la doça sason, a la Santa Crotz de mai[24],
que destrusiguèron Lavaur, coma o vos ai contat.
Senhors, pro se'n deurián, aqueles (erètges), èsser
castigats
ja que, de çò vist e ausit, se son tant trucats de malastre,
es pr'amor que fan pas çò que lor comandan los clèrgues
e los crosats ;
a la fin, o faràn, quand seràn desrabats,
tanplan coma o faguèron aicestes, e alara degun ne lor
tendrà pas mai rigor
ni Dieu, ni cap òme del mond.

a la seva vora hi hagué més de vuitanta –que m'ho digué
un clergue–
i, quant als de la vila, n'aplegaren en un prat
fins a quatre-cents, que foren encesos i cremats[20]
i na Girauda que a un pou han llançat:
de pedres la cobriren; fos una malvestat i un crim,
que ja ningú al món, això heu de saber-ho de veres,
no se n'anirà d'ella que no quedarà sadoll.
Això fou per la Santa Creu de maig[21], que és estiu,
quan fou Lavaur destruïda, així com us ho he contat.
La gata[22] situaren al fons del vall,
i llançaren els pertrets i tant cavaren
que els de dins es reteren, perquè són presos i forçats.
Llavors fou feta una gran mortaldat
que fins a la fi del món crec que se'n parlarà.
Senyor!, bé haurien de ser castigats
que, això vaig veure i oir, són molt malaurats,
car no fan el que els manen els clergues ni els croats;
a la fi ho faran, quan seran derrotats,
així com els passa a aquests, i ja no tindran mercè
de Déu ni d'aquest món.

## 12. SULS PRECÈPTES
### Cronica

L'annada 1208, suls precèptes del senhor papa de destrusir
la gent eretica e los que la sostenon, los crosatz venguèron
a Besièrs e a Carcassona, e prenguèron aital totes lors
domanis, e tuèron lo vescomte senhor de las susditas
tèrras, e lo senhor papa donèt als crosats coma cap e prince
l'abat de Cistèls, e agantèron Menèrba, Tèrmes, Pàmais,
Albi, Cabaretz, e Lavaur, e assetgèron Tolosa, e tuèron,
dins las susditas ciutats, castels, vilatges e tèrras mai de
cent mila òmes e femnas amb lors enfants, e tuavan las
femnas prenses, e n'i aguèt que desgargantèron, e degun
lor poguèt pas escapar, e se pòt pas denombrar totas las
autras causas que faguèron.

## 12. D'ACORD AMB EL PRECEPTE
### Crònica

L'any 1208, d'acord amb els preceptes del senyor Papa de
destruir la gent heretge i els que hi donen suport, els croats
anaren a Besiers i a Carcassona i els les prengueren
juntament amb tots llurs dominis, i mataren el vescomte
senyor d'aquelles terres, i el senyor Papa donà als croats
com a cap i príncep l'abat del Císter, i capturaren Menerba
i Termes, i Pàmies i Albí, i Cabarès i Lavaur, i assetjaren
Tolosa, i mataren a totes les esmentades ciutats i castells i
pobles i terres més de cent mil homes i dones amb llurs
fills, i mataren les dones embarassades, i n'hi hagué que
degollaren, i ningú pogué escapar de llurs mans, i hom no
pot anomenar totes les altres coses comeses per ells.

## 13, VAI, UGONET, SENS TRASTEJAR
### Anonim

Vai, Ugonet, sens trastejar,
veire lo franc rei aragonés;
canta-li un novèl sirventés
e diga-li qu'es plan tròp tardièr,
tant e mai que lo creson desfait ;
car se ditz aicí que los Franceses
li tenon la tèrra
tròp longament e aiçò incontestablament;
e ja qu'alin a tant conqués[25],
qu'aja aicí (de nosautres) sovenença !

## 13. VINGA, HUGONET, NO ET TORBIS
### Anònim

Vinga, Hugonet, no et torbis,
ves a veure el franc rei aragonès;
canta-li un nou sirventès
i digues-li que ja triga massa
que hom creu que perd;
car hom diu aquí que els francesos
ocupen la seva terra
fa massa temps i sense oposició;
i si allà baix ha conquerit tant[23],
que es recordi de nosaltres aquí!

weit über achtzig nach dem, was mir ein Priester sagte,
und die Stadtleute wurden auf eine Wiese zusammen
getrieben
und um die vierhundert verbrannt[20],
und zu all dem warfen sie Dame Girauda in einen Brunnen;
sie bedeckten sie mit Steinen, ein großes Gräuel und
Sünde,
denn niemand auf der Welt, wisset es wohl,
soll von dannen gehen, ohne wohl ernährt zu sein.
Es war zur warmen Jahreszeit, zum Heiligen Kreuz im
Mai[21],
als Lavaur zerstört wurde, wie ich berichtet habe.
Herr, diese Ketzer sollten ausreichend bestraft werden,
denn nach all dem Gesehenen und Gehörten sind sie vom
Unglück ergriffen,
denn sie tun nicht, was die Priester und Kreuzfahrer
ihnen gebieten;
sie werden es letztlich tun, wenn sie geschlagen sind,
so wie es mit diesen geschieht, und keine Gnade
wird weder Gott noch jemand auf dieser Welt mit ihnen
haben.

e la coprirono di pietre, e ciò fu un gran male e un gran
peccato,
perché nessuno al mondo, sappiate in verità,
era partito da lei senza esser sfamato.
Fu nella dolce stagione, per la Santa Croce di maggio[21],
che distrussero Lavaur, come vi ho raccontato.
Signore, questi eretici dovrebbero esservi stati castigati
abbastanza
perché, dopo ciò che si è visto e sentito, se sono così colpiti
dalla disgrazia
è perché non fanno ciò che comandano i chierici e i
crociati.
Ma finiranno ben per farlo, quando saranno saccheggiati,
come s'è fatto là, e allora nessuno sarà più severo con loro,
né Dio, né alcuno in questo mondo.

## 12. MIT DEM BEFEHL
### Cronique

Im Jahr 1208 kamen die Kreuzfahrer mit dem Befehl des
Herrn Papstes, die Ketzer und die, die sie unterstützen zu
zerstören, nach Béziers und nach Carcassonne, das sie ihnen
gemeinsam mit all ihren Besitzungen abnahmen, und sie
töteten den Vizegrafen, Herrn dieser Lande, und der Herr
Papst gab den Kreuzfahrern den Abt von Cîteaux zum
Führer und Fürsten, und sie erbeuteten Minerve und Termes,
Pamiers und Albi, Cabaret und Lavaur und belagerten
Toulouse, und in all diesen Städten, Burgen, Dörfern und
Landen töteten sie über hunderttausend Männer und Frauen
mit ihren Kindern und töteten schwangere Frauen, und
einige enthaupteten sie, und niemand wurde von ihnen
geschont, und alle sonstigen Dinge, die sie anrichteten,
können nicht einmal aufgezählt werden.

## 12. SU MANDATO
### Cronaca

L'anno 1208, su mandato di sua signoria il Papa di
distruggere la razza degli eretici e quelli che li sostengono,
i crociati vennero a Béziers e a Carcassona, e le presero con
tutti i loro territori, e uccisero il visconte signore delle dette
terre, e sua signoria il Papa diede ai crociati come duce e
principe l'abate di Cîteaux, ed essi catturarono Minerve e
Termes e Pamiers e Albi e Cabaret e Lavaur, e assediarono
Tolosa, e uccisero in tutte le dette città e castelli e villaggi
e terre più di centomila uomini e donne con i loro bambini,
e uccidevano donne incinte, e taluni sgozzavano, e nessuno
poté sfuggire alle loro mani, e non si possono enumerare
molte altre cose che furono fatte da loro.

## 13. GEHE, HUGONET, BEEILE DICH
### Anonym

Gehe, Hugonet, beeile dich
auf zum großmütigen aragonesischen König,
singe ihm ein neues Sirventes
und sage, dass er zu lange braucht,
so dass er schon verloren geglaubt,
denn hier heißt es, die Franzosen
besetzen sein Land
schon zu lange und unangefochten;
da er dort unten so viel erobert,[22]
möge er sich an uns hier erinnern!

## 13. VA', UGONETTO, SENZA TARDARE
### Anonimo

Va', Ugonetto, senza tardare,
a trovare il franco re aragonese;
cantagli un nuovo sirventese*
e digli che tarda troppo a venire,
a tal punto che lo si crede in scacco;
e si dice qui che i francesi
occupano la sua terra
da troppo tempo e senza reazioni.
Poiché laggiù ha conquistato tanto[22],
che si ricordi anche qui di noi!

al franc rei aragones;
chanta-l noel sirventes
e di-l trop fai gran suffrensa
si qu'hom lo ten a falhensa;
quar sai dizon que frances
an sa terra en tenensa
tan longamen e ses tensa;
e pus lai a tan conques,
agues de sai sovinensa!

E di-l que sa gran valensa
se doblara per un tres
si-l vezem en Carcasses,
cum bos reis, culhir sa sensa;
e s'ilh atroba defensa,
fassa semblan que greu l'es,
et ab aital captenensa
qu'ab fuec et ab sanc los vensa,
e genhs traga-n tan espes
que murs no-i fassan guirensa.

E quar enaissi-s poiria
acabar lur mals ressos
que dizon, senher, de vos
fals frances, que Dieus maldia,
quan no venjatz la folhia;
e quar etz tan vergonhos,
no-m cal pus apert o dia.
Paratges s'en revenria
que-s perdet totz sai mest nos,
que neissas no-i conosc via.

Elms et ausbercx me plairia
et astas ab bels penos
vissem hueimais pels cambos,
e senhals de manta guia,
e que-ns visson, ad un dia,
essems li frances e nos
per vezer quals mieils piria
aver de cavalhairia,
e, quar es nostra razos,
cre que-l dans ab els n'iria.

Pros coms, marques de bon aire,
el camp feren e donan
fos restauratz lo greu dan;
agratz cobrat manht repaire…

voir le franc roi aragonais ;
chante-lui un nouveau sirventès
et dis-lui qu'il tarde bien trop
à tel point qu'on le croit en échec ;
car on dit ici que les Français
occupent sa terre
depuis trop longtemps et ce incontestablement ;
et puisque là-bas, il a tant conquis[22],
qu'il se souvienne de (nous) ici !

Et dis-lui que sa grande valeur
s'en trouvera triplée
si nous le voyons en Carcassès,
comme un bon roi, recueillir ses rentes ;
et s'il rencontre de la résistance,
qu'il fasse paraître que c'est là faute grave vis à vis de lui,
et en traitant de telle manière ses ennemis
que par le feu et par le sang, il triomphe d'eux ;
et que ses engins (de guerre) tirent si serré
que les murs ne puissent y résister.

Ainsi pourrait-on mettre fin
aux rumeurs malveillantes
que tiennent sur vous, seigneur,
les fourbes Français – que Dieu les maudisse –,
parce que vous ne châtiez pas leur folie,
et parce que cela vous couvre de honte
– il ne me faut pas être ici plus explicite.
Ainsi Paratge[23] s'en reviendrait,
qui s'est entièrement perdu, ici, parmi nous,
et ne sait plus seulement où trouver sa voie.

Les heaumes et les hauberts
et les lances aux brillants pennons,
comme il me plairait de les voir désormais en lice,
ainsi que les enseignes de maintes seigneuries,
et de voir un jour aux prises
les Français et nous, pour savoir
qui réussirait le mieux en fait de chevalerie.
Et comme la raison est notre,
je crois que la défaite
avec eux s'en irait.

Preux comte, marquis de noble origine,
puisse sur le champ (de bataille), à grands coups d'épée,
être réparés les graves dommages que vous avez subis !
Et puissiez-vous recouvrer tant de places perdues !

## 14. BEL M'ES Q'IEU CHANT E COINDEI
### Raimon de Miraval

Bel m'es q'ieu chant e coindei
pois l'aur'es dous'e-l temps gais,
e per vergiers e per plais

## 14. IL ME PLAÎT DE CHANTER ET DE ME MONTRER AIMABLE
### Raimon de Miraval

Il me plaît de chanter et de me montrer aimable
puisque la brise est douce et le temps gai,
et que dans les vergers et dans les haies,

| | |
|---|---|
| to the generous king of Aragon; | al franco rey de Aragón; |
| go sing to him a brand new sirventes, | un nuevo sirventés cántale, |
| tell him that he forebears so long | dile que tanto soporta, |
| that it is seen as feebleness; | que es tenido por fracaso; |
| for it is said that by the French | se dice que los franceses |
| his land has too long been oppressed | han ocupado su tierra |
| without his thinking to protest. | mucho tiempo y sin queja; |
| Amid his conquests further south[22], | ya que allí tanto conquista,[24] |
| let him spare a thought for us! | que de aquí haga memoria. |
| | |
| Tell him that his unrivalled merit | Dile que su gran valía |
| will surely be magnified threefold | triplicada se verá |
| if he comes to the county of Carcassonne | si en el Carcasés lo vemos |
| to collect his taxes as a good king should; | cual buen rey cobrar sus censos; |
| and if he meets with any resistance, | y si encuentra resistencia |
| let him not hide his grave displeasure, | que dé muestras de su enojo |
| and let him show by his demeanour | y con tal comportamiento |
| that with fire and blood he will subdue; | que a sangre y fuego los venza, |
| and tell him to bring such war machines | y que traiga tantas máquinas |
| that the city walls will offer no defence. | que los muros no protejan. |
| | |
| For only thus can you put an end | Así se podrá acabar |
| to the many malicious rumours | con los rumores malévolos |
| that the treacherous French, my lord, have spread | que de vos dice, señor, |
| concerning you. God strike them dead! | falso francés, Dios maldiga, |
| Because you wreak no vengeance on their folly, | que no vengáis su locura; |
| and such inaction needs must bring you shame... | y pues sois tan ruboroso |
| I think that this is all I need to say. | no tengo que ser más claro. |
| Nobility[23] could once more be restored | Volvería así lo noble [*Paratge*][25], |
| which at present is among us so entirely lost | entre nosotros perdido, |
| that it can not even begin to find the way. | que ni sabemos camino. |
| | |
| Helmets and halberds I should like to see | Yelmos, lorigas, querría, |
| and lances with flourishing pennants, | y astas de bellos pendones, |
| I wish that I could witness in the battlefields | ver ahora por los campos, |
| the standards of the gathered seigneuries; | y enseñas de señoríos, |
| and I look forward to that longed-for day | y enfrentados ver un día |
| when we and the French meet in the fray. | los franceses y nosotros |
| For without a doubt we then shall see | para saber quién más puede |
| which of us excels in chivalry, | en hechos caballerescos, |
| and, because I know we are in the right, | y, siendo la razón nuestra, |
| they surely will be defeated by our might. | con ellos el daño iría. |
| | |
| O noble Count, most worthy lord, | Noble conde, marqués digno, |
| may your deeds upon the field of battle | que en el campo hiriendo y dando |
| repair the grievous harm you have endured; | sea reparado el daño, |
| and may your lost dominions be restored! | recobréis muchos dominios. |

## 14. ME PLACE CANTAR
## Y SER AMABLE
**Raimon de Miraval**

## 14. I AM HAPPY TO SING
## AND BE PLEASANT
**Raimon de Miraval**

| | |
|---|---|
| I am happy to sing and be pleasant | Me place cantar y ser amable, |
| as the breeze is soft and the season is gay | pues el aire es suave y el tiempo es alegre, |
| and as I hear the mocking cooing | y en los huertos y en los setos |

E diga-li que sa granda valor
ne triplarà
se lo vesèm en Carcassés,
coma un bon rei, cobrar sas rendas;
e s'encontra qualque defensa,
que faga paréisser qu'es aquí falta grèva davant el,
e, tractant aital sos enemics,
qu'amb lo fuòc e la sang, los vença;
e que sas engenhs (de guèrra) traga tant drut
que los murs i pòscan pas resistir.

Aital se poirián
acabar los marrits ressons
qu'espandisson, senhor, de vos,
les falses Franceses – que Dieu lou maldiga –,
tant que castigatz pas lor folia,
ja qu'aiçò vos far tant vergonhós
– me'n cal pas dire mai dobertament.
Aital Paratge[26] s'en tornariá,
que s'es perdut cap e tot, aicí, desmest nosautres,
e que sap pas mai ont se trapar via, quitament.

Los elms e los aubèrcs
e las lanças dels penons bèls,
quant m'agradariá de los veire d'ara enlà en liça,
tant coma los senhals de mantas senhorias,
e de veire un jorn s'afrontar
los Franceses e nosautres, per saber
qual capitariá melhor en fait de cavalariá.
Estant qu'es nòstra la rason,
cresi que la desfaita amb eles se n'anariá.

Pros comte, marqués de nòble raiç,
pòsca sul camp (batalhièr), a grands còps d'espasa,
èsser restaurats los grèus damnatges qu'endurèretz !
E poscatz-vous cobrar tantas plaças perdudas !

### 14. BÈL M'ES QU'IEU CANTE E ME MÒSTRE AIMABLE
**Raimon de Miraval**

Bèl m'es qu'ieu cante e me tenga aimable
ja que l'aura es doça e lo temps gai,
e que per vergièrs e per randals,
ausissi lo fiular e lo canturlejar
que fan los aucelets menuts
entre lo verd, lo blanc e lo vaire ;
donc, se deuriá virar,
lo que vòl qu'Amor l'ajude,
cap a un anar de drut.

Ieu, soi pas drut, mas cortègi,
crenhi pas ni pena ni fais (de dòl),
me rencuri ni m'encolèri pas,

I digues-li que el seu gran valor
es veurà triplicat
si el veiem al Carcassonès
com un bon rei recaptar les seves rendes;
i si hi troba resistència,
que faci veure el greuge que li fan
i tractant així els seus enemics
els venci a sang i foc;
i que els seus enginys disparin amb tanta força
que les muralles no s'hi resisteixin.

Així podríem acabar
amb els rumors malignes
que escampen sobre vós, senyor,
els falsos francesos, que Déu maleeixi,
perquè no castigueu la seva follia
i perquè això us causa tanta vergonya,
no cal pas ser més explícit.
Així retornaria Paratge[24],
que s'ha perdut del tot entre nosaltres,
i ja no sap més on trobar el seu camí.

Els elms i els ausbergs
i les llances amb brillants penons,
com em plauria de veure'ls en ús
així com les ensenyes de tantes senyories
i de veure un dia en combat
els francesos i nosaltres, per saber
qui serà més reeixit en fet de cavalleria.
I com la raó és del nostre costat,
crec que ells s'emportaran la desfeta.

Valerós comte, marqués de noble llinatge,
siguin reparats a grans cops d'espasa al camp
els grans danys que vós heu sofert!
I recupereu totes les places perdudes!

### 14. M'AGRADA CANTAR I MOSTRAR-ME AMABLE
**Raimon de Miraval**

M'agrada cantar i mostrar-me amable
perquè l'aire és dolç i el temps, alegre,
i pels jardins i les cledes
sento la piuladissa i la gatzara
que fan els ocellets
per entre el verd i el blanc i el bagarrat.
Així doncs, qui vulgui
que l'amor l'ajudi
haurà de captenir-se com un drut[25].

Jo no són drut, sinó que faig la cort,
i no tinc por de pena ni feix;
no em queixo ni m'entreisteixo,

| DEUTSCH | ITALIANO |
|---|---|
| Und sage ihm, dass sein großer Mut<br>sich verdreifacht,<br>wenn er im Carcassès gesichtet wird<br>wie ein guter König, der die Abgaben eintreibt;<br>und sollte er Widerstand antreffen,<br>soll er zur Einsicht vor diesem Vergehen mahnen,<br>und wenn er so mit Feuer und Schwert<br>seine Feinde behandelt, besiegt er sie,<br>und seine Waffen schießen so stark,<br>dass die Mauern ihnen nicht standhalten. | E digli che il suo grande valore<br>ne uscirà triplicato<br>se lo vedremo, come un buon re,<br>nel Carcassès a reclamare il suo.<br>E se troverà resistenza,<br>mostri che è un grande errore innanzi a lui,<br>affrontando in tal modo i suoi nemici<br>che, col fuoco e col sangue, li sbaragli,<br>e le sue macchine abbiano un tale tiro<br>che le mura non possano resistergli. |
| So könnte den bösen Gerüchten<br>ein Ende gesetzt werden,<br>die über Euch, Herr,<br>die gottverdammten Franzosen verbreiten,<br>denn Ihr bestraft nicht ihren Wahn<br>und weil dies so schandhaft ist;<br>ich muss wohl nicht ausführlicher sein.<br>So kehre Paratge[23] zurück,<br>das hier bei uns völlig verloren ist<br>und nicht einmal seinen Weg findet. | Così si potrebbe mettere fine<br>alle voci malevole<br>che su di voi spargono, signore,<br>i subdoli francesi – che Dio li maledica –,<br>di cui non castigate la follia.<br>Poiché ciò vi copre di ignominia,<br>non occorre che io sia qui più chiaro.<br>Così ritornerebbe il Paratge[23],<br>che del tutto si è perso, qui, tra noi,<br>e nessuno ne sa trovar la via. |
| Helme und Halsberge<br>sowie Speere mit glänzenden Bannern<br>sähe ich allzu gerne im Einsatz<br>mit den Abzeichen zahlreicher Gebiete;<br>so komme es eines Tages zum Kampf<br>zwischen Franzosen und uns, um zu wissen,<br>wer von beiden im Ritterlichen besser ist.<br>Da das Recht auf unserer Seite liegt,<br>glaube ich, dass sie mit der Niederlage davon kommen. | Gli elmi e gli usberghi<br>e le lance dai brillanti pennoni,<br>come vorrei vederli usciti in campo,<br>con le insegne di molte signorie!<br>E vedere un giorno alle prese<br>i francesi e noi, per sapere<br>chi sia il più forte quanto a cavalleria.<br>E siccome la ragione è nostra,<br>credo che la disfatta andrebbe con loro. |
| Mutiger Graf, Edelmann guter Abstammung,<br>möge auf dem Schlachtfeld mit großem Geschmetter<br>der Riesenschaden behoben werden, den Ihr littet!<br>Möget Ihr alle verlorenen Städte rückerobern! | Prode conte, nobile marchese,<br>possiate in campo, a gran colpi di spada,<br>riparare i gravi danni subiti,<br>e riavere tante terre perdute! |

## 14. GERNE SINGE ICH UND WEISE MICH HÖFLICH
### Raimon de Miraval

## 14. VOGLIO CANTARE E MOSTRARMI GENTILE
### Raimon de Miraval

| | |
|---|---|
| Gerne singe ich und weise mich höflich,<br>denn die Luft ist lieblich und das Wetter heiter,<br>und in den Gärten und Hecken<br>höre ich das freche Piepsen<br>der kleinen Vögel<br>mitten im Grünen, Weißen und Gestreiften.<br>Wer also möchte, dass die Liebe ihm helfe,<br>der soll sich nach dem Verhalten<br>eines erfüllten Liebhabers richten. | Voglio cantare e mostrarmi gentile<br>poiché la brezza è dolce e il tempo lieto,<br>e nei frutteti e nelle siepi,<br>sento i trilli e i cinguettii<br>che fanno gli uccelletti,<br>tra il verde, il bianco, il vaio.<br>Ora, dunque, dovrebbe adoprarsi<br>chi vuole che amore l'aiuti,<br>con la condotta d'un amante perfetto. |
| Ich bin kein erfüllter Liebhaber,<br>sondern hofiere,<br>ich erzürne nicht und hege keinen Groll | Io non sono un amante perfetto,<br>ma corteggio,<br>non mi corruccio né nutro alcun rancore, |

aug lo retint e-l gabei
que fan l'auzeillet menut
entre-l vert e-l blanc e-l vaire ;
adoncs se deuri'atraire
cel qe vol c'amors l'ajut
vas chaptenenssa de drut.

Eu non sui drutz mas dompnei,
ni non tem pena ni fais,
ni-m rancur leu ni m'irais,
ni per orguolh no m'esfrei ;
pero temenssa-m fai mut,
c'a la bella de bon aire
non aus mostrat ni retraire
mon cor q'ill tenc rescondut,
pois aic son pretz conogut.

Ses prejar e ses autrei
sui intratz en greu pantais
cum pogues semblar verais
si sa gran valor desplei,
q'enquer non a pretz agut
dompna c'anc nasques de maire
qe contra-l sieu valgues gaire ;
e si-n sai maint car tengut
que-l sieus a-l meillor vencut.

Chansos, vai me dir al rei
cui jois guid'e vest e pais,
q'en lui non a ren biais,
c'aital cum ieu vuoill lo vei;
ab que cobre Montagut
e Carcasson'el repaire,
pois er de pretz emperaire,
e doptaran son escut
sai Frances e lai Masmut.

Dompn'ades m'avetz valgut
tant que per vos sui chantaire;
e no-n cuiei chanson faire
tro-l fieu vos agues rendut
de Miraval q'ai perdut.

Mas lo reis m'a covengut
que-l cobrarai anz de gaire,
e mos Audiartz Belcaire :
puois poiran dompnas e drut
tornar el joi q'ant perdut.

j'entends le gazouillement moqueur
que font les petits oiseaux
parmi le vert, le blanc, le vair.
donc, il devrait s'orienter,
celui qui veut qu'Amour l'aide,
vers une conduite d'amant accompli.

Moi, je ne suis pas un amant accompli, mais je courtise,
je ne me courrouce ni ne nourrit nulle rancune,
ni ne m'effarouche pour mon amour-propre ;
et pourtant la crainte me rend muet,
car à la belle aux airs plaisants
je n'ose montrer ni ouvrir
je n'ose montrer ni déclarer
mon cœur qui se tient caché
jusqu'à ce qu'il connaisse son courtois mérite.

Sans prier ni sans obtenir,
je suis entré en grand tourment :
comment pourrais-je approcher la vérité,
si je décris sa grande valeur ?
Car jamais femme née de mère
n'a eu jusqu'ici de mérite
qui vaille tant soit peu le sien ;
et si j'en connais beaucoup de fort estimés,
le sien a dépassé le meilleur.

Chanson, va dire de ma part au roi[24]
que le Joy[25] guide, vêt et nourrit[26],
qu'il n'y a en lui rien de tortueux,
et que tel que je veux le voir, je le vois ;
pourvu qu'il recouvre Montégut
et Carcassonne, le repaire,
il sera alors empereur de mérite courtois,
et redouteront son écu
ici, les Français et là les Musulmans.

Madame, vous m'avez très vite tant valu
que pour vous je suis chanteur,
et pourtant je ne croyais plus faire de chansons,
avant de vous avoir rendu le fief
de Miraval que j'ai perdu[27].

Mais le roi m'a promis
de me le rendre sous peu,
et à mon Audiart[28], Beaucaire ;
Alors pourront, dames et amants,
retrouver le Joy qu'ils ont perdu[29].

## 15. AISSI CUM ES GENSER PASCORS
### Raimon de Miraval

Aissi cum es genser Pascors
de nuill autre temps chaut ni frei,

## 15. PUISQUE PÂQUES EST PLUS PLAISANTE
### Raimon de Miraval

Puisque Pâques est plus plaisante
que nul autre moment, chaud ou froid,

| | |
|---|---|
| of the little birds | oigo el trinar y el piar |
| in the orchards and hedges, | de los menudos pájaros |
| among the green and white and vair. | entre el verde, el blanco y el abigarrado; |
| so the man whom Love | así pues debe dirigirse |
| is helping should | quien quiere que Amor lo ampare |
| behave as an accomplished lover does. | hacia el obrar del amante. |

| | |
|---|---|
| I am not an accomplished lover, but I am paying court, | Amante no soy pero cortejo, |
| I am not angry, and I harbour no resentment, | y no me asusta pena ni carga, |
| nor am I afraid for my own pride, | ni por poco me quejo o me irrito, |
| and yet fear renders me dumb, | ni por orgullo me asusto; |
| for I dare not show or open, | pero el temor me hace mudo, |
| show or declare my heart | pues a la bella de aire gentil |
| to the beautiful girl of pleasing appearance | a mostrar no me atrevo ni a declarar |
| my heart stays hidden | mi corazón, que le mantego oculto, |
| until it knows its courtly merit. | hasta haber su conocido mérito. |

| | |
|---|---|
| Without prayer or gain, | Sin pedir ni obtener, |
| I am in great torment: | he caído en gran tormento: |
| how could I approach the truth, | cómo puedo parecer veraz |
| if I describe its great value? | si su gran valor describo, |
| For no woman born of a mother | pues mérito no ha tenido |
| has ever had such merit | mujer nacida de madre |
| as hers, | que ante al suyo algo valiera; |
| and though I know many who are much esteemed, | conozco muchos muy apreciados, |
| her merit is greater than the best. | y el suyo al mejor ha superado. |

| | |
|---|---|
| Song, tell the king[24] from me | Canción, dile de mi parte al rey[26] |
| that Joy[25] guides, clothes and feeds[26], | al que el gozo[27] guía, viste y nutre,[28] |
| that it contains nothing tortuous, | que no hay en él nada falso |
| and that he is just as I wish to see him, | y que tal como quiero verlo lo veo; |
| may he regain Montégut | si recobra Montagut |
| and Carcassonne, the den, | y Carcasona, morada, |
| then he will be the emperor of courtly merit, | será emperador de mérito, |
| and his shield will be feared | dudarán ante su escudo |
| here by the French and the Moslems. | aquí franceses y allá mahometanos. |

| | |
|---|---|
| Madam, you mean so much to me | Dama, ha sido de pronto tal para mí |
| that I have become a singer for you, | vuestro valor que por vos soy cantor; |
| and yet I thought I would sing no more, | y hacer canción no pensaba |
| until I had restored to you the fief of Miraval, | hasta el feudo devolveros |
| which I had lost[27]. | de Miraval que he perdido.[29] |

| | |
|---|---|
| But the king promised | Mas el rey me ha prometido |
| to return it to me soon, | que dentro de pronto lo recobrará, |
| and to my Audiart[28], Beaucaire, | y mi Audiart,[30] Beaucaire: |
| Then ladies and lovers will | entonces podrán damas y amantes |
| find their lost Joy.[29] | volver al gozo perdido[31]. |

## 15. SINCE EASTER IS THE SWEETEST TIME
**Raimon de Miraval**

## 15. SIENDO PASCUA LA MÁS DULCE
**Raimon de Miraval**

| | |
|---|---|
| Since Easter is the sweetest time | Siendo Pascua la más dulce |
| of all the seasons, hot or cool, | de todas las épocas frías o cálidas, |

ni per orguèlh, m'enfaroni pas ;
pr'aquò crénher m'amudís,
ja qu'a la bèla de bon aire
gausi pas mostrar ni alandar
mon còr que se ten rescondut
fins qu'aja conegut son prètz.

Sens pregar ni sens obtene,
soi dintrat en grèu torment :
cossí poguèsse ieu semblar verai
se descrivi sa granda valor,
ja qu'encara cap dòna que jamai
nasquès de maire a pas agut un prètz
que contra lo sieu valguès gaire ;
e se ne sabi mants de fòrça estimats,
lo sieu a despassat lo melhor.

Cançon, vai me dire al rei[27]
que jòi mena, vestís e noirís[28],
qu'en el, i pas res de biais,
qu'aital coma lo vòli, lo vesi ;
Mai que cobre Montagut
e Carcassona, lo repaire,
alara serà emperaire de Prètz,
e redobtaràn son escut
çai los Franceses
e lai los Musulmans.

Dòna, plan lèu m'avètz tant valgut
que per vos soi cantaire,
e cresiái pas tornar far cançons,
abans de vos aver rendut lo fièu
de Miraval qu'ai perdut[29].

Mas lo rei a convengut amb ieu
que d'aquí a pauc lo cobrarai,
coma mon Audiart[30] Bèucaire :
puèi poiràn dònas e druts,
tornar al jòi qu'an perdut[31].

ni l'orgull m'espanta;
però em deixa mut el temor
perquè no goso mostrar ni exposar el meu cor
a la bella d'alt llinatge
ja que li tinc amagat
d'ençà que vaig conèixer el seu mèrit.

Encara que no li he suplicat res
i ella no ha consentit res,
he caigut en un greu turment:
com podria semblar sincer
si parlés del seu gran mèrit,
perquè fins ara no hi ha cap dona nascuda de mare
que valgui tant, que es pugui comparar
amb el seu mèrit.
En conec molts de molt preuades,
però el seu les ha vençut a totes.

Cançó, digues de part meva al rei[26]
–a qui guia i vesteix i nodreix el joi[27]–
que en ell no hi ha res d'indigne,
que el veig tal com el vull veure.
Si recupera Montagut
i Carcassona,
aleshores serà un emperador de mèrit,
i tant aquí els francesos com allà els musulmans
tindran por del seu escut.

Senyora, per mi heu tingut sempre tanta vàlua
que per vós segueixo cantant,
i no pensava fer cap altra cançó
abans que no us hagués tornat
el feu de Miraval que vaig perdre.[28]

Però el rei em va prometre
que el recuperarà d'aquí a poc temps,
i el meu Audiart[29], Bèucaire:
després les dames i els druts
podran tornar al joi que han perdut.[30]


## 15. ESTANT QUE LAS PASCAS SON MAI PLASENTAS
### Raimon de Miraval

Estant que las Pascas son mai plasentas
que cap autre temps caud o fred,
aquò deuriá èsser melhor per cortejar las dònas,
e per regaudir los aimadors fisèls ;
mas mala sòrt ongan a sas flors,
que m'an tengut en tan grand damatge
ja qu'en un sol jorn m'an panat
tot çò qu'aviái, en dos ans,
conqués en mants durs afans.

## 15. TAL COM ÉS BELLA LA PASQUA
### Raimon de Miraval

Tal com és bella la Pasqua
més que cap altre temps calent o fred,
hauria d'afavorir el cortejament
pel gaudi dels amants fidels.
Però enguany, el mal a les flors
m'ha causat tant dany
que en un sol dia m'han pres
tot el que en dos anys havia
guanyat amb dures penes.

| | |
|---|---|
| noch fürchte ich meinen Stolz. | né mi preoccupo per il mio amor proprio; |
| Doch die Angst verstummt mich, | e tuttavia il timore mi rende muto, |
| da ich mich der Schönen mit lieblichem Schein | perché alla bella dalle arie graziose |
| mein verborgen gehaltenes Herz | non oso mostrare né aprire |
| nicht zu zeigen oder erklären traue, | il mio cuore che tengo nascosto, |
| bis es sein höfisches Verdienst erlangt. | fin ch'ella riconosca il suo cortese merito. |

Ohne um etwas zu bitten oder es zu erhalten,
geriet ich in eine schwere Pein,
denn wie kann ich der Wahrheit entgegentreten,
wenn ich ihre große Tugend beschreibe?
Denn keine vom Mutterleib geborene Frau
wies je solch großes Verdienst vor,
das sich mit ihrem messen kann;
zwar kenne ich viele, die geschätzt,
doch ihr Verdienst steht über Alle.

Lied, richte meinerseits dem König[24] aus,
den der Joi[25] führt, bekleidet und ernährt[26],
dass in ihm nichts Unwürdiges ist
und ich ihn sehe, wie ich ihn sehen möchte.
Wenn er Montégut
und Carcassonne zurück bekommt,
wird er Kaiser des höfischen Verdienstes sein,
und sein Schild wird dann gefürchtet
hier von Franzosen wie
dort von Muslimen.

Meine Dame, ihr wart mir stets so viel wert,
dass ich für euch immer noch singe,
und dennoch gedachte ich, kein Lied zu machen,
ehe ich euch das verlorene Lehen
von Miraval[27] rückerstatte.

Doch der König versprach,
mir sowie meinem Audiart[28]
Beaucaire bald zurückzugeben;
dann können Damen und Liebhaber
den verlorenen Joi wieder erlangen.[29]

Senza pregare e senza ottenere,
sono entrato in grande tormento:
come potrei sembrare più veritiero,
quando descrivo il suo grande valore?
Perché mai donna nata da madre
ha avuto fino ad ora tale merito
che appena si avvicini al suo;
e se ne conosco di molto stimabili,
il suo, di loro supera il migliore.

Canzone, va' a dire, da parte mia, al re[24]
che il gaudio[25] guida, veste e nutre[26],
che non ha in sé niente di ambiguo
e che se voglio vederlo, mi riceve;
che se riconquisterà Montagut
e ricostruirà Carcassona,
sarà allora imperatore di merito cortese,
e temeranno il suo scudo
qui i francesi
e là i musulmani.

Mia dama, in breve mi siete divenuta
tanto preziosa che per voi ora canto,
sebbene credessi di non fare più canzoni,
prima di avervi reso il feudo
di Miraval che mi hanno tolto[27].

Ma il re mi ha promesso
di rendermelo tra poco,
e di rendere, al mio Audiart[28], Beaucaire.
Potranno allora sì, dame ed amanti,
ritrovare il gaudio che hanno perduto[29].

## 15. SO WIE OSTERN DIE SCHÖNSTE IST
**Raimon de Miraval**

So wie Ostern die schönste ist
aller warmen und kalten Jahreszeiten,
sollte es die Hofierung begünstigen
zur Freude der treuen Liebhaber.
Doch dieses Jahr setzte mir
der Schaden an den Blumen so zu,
dass mir an einem Tag genommen wurde,
was ich in zwei Jahren
mit großer Mühe gewonnen.

## 15. POICHÉ PASQUA È PIÚ GRADEVOLE
**Raimon de Miraval**

Poiché Pasqua è più gradevole
di qualsiasi altro tempo, caldo o freddo,
dovrebbe esser migliore per corteggiar le dame,
e rallegrare gli amanti fedeli.
Ma sian maledetti, quest'anno, i suoi fiori,
che mi han causato troppo grande sconforto,
poiché in un sol giorno mi hanno rubato
tutto ciò che, in due anni, avevo
conquistato con tante faticose premure!

degr' esser meiller vas domnei
per alegrar fis amadors ;
mas mal aion ogan sas flors
que m'an tan de dan tengut
q'en un sol jorn m'an tolgut
tot qant avi'en dos ans
conques ab mainz durs affans.

Un plait fan domnas q'es follors :
qant trobon amic que-s mercei,
per assai li movon esfrei
e-l destreingnon tros-s vir'aillors ;
E, qant an loignhat los meillors
fals entendedor menut
son per cabal receubut,
don se chala-l cortes chanz
e-n sorz crims e fols mazans.

Domna, per cui me venz Amors
quals que m'ai'enanz agut,
a vostr'ops ai retengut
toz faiz de druz benestanz
e Miraval e mos chanz.

Al rei d'Aragon vai de cors
cansos, dire qe-l salut,
e sai tant sobr'altre drut
qe-ls paucs prez faz semblar granz
e-ls rics faz valer dos tanz.

E car lai no m'a vegut,
mos Audiarz m'a tengut,
qe-m tira plus q'adimanz
ab diz et ab faiz prezans.

cela devrait être meilleur pour courtiser les dames,
et pour réjouir les amoureux fidèles ;
mais le mauvais sort cette année a ses fleurs,
qui m'ont tenu en trop grande détresse
puisqu'en un seul jour, elles m'ont volé
tout ce que j'avais, en deux ans,
conquis avec maints âpres empressements.

Les dames plaident en faveur d'un attitude insensée :
lorsqu'elle trouve un ami qui leur demande merci,
pour l'éprouver, elles le poussent à l'angoisse,
et le tourmentent jusqu'à ce qu'il se détourne d'elles ;
et lorsqu'elles ont ainsi détournés les meilleurs,
de fourbes petits ignorants[30]
sont reçus comme s'ils étaient accomplis[31],
et, pour cela, le grand chant courtois se taît,
tandis que se lèvent les rumeurs et les bruits ineptes.

Maîtresse, puisque par vous Amour me vainc,
quelle que soit celle qui m'eut avant,
je me suis tenu à votre service
à faire tout ce que doit faire un amant convenablement accompli,
même les chants, et votre est Miraval[32].

Jusqu'au roi d'Aragon, presse-toi,
chanson, lui dire que je le salue
et que je suis si savant, face aux autres amants accomplis,
que je fait paraître grande la valeur de peu,
et que je fais valoir deux fois plus ce qui est déjà précieux.

Et si là-bas, on ne m'a pas vu,
c'est que j'étais par mon Audiart[33] retenu
lui qui m'attire mieux qu'un aimant,
avec paroles et faits de grand prix.

## 16. L'EPICTAFI DE S. DE MONTFORT
### Cançon de la crosada (segond part)
### Anonim, s. XIII

**Vers 208**

Tot dreit a Carcassona l'en portan sebelhir
e-l moster Sent Nazari, celebrar et ufrir.
E ditz e l'epictafi, cel qui-l sab ben legir,
qu'el es sans ez es martirs e que deu reperir
e dins e-l gaug mirable heretar e florir
e portar la corona e e-l regne sezir.
Ez ieu ai auzit dire c'aisi-s deu avenir
si, per homes aucirre ni per sanc espandir
ni per espertz perdre ni per mortz cosentir
e per mals cosselhs creire e per focs abrandir
e per baros destruire e per Paratge aunir
e per las terras toldre e per Orgolh suffrir
e per los mals escendre e pels bes escantir
e per donas aucirre e per efans delir,

## 16. L'ÉPHITAFE DE S. DE MONTFORT
### Chanson de la Croisade (seconde partie)
### Anonyme, XIIIe siècle

**Lais 208**

Ils le portent tout droit à Carcassonne pour l'y ensevelir,
et pour, au monastère Saint Nazaire, le célébrer et, (à sa faveur) donner des offertoires.
Et l'épitaphe dit, pour qui sait bien le lire,
qu'il est, lui, saint et martyre, et qu'il doit ressusciter,
et dans l'admirable joie hériter et fleurir,
et porter la couronne et siéger dans le Règne.
Et moi, j'ai entendu dire que s'il doit en advenir ainsi,
si, pour tuer des hommes et répandre le sang,
si, pour égarer l'esprit et consentir à donner la mort,
si, pour croire les mauvais conseils et déclencher les incendies,
si, pour détruire les seigneuries (légitimes) et mépriser Paratge (la vraie noblesse),

to courtship it should be more kind
and gladden the hearts of lovers true.
But cursed be the flowers this year
that have brought me so much pain,
for in a single day they have robbed me
of all that in two arduous years
my labours had reaped as gain.

My mistress and myself and Love
all three the same desire did share
until, today, the softness of the air,
the rose, the songster and the leafy grove
reminded her that her own worth
had far too much diminished
for wanting what had been my goal.
It's not as if we savoured many pleasures,
for nothing passed between us save pleas for love.

Lady, since Love has made of me your slave,
no matter whom I ever served before,
into your hands I now deliver,
in fealty to noble lovers' law,
both Miraval and all my compositions.

To the King of Aragon make haste,
my song, and bid him hail on my behalf,
and say that, other lovers far exceeding,
my meagre merit, compared with theirs is great,
and in my hands the precious takes on twice its worth.

And if I have long been absent from his sight,
it is because I here have dallied with Audiart,
who more than a magnet draws me to his side
with many ingenious, worthy words and deeds.

con los cortejos que ser mejor tendría
y alegrar a los fieles amantes.
Mal hayan este año las flores
que tanto daño me han causado,
que en un solo día me han quitado
todo cuanto había en dos años
conquistado con duros afanes.

Hay en las mujeres una actitud necia:
si encuentran amigo que pide merced,
por prueba lo atormentan,
lo afligen hasta alejarlo.
Y, habiendo alejado a los mejores,
enamorado ignorante [32] y falso
por perfecto es recibido,[33]
y entonces calla el canto cortés
y se oyen censura y rumor necio.

Dama, pues por vos Amor me vence,
quienquiera que me tuviera antes,
a vuestro servicio entrego
emulación de nobles amantes,
Miraval y mis canciones.[34]

Al rey de Aragón acude presta,
canción, para decirle que lo saludo
y supero tanto otros amantes
que el escaso mérito hago ver grande
y lo valioso hago valer dos veces.

Si junto a él no me ha visto,
es que me ha retenido mi Audiart,[35]
que me atrae más que un imán
con dichos y hechos dignos de gran mérito.

## 16. EPITAPH FOR MR. DE MONTFORT
**Second part of the song of the crusade**
**Anonymous (XIII$^{th}$ century)**

### Stanza 208
They are taking him straight to Carcassonne where he will be buried,
to celebrate him at Saint Nazaire monastery, and for offertories in his memory.
And for those who can read it, the epitaph says.
that he is a saint and a martyr, that he will live again,
and inherit and flourish in wondrous joy,
wear the crown and sit in Heaven.
And I have heard that if this comes to pass,
if by killing men and spilling blood,
if by deceiving men and agreeing to take life,
if by heeding evil advice and starting fires,
if by destroying (legitimate) estates and despising
Peerage (the true nobility),

## 16. EL EPITAFIO DE S. DE MONTFORT
**Canción de la cruzada (segunda parte)**
**Anónimo, siglo XIII**

### Canción 208
Derecho a Carcasona lo llevan a enterrar
y, al monasterio de san Nazario, celebrarlo y hacer ofertorios.
Y dice el epitafio para quien leer sepa,
que es santo y es mártir y va a resucitar
y en el goce admirable heredar y florecer,
y llevar la corona y residir en el Reino.
Y también he oído decir que si debe suceder así,
si por matar hombres y derramar sangre,
por perder el espíritu y consentir las muertes
y por seguir malos consejos y atizar los fuegos
y por destruir señoríos y deshonrar la nobleza
y por tomar las tierras y tolerar el orgullo
y por extender los males y consumir los bienes

Las dònas defendan un anar dessenat :
quand tròban un amic que lor demanda mercé,
per l'esprobar, l'acantonan a las ànsias,
e lo tormentan fins que se'n desvire d'elas
e quand an aital desvirats los melhors,
falses endentedors menuts
son recebuts coma se foguèssen complits,
e, per aiçò, sa cala lo grand cant cortés,
mentre que se lèvan rumors e fòls rambalhs.

Dòna, que per vos me vènç Amor,
quina que siá la que m'aguèt abans,
al vòstre servici me soi tengut
a far tot çò que deu far un drut convenent,
amai los cants, e vòstre es de Miraval lo castèl.

Fins al rei d'Aragon, coita-te,
cançon, li dire que lo saludi
e que tant soi sabent, de cara als autres druts,
que fau semblar grands los prèses de pauc,
e que fau valer dos còps mai tot çò ja preciós.

E s'ailà m'a pas vist,
es qu'èra per mon Audiart[32] tengut
que m'atrai mai qu'un imant,
amb paraulas e faits de grand prètz.

Les dones són folles amb llurs intrigues!
Quan es troben amb un amic que demana mercè,
li infonen angoixa per tal de reprovar-lo
i el turmenten fins que se'n va a una altra,
i quan així rebutgen els millors,
són els petits mentiders amorosos[31]
que acullen com si fossin perfectes[32]:
i és per això que el cant cortès calla
mentre sorgeixen xivarri i retrets.

Dama, per qui em vènç l'amor,
que no sigui la que m'ha hagut abans de vós,
he retingut en servei vostre
tots els fets i dits dels distingits amants,
així com Miraval i els meus cants[33].

Al rei d'Aragó ves ràpid,
cançó, dir-li que el saludo
i que estic talment damunt els altres amants
en saber, que semblen grans els minsos mèrits
i faig valer el doble els que ja són preciosos.

I si no m'ha vist allí,
és que m'ha retingut el meu Audiart[34]
que m'atreu més que un amant,
amb les seves paraules i accions dignes d'elogi.

## 16. L'EPITAFI DE S. DE MONTFORT
Cançon de la crosada (segond part)
Anonim, s. XIII

## 16. L'EPICTAFI DE S. DE MONTFORT
Segona part de la cançó de la croada
Anònim, segle XIII

### Vèrs 208

Lo pòrtan tot dreit a Carcassona per l'i sebelir,
e per, al monestièr Sant Nazari, lo celebrar e, (a sa favor)
donar d'ofertòris.
E l'epitafi ditz, pel qu'o sap ben legir,
qu'es, el, sant e martiri, e que deu respelir,
e dins lo gaug remirable eiretar e florir,
e portar la corona e se sietar dins lo Règne.
E ieu, ai ausit dire que s'aquò deu advenir,
se, per tuar d'òmes e espandir sang,
se, per esmarar l'esperit e consentir a donar mòrt,
se, per creire marrits conselhs e abrandar incendis,
se, per destrusir senhoriás (legitimas) e mespresar Paratge,
se, per panar tèrras e tolerar Orguèlh,
se, per acréisser mals e amortar bens,
se, per tuar femnas e far crebar enfants,
podèm en aqueste mond meritar Jèsus Crist,
el (Montfórt), deu portar corona e pel cèl resplendir !
E lo Filh de la Verge que fa créisser (e valer) drèit,
(El) que donèt carn e sang dignas per destrusir l'Orguèlh,
apare Rason et Dreitura, ja que'n devon perir,
e que faga lusir (bon) drèit demèst las doás partidas !

### Vers 208

Tot dret a Carcassona se l'emporten per sepultar-lo
a l'església de Sant Nazari, per fer-li misses i ofrenes.
I diu l'epitafi, que a qui el sàpiga llegir,
que ell és sant i màrtir i que ha de ressuscitar.
i, en el goig meravellós, tenir la seva part i florir,
portar la corona i el regne sencer.
I jo he sentit a dir que així ha de ser
si, per matar homes i sang vessar,
per fer perdre els esperits i per consentir morts,
per creure mals consells i causar incendis,
per barons destruir i avergonyir Paratge,
per les terres arrabassar i per orgull mantenir,
pels mals encendre i els béns extingir,
per les dones massacrar i els infants matar,
pot algú en aquest segle Jesucrist conquerir,
ell ha de portar corona i al cel resplendir.
I el Fill de la Verge, que fa la justícia triomfar,
i donà carn i sang santa per a l'orgull destruir,
guardi raó i dretura, en perill de mort,
que en les dues parts faci la justícia brillar.

Die Frauen sind mit ihren Querelen wahnsinnig!
Wenn sie einen Freund finden, der um Gnade fleht,
flößen sie ihm als Zeichen des Tadels Angst ein
und quälen ihn, bis er zu einer Anderen geht,
und so weisen sie die Besten zurück,
nehmen aber die kleinen Liebesgauner wahr,
als ob sie vollkommen wären;
daher schweigt der höfische Gesang
während Lärm und Zank hallen.

Meine Dame, für die mich die Liebe besiegt,
sei nicht die, die mich vor euch besaß,
denn zu euren Diensten erhielt ich
alle Taten und Sprüche der vornehmen Liebhaber
sowie Miraval und meinen Gesang.

Zum König von Aragonien eile schnell,
Lied, sage ihm, dass ich ihn begrüße
und ich im Wissen so sehr über andere Liebhaber stehe,
dass die spärlichen Verdienste groß erscheinen
und die gegenwärtig kostbaren doppelt gelten.

Und werde ich dort nicht gesehen,
so hielt mich mein Audiart[30] zurück,
der mich stärker als ein Liebhaber anzieht
mit seinen lobenswerten Worten und Taten.

Le donne hanno a volte atteggiamenti insensati.
Quando trovano un amico che chiede grazie,
lo angosciano col pretesto di provarlo,
e lo tormentano finché si allontana;
e quando hanno così respinto i migliori,
sono dei piccoli bugiardi ignoranti[30]
ad essere accolti come fossero amanti perfetti[31].
Per questo il grande canto cortese tace,
mentre si levano frastuoni e rumori insensati.

Signora, poiché per voi mi vince Amore,
quale che sia colei che mi ha avuto prima,
mi son conservato per il vostro servizio,
per fare tutto ciò che deve fare un amante perfetto,
anche le canzoni. E vostro è Miraval[32].

Alla reggia d'Aragona affrettati,
canzone, a dirle che la saluto
e che sono tanto sapiente, rispetto agli altri amanti,
da far sembrare grandi i meriti da poco
e far valere il doppio quelli già preziosi.

E se non mi ha visto laggiù
è perché sono stato trattenuto dal mio Audiart[33]
chi mi attira più di una calamita,
con le sue parole e le sue azioni preziose.

## 16. GRABINSCHRIFT VON S. DE MONTFORT
**Cansó de La Crozada (Zweiten Teil)**
**Anonym, 13. Jh.**

### Vers 208
Sie brachten ihn sofort nach Carcassonne, um ihn in der Nazariuskirche
zu begraben und Gottesdienste und Opfergaben für ihn zu halten.
Für des Lesens kundige besagt die Grabinschrift,
dass er Heiliger und Märtyrer ist und auferstehen wird,
und an der wunderbaren Freude Anteil nehmen und aufblühen,
die Krone tragen und im Reich herrschen.
Ich wiederum habe gehört, dass wenn dem so sein soll,
dass jemand auf dieser Welt Jesus Christus gewinnt,
weil er Menschen tötet und Blut vergießt,
den Geist verliert und Totschlag zulässt,
üblem Rat folgt und Brände auslöst,
(gerechte) Herrschaften abschafft und Paratge schändet,
Ländereien beraubt und Hochmut duldet,
das Böse anfacht und das Gute erlöscht,
Frauen tötet und Kinder umbringt,
so muss er (Montfort) wohl eine Krone tragen und im Himmel scheinen!
Und der Sohn der Jungfrau, der das Recht durchsetzt,
der würdiges Fleisch und Blut gab, um den Hochmut zu

## 16. L'EPITAFFIO DI S. DE MONTFORT
**Canzone della crociata (seconda parte)**
**Anonimo, secolo XIII**

### Canzone 208
Lo portano direttamente a Carcassona per la sepoltura
e per celebrarlo al monastero di San Nazaro e fargli offerte.
L'epitaffio dice, a chi lo sa ben leggere,
che egli è santo e martire, e che deve risuscitare,
ereditare il mirabile gaudio, e fiorire,
e portare la corona e sedere nel Regno.
E io ho sentito dire che così deve avvenire:
per avere ucciso degli uomini e sparso sangue,
per avere smarrito lo spirito e consentito a dare la morte,
per aver creduto ai cattivi consigli e scatenato i roghi,
per avere distrutto le signorie e disprezzato Paratge[34],
per aver depredato le terre e tollerato l'Orgoglio,
per avere amplificato il male e soffocato il bene,
per avere ucciso donne e ammazzato bambini,
si può in questo mondo meritare Gesù Cristo.
Egli perciò deve portare la corona e deve risplendere nel cielo!
Ma il Figlio della Vergine che fa crescere il diritto,
che diede carne e sangue degni per distruggere l'Orgoglio,
protegga Ragione e Rettitudine, perché ne devono perire,
e faccia brillare il diritto tra le parti!

pot hom en aquest segle Jhesu Crist comquerir,
el deu portar corona e e-l cel resplandir.
E lo Filhs de la Verge, que fa-ls dreitz abelir,
e dec carn e sanc digna per Orgolh destruzir,
Gart Razo e Dreitura, li cal devon perir,
qu'en las doas partidas fassa-l dreg esclarzir!

si, pour voler les terres et tolérer l'Orgueil,
si, pour amplifier les maux et étouffer les biens,
si, pour tuer les femmes et faire crever les enfants,
on peut en ce monde mériter Jésus Christ,
lui (Montfort), il doit porter la couronne et
resplendir dans le ciel !
Et le Fils de la Vierge qui fait croitre (et valoir) le droit,
(Lui) qui donna chair et sang digne pour détruire
l'Orgueil,
protège Raison et Droiture, car elles doivent en périr,
et qu'Il fasse briller le (bon) droit entre les deux parties !

## 17. D'UN SIRVENTES FAR
**Guilhem Figueira**

## 17. DE FAIRE UN SIRVENTES
**Guilhem Figueira**

D'un sirventes far – en est son que m'agenssa
no· m vuolh plus tarzar – ni far longa bistenssa,
e sai ses doptar – q'ieu n'aurai malvolenssa,
car fauc sirventes
dels fals, mal apres,
de Roma, que es – caps de la dechasenssa,
on dechai totz bes.

De faire un sirventès sur cette mélodie qui me convient,
je ne veux plus tarder ni longtemps hésiter;
et je ne doute pourtant pas qu'il me vaudra malveillances,
car je fais ce sirventès
sur les fourbes, les mal appris
de Rome, qui est à la tête de la décadence
où tout bien déchoit.

No· m meravilh ges, – Roma, si la gens erra,
que· l segle avetz mes – en treballh e en gerra,
e pretz e merces – mor per vos e soterra,
Roma enganairitz,
qu'etz de totz mals guitz
e cima e razitz, – que· l bons reis d'Englaterra
fon per vos trahitz.

Je ne m'étonne pas du tout, Rome, si le monde erre,
car vous avez mis le siècle en tourment et en guerre,
et valeurs courtoises ainsi que merci[34] meurent par vous
et sont ensevelies,
Rome trompeuse, guide, cime et racine
de tous maux, si bien que le bon roi d'Angleterre[35]
fut par vous trahi.

Roma, ses razon – avetz mainta gen morta,
e ges no· m sap bon, – car tenetz via torta,
qu'a salvacion, – Roma, serratz la porta.
Per qu'a mal govern
d'estiu e d'invern
qui sec vostr'estern, – car diables l'en porta
inz el fuoc d'enfern.

Rome, sans raison, vous avez tué maintes gens,
et cela ne me parait avoir rien de bon, car vous suivez
une voie tortueuse
par laquelle, au salut, Rome, vous fermez la porte.
Aussi suit-il un mauvais guide, été comme hiver,
celui qui marche sur vos traces, car le diable l'emporte
dans le feu de l'enfer.

Roma, be· is decern – lo mals c'om vos deu dire,
car faitz per esquern – dels crestians martire,
mas en cal quadern – trobatz c'om deja aucire
Roma· ls crestians ?
Dieus, qu'es verais pans
e cotidians, – me don so qu'eu desire
vezer dels Romans.

Rome, il est facile de voir le mal qu'on doit dire de vous,
car par ignominie de chrétiens vous faites des martyrs ;
mais dans quel livre trouvez-vous que l'on doive,
Rome, tuer les chrétiens
Que Dieu, qui est le pain véritable
et quotidien m'accorde ce que je désire
voir des Romains.

Roma, ben ancse – a hom auzit retraire
que· l cap sem vos te, – per que· l faitz soven raire;
per que cug e cre – qu'ops vos auria traire,
Roma, del cervel,
car de mal capel
etz vos e Cistel, – qu'a Bezers fezetz faire

Rome, on a bien toujours entendu dire
que si votre tête est diminuée, c'est que vous la faites
souvent raser.
Je pense donc et je crois que vous auriez besoin qu'on
vous ôtât,

if by stealing land and tolerating Pride,
if by increasing evil and crushing good,
if by killing women and making children die,
you can merit Jesus Christ on this earth,
he (Montfort) should wear the crown and be resplendent in
heaven!
And the Virgin's Son who increases (and  spreads) the
right path,
(He) who gave his worthy flesh and blood to destroy Pride,
protects Right and Uprightness, for they must perish as a
result,
and may he cause right to shine between the two parties.

y por matar a mujeres y asesinar niños,
se puede en este mundo conquistar Jesucristo,
entonces debe llevar corona y refulgir en el
cielo.(Montfort)
Y que el Hijo de la Virgen, que hace brillar la justicia,
que dio carne y sangre digna para destruir el orgullo,
proteja la razón y la justicia, porque perecerán,
y que entre las dos partes lo justo haga relucir.

## 17. IN WRITING A SIRVENTÈS
### Guilhem Figueira

In writing a sirventès to this agreeable tune
I will waste no time nor further hesitate,
although it will doubtless earn me malevolence,
since my sirventès takes for its theme
the uncouth and the false
of Rome, which is the height of decadence,
where goodness does not thrive.

It is no wonder, Rome, that people err,
for you have filled this world with strife and war,
by your hand worth and mercy[30] are dead and buried;
O, treacherous Rome,
you are an unfit guide,
the crown and root of ills, by whom
the noble king of England[31] was betrayed.

Rome, many are those you have wrongly killed,
and I see no good in this, for you beat a crooked path,
and to salvation, Rome, you bar the door.
In summer or in winter,
whoever follows in your tracks
has a wicked guide, for the Devil leads him
to the flames of hell.

Rome, your faults which must be spoken are plain to see,
in making Christians martyrs you act infamously;
Rome, in which book have you read
that Christians must be slain?
May God, who is our true and daily bread,
grant as I do earnestly desire,
that the Romans justly be rewarded.

Rome, we have always heard it said
that with frequent shaving you have shrunk your head;
to my mind, Rome,
a portion of your brain should be removed,
for the skullcap[32] ill becomes you and Cîteaux,
who ordered that in Béziers

## 17. EN HACER UN SIRVENTÉS
### Guilhem Figueira

En hacer un sirventés con este son que me place
no deseeo tardar más, ni dudar por mucho tiempo,
aunque sé a buen seguro, me valdrá malevolencias,
porque hago el sirventés
de los falsos y groseros
de Roma, que es cumbre de la decadencia,
donde todo bien decae.

No me sorprende, Roma, si el mundo yerra,
pues del siglo habéis hecho tormento y guerra,
y estima y merced[36] tenéis por muertas y bajo tierra,
Roma embaucadora,
sois de todo mal guía,
cima y raíz, que el buen rey de Inglaterra[37]
por vos fue traicionado.

Roma, sin razón, muchos habéis matado,
y no me parece bien; seguís senda torcida
que a la salvación, Roma, cierra la puerta.
Porque sigue un mal gobierno,
en verano y en invierno,
quien sigue vuestra huella, que el diablo lo lleva
hasta el fuego del infierno.

Roma, bien se ve el mal que hay que decir de vos,
pues hacéis por escarnio de los cristianos mártires,
¿en qué libro halláis que deban matarse,
Roma, a los cristianos?
Que Dios, que es pan verdadero
y cotidiano, me otorgue lo que quiero
ver de los romanos.

Roma, siempre se ha oído decir
que no tenéis cabeza, pues mucho os la rapáis.
Pienso que os tendrían que quitar,
Roma, algo de cerebro,
porque lleváis mal capelo,[38]
vos y Cîteaux, que habéis hecho en Béziers

## 17. DE FAR SIRVENTÉS
**Guilhem Figueira**

De far sirventès – sus aicesta melodia que m'agrada,
vòli pas mai tarder – ni longtemps trastejar ;
e sai, sens ne dobtar, que n'aurai malvolença,
ja que fau sirventés
suls falses, los mal apres
de Roma, qu'es – cap de la descasenca
que tot ben i descai.

M'estona pas ges, – Roma, se las gents èrran,
ja qu'avètz mes lo sègle – en rambalh e en guèrra,
et Prètz e Mercé[33] – se morisson de vos e los
sebelissètz,
Roma enganairitz,
menairitz, cima e rasic
de tot mal, - tant e mai que lo bon rei d'Englatèrra[34]
lo traïguèretz.

Roma, sens rason, – avètz mantas gents tuadas,
e aiçò de ges de biais non me sembla bon, – car
seguissètz via de las tòrtas,
que de per aquesta, a la salvacion, – Roma, barratz la
pòrta[35].
Tanplan seguís fòrça maissantas guidas,
d'estiu e d'ivèrn,
lo que marcha en las vòstras piadas, – car lo diable
l'empòrta
dins lo fuòc de l'infèrn.

Roma, es de bon destriar – lo mal qu'òm vos deu dire,
car fasètz per ignominia – de crestians martiris ;
mas dins quin libre – trobatz qu'òm dega aucire,
Roma, los crestians ?
Que Dieu, qu'es verai pan
e quotidian – me done çò que ieu desiri
veire dels Romans.

Roma, avèm fòrt plan – tostemps ausir se dire
que s'avètz lo cap amenusit, – e que sovent lo vos fasètz
rasar.
Pensi doncas e cresi – qu'auriatz de besonh qu'òm vos
traguès,
Roma, del cervèl,
car portatz plan maissant capèl[36],
vos e Cistèl, – qu'a Besièrs faguèretz faire
tan terrible masèl[37].

## 17. EN FER UN SIRVENTÈS
**Guilhem Figueira**

En fer un sirventès – amb aquest so que em plau,
no vull trigar més – ni dubtar gaire temps,
però no dubto pas – que em valgui malvolença,
car faig aquest sirventès
sobre els falsos i mal nascuts
de Roma que és – al capdavant de la decadència,
on tot bé decau.

No m'estranya gens – Roma, si la gent erra,
car heu sotmès el segle – al turment i a la guerra,
i els valors cortesos i la mercè[35] – moren per vós i són
enterrades,
Roma enganyosa,
de tots els mals guia,
cim i arrel – si bé que el bon rei d'Anglaterra[36]
per vós fou traït.

Roma, sense raó – heu mort molta gent,
i això no em sembla gens bé – car seguiu un camí tort
pel qual a la salvació – Roma, tanqueu la porta.
Així segueix un mal govern,
tant d'estiu com a l'hivern,
que us segueix els passos – car el diable se l'emporta
al foc de l'infern.

Roma, prou fàcil és – veure el mal que cal dir de vós,
car per escarni – feu dels cristians màrtirs
Però en quin llibre – trobeu que s'hagi,
Roma, de matar cristians?
Que Déu, que és el pa veritable
i diari – em doni el que jo desitjo
veure dels Romans.

Roma, prou que hem – sentit dir sempre
que si el vostre cap s'ha empetitit – és que el feu afaitar
sovint.
Per això penso i crec – que us caldria que hom us llevés,
Roma, el cervell,
car porteu sinistra còfia[37]
vosaltres i el Císter – que a Besiers vau cometre
tan terrible massacre.[38]

zerstören,
möge Vernunft und Aufrichtigkeit wahren, da sie daran
zugrunde gehen,
und das Recht auf beiden Seiten aufscheinen lassen.

## 17. MIT EINEM SIRVENTES
### Guilhem Figueira

Mit einem Sirventes – diesem wohl tönenden Klang
will ich mich beeilen – und nicht lange zögern,
doch zweifle ich nicht – dass es mir Böswilligkeit
einbringen wird,
denn ich schreibe dieses Sirventes
über die Falschen und Unerzogenen
in Rom – das die Dekadenz anführt,
wo alles Wohl verfällt.

Es wundert mich gar nicht – Rom, auf das Irrtum
hast du Folter und Krieg – über die Welt ziehen lassen;
die höfischen Werte und die Gnade[31] – tötest und
begräbst du.
Hinterhältiges Rom,
Führer, Gipfel und Wurzel
allen Übels – so verrietest du
den guten König von England[32].

Rom, ohne Recht – hast du viele Menschen getötet
und das ist gar nicht richtig – denn du folgst dem
falschen Weg,
auf dem du der Erlösung – die Tür versperrst.
So wirst du Sommer und Winter
von schlechter Hand geführt,
die dir ständig nachstellt – denn der Teufel
nimmt sie ins Höllenfeuer.

Rom, es ist doch einfach – das Böse zu sehen, das dir nachgesagt,
denn aus Schmach – machst du Martyrer aus Christen;
doch in welchem Buch – steht denn, Rom,
dass Christen zu töten sind?
Möge Gott, unser wahres
tägliches Brot – mir geben, was ich
von den Römern sehen will.

Rom wir haben doch – immer gehört,
dass dein Kopf kleiner ward – da du ihn oft rasieren lässt.
Daher glaube ich und denke – dass man dich, Rom,
deines Hirns entledigte,
denn eine unheimliche Haube[33]
trägst du und Cîteaux – die ihr in Béziers
solch grausames Blutbad anrichtetet.[34]

## 17. A FARE UN SIRVENTESE
### Guilhem Figueira

A fare un sirventese – su questa melodia che mi piace
non voglio più tardare – né a lungo esitare;
pur se non dubito che – mi causerà malevolenze,
perché è un sirventese
sugli impostori, sui villani
di Roma – che sono il culmine della decadenza,
dove ogni bene si perde.

Non mi stupisco affatto – Roma, se il mondo erra:
avete messo il secolo – in tormento ed in guerra,
e il valore e la mercé[35] – per colpa vostra sono morti e
sepolti.
Roma ingannatrice,
guida, cima e radice
di tutti i mali – anche il buon re d'Inghilterra[36]
fu da voi tradito.

Roma, senza ragione – avete ucciso molta gente,
e non mi pare affatto bene – perché seguite una via
tortuosa
e alla salvezza – Roma, voi chiudete la porta.
Ha una cattiva guida
d'estate come d'inverno.
chi cammina sulle vostre tracce – perché il diavolo lo
porta
nel fuoco dell'inferno.

Roma, è assai facile – vedere il male che si deve dire di voi,
perché per ignominia – di cristiani fate dei martiri.
Ma in quale libro – trovate che si debba,
Roma, uccidere i cristiani?
Che Dio, che è il pane vero
e quotidiano, – mi accordi ciò che desidero
vedere dei Romani.

Roma, sì è anche – sempre sentito dire
che se vi è calata la testa, – è perché la fate radere spesso.
Io penso dunque e credo – che vi si dovrebbe togliere,
Roma, un po' di cervello,
perché portate un copricapo sinistro[37],
voi e Cîteaux, – che avete fatto compiere a Béziers
così terribile massacro[38].

mout estranh mazel.

Rome, de la cervelle,
car vous portez sinistre coiffe[36],
vous et Cîteaux, qui à Bésiers avez fait commettre
si terrible massacre[37].

Rom', ab fals sembel – tendetz vostra tezura,
e man mal morsel – manjatz, qui que l'endura,
car'avetz d'anhel – ab simpla cardadura,
dedins lops rabatz,
serpens coronatz
de vibr'engenratz, – per que·l diable·us cura
coma·ls sieus privatz.

Rome, avec un appât trompeur, vous tendez votre filet,
et mangez maint morceau mal acquis, et peu importe qui
l'endure, car vous portez en vous,
sous un humble pelage d'agneau, des loups rapaces,
des serpents couronnés[38]
engendrés par des vipères,c'est pourquoi le diable prend
soin de vous
comme de ses intimes.

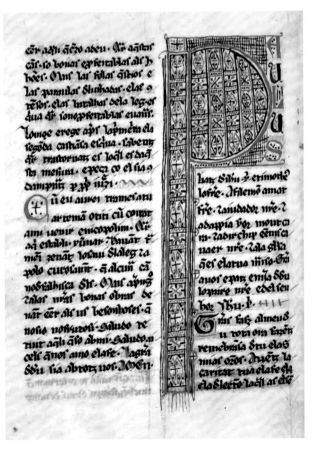

a brutal slaughter[33] should be carried out.

muy terrible matanza[39]


Rome, you slyly cast your net,
and on ill-gotten victuals often feed,
and under the guise of humble lambs
you hide rapacious wolves,
crowned serpents[34]
born of vipers, and so the Devil
tends you as his own.

Roma, con rostro falso, tendéis la red,
bocados mal ganados, coméis pese a quien pese,
porque bajo una humilde piel de cordero
lleváis lobos rapaces,
serpientes coronadas,[40]
engendradas por víboras, porque el demonio os cuida
como a sus allegados.

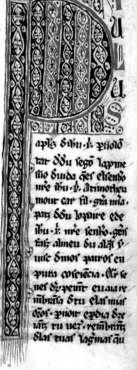

Roma, amb una escade las falsas, – tendètz la vòstra ret,
e mant mal morçèl – manjatz, qual o endura, aquò rai !
Car avètz de l'anhèl, – sonque la pelissa,
(per amagar) lops enrabiats,
sèrps coronadas[38]
de vibres engimbradas, – e aaquí perqué lo diable pren
cura de vosautras
coma de sos familhèrs.

Roma, amb un fals esquer – esteneu la vostra xarxa
i mengeu molta peça mal guanyada – i poc importa qui la suporti,
car amb vós deu – sota una humil pell d'anyell,
llops rapaços,
serps coronades[39]
engendrades per escurçons – per això el diable us cuida
com els seus íntims.

Rom, mit falschem Haken – breitest du dein Netz aus
und isst ein übles Stück – wer es aussteht bekümmert
dich nicht,
denn du verbirgst – unter dem bescheidenen Schafspelz
gierige Wölfe,
von Ottern gezeugte
gekrönte Schlangen[35] – daher pflegt dich der Teufel
wie seine Liebsten.

Roma, con un falso sembiante – tendete la vostra rete,
e mangiate molti bocconi – mal acquistati, costi quel che
costi,
perché avete in voi, – sotto pelame d'agnello,
dei lupi rapaci,
dei serpenti coronati[39]
generati da vipere. – Perciò il diavolo ha cura di voi
come suoi intimi.

## CD3
## Persécution, diaspora
## et fin du Catharisme
## 1229-1463

## VI  L'Inquisition : persécution des cathares et élimination du catharisme 1230-1300

### 2. CLERGUE SI FAN PASTOR
**Pèire Cardenal**

Clergue si fan pastor
e son aucizedor,
e par de gran sanctor
qui los vei revestir;
e· m pren a sovenir
que N'Ezengris un dia
volc ad un parc venir:
mas pels cans que temia
pel de mouton vestic
ab que los escarnic,
puois manget e trahic
tot so que li abelic.

Rei e emperador,
duc, comte e comtor
e cavalier ab lor
solon lo mon regir;
ara vei possezir
a clers la seinhoria
ab tolre e ab trair
e ab ypocrezia,
ab forsa e ab prezic;
e tenon s'a fastic
qui tot non lor o gic
e sera, quan que tric.

Aissi can son major
son ab mens de valor
et ab mais de follor,
et ab meins de ver dir
et ab mais de mentir,
et ab meins de paria
et ab mais de faillir,
et ab meins de clerzia.
Dels fals clergues o dic:
que anc hom non auzic
a Dieu tant enemic
de sai lo tems antic.

Can son en refreitor
no m'o tenc ad honor,
qu'a la taula aussor

## CD3
## Persécution, diaspora
## et fin du Catharisme
## 1229-1463

## VI  L'Inquisition : persécution des cathares et élimination du catharisme 1230-1300

### 2. LES CLERCS SE FONT BERGERS
**Pèire Cardenal**

Les clercs se font bergers,
et ce sont des tueurs,
et ils paraissent de grande sainteté
à celui que les voit revêtus.
Et il me prend de me souvenir
de Sire Ysengrin qui un jour
voulut dans un enclos entrer ;
mais en raison des chiens qu'il craignait,
il se vêtit d'une peau de mouton
avec laquelle il les trompa,
puis il mangea traitreusement
tout ce qui lui plut.

Les rois et les empereurs,
les ducs, les comtes et les commis,
et les chevaliers avec eux,
ont pour habitude de régir le monde ;
maintenant je vois s'emparer
les clercs de la seigneurie,
en volant, en trahissant,
par hypocrisie,
avec violence et prédication ;
et ils ne peuvent pas souffrir
celui qui ne leur remet pas tout,
et il le fera, tôt ou tard.

Plus ils sont grands,
et moins ils ont de valeur,
avec plus de folie,
avec moins de franchise,
et avec plus de mensonges,
avec moins de dignité,
et avec plus de péchés,
avec moins de piété.
Des fourbes clercs, je le dis :
jamais on n'entendit
qu'il y ait pire ennemi de Dieu,
depuis l'Antiquité.

Quand ils sont au réfectoire,
je ne tiens pas pour honorable
qu'à la table la plus haute

| ENGLISH | CASTELLANO |
|---|---|
| **CD3**<br>**Persecution, diaspora**<br>**and the end of Catharism**<br>**1229-1463** | **CD3**<br>**Persecución, diáspora**<br>**y fin del catarismo**<br>**1229-1463** |

**VI The Inquisition: persecution of the Cathars and the elimination of Catharism. 1230-1300**

**VI La Inquisición: persecución de los cátaros y erradicación del catarismo. 1230-1300**

**2. THEY PASS FOR PRIESTS AND PASTORS**
Peire Cardenal

**2. PASAN POR PASTORES CLÉRIGOS**
Pèire Cardenal

They pass for priests and pastors
but they are murderers,
who outward seemly dress
convinces others of their holiness;
but now the recollection comes to mind
of Isengrin the wolf who once upon a time
into a farmyard wished to steal his way,
but being wary of the dogs
he donned a lambskin for disguise;
thus he practised his deceit
and treacherously did eat
all that his heart desired.

Pasan por pastores clérigos
y son unos asesinos
y de santidad parecen
a quien los ve bien vestidos;
y resulta que me acuerdo
del lobo Isengrín que un día
en un corral quiso entrar,
pero a los perros temía
y se vistió de cordero,
con lo cual los engañó
y se comió a traición
cuanto le vino en gana.

Kings and emperors,
dukes, and counts and knights
and with them all the others
who govern in this world;
now I see that clerics rule the roost
with treachery and plundering
larded with hypocrisy,
with force and preaching, too;
and they can in no wise abide
the man who does not yield his all,
although, in time,
he also must pay his due

Los reyes y emperadores,
duques, condes, comenderos
y con ellos caballeros,
suelen gobernar el mundo;
veo ahora que poseen
el señorío los clérigos
con expolio y con traición
y con mucha hipocresía,
con fuerza y predicación;
y no pueden soportar
a quien todo no les cede,
lo cual, aunque tarde, hará.

The greater is their earthly state,
the lesser is their worth,
the greater is their folly
and less they love the truth;
the more they tell lies,
and are less possessed of dignity,
the greater is their falsity
and the less they are like priests.
Of all false clerics I avow
that never was there seen
a greater enemy of God
from ancient times till now.

Y cuanto más grandes son,
son de valía menor,
y de locura mayor,
y menos decir verdad,
y más dados a mentir,
y con menos dignidad,
y con mayor falsedad,
y con menos clerecía.
Del falso clérigo digo
que nunca nadie ha oído
de Dios peor enemigo
desde los tiempos antiguos

When gathered in the refectory
I hardly think that it is fitting
there at the high table

Si están en el refectorio
no creo que sea honroso
que en la mesa principal

## CD3
## Persécution des cathares, diaspora
## et élimination du Catharisme
## 1229-1463

**VI** L'Inquisicion ; secutan los catars e
eliminan lo Catarisme. 1230-1300

## CD3
## Persecució, diàspora i fi
## del catarisme
## 1229-1463

**VI** La Inquisició: persecució dels càtars i
eliminació del catarisme. 1230-1300

### 2. LOS CLERGUES SE FAN PASTORS
**Peire Cardenal**

Los clergues se fan pastors,
e son de tuadors,
e paréisson de granda santetat
al que lo vei revestits.
E me pren de me sovenir
de N'Esengrin qu'un jorn
volguèt en un cortal venir ;
mas pels cans que crenhiá,
se vestiguèt de pèl de moton
qu'amb ela los engarcèt,
puèi mangèt traitosament
tot çò que li agradèt.

Reis e emperadors,
ducs, comtes e commeses,
e cavalièrs amb eles,
an costuma de regir lo mond ;
ara vesi s'apoderar
los clergues de la senhoria,
en panar, en traïr,
per ipocrisia,
amb violéncia e am presicacion ;
e pòdon pas sofrir
lo que lor o torna pas tot
e o farà, lèu o tard.

Del mai son grands,
del mens son de valor
e amb mai de foliá,
e amb mens de franquesa,
e amb mai de messòrgas,
e amb mens de dignitat,
e amb mai de pecats,
e amb mens de pietat.
Dels falses clergues o disi :
jamai s'ausiguèt pas
qu'i aja tant enemic de Dieu,
dempuèi l'Antiquitat.

Quand son al refectòri,
teni pas per onorable
qu'a la taula mai nauta

### 2. UN CLERGAT INFAME
**Peire Cardenal**

Els clergues es fan passar per pastors,
però són uns assassins
amb aires de santedat.
Quan veig com es vesteixen
em recorden na Renard,
que un dia volgué
entrar en un ramat.
Però per por dels gossos
s'enfundà una pell de xai
i burlà llur vigilància;
així devorà per traïció
les bèsties que li plagueren.

Són els reis i els emperadors,
els ducs, els comtes i els comtors,
juntament amb els cavallers
qui governa d'ordinari el món;
ara veig que els clergues
s'han fet amb el poder
per robatori i traïció,
per hipocresia,
violència o predicació;
molt enfadats estan
si hom no els dóna tot; i llur voluntat
es farà malgrat tota oposició.

Com més grans són,
menys valor tenen
i més follia
i menys franquesa
i més menteixen
i menys instruïts són
i més pequen
i menys s'estimen entre ells.
Parlo dels dolents clergues,
car mai he sentit a dir
que hi hagi pitjors enemics de Déu
des dels segles antics.

Quan són al refectori,
no trobo gens honorable
veure els més vils

# CD3
## Verfolgung, Diaspora und Ende
## des Katharismus
## 1229-1463

**VI Die Inquisition: Verfolgung der Katharer und Ausrottung des Katharismus. 1230-1300**

## 2. UNSÄGLICHER KLERUS
**Peire Cardenal**

Die Priester geben sich als Hirten aus,
es sind aber Mörder
mit Heiligenschein.
Wenn ich ihre Kleidung sehe,
erinnern sie mich an Isegrim,
der eines Tages
an eine Schafherde heran wollte.
Doch aus Angst vor den Hunden
zog er einen Schafspelz über
und überlistete sie,
und so fraß er aus dem Hinterhalt
alle Tiere, die er wollte.

Die Könige und Kaiser,
Herzöge, Grafen und Comtoren
sind gemeinsam mit den Rittern
die üblichen Herrscher der Welt.
Doch nun stelle ich fest,
dass die Priester durch Raub und Verrat,
durch Heuchelei,
Gewalt und Predigt
die Macht an sich rissen.
Sie werden arg böse,
wenn man ihnen nicht alles gibt; und ihr Wille
geschieht trotz allen Widerstands.

Je größer sie sind,
umso kleiner ihr Mut,
desto größer ihr Wahn
und geringer ihre Ehrlichkeit;
sie lügen mehr,
sind umso ungebildeter,
sind größere Sünder
und lieben sich weniger.
Von den bösen Priestern spreche ich,
denn ich habe nirgends gehört,
dass es seit Menschengedenken
schlimmere Feinde Gottes gebe.

Wenn sie im Refektorium sind,
finde ich gar nicht ehrenhaft,
die Hinterhältigsten

# CD3
## Persecuzione, diaspora
## e fine del Catarismo
## 1229-1463

**VI L'Inquisizione: persecuzione dei catari ed eliminazione del Catarismo. 1230-1300**

## 2. UN CLERO INFAME
**Peire Cardenal**

I chierici si dichiarano pastori,
e sono degli assassini,
sotto arie di santità.
Quando li vedo vestirsi
mi sovviene di messere
Ysengrin che volle un giorno
entrare in un ovile,
ma per timore dei cani
indossò una pelle di pecora,
ed ingannò la loro guardia.
E poi divorò a tradimento
tutte le bestie che gli piacquero.

Sono i re e gli imperatori,
i duchi, i conti ed i "comtors",
uniti ai cavalieri,
chi governano abitualmente il mondo;
adesso vedo che i chierici
hanno preso il potere,
con furto e tradimento,
con l'ipocrisia,
la violenza o la predicazione.
Sono molto infuriati
se non si lascia loro tutto; e la loro volontà
sarà fatta, a dispetto di ogni opposizione.

Più sono importanti,
meno sono dotati di valore
e più di follia
e meno di franchezza;
e più mentono,
e meno sono istruiti;
e più sono peccatori,
e meno si amano tra loro.
È dei cattivi chierici che parlo,
perché non ho mai sentito dire
che ci siano stati peggiori nemici di Dio,
dai secoli antichi.

Quando sono al refettorio,
non trovo dignitoso
vedere i più vili

| ORIGINAL | FRANÇAIS |
|---|---|
| vei los cussons assir | je voie assis les plus vils |
| e premiers s'escaussir. | choisissant les premiers. |
| Aujas gran vilania: | Ecoutez grande bassesse : |
| car i auzon venir | ils osent y venir |
| et hom no los en tria. | et jamais personne ne les y refuse. |
| Pero anc non lai vic | Mas jamais je n'y vis |
| paubre cusson mendic | un pauvre mendiant |
| sezen laz cusson ric: | s'asseoir aux côtés d'un riche méprisable ; |
| d'aitan los vos esdic. | d'une telle (erreur) pour vous je les disculpe ! |
| | |
| Ja non aion paor | Que n'aient point peur |
| alcais ni almansor | Algais[39] ni Al Mansour[40] |
| que abat ni prior | qu'abbés ni prieurs |
| los anon envazir | n'aillent les envahir |
| ni lor terras sazir, | ni saisir leurs terres, |
| que afans lor seria; | cela les éprouverait trop ; |
| mas sai son en cossir | Ils sont ici, à réfléchir |
| del mon consi lor sia | comment s'emparer du monde, |
| e com En Frederic | et comment extirper |
| gitesson de l'abric; | Sire Frédéric de son abri[41] ; |
| pero tals l'aramic | pourtant celui[42] qui le défia, |
| qui fort no s'en jauzic. | ne s'en réjouit guère. |
| | |
| Clergue, qui vos cauzic | Clercs, celui qui vous vit |
| ses fellon cor enic | sans cœur félon ni inique |
| en son comte faillic, | se trompa lourdement, |
| qu'anc peior gent non vic. | car je ne vis jamais pire que vous. |

## 4. BULLA AD EXSTIRPANDA

### Lex 4.

Instituti autem hujusmodi, & electi possint, & debeant hæreticos, & hæreticas capere, & eorum bona illis auferre, & facere auferre per alios, & procurare hæc tam in Civitate, quam in tota ejus jurisdictione.

### Lex 6.

Officialibus vero prædictis plena fides de his omnibus habeatur, quæ ad eorum officium pertinere noscuntur, aliquo specialiter præstito juramento, probatione aliqua in contrarium non admissa.

### Lex 25.

Teneatur præterea Potestas, seu Rector omnes hæreticos, quos captos habuerit, cogere citra membri diminutionem, & mortis periculum, tamquam vere latrones, & homicidas animarum, & fures sacramentorum Dei, & Fidei Christianæ, errores suos expresse fateri, & accusare alios hæreticos, quos sciunt.

### Lex 26.

Domus autem, in qua repertus fuerit aliquis hæreticus, vel hæretica, sine ulla spe reædificandi funditus destruatur:

## 4. BULLA AD EXSTIRPANDA

### Loi 4

Les ci nommés pourront et devront capturer les hérétiques hommes ou femmes, et s'emparer de leurs biens, et faire que d'autres s'en emparent, et ils se chargeront tout autant de la ville que de toute sa juridiction.

### Loi 6

Les déclarations des fonctionnaires mentionnés seront fidèlement acceptées en quelque point relatif à leur charge, et tout spécialement, pour la juridiction mentionnée ; on n'autorisera pas les preuves favorisant le camp adverse.

### Loi 25

L'autorité ou le gouvernant obligera à la confession de ses erreurs tous les hérétiques qu'il tiendra prisonniers, toujours sans lui arracher de membres ni lui faire encourir la mort, comme aux délinquants, aux assassins d'âme et aux parjures des sacrements de Dieu et de la foi chrétienne, tout comme à rendre publique leurs erreurs et à dénoncer d'autres hérétiques qu'ils connaissent.

### Loi 26

Et également la maison en laquelle l'hérétique, homme ou femme, est découvert, sera détruit sans espoir de

to see a scoundrel sitting,
before all others served the first.
Now mark this villainy:
they dare to enter where they will
and none will turn them away
I never saw a penniless rogue
break bread with another that was rich,
I cannot accuse them of that sin!

The Algais[35] and the Almansurs[36]
need have no fear
that the abbots and the priors
will launch an attack
or take possession of their lands,
for that would be too onerous a task;
they only think to lay their hands
on power in this world
or how King Frederick
might be ousted from his lair;[37]
although[38] the one who challenged him
had little cause for joy.

Clerics, whoever believed
you do not harbour felon's hearts
was mightily deceived,
for of all the men you are the worst.

vea sentado al truhán
y servirse el primero.
Escuchad gran villanía:
y es que osan acercarse
y no los rechaza nadie.
Pero allí jamás he visto
al pobre truhán mendigo
sentado con truhán rico,
y en eso no los critico.

Que no tengan ningún miedo
ni los algais[41] ni almanzores[42]
que ni abades ni priores
los deseen atacar
ni sus tierras conquistar,
que mucho esfuerzo sería;
pero ellos sólo piensan
en lograr poder terreno
y en cómo a Federico
expulsar de su cobijo;[43]
mas quien[44] lo desafió
no pudo alegrarse de ello.

Clérigos, quien os creyó
sin un corazón felón
del todo se equivocó,
pues a nadie vi peor.

## 4. BULLA AD EXSTIRPANDA

### Law 4.
Those who are thus appointed may and should arrest the men and women heretics and carry off their possessions and cause these to be carried off by others, and see to it that these things are fully accomplished both in the diocese and in its entire jurisdiction and district.

### Law 6.
The utterances of the aforementioned officials are to be faithfully accepted in all matters relating to their office, particularly regarding the aforementioned oath; arguments tending to the contrary will not be admitted.

### Law 25.
The governing authority or ruler must force all the heretics whom he has in custody, provided he does so without killing them or breaking their arms or legs, as veritable robbers and murderers of souls and thieves of the sacraments of God and Christian faith, to confess their errors and accuse other heretics whom they know.

### Law 26.
Likewise, the house, in which a heretic, whether man or woman, is discovered, shall be destroyed, never to be

## 4. BULLA AD EXSTIRPANDA

### Ley 4
Los así nombrados podrán y deberán capturar a los herejes y las herejes, y apoderarse de sus posesiones, y hacer que otros se apoderen de ellas, y se encargarán tanto en la ciudad como en toda su jurisdicción.

### Ley 6
Las declaraciones de los mencionados funcionarios serán fielmente aceptadas en cualquier asunto relativo a su cargo, en especial, al mencionado juramento; no se permitirán las pruebas tendentes a lo contrario.

### Ley 25
La autoridad o gobernante obligará a confesar sus errores a todos los herejes que tenga detenidos, siempre que lo haga sin disminución de sus miembros ni peligro de muerte, como a los delincuentes, los asesinos de almas y ladrones de los sacramentos de Dios y la fe cristiana, así como a hacer públicos sus errores y a acusar a otros herejes que conozcan.

### Ley 26
Y también la casa en la que el hereje, hombre o mujer, sea descubierto será destruida sin esperanza de reconstrucción;

| OCCITAN | CATALÀ |
|---|---|
| veja sietat los mai vils | asseguts a la taula més elevada |
| causir los primièrs. | i triar els primers. |
| Escotatz granda bassessa : | Escolteu una gran vilesa: |
| i gausan venir | gosen anar arreu |
| e jamai degun ne los i rebuta. | i hom no els fa fora d'enlloc; |
| Mas jamai i vegèri pas | però mai he vist |
| un paure mendicaire | un pobre diable pidolaire |
| se sietant còsta un ric mespresable ; | que s'assegui entre els rics. |
| de tala (error) los vos disculpa ! | Us asseguro que mai no han comès tal falta! |
| | |
| Qu'ajan pas páur | Que els Alcaids i Al-Mansurs |
| Algais[39] ni Al Mansor[40] | no temin pas |
| qu'abats ni priors | que els abats i els priors |
| los anen envasir | vagin envair llurs terres |
| ni lors tèrras sasir, | i emparar-se'n, |
| lor fariá tròp afan ; | car això els costaria massa. |
| Aicí son a soscar | Aquí tenen manera |
| cossí lo mond poiriá venir sieu, | per ficar la mà arreu |
| e cossí En Frederic | i fer fora el senyor del seu aixopluc. |
| traire del sieu abric[41] ; | Però els desafiarà |
| pr'aquò lo[42] que lo desfisèt, | qui no hi vegi prou goig. |
| ne gaudiguèt pas gaire. | |
| | Clergues, qui creia veure-us |
| Clergues, lo que vos vei | sense cor felló i injust |
| sens còr desleial e inic | errava de mig a mig, |
| s'enganèt bravament, | car mai he vist gent pitjor que la vostra. |
| que jamai gents pièjers vengèri pas. | |

## 4. BULLA AD EXSTIRPANDA

| OCCITAN | CATALÀ |
|---|---|
| **Lei 4** | **Llei 4** |
| Los aicí nommats poiràn e deuràn capturar los erètges e las erètjas, e s'apoderar de sas possessions, e far que d'autres s'apoderen d'elas, e s'encargaràn tant de la ciutat coma de tota sa juridiccion. | Els esmentats podran i hauran de capturar heretges, homes i dones, i apoderar-se de llurs possessions i fer que altres se n'apoderin, i se n'encarregaran tant a la ciutat com en tota llur jurisdicció. |
| **Lei 6** | **Llei 6** |
| Las declaracions dels foncionaris mencionats seràn fisèlament aceptadas en qualque punt relatiu a lor carga, e especialament, pel jurament mencionat ; s'autorisaràn pas las pròbas tendent a çò contrari. | Les declaracions dels dits funcionaris seran fidelment acceptades en qualsevol afer relacionat amb llur càrrec, en especial l'esmentat jurament; no seran permeses les proves que tendeixin vers el contrari. |
| **Lei 25** | **Llei 25** |
| L'autoritat o governant obligarà a confessar sas errors totes los erètges que tendrà presonièrs, sempre sens li arrancar membres ni li far encórrer mòrt, coma als delinquents, los assassins d'arma e los parjuris dels sacraments de Dieu e de la fe cristiana, aital coma a far publicas sas errors e a denonciar autres erètges que coneisson. | L'autoritat o el governant obligarà a confessar llurs errors a tots els heretges que hagi detingut, sempre que ho faci sense disminució de llurs membres ni perill de mort, com als delinqüents, als assassins d'ànimes i lladres dels sagraments de Déu i la fe cristiana, així com a fer públics llurs errors i a acusar altres heretges que coneguin. |
| **Lei 26** | **Llei 26** |
| E tanben l'ostal en loqual l'erètge, òme o femna, es descobèrt, serà destrusit sens esper de rebastison ; a mens | I també la casa on l'heretge, home o dona, sigui descobert serà derruïda sense esperança de reconstrucció, excepte si |

| | |
|---|---|
| am höchsten Tisch zu sehen | seduti al tavolo più alto |
| und als Erste zuzugreifen. | e scegliere per primi. |
| Hört nur diese Niedertracht: | Ascoltate che grande villania: |
| Sie wagen zu kommen | essi osano mettersi lì |
| und werden niemals weggeschickt, | e mai nessuno li caccia. |
| doch niemals habe ich gesehen, | Ma io non ho mai visto |
| dass ein armer Teufel | un povero diavolo di mendicante |
| sich unter die Reichen setzt. | sedersi accanto ai ricchi; |
| Ich sage euch, sie haben niemals solch Fehler begangen! | vi assicuro che non hanno mai commesso un simile errore! |
| | |
| Die Alkaiden und Almansors | Che gli Alcays e gli Almassors |
| brauchen nicht zu fürchten, | non temano |
| dass die Äbte und Prioren | che gli abati ed i priori |
| in ihre Ländereien einfallen | vadano ad invadere le loro terre |
| und sie erobern, | e ad impossessarsene, |
| denn das wäre ihnen zu mühsam. | perché ciò costerebbe troppo sforzo; |
| Hier legen sie ihre Hand | qui pensano al modo |
| auf den Besitz Aller | di mettere la mano sul mondo |
| und jagen sie aus ihrem Heim. | cacciando messer dal suo rifugio; |
| Wer aber daran keine Freude hat, | e chi lo sfidò, |
| fordert sie heraus. | non finí per rallegrarsene. |
| | |
| Priester, wer glaubte, in euch | Chierici, colui che credette di accogliervi, |
| nichts Böses oder Ungerechtes zu erkennen, | senza avere un cuore fellone ed ingiusto, |
| irrte gewaltig, denn niemals | ha fatto un errore di calcolo, |
| habe ich schlimmere Leute als euch gesehen. | perché non ho mai visto razza peggiore della vostra. |

## 4. BULLA AD EXSTIRPANDA

## 4. BULLA AD EXSTIRPANDA

### §4

Die soeben Genannten können und haben Ketzer und Ketzerinnen gefangen zu nehmen und ihren Besitz zu erbeuten und zu veranlassen, dass ihn andere übernehmen, und sie haben sowohl in der Stadt als auch in ihrem gesamten Amtsbereich dafür zu sorgen.

### Legge 4

I così nominati ed eletti potranno e dovranno catturare gli eretici, e impossessarsi dei loro beni, e fare sì che altri se ne impossessino, e se ne incaricheranno sia nella città che in tutta la loro giurisdizione.

### §6

Die Aussagen der besagten Diener werden in jeder Angelegenheit in Verbindung mit deren Belastung, insbesondere besagtem Schwur treu übernommen. Gegenteilige Beweise werden nicht angenommen.

### Legge 6

Le dichiarazioni dei citati funzionari saranno fedelmente accettate per qualsiasi materia che si riferisce al loro incarico, e in particolare, al menzionato giuramento; non si accetteranno prove in contrario.

### §25

Die Obrigkeit bzw. der Herrscher hat alle gefangen gehaltenen Ketzer zum Geständnis ihrer Fehler zu zwingen, sofern dies ohne Verringerung ihrer Gliedmaßen oder Lebensgefahr erfolgt, wie bei Verbrechern, Seelenmördern und Räubern der Sakramente Gottes und des christlichen Glaubens, sowie weiters zur Veröffentlichung ihrer Fehler und zur Beschuldigung anderer Ketzer, die sie kennen.

### Legge 25

L'autorità o governante costringerà tutti gli eretici che tenga prigionieri, sempre che lo faccia senza riduzione delle loro membra né pericolo di morte, come delinquenti, assassini di anime e ladri dei sacramenti di Dio e della fede cristiana, a confessare pubblicamente i loro errori ed ad accusare altri eretici che conoscano.

### §26

Und das Haus, in dem der Ketzer oder die Ketzerin ertappt wird, wird ohne Hoffnung auf Wiederaufbau abgerissen,

### Legge 26

La casa poi in cui l'eretico, uomo o donna, sia stato scoperto, sarà distrutta senza alcuna speranza di nisi Dominus domus eos ibidem procuraverit reperiri. Et si Dominus illius domus, alias domus habuerit contiguas illi domui, omnes illæ domus similiter destruantur.

reconstruction ; à moins que cela soit au détriment de la maison qui aura facilité ou permis la découverte des hérétiques. Et si le préjudicié de la maison possède d'autres maisons dans le voisinage, toutes les autres maisons seront de la même façon détruite.

### Lex 27.

Quicumque vero fuerit deprehensus dare alicui hæretico, vel hæreticæ, consilium, vel auxilium, seu favorem, præter aliam poenam superius, & inferius prætaxatam, ex tunc ipso iure in perpetuum sit factus infamis. Credentes quoque erroribus hæreticorum tamquam hæretici puniantur.

### Loi 27

Celui qui sera découvert, home ou femme, donnant conseils, aide ou faveur à un hérétique, en plus des châtiments dûment mentionnés jusqu'ici ou plus loin en cette même loi, sera assigné à l'infamie perpétuelle. Ce qui prêtent attention aux fausses doctrines des hérétiques seront châtiés comme les hérétiques.

### 5. UN SIRVENTES NOVEL VUELH COMENSAR
**Pèire Cardenal**

Un sirventes novel vuelh comensar,
que retrairai al jor del jujamen
a sel que-m fes e-m formet de nien.
S'el me cuja de ren arazonar
e s'el me vol metre en la diablia
ieu li dirai: senher, merce, non sia
qu'el mal segle tormentiei totz mos ans,
e guardas mi, si-us plas, dels tormentans.

Los diables degra dezeretar
et agra mais d'armas e plus soven,
e-l dezeretz plagra a tota gen
et el mezeis pogra s'o perdonar,
car per mon grat trastotz los destruiria,
pos tot sabem qu'absolver s'en poiria :
Bels senhers Dieus sias dezeretans
dels enemics enuios e pezans.

S'ieu ai sai mal et en enfern l'avia,
segon ma fe tortz e pecatz seria,
q'ieu vos puesc ben esser recastenans
que per un ben ai de mal mil aitans.

Per merce-us prec, donna sancta Maria,
qu'al vostre filh mi fassas garentia,
si qu'el prenda lo paire e-ls enfans
e-ls meta lai on esta sans Johans.

### 5. JE VEUX COMMENCER UN NOUVEAU SIRVENTÈS
**Pèire Cardenal**

Je veux commencer un nouveau sirventès,
que je présenterai, au jour du Jugement,
à Celui qui me fit et me forma du néant[43].
S'Il S'imagine pour quoi que ce soit m'arraisonner,
et s'Il veut m'envoyer en enfer,
Moi, je Lui dirai : « Seigneur, par compassion, qu'il n'en soit rien,
car le monde mauvais[44] a tourmenté chacune de mes années,
gardez-moi, s'il vous plaît, des bourreaux. »

Il devrait déshériter les diables,
il en aurait plus d'âmes et plus souvent,
et leur dépossession plairait à tout le monde
et Lui-même pourrait Se pardonner cela,
car, à mon gré, il les détruirait tous,
puisque nous savons tous qu'Il pourrait S'en absoudre :
« Grand Seigneur Dieu, déshéritez
ces ennemis ennuyeux et pesants[45].

Si j'endure ici le mal et si je l'avais en enfer,
selon ma foi[46], ce serait tort et péché,
car je puis bien vous reprocher
que pour un bien j'ai mille fois autant de mal. »

« Par Merci[47], je Vous prie, Souveraine Sainte Marie,
qu'auprès de Votre Fils, Vous me garantissiez
qu'Il prendra bien le père et les enfants
pour les mette là où se trouve saint Jean[48].

### 7. DEL TOT VEY REMANER VALOR
**Guilhem Montanhagol**

Del tot vey remaner valor,
qu'om no-s n'entremet sai ni lai,

### 7. EN TOUT JE VOIS VALEUR DISPARAÎTRE
**Guilhem Montanhagol**

En tout je vois valeur décliner,
car on ne s'en soucie en nul lieu:

rebuilt; unless it is the master of the house who has led to the discovery of the heretics. And if the master of the house owns other houses in the same neighbourhood, all of the other houses shall similarly be destroyed.

a menos que sea el dueño de la casa quien haya propiciado el descubrimiento de los herejes. Y si el dueño de la casa posee otras casas en el mismo vecindario, todas las demás casas serán de igual modo destruido.

**Law 27.**

Whosoever is apprehended giving any heretic, whether man or woman, counsel, help, or assistance, besides incurring the other punishments mentioned elsewhere in this decree, shall by that same law be declared infamous in perpetuity. Whosoever listens to the false doctrines of heretics shall be punished like heretics.

**Ley 27**

Todo el que sea descubierto dando a un hereje, hombre o mujer, consejo, ayuda o favores, además de otros castigos debidamente mencionados más arriba y más abajo por la misma ley, será declarado infame a perpetuidad. Quienes presten oídos a las falsas doctrinas de los herejes serán castigados como los herejes.

## 5. I WANT TO BEGIN A NEW SONG
### Pèire Cardenal

I want to start a new song,
which I will present on the Day of Judgment,
to Him who created me out of nothing[39].
If He thinks He must chastise me for any reason,
and if he wishes to send me to hell,
I will say to Him: "Lord, be compassionate, do not do this,
for the evil world[40] has tormented every year of my life,
save me from the executioners.

He should disinherit the devils,
he would have more souls and more often,
and everyone would be pleased at their loss
and he himself could forgive Himself for that,
for I wish he would destroy them all,
since we all know that He could absolve himself:
Great lord, disinherit
these annoying, wearisome enemies.[41]

If I endure evil here and if I had it in hell,
according to my faith[42], it would be wrong and a sin,
for I can tell you, as a reproach,
that for every good thing I have had a thousand evil ones."

"Have Mercy[43], I beseech You, Holy Sovereign Mary,
with Your Son, grant that
He shall take the father and children
and place them where Saint John is[44].

## 5. UN NUEVO SIRVENTÉS EMPEZAR QUIERO
### Pèire Cardenal

Un nuevo sirventés empezar quiero
que recitaré el día del juicio
a quien me hizo y formó de la nada.[45]
Si cree que algo debo justificar
y ponerme quiere entre demonios,
diré: «Señor, merced, que así no sea,
que atormentó el mal siglo[46] todos mis años,
guardadme, por favor, de los verdugos».

A los demonios tendría que expulsar
y habría más almas y con más frecuencia,
la expulsión gustaría a todo el mundo,
y Él mismo podría personárselo;
por mí, querría que a todos destruyera,
y absolverse podría, todos sabemos:
Gran Señor Dios, expulsad
los enemigos penosos y enojosos.[47]

Si sufro aquí mal y luego en infierno
sería a fe mía[48] injusto y pecado
porque puedo reprocharos
que por un bien tengo mil veces mal.

Por merced[49] ruego, dama santa María,
que ante vuestro Hijo seáis garantía
para que acoja a padres y a hijos
y los ponga donde está san Juan.[50]

## 7. I SEE VALOUR DISAPPEARING EVERYWHERE
### Guilhem Montanhagol

I see valour declining everywhere,
  for no-one cares about it anywhere:

## 7. EN TODO VEO REDUCIRSE EL VALOR
### Guilhem Montanhagol

En todo veo reducirse el valor
pues en parte alguna suscita interés,

que siá al detriment de l'ostal qu'aurà facilitat o permés la descobèrta dels erètges. E se lo prejudiciat de l'ostal possedís d'autres ostals dins lo vesinatge, cada autre ostal serà del meteis biais destrusit.

és l'amo de la casa qui hagi propiciat el descobriment dels heretges. I si l'amo de la casa posseeix altres cases al mateix veïnat, totes les altres cases seran igualment derruïdes.

**Lei 27**

Lo que sera descobèrt, òme o femna, donant conselhs, ajuda o favor a un erètge, en mai dels autres castics debitadament mencionats fins aicí e mai enlà dins aicesta lei, serà assignat a l'infamia perpetuala. Los que prèstan atencion a las falsas doctrinas dels erètges seràn castigats coma los erètges.

**Llei 27**

Tothom que sigui descobert donant a un heretge, home o dona, consell, ajut o favors, a més d'altres càstigs degudament esmentats més amunt i més avall per la mateixa llei, serà declarat infame a perpetuïtat. Qui presti oïda a les falses doctrines dels heretges serà castigat com els heretges.

## 5. UN SIRVENTÉS NOVÈL VÒLI COMENÇAR
**Pèire Cardenal**

Un sirventés novèl vòli començar,
que presentarai, al jorn del Jutjament,
a-n-Aquel que me faguèt e me formèt del neient[43].
S'El s'imagina de m'arrasonar de qué que siá
e s'El me vòl mandar al diable,
ieu, li dirai : « Senhor, mercé, que non siá,
ja que lo mond marrit[44] tormentèt totes mos ans,
gardatz-me, se vos plai, dels tormentaires. »

Deuriá deseiretar los diables
e n'auriá mai d'armas, mai sovent,
e lo deseiretatge plairiá a totas gents
e El-meteis poiriá s'o perdonar,
car, per mon grat, totas los destrusiriá,
ja que sabèm totas que s'en poiriá absòlver :
« Bèl Senhor Dieu, deseiretatz
los enemics enuejoses e pesants[45].

S'enduri aicí lo mal e qu'en infèrn l'aviá,
segon ma fe[46], tòrt e pecat seriá,
car ieu Vos pòdi ben far lo repròchi
que per un ben enduri mila mals. »

« Per Mercé[47], Vos pregui, Sobeirana Santa Maria,
qu'al Vòstre Filh me fagatz garentida,
de tal biais qu'El prenga lo paire e los enfants[48]
e los meta ailà qu'i demòra Sant Joan. »

## 5. VULL COMPONDRE UN SIRVENTÈS
**Peire Cardenal**

Vull comprendre un sirventès nou
que presentaré, el dia del judici, davant d'aquell qui em féu i em formà del no-res[40];
si ell es proposa d'imputar-me quelcom
i vol posar-me entre els diables,
jo li diré: –Senyor, per mercè, no sia (això)!,
aquest món dolent[41] m'ha fet sofrir d'anys en anys;
empareu-me, si us plau, contra els botxins!–

Hauria de desheretar els diables,
i així tindria sovint més ànimes;
el desheretament plauria a tothom,
i ell mateix s'ho podria perdonar.
Pel meu gust, ell els hauria de destruir tots,
car bé sabem que se'n podria absoldre.
Oh, bon Déu, senyor:
desherateu els enemics enutjosos i importuns![42]

Si sofreixo ací i cremava a l'infern,
segons la meva fe[43], seria un tort i un pecat;
bé us puc recriminar
si per un bé tinc més de mil mals.

Per mercè[44], us prego, senyora santa Maria,
que ens sigueu bona guia prop del vostre Fill,
i us endugueu els pares i els fills,
i els poseu allí on és sant Joan[45].

## 7. EN TOT VESI DEMESIR VALOR
**Guilhem Montanhagol**

En tot vesi demesir valor,
ja qu'ailà degun non se'n tracha,
ni aicí pensan pas a cap de ben,

## 7. DEL TOT VEIG ABANDONAT VALOR
**Guilhem Montanhagol**

Del tot veig abandonat valor,
perquè enlloc ningú no en té cura,
ni pensa ningú en aquest món en res de noble,

es sei denn, der Hausherr habe die Festnahme der Ketzer veranlasst. Und wenn der Hausherr andere Häuser in der Nachbarschaft besitzt, werden auch diese abgerissen.

ricostruzione; a meno che non sia stato lo stesso padrone di casa a propiziare la scoperta degli eretici. E se il detto padrone possiede altre case nello stesso quartiere, tutte queste altre case saranno ugualmente distrutte.

## §27

Alle, die dabei ertappt werden, einem Ketzer oder einer Ketzerin Rat, Hilfe oder Gefallen zu erweisen, werden neben weiteren weiter oben und weiter unten entsprechend erwähnten Strafen zur Infamie auf Ewigkeit verdammt. Wer den falschen Lehren der Ketzer zuhört, wird wie ein Ketzer bestraft.

## Legge 27

Chiunque sia colto a dare a un eretico, uomo o donna, consiglio, aiuto o favore, oltre ad altri castighi debitamente menzionati sopra e sotto da questa stessa legge, sarà dichiarato infame in perpetuo. Coloro che prestano ascolto alle false dottrine degli eretici saranno castigati come gli eretici.

## 5. EIN NEUES SIRVENTES MÖCHTE ICH SCHREIBEN
### Peire Cardenal

## 5. VOGLIO INIZIARE UN NUOVO SIRVENTESE
### Peire Cardenal

Ein neues Sirventes möchte ich schreiben,
das ich am Tag des jüngsten Gerichts
vor Den bringe, der mich aus dem Nichts[36] schuf.
Wenn Er vorhat, mir etwas vorzuwerfen
und mich in die Hölle zu schicken,
werde ich Ihm sagen: „Herr, tut dies nicht aus Gnade,
denn die böse Welt[37] fügte mir Zeit meines Lebens Leid zu,
wahrt mich, so bitte ich Euch, vor den Henkern."

Voglio iniziare un nuovo sirventese,
che canterò, il giorno del Giudizio,
a Chi mi fece e mi formò dal nulla[40].
Se Egli trova motivo di scartarmi,
e vuole quindi mandarmi all'inferno,
Gli dirò: "Signore, mercé, così non sia!
Perché il mondo cattivo[41] ha tormentato ogni mio anno,
Salvatemi, Vi prego, dai carnefici".

Die Teufel sollte Er enterben,
so kämen öfter mehr Seelen zu Ihm,
und deren Absetzung gefiele Allen
und Er selbst könnte es sich verzeihen,
denn nach mir könnte Er alle zerstören,
da wir wissen, dass Er Ablass erhielte:
O großer Gott, enterbt doch
die lästigen, unguten Feinde![38]

I diavoli dovrebbe Dio spogliare;
avrebbe ben più anime, e più spesso,
e la loro spoliazione piacerebbe a tutti.
Egli stesso potrebbe perdonarselo,
perché, a mio parere, dovrebbe distruggerli tutti,
e tutti sappiamo che potrebbe assolversene.
"Grande Signore Dio, diseredate
questi nemici fastidiosi e pesanti[42]".

Wenn ich hier leide und in der Hölle schmore,
wäre das nach meinem Glauben[39] ein Übel und eine Sünde,
denn ich kann Euch vorhalten,
dass ich für jede gute Tat über tausend schlechte ertrug.

Se qui patisco il male e l'avessi anche all'inferno,
per la mia fede[43], sarebbe torto e peccato,
perché io posso ben recriminare
che per un bene ho mille volte un pari male.

Aus Gnade[40] bitte ich Euch, heilige Jungfrau Maria,
um gute Fürsprache vor Eurem Sohn,
damit Er den Vater und die Kinder nehme
und sie zum heiligen Johannes[41] führe.

Per pietà[44] io Vi prego, Regina Santa Maria,
che presso Vostro Figlio mi siate garanzia,
che Egli prenderà il padre e i figli
per metterli là dove si trova san Giovanni[45].

## 7. IM NIEDERGANG BEGRIFFEN SEHE ICH DIE TUGEND
### Guilhem Montanhagol

## 7. IN TUTTO VEDO IL VALORE DECLINARE
### Guilhem Montanhagol

Im Niedergang begriffen sehe ich die Tugend,
denn nirgends wird sie von jemandem gepflegt,
noch denkt jemand hier an etwas Edles,

In tutto vedo il valore declinare,
nessuno, in nessun posto, se ne cura:
non si pensa tra noi a nulla di buono,

**ORIGINAL**

ni non penson de nulh ben sai,
ni an lur cor mas en laor.
E meron mal clerc e prezicador,
quar devedon so qu'az els no-s cove,
que hom per pretz non do ni fassa be.
E hom que pretz ni do met en soan,
ges de bon loc no-l mou, al mieu semblan.

Quar Dieus vol pretz e vol lauzor;
e Dieus fo vers om, qu'ieu o sai,
e hom que vas Dieu res desfai,
e Dieus l'a fait aitan d'onor
qu'al sieu semblan l'a fag ric e maior
e pres de si mais de neguna re,
doncx ben es fols totz hom que car no-s te:
e que fassa en aquest segle tan
que sai e lai n'aya grat, on que-s n'an.

Enquer dizon mais de folor
qu'aurfres a dompnas non s'eschai.
Pero si dompna piegz no fai,
ni-n leva erguelh ni ricor,
per gent tener no pert Dieu ni s'amor.
Ni ja nulhs om, s'elh estiers be-s capte,
per gen tener ab Dieu no-s dezave;
ni ja per draps negres ni per floc blan
no conquerran ilh Dieu, s'alre no y fan.

Sirventes, vay al pro comte dese
de Toloza; membre-l que fag li an
e guart se d'elhs d'esta ora enan.

**FRANÇAIS**

on ne songe à nul bien chez nous,
on n'a cœur qu'au travail payant.
Et les clercs et les frères Prêcheurs se rendent coupables
d'interdire ce qui ne leur convient pas:
les dons et le bien qu'on fait par valeur propre[49];
mépriser valeur et libéralité,
c'est ne pas du tout prendre, je le crois, un bon départ.

Dieu veut en nous valeur et louange
lui qui, je sais, fut vraiment homme[50],
et l'homme qui contrecarre Dieu
alors même que Dieu lui a fait si grand honneur
en le faisant, à son image, noble et grand,
plus près de lui qu'aucune créature,
est fou, donc celui qui n'œuvre pas à sa valeur :
qu'il agisse plutôt en ce bas monde de manière
à ce qu'il soit partout bienvenu, où qu'il aille.

Ils disent –c'est folie plus grande !–
que l'orfroi ne convient pas aux dames.
Pourtant une dame qui ne fait pis,
qui n'en tire orgueils ni superbe,
à se parer, ne perd ni Dieu ni son amour.
Nul, en effet, si par ailleurs est bien avisé,
ne s'aliène Dieu en soignant sa tenue ;
ni par l'habit noir, ni par le froc blanc
ils ne gagneront Dieu, s'ils ne font pas mieux !

Sirventès, rend-toi vite auprès du preux comte
de Toulouse, : rappelle-lui tout ce qu'ils lui firent,
et que désormais il se garde d'eux.

## 9. PATER NOSTER
**(ms. Lyon, Bibl. mun., PA 36) [1.6-1.13]**
**Prière Cathare**

Cantor : « Pater noster qui es in celis, santificetur nomen tuum. Adveniat regnun tuum. Fiat volumtas tua sicut in celo et in terra. Panem nostrum supersubstancialem da novis hodie. Et dimitte nobis débita nostras, sicut et nos dimitimus debitorius nostris. E ne nos inducas im temtationem, sed libera nos a malo. Quoniam tuum est regnun et virtus et gloria in secula. Amen. »

Diacre : « Aquesta santa orazon vos liuram, que la recepiatz de Deu e de nos e de la gleisa, e que aiatz pozestat de dire ela tots les temps de la vostra vida, de dias e de nuit, sols e ab companha, e que jamais no mangetz ni beuvatz que aquesta orazon no digatz primeiramant. »

Novice : « Eu la recebi de Deu e de vos, e de la gleisa. »

## 9. PATER NOSTER
**(ms. Lyon, Bibl. mun., PA 36) [1.6-1.13]**
**Prière Cathare**

Cantor: « Notre Père qui es aux cieux, que Ton nom soit sanctifié. Que Ton règne advienne. Que soit faite Ta volonté dans le ciel comme sur la terre. Donne nous chaque jour notre pain d'au delà de la substance. Et lève nos dettes comme nous levons celles de ceux qui en ont envers nous. Ne nous induis pas à la tentation, mais délivre-nous du mal. Car sont Tiens le Règne, la Vertu et la Gloire, pour l'éternité. Amen. »

Diacre : « Nous vous livrons cette sainte oraison, pour que vous la receviez de Dieu et de nous et de l'église, et que vous ayez la possibilité de la dire à chaque instant de votre vie, de jour et de nuit, seuls et en compagnie, et que jamais vous ne mangiez ni ne buviez sans que vous dit cette oraison au préalable. »

Novice : « Je la reçois, moi, de Dieu, de vous et de l'église. »

here, no-one thinks about anything good,
people think only about paid work.
And the priests and Preaching Brothers are guilty
of forbidding what does not suit them:
the gifts and good created by true valour[45]:
contempt for valour and liberality, I believe,
is not good start.

God wants us to have valour and praise
he who, I know, was really a man[46],
and the man who goes against God
whereas God has honoured him so greatly
by making him noble and great in his image,
closer to him than any creature,
is mad, thus the man who does not strive for valour:
rather should he act here on earth in such a way
 that he is welcome everywhere, wherever he goes.

They say – it's even greater madness! –
that orphrey is not suitable for ladies.
Yet a lady who is not worse for her beautiful clothes,
who does not become proud or haughty,
loses neither God nor her love.
Indeed, no thinking man,
alienates God by dressing well,
they will not reach God through black clothes or a white coat
if they do no better!

Song, go quickly to the knightly count
of Toulouse, remind him of everything they did to him
and henceforth let him keep away from them.

nadie entre nosotros piensa en bien alguno,
sólo hay corazón para el trabajo.
Y son culpables predicador y clérigo,
por prohibir lo que no les conviene,
que se dé por mérito y se obre bien.[51]
Y quien don y mérito desprecia
no parte, en mi opinión, de un buen principio.

Porque Dios quiere mérito y alabanza
y Dios fue hombre auténtico, eso lo sé,[52]
y el que algo hace contra Dios,
cuando Dios le ha hecho semejante honor
de hacerlo a su imagen noble y grande,
más cerca de sí que ninguna cosa,
pues es bien necio todo el que no se aprecia:
que obre en este mundo de tal manera
que aquí y allí sea bienvenido.

Y también dicen, mas es locura,
que el oro a las damas no conviene.
Mas dama que nada peor hace,
que no extrae vanidad ni orgullo,
ni a Dios ni a su amor pierde por su atuendo.
Ni nadie, si en lo demás bien obra,
por su atuendo se aleja de Dios;
ni hábito negro, ni túnica blanca,
para alcanzar a Dios son suficientes.

Sirventés, corre hasta el valiente conde
de Tolosa: recuérdale lo que le hicieron
y que se guarde de ellos en adelante.

## 9. PATER NOSTER
**(ms. Lyon, Bibl. mun., PA 36) [1.6-1.13]**
**Cathar prayer**

Cantor: "Our Father who art in heaven, hallowed be Thy name. Thy kingdom come. Thy will be done on earth as it is in heaven. Give us each day our daily bread. And forgive us our tyrespasses as we forgive them that trespass against us. Lead us not into temptation, but deliver us from evil. For Thine is the Kingdom, the Power and the Glory, for ever and ever. Amen."

Deacon: "We give you this holy prayer, that you may receive it from God, from ourselves and from the Church, so that you may repeat it throughout your life, both by day and by night, whether alone or in company, that you may never eat or drink without first saying this prayer."

Novice: "I receive it from God, from yourself and from the Church."

## 9. PADRE NUESTRO
**(ms. Lyon, Bibl. mun., PA 36) [1.6-1.13]**
**Oración cátara**

Cantor : «Padre nuestro que estás en el cielo, santificado sea tu nombre. Venga a nosotros tu reino. Hágase tu voluntad así en el cielo como en la tierra. Nuestro pan supersustancial dánoslo hoy. Y perdona nuestras deudas, así como nosotros perdonamos a nuestros deudores. Y no nos induzcas a la tentación, mas líbranos del mal. Porque tuyo es el reino, la virtud y la gloria por los siglos. Amén.»

Diácono: «Esta santa oración os entregamos, para que la recibáis de Dios, de nos y de la Iglesia, y que podáis decirla en todos los momentos de vuestra vida, de día y de noche, solos y acompañados, y que no comáis ni bebáis nunca sin decir primero esta oración.»

Novicio: « Yo la recibo de Dios, de vos y de la Iglesia.»

an pas lo còr qu'a l'obratge pagant.
E los clegues e los fraires presicadors se fan colpables
d'enebir çò qu'a eles coven pas :
los dons e lo ben que fasèm de pel Prètz[49] ;
mespresar Prètz et Larguesa,
aquò's pas brica bona amira, çò me sembla.

Dieu vòl Prètz  e vòl lausenja ;
e Dieu, ieu o sabi, foguèt òme a de bon[50],
e l'òme que desfa quicòm que Dieu (a fait)
mentre que Dieu li a fait tan grand onor
en lo fasent, a son semblar, preciós e grand,
mai prèp d'el que cap autra creatura,
es fòl, aquel, qu'òbra pas a son Prètz melhorar :
que faga mailèu en aqueste sègle de tal biais
qu'agrade aicí-bais coma enlai, ont que se n'ane.

Dison –aquò's foliá mai granda !–
que l'aurfrés conven pas a las dònas.
Pr'aquò, una dòna que fa pas pièger,
que ne trai pas ni orguèlh ni supèrbia,
d'anar bragarda, perd pas Dieu ni son amor.
Degun, mai que siá avisat,
s'alièna pas Dieu en anar plan vestit ;
ni per un vestit negre, ni per un fròc dels blancs
se ganharàn pas Dieu, s'òbran pas al melhor !

Sirventés, vai al prèp del pros comte
de Tolosa ; remembra-ui tout tot çò que li fan,
e que d'ara enlà se garde d'eles.

ni a dins del cor en res més que en riqueses.
Mereixen malaurança els clergues i predicadors,
perquè prohibeixen allò que no s'avé amb ells
–és a dir, que algú, per mèrit, doni o faci el bé.[46]
I qui menysprea el mèrit i la generositat
no comença bé, em sembla a mi.

Perquè Déu vol el mèrit i vol lloances,
Ell que va ser home realment, jo ho sé;[47]
i l'home que en res actua contra Déu
–mentre Déu li ha fet tant d'honor
que l'ha fet a la seva semblança, potent i sobirà,
 i més proper a ell que cap altre ésser–,
aquest home és, doncs, boig, perquè no es té en cap estimació:
l'home ha de comportar-se en aquest món de manera
que sigui benvingut arreu on vagi.

Diuen encara altres follies,
com ara que els teixits d'or no s'escauen a les dones.
Però si una dona no fa res més de mal
i no es torna orgullosa ni superba,
no serà pels seus vestits elegants que perdrà Déu i el seu amor.
Ningú, si per la resta es comporta bé,
es desavé de Déu per portar vestits elegants;
com tampoc serà només amb roba negra o hàbits blancs
que aquells conqueriran Déu, si no hi fan res més.

Sirventès, vés ràpid cap al valorós compte
de Tolosa; recorda-li què li han fet
i que es guardi d'ells des d'ara endavant.

## 9. PATER NOSTER
**Pregària Catara (ms. Lyon, Bibl. mun., PA 36)
[1.6-1.13]**

## 9. PARE NOSTRE
**Pregària càtara: (ms. Lyon, Bibl. mun., PA 36)
[1.6-1.13]**

Cantor: "Paire nòstre qu'ès dins lo cèl, que se sanctifique lo Tieu nom. Que Ton Règne advenga. Que se complisca Ta volontat tant dins lo cèl coma sus la tèrra. Dona-nos, cada jorn lo nòstre pan subresubstancial. Lèva los nòstres deutes coma levam los d'aqueles que n'an de cap a nosautres. Nos indugas pas a la temptacion, mas desliura-nos del mal. Ja que son Tieus lo Règne, la Poténcia e la Glòria per l'eternitat. Aital siá."

Cantor: Pare nostre que esteu en el cel, sigui santificat el vostre nom. Vingui a nosaltres el vostre Regne. Faci's la vostra voluntat aquí a la terra, com es fa en el cel. El nostre pa de cada dia doneu-nos, Senyor, el dia d'avui i perdoneu les nostres culpes així com nosaltres perdonem. No permeteu que nosaltres caiguem en temptació, ans deslliureu-nos de qualsevol mal. Perquè són vostres per sempre el regne, el poder i la glòria. Amén.

Diacre : "Vos liuram aquesta santa orason, que la recepiatz de Dieu, de nosautres e de la gleisa, e qu'ajatz poder de la dire a cada temps de la vòstra vida, de jorn e de nuèit, solets e en companhiá, e que jamai ni mangètz i begatz sens qu'aquesta orasan l'ajatz pas dita primièrament."

Diaca : Us lliurem aquesta santa oració perquè la rebeu de Déu i de nosaltres i de l'església, i perquè tingueu la possibilitat de dir-la a cada instant de la vostra vida, dia i nit, sol i en companyia, i perquè mai no mengeu ni begueu sense haver abans dit aquesta oració.

Novici : "La recebi, ieu, de Dieu, de vosautres e de la gleisa".

Novici: Jo la rebo de Déu, de vosaltres i de l'església.

im Herzen steckt nichts als Reichtum.
Übel gebührt Geistlichen und Predigern,
denn sie verbieten, was ihnen nicht genehm ist,
die Gaben und das Gute aus eigenem Verdienst.[42]
Wer Tugend und Großzügigkeit verachtet
setzt meiner Ansicht nach falsch an.

Denn Gott will Tugend und Lob,
er war fürwahr Mensch, das weiß ich,[43]
und der Mensch, der gegen Gott angeht,
während Gott ihm solch große Ehre erweist
und ihn nach seinem Vorbild reich und edel macht,
ist ein Tor, denn er weiß sich nicht zu schätzen.
Auf dieser Welt hat der Mensch so zu handeln,
dass er überall, wo er hingeht, willkommen ist.

Zum größeren Wahn sagen sie,
dass Goldstickerei den Damen nicht zustehe.
Doch wenn eine Dame kein Unrecht begeht
und weder stolz noch hochmütig wird
in der Kleidung, verliert sie Gott und seine Liebe nicht.
Niemand wird wegen gepflegten Auftritts
von Gott entfremdet, wenn er sich ansonsten gut verhält,
noch verdienen schwarze Kleider oder weiße Kutten
Gott, wenn sie nichts weiteres tun.

Sirventes, eile schnell zum tapferen Grafen
von Toulouse; erinnere ihn, was sie ihm angetan,
und möge er sich nun vor ihnen hüten.

e non si ha in mente altro che il lavoro.
Chierici e predicatori hanno la colpa
di vietare ciò che a loro non conviene:
donare e agire bene per buon animo[46].
Disprezzare merito e liberalità,
non è affatto, io credo, un buon principio.

Dio vuole da noi valore e lustro;
egli che, io lo so, fu veramente uomo[47].
E l'uomo che si oppone a Dio,
a Dio che gli ha fatto così grande onore,
creandolo, a sua immagine, degno e grande,
più prossimo a lui di ogni altra creatura,
è pazzo, dunque, se non ne fa buon uso,
e non agisce quaggiù nel mondo in modo
da essere il benvenuto ovunque vada.

Essi dicono – ma è una grande sciocchezza –
che le bordure non s'addicono alle dame,
ma una dama che non fa nulla di peggio,
che non trae né orgoglio né superbia
dal suo ornarsi, non perde né Dio né amante.
Nessuno, infatti, se per il resto è saggio,
si aliena Dio perché cura il vestire:
né vesti nere, né saio bianco,
sono sufficienti per arrivare a Dio!

Sirventese, va' veloce dal prode Conte
di Tolosa; ricordagli ciò che gli fecero,
e digli che sempre si guardi da loro.

## 9. VATER UNSER
### Katharisches Gebet (ms. Lyon, Bibl. mun., PA 36)
**[1.6-1.13]**

Kantor: Vater Unser im Himmel, geheiligt werde dein Name, dein Reich komme, dein Wille geschehe, wie im Himmel so auf Erden. Unser tägliches Brot gib uns heute. Und vergib uns unsere Schuld, wie auch wir vergeben unseren Schuldigern. Und führe uns nicht in Versuchung, sondern erlöse uns von dem Bösen. Denn dein ist das Reich und die Kraft und die Herrlichkeit in Ewigkeit. Amen.

Diakon: Wir übermitteln euch dieses heilige Gebet, damit ihr es von Gott und von uns und von der Kirche erhaltet, und damit ihr die Gelegenheit habt, es zu jedem Augenblick eures Lebens, Tag und Nacht, allein und in Begleitung aufzusagen, und damit ihr niemals esst oder trinkt, ohne vorher dieses Gebet zu sprechen.

Novize: Ich empfange es von Gott, von euch und von der Kirche.

## 9. PADRE NOSTRO
### Preghiera Catara (ms. Lione, Bibl. mun., PA 36)
**[1.6-1.13]**

Cantor: "Padre nostro che sei nei cieli, sia santificato il tuo nome, venga il tuo regno, sia fatta la tua volontà come in cielo così in terra. Dacci oggi giorno il nostro pane transustanziale. Rimetti a noi i nostri debiti come noi li rimettiamo ai nostri debitori. E non ci indurre in tentazione, ma liberaci dal male Perché tuoi sono il regno, la virtù e la gloria, nei secoli. Amen".

Diacono: "Vi consegniamo questa santa orazione, affinché la riceviate da Dio e da noi e dalla Chiesa, e abbiate la possibilità di dirla in ogni momento della vostra vita, di giorno e di notte, solo e in compagnia, e mai non mangiate né beviate senza aver prima detto questa orazione".

Novizio: "Io la ricevo da Dio, da voi e dalla Chiesa".

Diacre et Novice : « Adoremus Patrem et Filium et Spiritum Sanctum. [1.15] »

Diacre et Novice: « Nous adorons le Père, et le Fils, et le Saint Esprit. [1.15] »

## VII  Diaspora vers la Catalogne et fin des Cathares orientaux 1309-1453

## VII  Diaspora vers la Catalogne et fin des Cathares orientaux 1309-1453

### 10. TARTARASSA NI VOUTOR
**Pèire Cardenal**

### 10. LE MILAN NI LE VAUTOUR
**Pèire Cardenal**

Tartarassa ni voutor
no sent tan leu carn puden
quon clerc e predicator
senton ont es lo manen;
mantenen son sei privat,
e quant malautia-l bat
fan li far donassio
tal que-l paren no-i an pro.

Le milan ni le vautour
ne sentent aussi vite chair puante
que les clercs et les prédicateurs
sentent où se tient le riche.
Ils sont aussitôt ses intimes,
et lorsque l'abat la maladie,
ils lui font faire telle donation
que ses proches n'en ont aucun profit.

Franses e clerc an lauzor
de mal, quar ben lor en pren,
e renovier e tractor
an tot lo segl' eissamen,
c'ab mentir et ab barat
an si tot lo mon torbat
que no-i a religio
que no-n sapcha sa leisso.

Français et clercs font louange
du mal, car ils en tirent avantages,
les usuriers et les traîtres
ainsi se partagent le siècle,
car en mentant et en trompant,
ils ont si bien troublé le monde
qu'il n'y a plus de religion
que n'en sache sa leçon.

Saps qu'endeven la ricor
de sels que l'an malamen?
Venra un fort raubador
que no· n lor laissara ren:
so es la mortz, que-ls abat,
c'ab catr'aunas de filat
los tramet en tal maizo
on atrobon de mal pro.

Sais-tu ce qu'il advient de la richesse
de ceux qui l'ont mal acquise ?
Viendra un puissant voleur
qui ne leur en laissera rien :
c'est la mort, qui les abat,
car avec quatre aunes de filet
elle les envoie en telle demeure
où il sont fort mal à l'aise.

Om, per que fas tal follor
que passes lo mandamen
de Dieu, quez es ton senhor
e t'a format de nien?
La trueia ten al mercat
sel que ab Dieu si combat,
qu'el n'aura tal guizardo
com ac Judas lo fello.

Homme, pourquoi commets-tu folie telle
que transgresser les commandements
de Dieu, qui est ton seigneur
et t'a formé à partir de rien ?
Il tient la truie sur le marché[51],
celui qui se bat contre Dieu,
et n'en aura pour récompense
que ce qu'en eut Judas le félon.

Dieus verais, plens de doussor,
senher, sias nos guiren,
gardas d'enfernal dolor
peccadors e de tormen,
e solves los del peccat
en que son pres e liat
e faitz lor verai perdo
ab vera confessio.

Dieu véritable, plein de douceur,
Seigneur, sois notre garant,
protège de l'infernale douleur
et du tourment les pécheurs
et absous-les des pécheurs
qui les tiennent prisonniers,
accorde-leur vrai pardon
par une vraie confession[52].

Deacon and Novice: "Let us worship the Father, and the Son, and the Holy Spirit. [1.15]"

Diácono y Novicio: «Adoremos al Padre, al Hijo y al Espíritu Santo.» [1.15]

## VII Diaspora to Catalonia and the end of the Eastern Cathars 1309-1453

## VII Diáspora hacia Cataluña y fin de los cátaros orientales 1309-1453

### 10. NEITHER THE KITE NOR THE VULTURE
**Peire Cardinal**

### 10. MILANO NI BUITRE
**Pèire Cardenal**

Neither the kite nor the vulture
can scent stinking flesh as quickly
as priests and predicators can scent a rich man.
They are his friends immediately,
and when he falls ill,
they make him give so much money
that his family receive none.

Milano ni buitre
huelen tan presto carne podrida
como predicadores y clérigos
huelen en dónde está el rico.
Enseguida se hacen íntimos
y cuando la enfermedad lo abate
tal donación dar le hacen
que la familia nada recibe.

Frenchmen and priests praise
evil, for they profit from it,
thus do the usurers and traitors
share the century,
for through lies and deceit ,
they have caused such trouble in the world
that there is no religion
that has not learned of it.

Franceses y clérigos elogian
el mal, pues bien que les va,
usureros y traidores
poseen el siglo mismo,
pues mintiendo y engañando
tanto el mundo han trastornado,
que ya no hay religión
que no sepa su lección.

Do you know what becomes
of ill-gotten wealth?
A powerful thief will come
and leave them nothing:
it is death that kills them,
for with a net four ells long
death sends them to a place
where they will live in great discomfort.

¿Sabes en qué acaba la riqueza
de aquellos que mal la ganan?
Vendrá ladrón poderoso
que no les dejará nada:
la muerte, que los abate
y, con cuatro anas de lienzo,
los envía a tal morada
donde encuentran mal provecho.

Man, why do you commit such folly
as transgressing the commandments
of God your lord
who created you from nothing?
The man who fights against God
is holding a sow at market[47],
and his reward will be the same
as that of the criminal Judas.

Hombre, ¿por qué haces la locura
de infringir los mandamientos
de Dios, que es el Señor tuyo,
que te formó de la nada?
La cerda lleva al mercado[53]
quien combate contra Dios
y obtendrá la recompensa
que obtuvo Judas traidor.

True God, full of kindness,
Lord, take care of us,
protect sinners
from infernal pain and torment
and absolve the sinners
who hold them prisoner,
grant them a true pardon
by a true confession[48].

Dios de verdad, lleno de dulzura,
Señor, sé el defensor nuestro,
protege del infernal dolor
y del tormento a los pecadores,
y absuélveles los pecados
en que están presos y atados,
concede vero perdón
con la vera confesión.[54]

Diacre e Novici: "Adoram lo Paire, e lo Filh, e lo Sant Esperit. [1.15] "

Diaca i novici: Adorem el Pare, el Fill i l'Esperit Sant. [1.15]

## VII Diaspora cap a Catalonha e fin dels Catars orientals 1309-1453

## VII Diàspora a Catalunya i fi dels càtars orientals 1309-1453

### 10. TARTARASSA NI VOLTOR
Peire Cardenal

### 10. TARTARASSA NI VOUTOR
Peire Cardenal

Tartarassa ni voltor
sentisson pas tan lèu carn pudenta
coma clergues e predicators
sentisson ont es lo ric.
Aitant lèu son sos amics,
e quand la malautiá l'abat,
li fan far donacion
de tal biais que sos parents i tragan pas pro.

Ni el negre corb ni el voltor
flairen tant la carn pudent
com clergue i predicador
flairen on és l'opulent.
Monten llur pla d'amagat
i quan malaltia el bat,
li fan fer donació
i als parents, un rosegó.

Franceses e clergues lausenjan
lo mal, car ne trason bens,
los usurièrs e los traïdors
se partejan aital lo sègle,
ja que'n messorgant e en enganant,
an tant trebolat tot lo mond
que i a pas mai de religion
que ne sàpia pas sa leiçon.

Clergue i francès fan lloança
del mal, que així bé es pren,
i usurer i traïdor
pertot regnen igualment;
que amb paranys i falsedat
tot el món han trasbalsat.
Així els ordes fan saó
car saben bé la lliçó.

Sabes çò qu'adven de la riquesa
dels que l'an mal aquesida ?
Vendrà un fòrt raubador
que ne lor daissarà pas res :
aquò's la mòrt, que los abat,
ja qu'amb aunas de fialat
los remanda a tal ostal
per que s'i tròben plan pro mal.

Saps on para l'abundor
dels enriquits malament?
Vindrà un potent robador
que els ho pren tot prestament.
És la Mort, la que els abat
i en sudari malgirbat
els tramet a mansió
on tot és etern corcó.

Òme, perqué fas tala foliá
que traspassas los comandaments
de Dieu, qu'es lo tieu senhor
e que t'a format de pas res ?
ten la truèja pel mercat[51],
lo que contra Dieu se bat,
e n'aurà pas per guerdon
que çò que n'aguèt Judàs lo felon.

Foll, per què no tens por
de conculcar el manament
de Déu, que és el teu senhyor,
i et féu del no-res, vivent?
El qui amb Déu cerca combat
té la truja en el mercat[48]
i en rebrà el mateix guardó
que Judes, vassall felló.

Dieu vertadièr, plen de doçor,
Senhor, siás nòstre protector,
garda de l'infernala dolor
et del torment los pecadors
e absòlv-los dels pecats
que ne son preses e ligats,
acòrda-lor perdon vertadièr
per vertadièra confession[52].

Oh Déu ver, ple de dolçor,
Senyor, sigueu-nos clement!
Preserveu el pecador
de l'infern i el seu turment,
absoleu-lo del pecat
en què viu pres i lligat,
i atorgueu-li el ver perdó
amb vera confessió[49]!

Diakon und Novize: Wir ehren den Vater, den Sohn und den Heiligen Geist. [1.15]

Diacono e Novizio: "Adoriamo il Padre, il Figlio, e lo Spirito Santo. [1.15]".

## VII Diaspora in Katalonien und Ende der Katharer im Osten 1309-1453

## VII Diaspora verso la Catalogna e fine dei Catari orientali 1309-1453

### 10. WEDER DER MILAN NOCH DER GEIER
Peire Cardenal

### 10. NÉ IL NIBBIO NÉ L'AVVOLTOIO
Peire Cardenal

Weder der Milan noch der Geier
wittert so schnell verdorbenes Fleisch
wie die Geistlichen und Prediger
die Reichen aufspüren.
Sie sind alsbald mit ihnen intim,
und wenn diese die Krankheit befällt,
erzwingen sie ihre Schenkung,
und die Verwandten stehen bloß da.

Né il nibbio né l'avvoltoio,
son svelti a sentire odore di carogna,
quanto i chierici e i predicatori
a sentire dove ha i suoi beni il ricco.
Subito si fanno suoi intimi,
e quando lo abbatte la malattia,
gli fanno fare una tale donazione
che ai suoi parenti non rimane niente.

Franzosen und Priester loben stark
das Böse, von dem sie Nutzen ziehen;
so teilen Wucherer und Verräter
das Zeitliche untereinander auf,
denn durch List und Falschheit
erschüttern sie die gesamte Welt,
und keinen Glauben gibt es,
der die Lektion nicht erlernt.

Francesi e chierici fanno elogio
del male, perché ne traggono vantaggi.
Gli usurai e i traditori
così si dividono il secolo,
perché mentendo ed ingannando,
hanno tanto intorbidito il mondo
che non c'è più religione
che non ne abbia appreso la lezione.

Weißt du, was aus dem Reichtum
derer wird, die es übel anhäufen?
Ein mächtiger Räuber wird kommen,
der ihnen nichts übrig lässt:
Es ist der hereinbrechende Tod,
der sie in ellenlangen Netzen
in das Haus schickt,
wo sie vor Leid schmoren.

Sai cosa accade della ricchezza
di quelli che l'hanno fatta malamente?
Verrà un ladro potente,
che non ne lascerà loro nulla:
è la morte che li abbatte,
perché con quattro aune di rete
li manda in un tale alloggio
dove si trovano molto a disagio.

Mensch, warum begehst du solch Torheit,
dass du gegen die Gebote Gottes,
deines Herrn verstößt,
der dich aus dem Nichts schuf?
Es bringt die Sau auf den Markt[44],
wer gegen Gott ankämpft,
und wird die selbe Belohnung
wie der böse Judas davon tragen.

Uomo, perché commetti una tale follia
come trasgredire i comandi
di Dio, che è il tuo signore
e ti ha formato dal nulla?
Mette la scrofa sul mercato[48],
colui che si batte contro Dio,
e non ne avrà in ricompensa
che quella che ebbe Giuda il traditore.

O wahrer Gott, voll der Güte,
Herr, seid uns gnädig!
Beschützt die Sünder
vor höllischem Leid und Qual,
erlöst sie von den Sünden,
die sie gefangen halten,
gebt ihnen die wahre Vergebung
durch eine wahre Beichte[45].

Dio vero, pieno di dolcezza,
Signore, sii il nostro garante.
Proteggi dal dolore dell'inferno
e dal tormento i peccatori
e assolvili dai peccati
chi li tengono prigionieri,
Accorda loro un vero perdono,
mediante una vera confessione[49].

## 11. APOCALYPSE VI, 12
***AUDI PONTUS* (XIIe s.)**
**Sur l'Évangile Cathare du Pseudo-Jean V, 4**
**(mss. Las Huelgas)**

Audi pontus, audi tellus,
audi maris magni limbus,
audi homo, audi omne
quod vivit sub sole:
prope est, veniet.
Ecce iam dies est,
dies illa,
dies invisa,
dies amara
que celum fugiet,
sol erubescet,
luna fugabitur,
sidera super terram cadent.

Heu miser!,
heu miser!,
heu! cur, homo, ineptam
sequeris leticiam?

## 11. APOCALYPSE VI, 12
***AUDI PONTUS* (XIIe s.)**
**Sur l'Évangile Cathare du Pseudo-Jean V, 4**
**(mss. Las Huelgas)**

Écoute la mer, écoute la terre,
écoute la surface du grand océan,
écoute l'homme qui écoute tout
ce qui vit sous le soleil :
Il est proche, il viendra.
Et voilà que vient le jour,
ce jour là,
jour détestable,
jour amer
où le ciel s'enfuira,
le soleil deviendra rouge,
la lune choisira la fuite,
les astres tomberont sur terre.

Ah ! malheureux,
ah ! malheureux homme,
ah ! Homme
recherches-tu la joie inepte ?

## 12. EL REY DE FRANCIA
**Anónimo (Esmirna)**

El rey de Francia
tres hijas tenía
la una lavrava
la otra cuzía
la más chica de ellas
bastidor hazía
lavrando lavrando
sueño le caía.

Su madre que la vía
aharvar la quería.
No m'aharvéx mi madre
ni m'aharvaríax
un sueño me soñava
bien yo alegría
- Sueño vos soñavax
yo vo lo soltaría.

- M'aparí a la puerta
vide la luna entera,
m'aparí a la ventana
vide a la estrella Diana,
m'aparí al pozo
vide un pilar de oro
con tres paxaricos
picando el oro.

## 12. LE ROI DE FRANCE
**Anonyme (Smyrne)**

Le Roi de France
avait trois filles.
L'une brodait
l'autre cousait.
La plus jeune d'entre elles
faisait de la tapisserie
et tout en brodant
lui venait le sommeil.

Sa mère qui la voyait
voulait la frapper.
« Ne me frappez pas, ma mère,
vous ne voudriez pas me battre.
J'avais un rêve
qui me donnait de la joie. »
« Le rêve que tu rêvais
je vais te l'expliquer. »

« En regardant par la porte
j'ai vu la pleine lune,
en regardant par la fenêtre
j'ai vu l'étoile de Diane,
en regardant dans le puits
j'ai vu un pilier en or
avec trois petits oiseaux
qui picoraient l'or. »

## 11. REVELATION VI, 12-3
### *AUDI PONTUS* (12th century)
### On the Cathar Gospel of Pseudo-John V, 4
### (Las Huelgas Mss.)

Hearken, O sea, hearken, o earth,
hearken, O face of the great ocean,
hearken, O man, and every creature
that lives under the sun:
it is nigh, it will come.
Now is the day,
that day,
the terrible day,
that bitter day
on which the sky shall vanish,
and the sun shall turn red,
when the moon shall flee,
and the stars of the sky shall fall to earth,

Oh, wretched!
Oh, wretched!
Oh, why dost thou, O man,
chase after vain happiness?

## 12. THE KING OF FRANCE
### Anonymous (Smyrna)

The king of France
had daughters three.
The first embroidered,
the second sewed,
the youngest of them
worked a tapestry.
And stitch by stitch
she fell to slumbering.

Her mother, when she saw her thus,
did make as if to wake her.
"Do not beat me, mother,
no, do not wish to beat me.
A dream I was a-dreaming,
that filled me full of gladness."
"A dream you were a-dreaming
that I would fain unravel."

"I looked out from the door
and the full moon there I saw;
I looked out from the window
and saw the star Diana;
I looked into the well
and saw a golden pillar
with three little birds
that were pecking at the gold."

## 11. APOCALIPSIS VI,12-3
### *AUDI PONTUS* (S. XII)
### Sobre el Evangelio Cátaro del Pseudo-Juan, V,4
### (mss. Las Huelgas)

Escucha mar, escucha tierra,
escucha superficie del gran océano,
escucha hombre, que escuche todo
lo que vive bajo el sol:
está cerca, vendrá.
He aquí que ya es de día,
día aquel,
día aborrecible,
día amargo
en que el cielo huirá,
enrojecerá el sol,
la luna se pondrá en fuga,
caerán los astros sobre la tierra.

*¡Ay, mísero!,*
*¡ay, mísero!,*
*¡ay!, ¿por qué, hombre,*
*persigues la alegría vana?*

## 12. EL REY DE FRANCIA
### Anónimo (Esmirna)

El rey de Francia
tres hijas tenía
la una lavrava
la otra cuzía
la más chica de ellas
bastidor hazía
lavrando lavrando
sueño le caía.

Su madre que la vía
aharvar la quería.
No m'aharvéx mi madre
ni m'aharvaríax
un sueño me soñava
bien yo alegría
– Sueño vos soñavax
yo vo lo soltaría.

– M'aparí a la puerta
vide la luna entera,
m'aparí a la ventana
vide a la estrella Diana,
m'aparí al pozo
vide un pilar de oro
con tres paxaricos
picando el oro.

## 11. APOCALIPSI VI, 12-3, *AUDI PONTUS*
**Subre l'Evangèli Catar del Pseudo-Joan V, 4**
**(mss. Las Huelgas)**

Escota la mar, escota la tèrra,
escota la susfàcia del grand ocean,
escota l'òme qu'escota tot
çò que viu jol solelh :
prèp es, vendrà.
E vejaquí qu'escai lo jorn,
aquel jorn,
jorn odiós,
jorn amar
que lo cèl i defugirà,
que lo solelh i vendrà rotge
e la luna fugidissa,
que los astres i cairàn sus tèrra.

Aï ! Miserós !
Aï ! Miserós !
Òu ! L'òme, perqué
perseguisses un gaug inepte ?


## 11. APOCALIPSI VI,12-3 *AUDI PONTUS* (s. XII)
**A l'Evangeli càtar del Pseudo-Joan V,4**
**(Mss. Las Huelgas)**

Escolta mar, escolta terra,
escolta superfície del gran oceà,
escolta home, que ho escolti tot allò
que viu dessota el sol:
és ben a prop, vindrà.
Heus ací que ja és de dia,
aquell dia,
dia abominable,
dia amarg
en què fugirà el cel,
el sol envermellirà,
la lluna s'enfugirà,
cauran els astres sobre la terra.

*Ai, míser!,*
*ai míser!,*
*ai!, per què, home,*
*cerques l'alegria vana?*


## 12. LO REI DE FRANÇA
**Anonyme (Esmirna)**

Lo rei de França
aviá tres filhas
una brodava,
l'autra cosiá.
La mai pichona d'aquelas
fasiá de tapissariá
e, tot en brodant,
lo sòm li veniá.

Sa maire que la vesiá
la voliá trucar.
-Me truquètz pas, ma maire,
me trucariatz pas.
Fasiái un sòmi
que m'allegrava.
- Lo sòmi que fasiás,
ieu, lo t'explicarai.

- En gaitant per la pòrta,
vegèri luna plena,
en gaitant per la finèstra
vegèri l'estela de Diana,
en gaitant dins lo potz
vegèri un pilar d'aur
amb tres aucelons
qu'i bequejavan l'aur.

- La luna plena
èra ta sògra.


## 12. EL REI DE FRANÇA
**Anònim (Esmirna)**

El rei de França
tres filles tenia,
una treballava,
l'altra cosia,
la més petita d'elles
bastidors feia,
treballant, treballant
el son li queia.

Sa mare, que la veia
despertar-la volia.
– No em desperteu, mare,
ni em despertaria,
un somni somiava
amb molta alegria.
– El somni que somiàveu
jo us el deixaria.

– Em vaig acostar a la porta
a veure la lluna plena,
em vaig acostar a la finestra
a veure l'estrella Diana,
em vaig acostar al pou
a veure un pilar d'or
amb tres ocellets
que picaven l'or.

– La lluna plena
és la teva sogra,

## 11. APOKALYPSE VI, 12-3 *AUDI PONTUS* (12. JH.)
**Nach dem Katharischen Evangelium**
**des Pseudo-Johannes V,4 (Mss. Las Huelgas)**

Höre See, höre Erde,
höre Fläche des großen Meeres,
höre Mensch, höre es ein jeder
der unter der Sonne lebt:
Es nahet schon, es kommt.
Schon ist des Tages Licht,
jener Tag,
grausiger Tag,
bitterer Tag,
an dem der Himmel schwindet,
die Sonne errötet,
der Mond dahin geht,
die Sterne auf die Erde fallen.

*Ach, Erbärmlicher!*
*Ach, Erbärmlicher!*
*Ach, warum, o Mensch,*
*suchst du das vergebliche Glück?*

## 11. APOCALISSE VI,12-13 *AUDI PONTUS*
**Nell'Evangelario cataro dello Pesueo-Giovanni V, 4**
**(mss. Las Huelgas)**

Ascolta mare, ascolta terra,
ascoltate confini dell'oceano,
ascolta uomo, ascolti ogni cosa
che vive sotto il sole:
è vicino, e viene.
Ecco: è già il giorno,
quel giorno,
giorno orribile,
giorno amaro,
quando il cielo fuggirà,
il sole si farà rosso,
la luna scomparirà,
astri cadranno sulla terra.

Ahi, misero!
Ahi, misero!
Ahi! Perché, uomo,
persegui una letizia vana?

## 12. DER KÖNIG VON FRANKREICH
**Anonym (Smyrna)**

Der König von Frankreich
hatte drei Töchter,
die eine arbeitete,
die andere nähte
und die jüngste von allen
bestickte Rahmen,
während der Arbeit
schlief sie ein.

Ihre Mutter sah sie
und wollte sie wecken.
Weckt mich nicht, Mutter,
ihr würdet mich nicht wecken,
einen Traum hatte ich
voller Freude.
Den Traum, den ihr hattet,
würde ich preisgeben.

Ich näherte mich der Tür
und sah den Vollmond,
ich näherte mich dem Fenster
und sah den Dianenstern,
ich näherte mich den Brunnen
und sah eine Goldstange
mit drei Vöglein,
die auf dem Gold pickten.

Der Vollmond
ist deine Schwiegermutter,

## 12. IL RE DI FRANCIA
**Anonimo (Smirne)**

Il re di Francia
aveva tre figlie.
Una ricamava
l'altra cuciva,
la più piccola di loro
lavorava al telaio.
Lavorando e lavorando,
la colse il sonno.

Sua madre che la vide,
volle destarla.
"Non colpitemi, madre,
non voglio svegliarmi.
Stavo facendo un sogno
che assai mi gustava."
"Il sogno che sognavi
te lo interpreterò."

"Andai alla porta:
vidi la luna piena.
Andai alla finestra:
vidi la stella Diana.
Andai al pozzo:
vidi un pilastro d'oro,
e tre uccellini
che beccavano l'oro."

"La luna piena
è la tua suocera.

- La luna entera
es la tu suegra.
la estrella Diana
es la tu cuñada.
los tres paxaricos
son tus cuñadicos,
y el pilar de oro
el hijo del rey tu novio.

« La lune pleine
est ta belle mère,
l'Etoile de Diane
ta belle sœur,
les trois petits oiseaux
tes petits beaux-frères
et le pilier d'or
le fils du roi, ton fiancé. »

## 13. ES PAS ESTONANT
**Prédicacion**

## 13. IL N'EST PAS ÉTONNANT
**Prédication**

Es pas estonant que vengam en òdi al mond, s'a tengut el en òdi Nòstre Senhor e L'a secutat, El coma sos apòstols. E nautres siam secutats per amor de sa lei qu'observam fermament... Es que l'a doas glèisas : una fugís e perdona, l'autra possedís e escorga. Es la que fugís e perdona que ten la via drecha dels apòstols : mentís pas, engana pas. E la glèisa que possedís e escorga, aquela es la glèisa romana.

« Il n'est pas étonnant que le monde nous haïsse [1 Jo 3.13], puisqu'il a tenu en haine Notre Seigneur et l'a persécuté ainsi que ses apôtres. Et nous, nous sommes persécutés à cause de sa Loi, que nous observons fermement. (…) C'est qu'il y a deux Eglises : l'une fuit et pardonne [Mat 10, 22-23], l'autre possède et écorche ; c'est celle qui fuit et pardonne qui tient la droite voie des apôtres : elle ne ment ni ne trompe. Et cette Eglise qui possède et écorche, c'est l'Eglise romaine ».

## 17. AUDI, BENIGNE CONDITOR
**Anonyme / Guillaume Dufay**

## 17. ENTEND, CRÉATEUR BIENVEILLANT
**Anonyme / Guillaume Dufay**

Audi, benigne Conditor,
Nostras preces ut audias,
in hoc sacro jejunio
Fusas quadragenario.

Entend, Créateur bienveillant,
entend nos prières,
en ce saint Carême,
répandues durant quarante jours.

Scrutator alme cordium,
Infirma tu scis virium:
Ad te reversis exhibe
Remissionis gratiam.

Bon scrutateur des cœurs,
tu connais notre faiblesse :
à ceux qui vers Toi se tournent
accorde la grâce du pardon.

Multum quidem peccavimus,
Sed parce confitentibus:
Ad nominis laudem tui,
Confer medelam languidis.

Si nombreux sont nos péchés,
si peu nous en confessons :
pour la gloire de Ton nom,
donne remède à ceux qui souffrent.

Concede nostrum conteri
Corpus per abstinentiam,
Culpae ut relinquant pabulum
Jejuna corda criminum.

Concède-nous de vaincre le corps
au moyen de l'abstinence.
Car, sans se repaître de faute,
de pécher se garde le cœur.

Praesta beata Trinitas,
Concede simplex Unitas:
Ut fructuosa sint tuis
Jejuniorum Muncra.

Sainte Trinité, octroie-nous,
simple Unité, concède-nous
que nous soient profitables
les fruits de notre jeûne.

"The full moon
is your mother-in-law,
Diana's star
your sister-in-law
the three little birds
are your little brothers-in-law,
and the pillar of gold
is the kings son, your betrothed."

– La luna entera
es la tu suegra.
la estrella Diana
es la tu cuñada.
los tres paxaricos
son tus cuñadicos,
y el pilar de oro
el hijo del rey tu novio.

## 13. IT IS NOT SURPRISING
### Sermon

It is not surprising that the world hates us, since it hated Our Lord and persecuted him and his apostles. And we are persecuted for the sake of his Law, which we steadfastly observe... For there are two Churches: one flees and forgives, while the other possesses and flays. It is the one which flees and forgives which follows in the true footsteps of the apostles: it does not lie or deceive. The Church which possesses and flays is the Church of Rome.

## 13. NO OS EXTRAÑÉIS
### Predicación

No os extrañéis si el mundo os aborrece [1 Juan 3:13], si ha aborrecido a Nuestro Señor y lo ha perseguido, a Él como a sus apóstoles. Y nosotros somos perseguidos por amor a su ley, que observamos firmemente [...]. Es que hay dos Iglesias: una huye y perdona, la otra posee y despelleja. Es la que huye y perdona la que sigue la recta vía de los apóstoles: no miente, no engaña. Y la Iglesia que posee y despelleja es la Iglesia romana.

## 17. HEAR US, KIND CREATOR
### Anonyme / G. Dufay

Hear us, kind Creator,
listen to our tearful prayers
which in these forty days
of holy fast we have shed.

Thou seest into every heart,
and knowest our infirmity:
to those who turn to Thee their face
give Thy redeeming grace.

Greatly have we sinned, but yet
have mercy on our sins confessed:
and to the glory of Thy name,
give healing to the sore oppressed.

Grant that we may tame our flesh
by means of abstinence,
and thus starved of the food of guilt
our fasting hearts may shrink from sin.

Grant us, Holy Trinity,
O undivided Unity concede,
that wholesome fruit
may from this fast proceed.

## 17. OYE CREADOR BENIGNO
### Anonyme / Guillaume Dufay

Oye, Creador benigno,
nuestras oraciones oye
en este sagrado ayuno,
cuarenta días vertidas.

Escrutas los corazones,
nuestra flaqueza sabes;
a quienes a ti se vuelven
da la gracia del perdón.

Mucho es lo que pecamos,
mas confesar perdónanos;
para gloria de tu nombre,
da remedio a los enfermos.

Quebrar el cuerpo concédenos
por medio de la abstinencia.
Que, sin sustento de culpa,
pecar corazón ayune.

Santa Trinidad, otórganos,
simple Unidad, concédenos
que nos sean provechosos
los frutos de nuestro ayuno.

| OCCITAN | CATALÀ |
|---|---|
| L'estèla de Diana<br>èra ta conhada.<br>Los tres aucèlons<br>los tieus conhats pichons<br>e lo pilar d'aur<br>lo filh del rei, ton nòvi. | l'estrella Diana<br>és la teva cunyada,<br>els tres ocellets<br>són els teus cunyadets<br>i el pilar d'or,<br>el fill del rei, nuvi teu. |

**13. ES PAS ESTONANT**
Prédicacion

« Es pas estonant que lo mond nos asire [1 Jo 3.13], ja que tenguèt en asir lo Nòstre Senhor e que lo secutèt aital coma sos apòstols. E nosautres, sèm secutats en causa de sa Lei, que seguissèm fermament. Es que i a doás gleisas : una fugís e perdona [Mat 10, 22-23], l'autra possedís e escaraunha ; e la que fugís e perdona que ten la via dreita dels apòstols : mentís pas ni dupa pas. E aquela gleisa que possedís e escaraunha, es la gleisa romana »..

**13. NO ENS ESTRANYI**
Predicació

No ens estranyi que el món ens odiï [1 Jn 3,13], puix ha tingut en odi Nostre Senyor i l'ha perseguit, així com els seus apòstols. I nosaltres som perseguits per seguir la seva Llei, que observem fermament (…) I és que hi ha dues esglésies: una que fuig i perdona [Mt 10,22-23], l'altra que posseeix i escorça. La que fuig i perdona és la que manté el camí recte dels apòstols: no menteix ni enganya. L'església que posseeix i escorça és l'església romana.

**17. AUSÍS, CREADOR BENIGNE**
Anonim / Guillaume Dufay

Ausís, Creador benigne,
ausís las nòstras pregàrias,
en aqueste sant quarèsme,
quaranta jorns espandidas.

Bon espiaire dels cors,
sabes la nòstra flaquesa :
a-n-aqueles que cap a Tu se viran
dona gràcia del perdon.

Fòrça es tot çò que pecam,
mas pauc çò que confessam :
per la glòria de Ton nom,
dona remèdi als que languisson.

Concedís-nos del còs véncer
pel mejan de l'abstinéncia.
Que, sens noirriment de fauta,
de pecar juna lo còr.

Santa Trinitat, autreja-nos,
simpla Unitat, conceda-nos
que nos sián profiechosas
las fruchas del nòstre june.

**17. ESCOLTA, CREADOR BENIGNE**
Anònim / Guillaume Dufay

Escolta, creador benigne,
escolta els nostres precs
en aquest sagrat dejuni,
dits en quaranta dies.

Escrutes els cors,
saps de nostra feblesa;
a qui es volta cap a tu
dóna la gràcia del perdó.

És molt el que pequem,
però perdona'ns la confessió;
per la glòria del teu nom,
dóna remei als malalts.

Concedeix trencar-nos el cos
per mitjà de l'abstinència,
que sense suport de culpa
el cor pecador dejuni.

Santa Trinitat, dóna'ns,
simple Unitat, concedeix-nos
que els fruits del nostre dejuni
ens siguin profitosos.

der Dianenstern
ist deine Schwägerin,
die drei Vöglein
sind deine kleinen Schwäger,
und die Goldstange
der Königssohn, dein Bräutigam.

La stella Diana
è la tua cognata.
I tre uccellini
sono i tuoi giovani cognati.
E il pilastro d'oro
il figlio del re tuo fidanzato."

## 13. WUNDERN WIR UNS NICHT
### Predigt

Wundern wir uns nicht, wenn die Welt uns hasst (1 Joh 3,13), denn sie hat unseren Herrgott gehasst und verfolgt, wie auch seine Apostel. Und wir werden in der Befolgung seines Gesetzes, das wir streng einhalten, verfolgt [...] Denn es gibt zwei Kirchen: Die eine flieht und verzeiht (Mt 10,22-23), die andere besitzt und schindet. Die, die flieht und verzeiht, folgt dem rechten Weg der Apostel: Sie lügt und täuscht nicht. Aber die Kirche, die besitzt und schindet, ist die römische Kirche.

## 13. NON È STUPEFACENTE
### Predicazione

"Non è stupefacente che il mondo ci odi [1Gv 3.13], poiché ha avuto in odio Nostro Signore e ha perseguitato lui e i suoi apostoli. E noi, noi siamo perseguitati per amore della sua legge, che osserviamo fermamente. Il fatto è che ci sono due Chiese: una fugge la ricchezza e perdona [Mt 10, 22-23], l'altra possiede e scortica; è quella che fugge e perdona che segue la diritta via degli apostoli: non mentire, non ingannare. E quella Chiesa che possiede e scortica, è la Chiesa romana".

## 17. HÖRE, GUTER SCHÖPFER
### Anonym / Guillaume Dufay

Höre, guter Schöpfer,
höre unsere Gebete,
die vierzig Tage gesprochen
in diesem heiligen Fasten.

Du durchleuchtest die Herzen,
weißt um unsere Schwäche,
gewähre die Verzeihung dem,
der sich an dich wendet.

Viel sündigen wir,
doch vergib uns unsere Beichte;
die Kranken heile
zu Ehren deines Namens.

Die Läuterung unserer Körper
gewähre durch Enthaltsamkeit,
damit ohne Halt durch Schuld
das Sünderherz faste.

Heilige Dreifaltigkeit, gib uns,
einfache Einheit, gewähre,
dass uns die Früchte des Fastens
ertragreich seien.

## 17. ODI, BENIGNO CREATORE
### Anonimo / Guillaume Dufay

Odi, benigno Creatore,
odi le nostre preghiere
lungo i quaranta giorni
di questo sacro digiuno.

Sommo scrutatore dei cuori,
tu conosci la debolezza degli uomini;
a chi ti si rivolge, offri
la grazia del perdono.

Molto abbiamo peccato,
ma perdona i tuoi fedeli;
a gloria del tuo nome,
dà soccorso ai deboli.

Concedici di vincere
il corpo con l'astinenza;
cessando di nutrirsi di colpe,
il cuore digiuni di peccato.

Dacci, Santa Trinità,
singola Unità, concedici
che sian fruttuosi i doni
dei digiuni che t'offriamo.

## 18. BALLADE DE LA PUCELLE
**Jordi Savall d'après mélodie s. XVe**

Arrière anglais coués,
arrière, arrière anglais
votre sort si ne règne plus.
Pensez d'en troquer la bannière
celle de quoi vous êtes confondus
la bannière que bons français ont rué jus.
Par le vouloir du Roy Jésus
et Jeanne la douce Pucelle
dont c'est pour vous dure nouvelle.

## 19. PLANCTUS JEHANNE: O CRUDELE SUPLICIUM
**Jordi Savall d'après mélodie s. XVe**

Actendite vos o populi
Et universe plebes dolorem maximum.
O nimis triste spectaculum,
O crudele suplicium.

## 22. O TRE PITEULX
***Lamentatio Sanctae Matris Ecclesiae Constantinopolitanae***
**Guillaume Dufay**
**Chansonnier de Montecassino, 102**

[O] tres piteulx de tout espoir fontaine,
pere du filz dont suis mere esplorée
plaindre me viens a la cour souveraine,
de ta puissance et de nature humaine,
qui ont souffert telle durté vilaine
faire a mon filz, qui tant m'a hounourée.

Dont suis de bien et de ioye separée,
sans que vivant veulle entendre mes plains.
A toy, seul Dieu, du forfait me complains
du gref tourment e douloureulx oultrage
que voy souffrir au plus bel des humains
sans nul confort de tout humain lignage.

---

## 18. BALLADE DE LA PUCELLE
**Jordi Savall d'après mélodie s. XVe**

Arrière anglais coués,
arrière, arrière anglais
votre sort si ne règne plus.
Pensez d'en troquer la bannière
celle de quoi vous êtes confondus
la bannière que bons français ont rué jus.
Par le vouloir du Roy Jésus
et Jeanne la douce Pucelle
dont c'est pour vous dure nouvelle.

## 19. COMPLAINTE DE JEANNE: O CRUEL SUPLICE
**Jordi Savall d'après mélodie s. XVe**

Eveillez-vous, ô gens
et peuples du monde, à la doleur extrême,
ô, spectacle trop triste,
ô, cruel suplice.

## 22. Ô, MISERICORDIEUX
***Lamentation de la Sainte Mère Eglise de Constantinople***
**Guillaume Dufay**
**Chansonnier de Montecassino, 102**

Ô, Miséricordieux, fontaine de tout espoir,
Père du Fils duquel je suis la mère éplorée,
je viens me plaindre à la cour souveraine
de Ta puissance et de la nature humaine,
qui ont supporté telle vile dureté
infliger à mon Fils, qui m'a tant honorée.

Par cela je suis séparée du bien et de la joie
sans que nul vivant ne veuille entendre mes plaintes.
A Toi, seul Dieu, du forfait je me plains,
du grave tourment et du douloureux outrage
duquel je vois souffrir le plus beau des humains
sans aucun réconfort de tout le genre humain.

Traduction: Franc Bardòu

---

[1] Il s'agit, selon P. Bec, de Foulques V, fils de Foulques le Rechin d'Anjou e de Bertrade de Montfort, comte d'Anjou de 1106 à 1142, né en 1090.
[2] Le roi est, toujours selon P. Bec, Louis le Gros…
[3] *"Mon compagnon"*, au singulier, signifierait ici *"n'importe lequel des mes compagnons"*, en suivant sur ce point également P. Bec.
[4] Le terme original n'est pas *"occitan"*, terme anachronique ici, c'est

## 18. BALLAD OF THE MAID
### Jordi Savall after Anonymous s. XV

Go back, you English devils.
You English men, go back, go back.
Your fortune's reign has ended here.
It's time you switched your banner,
Under which you are in disarray,
the banner that good French men have routed.
Because it is King Jesus' will,
and that of the sweet maid Joan,
as to your chagrin you will learn.

## 18. BALADA DE LA DONCELLA
### Versión de Jordi Savall a partir de una melodía del s. XV

Atrás, ingleses con cola,
atrás, atrás, ingleses,
vuestra suerte aquí ya no reina.
Pensad en cambiar la bandera,
con la vuestra os halláis confundidos,
la bandera que buenos franceses han vencido.
Por voluntad del Rey Jesús
y de Juana la dulce doncella,
lo cual para vosotros es dura nueva.

## 19. O CRUDELE SUPLICIUM
## PLANCTUS JEHANNE
### Jordi Savall after Anonymous s. XV

Ignite, o people
and all you commoners the ultimate suffering.
Oh, such a doleful spectacle,
Oh, cruel torment.

## 19. PLANCTUS POR JUANA: OH CRUEL
## SUPLICIO
### Versión de Jordi Savall a partir de una melodía del s. XV

Encended, oh nobles
y toda la plebe, el dolor máximo.
Oh tristísimo espectáculo,
oh cruel suplicio.

## 22. O MOST MERCIFUL ONE
### *Lamentation of the Holy Mother Church of Constantionople*
### Guillaume Dufay
### *Montecassino Songbook, 102*

O most merciful One, of every hope the source,
Father of the Son whose desolate Mother I am!
Before thy sovereign court I make my plaint
and rail at thy power and human nature,
which have countenanced such vile brutality
against my son, who has greatly honoured me.

Thus I am parted from all my ease and joy
with no living soul to listen to my complaint.
To thee, who alone art God, I protest my loss
and the grievous torment and dire disgrace
I see endured by the noblest man of all,
bereft of comfort from the whole human race.

## 22. OH PIADOSA
### *Lamentación de la Santa Madre Iglesia de Constantinopla*
### Guillaume Dufay
### *Cancionero de Montecassino, 102*

[Oh] piadosa fuente de toda la esperanza,
padre de cuyo hijo soy madre desolada,
a quejarme acudo a la corte soberana,
de tu poder y de la naturaleza humana,
que han permitido tan vil brutalidad
en mi hijo, que tanto me ha honrado.

Me encuentro privada de bien y alegría
sin ser vivo que escuche mis quejas.
A ti, Dios único, del quebranto me quejo,
del penoso tormento y el doloroso ultraje:
veo sufrir al hombre más noble
sin consuelo alguno de la raza humana.

Translated by Jacqueline Minett
Translated by Liz Zendle CD1:13,17/CD2: 4, 7,11,14/CD3: 5,7,10

Traducción: Juan Gabriel López Guix

[1] According to P. Bec, a reference to Fulk V, the son of Fulk IV, called Fulk "the Sullen" and Bertrada de Montfort, born in 1090 and Count of Anjou from 1106 to 1142
[2] Also according to P. Bec, the king in question is King Louis VI, called Louis "the Fat".
[3] P. Bec argues that "My friend", in the singular, refers to "any one of my friends".

[1] Se trata, según P. Bec, de Fulco V, hijo de Fulco IV el Obstinado y Bertrada de Montfort, nacido en 1090 y conde de Anjou entre 1106 y 1142.
[2] El rey es, siempre según P. Bec, Luis el Gordo.
[3] «Mi compañero», en singular, significaría aquí «cualquiera de mis compañeros», siguiendo también en este punto a P. Bec.
[4] El término que se opone a *latín* es *romance*. *Occitano* sería aquí anacrónico.

## 18. BALADA DE LA PIUCÈLA
**Jordi Savall d'aprèp tèxt anonim s. XV**

Enré, Angleses coards
enré, enré Angleses,
la vòstra mala sòrt aicí régna pas mai.
Pensar de n'escambiar bandièra,
la de que sètz confonduts,
la bandièra que los bons Franceses a saquejada a bais,
pel voler de Rei Jèsus,
e de Joana la doça piucèla,
çò qu'es per vosautres dura novèla.

## 18. BALADA DE LA DONZELLA
**Versió de Jordi Savall segons anònim, segle XV**

Enrere, anglesos amb cua,
enrere, enrere, anglesos,
vostra sort aquí ja no regna.
Penseu en canviar la bandera,
amb la vostra esteu confosos,
la bandera que els bons francesos venceren.
Per voluntat del Rei Jesús
i de Joana, la dolça donzella,
que per vosaltres és nova dura.

## 19. PLANH DE JOANA
## ÒU CRUSÈL SUPLICI
**Jordi Savall**
**d'aprèp tèxt anonim s. XV**

Despertatz-vos, òu, gents
e pòbles del mond, a la dolor extrèma,
òu, espectacle tròp trist,
òu, crusèl suplici.

## 19. PLANY PER JOANA:
## OH, CRUEL SUPLICI
**Versió de Jordi Savall**
**segons anònim, segle XV**

Enceneu, oh, nobles
i tota la plebs, el dolor màxim.
Oh, tristíssim espectacle,
oh, cruel suplici.

## 22. O MISERICORDIÓS
*Lamentacion de la Santa Maire Gleisa de Constantinopòli*
**Guillaume Dufay**
**Cançonièr de Montecassino, 102**

Òu Misericordiós, e font de tot esper,
Paire del Filh que'n soi maire esplorada,
me veni plànher a la cort sobeirana,
de Ta poténcia e de natura umana,
qu'an endurat tanta vila aspretat
al mieu Filh far, que m'a tant onorada.

Donc soi de gaug e de ben separada
sens qu'òme viu volga entendre mos planhs.
A Tu, sol Dieu, del forfait me complanhi,
del greu torment e dolentós oltratge
que's vei patir al mai bèl dels umans
sens cap conòrt de tot uman linhatge.

## 22. OH, CLEMENT
*Lamentatio Sanctae Matris Ecclesiae Constantinopolitanae*
**Guillaume Dufay**
**Cançoner de Montecassino, 102**

Oh, clement, font de tota esperança,
Pare del Fill, la dissortada Mare de qui sóc!
Vinc a la teva cort sobirana suplicar
pel teu poder i per l'espècie humana,
que ha permès tanta vilesa malvada
envers el meu Fill que tant m'ha honrat.

De tota felicitat i joia sóc desposseïda
mentre cap ésser viu vol escoltar mon plany.
A vós, únic Déu, faig queixa del crim,
del greu turment i dolorós ultratge
que pateix el més bell dels mortals
sense qualsevol consol de tota la raça humana.

Traduccions : Franc Bardou

Traducció: Gilbert Bofill i Ball

---

[1] S'agís, segon P. Bec, de Folcon V, filh de Folcon lo Rechin d'Angeus e de Bertranda de Montfòrt, comte d'Angeus de 1106 a 1142, nascut en 1090.
[2] Lo rei es, sempre segon P. Bec, Loís lo Gròs…
[3] *"Mon companhon"*, al singular, significariá aicí *"qui companhon mieu que siá"*, tot seguissent, sus aqueste egalament P. Bec.
[4] Lo mot original es pas *"occitan"*, paraula anacronica aicí, aquò's

[1] Segons P. Bec, es tracta de Folc V, fill de Folc el Tauró d'Anjou i de Bertrada de Montfort, nascut el 1090 i comte d'Anjou del 1106 al 1142.
[2] Segons P. Bec, el rei és Lluís el Gras.
[3] *"Company meu"*, en singular, significaria aquí *"no importa quin dels meus companys"*, també segons P. Bec.
[4] El terme original no és *"occità"*, en aquest cas anacrònic, sinó *"son*

## 18. BALLADE VON DER JUNGFRAU
### Jordi Savall nach anonymer Weise, 15. Jh.

Zurück, beschweifte Engländer,
zurück, zurück, ihr Engländer,
eure Art herrscht hier nicht mehr.
Denkt an einen Fahnenwechsel,
denn mit der euren seid ihr verwirrt,
die Fahne, die die guten Franzosen besiegten.
Durch den Willen Christs des Königs
und der zarten Jungfrau Johanna,
was für euch eine harte Botschaft ist.

## 19. PLANCTUS FÜR JOHANNA:
## DU GRAUSAME QUAL
### Text aus dem 15. Jh., Fassung von Jordi Savall
### nach einer alten Melodie

Entfacht, ihr Adlige
und gemeines Volk, den allergrößten Schmerz.
Du trauriges Spektakel,
du grausame Qual.

## 22. O GNÄDIGER
### *Lamentatio Sanctae Matris Ecclesiae*
### *Constantinopolitanae*
### Guillaume Dufay
### Liederbuch von Montecassino, 102

O Gnädiger, Quelle aller Hoffnung,
Vater des Sohnes, dessen unglückliche Mutter ich bin!
In Deinen hohen Hof komme ich flehen
um Deine Macht und für das Menschengeschlecht,
das solch boshafte Niederträchtigkeit erlaubte
gegen meinen Sohn, der mich so geehrt hat.

Von allem Glück und Freude bin ich beraubt,
während kein Lebewesen meine Klage erhören will.
Dir, einziger Gott, klage ich das Verbrechen,
die tiefe Qual und peinliche Schmach,
die der Schönste aller Sterblichen leidet
ohne Trost durch einen einzigen Menschen.

Übersetzung: Gilbert Bofill i Ball

## 18. BALLATA DELLA PULZELLA
### Jordi Savall, da un anonimo del secolo XV

Via inglesi codardi,
via, via, inglesi,
la vostra stirpe qui non regna più.
Pensate a cambiare lo stendardo,
quello di cui siete imbarazzati,
lo stendardo che i buoni francesi hanno battuto.
Per volere del Re Gesù
e di Giovanna, la dolce Pulzella
da cui venne per voi dura novella.

## 19. PIANTO PER GIOVANNA
## O CRUDELE SUPPLIZIO
### Jordi Savall, da un anonimo
### del secolo XV

Infiammatevi, o popoli,
e folle di tutto il mondo, per l'estremo dolore.
O troppo triste spettacolo,
o crudele supplizio.

## 22. O PIETOSISSIMO
### *Lamentatio Sanctae Matris Ecclesiae*
### *Constantinopolitanae*
### Guillaume Dufay
### Canzoniere di Montecassino, 102

O pietosissimo, fonte di ogni speranza,
padre del figlio di cui son madre desolata,
vengo a lagnarmi alla corte sovrana,
del tuo potere e della natura umana,
che hanno permesso che così infame violenza
fosse fatta a mio figlio, che mi ha tanto onorato.

Per questo sono lontana da ogni bene e da ogni gioia,
senza che nessun essere vivente voglia ascoltare i miei
lamenti.
A te, solo Dio, del misfatto io mi dolgo,
dell'atroce tormento e del doloroso oltraggio
che vedo patire il più bello fra gli uomini,
senza ricevere alcun conforto da tutta l'umana specie.

Traduzione: Luca Chiantore / MUSIKEON.NET

---

1 Nach P. Bec handelt es sich um Fulko V., Sohn von Fulko dem
Zänker von Anjou und Bertrada von Montfort, Graf von Anjou
1106-1142 (* 1090).
2 Laut P. Bec ist der König Ludwig der Dicke.
3 P. Bec zufolge bedeutet „*mein Gefährte*" in der Einzahl hier
„*irgend einer meiner Gefährten*".
4 Im Original ist nicht von „*Okzitanisch*", einem hier unzeitgemäßen

1 Si tratta, secondo P. Bec, di Foulques V, figlio di Foulques le
Rechin d'Angiò e de Bertrade di Montfort, conte d'Angiò dal 1106
al 1142, nato nel 1090.
2 Il re è, sempre secondo P. Bec, Luigi il Grosso.
3 Il "mio compagno", al singolare, significherebbe qui "uno
qualunque dei miei compagni", seguendo anche su questo punto P.
Bec.

"*son latin*", qui s'oppose à "*romain*".

[5] Ces deux termes mis sur un pied d'égalité dans le vers, semblent indiquer que le « *joy* », extase amoureuse, serait à l'amour ce que « *prouesse* » serait à la guerre.

[6] La fin de l'état de pécheur, soit la paix de l'âme et du cœur.

[7] Le dépouillement du Seigneur Guilhem se veut total : intérieur avec "Joy et transport" aussi bien qu'extérieur avec "vair, gris et zibeline" qui parlent de vêtements luxueux.

[8] Dans les valeurs courtoises, le bon sens féminin était très apprécié. La dame se devait d'être pleine de compassion, bien sûr, afin d'épargner à l'amant le mal d'amour, mais aussi devait-elle se montrer pleine de bon sens et enseignée. Les poètes de langue arabe qui précédèrent les troubadours signalaient aussi ces qualités.

[9] Selon le remarquable romaniste Pierre BÈC, le roman perdu de Seguin et Valensa n'est connu que par deux allusions dans deux poèmes d'oc : cette chanson, et un salut d'amour d'Arnaut de Maruelh – "Tan m'abelis…" –, ce qui nous conduirait à considérer qu'il eût été un roman occitan. Robert LAFONT, autre romaniste, considère que le patrimoine du roman occitan médiéval est perdu dans sa majeure partie. Le premier roman en langue vernaculaire médiévale n'est pas en français, mais bien en occitan : La chanson d'Antioche du chevalier Béchade (entre 1105 et 1110), comme le fait très justement remarquer Jean-François GAREYTE dans sa publication de ladite chanson grâce à lui reconstituée.

[10] "*Jeunesse*" est une qualité importante pour l'Amour dit "courtois" (c'est à dire « *purifié de tout ce qu'il n'est pas* » selon René NELLI). Elle se réfère moins à l'âge qu'à la faculté d'agir et, surtout, d'aimer, selon l'humeur du dieu antique Jupiter, par opposition à une humeur plus saturnienne, sage, mais trop posée, avisée et prudente, et qui empêche d'être assez généreux de sa propre personne pour pouvoir entièrement se vouer à l'Amour.

[11] Littéralement "tournent la nuque"

[12] Les "routiers" désignent, d'habitude, les mercenaires que, lorsqu'ils n'étaient pas employés ni soldés en guerre, se faisaient bandits de grands chemins, et pillaient les fermes isolées. En Occitanie, ils furent une calamité sociale jusqu'à la fin du XVIe siècle, parfois même plus longtemps. Les "routiers" du Comte Raimon VI, étaient dits "Aragonais", et pillaient, en fait de pays, les seuls biens de l'Eglise, qui elle même, sans rien rapporter que la persécution, coûtait alors fort cher à la noblesse des campagnes, plus riche en culture qu'en argent.

[13] Le pape passe, symboliquement, pour être le successeur de l'apôtre saint Pierre, et en prend donc le titre ici, sous la plume du catholique Guilhèm de Tudela.

[14] Guilhèm de Tudela désigne les pays de langue française (appelée "français", mais aussi "langue d'oïl" selon Dante) par le seul nom de France, tandis qu'il énumère quatre pays de langue occitane (parfois encore appelée "provençal", mais aussi "langue d'oc" de ses maîtres troubadours selon le même Dante), quatre pays qui ne correspondent qu'au nord de l'Occitanie : y manquent les pays du sud, Provence et Gascogne, e les terres centrales des Comtes de Saint Gilles et Toulouse (que les Français appelleront plus tard "Languedoc").

[15] L'indulgence, ou "pardon", est le pardon de tous les péchés à tous ceux qui paient l'Eglise, soit en numéraire, soit en acceptant de se battre à son service. Ainsi sont pardonnés de tous leurs péchés les bandits de grand chemin, les guerriers, de sang noble ou mercenaires, qui partiront tuer au nom du Christ, dans une guerre de croisade.

[16] La grande bataille du Palays, à la sortie de Toulouse vers le Lauragais, qui arrêta la progression du Jihad, grâce au duc proto-occitan Eudes d'Aquitaine, en 721 après Jésus Christ, où la chrétienté y vainquit pour la première fois les forces musulmanes, commandées alors par Al-Samh ibn Malîq al-Qwalâni, ne produisit aucun massacre notable, ni même l'adversaire musulman, qui se

[4] The term which used in opposition to *Latin* is *Romance*. To use the term *Occitan* in this context would be an anachronism

[5] The two terms placed in equilibrium within the line would appear to suggest that joy *(joi)*, or amorous ecstasy, is to love what exploit *(proeza)* is to war.

[6] The ultimate goal of the sinner, in other words, a soul and heart at peace

[7] The "unburdening" to which William aspires is total: inward, with its "joy and dalliance", and outward, with its "ermine, silver fox and sable", the latter all being references to luxurious garments

[8] Among the courtly virtues, good sense was greatly prized in women. Of course, the lady was expected to be full of compassion and thus spare the lover the pains of love, but she was alaso expected to be educated and endowed with good sense. These qualities were also singled out by the Arabic-language poets who were the forerunners of the troubadours.

[9] According to the eminent Romance scholar Pierre Béc, the lost romance of Seguin and Valensa is known only thanks to two allusions found in two poems written in Occitan: the present *chanson* and a *salut d'amor* entitled "Tan m'abelis…." by Arnaut de Maruelh, which leads us to believe that it might have been an Occitan work. Another Romance scholar, Robert Lafont, considers that, for the most part, the legacy of the medieval Occitan novel has been lost. The first medieval *nouvelle* in the vernacular is not in French, but Occitan; it is *The Song of Antioch* by the *chevalier* Béchade (between 1105 and 1110), as Jean-François Gareyte rightly points out in his edition of the said song which was reconstructed thanks to him.

[10] "*Youth*" is an important quality in what is called "courtly" Love (that is, *"purified of everything it is not"* according to René NELLI). The word refers less to age than to the ability to act and, above all, to love, according to the mood of Jupiter, the god of antiquity, as opposed to a more saturnine mood, but one which is more collected, considered and prudent, and which prevents one from being sufficiently generous with oneself to achieve complete devotion to Love.

[11] Literally "turn their necks"

[12] The term "roters" in the original Occitan was used to designate mercenaries who, when not employed and therefore not receiving any pay, would engage in highway robbery and loot isolated farmhouses. They were a social scourge in Occitania until the end of the 16th century and possibly even later than that date. Raymond IV of Toulouse's "bandits" were called "Aragoneses" and only pillaged the property of the Church, in addition to the persecution it carried out, made heavy financial demands on the rural nobility which was richer in culture than in financial assets.

[13] The Pope is symbolically the apostle Saint Peter's successor, and therefore takes the title here, under the Catholic pen of William of Tudela.

[14] William of Tudela designates the lands where French is spoken (called "French", but also the language of "oïl", according to Dante) using the single name France, whereas he enumerates four lands where Occitan is spoken (sometimes still called "Provençal", but also the "language of oc" by its troubadours, again according to Dante), four lands which only correspond to the north of Occitania: he does not mentioned the southern lands, Provence and Gascogny, and the central lands belonging to the Counts of Saint Gilles and Toulouse (which the French later called "Languedoc").

[15] An indulgence, or "pardon", pardons all the sins of those who pay the Church, be it in legal tender or by agreeing to fight for it. Thus all the sins committed by highwaymen and warriors, whether of noble blood or mercenaries, who set off on a crusade to kill in the name of Christ, are pardoned.

[16] The great Battle of Toulouse, fought in 721 outside the city in the direction of Lauragais, halted the advance of the Muslim army,

[5] Los dos términos colocados en pie de igualdad en el verso parecen indicar que el gozo *(joi)*, éxtasis amoroso, sería al amor lo que la hazaña *(proeza)* sería a la guerra.

[6] El final del estado de pecador, es decir, la paz del alma y el corazón.

[7] El despojamiento del señor Guillermo se quiere total: interior, con el «gozo y diversión», y exterior, con «el vero, el gris y el armiño», que remiten a vestimentas lujosas.

[8] Entre los valores corteses, era muy apreciado el buen juicio femenino. La dama debía estar llena de compasión, por supuesto, para evitarle al amante el mal de amor; pero también debía mostrarse llena de buen juicio e instruida. Los poetas en lengua árabe que precedieron a los trovadores también señalaron esas cualidades.

[9] Según el destacado romanista Pierre Bèc, la novela perdida de Seguís y Valensa sólo es conocida por dos alusiones en sendos poemas en occitano: esta canción y un *salut d'amor* de Arnaut de Maruelh («Tan m'abelis…»), lo que conduciría a pensar que fue una obra occitana. Otro romanista, Robert Lafont, considera que el patrimonio de la novela occitana medieval se ha perdido en su mayor parte. La primera novela en lengua vernácula medieval no está en francés sino en occitano; se trata de *La canción de Antíoco* del caballero Béchade (entre 1105 y 1110), según señala Jean-François Gareyte en su edición y reconstrucción de esa obra.

[10] La "juventud" es una cualidad importante para el amor llamado "cortés" (es decir, «purificado de todo cuanto no es», según René Nelli). No se refiere tanto a la edad como a la facultad de actuar y, sobre todo, de amar según el humor del antiguo dios Júpiter, por oposición a un humor más saturnal, sabio, pero demasiado reposado, sensato y prudente, que impide ser demasiado desprendido respecto a uno mismo para poder dedicarse por entero al amor.

[11] Literalmente, «vuelven la nuca».

[12] Con el término bandidos *(routiers)* se suele designar a soldados mercenarios que, cuando no estaban empleados o pagados, salteaban caminos y saqueaban granjas aisladas. En Occitania fueron una calamidad social hasta finales del siglo XVI, e incluso durante más tiempo. Los salteadores del conde Raimundo VI de Tolosa eran llamados "aragoneses" y sólo saqueaban los bienes de la Iglesia, que –por no mencionar la persecución– resulta bastante cara a la nobleza rural, más rica en cultura que en dinero.

[13] En términos simbólicos, el papa es el sucesor del apóstol san Pedro, cuyo título le concede aquí la pluma del católico Guilhem de Tudela.

[14] Guilhem de Tudela designa los países de lengua fancesa (llamada «francés», pero también «lengua de oil», según Dante) mediante el único nombre de Francia, mientras que enumera cuatro regiones de lengua occitana (a veces llamada aún «provenzal», pero también «lengua de oc» por sus maestros trovadores, según el mismo Dante); esas cuatro regiones sólo corresponden al norte de Occitania: faltan las regiones del sur, Provenza y Gascuña, así como las tierras centrales de los condados de Saint-Gilles y Tolosa (que los franceses llamarán más tarde Languedoc).

[15] La indulgencia es el perdón de todos los pecados a quienes paguen a la Iglesia, sea en dinero o aceptando luchar a su servicio. De tal modo ven perdonados todos sus pecados los salteadores de caminos, los guerreros, de sangre noble o mercenarios, que partirán a la cruzada para matar en nombre de Cristo.

[16] En 721, al duque protooccitano Eudes de Aquitania detuvo el avance musulmán en la gran batalla de Palays, saliendo de Tolosa hacia el Lauragais. En ella, la cristiandad venció por primera vez a las fuerzas musulmanas dirigidas entonces por Al-Samh ibn Maliq al-Qwalani; no se produjo ninguna gran matanza, como tampoco las cometía el adversario musulmán, que a menudo se

"*son latin*", que se destria del "*roman*" de la gleisa catolica.

[5] Aquestes dos concèptes pausat a egalitat dins lo vèrs, semblan indicar que lo jòi, extasi amorosa, séria a l'Amor çò prosesa séria a la guèrra.

[6] La fin de l'estat de pecador, siá la patz de l'arma e del còr.

[7] Lo despolhament de'N Guilhem se vol total, interior "Jòi e despòrt" tant coma exterior "vaire, gris e gibelina", que parla de vestits luxuoses.

[8] Dins las valors cortesas, lo sen feminin èra fòrça presat. La dòna se deviá d'èsser plena de mercé, plan segur, per estalviar a l'aimador lo patiment d'amor, mas tanben se deviá mostrar senuda e ensenhada. Los poètas de lenga araba que precediguèron los trobadors senhalaran atanben aquestas qualitas.

[9] Segon lo remercable romanista Pèire BÈC, lo roman perdut de Seguin e Valensa es pas conegut que per doás allusions dins dos poèmas d'òc : aicesta cançon, e un salut d'amor de N'Arnaut de Maruèlh – "Tan m'abelis…" –, çò que nos menariá a considerar que foguèsse estat un roman occitan. Robèrt LAFONT, autre grand romanista, considèra que lo patrimòni del roman occitan es perdut per sa màger part. Lo primièr roman en lenga vernaculara es pas en francés, mas plan en occitan : La cançon d'Antiòcha del cavalhièr Bechada (entre 1105 e 1110), coma o fa remercar plan justament Joan-Francés GAREYTE dins sa publicacion de ladita cançon mercés a el reconstituïda.

[10] "*Jovent*" es una qualitat importanta per Fin'Amor (es a dire "Amor purificat de tot çò qu'es pas, segon Renat NELLI"). Se referís pas tant a l'atge qu'a la facultat d'agir e, mai que mai, d'aimar, segon l'anar del dieu antic Jupiter, per opausicion a un anar mai saturnal, savi, mas tròp pausat, avisat e temerós, e qu'empacha d'èsser pro generós de sa quita persona per s'i poder donar tot per Amor.

[11] Literalament "los cilhs"

[12] Literalamet "viran lo copet"

[13] Los "rotièrs" designan, de costuma, los mercenaris que, quora èran pas emplegats ni soldats en guèrra, se fasián bandolièrs e pilhavan las bòrias isoladas. En Occitania, foguèron una calamitat sociala fins al cap del sègle XVI, de còps mai enlà. Los "rotièrs" del Comte Raimon VI, èran dits "Aragoneses", e pilhavan, en fait de país, los sols bens de la Gleisa, qu'ela meteissa, sens raportar res mai que lo secutiment, costava fòrça a la noblesa dels campèstres, mai rica de cultura que non pas de moneda.

[14] Lo papa passa, simbolicament, per èsser lo succedidor de l'apostòli sant Pèire, e ne pren donc lo títol aicí, jol calam del catolic Guilhem de Tudela.

[15] Aicí, Guilhèm de Tudela designa los paises de lenga francesa ("lenga d'oïl" segon Dante) pel solet nom de França, mentre qu'enumèra quatre paises de lenga occitana ("lenga d'òc" de sos mèstres trobadors segon lo meteis Dante) que correspondon sonque al nòrd d'Occitania : i mancan los paises del sud, Provença e Gasconha, e las tèrras centralas dels Comtes de Sant Gèli e Tolosa (que los Franceses apelaràn mai tard Languedoc).

[16] L'indulgéncia, o "pardon", es lo perdon de totes los pecats a totas los que pagan la gleisa, siá en moneda, siá en acceptar de li far servici d'arma. Aital son perdonats de tot pecat totes los bandolièrs, totes los guerrejaires, nòbles o mercenaris, que partirán tuar al nom del Crist, dins una guèrra de crosada.

[17] La granda batèsta del Palais, a la broa lauraguesa de Tolosa, qu'arrestèt lo Jihad, mercés al duc proto-occitan N'Eudes d'Aquitània, en 721 aprèp Jèsus Crist, que la crestiantat i vencèt pel primièr còp las fòrças musulmanas, senhorejadas alara per N'Al-Samh ibn Malíq al-Qwalâni, faguèt cap chaple notable, ni mai l'adversari musulman, que s'acontentava, aquí que i èra vencedor, de forabandir l'ancian nòble de la plaça. Mas Guilhem de Tudèla pòt tanben evocar aicí la piratariá sarrasina sus las còstas lengadocianas e provençalas, plan mens princièra e mai rufa, de còp en còp.

---

*llatí*", oposat a "*romànic*".

[5] Aquests dos termes, situats en peu d'igualtat al vers, semblen indicar que la "*joia*", l'èxtasi amorós, seria a l'amor el que la "*proesa*" és a la guerra.

[6] La fi de l'estat de pecador, és a dir, la pau de l'ànima i del cor.

[7] El despullament del Senyor Guillem és total: tant interior amb "joia i transport" com exterior amb "vair, gris i gibelí", que indiquen una indumentària sumptuosa.

[8] Entre els valors cortesos, el seny femení era molt apreciat. La dama havia de tenir sens dubte compassió per tal d'estalviar a l'amant el mal d'amor, però també havia de mostrar-se assenyada i instruïda. Els poetes en llengua àrab que precediren els trobadors també indiquen aquestes qualitats.

[9] Segons el notable romanista Pierre BÈC, la novel·la perduda de Seguís i Valensa tan sols és coneguda per dues al·lusions en dos poemes en occità: la present cançó i una salutació d'amor d'Arnaut de Maruelh – "Tan m'abelis…" – cosa que ens fa pensar que va ser una novel·la occitana. Robèrt LAFONT, un altre romanista, considera que el patrimoni de la novel·la occitana medieval s'ha perdut en la seva major part. La primera novel·la en llengua vernacle medieval no és en francès sinó en occità: la Cançó d'Antioquia del cavaller Bochada (entre 1105 i 1110), com molt bé indica Jean-François GAREYTE a la seva publicació de l'esmentada cançó reconstruïda gràcies a la seva tasca.

[10] La "*joventut*" és una qualitat important per a l'amor anomenat "cortès" (és a dir, "*purificat de tot allò que no és*" segons René NELLI). Més que no pas l'edat, fa referència a la facultat d'actuar i sobretot d'estimar, d'acord amb l'humor del déu antic Júpiter, en contraposició a un humor més saturnal, savi però massa pausat, informat i prudent i que impedeix de ser prou generós amb la pròpia persona per poder-se lliurar plenament a l'amor.

[11] Literalement, "giren el clatell"

[12] Els "roders" solien ser mercenaris que, mentre no es guanyaven la vida a la guerra, actuaven com a bandolers de camí ral i saquejaven les granges solitàries. A Occitània, van ser una xacra social fins a la fi del segle XVI, a vegades fins i tot més tard. Els roders del comte Ramon VI eren anomenats "aragonesos" i saquejaven per tot el país només els béns de l'Església, que sense aportar res més que la persecució, costava molt car a la noblesa rural, més rica en cultura que en diners.

[13] El papa passa simbòlicament per ser el successor de l'apòstol Sant Pere, de qui pren el títol en l'expressió del catòlic Guilhem de Tudela

[14] Guillem de Tudela indica els països de llengua francesa (anomenada "francès" però també "llengua d'oïl" segons Dante) pel nom col·lectiu de França, mentre enumera quatre terres de llengua occitana (a vegades encara anomenada "provençal" però també "llengua d'oc" pels seus mestres trobadors, segons el propi Dante), quatre territoris que corresponen al nord d'Occitània: hi falten les terres del sud, Provença i Gascunya, i les centrals dels Comtes de Sant Geli i Tolosa (que els francesos anomenarien més tard "Llenguadoc").

[15] La indulgència o "perdó" és el perdó de tots els pecats de tothom que pagui a l'Església, ja sigui en diner o acceptant de lluitar al seu servei. També són perdonats de tots els seus pecats els bandits de camí ral, els guerrers de sang noble o mercenaris, que van a matar en nom de Crist en una croada.

[16] La gran batalla de Tolosa, a la sortida cap al Lauragués, que el 721 aturà l'avanç de la Jihad gràcies al duc protooccità Eudes d'Aquitània i on la cristiandat va vèncer per primera vegada les forces musulmanes, comandades aleshores per Al-Samh ibn Malíq al-Qwalâni, no va produir cap massacre notable, ni tan sols entre l'adversari musulmà, que sovint es contenia, allí on vencia, de perseguir l'antic noble de la plaça. Però Guillem de Tudela també podria fer referència a la pirateria sarraïna a les costes del

contentait souvent, là où il se trouvait vainqueur, de chasser l'ancien noble de la place. Mais Guilhem de Tudela peut aussi faire référence ici à la piraterie sarrasine sur les côtes languedociennes et provençales, bien moins princière et plus rude, parfois.

[17] Le vicomte Raimon-Rogièr Trencavel

[18] Par "hérétiques", Guilhem de Tudèla entend les bons chrétiens, que nous appelons aujourd'hui "cathares".

[19] Par "ensavatés", Guilhem de Tudèla entend les chrétiens vaudois, persécutés comme les bons chrétiens, plus longtemps qu'eux, mais qui parviendront finalement, de morts en fuites, à se fondre dans l'internationale valdo-hussite, dans un protestantisme que, du moins dans sa vague initiale, allumera une grande partie de l'Occitanie d'une dissidence et d'une indépendance religieuses admirables. Les refugiés vaudois occitans d'Italie actuelle parlent encore occitan, dans douze vallées du sud des Alpes, et à la Guardia Piemontese (Sud de l'Italie). On ne peut pas rendre hommage à la mémoire des bons chrétiens éradiqués sans penser aussi respectueusement à cette partie de la dignité et du courage religieux occitans que représentent les pauvres Vaudois.

[20] Brûlés étant donné qu'ils étaient bons chrétiens et refusaient d'abjurer leur foi.

[21] Un 3 mai, probablement.

[22] Référence à la Victoire si glorieuse pour le grand roi Pierre II d'Aragon à Las Navas de Tolosa, face à une forte coalition de princes musulmans, en 1212.

[23] Terme occitan, impossible à restituer en français par un mot simple : Paratge désigne une conduite noble, basée tout à la fois sur le respect du droit écrit, et sur les règles morales issues de la poésie des troubadours. Ce terme Dans ses multiples acceptions récurrentes au XIIIe siècle, surtout Dans la poésie occitane de résistance aux Français, semblerait presque désigner, par sa force évocatrice autant que fédératrice, une sorte de ciment de conscience protonationale, bien avant l'heure de l'éveil des nationalités, qui lui, ne date bien sûr que du XIXe siècle. Disons, pour simplifier et sans anachronisme, qu'il est le garant de l'identité des Occitanophones et des Catalanophones ensemble, car au XIII siècle, on n'est fidèle pas fidèle à une nation (qui en tant que telle, n'existe pas encore) mais à un seigneur, à un roi, à Dieu, comme les cathares et les Vaudois, les Juifs et les Musulmans, ou même à une institution comme l'Eglise catholique. Mais en ce siècle dramatique, tous les nobles qui, de langue occitane, se reconnaissent dans la notion à la fois politique et poétique de Paratge ont intérêt à ne reconnaître qu'un roi qui en reconnaisse lui-même également la valeur : ce dernier ne pouvait être, par affinité culturelle, que catalano-aragonais.

[24] Il s'agit du roi Pere I d'Aragon y Catalunya (dit aussi Pere II d'Aragon).

[25] Le Joy est la joie sensuelle, animique et spirituelle partagée par amour par le Drut et sa dame.

[26] Un roi que le Joy d'Amour des Troubadours guide, vêt et nourit, est nécessairement roi d'Amour Courtois, roi de Paratge, donc roi d'Occitanie !

[27] Le château de Miraval, en vicomté Trencavel, a été volé par l'armée française de la croisade, conduite par Simon de Montfort.

[28] Recouvrer Beaucaire, pour le Comte de Toulouse revient à recouvrer toutes l'étendue de ses terres légitimes.

[29] Si Pere prend les armes contre la France, l'enjeu est plus que politique ou nobiliaire, et Miraval le sait : il est culturel. Car la France signifie pour lui la mort de sa civilisation du Trobar et de Paratge.

[30] Ignorant ce qu'Amour est vraiment, et ce qu'il veut vraiment.

[31] Amants accomplis selon les lois de Fin'Amors.

[32] Au sens de « Votre est le château de Miraval ».

[33] « Audiart », surnom qui contient l'idée d'entendre (audio signifie j'entends en latin), désigne ici le Comte Raimon VI de Toulouse. Ils s'appelaient l'un l'autre Audiart, selon la Vida (courte biographie en

Begriff, sondern von *„seinem Latein"* im Gegensatz zu „Romanisch" die Rede.

5 Diese zwei im Vers gleichgesetzten Begriffe schienen darauf hinzuweisen, dass die *„Freude"* als Liebesextase für die Liebe das gleiche wie der *„Heldenmut"* für den Krieg bedeutet.

6 Das Ende des Sünderzustandes, also der Seelen- und Herzensfriede.

7 Wilhelms Entblößung ist vollständig – innerlich mit „Freude und Begeisterung" wie äußerlich mit „Feh, Grau und Zobel", die auf prunkhafte Kleidung hinweisen.

8 Unter den höfischen Werten war die weibliche Vernunft sehr geschätzt. Die Dame hatte viel Mitgefühl zu zeigen, um den Liebhaber Liebeskummer zu ersparen, musste aber auch ein hohes Maß an Vernunft und Bildung aufweisen. Die Dichter in arabischer Sprache, die den Trobadors vorangingen, wiesen ebenfalls auf diese Eigenschaften hin.

9 Nach dem prominenten Romanisten Pierre BÈC ist der verlorene Roman von Seguis und Valensa nur über zwei Bezugnahmen in zwei Gedichten auf Okzitanisch bekannt: das vorliegende Lied und ein Liebesgruß von Arnaut de Maruelh („Tan m'abelis…"), was den Schluss zulässt, dass es sich um einen okzitanischen Roman handelt. Ein weiterer Romanist, Robert LAFONT, ist der Auffassung, dass die meisten mittelalterlichen okzitanischen Romane verloren gegangen sind. Der erste Roman in mittelalterlicher Volkssprache wurde nicht auf Französisch, sondern auf Okzitanisch verfasst. Es ist das Lied von Antioch des Ritters Béchade (zwischen 1105 und 1110), wie Jean-François GAREYTE in seiner Veröffentlichung des selben Werks nach akribischer Rekonstruktion erwähnt.

10 Die *„Jugend"* ist eine bedeutende Eigenschaft für die so genannte „höfische" Liebe (d. h. *„von all dem bereinigt, was sie nicht ist"*, in Worten von René NELLI). Vielmehr als das Alter bezieht sie sich auf die Fähigkeit zu handeln und insbesondere zu lieben, im Einklang mit der Laune des antiken Gottes Jupiter, im Gegensatz zu einer saturnischen Laune, die weise aber gediegen, unterrichtet und vorsichtig ist und somit eine ausreichende Großzügigkeit der eigenen Person gegenüber im Sinne einer völligen Hingabe an die Liebe verhindert.

11 Wörtlich „das Genick wendend"

12 Üblicherweise bezieht sich die Bezeichnung „Routiers" auf Söldner, die sich außerhalb des Kriegs- oder Solddienstes als Wegelagerer durchschlugen und allein stehende Bauernhöfe überfielen. In Okzitanien waren sie eine soziale Plage bis zum Ende des 16. Jahrhunderts, in einzelnen Fällen auch danach. Die „Routiers" von Graf Raimund VI. wurden „Aragonier" genannt und plünderten im ganzen Land die Güter der Kirche, die nur durch Verfolgung auffiel und dem eher kulturell als finanziell betuchten Landadel teuer zu stehen kam.

13 Symbolisch gilt der Papst als Nachfolger des Apostels Petrus, dessen Titel er hier durch die Feder des Katholiken Wilhelm von Tudela übernimmt.

14 Wilhelm von Tudela bezeichnet die Länder französischer Sprache (nach Dante auch „Sprache des Oeil" genannt) mit dem Sammelbegriff Frankreich, während er vier Gebiete okzitanischer Sprache (manchmal noch „Provenzalisch", laut Dante von den Trobadormeistern auch „Sprache des Oc" genannt) aufzählt, die Nordokzitanien abdecken. Hinzu kommen noch die südlichen Lande, Provence und Gascogne, sowie die Zentralgebiete der Grafen von Saint Gilles und Toulouse (die später von den Franzosen „Languedoc" genannt wurden).

15 Wilhelm von Tudela bezeichnet die Länder französischer Sprache (nach Dante auch „Sprache des Oeil" genannt) mit dem Sammelbegriff Frankreich, während er vier Gebiete okzitanischer Sprache (manchmal noch „Provenzalisch", laut Dante von den Trobadormeistern auch „Sprache des Oc" genannt) aufzählt, die Nordokzitanien abdecken. Hinzu kommen noch die südlichen

4 Questi due termini messi sullo stesso piano nel verso, sembrano indicare che il "gaudio", l'estasi amorosa, sarebbe per l'amore ciò che l'"ardimento" sarebbe per la guerra.

5 La fine della condizione di peccatore, ossia la pace dell'anima e del cuore.

6 La spogliazione del Signore Guglielmo appare totale: tanto interiore, di "gaudio e passione", quanto esteriore, di "vaio, grigio e zibellino", che parlano di abiti lussuosi.

7 Nei valori cortesi, il buonsenso femminile era molto apprezzato. La dama aveva il dovere di essere piena di compassione, certamente, per risparmiare all'amante il mal d'amore, ma doveva anche mostrarsi piena di buonsenso e istruita. I poeti di lingua araba che precedettero i trovatori rimarcavano queste stesse qualità.

8 Come ricordò l'importante studioso di lingue romanze Pierre Bèc, il romanzo perduto di Seguin e Valenza è conosciuto solamente per due allusioni in due poesie in lingua d'oc: questa canzone, e un saluto d'amore di Arnaut de Maruelh-"Tan m'abelis…". Ciò porterebbe a dedurre che sia stato un romanzo occitano. Robert Lafont, altro studioso della letteratura romanza, rileva che il patrimonio del romanzo occitano medievale è nella maggior parte perduto. Il primo romanzo in lingua volgare medievale non è in francese, bensì in occitano: si tratta de *La canzone di Antiochia del cavaliere Béchade* , scritta tra il 1105 e il 1110, come ha fatto giustamente notare Jean-François Gareyte nella pubblicazione di quest'opera, da lui ricostituita.

9 La "Gioventù" è una qualità importante per l'Amore detto "cortese" (cioè "purificato di tutto ciò che non lo è", secondo René Nelli). Essa si riferisce meno all'età che alla facoltà di agire e, soprattutto, d'amare, secondo l'umore dell'antico dio Giove, in contrasto con un umore più saturniano, saggio, ma troppo posato, avveduto e prudente, e che impedisce d'essere abbastanza generosi della propria persona per potersi interamente votare all'Amore.

10 Paratge, come meglio precisato in nota alla canzone Vai Hugonet ses bistensa, è espressione della vera nobiltà, nel mondo occitano dei sec. XII-XIII.

11 Letteralmente "girare la nuca".

12 Denominati "roters" in occitano, erano mercenari che, abitualmente, quando non erano impiegati o assoldati in guerra, agivano come predoni sulle grandi vie di comunicazione e saccheggiavano le fattorie isolate. In Occitania, furono una calamità sociale fino al XVI secolo, a volte anche oltre. I *roters* del Conte Raimondo VI erano detti "Aragonesi" e saccheggiavano, come ambito, i soli beni della Chiesa, che per parte sua, senza interessarsi d'altro che della persecuzione, costava allora molto cara alla nobiltà delle campagne, più ricca in cultura che in denaro.

13 Il papa passa, simbolicamente, per essere il successore dell'apostolo San Pietro, e ne prende quindi il titolo qui, dalla penna del cattolico Guilhèm de Tudela.

14 Guilhèm de Tudela indica i paesi di lingua francese (chiamati "francesi" ma anche di "lingua d'oil" secondo Dante) con il solo nome di Francia, mentre enumera quattro paesi di lingua occitana (a volte ancora chiamati "provenzali" ma anche di "lingua d'oc" per i loro maestri trovatori, secondo lo stesso Dante), quattro paesi che corrispondono solo al nord dell'Occitania, mentre mancano i paesi del sud, Provenza e Guascogna, e le terre centrali dei Conti di San Gilles e Tolosa (che i Francesi chiameranno più tardi "Linguadoca").

15 L'indulgenza, o "perdono", è il perdono di tutti i peccati a coloro che pagano la Chiesa, sia in denaro, sia accettando di battersi al suo servizio. Sono così perdonati tutti i peccati ai prdoni delle vie di comunicazione, ai guerrieri, di sangue nobile o mercenari, che andranno ad uccidere in nome di Cristo, in una guerra di crociata.

16 La grande battaglia del Palays, all'uscita di Tolosa verso il Lauragais, che fermò la progressione del Jihad, grazie al duca proto-occitano Ottone d'Aquitania, nel 721 d.C., in cui la cristianità vinse

thanks to the proto-Occitan Duke Odo of Aquitaine. The first Christian victory over the Muslim armies which at that time were commanded by Al-Samh ibn Malik al-Khawlani, it resulted in no great loss of life. Even the Muslim adversary was frequently content merely to oust the ancient local nobles from their land.

[17] Viscount Raymond of Trencavel.

[18] By "heretics", William of Tudela means good Christians, known today as "Cathars".

[19] By "clog-wearers" William of Tudela means the Christians from Vaud, who were persecuted just like the good Christians, and for longer, but who, after deaths and flight, finally became part of the Valdo-Hussite movement, a Protestant movement whose initial wave, at least, sparked off considerable dissidence and religious independence in a large part of the Oc country. The Vaudois Oc-speaking refugees from modern Italy still speak Occitan in twelve valleys in the southern Alps, and in Piedmontese Guardia (Southern Italy). We cannot pay homage to the memory of the good Christians who were eradicated without reflecting with respect on the Occitan dignity and religious courage represented by the poor Vaudois.

[20] Burned because they were good Christians who refused to recant.

[21] Probably on 3rd May.

[22] A reference to Peter II of Aragon's resounding victory at Las Navas de Tolosa (1212) over a powerful coalition of Muslim princes

[23] In Occitan, "paratge" a term which is difficult to translate in a single word. It is based on respect for both the written law and the rules of morality expressed in the poetry of the troubadours. In the many senses in which it is repeatedly used in the 13th century, particularly in the Occitan poetry of resistance against the French, it would appear to have embodied and cemented, through its evocative and unifying power, a kind of protonationalist awareness in an age long before the sense of nationality emerged in the 19th century.In simple terms, and without falling into anachronisms, the concept may be said to have given a sense of common identity to both the Occitans and the Catalans. In the 12th century, loyalty was was due not to any nation (nations did not yet exist), but to one's lord, one's king and to God (in the case of the Cathars, Waldensians, Jews and Muslims), or even to an institution such as the Catholic Church. However, in that dramatic century all the Occitan-speaking nobles who identified with the political and poetic concept of *paratge* sought to give their allegiance to a king who, like them, recognized the importance of *valeur*, or noble merit. In terms of cultural affinity, such a king could only be Catalano-Aragonese.

[24] This is King Pere I of Aragon y Catalunya (also called Pere II of Aragon)

[25] Joy here is the sensual, mental and spiritual joy, shared by the Drut and his lady

[26] A king who is guided, clothed and fed by the Joy of the Troubadours' Love must necessarily be the king of Courtly Love, of Peerage, and thus of Occitania.

[27] The castle of Miraval, in the vicounty of Trencavel, was stolen by the French Crusader army, led by Simon de Montfort.

[28] [5] To the Count of Toulouse, recovering Beaucaire amounts to recovering the whole extent of his legitimate lands.

[29] [6] If Pere takes up arms against France the stake is more a political one than a nobiliary one, and Miraval knows this: it is cultural. For France means the death of his civilisation, built as it is on the Troubadours and Peerage.

[30] During the conflict over the annexation of the Languedoc-speaking territories to the Crown of France, in the absence of any political unity, courtly values rapidly became powerful markers of identity. What gave the region then, as now, its sense of common identity was its culture and literature. Mercy was the highest quality in a lady and was a civilizing influence on the man who loved her, who by her example learned compassion and clemency.

[31] The reference is to King John Lackland, whose nephew the Duke

contentaba, allí donde se imponía, con expulsar al antiguo noble del lugar.

[17] Expresión idiomática que indica con claridad el importante lugar concedido al bienestar de los caballos para asegurarse la fuerza militar; los caballos son mucho más importantes que los perros, reales o metafóricos. No habría que pensar que los franceses se sienten impelidos por algún deber moral que los lleve a evitar la profanación de un lugar de matanza, porque no hay mucha diferencia entre utilizar los lugares como albergue de los asesinos o como establo.

[18] El vizconde Raimundo Roger Trencavel

[19] Por «herejes», Guilhem de Tudela se refiere a los buenos cristianos, que hoy llamamos «cátaros».

[20] Por «sabatats», Guilhem de Tudela se refiere a los cristianos valdenses, perseguidos como los buenos cristianos y durante más tiempo que ellos, pero que lograrán finalmente, de muertes en huidas, fundirse en la internacional valdohusita y en un protestantismo que, al menos en su oleada inicial, alumbrará en gran parte de Occitania una disidencia y una independencia religiosas admirables. Los refugiados valdenses occitanos de la actual Italia todavía hablan occitano en doce valles del sur de los Alpes y en la Guardia Piemontese (Calabria). No es posible rendir homenaje a la memoria de los buenos cristianos erradicados sin pensar también respetuosamente en esa parte de la dignidad y el valor religioso occitanos que representaron los pobres valdenses.

[21] Quemados, dado que eran buenos cristianos y se negaron a abjurar de su fe

[22] Un 3 de mayo, probablemente.

[23] La gata es una máquina de sitio consistente en una galería cubierta que permite socavar y derruir murallas.

[24] Referencia a la victoria de las Navas de Tolosa (1212) lograda frente a una gran coalición de príncipes musulmanes, tan gloriosa para el gran rey Pedro II de Aragón.

[25] Término occitano de difícil traducción por una única palabra, *paratge* designa una conducta noble, basada a un tiempo en el respeto al derecho escrito y en las reglas morales emanadas de la poesía de los trovadores. En sus múltiples acepciones recurrentes en el siglo XIII y, sobre todo, en la poesía occitana de resistencia a los franceses, casi parecería designar, por su fuerza evocadora y también federadora, una suerte de cemento de la conciencia protonacional, muchísimo antes del despertar de las nacionalidades, que por supuesto sólo se remonta al siglo XIX. Digamos, para simplificar y sin anacronismos, que es garante de la identidad de occitanohablantes y catalanohablantes conjuntamente, porque en el siglo XIII no se es leal a una nación (que en tantto que tal aún no existe), sino a un señor, a un rey, a Dios, como los cátaros o los valdenses, los judíos o los musulmanes, e incluso a una institución, como la Iglesia católica. Sin embargo, en ese dramático siglo, a todos los nobles de lengua occitana que se reconocen en la noción a la vez política y poética de *paratge* únicamente les interesa reconocer a un rey que a su vez reconozca el valor del concepto: ese rey sólo podía ser, por afinidad cultural, el catalano-aragonés.

[26] Se trata del rey Pedro II el Católico

[27] El gozo *(joi)* es el gozo sensual, anímico y espiritual que comparten por amor el amante *(drutz)* y su dama.

[28] Un rey al cual el gozo de amor de los trovadores guía, viste y nutre es necesariamente rey de amor cortés, rey de nobleza *(paratge)* y, por lo tanto, rey de Occitania.

[29] El castillo de Miraval, en el vizcondado de Trencavel, fue arrebatado por el ejército cruzado francés dirigido por Simón de Montfort.

[30] Recuperar Beaucaire equivale para el conde de Tolosa a recuperar toda la extensión de sus tierras legítimas.

[31] Si Pedro toma las armas contra Francia, la apuesta es más que

[18] Expression idiomatica qu'indica plan la plaça importanta acordada al benestar dels cavals per s'assegurar la fòrça militara, e los cavals i son plan mai importants que la canalha, reala o metaforica. Caldriá pas, tanpauc, se daissar anar a considerar l'anar dels Franceses, aquí coma una reaccion de las moralas per dire d'i respectar la memòria d'un luòc de masèl, ja qu'entre i albergar los maselaires o se servir de l'endreit per i far estable, cercam encara qualque pecic de respècte que foguès…

[19] Lo vescomte Raimon-Rogièr Trencavel

[20] Qualitat cortesa de "Larguesa", generositat fondamentala que sens ela, un òme pòt aimar, ni val pas d'èsser aimat d'una dòna.

[21] Per "erètges", Guilhem de Tudèla enten los bons crestians, que disèm auèi "catars".

[22] Per "ensabatats", Guilhem de Tudèla enten los crestians valdeses, secutats coma los bons crestians, mai longtemps qu'eles, mas que capitaràn fin finala, de mòrts en fugidas, de se fondre a l'internacionala valdo-hussita, per se fondre fin finala dins un protestantisme que, al mens dins son èrsa iniciala, abrandarà un fòrt grand part d'Occitània d'una dissidéncia e d'una independéncia religiosas de las remirablas. Los refugiats valdeses occitans d'Itàlia actuala parlan encara occitan, dins dotze vals del sud de las Alps, e a la Guardia Piemontese (Sud d'Itàlia). Se pòt pas omenatjar lo recòrd dels bons crestians eradicats sens pensar tanben respectuosament a-n-aiceste part de la dignitat e del coratge religioses occitans que representan los paures Valdeses.

[23] Cremats estant qu'èran bons crestians e que refusavan d'abjurar lor fe.

[24] Un 3 de mai, probable.

[25] Se referís, lo trobador, a la victòria tant famosa pel grand rei Pèire II d'Aragon-Catalonha a Las Navas de Tolosa, cap e cap amb fòrta coalicion de princes musulmans, en 1212.

[26] Terme occitan médiéval, sens equivalent modèrne per la quite rason qu'indica lo trobador, Paratge designa un anar nòble, fondat a l'encòp sul respècte del drèit escrit e sus las reglas moralas tiradas del Trobar. Aiceste terme, dins sas accepcions multiplas que recurrentas al sègle XIII, subretot dins los sirventeses contra los Franceses, semblariá designar gaireben, de per sa fòrça evocairitz tant coma federairitz, una mena de ligam d'èime protonacional, plan abans l'ora del desrevelh de las nacionalitats, que el, plan segur, data sonque del sègle XIX. Direm, per simplificar e sens anacronisme, que respond de l'identitat dels Occitanofòns e dels Catalanofòns amassa, ja qu'al sègle XIII, sèm pas fisèl a una nacion (qu'aquò existís pas encara) mas a un senhor, a un rei, a Dieu, coma los Bons Crestians e los Valdeses, los Josieus e los Musulmans, o quitament a una institucion coma la Gleisa catolica. Mas dins aqueste sègle dramatic, totes los nòbles que, de lenga occitana, se reconeisson dins la nocion a l'encòp politica e poetica de Paratge tiravan profièit de reconèisser sonque un rei que ne reconeguèsse el-meteis tanben la valor : aiceste podiá pas èsser que catalano-aragonés, per d'evidentas afinitats culturalas.

[27] S'agis del Rei Pèire I d'Aragon e Catalonha (dit tanben Pèire II d'Aragon).

[28] Un rei que lo Jòi d'Amor dels Trobadors mena, vestís e noirís, es necessariament rei de Fin'Amor, rei de Paratge, donc rei d'Occitania !

[29] Castèl de Miraval, en vescomtat de Trencavèl, es estat panat per l'armada francesa de la crosada, menada pel Simon de Montfòrt.

[30] Escaiç-nom de Raimon VI de Tolosa. Cobrar Bèucaire, pel comte es cobrar l'espandida tota de sas tèrras legitimas.

[31] Se Pèire pren las armas contra França, l'enjòc es mai que politic o nobiliari, e o sap Miraval : es cultural. França li significa mòrt de sa civilizacion del Trobar.

[32] "Audiart", escaiç-nom que conten l'idèa d'entendre (audio vòl dire entendi en latin), designa aquí lo Comte Raimon VI de Tolosa. Se disián un l'autre Audiart, segon la Vida (biografia corteta en fòrma de novèla medievala) de Raimon de Miraval.

Llenguadoc i de Provença, a voltes força menys noble i més rude.

[17] El vescomte Ramon Roger Trencavèl

[18] Guillem de Tudela entén per "heretges" els bons cristians, que avui anomenem "càtars".

[19] Guillem de Tudela entén per "ensabatats" els cristians valdesos, perseguits com els bons cristians però durant més temps; entre la mort i la fugida, acabarien fonent-se en la internacional valdo-hussita en un protestantisme que, almenys en la fase inicial, il·luminà bona part d'Occitània amb una admirable dissidència i una independència religiosa. Els refugiats valdesos occitans d'Itàlia parlen encara avui occità, a dotze valls al sud dels Alps i a Guardia Piemontese (sud d'Itàlia). No és possible retre homenatge a la memòria dels bons cristians eradicats sense pensar, amb tot el respecte, en aquesta part de la dignitat i del coratge religiós occità que representen els pobres valdesos.

[20] Van ser cremats perquè eren bons cristians i es negaven a abjurar de la seva fe.

[21] Probablement, un 3 de maig.

[22] La gata és un enginy de guerra que permet excavar i enderrocar les fortificacions.

[23] Referència a la gran victòria del rei Pere I el Catòlic a Las Navas de Tolosa contra una gran coalició de prínceps musulmans, el 1212.

[24] Terme occità, impossible de reproduir en català amb una paraula única: Paratge significa una conducta noble, basada simultàniament en el respecte del dret escrit i de les regles morals sorgides de la poesia dels trobadors. En les seves múltiples accepcions que es remunten al segle XIII, especialment en la poesia occitana de resistència als francesos, aquest terme sembla més aviat significar, per la seva força tant expressiva com aglutinadora, una mena de fonament d'una consciència protonacional, molt anterior a l'inici dels sentiments nacionalistes, que no s'esdevindria fins al segle XIX. Per simplificar, i sense caure en l'anacronisme, podríem dir que és el garant de la identitat dels occitanoparlants i catalanoparlants en conjunt, car al segle XIII no hi havia fidelitat a una nació (que, com a tal, encara no existia) sinó a un senyor, a un rei, a Déu, com els càtars i els valdesos, els jueus i els musulmans, o fins i tot a una institució com l'església catòlica. Però en aquest segle dramàtic, tots els nobles de parla occitana que es reconeixien en la noció tant política com poètica de Paratge tenien interès en reconèixer tan sols un rei que també en reconegués el valor: per afinitat cultural, no podia ser sinó catalano-aragonès.

[25] Un amant té quatre estats possibles: fenhedor (no gosa dir-se enamorat); pregador (prega la dona d'escoltar-lo), servidor (quan la dona li fa saber "sí, ets meu i t'escolto cantant per a mi") i drut (quan tot complert i viscut, sense cap més cançó, però sí a la pell). El drut es l'amant complert i perfècte (segons el que en pensa la dona…) Cf Le Roman de Flamenca, un art d'aimer occitanien au XIIIe siècle, de René NELLI.

[26] Es tracta del rei Pere I de Catalunya-Aragó (dit "el Catòlic").

[27] El joi és la joia sensual, anímica i espiritual compartida per amor pel drut i la seva dama. Un rei a qui guia, vesteix i nodreix el joi d'amor dels trobadors és necessàriament rei de l'Amor Cortès, rei de Paratge i, per tant, rei d'Occitània.

[28] El castell de Miraval, al vescomtat Trencavèl, va ser pres per l'exèrcit croat francès comandat per Simó de Montfort.

[29] Recuperar Bèucaire significaria per al Comtat de Tolosa recuperar tota l'extensió de les seves terres legítimes.

[30] Si Pere s'alça en armes contra França, la qüestió passa de ser purament política o nobiliària a cultural, i Miraval ho sap. Al capdavall, França significa per a ell la mort de la seva cultura del trobar i de Paratge.

[31] Que ignora el què és Amor de veritat, i el que ell vol de veritat.

[32] Perfecte segon les lleis del fin'amor.

[33] S'interpreta aquí "vostre és el castell de Miraval".

[34] "Audiart", un sobrenom que conté la noció d'escoltar (audio

Lande, Provence und Gascogne, sowie die Zentralgebiete der Grafen von Saint Gilles und Toulouse (die später von den Franzosen „Languedoc" genannt wurden).

[16] Die große Schlacht von Toulouse am Ausgang zum Lauragais, in der 721 der Vorstoß der Dschihad durch den frühokzitanischen Fürsten Eudo von Aquitanien aufgehalten wurde und die Christenheit erstmals ein moslemisches Heer schlug, das damals von Al-Samh ibn Malīq al-Qwalāni angeführt wurde, führte zu keinem nennenswerten Massaker, nicht einmal unter dem moslemischen Gegner, der im Siegesfall oft zurückhaltend war und davon absah, den früheren Ortsadligen zu jagen. Doch Wilhelm von Tudela könnte auch auf die sarazenische Piraterie an der Küste des Languedoc und der Provence Bezug nehmen, bei der es manchmal weniger edel und rauer zuging.

[17] Vizegraf Raimund-Roger Trencavel

[18] Unter „Ketzer" versteht Wilhelm von Tudela die guten Christen, die wir heute „Katharer" nennen.

[19] Unter „Beschuhte" versteht Wilhelm von Tudela die Waldenser, die wie die guten Christen verfolgt wurden, allerdings später. Durch Tod und Flucht gingen sie schließlich in der waldensisch-hussitischen Internationalen auf. Diese Form des Protestantismus erleuchtete zumindest in der Anfangsphase einen Großteil Okzitaniens mit einer bewundernswerten religiösen Dissidenz und Eigenständigkeit. Die okzitanischen waldensischen Flüchtlinge in Italien sprechen heute noch Okzitanisch in zwölf Tälern südlich der Alpen sowie in Guardia Piemontese in Süditalien. Beim Gedenken an die ausgerotteten guten Menschen kommt die respektvolle Erinnerung an dieses Kapitel okzitanischer religiöser Würde und Courage in den Sinn, für die die glücklosen Waldeser stehen.

[20] Sie wurden verbrannt, weil sie gute Christen waren und sich weigerten, von ihrem Glauben abzuschwören.

[21] Wahrscheinlich am 3. Mai.

[22] Anspielung auf den großen Sieg von König Peter II. von Aragonien 1212 bei Las Navas de Tolosa gegen ein starkes Bündnis moslemischer Fürsten.

[23] Okzitanischer Begriff, der keinem deutschen Wort eindeutig entspricht. Paratge bezeichnet ein edles Verhalten, das gleichzeitig auf der Einhaltung geschriebenen Rechts wie der moralischen Normen auf der Grundlage der Trobadordichtung beruht. In seinen zahlreichen Definitionen, die im 13. Jahrhundert insbesondere in der okzitanischen Widerstandsdichtung gegen die Franzosen häufig vorkamen, scheint der Begriff wegen seiner bezeichnenden wie sammelnden Kraft noch vor dem Aufstieg der Nationalismen im 19. Jahrhundert eine Art Fundament frühnationalen Bewusstseins zu bilden. Zur zeitgemäßen Vereinfachung kann behauptet werden, dass er der Garant der Identität der Okzitanisch- und Katalanischsprachigen insgesamt ist, denn im 13. Jahrhundert war man noch nicht einer Nation treu (die es als solche auch noch gar nicht gab), sondern einem Herrn, einem König, Gott, so wie die Katharer und Waldenser, die Juden und Moslems, oder selbst einer Institution wie die katholische Kirche. Doch in diesem dramatischen Jahrhundert waren alle okzitanischsprachigen Adligen, die sich in der politischen wie poetischen Auslegung des Paratge wiedererkannten, an der Anerkennung eines einzigen Königs sowie an dessen Übernahme dieses Wertes interessiert – wegen der kulturellen Nähe konnte dieser König nur katalansich-aragonisch sein.

[24] König Peter I. von Aragonien und Katalonien (auch Peter II. von Aragonien genannt)

[25] Der Joi ist die sinnliche, seelische und geistige Freude, die der Drut (erfüllter Liebhaber) und seine Dame aus Liebe teilen.

[26] Ein König, der den Liebes-Joi der Trobadors führt, bekleidet und ernährt, kann nur König der höfischen Liebe, König von Paratge und somit König von Okzitanien sein!

[27] Die Burg Miraval in der Viezegrafschaft der Trencavel wurde

per la prima volta le forze musulmane, comandate allora da Al-Samh ibn Malīq al-Qwalāni, non produsse nessun grande massacro, e anche l'avversario musulmano si accontentava spesso, laddove risultava vincitore, di cacciare il vecchio nobile dal suo territorio. Ma Guilhem de Tudela fa forse anche riferimento qui alla pirateria saracena sulle coste di Linguadoca e Provenza, a volte meno principesca e ben più rude.

[17] Il visconte Raimondo Ruggiero Trencavel

[18] Per "eretges", Guilhem de Tudèla intende i Buoni Cristiani, che chiamiamo oggi "catari".

[19] Per "ensabatatz", Guilhem de Tudèla intende i cristiani valdesi, perseguitati come i Buoni Cristiani, ma che giungeranno finalmente, di fuga in fuga, a fondersi nell'internazionale valdo-hussita, in un protestantesimo che, almeno nella sua onda iniziale, accenderà una grande parte dell'Occitania di una dissidenza e di un'indipendenza religiose ammirevoli. I profughi Valdesi occitani nell'Italia attuale parlano ancora occitano, in dodici valli del sud delle Alpi, ed a Guardia Piemontese, nel Sud della penisola. Non si può rendere omaggio alla memoria dei Buoni Cristiani estirpati senza pensare con grande rispetto a questa parte della dignità e del coraggio religioso occitani rappresentata dai Valdesi.

[20] Bruciati dato che erano Buoni Cristiani e negavano di abiurare la loro fede.

[21] Un 3 maggio, probabilmente.

[*] Il Sirventese, o Serventese o Sermontese, è questo genere di componimento poetico dei secoli XII e XIII.

[22] Riferimento alla vittoria, tanto gloriosa per il grande re Pietro II d'Aragona, a Las Navas di Tolosa, di fronte a una forte coalizione di principi musulmani, nel 1212.

[23] Termine occitano, impossibile da rendere in italiano con una sola parola. Paratge designa una condotta nobile, basata insieme sul rispetto del diritto scritto e sulle regole morali codificate nella poesia dei trovatori. Questo termine, nelle sue molteplici accezioni ricorrenti nel XIII secolo, soprattutto nella poesia occitana di resistenza ai francesi, sembrerebbe designare quasi, per la sua forza evocatrice tanto quanto fédératrice, un tipo di cemento di coscienza proto-nazionale, molto prima del tempo del risveglio delle nazionalità, che si colloca soltanto nell'XIX secolo. Diciamo, per semplificare e senza anacronismo, che è insieme il garante dell'identità di chi parla occitano e di chi parla catalano, perché nel XIII secolo, non si può essere fedeli a una nazione, che in quanto tale non esiste ancora, ma ad un signore, ad un re, a Dio, come i catari e i valdesi, gli ebrei ed i musulmani, o anche ad un'istituzione come la Chiesa cattolica. Ma in questo secolo drammatico, tutti i nobili di lingua occitana, che si identificano al tempo stesso nella nozione politica e poetica di Paratge hanno interesse a riconoscere solamente un re che ne apprezzi lui stesso il valore: quest'ultimo non poteva essere, per affinità culturale, che catalano-aragonese.

[24] Si tratta del re Pietro I d'Aragona e Catalogna (detto anche Pietro II d'Aragona).

[25] Il "Gaudio" è la gioia dei sensi, dalla psiche e dello spirito, condivisa per amore dal "Drutz" (l'Amante cortese) e dalla sua dama.

[26] Un re che il Gaudio d'Amore dei Trovatori guida, veste e nutre, è necessariamente re d'Amore Cortese, re del "Paratge" (nobiltà), quindi re d'Occitania!

[27] Il castello di Miraval, nella viscontea Trencavel, è stato preso dall'armata francese della crociata, guidata da Simone di Montfort.

[28] Recuperare Beaucaire, per il Conte di Tolosa, equivale a ricuperare l'intera estensione delle sue terre legittime.

[29] Se Pietro prende le armi contro la Francia, la posta è più che politica o nobiliare, e Miraval lo sa: è culturale. Perché la Francia significa per lui la morte della sua civiltà del "trobar" e del "paratge".

[30] Ignorante di ciò che Amore è veramente, e di ciò che egli vuole

forme de nouvelle médiévale) de Raimon de Miraval.

[34] Les valeurs courtoises, durant le conflit d'annexion des terres occitanophones à la couronne de France, devinrent rapidement des vecteurs identitaires forts, car s'il n'existait aucune unité politique Dans ce domaine d'Europe, le ciment était – et demeure aujourd'hui – culturel et littéraire. La « merci » était la plus haute qualité d'une dame, et « civilisait l'homme » qui l'aimait, car il apprenait par cet exemple la compassion et la clémence.

[35] Il s'agit du roi Jean sans Terre, duquel le neveu, Othon de Brunswick, un temps reconnu empereur d'Allemagne par Innocent III, fut ensuite détrôné au profit de Frédéric II. Ce dernier, plus tard ennemi de Rome, n'en fut pas moins un politique apprécié du monde occitan.

[36] Allusion probable à ces coiffes d'infamie que l'on faisait porter à certains condamnés avant leur exécution publique.

[37] Il s'agit bien sûr du massacre de Béziers en 1209. Guilhem Figueira n'évoque pas celui de Marmande, autre cité occitane de Gascogne, massacre de 1219, perpétré avec une égale sauvagerie par les armées du prince Louis VII de France, cette tuerie n'étant pas directement le fait de Rome, mais bien celui de la France. Ces deux massacres renvoient bien à celui auquel se livrèrent les barons de France, Germanie et Anglo-Normandie en entrant dans Jérusalem Nord, en 1099, tandis que « ceux de notre langue », Occitans et Catalans, prenaient la cité Sud, conduits par Raimond IV de Toulouse sans massacrer personne (hors pertes militaires collatérales), et en raccompagnant le seigneur musulman du lieu aux portes de la ville. Jacques Ier le Conquérant, deux siècles plus tard, poursuivra cette tradition de « paratge » (il faut bien lui donner un nom). Cf. « La cançon d'antiiòcha del Cavalièr Bechada », les diverses chroniques musulmanes de la première croisade, puis les écrits du roi Jacques d'Aragon-Catalogne.

[38] "Serpents couronés", parce que coiffés de mitres, comme les évêques, mais aussi parce qu'ils règnent sur ce monde, avec l'évidente faveur de son "Prince", le diable des Evangiles.

[39] D'après René NELLI, les quatre Algais étaient de fameux brigands : le roi Jean sans Terre enrichit le plus connu d'entre eux, Martin, qui se vendit pour service d'arme, tantôt aux Français, tantôt aux Occitans. Simon de Montfort l'aurait fait écarteler en 1212.

[40] Al-Mansour (le Victorieux) est le nom porté par plusieurs califes musulmans d'Al-Andalous.

[41] Allusion à la révolte du royaume de Naples, refuge de l'empereur Frédéric II, autour de 1229, durant l'absence de ce dernier.

[42] Ce terme, "celui" semble désigner, toujours selon R. NELLI, le traître Jean de Brienne, ex. roi de Jérusalem, qui essaya de chasser de Naples l'empereur parti pour lui succéder en Terre Sainte. A son retour, en 1230, Frédéric II se réconcilia avec le pape qui l'avait excommunié.

[43] Peire Cardenal évoque ici une création de sa personne *ex nihilo*, à partir du néant, ce qui nous le montre comme non-cathare, car pour ces dissidents chrétiens, Dieu ni personne ne pouvait rien tirer de positif du néant.

[44] Le « *mauvais siècle* », le « *monde mauvais* », pourrait correspondre à un concept cathare, mais pas spécifiquement, car Jésus, retiré au désert, dans *Mathieu*, par exemple, appelle Satan le « *Prince de ce monde* », ce qui n'est guère flatteur pour ledit monde.

[45] Ici, avec une admirable liberté d'esprit, Peire Cardenal pose la question récurrente à toute la dissidence dite cathare : « *Pourquoi le mal dans la Création ?* » Les « *Bons Chrétiens* » répondirent que la Création était étrangère à Dieu, et même tirée par le mauvais principe du néant lui-même. Cardenal, plus modestement, demande à Dieu pourquoi Il tolère le mal dans Sa Création, et pourquoi, plutôt que de persécuter Sa Créature victime du mal, Il ne S'attaque pas définitivement au grand bourreau, à la racine du mal, qui elle s'en prend perpétuellement a la Créature. Si Cardenal n'est pas « *cathare* », le questionnement des « *Bons Chrétiens* » est également

of Brunswick was Pope Innocent III briefly recognized as Holy Roman Emperor, but who was later deposed in favour of Frederick II. The latter, who later turned against Rome, was also a highly esteemed politician in Occitania.

[32] This could also be a possible allusion to the denigrating headdress that those sentenced to death were forced to wear before their public execution.

[33] The massacre of Béziers in 1209. Guilhem Figueira makes no reference to the massacre of Marnade, another Occitan city in Gascony, which was perpetrated with similar brutality in 1219 by the troops of King Louis II of France, because in this case the slaughter was not directly carried out by Rome, but by France. The two massacres recall those carried out by the barons of France, Germany and Anglo-Normandy when they entered North Jerusalem in 1099. Their actions were in stark contrast to those of the Crusaders "who spoke our language", the Occitans and the Catalans, when they took South Jerusalem under the command of Raymond IV of Toulouse and caused little bloodshed (other than the collateral military losses) and escorted the Muslim governor to the city gates. Two centuries later, James I the Conqueror was to continue this tradition of *paratge*. *Cf. La Chanson d' Antioche (The Song of Antioch)* by the knight Béchade, the various Muslim chronicles of the First Crusade and the accounts given by King James I of Aragon.

[34] He calls them "crowned serpents" because they wear mitres, like bishops, but also because they rule the world under the protection of their "Prince", in other words, the Devil who is thus described in the Gospels.

[35] According to René Nelli, the four Algais were notorious bandits: Martin, the most famous of them, who fought as a mercenary for both the French and the Occitans, increased his fortunes under the patronage of King John Lackland. Simon de Montfort ordered him to be hung, drawn and quartered in 1212.

[36] Almansur ("the Victorious") was the name of several Muslim caliphs of Al-Andalus

[37] Allusion to the revolt in the kingdom of Naples, the refuge of Holy Roman Emperor Frederick II, which took place around 1229, during the monarch's absence

[38] Again, according to R. Nelli, "the one" in question would appear to refer to the traitor John of Brienne, the former King of Jerusalem, who attempted to unseat the Emperor during the latter's absence from Naples when he departed for the Holy Land as Brienne's successor. On his return, in 1230, Frederick II was reconciled to the Pope, by whom he had previously been excommunicated

[39] Here Peire Cardenal is evoking the creation of his person *ex nihilo*, out of nothingness, which shows us that he is not a Cathar, as these dissident Christians did not believe that God or anyone could take anything positive out of nothingness.

[40] The "evil century" and the "evil world" could correspond to a Cathar concept, but not specifically, as Jesus in the desert, in Matthew, for example, calls Satan the "Prince of this world", which is hardly flattering for the said world.

[41] With an admirable openness of mind, here Peire Cardenal asks the recurring question for the whole dissident movement known as the Cathars: "Why does Creation contain Evil?"."Good Christians" answered that God was not in Creation, and that Creation was even created by the principle of evil. More modestly, Cardenal asks God why he tolerates Evil in His Creation, and why, instead of persecuting his creature, the victim of Evil, he doesn't attack the great executioner once and for all, the root of Evil, which is perpetually attacking the Creature. If Cardenal is not a "Cathar", he is nonetheless asking the "Good Christians" the question.

[42] The troubadour speaks to us about "HIS faith" which would make God a sinner, at fault as soon as he punishes anyone, whereas the Catholic Church, which has instituted a society in which persecution is carried out *in nomine dei,* spends its time

---

política o nobiliaria, y Miraval lo sabe: es cultural. Y es que Francia significa para él la muerte de su civilización del *trobar* y el *paratge*.

[32] Que ignora lo que es Amor de verdad, y lo que él quiere de verdad.

[33] Perfecto según las leyes del *fin'amor.*

[34] Se interpreta aquí: «Vuestro es el castillo de Miraval».

[35] Audiart, sobrenombre que contiene la noción de escucha (*audio* significa «oigo» en latín); designa al conde Raimundo VI de Tolosa. Se llamaban sí Audiart, según la *Vida* (corta biografía en forma de *nouvelle* medieval) de Raimon de Miraval.

[36] Durante el conflicto de anexión a la corona francesa de las tierras occitanohablantes, los valores corteses enseguida se convirtieron en fuertes valores identitarios. En ese territorio de Europa no existía una unidad política, pero el cemento era —y sigue siendo hoy— cultural y literario. La «merced» era la más alta cualidad de una dama y «civilizaba al hombre» al que amaba, porque él aprendía mediante ese ejemplo la compasión y la clemencia.

[37] Se trata del rey Juan sin Tierra, cuyo sobrino Otón de Brunswick fue reconocido durante un tiempo como emperador de Alemania por Inocencio III y luego destronado en beneficio de Federico II. Este último, más tarde enemigo de Roma, fue también un político apreciado en el mundo occitano.

[38] Alusión probable a los tocados infamantes que se obligaba a llevar a ciertos condenados antes de su ejecución pública.

[39] Se trata, por supuesto, de la matanza de Béziers en 1209. Guilhem Figueira no evoca la matanza de Marmande, otra ciudad occitana de Gascuña, que fue perpetrada en 1219 con igual salvajismo por los ejércitos del príncipe Luis VII de Francia, puesto que no cabía atribuir esa carnicería directamente a Roma, sino a Francia. Esas dos matanzas remiten a aquella a la que se libraron en 1099 los barones de Francia, Alemania y Anglonormandía al entrar en Jerusalén Norte, en contraste con «los de nuestra lengua», occitanos y catalanes, que tomaron la parte sur de Jerusalén conducidos por Raimundo IV de Tolosa sin llevar a cabo matanzas (salvo las pérdidas militares colaterales) y que acompañaron al señor musulmán del lugar hasta las puertas de la ciudad. Jaime I el Conquistador, dos siglos más tarde, continuará esa tradición de *paratge. Cf. La canción de Antíoco* del caballero Gregorio de Bechada, las diversas crónicas musulmanas de la primera cruzada, así como los escritos de Jaime I de Aragón.

[40] «Serpientes coronadas», porque llevan mitras, como los obispos, pero también porque reinan sobre este mundo con el evidente favor de su «Príncipe», el demonio de los Evangelios.

[41] Según René Nelli, los cuatro Algais eran unos bandidos famosos: el rey Juan sin Tierra enriqueció al más conocido de ellos, Martín, que ofreció sus servicios de armas tanto a los franceses como a los occitanos. Simón de Montfort lo hizo descuartizar en 1212.

[42] Almazor (el Victorioso) es el nombre de varios califas musulmanes de Al Ándalus.

[43] Alusión a la revuelta del reino de Nápoles, refugio del emperador Federico II, en torno a 1229, durante la ausencia del monarca.

[44] «Quien» parece designar, siempre según R. Nelli, al traidor Juan de Briena, antiguo rey de Jerusalén, que intentó expulsar de Nápoles al emperador, que había partido para sucederlo en Tierra Santa. A su regreso, en 1230, Federico II se reconcilió con el papa, que lo había excomulgado.

[45] Peire Cardenal evoca aquí una creación de su persona *ex nihilo,* lo cual nos lo muestra como no cátaro, ya que para esos disidentes cristianos ni Dios ni nadie podía extraer algo positivo de la nada.

[46] El «mal siglo», el malvado mundo, podría corresponder a un concepto cátaro, pero no de modo específico; en Mateo, por ejemplo, cuando Jesucristo se retira al desierto llama a Satanás «príncipe de

[33] Lo Prètz val l'ensemble de las valors cortesas. Del temps del cojnflicte d'annexion de las terras occitanofònas a la corona de França, devenguèron aicestas valors de vectors identitaris fòrts, ja qu'existissiá pas cap unitat de las politicas dins aqueste parçan d'Euròpa. Lo ligant èra – e demòra encara auèi – cultural e literari. Mercé èra la qualitat mai nauta d'una dòna, e « civilizava l'òme » que l'aima, ja qu'apreniá a tal exemple la compassion e la clamença.

[34] S'agís del rei Joan Sens Tèrra, que son nebòt, l'Oton de Brunswick, qu'un temps, lo reconeguèt emperaire d'Alamanha lo papa Inocent III, abans de lo destronar al profièit del Frederic II. Aiceste, mai tard enemic de Roma, ne foguèt pas mens un politician que prezèt plan lo mond occitan.

[35] Tèma que se torna trobar dins lo "Paire Sant", pregària cristiana, mas catara, que pervenguèt fins a nosautres.

[36] Allusion probabla a-n-aquelas cofas d'infamia que fasián cargar a d'unes condemnats abans que los executiguèssen publicament.

[37] S'agís, plan segur, del masèl de Besièrs en 1209. Guilhem Figueira evòca pas lo de Marmanda, autra ciutat occitana de Gasconha masèl de 1219, operat amb salvatjariá egala per las armadas del prince Louis VII de France, aquela cruseltat estant pas pus directament lo fait de Roma, mas plan lo de França. Aqueles dos masèls retipan plan lo que s'i liurèron la baronalha de França, Germania e Anglo-Normandia en dintrant dins Jerusalèm Nòrd, en 1099, mentre que « los de nòstra lenga », Occitans e Catalans, preniàn la ciutat Sud, menats pel Raimon IV de Tolosa sens maselar degun, e en racompanhar lo senhor musulman del lòc a las pòrtas de la ciutat. Jaume Ier el Coquerridor, dos sègles aprèp perseguirà aquesta tradicion de « paratge » (ja que cal plan la nommar).

[38] "Sèrps coronadas", pr'amor que cofadas de mitres, coma los avèsques, mas tanben pr'amor que règnan subre lo mond, amb l'evidenta favor del sieu « prince », lo diable dels Evangèlis.

[39] D'aprèp Renat NELLI, los quatre Algais èran bandolièrs famoses : lo rei Joan-sens-Tèrra enriquesiguèt lo mai conequt d'entre eles, lo Martin, que se vendèt per servicis, un còp als Franceses, un còp als Occitans. Simon de Montfòrt l'auriá fait escartairar en 1212.

[40] Al-Mansor (lo Victoriós) es lo nom portat per mai d'un calif musulman d'Al-Andalós.

[41] Allusion a la susmauta del reialme de Nàpol, refugi de l'empreraire Frederic II, a l'entorn de 1229, del temps qu'èra partit.

[42] Aicieste "lo" sembla designar, sempre segon R. NELLI, lo traïdor Jean de Brienne, ex-rei de Jerusalèm, qu'ensagèt de caçar de Nàpol l'emperaire partit per li succedir en Tèrra Santa. Al sieu tornar, en 1230, Frederic II se reconcilièt amb lo papa que l'aviá excomuniat.

[43] Pèire Cardenal evòca aicí una creacion de sa persona ex nihilo, a partir del neient, çò que lo nos mòstra coma non catar, que per aiceste dissidents cristians, Dieu ni degun mai podiá pas res traire d'un neient que foguès positiu.

[44] Lo "mal sègle", lo "mond marrit", poiriá correspondre a un concèpte catar, mas pas especificament, ja que Jèsus, isolat al desèrt, dins Matieu, per exemple, sona Satan lo "Prince d'aquel mond", çò que valoriza pas gaire un mond aital.

[45] Aquí, amb remirabla libertat d'esperit, Peire Cardenal pausa la question recurenta a tota la dissidéncia dita catara « Perqué lo mal dins la Creacion ? » Los « Bons Crestians » respondèron que la Creacion èra estrangièra a Dieu, e mai traita pel mal principi del quite neient. Cardenal, mai modestament, demanda a Dieu perqué tolèra lo mal dins Sa Creacion, e perqué, mai que de secutar Sa Creatura victima del mal, S'ataca pas definitivament al grand borrèl, al rasic del mal, que se'n pren de contunh a la Creatura. Se Cardenal es pas « catar », lo questionament dels « Bons Crestians » es tanben lo sieu pròpi.

[46] Lo trobador nos parla de "SA fe", una fe que fariá de Dieu un pecador dins lo tòrt tre que castiga, mentre que la gleisa catolica, instaurant una societat de persecussion in nomine dei, passa temps en castigar per assolidar son interèsseus materials ! Nos podèm umilament e prudentament demandar quina es doncas la religion de Pèire Cardenal.

---

significa sento en llatí), designa el comte Ramon VI de Tolosa. Segons la Vida (biografia breu en forma de novel· la medieval) de Raimon de Miraval, un i altre s'anomenaven mútuament Audiart. [35] Durant el conflicte d'annexió de les terres occitanoparlants a la corona de França, els valors cortesos esdevingueren ràpidament senyals de forta identitat, car no hi havia cap mena d'unitat política. En aquesta part d'Europa, la base comuna era –i encara és avui– cultural i literària. La "mercè" era la més alta qualitat d'una dama i "civilitzava l'home" que l'estimava, atès que d'aquest exemple aprenia la compassió i la clemència.

[36] Es tracta del rei Joan sense Terra, el nebot del qual, Otó de Brunswick, va ser reconegut durant un temps com a emperador germànic per Innocenci III abans de ser destronat per Frederic II. Aquest darrer, més tard enemic de Roma, va ser un polític apreciat pels occitans.

[37] Al·lusió probable a les còfies que hom feia portar a determinats condemnats abans de la seva execució pública com a mostra d'escarni.

[38] Segurament es tracta de la massacre de Besiers el 1209. Guilhem Figueira no esmenta la de Marmanda, una altra ciutat occitana de Gascunya, perpetrada el 1219 amb igual acarnissament de les tropes del príncep Lluís VII de França, tot i que aquesta matança no era directament atribuïble a Roma sinó a França. Aquestes dues massacres recorden les que van causar els barons francesos, germànics i anglo-normands quan van entrar a Jerusalem pel nord, el 1099, mentre "els de nostra llengua", occitans i catalans, prenien la ciutat pel sud, conduïts per Ramon IV de Tolosa, sense massacrar ningú (fora de les baixes militars col· laterals) i acompanyant el senyor musulmà d'aquell lloc fins a les portes de la ciutat. Jaume I el Conqueridor continuà, dos segles després, aquesta tradició de "paratge" (bé cal donar-hi un nom). Vegeu "La cançon d'antiòcha del Cavalièr Bechada", les diverses cròniques musulmanes de la primera croada i els escrits del rei Jaume de Catalunya-Aragó.

[39] "Serps coronades", perquè van cofats amb mitres com els bisbes, però també perquè governen aquest món, amb l'evident favor del seu "príncep", el diable de l'Evangeli.

[40] Peire Cardenal esmenta aquí una creació de la seva persona ex nihilo, a partir del no-res, que ens el presenta com a no càtar, car per als dissidents cristians, ni Déu ni ningú podir extreure res de positiu del no-res.

[41] El "segle dolent", el "món dolent" podria correspondre a un concepte càtar, però no n'és exclusiu ja que Jesús, retirat al desert, anomena a Mateu, per exemple, Satanàs el "príncep d'aquest món", una expressió no massa afalagadora per al dit món.

[42] Amb una admirable llibertat d'esperit, Peire Cardenal planteja aquí la qüestió recurrent a tota la dissidència anomenada càtara: "Per què el mal a la Creació?" Els "bons cristians" responien que la Creació era estranya a Déu i fins i tot feta del principi dolent del propi no-res. Cardenal pregunta més modestament a Déu per què tolera el mal a la Seva creació i per què, més que perseguir la Seva criatura víctima del mal, no ataca definitivament el gran botxí, que es troba a l'arrel del mal que s'arrapa perpètuament a la criatura. Si Cardenal no era "càtar", el plantejament dels "bons cristians" també era el seu.

[43] El trobador ens parla de la "SEVA fe", una fe que va fer de Déu un pecador, en falta perquè castiga, tal com l'església catòlica, tot instaurant una societat de persecució in nomine dei, no para de castigar per a reforçar els seus interessos materials! Per tant, podem preguntar-nos, amb tota humilitat i prudència, quina és la religió de Peire Cardenal.

[44] Com sempre en els trobadors, la mercè prové de la senyora, de la mestressa. Com a fill, Déu pot compartir el dolor de la criatura davant del mal perquè ha conegut la senyora per a fer-se fill: conèixer la senyora li ensenya la mercè. El gran psiquiatre C.G. Jung compartia aquest punt de vista a la seva justament cèlebre "Resposta

vom französischen Kreuzfahrerheer unter Simon von Montfort eingenommen.

[28] Die Rückeroberung von Beaucaire bedeutete für die Grafschaft Toulouse, die Herrschaft über alle ihr zustehenden Gebiete wieder zu erlangen.

[29] Sollte Peter gegen Frankreich zu den Waffen greifen, so würde der Konflikt kulturell statt rein politisch oder adlig, und Miraval wusste dies. Schließlich bedeutete Frankreich für ihn den Tod seiner Kultur des Trobar sowie von Paratge.

[30] *„Audiart"*, ein Beiname, der den Begriff Zuhören (*audio* bedeutet *ich höre* auf Lateinisch) enthält, bezeichnet den Grafen Raimund VI. von Toulouse. Laut Raimon de Miravals *Vida* (Kurzbiografie in From einer mittelalterlichen Novelle) nannten sich beide gegenseitig *Audiart*.

[31] Während des Konflikts um die Eingliederung der okzitanischsprachigen Länder in das Königreich Frankreich stiegen die höfischen Werte zu starken Identitätsmerkmalen auf, da die politische Einheit völlig fehlte. In diesem Teil Europas waren – und sind heute noch – Kultur und Literatur identitätsstiftend. Die „Gnade" war die allerhöchste Tugend einer Dame, die „den Mann zivilisierte", der sie liebte, da er mit diesem Vorbild Mitgefühl und Milde erwarb.

[32] Es handelt sich um König Johann Ohneland, dessen Neffe Otto von Braunschweig eine Zeit lang von Innozenz III. als römisch-deutscher Kaiser anerkannt wurde, bevor er die Krone an Friederich II. verlor. Dieser wurde später zu einem Feind Roms, in Okzitanien dagegen geschätzt.

[33] Mögliche Anspielung an die Hauben, die bestimmte Verurteilte vor ihrer öffentlichen Hinrichtung zur Schmach trugen.

[34] Höchstwahrscheinlich handelt es sich um das Massaker von Béziers 1209. Guilhem Figueira erwähnt dabei nicht Marmande, eine weitere okzitanische Stadt in der Gascogne, die 1219 Schauplatz eines vergleichbaren Gemetzels durch die Truppen von Prinz Ludwig VII. war, obwohl dies nicht direkt Rom, sondern Frankreich zuzuschreiben ist. Diese zwei Massaker erinnern an jene, die die französischen, deutschen und anglonormannischen Fürsten 1099 anrichteten, als sie Jerusalem von der Nordseite einnahmen, während die, „die unsere Sprache sprechen", Okzitanier und Katalanen, unter der Führung Raimunds IV. von Toulouse über die Südseite eindrangen, ohne niemanden umzubringen (außer kollateraler militärischer Verluste), und den örtlichen moslemischen Statthalter bis zu den Stadttoren geleiteten. Jakob I. der Eroberer setzte zwei Jahrhunderte später diese Tradition des „Paratge" (solches Verhalten verdient wohl einen eigenen Namen) fort. Siehe „La cançon d'antiòcha del Cavalièr Bechada", die verschiedenen moslemischen Berichte zum ersten Kreuzzug und die Schriften von König Jakob von Katalonien-Aragonien.

[35] „Gekrönte Schlangen" deshalb, weil sie mit Mitren wie die Bischöfe bedeckt sind, doch auch weil sie unter dem eindeutigen Wohlwollen ihres „Fürsten", dem Teufel des Evangeliums, diese Welt beherrschen.

[36] Peire Cardenal erwähnt hier die Schöpfung seiner Person *ex nihilo*, aus dem Nichts, was ihn als Nichtkatharer darstellt, denn für die christlichen Dissidenten konnte weder Gott noch sonst jemand etwas Gutes aus dem Nichts herausholen.

[37] Die „*böse Welt*" könnte sehr wohl einem katharischen Begriff entsprechen, ist jedoch kein ausschließliches Erkennungsmerkmal, da Jesus in der Wüste beispielsweise in *Matthäus* Satan den „*Fürsten dieser Welt*" nennt, was für besagte Welt nicht gerade schmeichelhaft ist.

[38] Mit bewundernswertem Freisinn wirft Peire Cardenal hier die Frage auf, die sich durch die gesamte katharisch genannte Dissidenz zieht: „*Warum gibt es das Böse in der Schöpfung?*" Die „*guten Christen*" antworteten darauf, dass die Schöpfung gottesfremd sei, ja sogar vom bösen Prinzip des Nichts abstamme. Cardenal fragt

veramente.

[31] Amanti perfetti secondo le leggi del *Fin'Amor*.

[32] Nel senso di "Vostro è il castello di Miraval".

[33] *"Audiart"*, soprannome che contiene la nozione d'ascolto (*audio* significa *sento*, in latino), designa il Conte Raimondo VI di Tolosa. Si chiamavano tra loro Audiart secondo la Vida (breve biografia in forma di racconto medievale) di Raimon de Miraval.

[34] Paratge, come meglio precisato altrove, è il sinonimo della vera nobiltà.

[35] I valori cortesi, durante il conflitto di annessione delle terre occitanofone alla corona di Francia, diventarono velocemente dei vettori identitari forti, perché non esisteva nessuna unità politica. In questa parte d'Europa, il cemento era - e rimane anche oggi - culturale e letterario. La "merci" (mercé) era la più alta qualità di una dama, e "civilizzava l'uomo" che l'amava, perché apprendeva da questo esempio la compassione e la clemenza.

[36] Si tratta del re Giovanni senza Terra, il cui nipote, Ottone di Brunswick, un tempo riconosciuto imperatore di Germania da Innocente III, fu detronizzato poi in favore di Federico II. Quest'ultimo, più tardi nemico di Roma, non fu un politico meno apprezzato del predecessore dal mondo occitano.

[37] Allusione probabile a quelle cuffie di infamia che si facevano portare a certi condannati prima della loro esecuzione pubblica.

[38] Si tratta certamente del massacro di Béziers nel 1209. Guilhem Figueira non rievoca quello di Marmande, altra città occitana di Guascogna, massacro del 1219, perpetrato con uguale ferocia dagli eserciti del principe Luigi VII di Francia, forse perché questa carneficina che non è direttamente ordinata da Roma, ma dalla Francia. Questi due massacri rinviano a quello in cui si scatenarono i baroni di Francia, Germania e Anglo-Normandia entrando in Gerusalemme Nord, nel 1099, mentre "quelli della nostra lingua", occitani e catalani, prendevano la città Sud, guidati da Raimondo IV di Tolosa, senza massacrare nessuno (tranne perdite militari collaterali), e accompagnando il signore musulmano del luogo alle porte della città. Giacomo I il Conquistatore, due secoli più tardi, seguirà questa tradizione di "Paratge" (bisogna ben dargli un nome). Cf. "La Canzone di Antiochia del Cavalier Bechada", le diverse cronache musulmane della prima crociata, e gli scritti del re Giacomo d'Aragona-Catalogna.

[39] "Serpenti coronati", perché con la mitra sul capo, come i vescovi, ma anche perché regnano su questo mondo, con l'evidente favore del loro "Principe", il diavolo dei Vangeli.

[40] Peire Cardenal evoca qui una creazione della sua persona *ex nihilo*, a partire dal nulla, il che se lo indica come non-cataro, perché per questi dissidenti cristiani, né Dio né nessun altro potevano trarre qualcosa di positivo dal nulla.

[41] Il "mondo cattivo", il "cattivo secolo", potrebbe corrispondere ad un concetto cataro, ma non specificamente, perché Gesù, ritiratosi nel deserto, in Matteo, per esempio, chiama Satana "Principe di questo mondo", il che non è lusinghiero per il suddetto mondo.

[42] Qui, con un'ammirevole libertà di spirito, Peire Cardenal pone la domanda ricorrente in tutta la dissidenza detta catara: "*Perché il male nella Creazione?*" I "Buoni Cristiani" risposero che la Creazione era estranea a Dio, e addirittura creata dallo stesso malvagio principe del nulla. Cardenal, più modestamente, domanda a Dio perché tollera il male nella Sua Creazione, e perché, piuttosto che osteggiare la Sua Creatura vittima del male, non se la prenda definitivamente col grande boia, con la radice del male che continuamente dà addosso alla Creatura. Se Cardenal non è "cataro", la domanda dei "Buoni Cristiani" è anche la sua.

[43] Il trovatore ci parla della "sua fede", una fede che farebbe di Dio un peccatore, in errore appena punisce, mentre la chiesa cattolica, instaurando una società di persecuzione *in nomine Dei*, passa il suo tempo a castigare per rinforzare i suoi interessi materiali! Possiamo umilmente e prudentemente chiederci quale è dunque la religione di

le sien.

[46] Le troubadour nous parle de « *SA foi* », une foi qui ferait de Dieu un pécheur, en faute dès qu'il punit, tandis que l'église catholique, instaurant une société de persécution *in nomine dei*, passe son temps à châtier pour renforcer ses intérêts matériels ! Nous pouvons humblement et prudemment nous demander quelle est donc la religion de Peire Cardenal.

[47] Comme toujours, chez les troubadours, la Merci vient de la Dame, la Maîtresse. Dieu, comme Fils, peut enfin compatir à la douleur de la Créature devant le mal, parce qu'il a connu la Dame pour se faire Fils : connaître la Dame lui enseigne Merci. Le grand psychiatre C.G. Jung partagea ce point de vue, dans sa justement célèbre « *Réponse à Job* », mythanalyse de la Merci divine de l'Ancien et du Nouveau Testaments. Ici tout le sirventès apparaît comme une diatribe contre le mythe de la rigueur divine, caractéristique de la mentalité de la Croisade et de la persécution religieuse puis culturelle, à laquelle le troubadour oppose la très courtoise Merci d'une dame ou d'un seigneur de Paratge.

[48] Le poète insiste sur l'idée que les âmes sont filles du Père, et que la famille ainsi rassemblée doit se retrouver où se trouve déjà saint Jean, apôtre bien-aimé de Jésus, mais aussi des « *Bons Chrétiens* ». Par contre, on peut affirmer que de prier sainte Marie n'est guère « *cathare* ». Cardenal est un esprit lumineusement libre dans un Moyen Age que certains prétendent obscur.

[49] Le poète fit là référence, sans la nommer, à l'une des principales qualités définies par Fin'Amor : « *larguesa* », la largesse, la générosité. Il est à observer quand dans pareille situation, les courts soutenant jadis, par mécénat seigneurial, les troubadours, se trouvent en bien mauvaise posture pour pouvoir librement aider leur art à perdurer, à évoluer.

[50] Par ce vers, Guilhèm Montanhagol manifeste très clairement qu'il se sent catholique (car les cathares ne croyaient pas à l'incarnation de l'Esprit Saint, de Dieu, en Jésus, considérant ce dernier comme un ange, ainsi que sa mère). La polémique courageuse dans laquelle il se lance ici l'oppose non pas à sa foi, mais à ceux qui en abusent sur une voie théocratique de persécution.

[51] Expression idiomatique, indiquant probablement que celui qui fait cela va à l'encontre de ses intérêts, qui seraient plutôt de vendre la progéniture que celle qui la produit.

[52] Ce qui porte à considérer que le pardon accordé par l'Eglise n'est plus un « vrai pardon », car elle ne serait plus apte à recevoir de « vraies confessions", par trop de compromission avec le siècle.

punishing people in order to augment its material interests! Therefore we can wonder with humility and prudence what Peire Cardenal's religion is.

[43] As always with the troubadours, mercy comes from the Lady, the Mistress. God, as the Son, can at last feel compassion for the Creature's pain, because he had knowledge of the Lady to make his Son: knowledge of the Lady taught him Mercy. C.G. Jung, the great psychiatrist, shared this point of view, in his rightly famous "Reply to Job", a myth analysis of divine Mercy in the Old and New Testaments. Here, the whole song appears as a diatribe against the myth of divine severity which characterised the Crusading mentality and religious and later cultural persecution, against which the troubadour is setting the very courteous Mercy shown by a lady or a lord of peerage.

[44] The poet emphasises the idea that souls are the Father's daughters, and that this family must go to Saint John, the apostle whom Jesus loved so much, but also loved by the "Good Christians". On the other hand, one can state that praying to Saint Mary is hardly "Cathar". Cardenal is a luminously free spirit in the Middle Ages, which some consider obscure.

[45] The poet refers to one of the chief qualities defined by Fin'Amor, without naming it: *"largueza"*, largesse, generosity. It should be noted that in this situation, the courts which in earlier times supported the troubadours through the lords' money, are not in a position to help their art continue and evolve freely.

[46] In this verse, William Montanhagol shows very clearly that he feels Catholic (for the Cathars did not believe in the incarnation of the Holy Spirit, God or Jesus, considering the latter to be an angel, like his mother). The bold polemic which he launches here does not put him into opposition with his faith, but into opposition with those who abuse faith by persecuting for theocratic reasons.

[47] An idiomatic expression, probably indicating that the man doing so is acting counter to his interest, which would be to sell the offspring rather than the mother.

[48] Which leads one to think that the pardon granted by the Church is no longer a "true pardon", because the Church is no longer fit to receive "true confessions", having compromised too much with the century.

este mundo», lo cual no es demasiado halagador para el susodicho mundo.

[47] Piere Cardenal plantea aquí con admirable libertad la pregunta recurrente en toda la disidencia denominada cátara: ¿por qué el mal en la Creación? Los «buenos cristianos» respondieron que la Creación era ajena a Dios e incluso que había sido extraída de la nada misma por el principio malvado. Cardenal, de forma más modesta, pregunta a Dios por qué tolera el mal en su Creación y por qué, en lugar de perseguir a su criatura víctima del mal, no ataca para siempre al gran verdugo, la raíz del mal, que acosa perpetuamente a la criatura. Si bien Cardenal no es «cátaro», la pregunta de los «buenos cristianos» también es la suya.

[48] El trovador nos habla de su «fe», una creencia que haría de Dios un pecador, en falta en cuanto castiga; por su parte, la Iglesia católica, al instaurar una sociedad de persecución *in nomine dei*, se dedica a castigar para reforzar sus intereses materiales. Podemos modesta y prudentemente preguntarnos cuál es la religión de Peire Cardenal.

[49] Como siempre, en los trovadores, la merced viene de la Dama, la Amada. Dios, como Hijo, puede por fin compadecerse del dolor de la criatura ante el mal porque ha conocido a la Dama para hacerse Hijo: conocer a la Dama le enseña merced. El gran psiquiatra C. G. Jung compartió ese punto de vista en su célebre *Respuesta a Job*, mitoanálisis de la gracia divina del Antiguo y el Nuevo Testamento. Aquí todo el sirventés aparece como una diatriba contra el mito del rigor divino característico de la mentalidad de la cruzada y la persecución religiosa y luego cultural; a esa mentalidad, el trovador opone la muy cortés merced de una dama o un señor noble.

[50] El poeta insiste en la idea de que las almas son hijas del Padre y de que la familia reunida debe encontrarse donde se encuentra ya san Juan, apóstol bienamado de Jesús, pero también de los «buenos cristianos». En cambio, cabe afirmar que rezar a santa María no es nada «cátaro». Cardenal es un espíritu luminosamente libre en una Edad Media que algunos pretenden oscura.

[51] El poeta hace referencia aquí, sin nombrarla, a una de las principales cualidades definidas por el *fin' amor*: la *larguesa*, la generosidad. Cabe observar que, en semejante situación, las cortes que sostenían a los trovadores por medio del mecenazgo señorial se encuentran en mala posición para contribuir libremente al mantenimiento y la evolución de ese arte.

[52] Con este verso Guilhem Montanhagol manifiesta claramente que se siente católico (porque los cátaros no creían en la encarnación del Espíritu Santo, de Dios, en Jesucristo, a quien consideraban un ángel, al igual que a su madre). La valerosa polémica a la que se lanza aquí lo opone, no a su fe, sino a quienes abusan de ella adentrándose en una senda teocrática de persecución.

[53] Expresión idiomática cuyo significado probable es que quien actúa de tal modo lo hace en contra de sus intereses, que consistirían más bien vender las crías y no la madre.

[54] Lo cual lleva a considerar que el perdón concedido por la Iglesia no es un «vero perdón», porque su excesivo compromiso con el siglo no lo hace ya apta para recibir «vera confesión».

[47] Coma de sempre, a çò dels trobadors, la Mercé ven de la Dòna. Dieu, coma Filh, pòt enfin compatir al patiment de la Creatura davant lo mal, estant qu'a conegut la Dòna per se far Filh : conéisser la Dòna li ensenha Mercé. Aqueste punt de vista, lo partegèt lo grand psiquiatre C.G. Jung, dins sa justament famosa "*Responsa a Jòb*", mitanalisi de la mercé divinala de l'Ancian e de Nòu Testaments. Aicí tot lo sirventés apareis coma una diatriba contra lo mite de la rigor divinala, caracteristica de la mentalitat de la Crosada e de la persecucion religiosa puèi culturala, que lo trobador li opausa la plan cortesa Mercé d'una dòna o d'un senhor de Paratge.

[48] Lo poèta insistís sus l'idèa que las armas son filhas del Paire, e que la familha aital aplegada se deu retrobar ont se tròba Sant Joan, apòstol ben aimat del Jèsus, mas tanben dels « *Bons Crestians* ». Per contra, podèm pas afortir que de pregar Santa Maria siá gaire « catar ». Cardenal es un esperit lumenosament liure dins una Edat Mejan que d'unes pretendon escura.

[49] Lo trobador se referiguèt aicí, sens la nommar, a una de las qualitats màgers que Fin'Amor definís : « *larguesa* », la generositat. Cal remercar qu'en tala situacion, las corts sostenent de pel passat, per mecenat senhorial, los trobadors, se tròban en plan mala passa per poder liurament ajudar lor art a perdurar, a evoluïr.

[50] Per aiceste vèrs, Guilhm Montanhagol manifèsta plan clarament que se sentís catolic (ja que los catars cresián pas que l'Esperit Sant, que Dieu se foguèsse incarnant e, Jèsus, considérant qu'aqueste èra un àngel, aital coma sa maire). La polamica coratjosa qu'aicí i cabussa dedins l'opausa non pas a sa fe, mas a-n-aqueles que n'abusan sul camin teocratic de la persecucion.

[51] Expression idiomatica medievala, qu'indicava probablament que lo que o fa va a contrabriu de sos interèsses, que serián mailèu de vendre la progenitura que non pas la que la produsís.

[52] Çò que mena a considerar que lo perdon que la Glèisa acòrda es pas mai un "vertadièr perdon", ja que seriá pas mai apta a recebre de "confessions vertadièras", s'estant tròp compromesa amb lo sègle.

*a Job*", una mitoanàlisi de la mercè divina de l'Antic i el Nou Testament. Aquí, tot el sirventès apareix com a diatriba contra el mite del rigor diví, característic de la mentalitat de la croada i de la persecució religiosa i més tard cultural, a la qual el trobador oposa la molt cortesa mercè d'una senyora o d'un senyor de Paratge.

[45] El poeta insisteix en la idea que les ànimes són filles del Pare i que la família així reunida s'ha de retrobar on ja es troba Sant Joan, apòstol estimat per Jesús però també pels "*bons cristians*". En canvi, hom pot afirmar que pregar a Santa Maria no és gaire "*càtar*". Cardenal és un esperit lluminosament lliure en una Edat Mitjana que alguns pretenen enfosquir.

[46] Sense esmentar-la, el poema fa referència a una de les principals qualitats definides per fin'amor: "*larguesa*", l'amplitud, la generositat. Val a dir que, en tal situació, quan les corts sostenien, temps enrere, els trobadors per mecenatge senyorial, es trobaven en una posició força dolenta per a ajudar-los lliurement a perdurar i evolucionar.

[47] En aquest vers, Guilhèm Montanhagol manifesta ben clarament que es sent catòlic (els càtars no creien en l'encarnació de l'Esperit Sant, de Déu en Jesús, considerant aquest darrer com un àngel, igual que la seva mare). La valenta polèmica a la qual es llança aquí no l'oposa a la seva fe sinó als que n'abusen seguint una via teocràtica de persecució.

[48] Expressió idiomàtica que probablement indiqui que qui ho faci va contra els seus interessos, que consisteixen més aviat en vendre la progenitura que el que la produeix.

[49] Cosa que fa pensar que el perdó donat per l'Església deixa de ser "ver perdó" atès que no seria digna de rebre "veres confessions" en estar massa compromesa amb el segle.

dann Gott auf bescheidenere Weise, warum er das Böse in Seiner Schöpfung zulässt und anstatt die Verfolgung Seines Menschengeschöpfes durch das Böse zu erlauben, den großen Henker nicht endgültig angreift, der die Ursache des Bösen ist, das ewig am Menschengeschöpf haftet. War Cardenal kein „*Katharer*", so übernahm er zumindest die Gedanken der „*guten Christen*".

[39] Der Trobador spricht von „*SEINEM Glauben*", durch den Gott zum Sünder wurde, da er aus der Strafe irrt, so wie die katholische Kirche, die durch die Einführung einer Verfolgungsgesellschaft *in nomine dei* ständig straft, um ihre materiellen Interessen durchzusetzen. Also ist die Frage in aller Bescheidenheit und Vorsicht berechtigt, welche denn Peire Cardenals Religion ist.

[40] Wie immer bei den Trobadors stammt die Gnade von der Dame, der Herrin. Als Sohn kann Gott den Schmerz des Menschengeschöpfes vor dem Bösen mitfühlen, weil er die Dame kennen gelernt hat, um Sohn zu werden – über die Kenntnis der Dame hat er die Gnade erlernt. Der große Psychiater C. G. Jung teilte diesen Standpunkt in seiner zurecht berühmten „*Antwort auf Hiob*", einer Mythenanalyse der göttlichen Gnade im Alten und im Neuen Testament. Hier erscheint das gesamte Sirventes als Schmachschrift gegen das Mythos der göttlichen Strenge, die die dem Kreuzzug zugrunde liegende Denkweise sowie die religiöse und später auch kulturelle Verfolgung prägte, der der Trobador die ausgesprochen höfische Gnade einer Herrin oder eines Herrn aus Paratge gegenüberstellt.

[41] Der Dichter besteht auf dem Gedanken, dass die Seelen Töchter des Vaters sind und die so versammelte Familie sich dorthin begeben muss, wo sich der heilige Johannes, ein von Jesus wie von den „*guten Christen*" geschätzter Apostel, bereits befindet. Dem kann entgegen gesetzt werden, dass das Anbeten der heiligen Maria nicht sehr „*katharisch*" ist. Cardenal war ein erhellend freier Geist im Mittelalter, das Einige zu verdunkeln suchten.

[42] Ohne direkt zu erwähnen, bezieht sich das Gedicht auf eine der Haupteigenschaften des Fin'Amor: „*Larguesa*", Weitläufigkeit, Großzügigkeit. Unter diesen Umständen, als die Höfe früher die Trobadors durch herrschaftliches Mäzenentum unterstützten, befanden sie sich in einer empfindlichen Lage, um ihnen in ihrem Bestehen und ihrer Entwicklung frei zu helfen.

[43] In diesem Vers bringt Guilhèm Montanhagol auf recht eindeutige Weise zum Ausdruck, dass er sich als Katholik fühlt (die Katharer glaubten nicht an die Menschwerdung des Heiligen Geistes, von Gott in Jesus, der ebenso wie seine Mutter als Engel galt). Durch den mutigen Streit, den er hier entfacht, stellt er sich nicht gegen seinen Glauben, sondern gegen jene, die diesen über einen theokratischen Verfolgungsweg missbrauchen.

[44] Diese Redewendung bedeutet wahrscheinlich, dass wer dies tut gegen seine Interessen handelt, ist doch der Verkauf der Jungen zielführender als der des Muttertiers.

[45] Daraus lässt sich schließen, dass die Vergebung durch die Kirche keine „wahre Vergebung" ist, da sie aufgrund ihrer allzu starken Bindung an das Zeitliche nicht würdig ist, „wahre Beichten" abzunehmen.

Peire Cardenal...

[44] Come sempre, tra i trovatori, la Pietà viene della Signora, la Padrona. Dio, come Figlio, può compatire infine il dolore della Creatura davanti al male, perché ha conosciuto la Signora per farsi Figlio: conoscere la Signora gli insegna la Pietà. Il grande psichiatra C.G. Jung condivise questo punto di vista, nella sua giustamente celebre *Risposta a Giobbe,* mitanalisi della Pietà divina nel Vecchio e nel Nuovo Testamento. Qui tutto il sirventese appare come una diatriba contro il mito del rigore divino, caratteristico della mentalità della Crociata e della persecuzione religiosa e poi culturale alla quale il trovatore oppone la molto cortese Pietà di una dama o di un cavaliere del Paratge.

[45] Il poeta insiste sull'idea che le anime sono figlie del Padre, e che la famiglia così raccolta deve ritrovarsi dove già si trova san Giovanni, apostolo benamato di Gesù, ma anche dei "Buoni Cristiani". Invece, si può affermare che pregare Santa Maria non è "cataro". Cardenal è un spirito luminosamente libero in un Medioevo che certi pretendono oscuro.

[46] Il poeta fa qui riferimento, senza nominarla, ad una delle principali qualità del Fin'Amor: la *larguesa,* ossia la larghezza, la generosità. Va considerato che le corti che un tempo sostenevano, per mecenatismo signorile, i trovatori, si trovano in questo momento in assai cattiva posizione per potere aiutare liberamente la loro arte a perdurare ed evolversi.

[47] Con questo verso, Guilhèm Montanhagol manifesta molto chiaramente che si sente cattolico (perché i catari non credevano all'incarnazione dello Spirito Santo, di Dio, in Gesù, considerando quest'ultimo come un angelo, così come sua madre). La polemica coraggiosa nella quale si lancia qui l'oppone non alla sua fede, ma a quelli che ne abusano su una via teocratica di persecuzione.

[48] Espressione idiomatica, indicante probabilmente che colui che fa questo va contro i suoi interessi, che sarebbero piuttosto quelli di vendere le figliate anziché la madre che le produce.

[49] Il che porta a considerare che il perdono accordato dalla Chiesa non sia più un "vero perdono", perché non sarebbe più atta a ricevere delle "vere confessioni", essendo troppo compromessa col potere terreno.

# Crédits images

p. 68-69 : Punition : torture des coupables. Tirée du manuscrit « Coutumes de Toulouse », 1296. Paris, Bibliothèque Nationale. Miniature. © 2009. White Images/Scala, Florence

p. 119 : A fragment of a mosaic from the apse of 'Ecclesia Romana' the first basilica of St Peter in the Vatican commissioned by Pope Innocent III (1198 - 1216).
Portrait of Pope Innocent III. Rome, Museo Barrocco. © 2009. Photo Werner Forman Archive/Scala, Florence

p. 128-129 : Musiciens en tournois. Ibid., fol 192

p. 184-185 : Man. Français  F22543 fol. 85. Paris, Bibliothèque Nationale

p. 225 : Projet de texte rédigé pour Alphonse de Poitiers, comte de Toulouse, afin d'obtenir du pape Innocent IV une bulle sur les poursuites contre les hérétiques. Au verso figure le dessin d'un hérétique livré aux flammes.

p. 233 : Le bréviaire d'amour. I Bréviari d'amor. Man. Français 858, fol. 198.
Paris, Bibliothèque Nationale

p. 241 : El Cant de la Sibil·la

p. 242-243 : Punition des coupables. Tirée du manuscrit « Coutumes de Toulouse », 1296.
Paris, Bibliothèque Nationale. Miniature. © 2009. White Images/Scala, Florence

p. 261 : Le bréviaire d'amour. I Bréviari d'amor. Man. Français 858. Paris, Bibliothèque Nationale

p. 266 : Chronique de St. Denis: The marriage of Eleanor of Aquitaine and Louis VII king of France. The departure of the King for the 2nd crusade, 14th cent. © 2005. Photo Ann Ronan/HIP/Scala, Florence

p. 277 : Bel m'es qu'eu chant e coindei. Man. Français F22543f fol. l83. Paris, Bibliothèque National

p. 293 : Fouquet, Jean (c. 1420-c. 1477): Bataille de Muret (le 12 Septembre 1213): Victoire de Simon de Montfort (1l50-1218) sur les Albigeois. Miniature in 'Grandes  Chroniques de France. Grandes Chroniques de France de Charles V' (Folio 252v). Paris, Bibliothèque Nationale. Miniature. © 2009. White Images/Scala, Florence

p. 302-303 : Musiciens en tournois. Ibid., fol 192. Devant les dames émerveillées, au son d'une musique guerrière, les chevaliers rompent des lances.

p. 321: The Crusade against the Albigenses, c. 1325-1350. London, British Library ©2003.
Photo Scala Florence/HIP

p. 337: R71sup fol. 033r. Biblioteca Ambrosiana, Milano

p. 353 : Scene from the Battle of Crecy, 1346, (c.1346-c.1400). London, British Library. © 2003.
Photo Scala Florence/HIP

p: 362 : Giotto (1266-1336) Scenes from the Life of Saint Francis: Innocent III's Dream (detail). Assisi, Church of San Francesco. © 1990. Photo Scala, Florence

p. 381 : The Pope excommunicating the Albigenses, c1325-c1350. London, British Library. © 2003. Photo Scala Florence/HIP

p. 397 : Expulsion of the Albigensians From Carcassone in 1209, (c1300-c1400). London, British Library. © 2003. Photo Scala Florence/HIP

p. 413 : Ritual Cathare

p. 422-423 : San Juan y el Ángel. Beato de Liébana. Biblioteca Nacional de España, Madrid

p. 452-453 : A battle on a bridge over the River Seine during the Hundred Years Digitale War, late 14th century. From the « Chroniques de France ou de St Denis' ». London, British Library. © 2005. Photo Scala Florence/HIP

p. 502-503 : Ritual Cathare

p. 504-505 : Aissi Cum es genser pascors, R.71 sup. fol, 68r-68v. Biblioteca Ambrosiana – Milano

p. 506-507 : Angelico, Fra (1387-1455): Prédelle du couronnement de la Vierge: le miracle du livre envoyé aux albigeois. Saint Dominique réfute l'hérésie cathare. Paris, Louvre. © 2009. White Images/Scala, Florence

Enveloppes CDs : Man. Français FR 22543 fol. 30 v - FR 22543 fol. 37 - FR 25543 fol. 87. Paris, Bibliothèque Nationale / Ritual Cathare

# Bibliographie sommaire

*Chanson de la Croisade albigeoise*
éditée et traduite par Eugène Martin-Chabot. Paris, Les Belles Lettres, 3 vol, 1960

**Alvira Cabrer, Martín**. *Muret 1213. La batalla decisiva de la Cruzada contra los Cátaros*, Barcelona, Ariel, 2008 (Col. "Grandes Batallas").

**Anglès, Higini**. *La Música a Catalunya fins al segle XIII.* Institut d' Estudis Catalans : Biblioteca de Catalunya. Barcelona 1935.

**Brenon, Anne**. *Les femmes cathares*. Paris : Perrin, Tempus, 2004.

**Brenon, Anne**. *Le dernier des cathares. Pèire Autier*. Paris : Perrin, 2006.

**Brenon, Anne**. *Les cathares*. Paris : Albin Michel, Spiritualités vivantes, 2007.

**Dalmau, Antoni**. *Els càtars / Los cátaros*. Multimèdia. Barcelona: Editorial UOC, 2002.

**Duvernoy, Jean**. *Le catharisme*. Vol. 1, *La religion des cathares* ; vol. 2, *L'histoire des cathares*. Toulouse : Privat, 1976 et 1979.

**Duvernoy, Jean.** *Le registre d'Inquisition de Jacques Fournier, évêque de Pamiers (1318-1325).* 3 vol. Rééd. Claude Tchou, Paris : La bibliothèque des Introuvables, 2004.

**Fernandez de la Cuesta, Ismael.** *Las Cançons dels Trobadors.* Institut d' Estudis Occitans. Tolosa 1979.

**Gennrich, Friedrich.** *Der Musikalische Nachlass der Troubadours.* Darmstadt 1958/60.

**Jiménez Sánchez, Pilar.** *Les catharismes. Modèles dissidents du christianisme médiéval (XIIe-XIIIe siècles).* Presses universitaires de Rennes, 2008.

**Kienzle, Beverly M.** *Cistercians, Heresy and Crusade in Occitanie, 1145-1229.* Woodbridge: York Medieval Press, 2001.

**Le Roy Ladurie, Emmanuel.** *Montaillou, village occitan, de 1294 à 1324.* Éditions Gallimard 1975. Rééd. 1982.

**Lavelle, Pierre.** *L' Occitanie, histoire politique et culturelle*, Puylaurens, Institut d'études occitanes, 2004.

**Moore Robert I.** *La persécution, sa formation en Europe, 950-1250.* Paris : Les Belles Lettres, Coll. 10/18, 1997.

**Moore, Robert I.** *The origins of European Dissent.*
Toronto: University of Toronto Press, 1994.

**Nelli, René.** *Ecritures cathares*, nouvelle édition actualisée et augmentée par Anne Brenon.
Monaco : Le Rocher, 1995.

<

**Nelli, René.** *La philosophie du catharisme. Le dualisme radical au XIIIe siècle.*
Paris: Payot 1975: Privat 1988.

**Nelli, René.** *Mais enfin, qu' est-ce que l' Occitanie ?.* Toulouse, Privat, 1978.

**Oldenbour, Zoé.** *Le bûcher de Montségur, 16 mars 1244.*
Éditions Gallimard 1959. Rééd. Folio histoire 2003.

**Riquer, Martín de.** *Los Trovadores. Historia literaria y textos.*
Vol. I-III Ed. Planeta. Barcelona 1975

**Roquebert, Michel.** *L'Épopée cathare.* Vol. I: La croisade albigeoise;
vol II: L'Inquisition. Paris/Toulouse: Perrin/Privat, 2001. Réed. Paris: Perrin,Tempus, 2007.

**Roquebert, Michel.** *Histoire de Cathares.* Paris 1999. Réed. Paris: Perrin, Tempus, 2002.

**Ventura, Jordi.** *El catarismo en Cataluña.*
Barcelona: Boletín de la Real Academia de Buenas Letras
de Barcelona, XXVIII (pp. 75-168) 1959-1960.

**Zambon, Francesco.** *La Cena segreta. Trattati e rituali catari.*
Milano: Adelphi Edizioni, 1997.

**Zambon, Francesco.** *Paratge. Els trobadors i la croada contra els catars.*
Barcelona: Columna. 1998.

Ref. AV 9853

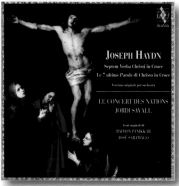

Ref. AV 9854 – CD Version
Ref. AVSA 9854 – SACD Hybrid Multichannel

Ref. AVSA 9855 – SACD Hybrid Multichannel

AV 9857 – CD Version
AVSA 9857 – SACD Hybrid Multichannel Version

AV 9858

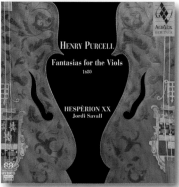

AVSA 9859 – SACD Hybrid Multichannel

AVSA 9860 – SACD Hybrid Multichannel

AV 9861 A+B

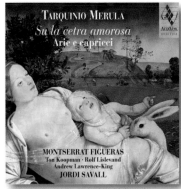

AVSA 9862 – SACD Hybrid Multichannel

AV 9811

Ref. AVSA 9864 A+B – SACD Hybrid
Multichannel

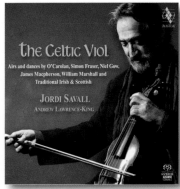

Ref. AVSA 9865 – SACD Hybrid Multichannel

Ref. AVSA 9866 – SACD Hybrid Multichannel

Ref. Ref. AVSA 9867 A/C
SACD Hybrid Multichannel

Ref. AV 9869

# DVD
Production enregistrée
dans l'Église de la Santa Cueva à Cádiz,
lieu ou cette merveilleuse œuvre
avait été interprétée pour la première fois
au XVIIè siècle.

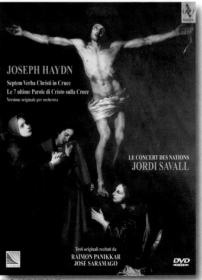

Ref. AVSA 9870 – SACD Hybrid Multichannel

Ref. AVDVD9868